Domingos Paschoal Cegalla

NOVÍSSIMA
GRAMÁTICA
DA LÍNGUA PORTUGUESA

49ª edição
São Paulo – 2020

© Companhia Editora Nacional, 2020

Direção editorial Antonio Nicolau Youssef
Coordenação editorial Célia de Assis
Edição Edgar Costa Silva
Produção editorial José Antônio Ferraz
Revisão Enymilia Guimarães
Editoração eletrônica Globaltec Produções Gráficas

Dados Internacionais de Catalogação na Publicação (CIP) de acordo com ISBD

C389n   Cegalla, Domingos Paschoal

Novíssima Gramática da Língua Portuguesa / Domingos Paschoal Cegalla. - São Paulo, SP : Companhia Editora Nacional, 2020.
776 p. ; 24,6cm x 17,2cm.

ISBN: 978-85-04-02188-2

1. Língua Portuguesa. 2. Gramática. I. Título.

CDD 469.5
2020-2224
CDU 81'36

Elaborado por Vagner Rodolfo da Silva - CRB-8/9410

Índice para catálogo sistemático:
1. Gramática 469.5
2. Gramática 81'36

49ª edição – São Paulo – 2020
Todos os direitos reservados

CTP, impressão e Acabamento - Gráfica Impress

Rua Gomes de Carvalho, 1306- 11o andar, conj. 112
Vila Olímpia - São Paulo, SP - 04547-005 - Brasil - Tel.: (11) 2799-7799
www.editoranacional.com.br
atendimento@grupoibep.com.br

APRESENTAÇÃO

Esta nova edição da **Novíssima Gramática da Língua Portuguesa** apresenta como principal novidade sua adaptação ao novo sistema ortográfico de 1990, decorrente de um acordo assinado naquele ano, em Lisboa, pelos representantes dos sete países lusófonos.

Não esperem os professores e estudantes encontrar nesta edição grandes alterações no modo de escrever as palavras, porquanto, o chamado **Novo Acordo Ortográfico da Língua Portuguesa**, o terceiro desde 1931, não visou à simplificação, mas à unificação ortográfica do idioma falado na comunidade lusófona. O que o leitor vai encontrar são pequenas modificações no uso das notações léxicas (acentos gráficos, hífen, apóstrofo) e a ausência do trema no **u** átono dos grupos **gue**, **gui**, **que**, **qui**. Em decorrência dessas alterações, tivemos de adaptar às novas regras o capítulo sobre ortografia e remanejar os correspondentes exercícios.

Se nos permitem, tomamos a liberdade de lembrar aos abnegados colegas de ensino que o estudo da gramática, por parte dos discípulos, deve andar lado a lado com a redação de textos, a interpretação de poemas e excertos literários e a leitura de livros e revistas de boa qualidade. Só com essa didática plurivalente é que o ensino do português atingirá seu objetivo precípuo, que é levar o estudante a assenhorear-se gradativamente das normas e dos recursos do idioma, nas modalidades oral e escrita.

A todos os que derem preferência a esta obra, professores, alunos e estudiosos da nossa língua, os nossos profundos agradecimentos.

Domingos Paschoal Cegalla

À
Dalva,
minha esposa dileta
e incansável colaboradora

SUMÁRIO

INTRODUÇÃO **16**

A LÍNGUA PORTUGUESA NO MUNDO **18**

I – FONÉTICA

FONEMAS 21

1. CONCEITO DE FONEMA 21
2. REPRESENTAÇÃO DOS FONEMAS 21
3. APARELHO FONADOR 22
4. CLASSIFICAÇÃO DOS FONEMAS 24
5. CLASSIFICAÇÃO DAS VOGAIS 24
6. ENCONTROS VOCÁLICOS 25
  ▪ Ditongo 25
  ▪ Tritongo 27
  ▪ Hiato 27
7. CLASSIFICAÇÃO DAS CONSOANTES 28
8. ENCONTROS CONSONANTAIS 30
9. DÍGRAFOS 30
10. NOTAÇÕES LÉXICAS 31
EXERCÍCIOS – LISTA 01 32

SÍLABA – TONICIDADE 36

1. CLASSIFICAÇÃO DAS PALAVRAS QUANTO AO NÚMERO DE SÍLABAS 36
2. DIVISÃO SILÁBICA 36
3. PARTIÇÃO DAS PALAVRAS EM FIM DE LINHA 37
4. ACENTO TÔNICO 38
5. CLASSIFICAÇÃO DAS PALAVRAS QUANTO AO ACENTO TÔNICO 38
6. VOCÁBULOS ÁTONOS E VOCÁBULOS TÔNICOS 39
7. VOCÁBULOS RIZOTÔNICOS E ARRIZOTÔNICOS 40
8. ACENTO DE INSISTÊNCIA 40
9. ANÁLISE FONÉTICA 40
EXERCÍCIOS – LISTA 02 41

ORTOÉPIA – PROSÓDIA 44

1. ORTOÉPIA 44
2. PROSÓDIA 46
EXERCÍCIOS – LISTA 03 48

ORTOGRAFIA 52

1. ALFABETO PORTUGUÊS 52
2. EMPREGO DAS LETRAS *K, W E Y* 53
3. EMPREGO DA LETRA *H* 53
4. EMPREGO DAS LETRAS *E, I, O E U* 55
5. EMPREGO DAS LETRAS *G E J* 57

SUMÁRIO

6. REPRESENTAÇÃO DO FONEMA /S/ **58**
7. EMPREGO DE LETRA S COM VALOR DE Z **60**
8. EMPREGO DA LETRA Z **61**
9. S OU Z? **61**
10. EMPREGO DO X **63**
11. EMPREGO DO DÍGRAFO CH **63**
12. CONSOANTES DOBRADAS **64**
13. EMPREGO DAS INICIAIS MAIÚSCULAS E MINÚSCULAS **64**
EXERCÍCIOS – LISTA 04 .... **66**

ACENTUAÇÃO GRÁFICA **71**

1. PRINCIPAIS REGRAS DE ACENTUAÇÃO GRÁFICA **71**
- Acentuação dos vocábulos proparoxítonos **71**
- Acentuação dos vocábulos paroxítonos **71**
- Acentuação dos vocábulos oxítonos **72**
- Acentuação dos monossílabos **72**
- Acentuação dos ditongos **73**
- Acentuação dos hiatos **73**
- Os grupos gue, gui, que, qui **74**
- Acento diferencial **74**
- Acento grave **75**
EXERCÍCIOS – LISTA 05 .... **76**

NOTAÇÕES LÉXICAS **80**

1. EMPREGO DO TIL **80**
2. EMPREGO DO TREMA **80**
3. EMPREGO DO APÓSTROFO **80**
4. EMPREGO DO HÍFEN **81**
- Emprego do hífen nas formações por prefixação **83**
EXERCÍCIOS – LISTA 06 .... **84**

ABREVIATURAS, SIGLAS E SÍMBOLOS **86**

1. ABREVIATURA **86**
2. SIGLA **86**
EXERCÍCIOS – LISTA 07 .... **89**

II – MORFOLOGIA

ESTRUTURA DAS PALAVRAS **91**

1. RAIZ **91**
2. RADICAL **91**
3. TEMA **92**
4. AFIXOS **92**
5. DESINÊNCIAS **92**
6. VOGAL TEMÁTICA **93**
7. VOGAIS E CONSOANTES DE LIGAÇÃO **93**
8. COGNATOS **93**
9. PALAVRAS PRIMITIVAS E DERIVADAS **94**

10. PALAVRAS SIMPLES E COMPOSTAS... **94**
EXERCÍCIOS – LISTA 08.. **94**

FORMAÇÃO DAS PALAVRAS.. **96**

1. DERIVAÇÃO... **96**
2. COMPOSIÇÃO.. **98**
3. REDUÇÃO... **98**
4. HIBRIDISMOS **99**
5. ONOMATOPEIAS **99**
EXERCÍCIOS – LISTA 09... **100**

SUFIXOS.. **102**

1. PRINCIPAIS SUFIXOS NOMINAIS **102**
2. SUFIXOS VERBAIS **106**
3. SUFIXO ADVERBIAL **108**
EXERCÍCIOS – LISTA 10... **108**

PREFIXOS.. **110**

1. PREFIXOS LATINOS.. **110**
2. PREFIXOS GREGOS **113**
3. CORRESPONDÊNCIA ENTRE PREFIXOS LATINOS E GREGOS............. **114**
EXERCÍCIOS – LISTA 11... **115**

RADICAIS GREGOS **117**

EXERCÍCIOS – LISTA 12... **121**

RADICAIS LATINOS **123**

EXERCÍCIOS – LISTA 13... **124**

ORIGEM DAS PALAVRAS DA LÍNGUA PORTUGUESA **126**

EXERCÍCIOS – LISTA 14... **128**

CLASSIFICAÇÃO E FLEXÃO DAS PALAVRAS...................................... **129**

SUBSTANTIVO **130**

1. SUBSTANTIVOS... **130**
2. SUBSTANTIVOS COLETIVOS.. **131**
3. PALAVRAS SUBSTANTIVADAS **134**
EXERCÍCIOS – LISTA 15... **134**
4. FLEXÃO DOS SUBSTANTIVOS: *GÊNERO*...................................... **135**
5. FORMAÇÃO DO FEMININO... **136**
6. SUBSTANTIVOS UNIFORMES EM GÊNERO.................................... **138**
7. SUBSTANTIVOS DE GÊNERO INCERTO... **139**
8. GÊNERO DOS NOMES DE CIDADES **141**
9. GÊNERO E SIGNIFICAÇÃO **141**
EXERCÍCIOS – LISTA 16... **141**
10. FLEXÃO DOS SUBSTANTIVOS: *NÚMERO* **143**
11. PLURAL DOS SUBSTANTIVOS COMPOSTOS.................................. **146**

12. PLURAL DAS PALAVRAS SUBSTANTIVADAS 148
13. PLURAL DOS DIMINUTIVOS 148
14. PLURAL DOS NOMES PRÓPRIOS PERSONATIVOS 149
15. PLURAL DOS SUBSTANTIVOS ESTRANGEIROS 149
16. PLURAL DAS SIGLAS 149
17. PLURAL COM MUDANÇA DE TIMBRE 149
18. PARTICULARIDADES SOBRE O NÚMERO DOS SUBSTANTIVOS 150
EXERCÍCIOS – LISTA 17 150
19. FLEXÃO DOS SUBSTANTIVOS: *GRAU* 152
   ▪ Grau aumentativo 152
   ▪ Grau diminutivo 153
20. ADJETIVOS COM AS FLEXÕES DE AUMENTATIVO E DIMINUTIVO 154
21. PLURAL DOS DIMINUTIVOS EM *-ZINHO* E *-ZITO* 154
EXERCÍCIOS – LISTA 18 155

ARTIGO 157

1. DEFINIDO 157
2. INDEFINIDO 157
EXERCÍCIOS – LISTA 19 158

ADJETIVO 159

1. ADJETIVOS 159
2. ADJETIVOS PÁTRIOS 159
3. FORMAÇÃO DO ADJETIVO 160
4. LOCUÇÃO ADJETIVA 161
5. ADJETIVOS ERUDITOS 161
6. FLEXÃO DO ADJETIVO 163
7. FLEXÃO DO ADJETIVO: *GÊNERO* 163
8. REGRAS PARA A FORMAÇÃO DO FEMININO 164
9. PLURAL DOS ADJETIVOS SIMPLES 164
10. PLURAL DOS ADJETIVOS COMPOSTOS 164
EXERCÍCIOS – LISTA 20 165
11. GRAU DO ADJETIVO 169
12. FLEXÃO DO ADJETIVO: *GRAU COMPARATIVO* 169
13. FLEXÃO DO ADJETIVO: *GRAU SUPERLATIVO* 169
14. SUPERLATIVOS ABSOLUTOS SINTÉTICOS ERUDITOS 170
15. OUTRAS FORMAS DE SUPERLATIVO ABSOLUTO 171
EXERCÍCIOS – LISTA 21 172

NUMERAL 174

1. NUMERAL 174
2. FLEXÃO DOS NUMERAIS 175
3. LEITURA E ESCRITA DOS NÚMEROS 175
4. QUADRO DOS PRINCIPAIS NUMERAIS 175
5. FORMAS DUPLAS 176
EXERCÍCIOS – LISTA 22 177

PRONOME..179

1. PRONOMES 179
2. CLASSIFICAÇÃO DOS PRONOMES 179
3. PRONOMES SUBSTANTIVOS E PRONOMES ADJETIVOS 179
4. PRONOMES PESSOAIS 179
5. PRONOMES DE TRATAMENTO 181
6. PRONOMES POSSESSIVOS 182
7. PRONOMES DEMONSTRATIVOS... 183
8. PRONOMES RELATIVOS 184
9. PRONOMES INDEFINIDOS... 186
10. PRONOMES INTERROGATIVOS 188
EXERCÍCIOS – LISTA 23... 188

VERBO 194

1. VERBO... 194
2. PESSOA E NÚMERO.. 194
3. TEMPOS VERBAIS 194
4. MODOS DO VERBO 195
5. FORMAS NOMINAIS.. 195
6. VOZ... 196
7. VERBOS AUXILIARES.. 196
8. CONJUGAÇÕES 197
9. ELEMENTOS ESTRUTURAIS DOS VERBOS 197
10. TEMPOS PRIMITIVOS E DERIVADOS 198
11. MODO IMPERATIVO.. 199
12. FORMAÇÃO DO IMPERATIVO 199
13. FORMAÇÃO DOS TEMPOS COMPOSTOS............................... 200
14. VERBOS REGULARES, IRREGULARES E DEFECTIVOS 200
EXERCÍCIOS – LISTA 24... 201
    ▪ Conjugação dos verbos auxiliares *ser, estar, ter,* e *haver*.............. 203
EXERCÍCIOS – LISTA 25... 208
    ▪ Verbos regulares: 1ª conjugação.. 209
    ▪ Verbos regulares: 2ª conjugação.. 211
    ▪ Verbos regulares: 3ª conjugação.. 214
EXERCÍCIOS – LISTA 26... 216
15. VOZES DO VERBO 219
16. VOZ ATIVA 219
17. VOZ PASSIVA 219
18. FORMAÇÃO DA VOZ PASSIVA 220
19. VOZ REFLEXIVA 220
20. CONVERSÃO DA VOZ ATIVA NA PASSIVA 222
    ▪ Conjugação de um verbo na voz passiva analítica 223
21. CONJUGAÇÃO DOS VERBOS PRONOMINAIS 225
EXERCÍCIOS – LISTA 27... 227
22. VERBOS IRREGULARES... 229
    ▪ Verbos irregulares: 1ª conjugação 230
    ▪ Verbos irregulares: 2ª conjugação 234
    ▪ Verbos irregulares: 3ª conjugação 242

23. VERBOS DEFECTIVOS 247

24. VERBOS ABUNDANTES 249

    ▪ Conjugação de um verbo com os pronomes oblíquos *o, a, os, as* 252

25. PRONÚNCIA CORRETA DE ALGUNS VERBOS 253

EXERCÍCIOS – LISTA 28 254

ADVÉRBIO 259

1. ADVÉRBIO 259

2. CLASSIFICAÇÃO DOS ADVÉRBIOS 259

3. ADVÉRBIOS INTERROGATIVOS 260

4. LOCUÇÕES ADVERBIAIS 261

5. GRAUS DOS ADVÉRBIOS 261

6. PALAVRAS E LOCUÇÕES DENOTATIVAS 262

EXERCÍCIOS – LISTA 29 264

PREPOSIÇÃO 268

1. PREPOSIÇÃO 268

    ▪ Preposições essenciais 269

    ▪ Preposições acidentais 269

2. LOCUÇÕES PREPOSITIVAS 270

3. COMBINAÇÕES E CONTRAÇÕES 271

EXERCÍCIOS – LISTA 30 271

4. CRASE 275

5. CRASE DA PREPOSIÇÃO *A* COM OS ARTIGOS *A, AS* 276

6. CASOS EM QUE NÃO HÁ CRASE 277

7. CASOS ESPECIAIS 281

8. CRASE DA PREPOSIÇÃO *A* COM OS PRONOMES DEMONSTRATIVOS ... 283

EXERCÍCIOS – LISTA 31 284

CONJUNÇÃO 289

1. CONJUNÇÕES 289

2. CONJUNÇÕES COORDENATIVAS 289

3. CONJUNÇÕES SUBORDINATIVAS 291

4. LOCUÇÕES CONJUNTIVAS 293

5. A CONJUNÇÃO *QUE* 294

EXERCÍCIOS – LISTA 32 295

INTERJEIÇÃO 300

1. INTERJEIÇÃO 300

2. LOCUÇÃO INTERJETIVA 301

EXERCÍCIO – LISTA 33 301

CONECTIVOS 304

FORMAS VARIANTES 305

EXERCÍCIOS – LISTA 34 306

ANÁLISE MORFOLÓGICA 307

III – SEMÂNTICA

SIGNIFICAÇÃO DAS PALAVRAS ... 310

1. SINÔNIMOS ... 310
2. ANTÔNIMOS ... 310
3. HOMÔNIMOS ... 311
4. PARÔNIMOS ... 312
5. POLISSEMIA ... 312
6. SENTIDO PRÓPRIO E SENTIDO FIGURADO ... 313
7. DENOTAÇÃO E CONOTAÇÃO ... 313
EXERCÍCIOS – LISTA 35 ... 313

IV – SINTAXE

ANÁLISE SINTÁTICA ... 319

1. NOÇÕES PRELIMINARES ... 319
2. FRASE ... 319
3. ORAÇÃO ... 321
4. NÚCLEO DE UM TERMO ... 322
5. PERÍODO ... 322
EXERCÍCIOS – LISTA 36 ... 323

TERMOS ESSENCIAIS DA ORAÇÃO ... 324

1. SUJEITO ... 324
2. PREDICADO ... 328
EXERCÍCIOS – LISTA 37 ... 330
3. PREDICAÇÃO VERBAL ... 335
4. CLASSIFICAÇÃO DOS VERBOS QUANTO À PREDICAÇÃO ... 336
- Intransitivos ... 336
- Transitivos diretos ... 337
- Transitivos indiretos ... 337
- Transitivos diretos e indiretos ... 339
- De ligação ... 339
- Verbos vicários ... 340
EXERCÍCIOS – LISTA 38 ... 341
5. PREDICATIVO ... 343
- Predicativo do sujeito ... 343
- Predicativo do objeto ... 344
EXERCÍCIOS – LISTA 39 ... 345

TERMOS INTEGRANTES DA ORAÇÃO ... 348

1. OBJETO DIRETO ... 348
2. OBJETO DIRETO PREPOSICIONADO ... 349
3. OBJETO DIRETO PLEONÁSTICO ... 352
4. OBJETO INDIRETO ... 352
5. OBJETO INDIRETO PLEONÁSTICO ... 354
6. COMPLEMENTO NOMINAL ... 354
7. AGENTE DA PASSIVA ... 355
EXERCÍCIOS – LISTA 40 ... 356

TERMOS ACESSÓRIOS DA ORAÇÃO 363

1. ADJUNTO ADNOMINAL 363
2. ADJUNTO ADVERBIAL.. 364
3. APOSTO 365
4. VOCATIVO 366
EXERCÍCIOS – LISTA 41 367

PERÍODO COMPOSTO 370

1. PERÍODO COMPOSTO 370
EXERCÍCIOS – LISTA 42 371

ORAÇÕES COORDENADAS INDEPENDENTES 373

1. ORAÇÕES COORDENADAS SINDÉTICAS................................. 374
2. ORAÇÕES COORDENADAS ASSINDÉTICAS............................. 376
EXERCÍCIOS – LISTA 43 376

ORAÇÕES PRINCIPAIS E SUBORDINADAS 378

1. ORAÇÃO PRINCIPAL 378
2. ORAÇÃO SUBORDINADA... 379
3. CLASSIFICAÇÃO DAS ORAÇÕES SUBORDINADAS.................... 379
4. ORAÇÕES SUBORDINADAS COORDENADAS........................... 380
EXERCÍCIOS – LISTA 44 381

ORAÇÕES SUBORDINADAS SUBSTANTIVAS 383

1. ORAÇÕES SUBORDINADAS SUBSTANTIVAS........................... 383
EXERCÍCIOS – LISTA 45 386

ORAÇÕES SUBORDINADAS ADJETIVAS 390

1. ORAÇÕES SUBORDINADAS ADJETIVAS.................................. 391
EXERCÍCIOS – LISTA 46 392

ORAÇÕES SUBORDINADAS ADVERBIAIS 396

1. ORAÇÕES SUBORDINADAS ADVERBIAIS................................ 396
2. ORAÇÕES ADVERBIAIS LOCATIVAS 402
EXERCÍCIOS – LISTA 47 403

ORAÇÕES REDUZIDAS 408

1. ORAÇÕES REDUZIDAS 408
2. CLASSIFICAÇÃO DAS ORAÇÕES REDUZIDAS........................... 409
   - Reduzidas de infinitivo 409
   - Reduzidas de gerúndio... 412
   - Reduzidas de particípio.. 413
EXERCÍCIOS – LISTA 48 415

ESTUDO COMPLEMENTAR DO PERÍODO COMPOSTO 421

1. ORAÇÕES INTERFERENTES... 421
EXERCÍCIOS – LISTA 49 422
2. MODELOS DE ANÁLISE SINTÁTICA.. 424
EXERCÍCIOS – LISTA 50 426

SINAIS DE PONTUAÇÃO...428

1. EMPREGO DA VÍRGULA 428
2. PONTO E VÍRGULA... 430
3. DOIS-PONTOS.. 430
4. PONTO FINAL 431
5. PONTO DE INTERROGAÇÃO 431
6. PONTO DE EXCLAMAÇÃO 432
7. RETICÊNCIAS... 432
8. PARÊNTESES 433
9. TRAVESSÃO.. 433
10. ASPAS 434
11. COLCHETES 434
12. ASTERISCO.. 435
13. PARÁGRAFO 435
EXERCÍCIOS – LISTA 51 435

SINTAXE DE CONCORDÂNCIA 438

CONCORDÂNCIA NOMINAL 438
EXERCÍCIOS – LISTA 52... 446
CONCORDÂNCIA VERBAL... 450
CASOS ESPECIAIS DE CONCORDÂNCIA VERBAL 451
EXERCÍCIOS – LISTA 53... 472

SINTAXE DE REGÊNCIA..483

1. REGÊNCIA.. 483
2. TIPOS DE REGÊNCIA... 483
3. OS PRONOMES OBJETIVOS *O(S)*, *A(S)*, *LHE(S)* 485

REGÊNCIA NOMINAL 487

EXERCÍCIOS – LISTA 54... 488

REGÊNCIA VERBAL..490

1. REGÊNCIA E SIGNIFICAÇÃO DOS VERBOS................................. 490
2. REGÊNCIA DE ALGUNS VERBOS 490
3. CASOS ESPECIAIS DE REGÊNCIA VERBAL................................... 512
EXERCÍCIOS – LISTA 55... 515

SINTAXE DE COLOCAÇÃO..529

1. POSPOSIÇÃO DO SUJEITO.. 531
2. ANTECIPAÇÃO DE TERMOS DA ORAÇÃO 532

3. COLOCAÇÃO DAS ORAÇÕES SUBORDINADAS 533
EXERCÍCIOS – LISTA 56 534
4. COLOCAÇÃO DOS PRONOMES OBLÍQUOS ÁTONOS 538
5. PRÓCLISE 538
6. MESÓCLISE 541
7. ÊNCLISE 541
8. ÊNCLISE EUFÔNICA E ENFÁTICA 543
9. COLOCAÇÃO DOS PRONOMES ÁTONOS NOS TEMPOS COMPOSTOS 543
10. COLOCAÇÃO DOS PRONOMES ÁTONOS NAS LOCUÇÕES VERBAIS 543
EXERCÍCIOS – LISTA 57 545

EMPREGO DE ALGUMAS CLASSES DE PALAVRAS 551

1. ARTIGO 551
2. ADJETIVO 554
3. NUMERAL 556
4. PRONOMES PESSOAIS 557
5. EU OU MIM? 559
6. CONTRAÇÃO DOS PRONOMES OBLÍQUOS 561
7. O PRONOME *SE* 562
8. PRONOMES POSSESSIVOS 563
9. PRONOMES DEMONSTRATIVOS 564
10. PRONOMES RELATIVOS 566
11. PRONOMES INDEFINIDOS 569
12. ADVÉRBIO 571
EXERCÍCIOS – LISTA 58 574

EMPREGO DOS MODOS E TEMPOS 584

1. MODO INDICATIVO 584
2. MODO SUBJUNTIVO 588
3. MODO IMPERATIVO 591
4. PARTICÍPIO 591
5. GERÚNDIO 592
EXERCÍCIOS – LISTA 59 593

EMPREGO DO INFINITIVO 596

1. INFINITIVO NÃO FLEXIONADO 596
2. INFINITIVO PESSOAL FLEXIONADO 598
EXERCÍCIOS – LISTA 60 601

EMPREGO DO VERBO HAVER 606

EXERCÍCIOS – LISTA 61 609

V – ESTILÍSTICA

FIGURAS DE LINGUAGEM 614

1. FIGURAS DE PALAVRAS 614
- Metáfora 614
- Comparação 615
- Metonímia 615
- Perífrase 617

- Sinestesia..617
EXERCÍCIOS – LISTA 62 617
2. FIGURAS DE CONSTRUÇÃO 620
- Elipse...620
- Pleonasmo...621
- Polissíndeto 622
- Inversão..622
- Anacoluto..622
- Silepse...622
- Onomatopeia 623
- Repetição..624
EXERCÍCIOS – LISTA 63 624
3. FIGURAS DE PENSAMENTO 626
- Antítese 626
- Apóstrofe 626
- Eufemismo...626
- Gradação 627
- Hipérbole 627
- Ironia...627
- Paradoxo 627
- Personificação 627
- Reticência 628
- Retificação 628
EXERCÍCIOS – LISTA 64 628
4. VÍCIOS DE LINGUAGEM..634
EXERCÍCIOS – LISTA 65 636
5. QUALIDADES DA BOA LINGUAGEM 637

LÍNGUA E ARTE LITERÁRIA **639**

1. A LÍNGUA E SUAS MODALIDADES 639
2. ELEMENTOS DA OBRA LITERÁRIA..640
3. ESTILO..641
4. GÊNEROS LITERÁRIOS...641
5. FICÇÃO 642
EXERCÍCIOS – LISTA 66 645
6. VERSIFICAÇÃO..646
7. PROCESSOS PARA A REDUÇÃO DO NÚMERO DE SÍLABAS MÉTRICAS 648
8. RITMO..648
9. ENCADEAMENTO *(ENJAMBEMENT)*......................................651
10. RIMA 652
11. VERSOS BRANCOS 653
12. ESTROFE...653
13. SONETO 653
14. VERSO LIVRE..654
EXERCÍCIOS – LISTA 67 655

BIBLIOGRAFIA **657**
EXERCÍCIOS DE EXAMES E CONCURSOS.........................**663**
GABARITO DOS EXERCÍCIOS DE EXAMES E CONCURSOS **694**
RESPOSTAS DAS LISTAS DE EXERCÍCIOS **698**

INTRODUÇÃO

Linguagem é a faculdade que o homem tem de se exprimir e comunicar por meio da fala.

Cada povo exerce essa capacidade por meio de um determinado código linguístico, ou seja, utilizando um sistema de signos vocais distintos e significativos, a que se dá o nome de *língua* ou *idioma*.

Criação social da mais alta importância, a língua é por excelência o veículo do conhecimento humano e a base do patrimônio cultural de um povo.

A utilização da língua pelo indivíduo denomina-se *fala*. A fala nasce da inelutável necessidade humana de comunicação.

A comunicação linguística se realiza por meio da expressão oral ou escrita.

A língua não é um sistema intangível, imutável; como toda criação humana, está sujeita à ação do tempo e do espaço geográfico, sofre constantes alterações e reflete forçosamente as diferenças individuais dos falantes. Daí a existência de falares regionais e de vários *níveis de fala*: culta, popular, coloquial, etc.

A história, o registro e a sistematização dos fatos de uma língua constituem matéria da *Gramática*.

A *Gramática Histórica* estuda a origem e a evolução de uma língua, acompanhando-lhe os passos desde o seu alvorecer até a época atual.

A *Gramática Normativa* enfoca a língua como é falada em determinada fase de sua evolução: faz o registro sistemático dos fatos linguísticos e dos meios de expressão, aponta normas para a correta utilização oral e escrita do idioma, em suma, ensina a falar e escrever a língua padrão corretamente.

Este livro pretende ser uma Gramática Normativa da Língua Portuguesa do Brasil, conforme a falam e escrevem as pessoas cultas na época atual.

De acordo com os diferentes aspectos sob os quais se podem encarar os fatos linguísticos, divide-se a Gramática em cinco partes distintas:

- **Fonética**

- **Morfologia**

- **Sintaxe**

- **Semântica**

- **Estilística**

1. A *fonética* é o estudo dos sons da fala. Considera a palavra sob o aspecto sonoro e trata:

- dos fonemas: como se produzem, classificam e agrupam;
- da pronúncia correta das palavras, ou seja, da correta emissão e articulação dos fonemas (ortoépia);
- da exata acentuação tônica das palavras (prosódia);
- da figuração gráfica dos fonemas ou a escrita correta das palavras (ortografia).

Observação:

✔ A linguística moderna distingue *fonética* de *fonologia*. Ambas as disciplinas tratam dos sons da fala, porém de modo diverso: a fonética se ocupa dos sons da língua sob o aspecto material, físico, acústico, ao passo que a fonologia os estuda do ponto de vista prático, funcional, no contexto fônico da comunicação humana. Nesta obra, não fazemos tal distinção. Seguindo a Nomenclatura Gramatical Brasileira, empregamos o termo *fonética* no seu sentido amplo, tradicional.

2. A *morfologia* ocupa-se das diversas classes de palavras, isoladamente, analisando-lhes a estrutura, a formação, as flexões e propriedades.

3. É objeto da *sintaxe* o estudo das palavras associadas na frase. Examina:

- a função das palavras e das orações no período (análise sintática);
- as relações de dependência das palavras na oração, sob o aspecto da subordinação (sintaxe de regência);
- as relações de dependência das palavras consideradas do ponto de vista da flexão (sintaxe de concordância);
- a disposição ou ordem das palavras e das orações no período (sintaxe de colocação).

4. A *semântica* tem como objetivo o estudo da significação das palavras. Pode ser *descritiva* ou *histórica*.

A semântica descritiva estuda a significação atual das palavras; a histórica se ocupa da evolução do sentido das palavras através do tempo.

À Gramática Normativa só interessa a semântica descritiva.

5. A *estilística* trata, essencialmente, do *estilo*, ou seja, dos diversos processos expressivos próprios para sugestionar, despertar o sentimento estético e a emoção. Esses processos resumem-se no que chamamos de *figuras de linguagem*. A estilística, em outras palavras, visa ao lado estético e emocional da atividade linguística, em oposição ao aspecto intelectivo, científico.

A LÍNGUA PORTUGUESA NO MUNDO

1. A língua portuguesa é falada em todos os continentes por cerca de duzentos milhões de pessoas. Poucos idiomas desfrutam de tão privilegiada posição.

Das línguas neolatinas foi a primeira a expandir-se fora do continente europeu. Acompanhando as caravelas dos conquistadores lusitanos dos séculos XV e XVI, ela implantou-se em todas as partes do mundo. Entretanto, levada para terras tão distantes, a língua portuguesa, em contato com a cultura dos povos aborígines, sofreu inevitáveis alterações, de que resultaram falares regionais ou dialetos.

2. Atualmente, o português é a língua oficial de oito países, ditos lusófonos: Portugal (incluídos os Açores e a Ilha da Madeira), Brasil, Angola, Moçambique, Guiné-Bissau, Cabo Verde, São Tomé e Príncipe e o Timor Leste, que conquistou sua independência em 1999, tornando-se o oitavo país lusófono.

3. Dialetos com raízes no português são falados em ex-colônias e possessões lusitanas da Ásia, como Diu, Damão, Goa, todas três na Índia, Macau, na China, e Timor Leste, na Oceania.

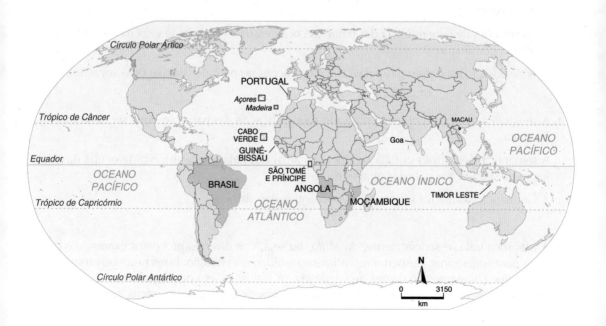

A língua portuguesa no mundo

FONÉTICA

estuda os sons da fala

A água

Flui a água, flébil, flexuosa,
em seu eterno fluxo,
aflita por chegar
ao final de seu curso.

A água flui, a água lava,
a leve água leva
para longe as impurezas
de nossa vida breve.

Fluida flecha frágil,
avança, entanto, impávida;
lépida, atinge o alvo,
expande-se toda em dádivas...

Tange a água, tange o tempo
a aguilhada da pressa.
O tempo nunca retorna,
a água sempre regressa...

DOMINGOS PASCHOAL CEGALLA

FONEMAS

1 CONCEITO DE FONEMA

Fonemas *são as menores unidades sonoras da fala*.

São os sons elementares e distintivos que, articulados e combinados, formam as sílabas, os vocábulos e a teia da frase, na comunicação oral.

Funcionam como elementos distintivos ou diferenciadores das palavras, porque são capazes de diferenciar umas de outras, conforme se observa, por exemplo, nas sequências:

m*a*la	*g*ato	ma*l*
m*o*la	*m*ato	ma*r*
m*u*la	*p*ato	ma*s*

Quando proferimos a palavra *aflito*, por exemplo, emitimos três sílabas e seis fonemas: *a - fli - to*. Percebemos que numa sílaba pode haver um ou mais fonemas.

No sistema fonético do português do Brasil há, aproximadamente, 33 fonemas, que adiante estudaremos.

2 REPRESENTAÇÃO DOS FONEMAS

Na língua escrita, os fonemas são representados por signos ou sinais gráficos chamados *letras*. O conjunto das letras denomina-se *alfabeto* ou *abecedário*, ou ainda, *abecê*, também escrito *abc*.

Observação:

✔ A palavra *alfabeto* origina-se do nome das duas primeiras letras do alfabeto grego: *alfa* (a) + *beta* (b).

É importante não confundir letra com fonema. Fonema é som, letra é o sinal gráfico que representa o som. Para falar, usamos fonemas; para escrever, usamos letras.

O ideal seria que a cada fonema correspondesse uma só letra, e vice-versa, mas infelizmente isso não acontece. É que o nosso sistema ortográfico não é rigorosamente fonético, mas ainda está preso à origem das palavras. Escreve-se, por exemplo, *exame*, em vez de *ezame*, porque este substantivo vem da palavra latina *examen*. Assim, por força da tradição etimológica, podemos observar, na representação dos fonemas portugueses, as seguintes imperfeições:

FONÉTICA

- A mesma letra pode representar fonemas diferentes:

  eXame, Xale, próXimo, seXo; Cola, Cera.

- O mesmo fonema pode ser figurado por letras diferentes:

  caSa, eXílio, coZinha; tiGela, laJe.

- Um fonema pode ser representado por um grupo de duas letras (dígrafo):

  maCHado, muLHer, uNHa, miSSa, caRRo.

- A letra *X* pode representar, simultaneamente, dois fonemas diferentes:

  táXi (tácsi), *fiXo* (ficso), *tóraX* (tóracs).

- Há letras que, às vezes, não representam fonemas; funcionam apenas como notações léxicas:

  caMpo (cãpo), *reNda* (rẽda), *regUe* (U insonoro, para não se proferir *reje*).

- Usam-se letras simplesmente decorativas: não representam fonemas nem funcionam como notações léxicas. Mantiveram-se em razão da etimologia:

  hotel (otel), *diScípulo* (dicípulo), *eXceção* (eceção).

- Há fonemas que, em certos casos, não se representam graficamente:

  bem (bẽi), *batem* (bátẽi), *falam* (fálãU).

3 APARELHO FONADOR

Os sons da fala são produzidos pelo concurso dos órgãos da fonação, ou seja, pelo aparelho fonador. Fazem parte do aparelho fonador:

- **Pulmões**

  Funcionam como dois foles, produzindo a corrente de ar.

- **Brônquios e traqueia**

  São os canais que conduzem a corrente de ar à laringe.

- **Laringe**

  Situada na parte superior da traqueia, é o mais importante órgão da fonação. Nela se localizam a *glote*, a *epiglote* (válvula elástica que tapa a glote durante a deglutição) e as *cordas vocais*.

- **Glote**

  Pequena abertura de forma triangular situada na laringe, na altura do *pomo de adão*. À chegada do fluxo de ar vindo dos pulmões, a glote pode abrir-se ou fechar-se, bastando que os bordos das cordas vocais se afastem ou se aproximem. Se a glote se abrir, o ar passa livremente, sem fazer vibrar as cordas vocais: nesse caso, o fonema produzido é *surdo*. Se a glote se fechar, o fluxo de ar força a passagem, fazendo vibrar as cordas vocais, e o fonema produzido é, então, *sonoro*.

APARELHO FONADOR

1. Fossas nasais
2. Palato duro
3. Véu palatino
4. Lábios
5. Dentes
6. Língua
7. Faringe
8. Epiglote
9. Cordas vocais
10. Laringe
11. Traqueia
12. Esôfago
13. Alvéolo
14. Úvula
15. Glote

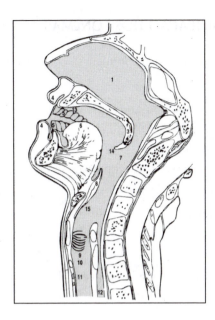

- **Cordas vocais**

    São duas pregas musculares, elásticas, distendidas horizontalmente diante da glote. Quando vibradas, produzem fonemas sonoros.

- **Faringe**

    Cavidade ligeiramente afunilada, entre a boca e a parte superior do esôfago. Conduz o ar para a boca e as fossas nasais.

- **Úvula**

    Vulgarmente chamada *campainha*, a úvula é um apêndice flexível do véu palatino. Tem a função de fiscalizar a passagem do ar; levantando-se contra a parede posterior da faringe, intercepta a passagem do ar para as fossas nasais: o ar escoa-se pela boca e o fonema se diz *oral*; abaixando-se a úvula, permite que a corrente de ar se escape em parte pelas fossas nasais, produzindo-se então um fonema *nasal*.

- **Boca e órgãos anexos**

    Podemos dizer que os fonemas nascem na laringe e se completam na boca. E isso acontece graças ao concurso das arcadas dentárias, dos alvéolos, do palato duro (ou céu da boca) e do palato mole (ou véu palatino) e, sobretudo, à atividade da língua, dos lábios e das bochechas, os quais se movimentam para modificar a corrente sonora e moldar os fonemas. A cavidade bucal atua também como caixa de ressonância dos fonemas sonoros.

- **Fossas nasais**

    Cavidades situadas acima do maxilar superior, funcionam como caixa de ressonância dos fonemas nasais.

FONÉTICA

4 CLASSIFICAÇÃO DOS FONEMAS

Os **fonemas** da língua portuguesa classificam-se em *vogais, semivogais* e *consoantes*.

▪ Vogais

São fonemas sonoros, ou sons laríngeos, que, passando pela boca entreaberta, chegam livremente ao exterior sem fazer ruído: **a**, **é**, **ê**, **i**, **ó**, **ô**, **u**.

▪ Semivogais

São os fonemas /i/ e /u/ átonos que se unem a uma vogal, formando com esta uma só sílaba: va*i*, ande*i*, o*u*ro, ág*u*a.

▪ Consoantes

São ruídos provenientes da resistência que os órgãos bucais opõem à corrente de ar: bola, copo, depósito.

Na língua portuguesa, a vogal é o elemento básico, suficiente e indispensável para a formação da sílaba. As consoantes e as semivogais são fonemas dependentes: só podem formar sílaba com o auxílio das vogais.

5 CLASSIFICAÇÃO DAS VOGAIS

De acordo com a Nomenclatura Gramatical Brasileira (NGB), classificam-se as vogais conforme:

▪ a zona de articulação

a) média: *a* (ave)

b) anteriores: *é, ê, i* (fé, vê, r*i*)

c) posteriores: *ó, ô, u* (nó, avô, tat*u*)

▪ o papel das cavidades bucal e nasal

a) orais: *a, é, ê, i, ó, ô, u* (ato, sé, vê, v*i*, só, f*o*go, *u*va)

b) nasais: *ã, ẽ, ĩ, õ, ũ* (lã, vento, s*i*m, s*o*m, m*u*ndo)

c) tônicas: p*á*, at*é*, g*e*lo, tup*i*, d*ó*, gl*o*bo, l*u*z

▪ a intensidade

a) subtônicas: *a*rvorezinha, *ca*fezinho, *e*splendidamente, s*o*mente, c*o*modamente

b) átonas: ela, mole, lição, lado, l*u*gar, órfã, lençol

▪ o timbre

a) abertas: *a, é, ó* (lá, pé, cipó)

b) fechadas: *ê, ô, i, u* e todas as nasais (vê, am*o*r, v*i*, cr*u*, sã, lenda)

c) reduzidas: as vogais átonas orais ou nasais (vela, vale, v*i*tal, sap*o*, *u*nido, *a*ndei, então)

Explicação do esquema anterior

- A zona de articulação é o ponto ou a parte em que se dá o contato ou a aproximação dos órgãos que cooperam para a produção dos fonemas, no caso das vogais, a língua e o palato. Produzimos a vogal média *a* mantendo a língua baixa, quase em posição de descanso, e a boca entreaberta. Para passar da vogal *a* para as anteriores (*é, ê, i*), levantamos gradualmente a parte anterior da língua em direção ao palato duro, ao mesmo tempo que diminuímos a abertura da boca. Para emitir as vogais posteriores (*ó, ô, u*), elevamos mais e mais a parte posterior da língua em direção ao véu palatino, arredondando progressivamente os lábios.

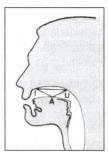

- Na emissão das vogais orais, a corrente sonora, impedida, pela úvula levantada, de chegar às cavidades nasais, ressoa apenas na boca. Na produção das vogais nasais, dá-se o abaixamento da úvula, e a corrente sonora chega, em parte, às fossas nasais e nelas ressoa.

- As vogais tônicas são as que proferimos com maior intensidade: constituem a base das sílabas tônicas. As subtônicas proferem-se com intensidade secundária, sendo a base das sílabas subtônicas. As vogais átonas, de intensidade mínima, são a base das sílabas átonas.

- O timbre das vogais resulta da maior ou menor abertura da boca. Essa abertura é máxima na produção das vogais abertas (*a, é, ó*), mínima na emissão das vogais fechadas (*ê, ô, i, u*) e média na formação das reduzidas.

Observações:

✔ A distinção entre abertas e fechadas só é perceptível nas vogais tônicas e subtônicas. As vogais reduzidas praticamente confundem-se com as átonas.

✔ No fim das palavras, as vogais átonas *e* e *o* são, em geral, proferidas como *i* e *u*, respectivamente: *noite* (nôitchi), *tribo* (tríbu).

✔ As vogais nasais são grafadas de três maneiras: a) sobrepondo-lhes til (irmã); b) pospondo-lhes *m* (tampa); c) pospondo-lhes *n* (ganso).

6 ENCONTROS VOCÁLICOS

Os encontros vocálicos são três: *ditongo, tritongo* e *hiato*.

- **Ditongo**

É a combinação de uma *vogal* + uma *semivogal*, ou vice-versa, na mesma sílaba. Exemplos: p*ai*, r*ei*, s*ou*, p*ão*, f*ui*, her*ói*, sér*io*, q*ua*ndo.

Dividem-se os ditongos em:

a) **orais**: p*ai*, p*ou*co, j*ei*to, f*ui*, etc.

b) **nasais**: m*ãe*, p*ão*, p*õe*, m*ui*to (m*ũi*to), b*em* (b*ẽi*), etc.

c) **decrescentes**: (vogal + semivogal): p*au*ta, m*eu*, r*iu*, constit*ui*, d*ói*, *ou*ro, j*ei*to, etc.

d) **crescentes**: (semivogal + vogal): gên*io*, pátr*ia*, sér*ie*, q*ua*tro, ag*ue*ntar, q*ua*ntia, tên*ue*, các*uo*, etc.

Observação:

✔ Note-se que, tanto nos ditongos decrescentes como nos crescentes, a vogal é, por via de regra, o fonema de maior abertura.

Existem 17 ditongos decrescentes e 13 crescentes, considerados sob o aspecto da escrita:

▪ **Ditongos decrescentes**

ãe: m**ãe**, p**ãe**s

ai: p**ai**, v**ai**dade

ãi: c**ãi**bra, p**ai**na

ão: p**ão**, m**ão**s, fal**am** (fál**ão**)

au: m**au**, degr**au**

éi: fi**éi**s, pap**éi**s

ei: r**ei**, l**ei**te, rej**ei**to

ẽi: h**em**!, viv**em**, têm (t**ẽi**)

éu: v**éu**, c**éu**

eu: m**eu**, beb**eu**

iu: v**iu**, part**iu**

õe: p**õe**, lim**õe**s, aç**õe**s

ói: d**ói**, her**ói**, constr**ói**

oi: c**oi**tado, f**oi**

ou: d**ou**, l**ou**co, est**ou**ra

ui: f**ui**, r**ui**vo, grat**ui**to

ũi: m**ui**to (m**ũi**to), m**ui**ta

▪ **Ditongos crescentes**

ea: ár**ea**, orquíd**ea**

eo: rós**eo**, nív**eo**

ia: vár**ia**s, sáb**ia**, infânc**ia**

ie: sér**ie**, espéc**ie**, qu**ie**to

io: lír**io**, cur**io**so, óp**io**

oa: nód**oa**, mág**oa**

ua: ág**ua**, q**ua**dra

uã: q**ua**ndo, araq**uã**

ue: tên**ue**, eq**ue**stre

uẽ: ag**ue**nto, freq**ue**nte

ui: sang**ui**nário, tranq**ui**lo

uĩ: q**ui**nquagésimo, ping**ui**m

uo: aq**uo**so, vác**uo**

Observações:

✔ Os ditongos crescentes aparecem, mais frequentemente, em sílabas átonas.

✔ Por terem o valor fonético aproximado de /i/ e /u/, respectivamente, /e/ e /o/ átonos são, em certos casos, semivogais, originando, portanto, ditongos: mãe, capitães, põe, perdoe, limões, Caetano, ao, etc.

✔ Não aparece escrita a semivogal nos ditongos nasais *em* (ẽi) e *am* (ão): *bem* (bẽi), *contém* (contẽi), *vivem* (vívẽi), *eram* (érão), *falam* (fálão), *lutaram* (lutárão), etc.

✔ "Os encontros *ia, ie, io, ua, ue, uo* finais átonos, seguidos ou não de *s*, classificam-se quer como ditongos, quer como hiatos, uma vez que ambas as emissões existem no domínio da Língua Portuguesa: *his-tó-ri-a* e *his-tó-ria; sé-ri-e* e *sé-rie; pá-ti-o* e *pá-tio; ár-du-a; tê-nue; vá-cu-o* e *vá-cuo*" (NGB). Todavia, é preferível considerar tais grupos ditongos crescentes e, consequentemente, paroxítonos os vocábulos em que ocorrem. Na escrita, em final de linha, esses encontros vocálicos não devem ser partidos.

✔ Em palavras como *área, róseo, mágoa* e outras com iguais terminações, é discutível a existência de ditongo crescente, porque na pronúncia brasileira o primeiro fonema do encontro vocálico de tais vocábulos é proferido com intensidade bastante sensível, aproximando-se mais de vogal do que de semivogal.

FONÉTICA 27

✔ Certos encontros vocálicos, por alguns considerados ditongos crescentes, verdadeiramente não passam de hiatos: p*i*ada, qu*i*abo, cord*i*al, m*i*olo, p*o*eta, v*i*andante, p*o*ente, c*o*elho, m*o*inho, l*u*ar, m*i*udeza, etc.

✔ Palavras como *saia, raio, tuxaua, teia, correio, gaiola, goiaba, imbuia*, etc. encerram, na realidade, dois ditongos juntos, pois é assim que as emitimos: s*ai-ia*, r*ai-io*, tux*au-ua*, t*ei-ia*, corr*ei-io*, g*ai-io*la, g*oi-iaba*, imb*ui-ia*.

▪ Tritongo

É o conjunto *semivogal* + *vogal* + *semivogal*, formando uma só sílaba.

O tritongo pode ser:

a) **oral:** ig*uais*, averig*uei*, averig*uou*, delinq*uiu*, seq*uoi*a, Urug*uai*.

b) **nasal**: q*uão*, sag*uão*, sag*uões*, míng*uam* (míng*uão*), enxág*uem* (enxág*uẽi*), deság*uam* (deság*uão*), deság*uem* (deság*uẽi*).

Observações:

✔ Nos tritongos nasais *uam, uem*, não se registra graficamente a segunda semivogal, conforme atestam os quatro últimos exemplos.

✔ Em palavras como *uruguaio, Uruguaiana, sequoia*, etc., temos o conjunto vocálico *tritongo* + *ditongo*: urug**uai-io**, Urug**uai-ia**na, seq**uoi-ia**.

▪ Hiato

É o encontro de duas vogais pronunciadas em dois impulsos distintos, formando sílabas diferentes:

S*aa*ra (Sa-a-ra)	*ao*rta (a-or-ta)
fa*í*sca (fa-ís-ca)	d*oe*r (do-er)
pod*ia* (po-d*i*-a)	v*oo* (vo-o)
sa*ú*de (sa-ú-de)	cr*ee*m (cre-em), pass*ee*mos (pas-se-e-mos)
ci*ú*me (ci-ú-me)	p*oe*ira (po-ei-ra)
preencher (pre-en-cher)	m*ee*iro (me-ei-ro)
cr*u*el (cru-el)	f*u*inha (fu-i-nha)
fr*ea*r (fre-ar)	lag*oa* (la-go-a)
ju*í*zo (ju-í-zo)	fri*í*ssimo (fri-ís-si-mo)

Observações:

✔ Em palavras como *veia, saia, gaiola, maiúscula*, etc., pode-se ver hiato (*vei-a, sai-a, gai-o-la, mai-ús-cu-la*), ou, mais acertadamente, dois ditongos (*vei-ia, sai-ia, gai-io-la, mai-iús-cu-la*), conforme explicamos acima.

✔ Na poesia, exigências de ordem fonética ou estilística podem converter hiatos em ditongos (*sinérese*) ou dissolver ditongos em hiatos (*diérese*).

7 CLASSIFICAÇÃO DAS CONSOANTES

As consoantes são classificadas de acordo com quatro critérios:

- modo de articulação
- ponto de articulação
- função das cordas vocais
- função das cavidades bucal e nasal

FUNÇÃO DAS CAVIDADES BUCAL E NASAL			ORAIS					NASAIS
MODO DE ARTICULAÇÃO		OCLUSIVAS		CONSTRITIVAS				
				fricativas		vibrantes	laterais	
FUNÇÃO DAS CORDAS VOCAIS		surdas	sonoras	surdas	sonoras	sonoras	sonoras	sonoras
Ponto de articulação	bilabiais	*p*	*b*					*m*
	labiodentais			*f*	*v*			
	linguodentais	*t*	*d*					
	alveolares			*s* *c* *ç*	*s* *z*	*r* *rr*	*l*	*n*
	palatais			*x* *ch*	*g* *j*		*lh*	*nh*
	velares	*c q* *(k)*	*g* *(guê)*					

▪ Modo de articulação

É a maneira pela qual os fonemas consonantais são articulados.

Vindo da laringe, a corrente de ar chega à boca, na qual encontra obstáculo total ou parcial da parte dos órgãos bucais. Se o fechamento dos lábios ou a interrupção da corrente de ar é total, dá-se a oclusão; se parcial, a constrição: daí a divisão das consoantes em *oclusivas* e *constritivas*.

No segundo caso, conforme o modo pelo qual a corrente expiratória escapa, as consoantes podem ser:

a) **fricativas** – quando o ar sai roçando ruidosamente as paredes da boca estreitada: *f, v, ç, s, z, x, j;*

b) **vibrantes** – quando o ar produz um movimento vibratório áspero: *r* brando e *r* forte ou múltiplo;

c) **laterais** – quando o ar, encontrando a língua apoiada no palato, é forçado a sair pelas fendas laterais da boca: *l, lh.*

Observação:

✔ As consoantes nasais, que alguns autores incluem entre as oclusivas e outros entre as constritivas, merecem, quanto ao modo de se articularem, classificação à parte, pois, quando as proferimos, há oclusão apenas bucal, chegando o ar às fossas nasais, nas quais ressoa.

▪ Ponto de articulação

É o lugar em que os órgãos entram em contato para a emissão do som.

Quando entram em ação ou contato:

- os lábios, as consoantes são *bilabiais*: **p**, **b**, **m***;*
- os lábios e os dentes, as consoantes são *labiodentais*: **f**, **v***;*
- a língua e os dentes, as consoantes são *linguodentais*: **t**, **d**.
- a língua e os alvéolos, temos consoantes *alveolares*: **s**, **c** (= ç), **z**, **l**, **r** (brando), **r** (forte ou múltiplo), **n**;
- o dorso da língua e o palato duro (céu da boca), as consoantes se chamam *palatais*: **j**, **g** (= j), **x**, **lh**, **nh***;*
- a parte posterior da língua e o véu palatino (palato mole), as consoantes denominam-se *velares*: **c** (k), **q**, **g** (guê).

As consoantes produzidas pelo concurso dos mesmos órgãos denominam-se *homorgânicas.* Exemplos:

| **t / d** | **s / z** | **p / b** | **c** (k) / **g** (guê) |

▪ Função das cordas vocais

Se a corrente de ar puser as cordas vocais em vibração, teremos uma consoante *sonora*; caso contrário, a consoante será *surda*.

▪ Função das cavidades bucal e nasal

Quando o ar sai exclusivamente pela boca, as consoantes são *orais*; se, pelo abaixamento da úvula, o ar penetra nas fossas nasais, as consoantes são *nasais*: **m**, **n**, **nh**.

Observações:

✔ Os signos *m* e *n* são consoantes apenas em início de sílaba: *mato, remo, nado, sino*, etc.; em final de sílaba, como nas palavras *campo, tempo, conde, fundo, anta, lindo*, são simples sinais de nasalização da vogal ou do ditongo anterior.

✔ Na pronúncia normal brasileira, o *l*, em final de sílaba, tem realização antes de *velar* do que *alveolar*, vocalizando-se aproximadamente como um *u*: *alto* (aultu), *mal* (mául), *anel* (aneul), *filme* (fiulme), etc. Ao escrever tais palavras, não se pode trocar o *l* por *u*.

FONÉTICA

✔ O r forte, em final de sílaba, como em *porta, carne, levar*, é proferido como velar no Rio de Janeiro e em outras áreas do Brasil. Tanto a pronúncia velar como a alveolar são boas. O mesmo não se pode dizer da realização linguopalatal (*r* caipira), desagradável ao ouvido, dominante em certas áreas dos estados de São Paulo, Minas Gerais e Mato Grosso do Sul.

✔ No português do Brasil, as consoantes *d* e *t*, quando seguidas da vogal ou da semivogal *i*, geralmente se palatalizam: *dinheiro* (djinhêiru), *diabo* (djiábu), *tia* (tchia), *mate* (mátchi).

✔ Na pronúncia normal brasileira, o *s* final de sílaba soa aproximadamente como *z*: *ondas, peles, lesma*, etc. A melhor produção do *s*, neste caso, é a alveolar e não a palatal (como *x*). Soam desagradáveis os *ss* exageradamente "puxados", à carioca.

✔ Para representar os fonemas palatais *lh* e *nh*, não há signos próprios em nosso alfabeto. É que tais fonemas inexistem no grego e no latim.

8 ENCONTROS CONSONANTAIS

Encontro consonantal é a sequência de dois ou mais fonemas consonânticos numa palavra. Exemplos:

brado, **cr**eme, **pl**ano, re**gr**a, ci**cl**o, a**tl**eta, a**tr**ás, **tr**anstorno, **ps**íquico, **pn**eumático, **ob**turar, di**gn**o, eni**gm**a, o**bstr**uir, su**bd**elegado, infe**cç**ão, i**stm**o, fó**rc**eps, **Pt**olomeu, **tch**eco, **ts**é-**ts**é, lam**bd**a, lam**bd**acismo, etc.

O encontro consonantal pode ocorrer:

a) na mesma sílaba:

cli-ma, **fl**o-res, du-**pl**o, **br**a-do, re-**pr**e-sa, le-**tr**a, **cz**ar, **ps**eu-dô-ni-mo, **mn**e-mô-ni-co, **ps**i-co-se, etc.

São encontros consonantais inseparáveis, mais frequentemente formados de *consoante + l* ou *r*.

b) em sílabas diferentes:

a**d-v**en-to, o**b-t**u-so, a**p-t**o, fú**c-s**ia, pa**c-t**o, su**c-ç**ão, na**f-t**a, su**b-l**o-car, su**b-l**in-gual, in-có**g-n**i-ta, é**t-n**i-co, con**s-t**ar, cor-ru**p-ç**ão, o**bs-t**á-cu-lo, etc.

São encontros consonantais *separáveis*. Ocorrem sempre no interior das palavras e geralmente são formados de duas consoantes.

Observações:

✔ Pronunciam-se separadamente o *b* e o *l* das palavras *sublinhar, sublegenda, sublacustre, sublingual, sublocar, sublocação* e *sublunar*, formadas com o prefixo *sub*.

✔ Em palavras como *samba, renda, lindo*, não há encontro consonantal, porque, como já vimos, *m* e *n*, em final de sílaba, não representam fonemas, são letras nasalizadoras, têm a função do til: *sãba, rẽda, lĩdo*.

✔ Não se deve confundir encontro consonantal com dígrafo, que a seguir estudaremos.

9 DÍGRAFOS

Dígrafo é o grupo de duas letras representando um só fonema. Na palavra **chave**, por exemplo, que se pronuncia **xávi**, ocorre o dígrafo **ch**.

a) Dígrafos que representam consoantes:

ch: chapéu, cheio   **gu**: (antes de *e* ou *i*): guerra, seguinte

lh: pilha, galho   **qu**: (antes de *e* ou *i*): leque, aquilo

nh: banho, ganhar   **sc**: (antes de *e* ou *i*): descer, piscina

rr: barro, erro   **sç**: (antes de *a* ou *o*): desça, cresço

ss: asseio, passo   **xc**: (antes de *e* ou *i*): exceção, excitar

Observações:

✔ Em palavras em que as duas letras se pronunciam, os grupos *gu, qu, sc* e *xc* não são dígrafos, como nos exemplos: *agudo, aguentar, aquático, frequente, escada, exclamar.*

✔ Na divisão gráfica das sílabas, cinco desses dígrafos (*ch, lh, nh, gu, qu*) são inseparáveis, e os cinco outros (*rr, ss, sc, sç, xc*), separáveis: *ter-ra, os-so, pis-ci-na, cres-ça, ex-ce-to.*

✔ Dígrafo não é encontro consonantal, pois representa um só fonema.

b) Dígrafos que representam vogais nasais:

am: tampa (tãpa)   **an**: santa (sãta)

em: tempo (tẽpu)   **en**: venda (vẽda)

im: limpo (lĩpu)   **in**: linda (lĩda)

om: ombro (õbru)   **on**: sonda (sõda)

um: jejum (jejũ)   **un**: mundo (mũdu)

No fim das palavras, como *falam* (fálãu), *batem* (bátẽi), *alguém* (alguẽi), *am* e *em* não são dígrafos, porque representam um ditongo nasal, portanto, dois fonemas.

10 NOTAÇÕES LÉXICAS

Notações léxicas são certos sinais gráficos que se juntam às letras, geralmente para lhes dar um valor fonético especial e permitir a correta pronúncia das palavras.

São as seguintes:

▪ o **acento agudo** – indica vogal tônica aberta: *pé, avó, lágrima;*

▪ o **acento circunflexo** – indica vogal tônica fechada: *avô, mês, âncora;*

▪ o **acento grave** – sinal indicador de crase: *ir à cidade;*

▪ o **til** – indica vogal nasal: *lã, põe, ímã, romãzeira;*

▪ a **cedilha** – dá ao *c* o som de *ss*: *moça, laço, açude;*

▪ o **apóstrofo** – indica supressão de vogal: *mãe-d'água, pau-d'alho;*

▪ o **hífen** – une palavras, prefixos, etc.: *arco-íris, peço-lhe, ex-aluno.*

O emprego das notações léxicas, também denominadas **sinais diacríticos**, será estudado em **Ortografia**, páginas 80 a 85.

EXERCÍCIOS

LISTA 01

1. Explique para cada uma das listas de palavras abaixo o tipo de imperfeição que ocorre na representação dos fonemas:

   a) maCHado – miLHo – uNHa – caRRo – oSSo – seGUir

   b) eXame – Xale – teXto – próXimo – táXi – heXacampeão

   c) taMbor – diamaNte – doeNte – nogUeira

   d) seXo – tóXico – oXigênio – aXila – fluXo – tóraX

   e) eXilar – coZido – corteSia

   f) bEM – armazÉM – ajudEM – lutAM – escutarAM

   g) Hospital – piScina – eXceção – reqUisito

2. Copie apenas as afirmações verdadeiras:

   a) Na língua portuguesa, a vogal é o elemento básico, suficiente e indispensável para a formação de sílabas.

   b) Todas as vogais nasais são fechadas.

   c) Na palavra **cafezinho**, E é vogal tônica.

   d) Na produção das vogais orais, a úvula se levanta, impedindo que a corrente de ar chegue às fossas nasais.

   e) A única maneira de representar uma vogal nasal é sobrepor um til à letra que a simboliza.

3. Em português há sete vogais orais e cinco vogais nasais. Copie-as em seu caderno, substituindo o triângulo pelas que faltam e os seus respectivos exemplos:

   Orais

   1 - *i* (vi)   5 - *u* (tu)

   2 - *ê* (lê)   6 - *ô* (dor)

   3 - *é* (pé)   7 - ∆

   4 - *a* (pá)

   Nasais

   1 - *ĩ* (sim)   4 - *ũ* (um)

   2 - *ã* (lã)   5 - ∆

   3 - *õ* (onda)

4. Classifique no seu caderno as vogais em destaque dos vocábulos seguintes, de acordo com o exemplo:

   cafÉ: anterior, aberta, oral, tônica

   a) sofÁ   d) Unicamente

   b) cÂntico   e) cEdo

   c) pOços

5. Responda:

   Na palavra **ódio**, o ditongo é crescente porque a semivogal vem antes da vogal base.

   Por que na palavra **boi** o ditongo é decrescente?

FONÉTICA 33

6. Reescreva as palavras abaixo, colocando na frente de cada uma os números correspondentes ao tipo de ditongo:

(1) ditongo oral decrescente

(2) ditongo oral crescente

(3) ditongo nasal decrescente

(4) ditongo nasal crescente

ouro	cãibra	doido
pão	mau	araquã
frequente	tênue	múmia
muito	refém	quando
viu	estavam	exíguo

7. Separe as palavras abaixo em três colunas: ditongos, tritongos e hiatos:

equestre – ciúme – radiouvinte – mínguam – fortuito – poético –

quaisquer – aquático – reagir – pessoa – guaicuru – averiguou

8. Classifique os encontros vocálicos abaixo, indicando se são orais ou nasais, crescentes ou decrescentes:

Paraguai – aguentar – saguão – reeleito – circuito – caótico – artéria – apaziguei – quieto – triunfo – saguões – gratuito – iguaizinhos – propõe – orquídea – uruguaianense – pinguim – sequoia

9. Copie a única palavra em que há ditongo nasal:

viajante – nogueira – mágoa – cantavam – hortênsia

10. Substitua o * nas palavras, usando adequadamente o ditongo nasal **ão** ou **am**:

estav *   est *   s *   seri *   der *

11. Copie em seu caderno apenas as palavras em que ocorre hiato:

viúva – viu – coeso – sueco – ruivo – ruína – ruíra – caí – cai – lagoa –

beato – sai – saíra – preencher – água – pajeú – rua – ruim – pais – país

12. Nas palavras **ninguém**, **lagoa**, **queijo**, **lírio** e **Uruguai**, há, respectivamente:

a) hiato – ditongo decrescente – hiato – hiato – tritongo

b) ditongo decrescente – hiato – tritongo – hiato – tritongo

c) ditongo decrescente – hiato – ditongo decrescente – ditongo crescente – tritongo

13. Copie as palavras abaixo, modificando a intensidade da penúltima vogal, de tal modo que de tônica se torne átona:

alivio – desanimo – magoas – habito – auxilio – secretaria – penitencia – fotografo – pronuncia – renuncia – obvia – autentica – seria – negocio – calculo – animo – incomodo

34 FONÉTICA

14. Quais, das alternativas abaixo, são as duas melhores pronúncias do **R** forte, em final de sílaba, como nas palavras **doutor** e **carne**:

- realização linguopalatal, frouxa?

- realização alveolar, nítida?

- realização velar, nítida?

15. Classifique as consoantes da palavra **caderno**:

Exemplos: C – consoante oral, oclusiva surda, velar.

16. Copie os vocábulos abaixo e em seguida assinale aqueles em que **M** e **N** não são fonemas, porém sinais de nasalização de vogais:

remo – campo – lembrança – maduro – ontem – honesto – lindo – hífen –

algum – amor – cólon – simples – camada – hino – fundo

17. Escreva as palavras abaixo, sublinhando os encontros consonantais e passando um traço em volta dos dígrafos:

equestre – pneumático – guitarra – occipital – digno – obter – nascer – recepção – repleto –

psicologia – cacique – telha – facho – exceder – sessão – sonho – czar – mnemônico –

admitir – tambor – canto – apto – nafta – gente – fúcsia – bilíngue – sucção

18. Escreva os vocábulos listados, circulando a única palavra:

a) em que o encontro consonantal pertence a sílabas diferentes:

sublime – sublocar – abrolhar – psicólogo – aglutinar

b) em que o fonema consonântico está representado incorretamente:

malvado – alto – natureza – freguesa – coucha – granjear – maldade

19. Por que em **samba** e **lenda** não há encontro consonantal?

20. Copie as palavras, identificando em seguida, entre parênteses, o valor fonético da letra **x**.

Exemplos: **eixo** (ch) – **sexto** (s) – **fixo** (cs) – **auxílio** (ss) – **hexaedro** (cz) – **exame** (z) – **exceto** (-)

elixir	sintaxe	maxilar
exalar	vexame	prolixo
fluxo	exorbitar	axila
texto	clímax	excêntrico
coxa	exímio	máximo
êxodo	léxico	cóccix
tóxico	nexo	exíguo
exonerar	trouxe	profilaxia
exceção	excitar	oxítono
ortodoxo	hexágono	hexacampeão

21. No texto "A água" (página 20), ocorrem palavras com sons expressivos. Informe quais são e o que sugerem.

FONÉTICA 35

22. Os textos abaixo são fragmentos de poemas. Aponte os versos com sons expressivos e informe o que sugerem:

texto A	texto B
O sino bate,	Sino de Belém,
o condutor apita o apito,	Sino da Paixão...
solta o trem de ferro um grito,	
põe-se logo a caminhar...	Sino de Belém,
	Sino da Paixão...
– Vou danado pra Catende,	
vou danado pra Catende,	Sino do Bonfim...
vou danado pra Catende	Sino do Bonfim...
com vontade de chegar...	
	Sino de Belém, pelos que inda vêm!
Mergulham mocambos	Sino de Belém bate bem-bem-bem.
nos mangues molhados,	
moleques, mulatos	Sino da Paixão, pelos que lá vão!
vêm vê-lo passar.	Sino da Paixão, bate bão-bão-bão.
(Ascenso Ferreira, *Poemas*, p. 137, Recife, 1959)	(Manuel Bandeira, *Poesia Completa e Prosa*, p. 225, Aguilar, 1967)

23. Diga quantos fonemas e quantas letras há em cada palavra destacada:

"Não serei o poeta de um **mundo caduco**.

Também não cantarei o mundo futuro.

Estou **preso** à vida e **olho** meus **companheiros**." (Carlos Drummond de Andrade)

24. Procure no fragmento de Drummond transcrito acima:

a) dois exemplos de dígrafos.

b) dois exemplos de dígrafos que representam vogais nasais.

c) um exemplo de encontro consonantal.

d) um exemplo em que *em* apareça representando ditongo nasal na fala.

25. Quatro das palavras abaixo possuem o mesmo número de fonemas. Identifique-as:

horrível – sílaba – coqueiro – ferreiro – piscina – planalto – palavra – chuvinha – projeto

26. Identifique o(s) fonema(s) que corresponde(m) à letra **x** de cada palavra:

a) fixo   b) próximo   c) caixa   d) exato   e) fênix

27. Nas palavras abaixo, aponte as que contêm dígrafo (D), encontro consonantal (EC), ditongo (DI), hiato (H) ou tritongo (T):

queijo	frequência	linguiça	quilômetro
blocos	conflito	quais	aguente
mágoa	magoa	guitarra	traído

FONEMAS
Exercícios de exames e concursos
[Página 664]

SÍLABA
TONICIDADE

Sílaba é um fonema ou grupo de fonemas emitidos num só impulso da voz (impulso expiratório).

Na palavra *azeite*, por exemplo, há três sílabas: *a-zei-te*.

Na língua portuguesa, a sílaba se forma necessariamente com uma vogal, a que se agregam, ou não, semivogais ou consoantes.

1 CLASSIFICAÇÃO DAS PALAVRAS QUANTO AO NÚMERO DE SÍLABAS

Quanto ao número de sílabas, classificam-se as palavras em:

- **monossílabas** – as que têm uma só sílaba:

  pó, luz, é, pão, pães, mau, reis, boi, véus, etc.

- **dissílabas** – as que têm duas sílabas:

  café, livro, leite, caixas, noites, caí, roer, etc.

- **trissílabas** – as constituídas de três sílabas:

  jogador, cabeça, ouvido, saúde, circuito, etc.

- **polissílabas** – as que têm mais de três sílabas:

  casamento, americano, responsabilidade, jesuíta, etc.

2 DIVISÃO SILÁBICA

A divisão silábica faz-se pela silabação, isto é, pronunciando as palavras por sílabas. Na escrita, separam-se as sílabas por meio do hífen:

te-sou-ro, di-nhei-ro, con-te-ú-do, ad-mi-tir, guai-ta-cá, sub-le-var.

Regra geral:

✔ Na escrita, não se separam letras representativas da mesma sílaba.

Regras práticas:

✔ Não se separam letras que representam:

a) ditongos: c**au**-le, tr**ei**-no, ân-s**ia**, ré-g**ua**s, so-c**ie**-da-de, g**ai**-o-la, ba-l**ei**-a, des-m**ai**-a-do, im-b**ui**-a, etc.

FONÉTICA

b) tritongos: Pa-ra-g**uai**, q**uai**s-quer, sa-g**uão**, sa-g**uões**, a-ve-ri-g**uou**, de-lin-q**uiu**, ra-d**iou**--vin-te, U-ru-g**uai**-a-na, etc.

c) os dígrafos *ch, lh, nh, gu* e *qu*: fa-**ch**a-da, co-**lh**ei-ta, fro-**nh**a, pe-**gu**ei, **qu**ei-jo, etc.

d) encontros consonantais inseparáveis: re-**cl**a-mar, re-**pl**e-to, pa-**tr**ão, **gn**o-mo, **mne**-mô--ni-co, **pn**eu-mo-ni-a, **ps**eu-dô-ni-mo, **ps**i-có-lo-go, bí-ce**ps**, etc.

✔ Separam-se as letras que representam os hiatos:

s**a-ú**-de, S**a-a**-ra, s**a-í**-da, c**a-o**-lho, f**e-é**-ri-co, pr**e-en**-cher, t**e-a**-tro, c**o-e**-lho, z**o-o**-ló-gi-co, d**u-e**-lo, v**í-a**-mos, etc.

✔ Contrariamente à regra geral, separam-se, por tradição, na escrita, as letras dos dígrafos *rr, ss, sc, sç* e *xc*:

gue**r-r**a, so**s-s**e-go, pi**s-c**i-na, de**s-ç**am, cre**s-ç**o, e**x-c**e-ção, etc.

✔ Separam-se, obviamente, os encontros consonantais separáveis, obedecendo-se ao princípio da silabação:

a**b-d**o-me	a**d-j**e-ti-vo	de-ce**p-ç**ão	Is-**r**a-el
su**b-m**a-ri-no	a**d-m**i-rar	a**p-t**i-dão	fel**ds-p**a-to
su**b-l**in-gual	a**f-t**a	e-cli**p-s**e	tran**s-t**or-no
su**b-l**o-car	o**f-t**al-mo-lo-gis-ta	ra**p-t**o	sol**s-t**í-cio
a**b-s**o-lu-to	e-ni**g-m**a	ré**p-t**il	ri**t-m**o
fri**c-ç**ão	ma-li**g-n**o	per**s-p**i-caz	is**t-m**o
in-fe**c-ç**ão	di**g-n**o	su**bs-t**ân-cia	e**x-c**ur-são
té**c-n**i-co	ma**g-n**ó-lia	a**bs-t**ra-to	e**x-c**lu-ir

Observação:

✔ Os grupos consonânticos separáveis são sempre internos. Os encontros *gn, ps, pt* e *tm*, quando internos, podem ser pronunciados juntos, na mesma sílaba: di-**gn**o, eli-**ps**e, ra-**pt**o, ri-**tm**o, etc.

✔ O *x* com valor fonético de /*cs*/ junta-se à vogal seguinte (quando houver):

fi-**x**ar, com-ple-**x**o, tó-**x**i-co, re-fle-**x**ão, o-**x**i-gê-nio, etc.

✔ Na divisão silábica, não se levam em conta os elementos mórficos das palavras (prefixos, radicais, sufixos):

de-**s**a-ten-to, **di**-**s**en-te-ri-a, **tran**-**s**a-tlân-ti-co, **su**-**b**en-ten-di-do, **su**-**b**es-ti-mar, **in-te**-**r**ur-ba-no, **su**-**b**ur-ba-no, **bi**-**s**a-vó, **hi-dr**e-lé-tri-ca, etc.

3 PARTIÇÃO DAS PALAVRAS EM FIM DE LINHA

Na translineação, isto é, ao passar de uma linha para a seguinte, além das normas estabelecidas para a divisão silábica, seguir-se-ão os seguintes critérios:

▪ Dissílabos como **aí**, **saí**, **ato**, **rua**, **ódio**, **joia**, **unha**, etc. não devem ser partidos, para que uma letra não fique isolada no fim ou no início da linha.

FONÉTICA

- Na partição de palavras de mais de duas sílabas, não se isola sílaba formada por uma vogal:

  agos-to (e não *a-gosto*), **la-goa** (e não *lago-a*), **ida-de** (e não *i-dade*).

- Na partição de compostos hifenizados, ao translinear, não se repetirá o hífen quando a secção da palavra coincidir com o final de um dos elementos do vocábulo composto:

saca	cana-	maria-vai-
-rolhas	de-açúcar	com-as-outras

4 ACENTO TÔNICO

Num vocábulo de duas ou mais sílabas, há, em geral, uma que se destaca por ser proferida com mais intensidade que as outras: é a *sílaba tônica*. Nela recai o *acento tônico*, também chamado *acento de intensidade* ou *prosódico*. Nos exemplos seguintes, as sílabas tônicas estão em destaque:

ca**fé** – ja**ne**la – **mé**dico – es**tô**mago – coleciona**dor**

> **Observações:**
>
> ✔ O acento tônico é um fato fonético e não deve ser confundido com o acento gráfico (agudo ou circunflexo) que às vezes o assinala.
>
> ✔ A sílaba tônica nem sempre é acentuada graficamente. Exemplos: *cedo, flores, bote, pessoa, senhor, caju, tatus, siri, abacaxis.*

Certos vocábulos derivados, geralmente polissílabos, além da sílaba tônica (em que recai o acento principal ou tônico), possuem uma *sílaba subtônica*, com acento secundário. Nos exemplos seguintes, as sílabas subtônicas aparecem em destaque:

ca**FE**zinho – **IN**diazinha – **RA**pidamente – **CO**modamente

As sílabas que não são tônicas nem subtônicas chamam-se *átonas* (= fracas), e podem ser *pretônicas* ou *postônicas*, conforme estejam antes ou depois da sílaba tônica. Exemplos:

MON	→ átona	FA	→ subtônica	HE	→ pretônica
TA	→ tônica	CIL	→ pretônica	ROI	→ subtônica
NHA	→ átona	MEN	→ tônica	ZI	→ tônica
		TE	→ postônica	NHO	→ postônica

5 CLASSIFICAÇÃO DAS PALAVRAS QUANTO AO ACENTO TÔNICO

De acordo com a posição da sílaba tônica, as palavras com mais de uma sílaba classificam-se em:

- **oxítonas** – quando a sílaba tônica é a última:

  ca**FÉ** – ra**PAZ** – escri**TOR** – maracu**JÁ** – má-cria**ÇÃO**

- **paroxítonas** – quando a sílaba tônica é a penúltima:

  MEsa – **LÁ**pis – mon**TA**nha – imensi**DA**de – erva-**MA**te

- **proparoxítonas** – quando a sílaba tônica é a antepenúltima:

  ÁRvore – quiLÔmetro – MÉxico – pré-hisTÓrico

> **Observação:**
>
> ✔ Para a classificação de palavras compostas, considere-se a posição da sílaba tônica do último elemento.

As palavras monossílabas, conforme a intensidade com que se proferem, podem ser *tônicas* ou *átonas*:

- **tônicas** – as que têm autonomia fonética, sendo proferidas fortemente na frase em que aparecem, como as destacadas no exemplo:

  "Pálido, o **Sol** do **céu** se despedia." (OLAVO BILAC)

  São monossílabos tônicos:

  é, má, si, dó, nó, eu, tu, nós, ré, pôr, etc.

- **átonas** – as que não têm autonomia fonética, sendo proferidas fracamente, como se fossem sílabas átonas do vocábulo a que se apóiam. Nos exemplos seguintes, os monossílabos destacados são átonos:

  O menino divertia-**se** olhando **os** peixinhos **do** aquário.

  (**O** menino divertia-**se** olhand' **os**peixinhos **do**aquário.)

  "Este céu **que me** leva **ao** fim **de** tudo..." (DANTE MILANO)

  Os monossílabos átonos são palavras vazias de sentido: artigos, pronomes oblíquos, elementos de ligação (preposições, conjunções). Exemplos:

  o, a, os, as, um, uns, me, te, se, lhe, nos, de, em, e, que.

Os monossílabos átonos apóiam-se, foneticamente, ou na palavra seguinte ou na anterior. No primeiro caso, temos uma *próclise* e os monossílabos se dizem *proclíticos*:

João se‿arrependeu do que fez.

No segundo caso, há uma *ênclise* e os monossílabos são *enclíticos*:

João arrependeu‿-se do que fez.

Há monossílabos que são tônicos numa frase e átonos em outras. Exemplos:

Você me chamou para **quê**? (tônico) _____ **Que** tem você? (átono)

Assim **não**! (tônico) _____ **Não** posso ir. (átono)

Há sempre um **mas** para atrapalhar. (tônico) _____ Eu sei, **mas** não digo. (átono)

6 VOCÁBULOS ÁTONOS E VOCÁBULOS TÔNICOS

A maioria dos vocábulos átonos são monossílabos. Alguns, porém, são dissílabos: o artigo *uma*, as preposições *para* e *pera* (arcaica), as contrações *pelo* e *pela* e as conjunções *como* e *porque*.

Só quando proferidas na frase é que podemos perceber se as palavras são átonas ou tônicas.

Quando dois vocábulos são homógrafos, um átono e outro tônico, na escrita o tônico será acentuado. Exemplos:

A vida não *pára*. (tônico)

Isto é *para* você. (átono)

7 VOCÁBULOS RIZOTÔNICOS E ARRIZOTÔNICOS

Rizotônicos (do grego *riza,* raiz) são os vocábulos cujo acento tônico incide no radical. Aqueles que têm o acento tônico depois do radical se dizem *arrizotônicos*.

Essa classificação diz respeito particularmente às formas verbais. Considerem-se, por exemplo, as seguintes formas do verbo **escrever**, cujo radical é **escrev**:

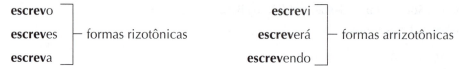

8 ACENTO DE INSISTÊNCIA

Sentimentos fortes (emoção, alegria, raiva, medo) ou a simples necessidade de enfatizar uma idéia podem levar o falante a emitir a sílaba tônica ou a primeira sílaba de certas palavras com uma intensidade e duração além do normal. Exemplos:

"Cada qual havia pescado um peixe **deeeeeeee**ste tamanho!" (PEDRO BLOCH)

"Me **saaal**va! – implorou a baratinha." (MILLÔR FERNANDES)

Es**túuu**pido! – gritou a menina, revoltada.

Foi uma noite **maaa**ravilhosa!

Deve haver equilíbrio entre **ex**portação e **im**portação.

João não distinguia **e**minente de **i**minente.

A esse realce sonoro de uma sílaba dá-se o nome de *acento de insistência* ou *acento enfático*.

Note-se que o acento de insistência nem sempre coincide com a sílaba tônica da palavra, conforme se vê nos três últimos exemplos.

9 ANÁLISE FONÉTICA

Fazer a análise fonética de um vocábulo é classificá-lo quanto ao número de sílabas e o acento tônico, decompor-lhe as sílabas e classificar os fonemas que as constituem. Exemplo:

BAILE: palavra dissílaba paroxítona, rizotônica.

1ª sílaba: **bai**, tônica, constituída pela consoante bilabial oclusiva sonora **b** e pelo ditongo oral decrescente **ai** (**a** vogal + **i** semivogal).

2ª sílaba: **le**, átona postônica, formada pela consoante constritiva lateral alveolar sonora **l** e a vogal anterior reduzida oral átona **e**.

FONÉTICA

EXERCÍCIOS

LISTA 02

1. Qual é o fonema que, necessariamente, aparece na formação das sílabas em português?

2. Separe as sílabas das palavras de cada grupo, de acordo com a respectiva norma:

a) Não se separam as vogais dos ditongos – decrescentes e crescentes – nem as dos tritongos:

louvor – precaução – rádio – história – tênue – paiaguá – aguardente – quaisquer – desiguais – averiguou

b) Separam-se as vogais dos hiatos:

saúva – saindo – boato – reedição – coorte – caatinga – freada – jesuíta – poeira – saíamos – triunfo

c) Separam-se os encontros consonantais internos separáveis:

absoluto – advogado – dracma – nafta – ritmo – ignorar – decepção – hipnose – apto – técnica – ético – perspectiva

d) Na divisão silábica não se consideram os elementos mórficos das palavras:

desatencioso – disenteria – bisavô – transamazônica – interurbano – subestimar – hidrelétrica – exorbitar

3. Divida as sílabas destas palavras, não esquecendo que há dígrafos que se bipartem e outros não:

cachoeira – consciência – excessivo – descendência – correria – coalhada – ressurreição – distinguiu – desencalhei – quermesse

4. Separe corretamente as sílabas destes vocábulos:

feiíssimo – substância – perspicácia – iguaizinhos – delinqüência – feérico – descêsseis – impregnariam – circunspecto – fricção – leais – despautério – tiziu – obstáculo – clepsidra – abstêmio – substituir – admissão – egípcio – qüinqüênio

5. Faça como no exercício anterior:

dispepsia – subsistência – sublocar – paradoxais – interruptor – gnaisse – gipsita – esfíncter – zeugma – quartzo – tungstênio – abstrair – feldspato – paizinho – paisinho – aracnídeo – designar – abdicar – paraibano – núpcias – Quéops

6. Parta de todos os modos admissíveis as seguintes palavras em fim de linha, deixando de lado as que não devem ser partidas:

olaria – ódio – inexcedível – baú – ilha – ilusório – água – sussurro – ignomínia – oxigênio – auxílio – vôo – saí – sabiá

7. Reescreva, em cada grupo, as palavras partidas corretamente:

a) dece-pção, ex-ceção, ascen-são, varie-dade

b) discus-são, fer-reiro, de-sonesto, memóri-a

c) caço-ada, inter-estadual, pé-rola, coc-ção

d) o-pinar, ad-quirir, seqüên-cia, obs-truir

e) psico-logia, goi-abeira, enxa-güei, exce-sso

FONÉTICA

8. Classifique os vocábulos quanto ao número de sílabas:

leiteiro – véus – zombaria – cauim

9. Reescreva e sublinhe a sílaba tônica de cada palavra:

sôfrego – sofregamente – cafezinho – paraense – ruim – ruidoso

10. Separe as sílabas das palavras **caótico**, **desobstruiu** e **perspectiva** de modo que as sílabas tônicas coincidam com asteriscos:

● ● ●*   ● ● * ●   ●*● ●

11. Organize os vocábulos em três colunas, de acordo com a acentuação tônica: oxítonos, paroxítonos e proparoxítonos:

obstáculo – horizontal – rapidamente – timidez – esperávamos – lavrador – precioso – epidemia – atlético – madrepérola – enlouqueceu – taubateense – vice-diretor – neocomungante – fenômenos

12. Reescreva as palavras em seu caderno e passe um traço em volta das sílabas subtônicas:

dificilmente – instantaneamente – cristãmente – otimamente – tunelzinho – chapeuzinho – mãozinhas – papelzinho

13. Copie o trecho abaixo, sublinhando os monossílabos átonos com um traço e os tônicos com dois:

Por certo que foi esse céu luminoso

o brilho primeiro do "– Faça-se a luz!"

(Rosamaria Castelo Branco)

14. Reescreva os pares de frases abaixo, acentuando corretamente o homógrafo tônico para distingui-lo do homógrafo átono:

a) O rio **para** no mar.

   O rio corre **para** o mar.

b) **Pelo** sim, **pelo** não, vou sair agasalhado.

   O **pelo** do gato é macio.

c) Errei **por** distração.

   Começou a **por** defeitos em mim.

d) **Da** o que podes.

   Preciso **da** chave.

e) Chegou **de** noite.

   Não **de** gritos.

f) Que pessoas **mas**!

   Sofre, **mas** não chora.

15. Registre em seu caderno a frase em que o acento de insistência não coincide com a sílaba tônica da palavra:

À nossa frente erguia-se uma montanha enooorme!

A viagem foi maaaravilhosa!

16. Reescreva os grupos de palavras e sublinhe em cada um a que não é proparoxítona:

a) êxodo – apóstata – rubrica – anátema – óbolo

b) aríete – incólume – munícipe – trôpego – ibero

c) zênite – década – abóbada – avaro – silvícola

FONÉTICA 43

17. Informe no seu caderno a série em que há palavras cuja divisão silábica está correta:

tó-xi-co, ru-im, gra-tui-to, ex-ce-ção

sub-li-nhar, e-clip-se, in-fec-ção, de-son-ra

te-a-tro, des-ones-to, ap-ti-dão, sub-es-ti-mar

18. Divida as palavras abaixo em sílabas e localize a sílaba tônica de cada uma:

quaisquer – enfronhado – psicólogo – advogado – fôssemos – exceção – coordenadora – piscina

19. Classifique as palavras do exercício anterior quanto à posição da sílaba tônica.

20. Leia o trecho abaixo, separe as sílabas das palavras destacadas e, depois, classifique-as de acordo com a posição da sílaba tônica:

Nos mundos imaginados por esse **escritor**, nascido no **México**, o futuro é sempre **pior** que o presente. O que já é **ruim** hoje tende a piorar. Como **morreu** há vinte anos, não seria de **admirar** que o **chamassem** de visionário.

21. Crie novas palavras apenas substituindo a sílaba tônica por uma átona. Depois construa uma frase com cada nova palavra, deixando clara a diferença de sentido entre elas:

Tônico – análise – sabiá – fotógrafo – número

22. Destaque, no fragmento abaixo, os monossílabos que encontrar, dizendo se são átonos ou tônicos:

O movimento do trem lhe dá a incrível sensação de irrealidade e leva-o a concordar com aqueles que afirmam ser a realidade apenas um de nossos sonhos. Põe, então, os óculos de grau e, ignorando a insuficiência de luz, retoma a leitura, pensando que aquelas afirmações sem pé nem cabeça apenas podem provocar dó em quem as ouvir.

23. Releia os monossílabos que localizou no exercício anterior, observando a ocorrência de acentuação gráfica. O que é possível concluir quanto à acentuação dos monossílabos?

SÍLABA TONICIDADE
Exercícios de exames e concursos
[Página 664]

ORTOÉPIA
PROSÓDIA

1 ORTOÉPIA

A *ortoépia* (do grego *orthós*, correto + *hepós*, fala) ocupa-se da boa pronunciação das palavras, no ato da fala. É fonética prática, dinâmica, e merece especial atenção no estudo da língua.

A ortoépia preceitua:

- a perfeita emissão das vogais e dos grupos vocálicos, enunciando-os com nitidez, sem acrescentar nem omitir ou alterar fonemas, respeitando o timbre (aberto ou fechado) das vogais tônicas, tudo de acordo com as normas da fala culta. Exemplos:

  moleque, chover, colégio, bússola, e não: muleque, chuver, culégio, bússula

  feixe, queijo, queixa, ouro, e não: fêxe, quêjo, quêxa, ôro

  roubo, rouba, afrouxo, afrouxa, e não: róbo, róba, afróxo, afróxa

  fizestes, quisestes, e não: fizésteis, quisésteis

  caranguejo, bandeja, e não: carangueijo, bandeija

  fornos (ó), postos (ó), e não: fôrnos, pôstos

  infligir, mendigo, e não: inflingir, mendingo

  meteorologia, e não: **meter**ologia ou **metere**ologia

- a articulação correta e nítida dos fonemas consonantais. Exemplos:

  mulher, quer, comer, falar, e não: mulhé, qué, comê, falá

  pastor, carne, porta, etc., dando-se ao *r* final de sílaba som velar ou alveolar

  mal, e não: mau nem mar; mal-humorado, e não mau-humorado

  vigésimo (zi), companhia, e não: vigéssimo, compania

  mas (maz), mesmo (mezmo), cisne (cizne) e não: maç, meçmo, ciçne

  obter, admirar, digno, decepção, ritmo, e não: obiter, adimirar, díguino, decepição, rítimo

- a correta e adequada ligação das palavras na frase. Exemplo:

No início da escalada, encontramos um túnel escuro, que atravessamos correndo.

Registramos aqui alguns casos mais freqüentes de pronúncias errôneas e, ao lado, as pronúncias corretas:

FONÉTICA

Pronúncias errôneas	Pronúncias corretas
abissoluto, adevogado	absoluto, advogado
abóboda	abóbada
advinhar, advinho	adivinhar, adivinho
abstênio	abstêmio
afroxa (ó)	afrouxa
aleja (é)	aleija
almejo (é), almeja (é), caleja (é)	almejo (ê), almeja (ê), caleja (ê)
asterístico	asterisco
arrúina	arruína
aterrisagem (zá)	aterrissagem
beneficiente	beneficente
bilingue	bilíngüe
buginganga	bugiganga
carramanchão	caramanchão
cataclisma	cataclismo
colméia (éi)	colmeia (êi)
cônjugue	cônjuge
degladiar	digladiar
douze	doze (ô)
dignatário	dignitário
desiguinar, desiguina	designar, designa
distingüir, distingüiu	distinguir, distinguiu (gui)
encapuçar, encapuçado	encapuzar, encapuzado
espelha (pé)	espelha (pê)
entitular	intitular
estora (tó)	estoura
extingüir, extingüiu	extinguir, extinguiu (gui)
Efigênia	Ifigênia
faixada	fachada
fascismo (xis), fascista (xis)	fascismo (cis), fascista (cis)
fleugma	fleuma
fluído (substantivo)	fluido (flúi)
freiada, freiar, freiou	freada, frear, freou
frustado, frustar, frustação	frustrado, frustrar, frustração
garage	garagem
gratuíto	gratuito (túi)
hilariedade	hilaridade

impecilho	empecilho
júniores (jú)	juniores (ô)
mãs, mais (conjunção)	mas
mendingo	mendigo
metereologia, meterologia	meteorologia
naiscer	nascer
óbulo	óbolo
opitar, ópito, ópita	optar (op-tar), opto, opta
pégadas (pé)	pegadas (gá)
pósa (verbo *pousar*)	pousa
prazeirosamente	prazerosamente
previlégio	privilégio
própio, apropiado	próprio, apropriado
pissicologia, pissicólogo	psicologia, psicólogo (psi)
qüestão, questã	questão
récorde (ré)	recorde (cór)
róbo, róbas, róba, róbam	roubo, roubas, rouba, roubam
rúbrica (rú)	rubrica (brí)
salchiça, salchicha	salsicha
soar, sôo, soa (verbo *suar*)	suar, suo, sua
supertição, superticioso	superstição, supersticioso
tiróide	tireóide
tóxico (chi), intoxicar (chi)	tóxico (cs), intoxicar (cs)

Em muitas palavras há incerteza, divergência quanto ao timbre das vogais tônicas /e/ e /o/. Recomenda-se proferir:

a) com timbre aberto: ac**e**rbo, bad**e**jo, co**e**so, co**e**vo, gr**e**lha, gros**e**lha, il**e**so, obsol**e**to, c**o**ldre, d**o**lo, inod**o**ro, m**o**lho (feixe, conjunto), pil**o**ro, su**o**r.

b) com timbre fechado: ac**e**rvo, c**e**rda, escarav**e**lho, inter**e**sse (substantivo), r**e**ses, alg**o**z, alg**o**zes, cr**o**sta, b**o**das, m**o**lho (caldo), p**o**ça, t**o**rpe.

O ditongo *ai* das palavras **Roraima**, **Jaime** e **andaime** pode ser proferido com som nasal, como em **mãe**, ou com som oral, como em **pai**. Já nas palavras terminadas em -*aina* e -*aino*, esse ditongo deve ser emitido com som nasal. Exemplos:

paina (ãi), faina (ãi), plaino (ãi), aplaino (ãi), aplaina (ãi)

2 PROSÓDIA

Prosódia é a parte da fonética que tem por objeto a exata acentuação tônica das palavras.

Há um sem-número de vocábulos que pessoas menos familiarizadas com a norma lingüística proferem mal, deslocando-lhes o acento prosódico, cometendo *silabadas*.

Consignamos aqui algumas dessas palavras, com a respectiva classificação tônica, ou seja, como devem ser pronunciadas.

- São **oxítonas**:

cateter	masseter	novéis	reféns
Cister	mister	obus	ruim (í)
condor	negus	oximel (cs)	sutil
Gibraltar	Nobel	recém	sutis
hangar	novel	refém	ureter

- São **paroxítonas**:

alcácer	erudito	opimo
ambrosia (manjar delicioso)	filantropo	pegadas
assecla	fortuito (túi)	penedia
austero	gratuito (túi)	poliglota
avaro	homizio (zí)	primata
avito	ibero	pudico (dí)
aziago	imbele	recorde
batavo	impudico	refrega
Bolívar	inaudito	rocio (cí)
caracteres	látex	rubrica (brí)
celtiberos	libido	Sardanapalo
ciclope	luzidio (dí)	Sólon
cupido (substantivo)	Madagáscar	subido (elevado:
decano	maquinaria (rí)	esmeraldas do mais
díspar	misantropo	*subido* quilate;
edito (lei, decreto)	necromancia	a *subida* honra)
Epicuro	nenúfar	têxtil
efebo	ônix	tulipa

Observação:

✔ No português do Brasil é corrente a pronúncia *boemia*: Ele vive na *boemia*. *Boêmia* emprega-se como adjetivo, feminino de *boêmio*: Leva uma vida *boêmia*.

Indústria *boêmia* (da Boêmia, região da República Tcheca).

- São **proparoxítonas**:

ádvena	década	lêvedo
aeródromo	édito (ordem judicial)	leucócito
aerólito	égide	munícipe
álacre	elétrodo	Niágara

FONÉTICA

alcíone	Espártaco	notívago (ou noctívago)
alcoólatra	espécime	Pégaso
anátema	êxodo	périplo
apóstata	fagócito	plêiade
antídoto	férula	pólipo
areópago	gárrulo	protótipo
arquétipo	hégira	quadrúmano
aríete	Hélade	revérbero
azáfama	hieróglifo	sátrapa
bígamo	ímprobo	Semíramis
bímano	ínclito	Tâmisa
brâmane	ínterim	trânsfuga
Cérbero	invólucro	végeto (adjetivo)
cotilédone	írrito (nulo)	vermífugo
crisântemo	janízaro	zênite

Existem não poucas palavras cujo acento prosódico é incerto, oscilante, mesmo na língua culta. Registramos, entre outras, as seguintes, dando, em primeiro lugar, a pronúncia que se vai impondo na língua atual:

acrobata e acróbata – autópsia e autopsia – Bálcãs e Balcãs – hieroglifo e hieróglifo – necrópsia e necropsia – Oceania e Oceânia – ortoépia e ortoepia – projétil e projetil – réptil e reptil – safári e safari – sóror e soror – xerox e xérox

Há palavras que assumem significados diversos, conforme forem paroxítonas ou proparoxítonas:

Cupido: deus do amor, o amor personificado
cúpido: ávido, ambicioso, cobiçoso

fervido: particípio de *ferver*
férvido: quente, apaixonado, ardoroso

provido: particípio de *prover*
próvido: providente, que provê

valido: particípio de *valer*; protegido (valido da rainha)
válido: que tem valor, lícito; que tem saúde, são, vigoroso

vivido: particípio de *viver*; experiente, que viveu, esperto
vívido: vivaz, que tem vivacidade, ardente, brilhante, expressivo

EXERCÍCIOS

LISTA
03

1. Quem pronuncia **inflingir** em vez de **infligir**, que tipo de erro comete?

2. Ao dizer **ariete** em vez de **aríete**, está se incorrendo em que tipo de erro?

3. Pronuncie corretamente, em voz alta, as palavras:

fornos – designar – psicólogo – ele rouba – a bomba estoura – eu adivinho – empecilho – cear – meado – freada – distinguir – gratuito – rubrica – refém – ibero – abóbada – tireóide

FONÉTICA 49

4. Pronuncie estas palavras em voz alta, atendendo à correta emissão das vogais e dos grupos vocálicos:

moleque – feixe – feira – aleija – caranguejo – caleja – planejo – touro – rouba – estoura – afrouxa – pousa – fogos – portos – brotos – adivinhar – frear – freada – mágoa – arrepiar – sequer – jabuti – engolir – chover – tábua – tabuada – inigualável – disenteria – cumeeira – invólucro – espocar – mutuca – intitular – silvícola – infligir – mendigo – peneiro – peneira – espelha – espelhe

5. Organize as palavras abaixo em duas colunas, conforme o timbre das vogais tônicas for **aberto** ou **fechado**:

poço – poços – fornos – almoços – reforços – destroços – algoz – algozes – bandeja – badejo – pelejo – planeja – espelha – assemelha – dolo – bodas

6. Faça a correta distinção de pronúncias e de significados das palavras:

pouso e **poso**

pousa e **posa**

pouse, **pose** (ô) e **pose** (ó)

couro, **coro** (ô) e **coro** (ó)

7. Reescreva as palavras abaixo em seu caderno, substituindo o asterisco convenientemente pelas vogais **e** ou **i**, **o** ou **u**:

pr*vilégio – *mpecilho – d*sperdiçar – d*sperdício – front*spício – escárn*o – acr*ano – laj*ano – d*stilar – s*a (transpira) – pir*lito – búss*la – ch*ver – eng*lir – m*cambo – f*cinho – c*tia (animal) – jab*ti – g*ela – táb*a

8. Responda às frases em seu caderno, seguindo o modelo; depois, leia-as em voz alta, observando que os verbos em destaque têm a vogal tônica fechada:

a) Quem **peneira** o arroz?   Eu **peneiro** o arroz.

b) Quem **inteira** a quantia?

c) Quem se **espelha** no escuro?

d) Quem se **assemelha** a Sólon?

e) Quem **almeja** a paz?

f) Quem **caleja** as mãos?

g) Quem **despeja** a água?

h) Quem **estoura** a bomba?

9. Em cada grupo há uma palavra errada. Localize-a e a reescreva corretamente. Em seguida, pronuncie-a adequadamente.

a) suo – mendigo – supertição – dignitário – próprio

b) previlégio – belchior – fleuma – extinguir – afrouxa

c) doze – caramanchão – infligir – salchicha – vigésimo

d) colmeia – frustado – prazerosamente – bilíngüe – óbvio

e) chuvisco – adivinho – compania – supersticioso – Ifigênia

f) distingüiu – argüir – ungüento – questão – equívoco

FONÉTICA

10. Pronuncie as palavras em voz alta, tendo o cuidado de não intercalar vogal nos grupos consonânticos:

absoluto – advertir – obséquio – obstáculo – submisso – obstrução – septo – decepção – facção – sucção – captar – significa – enigma – ritmo – psicologia – psíquico – apto – optar – opção

11. Reescreva os vocábulos, colocando o acento gráfico nos que o exigem e escrevendo depois de cada um o tipo de acento prosódico (**oxítono, paroxítono** ou **proparoxítono**):

austero	ciclope	condor	alcoolatra
azafama	gratuito	mister	maquinaria
avaro	ibero	pudico	recem
refem	ariete	inaudito	vermifugo
refens	pleiade	involucro	exodo
bimano	obus	rubrica	sutil

12. Elabore dez frases com palavras extraídas da relação de oxítonas, paroxítonas e proparoxítonas (páginas 47 e 48); em seguida, leia-as em voz alta:

13. Reescreva as seqüências em que as sílabas tônicas estão bem indicadas:

a) gra**tui**to – re**cor**de – ru**bri**ca – **Cér**bero

b) ru**im** – inter**im** – **bí**gamo – **bí**mano

c) leu**có**cito – cir**cui**to – juni**o**res – i**nau**dito

d) **fé**rula – esta**li**do – celti**be**ros – No**bel**

e) e**ru**dito – tu**li**pa – **sê**nior – seni**o**res

14. Escolha, em cada item, a palavra adequada para substituir o asterisco na frase:

a) No coração nascem * desejos. (*vividos – vívidos*)

b) A * formiga abasteceu o seu celeiro. (*provida – próvida*)

c) O café foi * sem açúcar. (*fervido – férvido*)

d) João era um * partidário do governo. (*fervido – férvido*)

e) O duque, * do rei, vivia na corte. (*valido – válido*)

f) O juiz considerou * o gol. (*valido – válido*)

g) A menina, * e vivaz, era só alegria. (*gárrula – garrula*)

h) E a menina * e salta e ri. (*gárrula – garrula*)

15. Reescreva as palavras, sublinhando aquelas em que o **X** tem valor fonético de **CS**:

fluxo – exortar – tóxico – intoxicar – máximo – extirpar – paradoxo – léxico – exótico – profilaxia – malgaxe – maxila – maxilar

LEITURA

Retreta do Vinte

O cabo mulato balança a batuta,

meneia a cabeça, acorda com a vista

os bombos, as caixas, os baixos e as trompas.

(No centro da praça o busto de D. Pedro escuta.)
Batuta pra esquerda: relincham clarins,
requintas, tintins e as vozes meninas da banda do Vinte.

Batuta à direita: de novo os trombones
e as trompas soluçam. E os bombos e as caixas: ban-ban!

Vêm logo operários, meninas, cafuzas,
mulatos, portugas, vem tudo pra ali.
Vem tudo, parecem formigas de asas
rodando, rodando em torno da luz.

Nos bancos da praça conversas acesas,
apertos, beijocas, talvezes.
D. Pedro II espia do alto.
(As barbas tão alvas,
tão alvas nem sei!)

E os pares passeiam,
parece que dançam,
que dançam ciranda
em torno do rei.

(Jorge de Lima, Obra Poética, p. 226, Editora Getúlio Costa, Rio de Janeiro, 1949)

16. Diga se são falsas ou verdadeiras as afirmações abaixo, que se referem à pronúncia das palavras.

a) Não se recomenda pronunciar o **u** na palavra questão.

b) Escreve-se catorze ou quatorze, mas a pronúncia é sempre catorze.

c) Pronuncia-se a vogal **o** aberta nos plurais: ossos, tijolos, olhos, tortos, porcos, novinhos.

d) O som do x soa como KS nas palavras: táxi, crucifixo, fixar, tóxico, intoxicação.

e) São paroxítonas todas as palavras seguintes: gratuito, sótão, ruim, pegada.

f) O d é mudo e, como tal, deve ser pronunciado nas palavras: advogado, admite, advinhar, adjetivo.

ORTOGRAFIA

Ortografia (do grego *orthographia*, escrita correta) é a parte da Gramática que trata do emprego correto das letras e dos sinais gráficos na língua escrita.

Em português utilizam-se, na expressão escrita, letras, sinais diacríticos e sinais de pontuação.

O sistema ortográfico atualmente em vigor é o de 1990, decorrente do Acordo Ortográfico da Língua Portuguesa assinado em Lisboa, em 16 de dezembro daquele ano, pelos representantes dos sete países lusófonos e aprovado pelo Congresso Nacional em 1994.

O objetivo principal desse novo Acordo Ortográfico não foi, como era de se esperar, a simplificação, mas a unificação ortográfica da língua portuguesa falada na comunidade lusófona.

Razões de ordem fonética, ou seja, a diversidade de pronúncia entre portugueses e brasileiros, não permitiram alcançar uma padronização ortográfica perfeita; mesmo assim, o novo Acordo representa uma louvável iniciativa na busca da tão almejada unidade ortográfica de um dos idiomas mais falados no mundo.

Para nós, brasileiros, as alterações ortográficas introduzidas na língua pelo novo sistema são, lamentavelmente, superficiais, visto que se restringem ao uso dos sinais diacríticos (acentos gráficos, trema, hífen, apóstrofo). São mais sensíveis para os portugueses e os lusofalantes africanos, que passarão a grafar sem as consoantes mudas *c* e *p* palavras como *actor*, *director*, *lectivo*, *óptimo*, etc.

Observações:

✔ Continuarão, porém, os portugueses a escrever *facto, projecto, indemne, indemnizar* e outras palavras. Grafarão também, de modo diverso do nosso, vocábulos em que as vogais *e* e *o*, em final de sílaba e seguidas de *m* ou *n*, eles pronunciam com timbre aberto, como *génio, efémero, cómodo, fenómeno, tónico, fémur, ténis, ónus*, etc., contrariamente aos falantes brasileiros, que proferem tais palavras com timbre nasal fechado: *gênio, fenômeno, tônico, fêmur, cômodo*, etc.

✔ Apresentamos neste capítulo e no seguinte, sob forma acessível, as regras básicas essenciais para a escrita correta das palavras de nossa língua e a adequada utilização dos sinais gráficos, em consonância com as normas traçadas pelo Acordo Ortográfico de 1990.

1 ALFABETO PORTUGUÊS

O alfabeto da Língua Portuguesa compõe-se de 26 letras:

a, b, c, d, e, f, g, h, i, j, k, l, m, n, o, p, q, r, s, t, u, v, w, x, y, z

FONÉTICA 53

Ora sozinhos, ora combinados com outras letras ou auxiliados por certos sinais gráficos (acentos, til, cedilha, etc.), estes signos representam os mais de trinta fonemas de nossa fala.

Quanto à forma, as letras podem ser maiúsculas ou minúsculas, de imprensa (ou de fôrma) ou manuscritas.

Como vimos nas páginas anteriores, nosso sistema ortográfico não é totalmente fonético, pois nem sempre a grafia corresponde à pronúncia das palavras. Tem deficiências e imperfeições, responsáveis pela maioria das dificuldades com que nos defrontamos no emprego de certas letras, sobretudo as que representam fonemas consonânticos alveolares e palatais fricativos: *g* ou *j*? *s* ou *z*? *ch* ou *x*?, etc.

2 EMPREGO DAS LETRAS *K, W* E *Y*

Usam-se apenas:

- em abreviaturas e como símbolos de termos científicos de uso internacional:

  km (quilômetro), *kg* (quilograma), *K* (potássio), *w* (watt), *W* (oeste), *Y* (ítrio), *yd* (jarda), etc.

- na transcrição de palavras estrangeiras não aportuguesadas:

  kart, kibutz, smoking, show, watt, playground, playboy, hobby, etc.

- em nomes próprios estrangeiros não aportuguesados e seus derivados:

  Kant, Franklin, Shakespeare, Wagner, Kennedy, Mickey, Newton, Darwin, Hollywood, Washington, Kremlin, Byron, Walt Disney, kantismo, byroniano, shakespeariano, kartista, parkinsonismo, parkinsoniano, Disneylândia, etc.

Observações:

✔ Em palavras estrangeiras aportuguesadas, bem como nos demais casos não previstos acima, o *k* foi substituído por *c* ou *qu*, conforme o caso, o *w* por *v* ou *u*, conforme o valor fonético, e o *y* por *i*: *uísque, lorque, Bálcãs, bloco, sanduíche, vermute, Válter, Osvaldo, jóquei, iate, ianque, Niterói, Rui, guarani, heureca, viquingue* (menos usado que *viking*), etc.

✔ Na transcrição de etnônimos brasílicos, os etnólogos utilizam essas letras exóticas: *Kamayurá, Kayabi, Kaingang, Waiká, Suyá,* etc. É preferível, porém, grafar-se *camaiurá, caiabi, caingangue, uaicá, suiá,* etc., como fazem os dicionaristas modernos.

3 EMPREGO DA LETRA *H*

Esta letra, em início ou fim de palavras, não tem valor fonético; conservou-se apenas como símbolo, por força da etimologia e da tradição escrita. Grafa-se, por exemplo, *hoje*, porque esta palavra vem do latim *hodie*.

Emprega-se o H:

a) inicial, quando etimológico:

hábito, hélice, herói, hérnia, hesitar, haurir, hilaridade, homologar, Horácio, haxixe, hortênsia, hulha, etc.

b) medial, como integrante dos dígrafos *ch, lh, nh*:

chave, boliche, broche, cachimbo, capucho, chimarrão, cochilar, fachada, flecha, machucar, mochila, telha, companhia, etc.

c) final e inicial em certas interjeições:

ah!, ih!, eh!, oh!, hem?, hum!, etc.

d) em compostos unidos por hífen, no início do segundo elemento, se etimológico:

sobre-humano, anti-higiênico, pré-histórico, super-homem, etc.

e) no substantivo próprio *Bahia* (estado do Brasil), por secular tradição.

Observações:

✔ Sem *h*, porém, os derivados *baiano, baianinha, baião, baianada, baianismo, baianidade, laranja-da-baía* e o antropônimo *Baía* (José Baía).

✔ A bem da simplificação ortográfica, o *h* deveria ser eliminado nos casos *a* e *d* acima.

Não se usa H:

a) no início ou no fim de certos vocábulos, no passado escritos com essa letra, embora sem fundamento etimológico. Exemplos:

ontem, úmido, ume, iate, ombro, rajá, Jeová, Iná, etc.

b) no início de alguns vocábulos em que o *h*, embora etimológico, foi eliminado por se tratar de palavras que entraram na língua por via popular, como é o caso de *erva, inverno* e *Espanha*, respectivamente do latim *herba, hibernus* e *Hispania*.

Observação:

✔ Os derivados eruditos de *erva, Espanha* e *inverno*, entretanto, grafam-se com *h*: *herbívoro, herbicida, herbáceo, hispânico, hispano, hibernal, hibernar, hibernação.*

c) em palavras derivadas e em compostos sem hífen:

reaver (*re* + *haver*), reabilitar, inábil, desonesto, desonra, desumano, exaurir, lobisomem, turboélice, etc.

FONÉTICA 55

4 EMPREGO DAS LETRAS *E, I, O* E *U*

Na língua falada, a distinção entre as vogais átonas /e/ e /i/, /o/ e /u/ nem sempre é nítida. É principalmente desse fato que nascem as dúvidas quando se escrevem palavras como *quase, intitular, mágoa, bulir*, etc., em que ocorrem aquelas vogais.

- **Escrevem-se com a letra e:**

  a) a sílaba final de formas dos verbos terminados em *-uar*:
  continu**e**, continu**es**, habitu**e**, habitu**es**, pontu**e**, pontu**es**, etc.

  b) a sílaba final de formas dos verbos terminados em *-oar*:
  abenço**e**, abenço**es**, mago**e**, mago**es**, perdo**e**, perdo**es**, etc.

  c) as palavras formadas com o prefixo *ante-* (antes, anterior):
  ant**e**braço, ant**e**cipar, ant**e**datar, ant**e**diluviano, ant**e**véspera, etc.

  d) Os seguintes vocábulos:

arrepiar	creolina	empecilho	mexerico	senão
cadeado	cumeeira	encarnar	mimeógrafo	sequer
candeeiro	desperdiçar	encarnação	orquídea	seriema
cemitério	desperdício	indígena	peru	seringa
Cireneu	destilar	irrequieto	quase	umedecer
confete	disenteria	lacrimogêneo	quepe	Zeferino

- **Emprega-se a letra *i*:**

  a) na sílaba final de formas dos verbos terminados em *-uir*:
  diminu**i**, diminu**is**, influ**i**, influ**is**, possu**i**, possu**is**, etc.

  b) em palavras formadas com o prefixo *anti-* (contra):
  anti**a**éreo, Anti**c**risto, anti**t**etânico, anti**e**stético, etc.

  c) nos seguintes vocábulos:

aborígine	crânio	erisipela	incinerar	privilégio
açoriano	criar	escárnio	inigualável	requisito
artifício	criador	feminino	invólucro	Sicília (ilha)
artimanha	criação	Filipe	lajiano	silvícola
camoniano	crioulo	frontispício	lampião	siri
Casimiro	digladiar	Ifigênia	pátio	terebintina
chefiar	displicência	inclinar	penicilina	Tibiriçá
cimento	displicente	inclinação	pontiagudo	Virgílio

- **Grafam-se com a letra *o*:**

abolir	chover	mágoa	nódoa
banto	cobiça	magoar	óbolo
boate	cobiçar	mocambo	ocorrência
bolacha	concorrência	moela	rebotalho
boletim	costume	moleque	Romênia
botequim	engolir	mosquito	romeno
bússola	goela	névoa	tribo

56 FONÉTICA

- **Grafam-se com a letra *u*:**

bulício	chuvisco	íngua	rebuliço
buliçoso	cumbuca	jabuti	tábua
bulir	cúpula	jabuticaba	tabuada
burburinho	curtume	lóbulo	tonitruante
camundongo	cutucar	Manuel	trégua
chuviscar	entupir	mutuca	urtiga

- **Parônimos**

Registramos alguns parônimos (palavras parecidas na pronúncia e na escrita) que se diferenciam pela oposição das vogais /e/ e /i/, /o/ e /u/. Fixemos a grafia e o significado dos seguintes:

área = superfície
ária = melodia, cantiga

arrear = pôr arreios, enfeitar
arriar = abaixar, pôr no chão, cair

comprido = longo
cumprido = particípio de *cumprir*

comprimento = extensão
cumprimento = saudação, ato de cumprir

costear = navegar ou passar junto à costa
custear = pagar as custas, financiar

deferir = conceder, atender
diferir = ser diferente, divergir

delatar = denunciar
dilatar = distender, aumentar

descrição = ato de descrever

discrição = qualidade de quem é discreto

emergir = vir à tona
imergir = mergulhar

emigrar = sair do país
imigrar = entrar num país estranho

emigrante = que ou quem emigra
imigrante = que ou quem imigra

eminente = elevado, ilustre
iminente = que ameaça acontecer

recrear = divertir
recriar = criar novamente

soar = emitir som, ecoar, repercutir
suar = expelir suor pelos poros, transpirar

sortir = abastecer
surtir = produzir (efeito ou resultado)

sortido = abastecido, bem provido, variado
surtido = produzido, causado

vadear = atravessar (rio) por onde dá pé, passar a vau
vadiar = viver na vadiagem, vagabundear, levar vida de vadio

- **Ditongos e hiatos**

a) A semivogal dos ditongos decrescentes orais representa-se com as letras *i* e *u*:

cai, sobressai, dói, herói(s), chapéu(s), Montevidéu, Eliseu, atribui, constitui, possui, possuis, retribui, retribuis, conclui, inclui, etc.

Exceções: ao, aos, Caetano, Caetanópolis, Baependi.

b) Escreve-se e pronuncia-se *ou* e não *o* aberto nos verbos *afrouxar, cavoucar, estourar, pousar* (descer), *repousar, roubar* e suas flexões:

afr**ou**xo, cav**ou**ca, est**ou**ra, p**ou**sa, p**ou**sas, p**ou**sam, r**ou**bo, r**ou**ba, r**ou**bam, etc.

c) Em alguns vocábulos, o ditongo *ou* alterna com *oi*:

bal**ou**çar e bal**oi**çar – d**ou**rar e d**oi**rar – l**ou**ro e l**oi**ro – m**ou**rão e m**oi**rão – t**ou**ça e t**oi**ça – t**ou**cinho e t**oi**cinho, etc.

d) Como já vimos, os verbos terminados em *-oar*, no presente do subjuntivo e no imperativo, escrevem-se com *-oe* e não com *-oi*:

abenç**oe**, abenç**oes**, perd**oe**, perd**oes**, amaldiç**oe**, caç**oe**, caç**oes**, abot**oe**, etc.

e) No presente do subjuntivo e no imperativo, conforme dissemos, os verbos terminados em *-uar* grafam-se com *-ue* e não *-ui*:

cult**ue**, cult**ues**, contin**ue**, contin**ues**, flut**ue**, preceit**ue**, s**ue**, etc.

5 EMPREGO DAS LETRAS *G* E *J*

Para representar o fonema /j/ existem duas letras: *g* e *j*. Grafa-se este ou aquele signo não de modo arbitrário, mas de acordo com a origem da palavra. Exemplos:

gesso (do grego *gypsos*) – **jeito** (do latim *jactu*) – **jipe** (do inglês *jeep*)

▪ Escrevem-se com *g*:

a) os substantivos terminados em *-agem, -igem, -ugem*:
gar**agem**, mass**agem**, vi**agem**, or**igem**, vert**igem**, ferr**ugem**, lan**ugem**, etc.
Exceção: pajem.

b) as palavras terminadas em *-ágio, -égio, -ígio, -ógio, -úgio*:
cont**ágio**, est**ágio**, egr**égio**, prod**ígio**, rel**ógio**, ref**úgio**, etc.

c) as palavras derivadas de outras que se grafam com *g*:
massa**g**ista (de *massagem*) – verti**g**inoso (de *vertigem*) – ferru**g**inoso (de *ferrugem*) – enges-sar (de *gesso*) – farin**g**ite (de *faringe*) – selva**g**eria (de *selvagem*), etc.

d) os seguintes vocábulos:

algema	gengiva	ginete	herege	rabugice
angico	gesto	gíria	megera	sugestão
apogeu	gibi	giz	monge	tangerina
auge	gilete	hegemonia	rabugento	tigela
estrangeiro				

▪ Escrevem-se com *j*:

a) palavras derivadas de outras terminadas em *-ja*:
laranja: laranjeira, laranjinha
loja: lojinha, lojeca, lojista
granja: granjeiro, granjense, granjear (e suas flexões)

gorja: (garganta): gorjeta, gorjeio, gorjear (e flexões)
lisonja: lisonjeiro, lisonjeador, lisonjear (e flexões)
sarja: sarjeta, sarjar (e flexões)
cereja: cerejeira

b) todas as formas da conjugação dos verbos terminados em *-jar* ou *-jear*:
arranjar: arranje, arranjemos, arranjem, arranjei, etc.
viajar: viajei, viaje, viajemos, viajem (*viagem* é substantivo)
despejar: despejei, despeje, despejem, despejemos, etc.
gorjear: gorjeia, gorjeiam, gorjeavam, gorjeie, gorjeando, etc.

c) vocábulos cognatos ou derivados de outros que têm *j*:
laje: lajedo, Lajes, lajiano, lajense
nojo: nojeira, nojento
jeito: jeitoso, ajeitar, desajeitado, enjeitar, conjetura, conjeturar, dejetar, dejeção, dejeto(s), ejetar, ejeção, ejetor, injetar, injeção, interjeição, objetar, objeção, objeto, objetivo, projetar, projeção, projeto, projétil, rejeitar, rejeição, sujeitar, sujeição, sujeito, subjetivo, trajeto, trajetória, trejeitar, trejeito

d) palavras de origem ameríndia (principalmente tupi-guarani) ou africana:

canjerê, canjica, jenipapo, jequitibá, jerimum, jia, jiboia, jiló, jirau, Moji, mojiano, pajé, pajeú, tijipió, etc.

e) as seguintes palavras:

alfanje	intrujice	Jerônimo	manjedoura	sabujice
alforje	jeca	jérsei	manjericão	sujeira
berinjela	jegue	jiu-jítsu	ojeriza	traje
cafajeste	Jeremias	majestade	pegajento	ultraje
cerejeira	jerico	majestoso	rijeza	varejista

6 REPRESENTAÇÃO DO FONEMA /S/

▪ **O fonema** /s/, **conforme o caso, representa-se por:**

a) C, Ç:

acetinado	cimento	exceção	maço	pança
açafrão	dança	Iguaçu	miçanga	pinça
almaço	dançar	maçarico	muçulmano	Suíça
anoitecer	contorção	maçaroca	muçurana	suíço
censura	endereço	maciço	paçoca	vicissitude

b) S:

ânsia	cansar	diversão	hortênsia	remorso
ansiar	cansado	excursão	pretensão	sebo
ansioso	descansar	farsa	pretensioso	tenso
ansiedade	descanso	ganso	propensão	utensílio

c) SS:

acesso	concessão	massa	profissional
acessório	discussão	massagista	ressurreição
acessível	escassez	missão	sessenta
assar	escasso	necessário	sossegar
asseio	essencial	obsessão	sossego
assinar	expressão	opressão	submissão
carrossel	fracasso	pêssego	sucessivo
cassino	impressão	procissão	

d) SC, SÇ:

acréscimo	cresço	discípulo	imprescindível	seiscentos
adolescente	cresça	discernir	néscio	suscetível
ascensão	descer	fascinar	oscilar	suscetibilidade
consciência	desço	fascinante	piscina	suscitar
consciente	desça	florescer	ressuscitar	víscera
crescer	disciplina			

Observação:

✔ A simplificação ortográfica está a exigir a eliminação do *s* dos dígrafos *sc* e *sç*, bem como do *x* do dígrafo *xc*. Veja item f, abaixo.

e) X:

aproximar	máximo	trouxe
auxiliar	próximo	trouxer
auxílio	proximidade	trouxeram

f) XC:

exceção	excelência	excêntrico	excessivo
excedente	excelente	excepcional	exceto
exceder	excelso	excesso	excitar

- **Homônimos**

Eis alguns homônimos, palavras que têm a mesma pronúncia, mas significação e escrita diferentes:

acento = inflexão da voz, sinal gráfico

assento = lugar para sentar-se

cismo = penso

sismo = terremoto

acético = referente ao ácido acético (vinagre)

ascético = referente ao ascetismo, místico

empoçar = formar poça

empossar = dar posse a

cesta = utensílio de vime ou outro material

sexta = ordinal referente a *seis*

incipiente = principiante

insipiente = ignorante

círio = grande vela de cera

sírio = natural da Síria

intercessão = ato de interceder

interseção = ponto em que duas linhas se cruzam

ruço = pardacento

russo = natural da Rússia

7 EMPREGO DO *S* COM VALOR DE *Z*

Escrevem-se com *s* com som de *z*:

- adjetivos com os sufixos *-oso, -osa*:
  gostoso, gostosa – gracioso, graciosa – teimoso, teimosa, etc.

- adjetivos pátrios com os sufixos *-ês, -esa*:
  português, portuguesa – inglês, inglesa – milanês, milanesa, etc.

- substantivos e adjetivos terminados em *-ês*, feminino *-esa*:
  burguês, burguesa, burgueses – camponês, camponesa, camponeses – freguês, freguesa, fregueses – marquês, marquesa, marqueses, etc.

- substantivos com os sufixos gregos *-ese, -isa, -ose*:
  catequese, diocese, diurese – pitonisa, poetisa, sacerdotisa – glicose, metamorfose, virose, etc.

- verbos derivados de palavras cujo radical termina em *-s*:
  analisar (de *análise*) – apresar (de *presa*) – atrasar (de *atrás*) – abrasar (de *brasa*) – extasiar (de *êxtase*) – enviesar (de *viés*) – afrancesar (de *francês*) – extravasar (de *vaso*) – alisar (de *liso*), etc.

- formas dos verbos *pôr* e *querer* e de seus derivados:
  pus, pôs, pusemos, puseram, puser, compôs, compusesse, impuser, etc.
  quis, quisemos, quiseram, quiser, quisera, quiséssemos, etc.

- os seguintes nomes próprios de pessoas:
  Avis, Baltasar, Brás, Eliseu, Garcês, Heloísa, Inês, Isabel, Isaura, Luís, Luísa, Queirós, Resende, Sousa, Teresa, Teresinha, Tomás, Valdês, etc.

- os seguintes vocábulos e seus cognatos:

aliás	descortesia	hesitar	raposa
análise	despesa	manganês	represa
anis	empresa	mês	requisito
arnês	esplêndido	mesada	rês, reses
ás, ases	esplendor	obséquio	retrós
atrás	espontâneo	obus	revés, reveses
através	evasiva	paisagem	surpresa
avisar	fase	país	tesoura
aviso	frase	paraíso	tesouro
besouro	freguesia	pêsames	três
colisão	fusível	pesquisa	usina
convés	gás	presa	vasilha

cortês	Goiás	presépio	vaselina
cortesia	groselha	presídio	vigésimo
defesa	heresia	querosene	visita

8 EMPREGO DA LETRA Z

Grafam-se com z:

- os derivados em -zal, -zeiro, -zinho, -zinha, -zito, -zita:
  cafezal, cafezeiro, cafezinho, avezinha, cãozito, avezita, etc.

- os derivados de palavras cujo radical termina em -z:
  cruzeiro (de cruz), enraizar (de raiz), esvaziar, vazar, vazão (de vazio), etc.

- os verbos formados com o sufixo -izar e palavras cognatas:
  fertilizar, fertilizante; civilizar, civilização, etc.

- substantivos abstratos em -eza, derivados de adjetivos e denotando qualidade física ou moral:
  pobreza (de pobre), limpeza (de limpo), frieza (de frio), etc.

- as seguintes palavras:

azar	aprazível	chafariz	proeza	vazante
azeite	baliza	cicatriz	vazar	vaza-barris
azáfama	buzina	ojeriza	vazamento	vizinho
azedo	buzinar	prezar	vazão	xadrez
amizade	bazar	prezado		

9 S OU Z?

- **Sufixos -ês e -ez:**

  a) O sufixo -ês (latim -ense) forma adjetivos (às vezes substantivos) derivados de substantivos concretos:

montês (de monte)	montanhês (de montanha)
cortês (de corte)	francês (de França)
burguês (de burgo)	chinês (de China)

  b) O sufixo -ez forma substantivos abstratos femininos derivados de adjetivos:

aridez (de árido)	cupidez (de cúpido)	avidez (de ávido)
acidez (de ácido)	estupidez (de estúpido)	palidez (de pálido)
rapidez (de rápido)	mudez (de mudo)	lucidez (de lúcido)

- **Sufixos -esa e -eza:**

  Escreve-se -esa (com s):

  a) nos seguintes substantivos cognatos de verbos terminados em -ender:

defesa (*defender*), presa (*prender*), despesa (*despender*), represa (*prender*), empresa (*empreender*), surpresa (*surpreender*).

b) nos substantivos femininos designativos de títulos nobiliárquicos:

baronesa, duquesa, marquesa, princesa, consulesa, prioresa.

c) nas formas femininas dos adjetivos terminados em *-ês*:

burguesa (de *burguês*), francesa (de *francês*), camponesa (de *camponês*), milanesa (de *milanês*), holandesa (de *holandês*), etc.

d) nas seguintes palavras femininas:

framboesa, indefesa, lesa, mesa, sobremesa, obesa, Teresa, tesa, toesa, turquesa.

Escreve-se *-eza* (com *z*):

Grafa-se *-eza* nos substantivos femininos abstratos derivados de adjetivos e denotando qualidades, estado, condição. Exemplos:

beleza (de *belo*), franqueza (de *franco*), pobreza (de *pobre*), leveza (de *leve*).

Observação:

✔ Inclua-se o topônimo *Veneza*, cidade da Itália.

▪ Verbos terminados em *-isar* e *-izar*:

Escreve-se *-isar* (com *s*) quando o radical dos nomes correspondentes termina em *-s*. Se o radical não terminar em *-s*, grafa-se *-izar* (com *z*):

avisar (aviso + -ar)	*anarquizar* (anarquia + -izar)
analisar (análise + -ar)	*civilizar* (civil + -izar)
alisar (a + liso + -ar)	*canalizar* (canal + -izar)
bisar (bis + -ar)	*amenizar* (ameno + -izar)
catalisar (catálise + -ar)	*colonizar* (colono + -izar)
improvisar (improviso + -ar)	*vulgarizar* (vulgar + -izar)
paralisar (paralisia + -ar)	*motorizar* (motor + -izar)
pesquisar (pesquisa + -ar)	*escravizar* (escravo + -izar)
pisar, repisar (piso + -ar)	*cicatrizar* (cicatriz + -ar)
frisar (friso + -ar)	*deslizar* (deslize + -ar)
grisar (gris + -ar)	*matizar* (matiz + -ar)

Observações:

✔ As letras *s* ou *z* aparecerão, é claro, em todas as formas da conjugação desses verbos.

✔ Nos verbos derivados de nomes cujo radical termina em *s* ou *z*, o sufixo é *-ar*; se o radical termina por outra consoante, o sufixo é *-izar*.

✔ Dos verbos em *-izar*, uns, como *oficializar, monopolizar, sintonizar*, etc., foram formados em nossa língua; outros, como *batizar, catequizar, dramatizar, traumatizar*, etc., derivam do grego e entraram no vernáculo já formados. No grego, escrevem-se como *dzeta*, letra que corresponde ao nosso *z*.

FONÉTICA 63

10 EMPREGO DO X

- Esta letra representa os seguintes fonemas:

  /**ch**/: xarope, enxofre, vexame, etc.

  /**cs**/: sexo, látex, léxico, tóxico, etc.

  /**z**/: exame, exílio, êxodo, etc.

  /**ss**/: auxílio, máximo, próximo, etc.

  /**s**/: sexto, texto, expectativa, extensão, etc.

- Não soa nos grupos internos -*xce*- e -*xci*-:

  exceção, exceder, excelente, excelso, excêntrico, excessivo, excitar, inexcedível, etc.

Observação:

✔ Nas palavras do segundo item, o *x* é parte do prefixo latino *ex-*, mas deveria ser abolido, simplesmente por ser desnecessário. Bastaria a variante *e-* (em vez de *ex-*), tal como ocorre em *efusão, emigrar, evasão, emanar*, etc.

- Grafam-se com *x* e não com *s*:

  expectativa, experiente, expiar (remir, pagar), expirar (morrer), expoente, êxtase, extasiado, extrair, fênix, têxtil, texto, etc.

- Escreve-se *x* e não *ch*:

  a) em geral, depois de ditongo:

  caixa, baixo, faixa, feixe, frouxo, ameixa, rouxinol, seixo, etc.

  Excetuam-se *caucho* e os derivados *cauchal, recauchutar* e *recauchutagem*.

  b) geralmente, depois da sílaba inicial *en*-:

  enxada, enxame, enxamear, enxaguar, enxaqueca, enxárcia, enxerga, enxergar, enxerido, enxerto, enxertar, enxó, enxofre, enxotar, enxoval, enxovalhar, enxovia, enxugar, enxúndia, enxurrada, enxuto, etc.

  Excepcionalmente, grafam-se com *ch*: *encharcar* (de *charco*), *encher* e seus derivados (*enchente, enchimento, preencher*, etc.), *enchova, enchumaçar* (de *chumaço*), enfim, toda vez que se trata do prefixo *en-* + palavra iniciada por *ch*.

  c) em vocábulos de origem indígena ou africana:

  abacaxi, xavante, caxambu (dança negra), caxinguelê, mixira, orixá, xará, maxixe, etc.

  d) nas seguintes palavras:

  anexim, bexiga, bruxa, coaxar, faxina, graxa, lagartixa, lixa, lixo, mexer, mexerico, puxar, rixa, oxalá, praxe, vexame, xadrez, xarope, xaxim, xícara, xale, xingar, xampu.

11 EMPREGO DO DÍGRAFO CH

Escrevem-se com *ch*, entre outros, os seguintes vocábulos:

bucha, charque, charrua, chávena, chimarrão, chuchu, cochilo, cochilar, fachada, ficha, flecha, mecha, mochila, pechincha, tocha.

- **Homônimos**

bucho = estômago

buxo = espécie de arbusto, muito usado como cerca em canteiros de jardins.

cocho = recipiente de madeira

coxo = capenga, manco

tacha = mancha, defeito; pequeno prego de cabeça larga e chata; caldeira

taxa = imposto, preço de um serviço público, conta, tarifa

chá = planta da família das Teáceas; infusão de folhas do chá ou de outras plantas

xá = título do soberano da Pérsia (atual Irã)

cheque = ordem de pagamento

xeque = no jogo de xadrez, lance em que o rei é atacado por uma peça adversária

12 CONSOANTES DOBRADAS

- Nas palavras portuguesas só se duplicam as consoantes *c, r, s*.
- Escreve-se *cc* ou *cç* quando as duas consoantes soam distintamente:

convicção, occipital, cocção, fricção, friccionar, facção, sucção, etc.

- Duplicam-se o *r* e o *s* em dois casos:

a) quando, intervocálicos, representam os fonemas /r/ forte e /s/ sibilante, respectivamente:

carro, ferro, pêssego, missão, etc.

b) quando a um elemento de composição terminado em vogal seguir, sem interposição do hífen, palavra começada por *r* ou *s*:

arroxeado, correlação, pressupor, bissemanal, girassol, minissaia, etc.

Observação:

✔ Em palavras estrangeiras e derivadas conservam-se as consoantes dobradas: *Garrett, garrettiano, Hoffmann, hoffmânnico*, etc.

13 EMPREGO DAS INICIAIS MAIÚSCULAS E MINÚSCULAS

- **Escrevem-se com letra inicial maiúscula:**

a) a primeira palavra de período ou citação:

Nossa língua é falada em todos os continentes.

Diz um provérbio árabe: "A agulha veste os outros e vive nua".

Observação:

✔ No início dos versos que não abrem período é facultativo o uso de letra maiúscula.

b) substantivos próprios (antropônimos, alcunhas, topônimos, nomes sagrados, mitológicos, astronômicos, nomes de regiões):

José, Tiradentes, Brasil, Amazônia, Campinas, Deus, Jesus Cristo, Maria Santíssima, Tupã, Minerva, Via Láctea, Marte, Cruzeiro do Sul, Região Sul, Baixada Fluminense, Triângulo Mineiro, etc.

Observação:

✔ Grafa-se com inicial minúscula: o *deus* pagão, os *deuses* pagãos, a *deusa* Juno.

c) nomes de épocas históricas, datas e fatos importantes, festas religiosas:

Idade Média, Renascença, Centenário da Independência do Brasil, a Páscoa, o Natal, o Dia das Mães, Plano Real, Semana Santa, etc.

d) nomes de altos cargos e dignidades: Papa, Presidente da República, etc.

e) nomes de altos conceitos religiosos ou políticos: Igreja, Nação, Estado, Pátria, União, República, Império, etc.

f) nomes de estabelecimentos, agremiações, corporações, órgãos públicos, etc.: Academia Brasileira de Letras, Banco do Brasil, Teatro Municipal, Colégio Santista, Secretaria de Saúde, Guarda Municipal, Ministério da Fazenda, etc.

g) títulos de jornais e revistas: *O Globo*, *Jornal do Brasil*, *Veja*, etc.

h) expressões de tratamento:

Vossa Excelência, Sr. Presidente, Excelentíssimo Senhor Ministro, Senhor Diretor, etc.

i) nomes dos pontos cardeais, quando designam regiões:

Os povos do Oriente, o falar do Norte.

Mas: Corri o país de *norte* a *sul*. O sol nasce a *leste*.

j) nomes comuns, quando personificados ou individualizados:

o Amor, o Ódio, a Morte, o Jabuti (nas fábulas), etc.

▪ **Escrevem-se com letra inicial minúscula:**

a) nomes de meses, de festas pagãs ou populares, nomes gentílicos, nomes próprios tornados comuns:

maio, bacanais, carnaval, ingleses, ave-maria, um havana, pau-brasil, etc.

b) nomes a que se referem os itens **d** e **e** da página anterior, quando empregados em sentido geral:
São Pedro foi o primeiro *papa*.   Todos amam sua *pátria*.
Candidatou-se a *presidente* da República.   As *igrejas* evangélicas.

c) palavras, depois de dois-pontos, não se tratando de citação direta:
"Chegam os magos do Oriente, com suas dádivas: ouro, incenso, mirra." (MANUEL BANDEIRA)
"A sobremesa era no pomar: chupar laranjas debaixo das árvores." (ELSIE LESSA)
O filósofo grego disse: "Nada se cria, nada se perde, tudo se transforma."

- **Casos opcionais**

Grafam-se, opcionalmente, com letra inicial maiúscula ou minúscula:

a) nomes designativos de logradouros públicos, edifícios, templos: Rua (ou rua) São José, Praça (ou praça) da Paz, Edifício (ou edifício) Jabuti, Igreja (ou igreja) do Bonfim, etc.

b) nomes designativos de santos, de profissionais: Santo Antônio ou santo Antônio, Doutor Paulo ou doutor Paulo, Professor Renato ou professor Renato, etc.

c) nomes de disciplinas: Matemática ou matemática, etc.

d) nomes comuns antepostos a nomes próprios de acidentes geográficos: Baía (ou baía) de Guanabara. Lagoa (ou lagoa) de Araruama, Rio (ou rio) Amazonas, Ilha (ou ilha) de Marajó, Serra (ou serra) do Mar. Pico (ou pico) da Neblina, etc.

e) nomes de livros (menos o inicial e substantivos próprios, que são sempre com maiúscula): *A Menina do Sobrado* ou *A menina do sobrado*, *O Primo Basílio* ou *O primo Basílio*, *Histórias sem Data* ou *Histórias sem data*, *A Retirada de Laguna* ou *A retirada de Laguna*, etc.

→ No interior dos títulos, as palavras átonas, como *o*, *a*, *com*, *de*, *em*, *sem*, *um*, etc., grafam-se com inicial minúscula. Os títulos devem ser grifados, com tipo itálico claro.

EXERCÍCIOS

1. Escreva as palavras, completando com **h** inicial quando for o caso:

   ontem – esitar – ulha – úmido – iate – erbívoro

2. Escreva corretamente os verbos, substituindo o ∗ pelas letras **e** ou **i**:

   contribu∗ – perdo∗ – habitu∗ – continu∗ – pontu∗ – tumultu∗ – influ∗ – constitu∗ – abenço∗ – atribu∗

3. Escreva as palavras, substituindo o ∗ por **e** ou **i**, conforme convenha:

   quas∗ – pát∗o – ∗mpecilho – pr∗vilégio – arr∗piado – ant∗cipar – front∗spício – ant∗ontem – ant∗térmico – d∗sperdiçar – s∗lvícola – requ∗sito – s∗não – cr∗ar – recr∗ativo – lacrimogên∗o

4. Escreva as palavras substituindo convenientemente o ∗ pelas letras **o** ou **u**:

   búss∗la – eng∗lir – b∗lir – ch∗ver – ch∗visco – jab∗ti – mág∗a – conc∗rrência – cam∗ndongo – ób∗lo – c∗biçar – c∗rtume – g∗ela

5. Copie cada frase, substituindo os asteriscos pelo parônimo adequado:

1) O calor *** o ferro. *(delata – dilata)*

2) Falava-se num ataque *** do inimigo. *(eminente – iminente)*

3) Pessoa prudente fala com *** . *(descrição – discrição)*

4) A sucuri tinha oito metros de *** . *(comprimento – cumprimento)*

6. Escreva as palavras, substituindo * por **g** ou **j**, conforme o caso:

pa∗em – lo∗ista – mon∗e – ti∗ela – gor∗eio – ∗iboia – tra∗eto – ma∗estoso – su∗eira – ∗inete – pa∗é – ∗iló – ∗eito – here∗e – pro∗eção – su∗estão – tra∗e – o∗eriza – sar∗eta – re∗eitar – gara∗em – farin∗ite – ferru∗em – selva∗eria – rabu∗ento – ultra∗e – via∗em (substantivo) – via∗em (verbo)

7. Escreva as palavras trocando o * por **c**, **ç**, **s** ou **ss**, conforme convenha:

dan∗a – ân∗ia – ma∗iço – discu∗ão – diver∗ão – ma∗arico – preten∗ioso – ∗ebo – carro∗el – ascen∗ão – pê∗ego – descan∗ar – suí∗o – pa∗oca – hortên∗ia – so∗ego – remor∗o – mi∗angas – esca∗o – far∗a – mu∗ulmano – Igua∗u – obse∗ão

8. Escreva as palavras em seu caderno, completando adequadamente com **ç** ou **ss** no lugar do asterisco:

ma∗agista – pan∗a – profi∗ão – ace∗o – re∗urreição – fraca∗o – a∗afrão – exce∗ão – mu∗urana – Suí∗a – alma∗o – proci∗ão – ma∗aroca – ave∗o – nece∗ário – a∗olar

9. Observe os exemplos e faça o mesmo em seu caderno:

a) ater   **atenção**
   abster
   conter
   deter
   obter
   reter

b) converter   **conversão**
   inverter
   reverter
   subverter

c) ceder   **cessão**
   conceder
   interceder

d) agredir   **agressão**
   progredir
   regredir

e) admitir   **admissão**
   demitir
   emitir
   omitir
   permitir
   remitir

f) comprimir   **compressão**
   deprimir
   exprimir
   imprimir
   oprimir
   reprimir
   suprimir

g) expelir   **expulsão**
   impelir
   repelir

10. Substitua o * por **sc**, **ss**, **x** ou **xc**:

a∗ensão – e∗eção – o∗ilar – au∗ílio – con∗iência – di∗iplina – e∗ência – e∗esso – fa∗inante – sei∗entos – trou∗er – e∗êntrico – suce∗ivo – su∗itar – flore∗er

11. Escreva as listas de palavras, classificando-as de acordo com o emprego do **s**, conforme a numeração abaixo (pág. 68):

a) catequese, poetisa, metamorfose

FONÉTICA

b) quis, pôs, quiser, puser, puseram

c) generoso, generosa, jeitoso, jeitosa

d) analisar, extasiar, atrasar, apresar

e) genovês, genovesa, português, portuguesa

(1) sufixos **-oso**, **-osa**

(2) adjetivos pátrios terminados em **ês**, **esa**

(3) sufixos gregos **-ese**, **-isa**, **-ose**

(4) derivados de radicais finalizados em **-s**

(5) formas dos verbos **pôr** e **querer**

12. Troque o * por **s** ou **z**, conforme convenha:

I*abel – atravé* – bu*inar – coli*ão – civili*ação – corte*ia – ba*ar – fregue*ia – ga*ômetro – fu*ível – me*es – ob*équio – pai*agem – pre*ado – paraí*o – vene*iana – proe*a – quero*ene – te*ouro – u*ina – vi*ita – va*io – va*amento – do*e (porção) – do*e (numeral)

13. Faça como no exercício anterior:

atra*ar – freguê* – rapide* – fertili*ante – ga*es – camponê* – qui*er – improvi*ar – co*inha – burguê* – compô* – esva*iar – paí*es – fregue*es – ave*inha – requi*ito – vi*inho – campone*es – Tere*inha – teimo*ia

14. Reveja os parágrafos sobre o emprego das letras **s** e **z**; em seguida, copie os nomes abaixo, completando com os sufixos **-esa** ou **-eza** no lugar dos asteriscos, conforme o caso:

clar*** – redond*** – portugu*** – milan***

surpr*** – repr*** – delicad*** – empr***

firm*** – baron*** – campon*** – limp***

japon*** – franc*** – frambo*** – marqu***

duqu*** – fregu*** – espert*** – princ***

pobr*** – gentil*** – turqu*** – def***

chin*** – Ter*** – desp*** – magr***

15. Utilizando corretamente os sufixos **-ês** e **-ez**, derive:

1) substantivo de **ácido** e **árido**.

2) adjetivos de **China** e **corte** (ô).

16. Dos nomes abaixo derive corretamente verbos terminados em **-isar** ou **-izar**:

pesquisa	ameno
canal	civil
símbolo	paralisia
escravo	simpatia
análise	cicatriz
deslize	improviso

FONÉTICA 69

17. Justifique cada afirmativa com três exemplos adequados:

Escreve-se **x** e não **ch**:

a) geralmente depois de ditongo:

b) geralmente depois da sílaba inicial **en-**:

c) em palavras de origem indígena ou africana:

18. Dê exemplos de palavras em que a letra **x** soa como:

ch – cs – z – ss

19. Escreva as palavras, substituindo o * convenientemente por **x** ou **ch**:

fai*a – fa*ada – en*ame – en*ofre – pu*ar – *u*u – en*ugar – en*arcar – *arque – li*a – fle*a – coa*ar – me*er – ri*a – co*a – trou*a – bu*a – bru*a – fa*ina – be*iga – *arope

20. Substitua o * por **s** ou **x**, conforme o caso:

e*pontâneo – e*tender – e*tensão – e*plendor – e*plêndido – e*gotar – e*pansão

21. Escreva cada expressão abaixo, trocando os asteriscos pelo homônimo adequado:

apreçar – apressar – cessão – seção – sessão – cela – sela – cheque – xeque – espiar – expiar – intercessão – interseção – tacha – taxa

***	o passo	assinar o ***	
***	o imóvel	evitar o ***	
***	de um bem	*** um crime	
***	noturna	*** a moça	
***	de esportes	*** de Maria	
***	a carta	*** de 2 linhas	
***	de preso	*** de luz elétrica	
***	de couro	*** de metal	

22. Identifique as alternativas em que todas as palavras estão escritas corretamente:

a) honrado, desumano, horizonte, hontem

b) horário, desonrado, hábil, hospedaria

c) humanidade, humildade, honesto, humano

d) harém, hora, hostil, hovíparo

23. Escolha, em cada um dos pares abaixo, qual a palavra corretamente grafada:

a) continue/continui

b) cemitério/cimitério

c) quase/quasi

d) possue/possui

e) indígena/indígina

FONÉTICA

24. Faça o mesmo, escolhendo a forma grafada corretamente com **o** ou **u**:

a) tribo/tribu   No Brasil vivem muitas *tribos* indígenas.

b) engolir/engulir

c) jaboticaba/jabuticaba

d) tabuada/taboada

e) costume/custume

25. Leia as frases abaixo e corrija onde houver erro:

a) Meu braço é muito cumprido.

b) Ele fez às moças um cerimonioso comprimento.

c) Faça uma discrição dessa figura para seus colegas.

d) Meus bisavós vieram da Itália para cá no início do século passado. Como imigrantes, tinham poucos direitos assegurados.

e) Ele soava por todos os poros.

f) Imigrantes africanos morrem nas águas do Mediterrâneo antes de chegar à Espanha.

26. Derive adjetivos dos substantivos usando o sufixo *-oso*:

gosto, gula, medo, teima, nervo, esperança, choro, calor, amor, dor, carinho

27. Complete usando formas adequadas dos verbos entre parênteses*:*

a) Ontem meu pai * algum dinheiro em sua conta. (pôr)

b) Os soldados ajoelharam-se e * flores sobre a laje. (pôr)

c) Eles * entrar, mas eu não permiti. (querer)

d) Se eu * que você entrasse, teria pedido. (querer)

e) Quem * ser aprovado deve estudar bastante. (querer)

f) Quem * alguma coisa em minha carteira vai se arrepender! (pôr)

28. Responda utilizando adjetivos pátrios formados por meio do sufixo *-ês/-esa*:

a) Aquele que nasce na França é *, na Inglaterra é *, na Escócia é * e em Portugal é *.

b) Uma pintura originária do Japão é *, da China é * e de Portugal é *.

29. Forme substantivos derivados dos adjetivos abaixo, usando o sufixo *-ez/-eza*:

belo – mole – franco – fraco – macio – leve – nobre – esperto – honrado – limpo – rápido – estúpido

ORTOGRAFIA
Exercícios de exames e concursos

[Página 665]

ACENTUAÇÃO GRÁFICA

1 PRINCIPAIS REGRAS DE ACENTUAÇÃO GRÁFICA

▪ Acentuação dos vocábulos proparoxítonos

Todos os vocábulos proparoxítonos são acentuados na vogal tônica:

a) com acento agudo se a vogal tônica for *i, u* ou *a, e, o* abertos:

xícara, úmido, queríamos, lágrima, término, déssemos, lógico, binóculo, colocássemos, inúmeros, polígono, etc.

b) com acento circunflexo se a vogal tônica for fechada ou nasal:

lâmpada, pêssego, esplêndido, pêndulo, lêssemos, estômago, sôfrego, fôssemos, quilômetro, sonâmbulo, etc.

> **Observação:**
>
> ✔ Acentuam-se também os vocábulos que terminam por encontro vocálico e que podem ser pronunciados como proparoxítonos: *área, conterrâneo, errôneo, enxáguam*, etc.

▪ Acentuação dos vocábulos paroxítonos

Acentuam-se com o acento adequado os vocábulos paroxítonos terminados em:

a) *ditongo crescente*, seguido, ou não, de *s*:

sábio, róseo, Gávea, planície, nódoa, régua, árdua, espontâneo, ânsia, decência, cerimônia, tênues, ingênuo, etc.

b) *-i, -is, -us, -um, -uns*:

táxi, júri, biquíni, lápis, bônus, vírus, Vênus, álbum, álbuns, médium, médiuns, fórum, etc.

c) *-l, -n, -r, -x, -ons, -ps*:

fácil, móvel, cônsul, hífen, pólen, cânon, elétron, dólar, revólver, vômer, mártir, látex, fênix, Félix, elétrons, bíceps, fórceps, etc.

d) *-ei, -eis:*

jóquei, vôlei, fósseis, úteis, fizésseis, lêsseis, fáceis, túneis, etc.

e) *-ã, -ãs, -ão, -ãos, -guam, -guem*:

imã, imãs, órgão, órgãos, bênção, bênçãos, enxáguam, enxáguem, etc.

72 FONÉTICA

> **Observações:**
>
> ✔ Não se acentuam os vocábulos paroxítonos terminados em *-ens*: *imagens, edens, itens, jovens, nuvens*, etc.
>
> ✔ Não se acentuam os prefixos *anti, semi* e *super*, por serem considerados elementos átonos: *semi-interno, super-homem, anti-inflamatório*.
>
> ✔ Não se acentua um paroxítono só porque sua vogal tônica é aberta ou fechada. Descabido seria o acento gráfico, por exemplo, em *cedo, este, espelho, aparelho, cela, janela, socorro, pessoa, dores, flores, solo, esforços*.
>
> ✔ As terminações dos itens *b, c, d* e *e* são, por natureza, tônicas. Daí a necessidade do acento gráfico nas palavras com essas terminações.
>
> ✔ Não se acentuam os ditongos abertos *ei, eu, oi* de palavras paroxítonas: *assembleia, geleia, jiboia, ovoide*, etc.

▪ Acentuação dos vocábulos oxítonos

a) Acentuam-se com o acento adequado os vocábulos oxítonos terminados em:

- *-a, -e, -o*, seguidos ou não de *s*:

    xará, xarás, gambá, será, serás, pajé, pajés, Tietê, você, freguês, vovô, avós, vovó, etc.

    Seguem esta regra os infinitivos seguidos de pronome:

    cortá-los, vendê-lo, conhecê-la, compô-lo, etc.

- *-em, -ens* (em palavras de duas ou mais sílabas):

    ninguém, armazém, armazéns, ele contém, tu conténs, ele convém, ele mantém, eles mantêm, ele intervém, eles intervêm, etc.

> **Observação:**
>
> ✔ A 3ª pessoa do plural do presente do indicativo dos verbos derivados de *ter* e *vir* leva acento circunflexo:
>
> Eles *contêm, detêm, obtêm, retêm,* etc.
>
> Eles *convêm, intervêm, provêm, sobrevêm,* etc.

- *-éis, -éu(s), -ói(s):*

    fiéis, chapéu, chapéus, herói, heróis, etc.

b) Não devem ser acentuados os oxítonos terminados em *-i(s), -u(s)*:

aqui, juriti, juritis, saci, bambu, bambus, zebu, puni-los, reduzi-los, etc.

Exceção: o *i* e o *u* são acentuados quando precedidos de vogal átona com a qual formem hiato:

saí, Piraí, Jacareí, Jaú, Camboriú, sucuriú, baú, baús, saís, Luís, instruí-los, etc.

▪ Acentuação dos monossílabos

a) Acentuam-se os monossílabos tônicos:

- terminados em *-a, -e, -o*, seguidos ou não de *s*:

    há, pá, pás, má, más, pé, pés, dê, dês, mês, nó, nós, pôs (colocou), etc.

- que encerram os ditongos abertos *éi, éu, ói:*

  véu, véus, réis, dói, sóis, etc.

b) Não se acentuam os monossílabos tônicos com outras terminações:

  ri, bis, ver, vez, sol, pus, mau, maus, Zeus, dor, flor, etc.

Exceções: acentuam-se os verbos *pôr, têm* (plural) e *vêm* (plural) porque existem os homógrafos *por* (preposição átona), *tem* (singular) e *vem* (singular):

Eles *têm* autoridade: *vêm pôr* ordem na cidade.

▪ Acentuação dos ditongos

a) Acentua-se a base (isto é, a vogal) dos ditongos abertos *éi, éu, ói*, quando tônicos e em palavras oxítonas: papéis, chapéu, herói, Niterói, anzóis, destrói, etc.

Em palavras paroxítonas esses ditongos não se acentuam: *ideia, estreia, joia, heroico*, etc.

b) Esses ditongos não se acentuam:
  - quando fechados:

    areia, ateu, joio, tamoio, apoio, etc.

  - quando subtônicos:

    ideiazinha, chapeuzinho, heroizinho, tireoidite, heroicamente, etc.

c) Não se acentua a vogal tônica dos ditongos *-iu* e *-ui*, quando precedida de vogal:

  saiu, atraiu, contraiu, contribuiu, distribuiu, pauis, etc.

▪ Acentuação dos hiatos

a) Acentuam-se, em regra, o *i* e o *u* tônicos em hiato com vogal ou ditongo anterior, formando sílaba sozinhos ou com *s*:

  saída (*sa-í-da*), saúde (*sa-ú-de*), faísca (*fa-ís-ca*), caía, saíra, egoísta, heroína, caí, Xuí, Luís, uísque, balaústre, juízo, país, cafeína, baú, baús, Grajaú, saímos, eletroímã, reúne, construía, proíbem, influí, destruí-lo, instruí-la, etc.

  Razão do acento gráfico: indicar hiato, impedir a ditongação.

  Compare: c*aí* e c*ai*, d*oí*do e d*oi*do, fl*uí*do e fl*ui*do.

b) No caso acima, não se acentuam o *i* e o *u*:
  - quando seguidos de *nh*:

    rainha, fuinha, moinho, lagoinha, etc.

  - quando formam sílaba com letra que não seja *s*:

    cair (*ca-ir*), sairmos, saindo, juiz, ainda, diurno, Raul, ruim, cauim, amendoim, saiu (*sa-iu*), contribuiu, instruiu, etc.

  Razão da ausência do acento gráfico: não é possível a ditongação, nesses casos.

c) Não se coloca acento circunflexo na primeira vogal dos hiatos *oo* e *ee*:

  voo, voos, enjoo, abençoo, abotoo, creem, deem, leem, veem, descreem, releem, preveem, proveem, etc.

FONÉTICA

Observação:

✔ O acento circunflexo, nesse caso, é desnecessário; por isso, o novo *Acordo Ortográfico* de 1990 o aboliu.

d) Fora o caso previsto no item *a*, não se acentuam os hiatos. Assim, escreveremos sem acento:

Saara, caolho, aorta, semeemos, semeeis, mandriice, vadiice, lagoa, pessoa, boa, abotoa, Mooca, coorte, moeda, poeta, meeiro, paracuuba, voe, perdoe, abençoe, feiura, cheiinho (a), maoista, etc.

Observação:

✔ Cabe esclarecer que existem hiatos acentuados não por serem hiatos, mas por outras razões.

Acentuam-se, por exemplo:

poético, por ser vocábulo proparoxítono;

beócio e *boêmio*, porque terminam em ditongo crescente;

jaó, por ser vocábulo oxítono terminado em *-o*.

- **Os grupos *gue, gui, que, qui***

   a) Não se coloca acento agudo sobre o *u* desses grupos, quando é proferido e tônico:

   averigue, averigues, averiguem, apazigue, apazigues, apaziguem, oblique, obliques, obliquem, arguis, argui, arguem, etc. → O acento gráfico deveria ser mantido para evitar falsas pronúncias.

   b) Quando átono, o referido *u* não recebe trema, sinal abolido no sistema ortográfico de 1990:

   aguentar, arguir, arguimos, arguia, argui, arguiu, frequente, delinquência, delinquir, tranquilo, cinquenta, enxaguei, pinguim, sequestro, etc.

- **Acento diferencial**

   Acento diferencial é o que se usa para diferenciar homógrafos (palavras que se escrevem com as mesmas letras, mas que têm significados diferentes). O sistema ortográfico de 1990 aboliu o acento diferencial em alguns homógrafos. É preciso destinguir:

   a) Acentos diferenciais obrigatórios:

   Como no sistema ortográfico de 1943, acentuam-se obrigatoriamente:

   pôr (verbo) para diferenciar de *por* (preposição): *pôr* sal no café *por* distração.

   pôde (pretérito perfeito do verbo *poder*) para distinguir de *pode* (presente do indicativo): Ontem o médico não *pôde* atender; hoje ele *pode*.

   b) Acentos diferenciais facultativos:

   Podem-se acentuar, opcionalmente:

   fôrma (molde) para distinguir de *forma* (feitio, modo): O bolo toma a *forma* da *fôrma*.

andámos, cantámos, louvámos, etc. (formas verbais do pretérito perfeito do indicativo) para as diferenciar das correspondentes formas do presente do indicativo (andamos, cantamos, louvamos, etc., por ser aberto o timbre do *a* tônico no pretérito em certas variantes do português. No Brasil, não se pronuncia nem se escreve *andámos*, mas *andamos*, tanto no presente como no pretérito perfeito, neste e em todos os verbos da 1ª conjugação.

c) Acentos diferenciais abolidos:

Aboliram-se os acentos gráficos nos vocábulos tônicos abaixo, que se usavam para diferenciá-los dos respectivos homógrafos átonos:

Vocábulos tônicos	Vocábulos átonos
pera (fruta)	*pera* (para, preposição arcaica)
polo (ó) (extremidade, jogo)	*polo* (contração arcaica de *por o* = pelo)
polo (ô) (falcão novo)	*polo* (contração arcaica de *por o* = pelo)
coa, coas (formas do verbo coar)	*coa, coas* (contrações de *com a, com as*)

Observação:

✔ Nos demais casos, como antes do Acordo Ortográfico de 1990, não se usa acento diferencial. Grafam-se, por exemplo, *erro, colher, sede, governo, torre, olho, almoço*, e não: êrro, colhêr, sêde, govêrno, tôrre, ôlho, almôço.

▪ **Acento grave**

O acento grave usa-se exclusivamente para indicar a crase da preposição *a* com os artigos *a, as* e com os pronomes demonstrativos *a, as, aquele(s), aquela(s), aquilo*. Exemplos:

Fui à feira. Assisti às aulas. Não liguei àquilo. Dirija-se àquele moço.

Observação:

✔ Não se grafa acento grave em sílaba subtônica:

somente, rapidamente, comodamente, heroicamente; cafezal, avozinha, cafezinho, papeizinhos, chapeuzinho, pezinhos, etc.

FONÉTICA

EXERCÍCIOS

LISTA 05

1. Em seu caderno, escreva os grupos de palavras, numerando cada grupo de acordo com a razão do acento gráfico:

papéis – mundéu – herói

público – astrônomo – déssemos

pôr – pôde – fôrma

cajá – cipó – pajé – você

heroína – saúde – atribuía – baía

dólar – túnel – bênção – táxi

(1) hiato

(2) ditongos **éi**, **éu**, **ói**, em palavras oxítonas

(3) vocábulos oxítonos terminados em **a**, **e** e **o**

(4) vocábulos paroxítonos com terminação tônica

(5) vocábulos proparoxítonos

(6) homógrafos tônicos com acento diferencial

2. Copie apenas os vocábulos que se acentuam em virtude do hiato:

úteis – médium – saúva – anzóis – país – sanduíche – heroína

3. Em seu caderno, escreva as palavras abaixo, acentuando-as corretamente. Em seguida, numere os grupos de acordo com sua classificação:

sofas – jao – vintem – parabens

uisque – Piaui – saude – bau

onibus – tatica – otico – umido

mes – mas – ha – nos – pos (verbo)

orfã – orgãos – vomer – uteis

tabua – genio – tenue – oleo

heroi – trofeu – coroneis

(1) vocábulos proparoxítonos

(2) paroxítonos com terminação tônica

(3) vocábulos oxítonos

(4) ditongos abertos e tônicos de palavras oxítonas

(5) monossílabos tônicos

(6) hiatos

(7) paroxítonos terminados em ditongo crescente

FONÉTICA 77

4. Justifique o acento gráfico nas palavras:

saúva – atribuí – país – proíbe – miúdo – raízes

5. Escreva as palavras, colocando o acento gráfico adequado:

moido – ruido – ciume – esplendido – bussola – exito – orfãos – magoa – hernia – cranio – miriade – lotus – fusivel – textil – atraves – fregues – aguarras – suiço – paraiso – mundeu – alcoolatra – res (quadrúpede) – repteis – eletrons – albuns – onix – imãs – concluia – cutis

6. Escreva as palavras, acentuando-as quando necessário:

especime – cedo – refem – apazigue – pessoa – maquinaria – espelho – sairam – almoço – fenix – ansia – benção – urutu – austero – rubrica – juriti – ariete – obus – desaguam – flores – dispor

7. Copie as seguintes palavras em seu caderno, colocando o acento gráfico quando for adequado:

zenite – lagoa – perdoa – erudito – desdem – refens – espeto – comboio (subst.) – gaucho – influiu – argui – apoio (subst.) – desapoio (verbo) – inaudito – girassois – bebiamos – aparelho – polen – circuito – tramoia – exodo – abençoe – sossego – vende-lo – aleija – peneiro – impar – urubu – corressemos – moinho – cairam – juizes – Grajau – torax – ruim – Mooca – chapeuzinho – comodamente – pegadas – alcool – Criciuma – repor

8. Justifique os acentos gráficos nestes vocábulos, acentuados pela mesma razão:

ciência – vários – zínia – efígie – vácuo – pátio – fêmea

9. Por meio de acento gráfico adequado, converta os verbos em substantivos:

habito – transito – desanimo – veiculo – naufrago – telegrafo – datilografa – anuncio – providencia – alivio – calunia – vangloria

10. Escreva, em seu caderno, os verbos no plural, seguindo os modelos:

a) ele tem

   eles **têm**

   ele vem

   eles

b) ele contém

   eles **contêm**

   ele detém

   eles

   ele mantém

   eles

   ele obtém

   eles

   ele retém

   eles

c) ele vê

   eles **veem**

   ele prevê

   eles

   ele crê

   eles

   ele lê

   eles

   ele relê

   eles

78 FONÉTICA

11. Copie a série de palavras que contém erros de acentuação gráfica, escrevendo-as corretamente:

garoa – êxtase – deem – frêmito – conserto – saúdam

cerca – estreio – planejo – Quéops – atraiu – odisseia – ideia

corôa – caique – destroi – tamôio – refem – egoismo

boiem – heroína – tainha – más – meses – hábil – ciclope

12. Copie as frases abaixo, acentuando as palavras quando necessário:

a) Quando voltava a colmeia, a abelha não pode colher o nectar das flores.

b) Referindo-se as viagens de seu avo Cristovão, Emilia dizia que ele era um nomade.

c) Eloi não para de por objetos a venda: ninguem sabe por que.

13. Por que se acentua o verbo **pôr** e não se acentua **compor**?

14. Retiramos os acentos utilizados por Millôr Fernandes no texto abaixo. Veja se você consegue recolocar todos eles:

"*Ministerio das perguntas cretinas*

– Se o diabo se portar bem vai para o ceu?

– O curso do rio da diploma?

– O Pão de Açucar se lambe?

– Um critico vive numa situação critica?

– Na cadeia dos Diarios Associados tem alguem preso?"

15. Leia a estrofe de "Construção", de Chico Buarque, procurando descobrir a regra que orientou a acentuação das palavras destacadas:

"Subiu a construção como se fosse **máquina**

Ergueu no patamar quatro paredes **sólidas**

Tijolo por tijolo num desenho **mágico**

Seus olhos embotados de cimento e **lágrima**"

16. Em qual das alternativas abaixo todas as palavras foram acentuadas de acordo com a mesma regra:

a) aquático, gráfico, conteúdo, átona

b) pêssego, análise, gramática, prática

c) caráter, sílaba, cômodo, veículo

17. Destaque dos versos de Vinícius de Moraes abaixo transcritos palavras paroxítonas que devem ser acentuadas:

a) "Eu fiquei imovel e no escuro tu vieste"

b) "E seus braços, como imãs, atraem o firmamento"

c) "Irremediavel, muito irremediavel

Tanto quanto esta torre medieval

Cruel, pura, insensivel, inefavel"

d) "Esse imenso, atroz, silencio..."

e) "Escorreu da noite nos labios da aurora..."

FONÉTICA 79

18. Faça o mesmo em relação às oxítonas:

a) "Às vezes dos igapos/subia o berro animal/de algum jacare feroz"

b) "Diz que ninguem esqueceu/a gargalhada de louca/que a pobre Lunalva deu"

c) "Tem os olhos cansados de olhar para o alem"

d) "Eu sem voce/Não tenho porque/Porque sem voce/Não sei nem chorar"

19. Escreva as frases no plural, prestando atenção às formas verbais:

a) Ele sempre vem à minha casa aos sábados.

b) Você vê maldade em tudo!

c) Meu irmão não crê em nada que você lhe diz.

d) Espero que o garoto dê o recado ao professor.

e) O governador não tem mais nenhuma credibilidade.

20. Copie os monossílabos tônicos, acentuando-os quando necessário:

a) Levantou o veu e sorriu docemente.

b) Quanta pobreza ha por la!

c) Ana e Lourdes analisarão cuidadosamente os pros e os contras de nossa proposta.

d) Os homens de bem não devem se calar diante da injustiça.

e) De seus irmãos, so Luís tinha os pes pequenos.

21. Use o acento diferencial quando necessário:

a) Cássio agora pode sair mais cedo; ontem, porém, não pode: tinha muitos contratos para analisar.

b) Taís: não vá por aí!

c) Marina não pretende por os pés em minha casa novamente.

d) José só irá para casa nas próximas férias.

e) Para! Nosso inimigo se aproxima silenciosamente.

22. Veja quais das palavras destacadas devem receber acento gráfico:

a) Os *juizes*, certamente, estão equivocados.

b) O *juiz* encarregado do caso adoeceu.

c) A *saida* fica do lado oposto, Ana Paula.

d) Osmar, não seja tão *egoista*!

ACENTUAÇÃO GRÁFICA
Exercícios de exames e concursos
[Página 666]

NOTAÇÕES LÉXICAS

No capítulo anterior estudamos o emprego dos acentos gráficos. Neste capítulo estudaremos o til, o trema, o apóstrofo e o hífen.

1 EMPREGO DO TIL

O til sobrepõe-se às letras *a* e *o* para indicar vogal nasal.

Pode figurar em sílaba:

– tônica: maçã, cãibra, perdão, barões, põe, etc.

– pretônica: romãzeira, balõezinhos, *grã-fino*, cristãmente, aquidabãense, etc.

– átona: órfãs, órgãos, bênçãos, etc.

Observe: cristão, cristandade; Satã, satânico; Islã, islamismo.

2 EMPREGO DO TREMA

- O trema foi abolido na escrita de palavras portuguesas. Não se coloca mais, portanto, trema sobre o *u* dos grupos *gue, gui, que, qui*, quando proferido e átono:

  aguentar, sagui, argui (pretérito), frequente, cinquenta, equino, tranquilo, ensanguentar, etc.

- Usa-se apenas em nomes estrangeiros e palavras deles derivadas. Exemplos: *Dürer, Staël, Müller, mülleriano.*

Observações:

✔ Em algumas palavras de dupla pronunciação, o emprego do trema era opcional: *líqüido* ou *líquido, sangüinário* ou *sanguinário, sangüíneo* ou *sanguíneo, séqüito* ou *séquito*, etc.

✔ Embora bem-vinda, sua ausência pode gerar dúvidas acerca da pronúncia correta de palavras como *redarguir, quinquênio, equídeo, equidistante, ubiquidade, equilátero, aquicultura*, etc. Nesses casos, os dicionários indicam a pronúncia correta, tremando o **u**, colocado entre parênteses, ao lado da palavra: *equídeo* (ü); ou separando-o da vogal seguinte: *equidistante* (u – i).

FONÉTICA 81

3 EMPREGO DO APÓSTROFO

▪ **Emprega-se este sinal gráfico:**

a) para indicar a supressão de uma vogal nos versos, por exigências métricas, como ocorre, mais frequentemente, entre poetas portugueses:

esp'rança, c'roa, minh'alma, 'stamos, por esperança, coroa, minha alma, estamos.

b) para reproduzir certas pronúncias populares:

"**Olh'ele** aí..." (GUIMARÃES ROSA)

"Não **s'enxerga**, enxerido!" (PEREGRINO JR.)

c) para indicar a supressão da vogal da preposição *de* em certas palavras compostas: galinha-d'angola, pau-d'arco, estrela-d'alva, caixa-d'água, etc.

▪ **Não se usa apóstrofo:**

a) na palavra *pra*, forma reduzida da preposição *para*:

"Puxa! Você não presta nem **pra** tirar gelo, Simão." (ORÍGENES LESSA)

b) nas contrações das preposições com artigos, pronomes e advérbios:

dum, num, dalém, doutro, doutrora, noutro, nalgum, naquele, nele, dele, daquilo, dacolá, doravante, co, cos, coa, coas (com o, com os, com a, com as), pro, pra, pros, pras (para o, para a, para os, para as).

Exemplos: escritores **dalém-mar**; costumes **doutrora**; ir **pra** beira do rio.

c) nas combinações dos pronomes pessoais: mo, mos, ma, mas, to, lho, lhos, etc.

d) nas expressões cujos elementos se aglutinaram numa unidade fonética e semântica: dessarte, destarte, homessa, tarrenego, tesconjuro, vivalma.

▪ **Casos opcionais:**

a) Nos títulos de livros, jornais, etc., pode-se usar o apóstrofo e grafar:

a leitura d'*O Guarani*; a campanha d'*O Globo*; a notícia está n'*O Globo*, ou, a leitura de *O Guarani*; a campanha de *O Globo*; a notícia está em *O Globo*.

b) Com referência a Deus, Jesus, a Virgem Maria, também se pode escrever: o poder d'Ele; confiar n' Ele; confiar n'Ela; o poder de Aquele, a intercessão de Aquela, etc.

4 EMPREGO DO HÍFEN

O emprego do hífen é matéria extremamente complexa e continua mal disciplinada pelo novo sistema ortográfico, sobretudo no que diz respeito ao uso desse sinal em palavras formadas por prefixação, nas quais mais palpáveis são as falhas e incoerências. Para quem escreve, o emprego do hífen é um autêntico quebra-cabeça.

Eis, em resumo, o que se preceitua acerca do emprego desse embaraçoso traço unitivo:

FONÉTICA

▪ **Emprega-se o hífen:**

▪ em palavras compostas cujos elementos conservam sua autonomia fonética e acentuação própria, mas perderam sua significação individual para constituir uma unidade semântica, um conceito único:

amor-perfeito, água-marinha, beija-flor, quinta-feira, corre-corre, sempre-viva, bem-te-vi, vitória-régia, ano-luz, decreto-lei, tio-avô, guarda-chuva, arco-íris, tenente-coronel, médico-cirurgião, primeiro-ministro, conta-gotas, etc.

Observação:

✔ Note a diferença de significação: *meio dia* (= metade do dia), ao *meio-dia* (= às 12 horas); *pão duro* (= pão endurecido), *pão-duro* (= sovina); *cara suja* (= rosto sujo), *cara-suja* (= espécie de periquito); *copo de leite* (= copo com leite), *copo-de-leite* (= nome de uma flor).

▪ para ligar pronomes átonos a verbos e à palavra *eis*:

deixa-o, obedecer-lhe, chamar-se-á, dir-se-ia, ei-lo, etc.

▪ em adjetivos compostos:

mato-grossense, rio-grandense, latino-americano, greco-latino, verde-amarelo, azul-turquesa, cor-de-rosa, sem-vergonha, sem-par, etc.

▪ em vocábulos formados pelos adjetivos de origem tupi *açu, guaçu* e *mirim*, se o elemento anterior acaba em vogal acentuada ou nasal:

andá-açu, sabiá-guaçu, capim-açu, socó-mirim, etc.

Portanto, sem hífen: *jiboiaçu, cajumirim, Mojimirim*, etc.

▪ em vocábulos formados por elementos e prefixos que têm acentuação própria (tônicos):

além-: além-túmulo, além-mar   **pré**-: pré-nupcial

aquém-: aquém-mar   **pró**-: pró-alfabetização

pós-: pós-escolar, pós-operatório   **recém**-: recém-nascido

▪ depois de *circum*-, *mal*- e *pan*-, antes de *vogal, m, n* ou *h*:

pan-americano, pan-helênico, mal-educado, mal-humorado, circum-anal, circum-navegar, circum-navegação, etc.

Antes de outras letras, sem hífen:

malcriado, malfeito, panteísmo, circumpolar, etc.

▪ depois de *bem*- (como prefixo e não como advérbio), antes de palavras que têm vida autônoma e quando a pronúncia o exigir:

bem-amado, bem-aventurado (para não se ler *bem-maventurado*), bem-aventuranças, bem-estar, bem-me-quer, bem-nascido, bem-vindo, etc.

▪ nos encadeamentos de palavras: ponte Rio-Niterói, linha aérea Rio-Paris.

▪ na partição de palavras no fim da linha. Veja pág. 38.

Observação:

✔ Em formações como não-intervenção, não-cumprimento, não-existência, não-agressão, não-fumante, não-

-alinhado, etc., que o uso vai consagrando, considera-se não prefixo negativo, daí a presença do hífen: "O sonho gandhiano de não-violência" (Cecília Meireles, Inéditos, p. 176). "Os oficiais médicos são militares não-combatentes." (Aurélio) Todavia, a ABL, muito estranhamente, achou melhor suprimir o hífen em tais formações e grafar *não intervenção, não alinhado, não cumprimento*, etc.

- fora do âmbito da ortografia imposta, como recurso de estilo e com valor expressivo:

  "Começou daí um Brasil-sem-história-certa." (RAUL BOPP)

  "Foi o boi-grande-que-berra-feio-e-carrega-uma-cabeça-na-cacunda." (GUIMARÃES ROSA)

  "– Não vou daqui sem uma resposta definitiva, disse meu pai. De-fi-ni-ti-va! repetiu, batendo as sílabas com o dedo." (MACHADO DE ASSIS)

▪ Não se usará hífen:

- sempre que se obliterou a consciência da composição da palavra, o que acontece quando um elemento se adaptou foneticamente ao vizinho ou perdeu sua autonomia semântica:

  aguardente, girassol, madrepérola, malmequer, passatempo, pontapé, rodapé, sobremesa, vaivém, benquisto, etc.

- quando o prefixo (ou o elemento de composição) pode ser unido ou aglutinado sem prejuízo da clareza ou sem promover pronúncias errôneas:

  aeroporto, aeromoça, audiovisual, bioquímico, eletroímã, fotoelétrico, fotocópia, ferrovia, geofísica, gastroenterologia, multissecular, neuromuscular, pretônica, radioatividade, radiouvinte, retropropulsão, semibárbaro, socioeconômico, supersônico, termoelétrico, vasossecção, etc.

Observação:

✔ Ao se unirem os elementos desses vocábulos compostos, pode ocorrer: a) a geminação do *r* e do *s*: *microrregião, fotossíntese*; b) a queda do *h* inicial do segundo elemento: *turboélice*; c) a elisão (facultativa) da vogal final do primeiro elemento: *radiativo* ou *radioativo, hidrelétrica* ou *hidroelétrica*.

- nas locuções:

  da gema (= *legítimo*), um a um, de vez em quando, à toa (locução adverbial), a fim de, ora bolas!, de repente, por isso, etc.

  Mas, por serem consideradas palavras compostas e não locuções, escrever-se-ão:

  de mão-cheia, vice-versa, de meia-tigela, sem-par, sem-sal, sem-cerimônia, etc.

- em expressões do tipo:

  estrada de ferro, doce de leite, cor de café, anjo da guarda, relógio de bolso, dona de casa, farinha de trigo.

EMPREGO DO HÍFEN NAS FORMAÇÕES POR PREFIXAÇÃO

- Emprega-se o hífen nas palavras formadas com os prefixos gregos e latinos aero-, agro-, ante-, anti-, arqui-, auto-, bio-, co-, contra-, eletro-, entre-, eco-, extra-, ex-, geo-, hidro-, hiper-, inter-, infra-, macro-, maxi-, micro-, mini-, multi-, neo-, proto-, pan-, pseudo-, pluri-, retro-, semi-, super-, sub-, supra-, tele-, ultra-, vice-, etc.

FONÉTICA

a) quando o segundo elemento começa por *h*: *anti-higiênico, neo-holandês, super-homem, pré-história, pan-helenismo, neo-helênico, sub-humano*, etc.

Exceções: *desumano, inábil*.

b) quando o prefixo termina com a mesma vogal com que começa o segundo elemento: *anti-ibérico, supra-auricular, micro-onda, semi-interno, auto-observação*, etc.

Exceção. Excetua-se o prefixo *co-*, que se une, sem hífen, ao segundo elemento iniciado por *o*: *coordenar, cooperar, coordenação, coobrigado*, etc.

c) nas formações com os prefixos *circum-* e *pan-*, antes de *vogal, h, m* e *n*: *circum-navegar, circum-navegação, pan-americano, circum-anal, circum-murado*, etc.

d) nas formações com os prefixos *hiper-, inter-,* e *super-*, quando o segundo elemento começa por *r*: *hiper-realismo, inter-racial, inter-relacionar, super-requintado*, etc.

e) nas formações com os prefixos *ex-* (com o sentido de estado anterior ou cessamento), *sota-, soto-* e *vice-*: *ex-diretor, ex-aluno, sota-piloto, soto-mestre, vice-presidente, vice-rei*.

f) nas formações com os prefixos tônicos, acentuados, *pós-, pré-, pró-*, como já vimos. Nas formas átonas, se justapõem ao elemento seguinte, sem hífen: *pospor, prever, promover*, etc.

g) com o prefixo sub- antes de *b, h* e *r*: *sub-humano, sub-raça, sub-bibliotecário*.

▪ **Não se usará hífen:**

a) quando o prefixo termina em vogal e o segundo elemento começa por r ou s, caso em que as consoantes se duplicam: antirreligioso, antissemita, minissaia, infrassom, contrarregra, microrregião, cosseno, ultrassonografia, etc.

b) quando o prefixo termina em vogal e o segundo elemento começa com vogal diferente: antiaéreo, autoestrada, autoaprendizagem, etc.

Observação:

✔ O emprego do hífen é um ponto de nossa ortografia que deveria ser urgentemente revisto, restringindo-se o uso desse sinal auxiliar da escrita aos casos de absoluta necessidade. Não seria preferível escrever, por exemplo, *vagalume, benvindo, seminterno, extraoficial, excombatente*, em vez de *vaga-lume, bem-vindo, semi-interno, extra-oficial, ex-combatente*?

EXERCÍCIOS

LISTA 06

1. Escreva em seu caderno algumas linhas sobre o trema.

2. Em seu caderno, escreva as palavras, unindo corretamente os elementos e empregando o hífen quando necessário:

vitória + régia	busca + pé	sem + vergonha	homem + rã
azul + marinho	além + túmulo	jiboia + açu	semi + morto
auto + escola	recém + nascido	grã + fino	neo + latina
proto + mártir	extra + terreno	ex + ministro	pós + guerra

3. Faça como no exercício anterior:

ultra + rápido	quebra + cabeça	ante + véspera	sub + solo
contra + senso	anti + rábico	super + homem	anti + tóxico
contra + peso	anti + aéreo	sub + chefe	circum + polar
mal + educado	para + quedas	co + existência	micro + empresa
eletro + ímã	gastro + intestinal	tetra + campeão	tele + objetiva
termo + elétrica	bem + vindo	sócio + econômico	bem + estar
multi + secular	gira + sol	bio + química	roda + pé

4. Copie em seu caderno somente as palavras em que se usa o hífen para evitar pronúncia errônea:

bem-amado	pan-americano	mal-educado	beija-flor
bem-estar	pré-vestibular	obra-prima	sub-raça

5. Que nova significação as expressões destacadas assumem, se ligarmos, em outras frases, os seus componentes com hífen?

a) Trabalhei só **meio dia**.

b) Tinha a **pele vermelha**.

c) Bebi um **copo de leite**.

d) Fale **sem vergonha**.

6. Explique o emprego do hífen nas frases seguintes:

a) "Um tapa do Sílvio arrebentava porta de apartamento-de-sala-e-quarto-conjugados."
(RUBEM FONSECA, *Os Prisioneiros*, p. 11)

b) "No fim da festa, um funcionário do Itamarati declarou: Estamos e-xaus-tos." (DANUZA LEÃO, *Jornal do Brasil*, 30/6/1999)

7. Consulte o dicionário e verifique se as palavras abaixo devem ser unidas por hífen ou formar um único vocábulo:

mal criado, mal educado, mal feito, mal humorado, mal estar, bem amado, bem aventurado, bem educado, bem estar, bem visto, bem dizer.

8. Escreva frases que deixem bem evidente a diferença de sentido entre os pares de palavra abaixo:

a) pão duro, pão-duro. (pão endurecido, avarento)

b) copo de leite, copo-de-leite. (copo com leite, flor)

9. Alguns dos substantivos compostos abaixo relacionados deveriam ter sido escritos com hífen. Localize-os e reescreva-os corretamente. Em caso de dúvida, recorra às explicações apresentadas neste livro ou consulte o dicionário.

Maleducado, girassol, autobiografia, benvindo, subsolo, subchefe, vicediretor, fotocópia, extraordinário, pontapé, semcerimônia, bentevi, sempreviva, sobremesa, aeroporto.

ABREVIATURAS, SIGLAS E SÍMBOLOS

1 ABREVIATURA

Abreviatura é a representação escrita abreviada de uma palavra ou expressão. Exemplos:

R. (Rua), *Av.* (Avenida), *ed.* (edição), *loc. adv.* (locução adverbial).

Em geral, a abreviatura termina por consoante seguida de ponto final. Os símbolos científicos, porém, se grafam sem ponto e, no plural, sem *s*: *m* (metro ou metros), *h* (hora ou horas), *10h30min* (dez horas e trinta minutos).

Há palavras que são abreviadas de modo diverso:

C.ia ou *Cia.* (Companhia), *Sr.ª* ou *Sra.* (Senhora), *p.* ou *pág.* (página), etc.

Mantêm-se os acentos nas abreviaturas. Exemplos:

gên. (gênero), *séc.* (século).

Em textos literários e jornalísticos, em geral, evitam-se as abreviaturas de medida:

O jogo começou às *16 horas*. Andou *5 quilômetros* a pé.

Os designativos de nomes geográficos devem ser escritos por extenso:

São Paulo (e não *S. Paulo*), *Santo Amaro* (e não *S. Amaro*), *Dom Joaquim* (e não *D. Joaquim*), etc.

2 SIGLA

Sigla é a abreviatura formada com as letras iniciais de nomes de entidades, associações, organismos administrativos, empresas, partidos políticos, etc.:

QG (Quartel-General), FAB (Força Aérea Brasileira), ONU (Organização das Nações Unidas).

Na prática, eliminam-se, modernamente, os pontos abreviativos nas siglas, cuja finalidade, aliás, é poupar tempo e espaço. Por serem práticas e cômodas, as siglas vão se multiplicando cada vez mais na língua de hoje e até passam a funcionar como substantivos: o Senai, o CEP, a Funai, a TV, a Petrobras, etc.

As palavras *aides* (recomendamos esta grafia, em vez de *Aids*), *radar* e *sonar*, formadas com as letras ou sílabas iniciais de expressões inglesas, são outros exemplos de siglas convertidas em substantivos.

Há siglas que deram origem a outras palavras:

DDT → dedetizar; CLT → celetista.

Eis algumas abreviaturas, siglas e símbolos de uso mais frequente:

A

a = are(s)
ABI = Associação Brasileira de Imprensa
a.C. = antes de Cristo
AC = Acre (Estado do)
A/C = ao(s) cuidado(s)
AL = Alagoas (Estado de)
AM = Amazonas (Estado do)
apart. ou ap. = apartamento
AP = Amapá (Estado do)
Au = ouro (lat. *aurum*)
Av. = Avenida

B

BA = Bahia (Estado da)
BCG = Bacilo de Calmette e Guérin
(vacinação contra a tuberculose)
BR = Brasil

C

CAN = Correio Aéreo Nacional
CE = Ceará (Estado do)
CBF = Confederação Brasileira de Futebol
CEP = Código de Endereçamento Postal
cf. = confira ou confronte
Cia. = companhia
CLT = Consolidação das Leis Trabalhistas
cm = centímetro(s)
CPF = Cadastro de Pessoa Física
Cx. = caixa

D

D. = Dom, Dona
D.ª = Dona
DDD = Discagem Direta a Distância
DD. = digníssimo
DF = Distrito Federal
dm = decímetro(s)
DNA = *desoxyribonucleic acid*
(= ácido desoxirribonucleico)
DNER = Departamento Nacional de
Estradas de Rodagem
Dr. = Doutor
Dr.ª ou Dra. = Doutora

E

ed. = edição
Embraer = Empresa Brasileira de Aeronáutica
ECT = Empresa Brasileira de Correios e
Telégrafos

ES = Espírito Santo (Estado do)
etc. = *et cetera* (e as outras coisas)
EUA = Estados Unidos da América
Ex.ᵐᵒ = Excelentíssimo

F

FAB = Força Aérea Brasileira
FGTS = Fundo de Garantia do Tempo de
Serviço
FIFA = Federação Internacional das
Associações de Futebol
fl. = folha; fls. = folhas
FN = Fernando de Noronha
Funai = Fundação Nacional do Índio

G

g = grama(s)
GO = Goiás (Estado de)

H

h = hora(s)
ha = hectare(s)
HP = *horse power* (cavalo-vapor)

I

ib. = *ibidem* (no mesmo lugar)
IBGE = Instituto Brasileiro de Geografia e
Estatística
id. = idem (o mesmo)
Il.ᵐᵃ = Ilustríssima
Il.ᵐᵒ = Ilustríssimo
I.N.R.I. = *Iesus Nazarenus Rex Iudaeorum*
(Jesus Nazareno, Rei dos Judeus)
INSS = Instituto Nacional de Seguro Social
Ir. = irmão, irmã

K

K = *kalium* (potássio)
kg = quilograma(s)
km = quilômetro(s)
km² = quilômetro(s) quadrado(s)
kw = quilowatt(s)

L

l = litro(s)
L. = Leste (ponto cardeal)
lat. = latitude, latim
lb. = libra(s)
long. = longitude
Lt.ᵈᵃ ou Ltda. = limitada

M

m = metro(s)
m^2 = metro(s) quadrado(s)
m^3 = metro(s) cúbico(s)
MA = Maranhão (Estado do)
MG = Minas Gerais (Estado de)
mg = miligrama(s)
min = minuto(s)
ml = mililitro(s)
mm = milímetro(s)
MS = Mato Grosso do Sul (Estado de)
MT = Mato Grosso (Estado de)
MW = megawatt(s)

N

N. = Norte
N. E. = Nordeste (ponto entre o Norte
        e o Leste)
n.º = número
N. O. = Noroeste
N. S.ª = Nossa Senhora

O

O. = Oeste
OEA = Organização dos Estados Americanos
O. K. ou OK = *all correct* (tudo bem)
ONU = Organização das Nações Unidas
op. cit. = *opus citatum* (obra citada)
OTAN ou Otan = Organização do Tratado
        do Atlântico Norte

P

pág. ou p. = página; págs. = páginas
PA = Pará (Estado do)
PB = Paraíba (Estado da)
PE = Pernambuco (Estado de)
Pe. = padre
PI = Piauí (Estado do)
PIS = Programa de Integração Social
PR = Paraná (Estado do)
Prof. = professor
Prof.ª ou Profa. = professora
P. S. = *post scriptum* (depois do escrito)

Q

QG = Quartel-General
ql = quilate(s)

R

R. = rua
Rem.te ou Remte. = remetente

Rev.mo ou Revmo. = Reverendíssimo
RJ = Rio de Janeiro (Estado do)
RN = Rio Grande do Norte (Estado do)
RO = Rondônia (Estado de)
RR = Roraima (Estado de)
RS = Rio Grande do Sul (Estado do)

S

s = segundo(s)
S. = São, Santo(a), Sul
S. A. = Sociedade Anônima
SC = Santa Catarina (Estado de)
SE = Sergipe (Estado de)
séc. = século
Senac = Serviço Nacional de Aprendizagem
        Comercial
Senai = Serviço Nacional de Aprendizagem
        Industrial
S. O. = Sudoeste
S.O.S. = *save our souls* (salvai nossas almas:
        pedido de socorro enviado por
        navios e aviões)
SP = São Paulo (Estado de)
Sr. = Senhor; Srs. = Senhores
Sr.ª ou Sra. = Senhora; Sr.ªs = Senhoras
Sr.ta ou Srta. = Senhorita

T

t = tonelada(s)
tel. = telefone, telegrama
TO = Tocantins (Estado do)
TV = televisão

U

Unesco = *United Nations Educational
        Scientific and Cultural
        Organization* (= Organização
        Educacional, Científica e
        Cultural das Nações Unidas)

V

v = volt(s)
V. Sª = Vossa Senhoria
V.Sªs = Vossa Senhorias
V. Ex.ª = Vossa Excelência
v. g. = *verbi gratia* (por exemplo)

W

w = watt(s)
W.C. = *water-closet* (banheiro,
        sanitário)

FONÉTICA

LISTA 07

EXERCÍCIOS

1. Leia o texto abaixo e, em seguida, localize na primeira estrofe as siglas correspondentes aos significados listados:

A revoada das siglas

PIB OTAN CACEX CONTRAN
FAB CUT MAM FIESP OPEP
USP IBOPE GATT DETRAN
PROCON BANERJ et caterva.

Salve, filhas espúrias dos idiomas
das gentes deste século fremente,
salvação da lavoura jornalística!
Os que fazem das letras sua mística
a vossos pés se prostram reverentes.

Dia e noite, em ruidosas revoadas,
pelos céus do Brasil torvelinhais
e o céu da boca me feris, malvadas,
e a meus cansados tímpanos soais
como o ranger de ásperos metais.

D.P.C.

a) Museu de Arte Moderna

b) Banco do Estado do Rio de Janeiro

c) Produto Interno Bruto

d) Universidade de São Paulo

e) Central Única dos Trabalhadores

2. Escreva os símbolos científicos de:

metro – metro quadrado – metro cúbico – centímetro – milímetro – quilômetro – litro – quilo – grama

3. Escreva o significado das siglas: RO – Senai

4. Escreva as abreviaturas de:

antes de Cristo – professor – século – Companhia – professora – telefone – doutor – página – edição

5. Escreva abreviadamente, usando símbolos:

a) dezesseis horas e trinta minutos;   b) nove horas dez minutos e vinte segundos.

6. Reescreva a única abreviatura correta de **oito horas**: 8hs 8:00h 8:00hs 8,00h 8h

7. Escreva a expressão destacada, usando símbolos:

Neil Armstrong foi o primeiro homem a pisar na Lua. Esse fato histórico aconteceu no dia 20 de julho de 1969, às **vinte e três horas e cinquenta e seis minutos**, horário de Brasília.

MORFOLOGIA

ocupa-se da estrutura e da
classificação das palavras

ESTRUTURA DAS PALAVRAS

Observe a estrutura das palavras:

sol, dent-ista, in-quiet-o, cant-a-mos, cha-l-eira

A análise destes exemplos mostra-nos que as palavras são formadas de unidades ou elementos mórficos.

São os seguintes os elementos mórficos ou estruturais das palavras:

- **raiz**, **radical**, **tema**: elementos básicos e significativos;

- **afixos** (prefixos, sufixos), **desinência**, **vogal temática**: elementos modificadores da significação do radical;

  Os elementos mórficos dos grupos acima denominam-se *morfemas*.

- **vogal de ligação**, **consoante de ligação**: elementos de ligação ou eufônicos.

1 RAIZ

Raiz é o elemento originário e irredutível em que se concentra a significação das palavras, consideradas do ângulo histórico. Geralmente monossilábica, a raiz encerra sentido lato e geral, comum às palavras da mesma família etimológica.

Assim, a raiz *noc* (do latim *nocere* = prejudicar) tem a significação geral de *causar dano*, e a ela se prendem, pela origem comum, as palavras *nocivo, nocividade, inocente, inocentar, inócuo*, etc.

Uma raiz pode apresentar-se alterada: *ag*-ir, *ag*-ente, re-*ag*-ir, ex-*ig*-ir, ex-*ig*-ência; *at*-o, *at*-or, *at*-ivo, *aç*-ão, *ac*-ionar, etc.

Observação:

✔ O estudo das raízes foge à finalidade da gramática normativa, só interessa à gramática histórica ou, mais precisamente, à etimologia. Numa análise morfológica elementar das palavras portuguesas, deve-se preterir a raiz e partir do radical.

2 RADICAL

O *radical* é o elemento básico e significativo das palavras, consideradas sob o aspecto gramatical e prático, dentro da língua portuguesa atual.

Acha-se o radical despojando-se a palavra de seus elementos secundários (quando houver):

CERT-o, CERT-eza, in-CERT-eza, CAFE-teira, a-JEIT-ar, RECEB-er, EDUC-ar, ILUS-ório, PERFUM-e, EXEMPL-ar, PERMIT-ir, ex-PORT-ação, in-OBSERV-ância, des-CONHEC-ido, a-PEDR-ejar, etc.

Observações:

✔ Destacam-se os prefixos quando a língua atual os sente como tais: *in-feliz, a-mans-ar, ex-orbit-ar, re-con-quist-ar*, etc. Não persistindo o sentimento dessas partículas, não se destacam: *exam-e* (latim *ex-amen*), *excel-ência* (latim *ex-cellentia*), *óbit-o* (latim *ob-itum*), *pérfid-o* (latim *per-fidum*), etc.

✔ Em certas palavras só existe o radical: *fé, mar, sol, traz*, etc.; em outras, o radical coincide com a raiz: CAMP-*o*, NOC-*ivo*, re-NOV-*ar*, in-ÚT-*il*, etc.

3 TEMA

Tema é o radical acrescido de uma vogal (chamada *vogal temática*).

Nos verbos o tema se obtém destacando-se o *-r* do infinitivo:
CANTA-*r*, BATE-*r*, PARTI-*r*, etc.

Nos nomes o tema é mais evidente em derivados de verbos:
CAÇA-*dor*, DEVE-*dor*, FINGI-*mento*, PERDOÁ-*vel*, FERVE-*nte*, etc.

4 AFIXOS

Afixos são elementos secundários (geralmente sem vida autônoma) que se agregam a um radical ou tema para formar palavras derivadas. Chamam-se *prefixos*, quando antepostos ao radical ou tema, e *sufixos*, quando pospostos. Assim, nas palavras *inativo, empobrecer, internacional, desanimador, imperdoável* e *predominante*, temos:

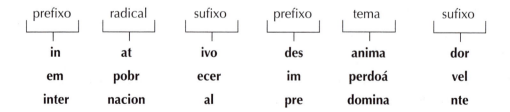

5 DESINÊNCIAS

Desinências são os elementos terminais indicativos das flexões das palavras.

As desinências *nominais* indicam as flexões de gênero (masculino e feminino) e de número (singular e plural) dos nomes. Exemplo:

menin-*o*   menino-*s*
menin-*a*   menina-*s*

As desinências *verbais* indicam as flexões de número e pessoa e de modo e tempo dos verbos. Exemplos:

am-*o*, ama-*s*, ama-*mos*, ama-*is*, ama-*m*

ama-*va*, ama-*va*-s, ama-*va*, etc.

A desinência -*o* de *am-o* é uma desinência *número-pessoal*, porque indica que o verbo está na 1ª pessoa do singular; -*va*, de *ama-va*, é desinência *modo-temporal*: caracteriza uma forma verbal do pretérito imperfeito do indicativo, na 1ª conjugação.

6 VOGAL TEMÁTICA

Vogal temática é o elemento que, acrescido ao radical, forma o tema de nomes e verbos.

Nos verbos distinguem-se três vogais temáticas:

a que caracteriza os verbos da 1ª conjugação: and*a*r, and*a*vas, etc.

e que caracteriza os verbos da 2ª conjugação: bat*e*r, bat*e*mos, etc.

i que caracteriza os verbos da 3ª conjugação: part*i*r, part*i*rá, etc.

Chama-se *terminação* à parte da palavra subsequente ao radical. Às vezes confunde-se com o sufixo: pass-*ear*, vend-*erão*, glori-*oso*, grit-*ando*.

7 VOGAIS E CONSOANTES DE LIGAÇÃO

São fonemas que, em certas palavras derivadas ou compostas, se inserem entre os elementos mórficos, em geral por motivos de eufonia, isto é, para facilitar a pronúncia de tais palavras. Exemplos:

silv-*í*-cola, cafe-*t*-eira, pe-*z*-inho, cha-*l*-eira, cafe-*i*-cultura, gas-*ô*-metro, gas-*ei*-ficar, cacau-*i*-cultor, rod-*o*-via, pobre-*t*-ão, pau-*l*-ada, capin-*z*-al, inset-*i*-cida, rat-*i*-cida, gas-*o*--duto, etc.

Observação:

✔ A esses elementos de ligação alguns gramáticos chamam *infixos*.

8 COGNATOS

Cognatos são vocábulos que procedem de uma raiz comum. Tais palavras constituem uma *família etimológica*.

94 MORFOLOGIA

À raiz da palavra latina *anima* (= espírito), por exemplo, prendem-se os seguintes cognatos: alma, animal, alimária, animar, animador, desanimar, animação, almejar, ânimo, desalmado, etc.

Às vezes torna-se difícil discernir a raiz primitiva, em virtude das alterações sofridas. Exemplo: FACção, FACcioso, FACínora, FAÇanha, FÁCil, FACilitar, FATor, FATurar, FATo, inFECção, diFÍCil, beneFÍCio, artíFICe, conFECção, eFETuar, FEITo, ouriVES (cognatos do verbo latino *facio*, fazer).

9 PALAVRAS PRIMITIVAS E DERIVADAS

Quanto à formação, as palavras podem ser *primitivas* ou *derivadas*.

- **Palavras *primitivas* são as que não derivam de outras, dentro da língua portuguesa.**

  Exemplos:
  pedra, terra, dente, pobre, etc.

- **Palavras *derivadas* são as que provêm de outras.**

  Exemplos:
  pedreiro, enterrar, dentista, pobrezinho, etc.

10 PALAVRAS SIMPLES E COMPOSTAS

Com relação ao radical, dividem-se as palavras em *simples* e *compostas*.

- **Palavras *simples* são as que têm um só radical.**

  Exemplos:
  livre, beleza, recomeçar, maquinismo, desmatamento.

- **Palavras *compostas* são as que apresentam mais de um radical.**

  Seus elementos, em muitos casos, unem-se sem hífen. Exemplos:

  passatempo, automóvel, ferrovia, peixe-elétrico, melão-de-são-caetano.

EXERCÍCIOS

LISTA 08

1. Destaque e classifique os elementos mórficos das palavras seguintes:

insanável – deslealdade – operoso – louvavas – antimilitarismo – cafeteira – cacauicultor

2. Forme cognatos que tenham por base as seguintes palavras:

cruz – jeito – maduro – amigo – corpo – pedra – comum

3. Escreva somente as afirmativas corretas com relação à análise morfológica da palavra **desonrosa**:

O radical é *onr*.   O sufixo é *-rosa*.
O prefixo é *des-*.   O *a* final é desinência de gênero.

MORFOLOGIA 95

4. Escreva em seu caderno de forma a combinar corretamente as duas colunas:

raiz, radical, tema
prefixo, sufixo, desinência
vogal e consoante de ligação

elementos modificadores
elementos de ligação
elementos básicos e significativos

5. Copie as palavras e, em seguida, assinale com um traço o radical delas:

desanimador – realizar – anoitecer – exportação – inativo – analisar

6. Escreva em seu caderno as seguintes palavras, indicando, a seguir, se são **primitivas** ou **derivadas**:

arte – artista – pesquisador – pesquisa – atleta – atletismo – concretizar – concreto

7. Qual é o tipo de desinência do elemento em destaque do verbo esperáva**mos**?

8. Distinga as palavras simples das compostas, classificando-as em duas colunas:

terremoto – erva-doce – desemprego – carro-pipa – modernismo – laranjal – pontiagudo – engarrafamento

9. Identifique os radicais das palavras abaixo:

a) terra – terrinha – térreo – terreiro

b) descampado – campestre – campesino – acampar

c) cardiologia – cardíaco – cardiologista – taquicardia

d) envelhecimento – velhice – envelhecer – velharia

10. Copie as palavras, desmembrando-as como no exemplo:

martelada
radical: martel- **sufixo nominal:** -ada

a) tristonho   b) certeza   c) receber   d) gostoso

11. Todos os vocábulos derivados de um radical comum são considerados **cognatos**. Dê exemplos de palavras cognatas de:

a) poeira   b) cinzento   c) impressão   d) puro   e) doer

12. Aponte a alternativa em que há uma palavra que não é cognata das demais:

a) regular, desregulado, regulador, regularidade, regularizar

b) religião, religioso, religiosidade, relíquia, religiosamente

c) nebuloso, nebulosidade, nebulizador, nebulosa

13. Forme palavras cognatas das que aparecem em cada alternativa, utilizando os sufixos entre parênteses:

a) biblioteca (-ário)   imundo (-ice ou -ície)   órfão (-ato)

b) obedecer (-ência)   paraíso (-aco)   ler (-ível)

ESTRUTURA DAS PALAVRAS
Exercícios de exames e concursos
[Página 667]

FORMAÇÃO DAS PALAVRAS

Veja este exemplo do escritor Murilo Melo Filho:

"O *computador* poderá ser, no futuro, um instrumento tão vulgarizado quanto o *rádio*, o *telefone*, a *geladeira* e o *televisor*." (*O milagre brasileiro*, 1972)

As palavras destacadas foram criadas para denominar modernos inventos da ciência e da tecnologia. É assim que nascem os **neologismos** (palavras novas), que são uma decorrência do progresso e do desenvolvimento da cultura humana. Novas ideias e invenções criam novas necessidades de expressão.

Se existe uma técnica para construir um televisor, há também outra para formar palavras novas.

Em nossa língua há dois processos gerais para a formação de palavras: a *derivação* e a *composição*.

1 DERIVAÇÃO

A derivação consiste em formar uma palavra nova (derivada), a partir de outra já existente (primitiva). Realiza-se de quatro maneiras:

- **por sufixação – acrescentando-se um sufixo a um radical:**
  dent*ista*, joga*dor*, boi*ada*, sapat*aria*, real*izar*, feliz*mente*

- **por prefixação – antepondo-se um prefixo a um radical:**
  *in*capaz, *des*ligar, *re*fresco, *super*sônico, *pré*-história

- **por derivação parassintética (ou parassíntese) – anexando-se, ao mesmo tempo, um prefixo e um sufixo a um radical:**

alistar (a + lista + ar), *envergonhar* (en + vergonha + ar), *emudecer* (e + mudo + ecer), *esfarelar* (es + farelo + ar), *desalmado* (des + alma + ado), *enfileirar* (en + fileira + ar), *empapelar* (em + papel + ar), *empalidecer* (em + pálido + ecer), *enegrecer* (e + negro + ecer)

Os vocábulos parassintéticos são quase sempre verbos e têm como base um substantivo ou um adjetivo:

empalhar, despedaçar, amanhecer, anoitecer, etc. (base substantiva);
amolecer, esfriar, endoidecer, etc. (base adjetiva).

É importante fazer distinção:

descarregar (*des* + carregar)	→	prefixação
achatamento (achatar + *mento*)	→	sufixação
amaciar (a + macio + ar)	→	parassíntese

(Não existe o verbo *maciar* nem o substantivo ou adjetivo *amacio*.)

Observação:

✔ A NGB não adotou a denominação *parassíntese* nem alude explicitamente a esse processo.

■ **por derivação regressiva – substituindo-se a terminação de um verbo pelas desinências** *-a, -o* **ou** *-e*:

mudar	→	muda	pescar	→	pesca
ajudar	→	ajuda	combater	→	combate
atacar	→	ataque	rematar	→	remate
chorar	→	choro	castigar	→	castigo
abalar	→	abalo	falar	→	fala

Observação:

✔ Os substantivos que derivam dos verbos chamam-se *pós-verbais* ou *deverbais*.

✔ O processo normal é criar o verbo partindo de um substantivo. Na derivação regressiva, a língua procede em sentido inverso: forma o substantivo partindo do verbo.

■ **Além desses processos de derivação propriamente dita, existe ainda o da** *derivação imprópria*, **que consiste em mudar a classe de uma palavra, estendendo-lhe a significação.**

Por este processo (que não deixa de ser um recurso de enriquecimento dos meios de expressão):

a) os adjetivos passam a substantivos: os *bons*, os *maus*, o *verde*, etc.

b) os particípios passam a substantivos ou adjetivos: um *feito* heróico, o *passado*, ente *querido*, filho *amado*, etc.

c) os infinitivos passam a substantivos: o *viver*, o *andar*, o *sorrir*, o *bater* da porta, o *espocar* dos foguetes, etc.

"O *badalar* dos sinos animou-a debilmente." (Graciliano Ramos)

d) os substantivos passam a adjetivos: comício *monstro*, menino *prodígio*, traje *esporte*, funcionário *fantasma*, homens-*rãs*, etc.

e) os adjetivos passam a advérbios: falar *alto*, vender *caro*, tossir *forte*, falar *baixo*, etc.

f) palavras invariáveis passam a substantivos: o *sim*, os *prós* e os *contras*, um *quê* de mistério, o *porquê* da existência, etc.

g) substantivos próprios tornam-se comuns: os *mecenas* das artes, um *caxias* (= chefe severo e exigente), um *havana*, etc.

"os braços de pano de um *judas*" (Raquel de Queirós)

Observação:

✔ O processo da derivação imprópria não interessa à morfologia, mas à semântica e à estilística.

2 COMPOSIÇÃO

Pelo processo da *composição* associam-se duas ou mais palavras ou dois ou mais radicais para formar uma palavra nova.

A composição pode efetuar-se:

- **por justaposição, unindo-se duas ou mais palavras (ou radicais), sem lhes alterar a estrutura.**

   Exemplos: passatempo, vaivém, cantochão, girassol, biólogo, televisão, rodovia, mata-borrão, sempre-viva, greco-latino, cor-de-rosa, etc.

   Na justaposição, os elementos ora se unem com hífen, ora sem hífen. Expressões como *fogão a gás, estrada de ferro, doce de leite, fim de semana, anjo da guarda, dona de casa* não se hifenizam porque não são vocábulos compostos, não constituem uma perfeita unidade semântica. Veja *Emprego do hífen*, página, 81 § 4.

- **por aglutinação, unindo-se dois ou mais vocábulos ou radicais, com supressão de um ou mais de um de seus elementos fonéticos.**

   Exemplos: *aguardente* (água ardente) – *embora* (em boa hora) – *fidalgo* (filho de algo, isto é, filho de família nobre) – *pernalta* (perna alta) – *planalto* (plano alto) – *pernilongo* (perna longo) – *quintessência* (quinta essência) – *hidrelétrico* (hidro elétrico) – *santelmo* (Santo Elmo), *santantônio* (Santo Antônio), *viandante* (via andante), *boquiaberto* (boca aberto), etc.

> **Observação:**
>
> ✔ Ao aglutinarem-se, os componentes subordinam-se a um só acento tônico, o do último componente.

3 REDUÇÃO

Algumas palavras apresentam, ao lado de sua forma plena, uma forma reduzida. Exemplos:

auto (por *automóvel*)	*extra* (*por extraordinário* ou *extrafino*)	*pólio* (por *poliomielite*)
cinema (por *cinematografia*)	*quilo* (por *quilograma*)	*pneu* (por *pneumático*)
cine (por *cinema*)	*ônibus* (por *auto-ônibus*)	*micro* (por *microcomputador*)
foto (por *fotografia*)	*seu* (por *senhor*)	*Quim* (por *Joaquim*)
moto (por *motocicleta*)	*pornô* (por *pornografia, pornográfico*)	*Zé* (por *José*)
Guará (por *Guaratinguetá*)	*curta* (por *curta-metragem*)	

Essa espécie de economia linguística, comum a todos os idiomas, é responsável por simplificações mais arrojadas. Haja vista:

zoo (por *jardim zoológico*)

metrô (do francês *métro*, redução de *chemin de fer métropolitain*, isto é, *estrada de ferro metropolitana*)

Como exemplo de redução ou simplificação das palavras, podem ser citadas também as siglas, tão frequentes na comunicação de hoje.

4 HIBRIDISMOS

Hibridismos são palavras em cuja formação entram elementos de línguas diferentes. São exemplos de palavras híbridas:

monocultura (*mono + cultura*, grego e latim)
alcoômetro (*álcool + metro*, árabe e grego)
lactômetro (*lact + metro*, latim e grego)
televisão (*tele + visão*, grego e latim)
automóvel (*auto + móvel*, grego e latim)
abreugrafia (*Abreu + grafia*, português e grego)

5 ONOMATOPEIAS

Numerosas palavras devem sua origem a uma tendência constante da fala humana para imitar as vozes e os ruídos da natureza. Semelhantes vocábulos, chamados *onomatopeias*, reproduzem aproximadamente os sons e as vozes dos seres.

Eis as principais vozes imitativas:

arrulhar – pombo, rola
badalar, **bimbalhar**, **repicar**, **repenicar** – sino
balir – ovelha, cordeiro
blaterar – camelo
bramar, **bramir**, **rugir** – feras, mar
cascalhar – risadas
coaxar – rã
cocoricar, **cucuricar**, **cucuritar** – galo
chiar – carro de bois, insetos
chilrar, **chilrear** – aves
chirriar – coruja
chocalhar – chocalho, cascavel
ciciar – brisa, vozes
espocar, **pipocar** – foguetes
estralejar – chicote, raio
estridular – cigarra
farfalhar – folhas, árvores, etc.
fonfom, **fonfonar** – buzina de automóveis
fremir – urso, vestes, ondas, mar
frufru, **frufrutar** – rumor de folhas, de vestidos
gloterar – cegonha
gorgolejar – água
gralhar, **gralhear** – gaio, gralha
grasnar, **grulhar**, **crocitar** – pato, grou, corvo
grugulejar, **grugulhar** – peru
grunhir, **cuinchar** – porco
guinchar – macaco, rato, carro
ladrar, **latir**, **ganir**, **uivar**, **rosnar**, **cainhar** – cão

miar, miau, rosnar, ronronar, bufar – gato
mugir – boi, vaca
palrar, chalrar – papagaio
piar, pipilar – aves
pissitar – estorninho
rataplã – tambor
rechiar, rechinar – carne na brasa
regougar – raposa
relinchar, rinchar, nitrir – cavalo
retinir – araponga
ribombar, retumbar, atroar, reboar, tonitroar – trovão, canhão, eco, estampido, etc.
rufar – tambor, caixa
ruflar – asas, saias, etc.
rugir, urrar – leão, onça, etc.
sibilar – balas, serpente
tamborilar – dedos, gotas de água
tartamudear – gago
tilintar – moedas, campainha
tinir – copos, cristais, metais
tique-taque, tiquetaquear – relógio, pêndulo
trilar – apito, inhambu
trissar – andorinha, calhandra
uivar, ulular – cão, lobo
urrar, rugir, bramir – touros, feras
zumbir, zunir, zinir, ziziar, zoar, chiar – insetos
zunzum, zunzunar – motor
zurrar, ornejar – burro

MORFOLOGIA

EXERCÍCIOS

1. Copie as palavras abaixo, classificando-as, em seguida, de acordo com o processo de formação:

vaivém – pernalta – leiteiro – repatriar – infeliz

(1) sufixação ou derivação sufixal
(2) prefixação ou derivação prefixal
(3) justaposição
(4) aglutinação
(5) parassíntese

2. Reconheça os processos de formação das palavras seguintes:

motorista – aeroplano – internacional – embora – água-de-colônia – envernizar – canalizar – aguardente – girassol – comumente – quinta-feira – enlutar – malmequer – vivalma

3. Forme parassintéticos verbais que tenham por base os nomes seguintes:

Exemplo: vergonha – *envergonhar*

terra – caixa – sócio – pedaço – coice – podre – pedra – grande – tímido – velho – pálido – parede – papel

4. Escreva apenas as afirmativas corretas relativamente à palavra **televisão**:

É vocábulo simples.
É composta por justaposição.
É formada por prefixação.
É formada por sufixação.
É formada por aglutinação.
É um hibridismo.
O verbo derivado é *televisionar*.
Abrevia-se: TV.

5. Escreva os nomes dos seres a que se referem as seguintes vozes:

regougar – tinir – grunhir – bimbalhar – blaterar – crocitar – chirriar – ulular

6. Escreva as palavras e classifique-as de acordo com a coluna numerada:

moto – envergonhar – monocultura – ciciar – Funai

(1) parassíntese
(2) hibridismo
(3) redução
(4) sigla
(5) onomatopeia

7. Copie a frase, reduzindo a palavra destacada:

O primeiro trecho do **metropolitano** carioca foi inaugurado no dia 5 de março de 1979.

MORFOLOGIA 101

8. Escreva a oração, substituindo os asteriscos corretamente por verbos derivados parassintéticos dos substantivos **carne** e **papel**:

"Diferença entre o açougueiro e o ator: o ator ********** os papéis, o açougueiro ********** as carnes." (MILLÔR FERNANDES)

9. Informe o processo de derivação das palavras abaixo:

inconsciente	amadurecer	surfista
interesseiro	desonesto	emplacar
enfileirar	gorduroso	redondeza
anoitecer	reaver	bimensal

10. Releia o item que trata de *derivação imprópria* e explique as palavras destacadas:

a) A estrada rasgava o **verde** bruto da paisagem.

b) Num **estrondar** de rodas, de súbito freadas, o trem se imobiliza.

c) No seu traje moderninho havia um **quê** de ridículo.

11. Copie somente o vocábulo formado por derivação sufixal:

bem-te-vi	guloso
retrocesso	esfriar

12. Copie apenas a palavra cujo radical é diferente do radical das outras:

dor – dolorido – doloroso – indolor – dormente

13. Pelo processo da **sufixação**, derive **adjetivos** das palavras abaixo. Destaque os sufixos que utilizou:

a) verdade

b) árvore

c) força

d) riso

e) sede

14. Forme verbos pelo processo de **parassíntese** a partir dos substantivos e adjetivos abaixo:

a) vergonha

b) tarde

c) raiz

d) farelo

e) magro

15. As palavras em destaque sofreram mudança de categoria gramatical. Dizemos, então, que houve **derivação imprópria**. Aponte essas alterações:

a) O **andar** de meu pai é compassado.

b) Havia nas suas maneiras um **quê** de encantador.

c) Um **não** dito com delicadeza fere menos que um **sim** com aspereza.

d) Procure sempre unir o **útil** ao **agradável**.

FORMAÇÃO DAS PALAVRAS
Exercícios de exames e concursos

[Página 669]

SUFIXOS

Sufixos são elementos (isoladamente, insignificativos) que, acrescentados a um radical, formam nova palavra. Ao mesmo tempo que alteram a significação do vocábulo originário (*dente* → *dentista*), podem ainda mudar-lhe a classe gramatical (*ponta* → *pontudo*), o gênero (*boi* → *boiada*) ou o grau (*gato* → *gatinho*, *frio* → *friíssimo*).

A maioria dos sufixos provêm do latim e do grego. Classificam-se em:

- **nominais**: os que formam substantivos e adjetivos: dent*ista*, gost*oso;*

- **verbais**: os que formam verbos: got*ejar*, cabec*ear;*

- **adverbial**: o sufixo *-mente*, formador de advérbios: rapid*amente.*

1 PRINCIPAIS SUFIXOS NOMINAIS

Eis os mais importantes sufixos nominais, com algumas de suas múltiplas significações:

- **-ada, -agem, -al, -alha, -ama, -ame, -edo, -io**

    Formam substantivos com ideia de coleção, agrupamento:

    boiada, ramagem, laranjal, algodoal, cordoalha, dinheirama, courama, vasilhame, arvoredo, mulherio, gentio, etc.

    Os sufixos **-al** e **-io** também formam adjetivos. Exemplos:

    especial, colonial, fugidio, arredio, etc.

- **-aço, -aça, -arra, -orra, -aréu, -ázio, -ão (este com numerosas variantes)**

    São sufixos aumentativos. Exemplos:

    balaço, ricaço, barcaça, bocarra, cabeçorra, povaréu, copázio, portão, vagalhão, espertalhão, casarão, narigão, comilão, espadagão, gatarrão, beberrão, homenzarrão, vozeirão.

Observação:

✔ Neles a ideia aumentativa concorre, em geral, com a depreciativa ou pejorativa.

MORFOLOGIA 103

- **-acho, -ejo, -ela, -eta, -ete, -eto, -ico, -iço, -isco, -(z)inho, -(z)ito, -im, -ola, -ota, -ote, -(c)ulo, -(c)ula, -ucho**

São sufixos diminutivos. Exemplos:

riacho, lugarejo, ruela, saleta, artiguete, poemeto, burrico, aranhiço, chuvisco, dedinho, animalzinho, pequenito, pezito, espadim, fazendola, casota, velhote, glóbulo, montículo, governículo, flâmula, gotícula, papelucho.

> **Observação:**
>
> ✔ Juntamente com a ideia diminutiva, alguns desses vocábulos têm acentuada tonalidade depreciativa: *hotelejo, fidalgote, artiguete, saberete, gentinha, povinho, papelucho, governicho*[1]; outros exprimem afetividade: *filhinho, paizinho, pezito, pequenito*.

- **-ada, -dade, -dão, -ança, -ância, -ção, ença, ência, -ez, -eza, -ice, -ície, -mento, -(t)ude, -ume, -ura**

Formam substantivos significando ação, resultado de ação, qualidade, estado:

paulada, maldade, escuridão, esperança, oração, traição, relutância, detença, imponência, altivez, surdez, beleza, velhice, calvície, ferimento, quietude, atitude, negritude, negrume, brancura, pintura, formatura.

- **-aria, -eria**

Exprimem coleção, estabelecimento comercial ou industrial, repartição, ação:

maquinaria, vozeria, gritaria, sapataria, leiteria, loteria, secretaria, pirataria, zombaria, galanteria, bruxaria.

> **Observação:**
>
> ✔ Evite-se a pronúncia *maquinária*, em vez de *maquinaria*. Diz-se *imobiliária*, por ser adjetivo feminino substantivado: (*empresa*) *imobiliária*.

- **-ário, -eiro, -dor, -sor, -tor, -nte**

Denotam profissão, ofício, agente:

bibliotecário, pedreiro, vendedor, agrimensor, professor, inspetor, ajudante, escrevente, ouvinte, pedinte.

Formam também adjetivos. Exemplos:

contrário, rodoviário, previdenciário, lisonjeiro, consolador, produtor, confiante, recente, seguinte.

---

(1) "*Governichos* burocráticos, desfibrados, a administrarem um organismo corroído." (CIRO DOS ANJOS, *Montanha*, p. 276, 2ª ed.)

MORFOLOGIA

- **-douro, -tório**

  Formam substantivos que exprimem lugar:

  ancoradouro, bebedouro, dormitório, laboratório, purgatório.

  (O sufixo **-ório** acrescenta, às vezes, a ideia de quantidade com sentido depreciativo: *papelório, palavrório, farelório*.)

  Formam também adjetivos. Exemplos:

  duradouro, vindouro, finório, provisório, meritório, satisfatório, notório.

- **-cida, -cídio**

  Formam substantivos, aos quais transmitem as ideias de "que mata" e "crime de matar", respectivamente:

  homicida, homicídio, suicida, suicídio.

- **-al, -ar, -eo, -ea**

  Formam adjetivos que denotam referência, relação:

  imperial, escolar, vítreo, férreo, corpóreo, lacrimogêneo, instantânea.

- **-ano, -ão, -eiro, -ense, -eu, -ino, -ês, -esa**

  Formam adjetivos que exprimem naturalidade, origem:
  curitibano, alemão, brasileiro, paraense, europeu, florentino, chinês, montanhês, chinesa, montanhesa.
  O sufixo **-ino** indica também referência. Exemplos:

  bovino, ovino, caprino, leonino, taurino, suíno.

- **-oso, -udo**

  Formam adjetivos denotadores de abundância, qualificação acentuada:
  gorduroso, arenoso, corajoso, barrigudo, beiçudo, cabeludo, pontudo, bicudo.

- **-imo, -érrimo, -íssimo**

  Exprimem o grau superlativo dos adjetivos:
  facílimo, paupérrimo, belíssimo.

> **Observação:**
>
> ✔ Os sufixos anteriores são de origem latina, com exceção de **-arra**, **-orra**, **-aréu**. Os sufixos seguintes são de proveniência grega.

- **-ia, -ismo**

  Formam substantivos que traduzem ciência, escola, sistema político ou religioso:
  astronomia, romantismo, modernismo, socialismo, catolicismo.

> **Observação:**
>
> ✔ O sufixo **-ia** exprime ainda outros conceitos, como qualidade (*valentia, ufania, melancolia*), lugar (*sacristia*), cargo (*chefia*), etc.

- **-ista**

  Traduz naturalidade, partidarismo, profissão:

  paulista, comunista, maquinista.

- **-ite**

  Exprime a ideia de inflamação:

  apendicite, bronquite, nefrite, gastrite.

- **-esa, -essa, -isa**

  Traduzem título ou dignidade de pessoa do sexo feminino:

  baronesa, marquesa, condessa, abadessa, sacerdotisa, profetisa, poetisa, pitonisa.

- **-ico**

  Forma adjetivos denotando referência, relação:

  físico, helênico, histórico, olímpico, histérico, mecânico, esplênico, cíclico, sulfúrico, telúrico, bíblico, faraônico.

- **-ose**

  Denota estado mórbido, doença:

  neurose, psicose, tuberculose, esclerose.

- **-oide (ói)**

  Forma adjetivos denotadores de semelhança:

  antropoide, esferoide, metaloide, negroide, ovoide.

  (Esse último sufixo às vezes confere aos adjetivos significado depreciativo: *politicoide, moloide*, etc.)

- **-tério**

  Forma substantivos denotadores de lugar:

  batistério, cemitério, necrotério.

- **Outros sufixos nominais**

  -ado: bispado, consulado, desalmado, barbado

  -aico: judaico, arcaico, prosaico

  -ando: doutorando, bacharelando, examinando

  -âneo: instantâneo, conterrâneo

MORFOLOGIA

-ardo:	felizardo, galhardo
-ático:	lunático, aromático, aquático, asiático
-ato:	sindicato, cardinalato, timorato
-engo:	realengo, mulherengo, verdolengo
-ento:	sedento, poeirento, cruento, areento
-esco:	dantesco, gigantesco, grotesco
-ício:	desperdício, alimentício, patrício
-iço:	movediço, enfermiço
-il:	gentil, febril, varonil, Brasil
-ivo:	corrosivo, impulsivo, explosivo
-onho:	medonho, tristonho, enfadonho
-rana:	(= semelhança): canarana, cajarana
-ugem:	penugem, lanugem, ferrugem
-usco:	velhusco, patusco, chamusco, pardusco
-vel:	inflamável, adorável, indelével, audível, solúvel, miscível, imóvel

- **Alguns sufixos da terminologia científica**

-ato, **-eno**, **-eto**, **-ina**, **-ol** (em Química): *sulfato, carbonato, acetileno, cloreto, anilina, cocaína, fenol.*

-áceo, **-ácea** (em Botânica): *rubiáceo, rubiácea, liliáceo, liliácea, rosáceo, rosácea, musáceo, musácea, violáceo, violácea.* Têm outras aplicações: *cetáceo, coriáceo, galináceo, farináceo.*

-ite, -ose (em Medicina): *apendicite, neurose.*

-oide (em várias ciências): *antropoide, geoide, metaloide, alcaloide, mongoloide, debiloide, epilepticoide.*

Observações:

✔ Os sufixos nominais prestam-se, quase sempre, à expressão de mais de uma ideia. O sufixo *-eiro*, por exemplo, pode acrescentar ao radical a noção de árvore (*coqueiro*), profissão (*sapateiro*), coleção (*braseiro*), lugar (*banheiro*), recipiente (*açucareiro*), naturalidade (*brasileiro*). Existem até sufixos de significações opostas: *beiçola* (= beiço grande), *bandeirola* (= pequena bandeira), *povaréu* (= grande multidão), *mastaréu* (= pequeno mastro).

✔ Observe, nos exemplos dados, as diferentes maneiras pelas quais os sufixos se anexam e se acomodam aos radicais.

---

2 SUFIXOS VERBAIS

Os sufixos verbais agregam-se, em regra, ao radical de substantivos e adjetivos para formar novos verbos. Eis os sufixos que maior vitalidade tiveram na formação de verbos portugueses:

MORFOLOGIA 107

- **Formam verbos que exprimem, entre outras ideias, prática de ação:**
  - **-ar:** cruzar, fonfonar, analisar, limpar, telefonar
  - **-ear:** pratear, guerrear, golear, cabecear
  - **-entar:** afugentar, amamentar, amolentar
  - **-ficar:** dignificar, gaseificar, liquidificar, petrificar, ossificar
  - **-izar:** civilizar, finalizar, organizar, comercializar

> **Observação:**
>
> ✔ A terminação **-ar**, na prática, funciona como sufixo.

- **Forma verbos *incoativos*, isto é, que exprimem início de ação, fenômeno progressivo, passagem a novo estado:**

  -ecer: amadurecer, amanhecer, empobrecer, endurecer, enriquecer, enlouquecer, endoidecer, envelhecer, entristecer, escurecer, fortalecer, reverdecer, alvorecer, apodrecer, umedecer, favorecer, enaltecer, etc.

  A variante **-escer** aparece em formas eruditas, provenientes diretamente do latim literário. Exemplos:

  convalescer, florescer, incandescer, intumescer, recrudescer, rejuvenescer, etc.

- **Formam verbos *frequentativos*, isto é, que traduzem ação repetida muitas vezes:**
  - **-açar:** esvoaçar, espicaçar
  - **-ear:** espernear, escoicear, chicotear, balancear
  - **-ejar:** gotejar, bracejar, grugulejar, doidejar, voejar, lacrimejar
  - **-ilhar:** fervilhar, dedilhar, pontilhar, saltarilhar
  - **-inhar:** chapinhar, escoucinhar, escrevinhar, estracinhar, cuspinhar
  - **-itar:** saltitar, cucuritar, volitar

> **Observações:**
>
> ✔ À ideia de ação repetida os três últimos sufixos frequentativos podem acrescentar a de diminuição (*saltitar, pontilhar, cuspinhar*) ou a de depreciação (*escrevinhar*).
>
> ✔ O sufixo **-ejar** forma também verbos que exprimem outras ideias: *almejar, calejar, velejar, verdejar*, etc.

- **Formam verbos *diminutivos*, isto é, que exprimem ação pouco intensa (*dormitar* = dormir levemente):**
  - **-icar:** adocicar, bebericar, depenicar, namoricar, saltaricar
  - **-inhar:** cuspinhar, escrevinhar
  - **-iscar:** lambiscar, mordiscar, namoriscar, petiscar
  - **-itar** dormitar, saltitar

> **Observação:**
> ✔ Dos sufixos verbais, **-ar**, **-ear**, **-ejar**, **-izar**, **-ecer** foram, e continuam sendo, os mais produtivos dentro do idioma.

3 SUFIXO ADVERBIAL

O único sufixo adverbial, em português, é **-mente** (da palavra latina *mentem* = mente, espírito, ânimo, intenção), que se acrescenta aos adjetivos, na flexão feminina (quando houver), para exprimir circunstâncias de modo, quantidade, tempo:

comodamente, bondosamente, copiosamente, atualmente, anteriormente.

> **Observação:**
> ✔ Os adjetivos em *-ês*, no caso, mantêm-se, tradicionalmente, no masculino, porque no português antigo eram invariáveis em gênero: *portuguesmente*, *francesmente*, *burguesmente*, etc. Veja exemplos na p. 261, § 3.

EXERCÍCIOS

LISTA 10

1. Escreva as palavras seguintes e destaque os seus sufixos:

barbearia, sobranceria, bronquite, ciclista, escorregadio, opúsculo, civilizar, paralisar, férreo, vidraceiro, comodamente, marquesa, mesinha, pazinha, mataréu

2. Com o auxílio de sufixos adequados derive adjetivos de:

anel, círculo, cone, esfera, ovo, face, ciclo, montanha, barba, guerra, cólera, ferrugem, riso, primavera, repulsa, Gênova, Dante, burgo

3. Por meio de sufixos adequados derive verbos das palavras:

central, forte, análise, prega, braço, flor, ameno, salto, voo, irmão, fértil, mão, pesquisa, amarelo

4. Escreva as palavras no seu caderno e classifique-as, numerando-as de acordo com a significação do sufixo:

frond**oso**	(1)	naturalidade
homi**cídio**	(2)	abundância
apendic**ite**	(3)	diminuição
social**ismo**	(4)	crime
peru**ano**	(5)	inflamação
flaut**im**	(6)	sistema

MORFOLOGIA   109

5. Dê os adjetivos terminados em **-eo** relativos aos substantivos abaixo, utilizando os radicais latinos do quadro:

Exemplo: enxofre, *sulfúreo*

corpo, ouro, mármore, sangue, osso, neve, enxofre, chumbo, prata, fogo, rosa, cinza, leite

> corpor(i)- – aur(i)- – marmor(i)- – sanguin(i)- – oss(i)- – niv-
> – sulfur- – plumb(i)- – argent(i)- – ign(i)- – ros- – ciner(i)- – lact(i)-

6. Substitua os asteriscos pelos adjetivos correspondentes às expressões entre parênteses, nas frases abaixo:

a) Galinhas catavam farelo no chão ✳✳✳. (cheio de **areia**)

b) Era uma múmia da época ✳✳✳. (dos **faraós**)

c) A polícia dispersou a multidão com gás ✳✳✳. (que provoca **lágrimas**)

7. Forme palavras derivadas com os sufixos: **-ar**, **-ense**, **-iço**, **-eza**, **-ite**, **-ose**, **-oide**, **-ula**, **-vel**.

8. Com os sufixos **-ês**, **-ez**, **-esa**, **-eza**, forme, corretamente, cognatos de:

China – escasso – duque – limpo – surdo – monte – altivo – empreender – defender – corte (ô)

9. Copie somente o grupo de sufixos que formam nomes que indicam naturalidade:

-edo	-ês	-vel
-ado	-ez	-ano
-ense	-oso	-dor
-al	-ino	-iço
-esco	-ento	-ista

10. Substitua convenientemente o ✳ nas palavras pelos sufixos **-esa** ou **-eza**.
Releia antes o que foi estudado sobre o assunto:

portugu✳	frambo✳
firm✳	delicad✳
avar✳	holand✳
repr✳	espert✳
cert✳	surpr✳
fregu✳	profund✳

11. Dê exemplos de verbos incoativos formados com os sufixos **-ecer** e **-escer**:

12. Dê exemplos de palavras em que apareçam os sufixos propostos com o sentido indicado nos parênteses:

a) -al (coleção, agrupamento)

b) -ejo (diminutivo)

c) -eiro (profissão)

d) -tório (lugar)

e) -ense (origem)

f) -ose (doença)

PREFIXOS

Os prefixos ocorrentes em palavras portuguesas provieram do latim e do grego, línguas em que funcionavam como preposições ou advérbios, portanto como vocábulos autônomos. Por isso, têm significação bem mais precisa que os sufixos e exprimem, geralmente, circunstâncias (lugar, modo, tempo, etc.).

Muitos prefixos latinos podem apresentar-se ora com a forma primitiva, principalmente em palavras eruditas (**ab**dicar, **abs**têmio, **ad**junto, **ex**clamar, **in**corporar, **inter**urbano, **sub**terrâneo, **super**sônico, etc.), ora com a forma evoluída ou vernácula (**a**versão, **a**juntar, **es**gotar, **en**sacar, **entre**vista, **so**braçar, **sobre**por, etc.).

Alguns prefixos foram pouco ou nada produtivos, em português; outros, pelo contrário, tiveram grande vitalidade na formação de novas palavras. Figuram entre esses últimos *a-*, *contra-*, *des-*, *em-* ou *en-*, *es-*, *entre-*, *re-*, *sub-* e *super-* (latinos) e *anti-* (grego).

Em numerosas palavras que entraram para a nossa língua já formadas obliterou-se o sentimento do prefixo. É o caso, por exemplo, de *adunco*, *observar*, *objeto*, *exceção*, *proceder*, *relatar*, cujos prefixos são, aparentemente, vazios de sentido.

Não são raros os exemplos de vocábulos em que ocorrem juntos dois prefixos: **rea**proximar, **desen**terrar, **desem**barcar, **indis**por, etc.

1 PREFIXOS LATINOS

Eis os principais prefixos de origem latina que figuram em palavras portuguesas:

- **ab-**, **abs-**, **a-** – indicam afastamento, separação, privação:
  abjurar, abnegado, abdicar, abster-se, abstêmio, aversão, afastar.

- **a-**, **ad-** – indicam aproximação, passagem a um estado, tendência:
  ajuntar, avizinhar, apodrecer, admirar, adjacência.

- **ambi-** – exprime duplicidade, dubiedade:
  ambíguo, ambiguidade, ambivalente.

- **ante-** – antes, anterioridade, antecedência:
  antepor, antevéspera, antebraço, antedatar.

- **bene-**, **bem-**, **ben-** – bem, excelência:
  beneficente, benevolência, bem-falante, bem-amada, benfazejo, benquerença.

- **circum-, circun-, circu-** – em redor, em torno:

  circumpolar, circunlóquio, circungirar, circunavegação.

- **cis-** – do lado de cá, aquém:

  cisandino, cisatlântico, cisplatino.

- **com-, con-, co-** – companhia, concomitância:

  compadre, concidadão, condomínio, confraternizar, colaborar, cooperar, coestaduano, coerdeiro, co-redentora, coautor.

- **contra-** – direção contrária, oposição:

  contra-indicado, contraprovar, contravenção, contraveneno, contramarcha, contraofensiva, contramuro.

- **de-** – para baixo, separação:

  declínio, deposição, decrescer, demover, decompor.

- **des-, dis-** – negação, ação contrária, separação, afastamento:

  desarmonia, desonesto, descascar, desfazer, deslembrar, desterrar, dissentir, dissociar.

- **ex-, es-, e-** – movimento para fora, função ou estado anteriores, separação, conversão em:

  expulsar, expatriar, ex-ministro, esmigalhar, esgotar, esfolar, emigrar, evaporar, ejetor, ejetável.

- **extra-** – fora de:

  extraordinário, extraviar, extraoficial.

  (*Extra* é adjetivo quando representa a redução de *extraordinário*: voos *extras*.)

- **in-[1], i-, en-, em-, e-** – para dentro, conversão em, tornar:

  ingerir, imerso, entesourar, engarrafar, engordar, entristecer, empalidecer, engolir, embarcar, emudecer.

- **in-[2], im-, i-** – negação, carência:

  indelével, infelicidade, impune, imberbe, ilegível, ilegal, irreal, irracional, irredutível, irresoluto.

  (O prefixo *in-* reduz-se a *i-* antes de *l, m, n* e *r: ilegível, imóvel, inocente, irresponsável*. Antes de *b* e *p* assume a forma *im-: imberbe, improdutivo*.)

- **infra-** – abaixo, na parte inferior:

  infravermelho, infraestrutura, infra-renal, infrassom.

- **inter-, entre-** – posição ou ação intermediária, ação recíproca ou incompleta:

  interstício, intercomunicação, entreter, entrelinha, entreamar-se, entreabrir.

- **intra-, intro-** – dentro, movimento para dentro:

  intramuscular, introspectivo, introduzir, introvertido.

- **justa-** – proximidade, posição ao lado:

  justafluvial, justapor, justalinear.

- **male-, mal-** – opõem-se a *bene*:

  malevolência, mal-educado, mal-estar, maldizer.

MORFOLOGIA

- **multi-** – ideia de "muitos":

  multinacional, multissecular.

- **ob-, o-** – posição fronteira, oposição:

  objetivo, objeção, obstáculo, obstar, opor.

- **pene-** – quase:

  penumbra, penúltimo, península.

- **per-** – através de, ação completa:

  percorrer, pervagar, perfazer, perfeito.

- **pluri-** – ideia de multiplicidade, como *multi*:

  pluricelular, pluripartidário.

- **post-, pos-, pós-** – atrás, depois:

  póstumo, posteridade, postergar, pospor, pós-guerra, pós-escrito, postônica, pós-operatório.

- **pre-, pré-** – antes, acima:

  prefixo, predizer, pressupor, pretônica, predominar, pré-escolar, pré-estreia, pré-moldado.

- **preter-** – que vai além de:

  preternatural, preterir, preterintencional.

- **pro-, pró-** – para a frente, diante, em lugar de, em favor de:

  progresso, prosseguir, propor, pronome, propugnar, pró-paz.

- **re-** – para trás, repetição, intensidade:

  regresso, regressar, retornar, regredir, reaver, remarcação, recomeçar, revigorar, redobrar.

- **retro-** – para trás:

  retrocesso, retroativo, retropropulsão.

- **semi-** – metade, meio:

  semimorto, semicírculo, se(mi)mínima, semicerrar.

- **sesqui-** – um e meio:

  sesquicentenário (= 150 anos, um século e meio).

- **sub-, sob-, so-** – posição inferior, debaixo, deficiência, ação incompleta:

  subdelegado, subaquático, subscrição, subestimar, subalimentado, sobpor, sobraçar, soterrar, sopé, soerguer.

- **super-, sobre-** – posição superior, em cima, depois, excesso:

  superpor, supercílio, super-homem, superlotado, sobrecarga, sobreloja, sobrevir, sobreviver.

- **supra-** – acima:

  supradito, supracitado, suprapartidário, suprarrenal.

- **trans-, tras-, tra-, tres-** – além, através de:

  transoceânico, transatlântico, transandino, trasladar (ou *transladar*), *tradição, tresnoitar.*

- **tri-, tris-** – três:

  triciclo, trigêmeo, tricampeão, trisavô.

- **ultra-** – além de:

  ultramarino, ultrapassar.

- **uni-** – um:

  unicelular, unifamiliar, unificar, uníssono.

- **vice-, vis-** – substituição, no lugar de, imediatamente inferior a:

  vice-versa, vice-presidente, visconde, vice-almirante.

2 PREFIXOS GREGOS

Os prefixos de origem grega aparecem, geralmente, anexados a radicais gregos. Eis os mais comuns:

- **a-, an-** – negação, carência:

  ateu, abulia, afônico, acéfalo, anemia, anonimato, anarquia, analgésico, anestesia.

- **ana-** – inversão, afastamento, decomposição:

  anagrama, anacronismo, anacoluto, analisar, anatomia.

- **anfi-** – em torno de, duplicidade:

  anfiteatro, anfíbio, anfibologia.

- **anti-** – oposição, contra:

  antibiótico, anticristo, antididático, antítese, antipatia, antiaéreo.

- **apo-** – separação, afastamento:

  apócrifo, apostasia, apofonia, apogeu.

- **arqui-, arque-, arce-** – superioridade, primazia:

  arquipélago, arquidiocese, arquibancada, arquimilionário, arquétipo, arcebispo.

- **cata-** – movimento de cima para baixo:

  catadupa, catarata, catarro, catástrofe, cataclismo.

- **di-** – dois:

  dípode, díptero, dissílabo.

- **dia-** – através, por meio de:

  diâmetro, diálogo, diagnóstico, diáfano.

- **dis-** – dificuldade, afecção:

  disenteria, dispneia, dispepsia, disfagia.

- **en-, em-** – dentro, posição interna:

  encéfalo, empíreo.

MORFOLOGIA

- **endo-** – dentro, para dentro:
  endocarpo, endovenoso, endosmose.

- **epi-** – sobre, posição superior:
  epígrafe, epigrafia, epiderme, epitáfio.

- **eu-**, **ev-** – bem, bondade, excelência:
  eugenia, euforia, eufemismo, eucaristia, evangelho, evangélico.

- **ex-**, **exo-**, **ec-** – fora, movimento para fora:
  exorcismo, exosmose, êxodo, eclipse, eclético, ecletismo, exosqueleto, exogamia.

- **hemi-** – meio, metade:
  hemiciclo, hemisfério, hemiplegia.

- **hiper-** – sobre, superioridade, demais, excesso:
  hipérbole, hipertensão, hipertrofia.

- **hipo-** – sob, posição inferior, deficiência:
  hipogeu, hipoglosso, hipocrisia, hipótese, hipotenusa, hipotensão.

- **meta-** – mudança, atrás, além, depois de, no meio:
  metamorfose, metáfora, metafísica, metonímia, metacarpo, metatarso.

- **para-** – junto de, proximidade, semelhança:
  parasita, paradigma, parônimo, parábola, parapsicologia.

- **peri-** – em torno de:
  periferia, perímetro, perífrase, periscópio.

- **pro-** – antes, anterioridade:
  programa, prólogo, prognosticar, prognóstico, próclise, profilaxia.

- **sin-**, **sim-**, **si-** – reunião, conjunto, simultaneidade:
  sintonizar, sintaxe, síntese, sinfonia, simpatia, sistema, simetria.

3 CORRESPONDÊNCIA ENTRE PREFIXOS LATINOS E GREGOS

Latinos	Gregos
ab-: abjurar	**apo-**: apostasia
ad-: adjunto	**para-**: parasita
ambi-: ambidestro	**anfi-**: anfíbio
bene-: benevolente	**eu-**: euforia
bi-, **bis-**: bípede, bisavô	**di-**: dípode
circum-: circumpolar	**peri-**: perímetro
contra-: contraveneno	**anti-**: antídoto
com-, **con-**: compartilhar, concordar	**sin-**: sincronizar
ex-: exportar	**ex-**: êxodo

MORFOLOGIA 115

i-, in-, des-: ilegal, infeliz, desonesto

in-: ingerir

intra-: intramuscular

semi-: semicírculo

sub-: subterrâneo

super-, supra-: superlotar, supracitado

trans-: transparente

a-, an-: ateu, anônimo

en-: encéfalo

endo-: endocarpo

hemi-: hemiciclo

hipo-: hipogeu

epi-, hiper-: epitáfio, hipertrofia

dia-: diáfano

EXERCÍCIOS

LISTA 11

1. Escreva as palavras em seu caderno, dê a significação ao lado de cada uma e separe os prefixos latinos por um traço vertical:

antedatar	imergir	circumpolar
cisplatino	emergir	ejetável
cooperar	inalar	retrógrado
dissociar	dissabor	semicírculo
imberbe	entrever	ilegal

2. Em seu caderno, dê a significação das seguintes palavras de origem grega e separe-lhes os prefixos:

abulia	diáfano	epílogo
anônimo	dispepsia	antipatia
antípoda	êxodo	metáfora
atrofia	epitáfio	simpatia
hipertrofia	paradigma	exorcismo
catadupa	eufemismo	dípode
perímetro	síntese	diagnóstico

3. Em seu caderno, associe as palavras da coluna da esquerda ao sentido correto do prefixo que consta na coluna da direita:

prólogo	excesso
dispneia	duplicidade
diagonal	oposição
anfíbio	superioridade
hipérbole	através
antípoda	dificuldade
arquipélago	privação
afonia	mudança
sincronizar	em torno de, ao redor de
metempsicose	anterioridade
cisplatino	simultaneidade
perífrase	conjunto
vice-presidente	aquém
sintaxe	substituição

MORFOLOGIA

4. Reorganize as três colunas, colocando na mesma linha o **prefixo latino**, seu correspondente **prefixo grego** e a **significação** de ambos:

ab-	peri-	bondade
ambi-	anti-	em redor de
bene-	apo-	dualidade, duas vezes
bi-	eu-	negação
circum-	hipo-	através de
contra-	a-	excesso
in-	dia-	afastamento
semi-	hiper-	debaixo de
sub-	anfi-	metade
super-	hemi-	oposição
trans-	di-	duplicidade, dos dois lados

5. Com prefixos adequados, forme as palavras equivalentes às expressões destacadas:

a) Realizamos uma viagem **em torno do polo**.

b) Houve manifestações **contra o racismo**.

c) Aquele avião tem assento **que pode ser lançado para fora**.

d) Na época **anterior a Cristóvão Colombo**, havia no Novo Mundo duas brilhantes civilizações: a dos incas e a dos astecas.

e) O doente sofre de **dificuldade para digerir**.

f) O crime não pode ficar **sem punição**.

g) Que é **propulsão para trás**?

h) A **ciência que estuda as inscrições sobre pedras e metais** é valiosa para a História.

6. Forme novas palavras com os prefixos **ante-** e **anti-**, usando-os adequadamente:

térmico	cristo	véspera
ontem	tóxico	aéreo
míssil	braço	democrata

7. Dê exemplos de outros vocábulos que contenham os mesmos prefixos destacados:

a) **ante**ssala

b) **bis**neto

c) **des**feito

d) **in**feliz

e) **super**lotado

8. Identifique o sentido em que foram empregados os prefixos nas palavras abaixo:

a) contraveneno

b) descascar

c) ingerir

d) infeliz

e) introvertido

f) prefixo

g) ultrapassar

h) pós-guerra

i) retroceder

RADICAIS GREGOS

O conhecimento dos radicais gregos é de indiscutível importância para a exata compreensão e fácil memorização de inúmeras palavras criadas e vulgarizadas pela linguagem científica. Consignaremos aqui apenas os de uso mais frequente.

Observe-se que esses radicais se unem, por via de regra, a outros elementos de origem grega e que, para formarem palavras compostas, sofrem, geralmente, adaptações ou acomodações fonéticas e gráficas.[1]

ácros, alto:	acrópole, acrobacia, acrofobia
adén, **adénos**, glândula:	adenite, adenoide
aér, **aéros**, ar:	aeródromo, aeronáutica, aéreo
agogós, o que conduz:	demagogo, pedagogo, galactagogo
agón, luta:	agonia, antagonista, protagonista
akrís, **akrídos**, gafanhoto:	acrídio, acridófago
álgos, dor:	algofilia, analgésico, nevralgia
álos, outro:	alopatia, alopata, alogamia
ánemos, vento:	anemômetro, anemografia
anér, **andrós**, homem, macho:	androfobia, androceu
ánthos, flor:	antografia, antologia, crisântemo
ánthropos, homem:	antropologia, antropófago, filantropo
archáios, antigo:	arcaico, arqueologia, arcaísmo
arché, comando, governo:	anarquia, monarca, monarquia
áristos, o melhor:	aristocracia, aristocrata
árthron, articulação:	artrose, artrite, artrópode
astér, **astéros**, estrela:	asteroide, asterisco
ástron, astro:	astronomia, astronauta
atmós, gás, vapor:	atmosfera
autós, próprio, mesmo:	automóvel, autonomia, autônomo
bápto, **baptízo**, eu mergulho:	batista, batismo, batistério
báros, peso, pressão:	barômetro, barostato
barýs, pesado, grave:	barimetria, barítono, barrio
bathýs, profundo:	batímetro, batiscafo, batisfera
biblíon, livro:	biblioteca, bibliografia, bibliófilo

---

(1) Quanto à pronúncia das palavras gregas, tenham-se em mente as normas seguintes:
ou = **u**: odóus (odús); **ch** = **k**: arché (arké), brachys (brakís); **ph** = **f**: phílos (filos);
ge = **gue**: gê (guê); **gi** ou **gy** = **gui**: gyné (guiné); **x** = **ks**: dóxa (dóksa).

MORFOLOGIA

bíos, vida: biologia, biografia, anfíbio
brachýs, curto, breve: braquicéfalo, braquidátilo
bróma, brómatos, alimento: bromatologia, teobroma
cir-, quiro- (de **chéir, cheirós**, mão): cirurgia, cirurgião, quiromante
chlorós, verde: cloro, clorofila, clorídrico
chróma, chrómatos, cor: cromático, policromia
chrónos, tempo: cronômetro, anacrônico, anacronismo
chrýsos, ouro: crisólito, crisóstomo, crisântemo
dáktylos, dedo: datilografia, datilografar
déka, dez: decálogo, decâmetro, decassílabo
démos, povo: democracia, demográfico, demografia
dérma, dérmatos, pele: dermatologia, epiderme, dermatose
dóxa, opinião, doutrina: ortodoxo, paradoxo
drómos, corrida: autódromo, hipódromo, dromoterapia
dýnamis, força, potência: dínamo, dinamite, dinamômetro
eco- (de **oikos**, casa, hábitat): economia, ecologia
élektron, âmbar, eletricidade: elétrico, eletrônica, elétron
eno- (de **oinos**, vinho): enologia, enólogo
énteron, intestino: enterite, enterologia, disenteria
éthnos, povo, raça: étnico, etnografia, etnia
étymos, verdadeiro: etimologia, etimológico, étimo
gámos, casamento: poligamia, polígamo, monogamia
gastér, gastrós, estômago: gastrite, gastrônomo, gástrico
géo- (de **gê**, terra): geografia, geologia, geoide
glótta, glóssa, língua: poliglota, epiglote, glossário
gonía, ângulo: goniômetro, polígono, diagonal
grámma, letra, escrito: gramática, anagrama, telegrama
grápho, escrevo: grafia, ortografia, caligrafia
gymnós, nu: ginásio, ginástica, gimnofobia
gyné, gynaikós, mulher: gineceu, ginecologia, ginecológico
hédra, base, face, lado: poliedro, hexaedro, pentaedro
hélios, Sol: heliocêntrico, heliotropismo, afélio
hema-, hemo- (de **háima, háimatos**, sangue): hematófago, anemia, hemorragia
heméra, dia: hemeroteca, hemerologia, efêmero
hépar, hépatos, fígado: hepático, hepatite, hepatologia
héteros, outro, diferente: heterogêneo, heterônimo, heteróclito
héxa- (de **hex**, seis): hexacampeão, hexaedro, hexágono
hierós, sagrado: hierarquia, hierático, hieróglifo
hippos, cavalo: hipódromo, hipismo, hipopótamo
hodós, caminho: hodômetro, êxodo, método
hómoios, semelhante, igual: homeopatia, homeopático, homeopata
homós, semelhante, igual: homônimo, homógrafo, homogêneo
hýdro- (de **hýdor, hýdatos**, água): hidratar, hidrografia, hidrômetro
hygrós, úmido: higrômetro, higrófito
hýpnos, sono: hipnose, hipnotizar, hipnotismo
iatréia, tratamento médico: pediatria, psiquiatria

ichthýs (ictís), **ichthyos**, peixe: ictiófago, ictiografia
icon- (de **eikón**, **eikónos**, imagem): iconoclasta, iconografia
ídios, próprio: idioma, idiotismo
ísos, semelhante, igual: isósceles, isotérmico, isonomia
kakós, mau: cacofonia, cacoete, cacografia
kali- (de **kalós**, belo): caligrafia, calidoscópio
kardía, coração: cardíaco, cardiologia, taquicardia
karpós, fruto: endocarpo, mesocarpo
kephalé, cabeça: cefalalgia, acéfalo, cefálico
kínema, **kinématos**, movimento: cinema, cinematográfico
kósmos, mundo, adorno: cosmografia, cosmopolita, cosmético
krátos, poder, força, domínio: aristocracia, democracia, escravocrata
kýklos, círculo: ciclovia, triciclo
kýon, **kynós**, cão: cínico, cinismo, cinegética
kýstis, bexiga: cistite, cistoscopia
kýtos, célula: citologia, leucócito
latréia, culto, adoração: idolatria, heliolatria, idólatra
leukós, branco: leucócito, leucemia
líthos, pedra: aerólito, litografia
lógos, palavra, colóquio, estudo: diálogo, biologia, decálogo, logotipo
lýsis, dissolução, ato de desatar: análise, eletrólise
makrós, longo, grande: macróbio, macrobiótica
mancia- (de **mantéia**, adivinhação): cartomancia, quiromancia
manía, loucura, inclinação: cleptomania, manicômio, maníaco
mégas, **megálo-**, grande: megalomania, megaton, megatério
mésos, meio, do meio: mesocarpo, mesóclise, mesopotâmia
méter, **metrós**, mãe: metrópole, metropolitano
métron, medida: métrico, quilômetro, termômetro
mikrós, pequeno: micróbio, microscópio, micro-onda
mísos, ódio, aversão: misógamo, misógino, misoneísmo
mnemo- (de **mnéme**, memória, lembrança): mnemônico, amnésia, mnemoteste
mónos, um só, sozinho: monólogo, monocultura, monoteísta
morphé, forma: morfologia, amorfo, metamorfose
nekrós, morto, cadáver: necrotério, necropsia, necrológio
néos, novo: neologismo, neófito, neolatino
néuron, nervo: neurologia, neurose, nevralgia
nómos, lei, norma: autônomo, anomalia, anômalo
nósos, doença, moléstia: nosocômio, nosofobia, zoonose
odóus, **odóntos**, dente: odontologia, odontologista, mastodonte
olígos, pouco: oligarquia, oligofrenia, oliguria
óneiros, sonho: oniromancia, onirologia, onírico
ónoma, **ónyma**, nome: onomástica, pseudônimo, antônimo
óphis, **ophídion**, cobra: ofídio, ofídico, ofidismo
ophthalmós, olho: oftalmologia, oftalmologista, oftálmico
óps, **opós**, vista: óptica (ou ótica), miopia, míope, ciclope
órnis, **órnithos**, ave: ornitologia, ornitólogo

orthós, reto, correto: ortografia, ortopedia, ortopedista
ous (us), **otós**, ouvido: otite, otorrino, otologia, otalgia
páis, **paidós**, criança: pedagogia, pediatria, pediatra
pan, **pantós**, tudo, todo: panorama, panteísmo, pantógrafo, panaceia
pathos, doença, afecção, sentimento: patologia, simpatia
pedo- (de **paidéia**, educação, correção): ortopedia, ortopedista, enciclopédia
penta- (de **pente**, cinco): pentacampeão, pentágono, pentatlo
phagô, eu como: fagocitose, antropófago, ictiófago
phílos, amigo: filosofia, filantropia, anglófilo
phóbos, medo, aversão: hidrofobia, xenofobia, xenófobo, claustrofobia, fotofobia

phoné, voz, som: telefone, cacofonia, afônico, fonógrafo
phós, **photós**, luz: fotografia, fotógrafo, fósforo, fotonovela
phýsis, **phýseos**, natureza: fisiologia, físico, fisioterapia
phytón, vegetal: fitotecnia, fitogeografia, fitoteca, xerófito
plóutos, riqueza: plutocracia, plutocrata
pnéuma, **pnéumatos**, respiração, ar, sopro: pneumática, pneumático (pneu)
pnéumon, pulmão: pneumonia, pneumologia
pólis, cidade: política, acrópole, Petrópolis, metrópole
polýs, muito, numeroso: policlínica, poliglota, polígono
pótamos, rio: potamografia, hipopótamo, Mesopotâmia
pséudos, mentira, falsidade: pseudônimo, pseudotopázio
psittakós, papagaio: psitacismo, psitacídeos
psyché, alma: psicologia, psicose, psíquico
pterón, asa: pteroide, coleóptero, helicóptero
pyr, **pyrós**, fogo: pirosfera, pirotécnico, antipirético
rhéo, fluir, correr, **reuma**, fluxo: reumatismo, catarro, diarreia
rino- (de **rhis**, **rhinós**, nariz): rinite, rinofonia, otorrino
riza, raiz: rizófago, rizotônico
seismós, abalo, tremor: sismógrafo, sísmico
seléne, Lua: selenita, selenomancia
síderos, ferro, aço: siderose, siderurgia
skopéo, ver, olhar: telescópio, microscópio, radioscopia
sóma, **sómatos**, corpo: somatologia, somático, cromossomo
sophós, sábio: filósofo, filosofia
stoma, **stómatos**, boca: estomatite, estomático
taqui- (de **tachús**, rápido, breve): taquicardia, taquígrafo
táxis, arranjo, classificação: sintaxe, taxidermista
téchne, arte, ofício: tecnologia, politécnica, tecnocrata
téle, longe: televisão, telefone, teleguiar
théke, caixa: biblioteca, discoteca, hemeroteca
theós, deus: teologia, teólogo, apoteose
therapéia, tratamento: hidroterapia, fisioterapia
thérmos, quente: térmico, termômetro
tópos, lugar: topônimo, topografia, tópico
tráuma, **tráumatos**, ferimento: trauma, traumático, traumatismo

trophé, nutrição, alimentação: atrofia, hipertrofia
týpos, marca, modelo, tipo: tipografia, protótipo, logotipo
-urgia, operação, trabalho: cirurgia, siderurgia
xénos, estrangeiro: xenofobia, xenófobo
xerós, seco: xerófito, xerófilo
xýlon, madeira: xilogravura, xiloteca, xilófago
zóon, animal: zoologia, zoológico, zoonose

EXERCÍCIOS

LISTA 12

1. Dê a etimologia e o significado dos seguintes compostos gregos:

Exemplo: *cefalalgia* vem de *kephalé*, cabeça, e *álgos*, dor: **dor de cabeça**.

cefalalgia	autônomo	gastrônomo	decálogo
antropófago	bibliófilo	hematófago	cosmopolita
anarquia	democracia	hipnotismo	ornitologia

2. Faça como no exercício anterior:

monólogo	filantropia	macróbio	pentágono
periscópio	psicologia	epígrafe	datiloscopia
odontologia	megalomania	poliglota	telegrama
arqueologia	helioscópio	hemeroteca	zoonose

3. Reorganize as colunas abaixo de maneira a corresponder os elementos de composição a seus significados. Em seguida, dê exemplos de palavras compostas por estes radicais:

-algia	adoração	-mancia	tratamento
-fobia	adivinhação	-patia	medo, aversão
-latria	doença	-terapia	ciência
-logia	dor		

4. O sufixo **-ite** exprime inflamação. Escreva, pela ordem, os nomes dos órgãos afetados, nas moléstias seguintes:

Exemplo: cistite, **bexiga**.

enterite – estomatite – gastrite – hepatite – nefrite – rinite

5. Estes instrumentos servem para medir o quê?

anemômetro – barômetro – batímetro – hidrômetro – higrômetro – dinamômetro – hodômetro – pluviômetro

6. Reorganize as colunas de forma que a cada palavra corresponda seu antônimo:

alopatia	cacofonia	arcaísmo	xenofilia
homogêneo	homeopatia	macrocéfalo	policultura
eufonia	xerófito	monocultura	neologismo
higrófito	heterogêneo	xenofobia	microcéfalo

7. Escreva os grupos de palavras e em seguida escolha qual das ideias listadas abaixo é aquela expressa por todas as palavras de cada grupo:

a) telescópio – microscópio – endoscopia – radioscopia – autópsia

tocar	ler	olhar, examinar	ouvir

b) antropônimo – homônimo – pseudônimo – topônimo – heterônimo

    homem   estudo   lei   nome

c) aristocrata – escravocrata – plutocrata – tecnocrata – autocrata

    domínio   dinheiro   arte   glória

8. Escreva a única palavra em que o radical grego tenha o mesmo significado do radical latino *voro* (carní*voro*, frugí*voro*, oní*voro*, etc.):

    neófito   cacófato   ictiófago   xenófobo

9. Qual é o campo de estudos da **bromatologia** e da **farmacologia**?

10. Procure, na relação dos radicais gregos, as palavras que se ajustem às definições seguintes:

a) a parte alta das cidades gregas

b) remédio que suprime a dor

c) fora do tempo, contrário aos usos da época

d) destruidor de imagens ou ídolos

e) pessoa que fala várias línguas

f) provocar o sono artificialmente

g) palavra ou expressão própria de um idioma

h) pessoa que adora um só Deus

i) palavra ou expressão nova

j) aversão aos estrangeiros

k) nome próprio de lugar

11. Copie apenas o significado correto de **psitacismo**:

psicose, doença mental

crença na imortalidade da alma

repetição mecânica de palavras ou frases, sem lhes entender o sentido

12. Em seu caderno, substitua as expressões destacadas por um dos adjetivos equivalentes do quadro:

a) abalo *produzido por terremoto*

b) sentido *verdadeiro (original)* de uma palavra

c) povo *que se governa por suas próprias leis*

d) nação *sem cabeça (sem chefe)*

e) dor *dos nervos*

f) soro *contra veneno de cobra*

g) reação *da alma*

h) frase *que soa mal*

i) nervo *do olho*

j) imagem *do sonho*

k) grupo de pessoas *da mesma raça*

l) estar *sem voz*

m) artifício *para ajudar a memória*

---

acéfala – cacofônica – etimológico – autônomo – nevrálgica – antiofídico – psíquica – sísmico – afônico – mnemônico – óptico – étnico – onírica

RADICAIS LATINOS

Damos aqui uma pequena lista de radicais latinos com as respectivas formações vernáculas, de cunho erudito, isto é, palavras que entraram na língua portuguesa por via literária e científica, a maioria delas entre os séculos XVIII e XX.

ager, **agri**, campo:	agrícola, agricultura
ambi- (de **ambo**, ambos):	ambidestro, ambíguo
ambulo, **ambulare**, andar:	ambulatório, sonâmbulo, perambular
apis, abelha:	apicultura, apicultor
arbor, **arboris**, árvore:	arboricultura, arborizar, arborícola
argentum, **argenti**, prata:	argênteo, argentífero, argentino
bellum, **belli**, guerra:	bélico, belicoso, beligerante
capillus, **capilli**, cabelo:	capilar, capiliforme, capilaridade
caput, **capitis**, cabeça:	capital, decapitar, capitoso
cinis, **cineris**, cinza:	cinéreo, incinerar, incineração
cola-, (de **colo**, **colere**, habitar, cultivar):	arborícola, vitícola
cor, **cordis**, coração:	cordiforme, cordial, Cordisburgo
cuprum, **cupri**, cobre:	cúpreo, cúprico, cuprífero
digitus, **digiti**, dedo:	digital, digitar, digitação
ego, eu:	egocêntrico, egoísmo, ególatra
equi-, (de **aequus**, igual):	equivalente, equinócio, equiângulo
-evo (de **aevum**, tempo, idade):	longevo, longevidade, medievo
-fero (de **fero**, **ferre**, levar, conter):	aurífero, lactífero, carbonífero
fluvius, rio:	fluvial, fluviômetro
frater, **fratris**, irmão:	fraterno, confraternizar, fratricida
frigus, **frigoris**, frio:	frigorífico, frigomóvel
fulmen, **fulminis**, raio:	fulminante, fulminar
genu, joelho:	genuflexão, genuflexório
gero, **gerere**, produzir, ter:	lanígero, alígero
herba, erva:	herbáceo, herbívoro, herbicida
ignis, fogo:	ígneo, ignição, ignífero
lac, **lactis**, leite:	lactífero, lactação, laticínio
lapis, **lapidis**, pedra:	lápide, lapidificar, lapidar
lex, **legis**, lei:	legislativo, legislar, legista
loquor, **loqui**, falar:	locutor, loquaz, ventríloquo
noceo, **nocere**, prejudicar, causar mal:	nocivo, inocente, inócuo
omnis, todo:	onipresente, onisciente, ônibus
oryza, arroz:	orizicultura (ou rizicultura)

MORFOLOGIA

os, **oris**, boca:	ósculo, oral, orar, oráculo
pauper, **pauperis**, pobre:	pauperismo, depauperar
pecus, rebanho:	pecuária, pecuarista, pecúnia
petra, pedra:	pétreo, petrificar, petróleo
piscis, peixe:	piscicultura, piscina, piscívoro
pluvia, chuva:	pluvial, pluviômetro
pulvis, **pulveris**, pó:	pulverizar, pulverizador, pulverulento
radix, **radicis**, raiz:	radical, radicar, erradicar
sidus, **sideris**, astro:	sideral, sidéreo, siderar
silva, selva:	silvícola, silvicultura
stella, estrela:	estelar, constelação
sudor, **sudoris**, suor:	sudorífero, sudorese
tellus, **telluris**, terra, solo:	telúrico, telurismo
triticum, **tritici**, trigo:	triticultura, triticultor, tritícola
vinum, **vini**, vinho:	vinicultura, vinícola
vitis, videira:	viticultura, viticultor, vitícola
volo, **velle**, querer, desejar:	benévolo, malévolo
volo, **volare**, voar:	volátil, noctívolo
vox, **vocis**, voz:	vocal, vociferar

EXERCÍCIOS

LISTA 13

1. Dê exemplos de palavras que tenham os seguintes radicais latinos:

argentum, prata	**genu**, joelho
capillus, cabelo	**arbor**, **arboris**, árvore
ignis, fogo	**fulmen**, **fulminis**, raio
lac, **lactis**, leite	**capra**, cabra
herba, erva	**os**, **oris**, boca
pecus, gado	**cinis**, **cineris**, cinza
pluvia, chuva	**pauper**, pobre
fluvius, rio	**pulvis**, **pulveris**, pó
stella, estrela	**volare**, voar
silva, selva	**nocere**, fazer mal, prejudicar

2. Copie somente a definição correta de animal **arborícola**:

é o animal que come ervas

é o animal que vive sobre árvores

é o animal que habita a mata

3. Em seu caderno, reorganize as duas colunas, associando as palavras aos respectivos radicais latinos:

caput, **capitis**, cabeça	piscicultura, pisciforme
lex, **legis**, lei	bélico, beligerante, belicoso

MORFOLOGIA 125

bellum, **belli**, guerra
piscis, peixe
lapis, **lapidis**, pedra

capital, capitoso
lápide, lapidação
legislador, legislar

4. Substitua os asteriscos nas frases, seguindo o exemplo:

Agricultura é o cultivo dos campos, da terra.

a) **** é a cultura do trigo.

b) **** é a cultura do arroz.

c) **** é a criação de abelhas.

d) **** é a criação de peixes.

e) **** é a cultura de videiras.

5. Escreva as expressões, substituindo os asteriscos adequadamente por verbos derivados dos radicais entre parênteses:

a) **** o lixo (**cinis**, **cineris**)

b) **** um mal (**radix**, **radicis**)

c) **** os grãos de café (**pulvis**, **pulveris**)

d) **** ameaças (**vox**, **vocis**, voz)

6. Escreva as frases, substituindo os asteriscos adequadamente pelos adjetivos do quadro abaixo:

egocêntrico – onisciente – lanígero – fluvial – capilares – cordiforme

a) A seiva das plantas chega às folhas pelos vasos ****.

b) Só Deus é todo-poderoso e ****.

c) Presenteou a noiva com uma medalha de ouro ****.

d) O gado ****, além da carne, nos dá a lã.

e) Ele se considera o centro do universo: é um ****.

f) É preciso incentivar a navegação ****.

7. Escreva as sequências, sublinhando as duas ideias básicas expressas pelos radicais dos vocábulos:

a) **lacticínio** ou **laticínio** (leite/comércio – látex/colheita – leite/indústria)

b) **sonâmbulo** (sono/andar – som/correr – som/gravar)

c) **longevidade** (longe/lugar – longe/vida – longa/idade)

d) **aurífero** (ouro/ferro – ouro/conter – ouro/valor)

ORIGEM DAS PALAVRAS DA LÍNGUA PORTUGUESA

As palavras que constituem o nosso patrimônio léxico podem ser:

1. de origem latina
2. de formação vernácula
3. de importação estrangeira

A maioria das palavras da língua portuguesa são provenientes do latim vulgar, isto é, o latim falado pelo povo, que os romanos introduziram na Lusitânia, duzentos anos antes de Cristo.

Entre as palavras de origem latina, umas datam do período de formação do idioma, entre os séculos VI e XI, aproximadamente; outras foram introduzidas mais tarde pelos escritores e letrados, sobretudo no período áureo da literatura portuguesa, o século XVI, e mais abundantemente ainda nos séculos seguintes, por via literária e científica. As primeiras, as *formas populares*, foram profundamente alteradas na boca do povo iletrado e rude, ao passo que as outras, as *formas cultas*, ou *eruditas*, incorporaram-se à língua com leves alterações.

Comparem-se, como exemplo, as formas populares e as correspondentes eruditas abaixo, procedentes da mesma palavra latina:

Formas populares: *cuidar, chave, chama, leal, siso, sarar, teia*

Formas cultas: *cogitar, clave, flama, legal, senso, sanar, tela*

No decorrer dos séculos, vieram sendo criadas no seio da língua, pelo gênio inventivo do povo luso-brasileiro, numerosas palavras que enriqueceram sobremodo o nosso vocabulário. São as chamadas *criações vernáculas*, de que são exemplos os termos seguintes:

coitado, fofoca, jeca, xereta, quicar, fofo, ranzinza, zunzum, zumbir, beija-flor, malmequer, careca, você, girassol, xodó, etc.

As palavras de outros idiomas penetram na língua através das relações entre os povos e graças às influências que as culturas e civilizações exercem umas sobre as outras. Desde os primórdios da língua portuguesa, e mais intensamente na fase da sua expansão pelos continentes e, depois, nos séculos das grandes invenções, numerosos termos estrangeiros, importados e aprovados pelo uso, vieram enriquecer-lhe o patrimônio léxico.

Assim é que encontramos, no vocabulário português, palavras oriundas:

▪ **do grego:**

umas por influência do cristianismo e do latim literário, como *anjo, apóstolo, bíblia, teatro, clímax*; outras, criadas pelos sábios e cientistas, como *nostalgia, telefone, microscópio*, etc.

- **do hebraico**:

  veiculadas pela Sagrada Escritura: aleluia, Páscoa, sábado, Jesus, Maria, etc.

- **do alemão**:

  guerra, norte, sul, realengo, Ricardo, interlândia, etc.

- **do árabe**:

  algodão, alfaiate, azeite, algema, oxalá, Alá, nácar, muçulmano, etc.

- **do francês**:

  elite, greve, avenida, detalhe, pose, toalete, tricô, guichê, etc.

- **do inglês**:

  bife, clube, esporte, futebol, jóquei, náilon, tênis, vagão, xampu, etc.

- **do italiano**:

  maestro, piano, soneto, pastel, lasanha, salsicha, etc.

- **do espanhol**:

  castanhola, cavalheiro, caudilho, ninharia, maçanilha, ojeriza, etc.

- **do russo**:

  rublo, mujique, esputinique, vodca, soviete, etc.

- **do chinês**:

  chá, chávena, nanquim, pequinês, etc.

- **do japonês**:

  biombo, judô, micado, quimono, nissei, samurai, gueixa, etc.

- **do turco**:

  algoz, horda, iatagã, lacaio, etc.

- **do tupi**:

  tatu, araponga, saci, pitanga, Iracema, Itu, Iguaçu, jiboia, pajé, etc.

- **de línguas africanas**:

  macumba, vatapá, maxixe, quilombo, marimbondo, etc.

O inglês e o francês são os idiomas que maior influência exercem, hoje, sobre o português. Pelas páginas dos jornais e das revistas desliza um caudal de anglicismos e galicismos, muitos dos quais desnecessários.

128 MORFOLOGIA

EXERCÍCIOS

LISTA
14

1. Copie as palavras abaixo, colocando a letra **P** à frente das formas populares e a letra **E** à frente das eruditas ou cultas:

areia	íntegro
arena	inteiro
auscultar	lacuna
escutar	laguna
coalhar	macho
coagular	másculo
chama	mancha
flama	mácula
cálido	sigilo
caldo	selo

2. Escreva as sequências de palavras, numerando-as de acordo com a língua de proveniência:

futebol – clube – jipe – uísque

algodão – alfaiate – algema – oxalá

via – peixe – chave – lágrima – ônibus

detalhe – buquê – abajur – crochê

tatu – jiboia – Iguaçu – graúna

bíblia – anjo – trauma – teatro

(1) latim

(2) grego

(3) inglês

(4) árabe

(5) francês

(6) tupi

CLASSIFICAÇÃO E FLEXÃO DAS PALAVRAS

Na língua portuguesa há dez classes de palavras ou **classes gramaticais**:

1. Substantivo	**6.** Verbo
2. Artigo	**7.** Advérbio
3. Adjetivo	**8.** Preposição
4. Numeral	**9.** Conjunção
5. Pronome	**10.** Interjeição

As seis primeiras classes são *variáveis*, isto é, flexionam-se, sofrem alterações na forma. As quatro outras são *invariáveis*.

Observações:

✔ A mesma palavra pode pertencer a mais de uma classe. Exemplos:

O céu é *azul* (*azul*, adjetivo). O *azul* triste de seus olhos fascinava-me (*azul*, substantivo). Abel era um *caipira* corajoso (*caipira*, substantivo). Assisti a uma festa *caipira* (*caipira*, adjetivo).

✔ Alguns advérbios admitem, na linguagem afetiva, as flexões de grau: cedo, *cedinho*; agora, *agorinha*; muito, *muitíssimo*.

✔ Não poucos substantivos e pronomes e a maioria dos numerais são invariáveis: *pires, isto, alguém, dez*, etc.

O substantivo e o verbo destacam-se como as duas mais importantes classes de palavras, porque constituem a base das frases, ou seja, da comunicação. Isso pode ser facilmente percebido no exemplo:

O *capitão*, sorridente e garboso, *montou* no seu *cavalo* branco.

As palavras da mesma classe têm características comuns e, quando ordenadas em frases, cabe, a cada uma, determinada função sintática. Assim, no exemplo acima, o substantivo *capitão* designa um ser, uma pessoa, admite flexões de gênero (*capitã*) e número (*capitães*) e funciona como *sujeito* da oração.

A seguir, estudaremos cada uma das classes gramaticais sob o aspecto morfológico.

SUBSTANTIVO

Consideremos estes exemplos:

Aquele **homem** comprou um **livro** e ganhou uma **flor**.

Na **praia**, a **alegria** era geral.

As palavras destacadas são *substantivos*.

1 SUBSTANTIVOS

Substantivos são palavras que designam os seres.

Os substantivos exercem na frase diversas funções sintáticas: sujeito, objeto direto, objeto indireto, etc.

Dividem-se os substantivos em:

▪ Comuns

Os que designam seres da mesma espécie:

menino, galo, palmeira (há muitos meninos, muitos galos, muitas palmeiras).

▪ Próprios

Os que se aplicam a um ser em particular:

Deus, Brasil, Roma, São Paulo, Gonçalves Dias, Tiradentes, Minerva.

> **Observação:**
>
> ✔ Certos substantivos próprios podem tornar-se comuns: um *judas* (traidor), um *esculápio* (médico), um *ícaro* (aviador), um *havana* (charuto), um *panamá* (chapéu), etc.

▪ Concretos

Os que designam seres de existência real ou que a imaginação apresenta como tais:

avô, mulher, pedra, leão, alma, fada, lobisomem.

▪ Abstratos

Os que designam qualidades, sentimentos, ações ou estados dos seres, dos quais se podem abstrair (= separar) e sem os quais não podem existir:

beleza, coragem, brancura, rapidez (*qualidades*);

amor, saudade, alegria, dor, fome, frio (*sentimentos, sensações*);

viagem, estudo, doação, esforço, fuga, afronta (*ações*);

vida, morte, cegueira, doença (*estados*);

Observação:

✔ Substantivos abstratos podem ser concretizados. Assim: a *caça* (= ato de caçar): **abstrato**; a *caça* (= animal caçado): **concreto**. Ó *mocidade* (= moços), a *Pátria* (= o país) vos concita ao trabalho.

▪ Simples

Os que são formados de um só radical:

chuva, pão, lobo.

▪ Compostos

Os que são formados por mais de um radical:

guarda-chuva, passatempo, beija-flor.

▪ Primitivos

Os que não derivam de outra palavra da língua portuguesa:

pedra, ferro, dente, trovão.

▪ Derivados

Os que derivam de outra palavra:

pedreira, ferreiro, dentista, trovoada.

▪ Coletivos

Os que exprimem um conjunto de seres da mesma espécie:

exército, rebanho, constelação.

2 SUBSTANTIVOS COLETIVOS

Eis os principais substantivos coletivos:

acervo – de coisas amontoadas, bens patrimoniais, obras de arte
álbum – de fotografias, selos
alcateia – de lobos, feras
antologia – de textos seletos
arboreto – de árvores cultivadas
armada – de navios de guerra
arquipélago – de ilhas
assembleia – de parlamentares, membros de associações

atilho – de espigas
atlas – de mapas reunidos em livro
bagagem – objetos de viagem
baixela – utensílios de mesa
banca – de examinadores
bando – de aves, crianças, etc.
batalhão – de soldados
biblioteca – de livros
boiada – de bois
cacho – de uvas, bananas, cabelos
cáfila – de camelos, de patifes
cainçalha – de cães
cambada – de vadios, malvados, objetos enfiados, chaves
cancioneiro – de canções
canzoada – de cães
caravana – de viajantes, peregrinos, excursionistas
cardume – de peixes, piranhas
cartuchame – de cartuchos
casaria, **casario** – de casas
caterva – de animais, desordeiros, vadios
choldra – de malfeitores, canalhas, pessoas ordinárias
chorrilho – de coisas ou pessoas semelhantes, de asneiras
chusma – de criados, populares
clientela – de clientes de advogados, médicos, etc.
código – de leis
colmeia – de cortiços de abelhas
conciliábulo – de conspiradores em assembleia secreta
concílio – de bispos em assembleia
conclave – de cardeais, de cientistas em assembleia
confraria – de pessoas religiosas
congregação – de religiosos, de professores
constelação – de estrelas
cordoalha, **cordame** – de cordas, de cabos de um navio
corja – de velhacos, vadios, canalhas, malfeitores
década – período de dez anos
discoteca – de discos
elenco – de atores, artistas
enxame – de abelhas, insetos
enxoval – de roupas e adornos
fato – de cabras
fauna – os animais de uma região
feixe – de espigas, varas, canas, etc.
filmoteca – de filmes
flora – as plantas de uma região
fornada – de pães, tijolos, etc.
frota – de navios, ônibus

galeria – de quadros, estátuas
girândola – de foguetes, fogos de artifício
grei – de gado miúdo, paroquianos, políticos
hemeroteca – de jornais, revistas
horda – de invasores, salteadores
hoste – de inimigos, soldados
irmandade – de membros de associações religiosas e beneficentes
junta – de dois bois, de médicos (junta médica)
júri – de jurados (membros do tribunal do júri)
legião – de soldados, anjos, demônios
leva – de recrutas, prisioneiros
malta – de ladrões, desordeiros, bandidos, capoeiras
mapoteca – de mapas
milênio – período de mil anos
manada – de bois, porcos, etc.
maquinaria – de máquinas
matilha – de cães de caça
molho (ó) – de chaves, capim, etc.
miríade – infinidade de estrelas, insetos, etc.
nuvem – de gafanhotos, mosquitos, etc.
panapaná – de borboletas em bando migratório
penca – de frutos
pente – de balas de armas automáticas
pinacoteca – de quadros, telas
piquete – de soldados montados, grevistas
plateia – de espectadores, de ouvintes
plêiade – de pessoas notáveis, de sábios
pomar – de árvores frutíferas
prole – os filhos de um casal
quadrilha – de ladrões, assaltantes
raizame – conjunto de raízes de uma árvore
ramalhete – de flores
rancho – de pessoas em passeio ou jornada, de romeiros
rebanho – de bois, ovelhas, carneiros, cabras, gado, reses
récua – de cavalgaduras
renque – de árvores, pessoas ou coisas enfileiradas
repertório – de peças teatrais ou músicas interpretadas por artistas
resma – quinhentas folhas de papel
réstia – de alhos, cebolas
revoada – de aves voando
ronda – de sentinelas, de guardas
ror – grande quantidade de coisas
século – período de cem anos
súcia – de velhacos, patifes, malandros
tertúlia – de amigos, intelectuais, em reunião
tríade – conjunto de três pessoas ou de três coisas

tríduo – período de três dias
triênio – período de três anos
tropilha – de cavalos
turma – de trabalhadores, alunos
vara – de porcos
videoteca – de videocassetes
xiloteca – de amostras de espécies de madeiras (para estudos e pesquisas florestais)

Aos coletivos indeterminados acrescenta-se, em regra, o nome dos seres a que se referem. Assim, dizemos:

Um ***bando*** de crianças.   Um ***bando*** de aves.
Um ***renque*** de palmeiras.   Um ***renque*** de colunas.

"Ei-lo a passar como triunfador do futuro entre ***renques*** de caras boçais." (ANÍBAL MACHADO)

3 PALAVRAS SUBSTANTIVADAS

Palavras de outras classes gramaticais podem ser substantivadas. Para isso, antepõe-se-lhes o artigo:

"*O morrer* pertence a Deus." (RAQUEL DE QUEIRÓS)

Até hoje a polícia não sabe *o porquê* do sequestro – se vingança ou extorsão.

"Não deixo *o certo* pelo *duvidoso*." (GRACILIANO RAMOS)

EXERCÍCIOS

LISTA 15

1. Copie o trecho abaixo em seu caderno e passe um traço sob os substantivos concretos e dois sob os abstratos:

"Os índios foram muitas vezes considerados cruéis guerreiros, e as suas atitudes não raro causam pânico e revolta. O seu conhecimento mais profundo, entretanto, revela o heroísmo de um povo que, de arcos e flechas, se opõe tenazmente às máquinas que invadem seu território." (Apoena Meireles, *apud* Edilson Martins, *Nossos Índios, Nossos Mortos*, p. 14)

2. Dê os substantivos abstratos correspondentes:

Exemplo: garimpeiro – **garimpagem**

tirano – rei – mendigo – catequista – viúvo – infrator – sacerdote – herege

3. Escreva as frases, sublinhando as palavras que funcionam acidentalmente como substantivos:

a) A estrada rasgava o verde bruto da paisagem.

b) Nas palavras amáveis de Venâncio percebi um quê de falsidade.

c) Súbito, ouvimos um leve ruflar de asas.

4. Forme substantivos compostos com as palavras seguintes, combinando-as corretamente:

água – vira – papel – ardente – rã – prima – volta – pé – alta – moeda – obra – relevo – busca – baixo – perna – homem

5. Substitua os asteriscos pelos coletivos do quadro nas frases seguintes:

miríade – matilha – hordas – século – tropilha – alcateia – caravana – baixela – tríade renques – legião – elenco

a) A   *** foi atacada por uma *** de lobos famintos.

b) No *** V, a Europa foi invadida por *** de bárbaros.

c) Entre os *** de árvores floridas revoavam *** de insetos zumbidores.

d) A égua-madrinha guia a *** pelos descampados.

e) A *** era de fino lavor.

f) Na *** do Egito, Osíris é o pai, Ísis é a mãe e Hórus, o filho.

g) Os caçadores açulavam a *** contra a onça.

h) O filme promete ser bom: no *** só há artistas famosos.

i) "A noite no espaço vinha a negra *** das sombras espargindo." (Olavo Bilac)

6. Com o auxílio de sufixos adequados, derive coletivos dos substantivos seguintes:

Exemplo: árvores – **arvoredo**

árvore – canas – bois – vinhas – cafeeiros – cabelos – cães – coqueiros – ramos – teclas – hinos – tripulantes – parentes – cordas – vasilhas – criados – mulheres – jabuticabeiras – carnaúbas

7. Escreva frases empregando substantivos abstratos que correspondam às palavras destacadas. Oriente-se pelo exemplo:

O menino, **feliz**, corria pelos campos.

A **felicidade** do menino contagiava a todos.

a) O **pobre** homem emocionou a todos.

b) **Recordar** a cena me trazia lágrimas aos olhos.

c) **Atualizar** os conhecimentos é uma exigência dos dias de hoje.

d) **Conceder** privilégios parece ser uma característica desse governo.

e) **Matar** os pobres filhotes é crime que não tem perdão.

4 FLEXÃO DOS SUBSTANTIVOS: GÊNERO

Os substantivos flexionam-se para indicar o gênero, o número e o grau.

Gênero é a propriedade que as palavras têm de indicar o sexo real ou fictício dos seres.

Na língua portuguesa são dois os gêneros: o *masculino* e o *feminino*. Certas línguas, como o latim, o grego, o inglês, possuem um terceiro gênero: o *neutro*.

Para os nomes dos seres vivos, o gênero, em geral, corresponde ao sexo do indivíduo. O mesmo, porém, não acontece com os nomes dos seres inanimados, em que o gênero é puramente convencional.

136 MORFOLOGIA

São masculinos os substantivos a que antepomos os artigos *o, os,* e femininos aqueles a que antepomos os artigos *a, as.*

5 FORMAÇÃO DO FEMININO

Diversos são os processos de formação do feminino. Sem levar em conta alguns casos especiais, podemos afirmar que o feminino se realiza, mais frequentemente, de três modos diferentes:

- flexionando-se o substantivo masculino:
  filho, *filha* – mestre, *mestra* – leão, *leoa* – folião, *foliona,* etc.

- acrescentando-se ao masculino a desinência *-a* ou um sufixo feminino:
  autor, *autora* – deus, *deusa* – cônsul, *consulesa,* etc.

- utilizando-se uma palavra feminina com radical diferente:
  pai, *mãe* – homem, *mulher* – boi, *vaca,* etc.

Observe como se formam os femininos da relação seguinte:

Masculino	Feminino	Masculino	Feminino
menino	*menina*	hóspede	*hóspeda, hóspede*
elefante	*elefanta*	infante	*infanta*
parente	*parenta, parente*	monge	*monja*
presidente	*presidenta, presidente*	comilão	*comilona*
		valentão	*valentona*
mestre	*mestra*	solteirão	*solteirona*
gigante	*giganta*	sultão	*sultana*
oficial	*oficiala*	galo	*galinha*
aviador	*aviadora*	arrumador	*arrumadeira*
senhor	*senhora*	ator	*atriz*
cantor	*cantora*	imperador	*imperatriz*
senador	*senadora*	embaixador	*embaixatriz, embaixadora*
prior	*priora, prioresa*		
doutor	*doutora*	vindicador	*vindicatriz*
peru	*perua*	juiz	*juíza*
avô	*avó*	deus	*deusa, deia*
irmão	*irmã*	poeta	*poetisa*
cidadão	*cidadã*	sacerdote	*sacerdotisa*
aldeão	*aldeã*	profeta	*profetisa*
anão	*anã*	papa	*papisa*
ancião	*anciã*	píton	*pitonisa*
guardião	*guardiã*	príncipe	*princesa*
pagão	*pagã*	barão	*baronesa*
charlatão	*charlatã*	duque	*duquesa*

MORFOLOGIA 137

Masculino	Feminino	Masculino	Feminino
escrivão	*escrivã*	cônsul	*consulesa*
alemão	*alemã*	freguês	*freguesa*
campeão	*campeã*	camponês	*camponesa*
capitão	*capitã*	marquês	*marquesa*
anfitrião	*anfitriã, anfitrioa*	abade	*abadessa*
tecelão	*tecelã, teceloa*	conde	*condessa*
ermitão	*ermitã, ermitoa*	czar	*czarina*
leão	*leoa*	felá	*felaína*
patrão	*patroa*	rei	*rainha*
leitão	*leitoa*	mu, mulo	*mula*
faisão	*faisoa*	ladrão	*ladra*
pavão	*pavoa*	perdigão	*perdiz*
hortelão	*horteloa*	cão	*cadela*
beirão	*beiroa*	ateu	*ateia*
tabaréu	*tabaroa*	pigmeu	*pigmeia*
ilhéu	*ilhoa*	plebeu	*plebeia*
melro	*mélroa*	hebreu	*hebreia*
parvo	*párvoa, parva*	réu	*ré*
sabichão	*sabichona*	judeu	*judia*
mocetão	*mocetona*	sandeu	*sandia*
beberrão	*beberrona*	tigre	*tigresa*
glutão	*glutona*	cerzidor	*cerzideira*
folião	*foliona*	frade	*freira*
frei	*sóror, soror*	genro	*nora*
raja	*rani*	dom	*dona*
padre	*madre*	cavaleiro	*amazona*
compadre	*comadre*	cavalheiro	*dama*
padrasto	*madrasta*	varão[1]	*matrona*
macho	*fêmea*	zangão	*abelha*
patriarca	*matriarca*	bode	*cabra*
pai	*mãe*	cavalo	*égua*
marido	*mulher*	carneiro	*ovelha*
padrinho	*madrinha*	touro, boi	*vaca*

(1) "O venerável padre Anchieta era *varão* santo." (CARLOS DE LAET)

Observação:

✔ Nos casos como *pai/mãe*, *boi/vaca*, *bode/cabra*, etc., o feminino se realiza não pela flexão do masculino, mas por heteronímia, isto é, por meio de outra palavra, de radical diferente.

138 MORFOLOGIA

6 SUBSTANTIVOS UNIFORMES EM GÊNERO

Há um tipo de substantivos – denominativos de pessoas e animais – refratários à flexão de gênero. Uns (os *epicenos* e *sobrecomuns*) só têm um gênero; outros, pelo contrário, têm os dois gêneros e chamam-se, por isso, *comuns de dois gêneros*.

- **epicenos**

    Designam certos animais e têm um só gênero, quer se refiram ao macho ou à fêmea. Exemplos:

    o *jacaré* (macho ou fêmea)

    a *cobra* (macho ou fêmea)

    Quando se quer indicar precisamente o sexo, usam-se as palavras *macho* ou *fêmea*. Exemplos:

    a onça *macho* (ou *macha*)   o *macho* da cobra   o peixe *macho*

    a onça *fêmea*   a *fêmea* da cobra   o peixe *fêmea*

    "Capivara *macha* tem um calo no nariz." (GODOFREDO RANGEL)

    "A cascavel *macho* é de corpo mais grosso que a fêmea." (RENATO INÁCIO DA SILVA)

- **sobrecomuns**

    Designam pessoas e têm um só gênero, quer se refiram a homem ou a mulher. Exemplos:

    a *criança* (menino ou menina)

    a *testemunha* (homem ou mulher)

    o *neném* ou *nenen* (menino ou menina)

    o *cônjuge* (marido ou mulher)

    o *guia* (homem ou mulher)

    um *monstro* (sentido figurado: homem ou mulher)

- **Comuns de dois gêneros**

    Sob uma só forma, designam os indivíduos dos dois sexos. São masculinos ou femininos.

    São masculinos quando referentes a homens, e femininos se designam mulheres. Distingui-mos-lhes o gênero pelo artigo ou adjetivo que os acompanham. Exemplos:

    o colega   →   *a colega*   o consorte   →   *a consorte*

    o intérprete   →   *a intérprete*   o médium   →   *a médium*

    o mártir   →   *a mártir*   o motorista   →   *a motorista*

    o cliente   →   *a cliente*   um estudante   →   *uma estudante*

    o fã   →   *a fã*   artista famoso →   *artista famosa*

    o soprano   →   *a soprano*   repórter francês → *repórter francesa*

    O substantivo *poeta* só se aplica a homem. Não é comum de dois gêneros.

    No feminino se diz *poetisa* e não *poeta*: "A *poetisa* traz-nos o seu primeiro livro, porém não o entrega logo." (CARLOS DRUMMOND DE ANDRADE).

MORFOLOGIA 139

7 SUBSTANTIVOS DE GÊNERO INCERTO

Há numerosos substantivos de gênero incerto e flutuante, sendo usados pelos escritores, com a mesma significação, ora como masculinos, ora como femininos.

Consignamos aqui alguns deles com o gênero que nos parece preferível:

a abusão – erro comum, superstição, crendice

a acne – doença da pele, espinha

a aluvião – sedimentos deixados pelas águas, inundação; grande número:
         "… uma *aluvião* torrentuosa de hérulos." (Camilo Castelo Branco)

a cólera ou *a cólera-morbo* – doença infecciosa

a personagem – pessoa importante, pessoa que figura numa história

a trama – intriga, conluio, maquinação, cilada

a íbis – ave pernalta

a laringe – conduto musculocartilaginoso em que estão as cordas vocais

a xerox (ou xérox) – cópia xerográfica, xerocópia

o ágape – refeição que os primitivos cristãos faziam em comum; banquete de confraternização

o caudal – torrente, rio

o diabetes ou *diabete* – doença (*diabetes sacarino*: acúmulo de açúcares no sangue)

o jângal – floresta do sul da Ásia, mata virgem (a lei do *jângal*)

o lhama – mamífero ruminante da família dos Camelídeos

o ordenança – soldado às ordens de um oficial

o praça – soldado raso

o preá – pequeno roedor

o sabiá – ave da família dos Turdídeos

Observações:

✔ A palavra *personagem* é usada indistintamente nos dois gêneros. Entre os escritores modernos nota-se acentuada preferência pelo masculino. Exemplos:

"… *um personagem* trágico…" (Ariano Suassuna)

"O menino descobria nas nuvens *os personagens* dos contos da carochinha." (Vivaldo Coaraci)

"Não sabia que viajava como *algum personagem* importante." (Aníbal Machado)

Com referência a mulheres, deve-se preferir o feminino:

Iracema é *a personagem* principal de um dos romances de José de Alencar.

"O problema está nas mulheres de mais idade, que não aceitam *a personagem*." (Ricardo Ramos)

"Não cheguei assim, nem era minha intenção, a criar *uma personagem*." (Rubem Braga)

✔ *Ordenança, praça* (soldado) e *sentinela* (soldado, atalaia) são sentidos e usados, na língua atual, como masculinos, por se referirem, ordinariamente, a homens. Cp. *O guarda, o vigia*.

"Onde está Franz Post? – grita Nassau para *o seu ordenança*." (Assis Brasil)

✔ Diz-se: *o* (ou *a*) *manequim* Simone; *o* (ou *a*) modelo fotográfico Rosângela Belmonte.

✔ Pela sua origem, *sósia* é substantivo masculino. Alguns dicionaristas modernos, porém, o incluem entre os comuns de dois gêneros. Segundo eles, portanto, é correto dizer: Essa atriz tem *uma sósia* que a representa muito bem. A televisão mostrou *a sósia* de Marilyn Monroe.

140 MORFOLOGIA

> ✔ *Cólera* ou *cólera-morbo*, pela sua origem, é substantivo feminino, e é nesse gênero que deve ser usado em português. Exemplos: "*A cólera-morbo* dizimava a população". (MÁRIO BARRETO) "Vibrião *da cólera* chega à Zona Sul." (JORNAL DO BRASIL, 1º/4/1993)
>
> "No longo cerco do Porto, entre os flagelos *da cólera* e da fome,... essa querida imagem não o abandonara nunca." (ALMEIDA GARRETT)
>
> "Com a rapidez *da cólera* ou da peste corre por todos os ângulos de Portugal uma coisa hedionda e torpe." (ALEXANDRE HERCULANO)

Note-se o gênero dos substantivos seguintes:

Masculinos

o tapa	o clã
o eclipse	o hosana
o lança-perfume	o herpes
o dó (*pena*)	o espécime
o sanduíche	o suéter
o clarinete	o guaraná
o champanha	o alude (*avalancha*)
o mármore	o pernoite
o maracajá	o púbis
o tegme (ou *tégmen*)	o gengibre
o formicida	o magazine

Femininos

a dinamite	a pane
a áspide	a mascote
a derme	a gênese
a hélice	a entorse
a alcíone	a libido
a filoxera	a cal
a clâmide	a faringe
a omoplata	a cólera (*doença*)
a cataplasma	a ubá (*canoa*)

São geralmente masculinos os substantivos de origem grega terminados em -*ma*:

o grama (*peso*)	o epigrama	o apotegma	o anátema
o quilograma	o telefonema	o trema	o estigma
o plasma	o estratagema	o eczema	o axioma
o apostema	o dilema	o edema	o tracoma
o diagrama	o teorema	o magma	o hematoma
o aneurisma	o emblema	o fonema	o glaucoma

"Mas atenção, mulheres, a este aviso: a moda exige *um grama* de juízo." (CARLOS DRUMMOND DE ANDRADE, *Jornal do Brasil*, 28/10/1972)

Exceções: a cataplasma, a celeuma, a fleuma, etc.

MORFOLOGIA 141

8 GÊNERO DOS NOMES DE CIDADES

Salvo raras exceções, nomes de cidades são femininos:

a histórica *Ouro Preto*; a dinâmica *São Paulo*; a acolhedora *Porto Alegre*; uma *Londres* imensa e triste.

"Estes crepúsculos sublimes criam *outra Belo Horizonte*." (CARLOS DRUMMOND DE ANDRADE)

Exceções: o Rio de Janeiro, o Cairo, o Porto, o Havre (França).

9 GÊNERO E SIGNIFICAÇÃO

Muitos substantivos têm uma significação no masculino e outra no feminino. Exemplos:

o cabeça: chefe, líder	→ *a cabeça*: parte do corpo
o cisma: separação religiosa, dissidência, cisão	→ *a cisma*: ato de cismar
o cinza: a cor cinzenta	→ *a cinza*: resíduos de combustão
o capital: dinheiro	→ *a capital*: cidade sede do governo
o coma: perda dos sentidos	→ *a coma*: cabeleira
o coral: pólipo; canto em coro	→ *a coral*: cobra venenosa
o crisma: óleo sagrado	→ *a crisma*: sacramento da confirmação
o cura: pároco, vigário	→ *a cura*: ato de curar
o estepe: pneu sobressalente	→ *a estepe*: vasta planície de vegetação herbácea
o guia: pessoa que guia outros	→ *a guia*: documento para efetuar pagamentos
o grama: unidade de peso	→ *a grama*: relva
o caixa: funcionário da caixa	→ *a caixa*: recipiente; setor de pagamentos
o lente: professor universitário	→ *a lente*: vidro de aumento
o moral: ânimo [1]	→ *a moral*: honestidade, bons costumes
o nascente: lado onde nasce o Sol	→ *a nascente*: fonte
o rádio: aparelho receptor de sinais de radiofonia	→ *a rádio*: estação emissora de radiofonia

LISTA 16

EXERCÍCIOS

1. Dê o feminino dos substantivos seguintes:

campeão – profeta – guardião – ator – marquês – freguês – juiz – anfitrião – visconde – varão – espião – ladrão – hebreu – barão – réu

---

(1) "Autorizados filósofos e cristãos disseram que o vestido atua imperiosamente sobre o *moral* do indivíduo." (CAMILO CASTELO BRANCO)

2. Em seu caderno, reorganize as duas colunas, associando-as de acordo com o processo de formação do feminino:

flexão do substantivo masculino — cônsul, consulesa

acréscimo da desinência **-a** ao masculino — gato, gata

acréscimo de um sufixo feminino ao masculino — cavalo, égua

heteronímia — cantor, cantora

3. Determine o gênero dos substantivos seguintes, antepondo-lhes os artigos **o** ou **a**:

ágape – fleuma – cal – champanha(e) – derme – dó – eclipse – dinamite – fênix – filoxera – aneurisma – herpes – grama (peso) – axioma – guaraná – fel – coral (cobra) – clã – tapa – espécime – telefonema – trama – estigma – primata

4. Substitua os asteriscos pelo feminino dos substantivos entre parênteses:

a) O príncipe casou com uma ***. (plebeu)

b) A *** visitou as escolas. (conde)

c) Ela foi uma *** incorrupta. (cidadão)

d) A *** tinha amigos na corte. (duque)

e) A mãe de João viajou com a ***. (genro)

f) Nos campos, as *** colhiam cereais. (felá)

g) A *** Cecília Meireles nasceu no Rio. (poeta)

5. Classifique os substantivos abaixo de acordo com a classificação genérica constante do quadro:

epicenos – sobrecomuns – comuns de dois gêneros – biformes (variáveis)

ciclista – cidadão – cônjuge – peru – vítima – fã – capivara – cúmplice – pavão

6. Copie somente a série em que todas as palavras são femininas:

foliona – deusa – ilha – trema – hematoma – dó

heroína – alemã – cataplasma – edema – gengibre – orbe

gênese – sóror – omoplata – bílis – cútis – rês

7. Os substantivos abaixo têm no masculino significação diferente da do feminino. Dê a significação de cada um deles nos dois gêneros:

nascente – grama – cura – coral – cisma – cinza – cabeça – lente – moral – rádio

8. Substitua o * com o artigo adequado, de acordo com o gênero dos substantivos destacados:

a) Trazia ainda no corpo * **estigma** infamante do escravo.

b) * **pampas** são a arena verde e imensa do cavaleiro gaúcho.

c) * **lança-perfumes** são proibidos nos festejos carnavalescos.

d) O grande líder político presidia * **ágape**.

e) Um broche de ouro segurava ao pescoço * **clâmide** do general ateniense.

f) As dissidências religiosas geram * **cismas**.

g) As chuvas avolumaram rapidamente * enorme **caudal**.

h) A luz da ciência dissipa os erros e * **abusões**.

i) * **aluvião** de populares irrompeu pelo parque adentro.

j) A notícia da derrota abateu * **moral** da população.

k) * **mascote** dos Fuzileiros Navais é um carneiro.

l) * colossal **alude**, despenhando-se da cordilheira andina, arrasou a aldeia.

m) Aumentava cada vez mais * **celeuma** da multidão revoltada.

n) É * **íris** que regula a entrada da luz no olho.

o) "Deus é * **alfa** e o ômega de todas as coisas." (Antônio Houaiss)

p) * **cólera** é uma doença infecto-contagiosa.

q) * grande **Porto Alegre** adormecia junto ao Guaíba.

9. Dê o significado do substantivo conforme o gênero. Em seguida, escreva orações que deixem clara a diferença de sentido entre o substantivo masculino e o feminino:

a) a cabeça, o cabeça

b) o rádio, a rádio

c) o grama, a grama

d) o cinza, a cinza

10   FLEXÃO DOS SUBSTANTIVOS: NÚMERO

Em português há dois números gramaticais:

▪ Singular
Indica um ser ou um grupo de seres: *ave*, *bando*.

▪ Plural
Indica mais de um ser ou grupo de seres: *aves*, *bandos*.

A característica do plural, em português, é o *s* final.

Os substantivos flexionam-se no plural de diferentes maneiras, conforme a terminação do singular.

▪ Substantivos terminados em vogal ou em ditongo oral
Flexionam-se no plural acrescentando-se -*s* ao singular:

asa, *asas* – regime, *regimes* – táxi, *táxis* – tribo, *tribos* – pá, *pás* – irmã, *irmãs* – pé, *pés* – sapoti, *sapotis* – nó, *nós* – robô, *robôs* – caju, *cajus* – baú, *baús* – pai, *pais* – herói, *heróis* – véu, *véus* – parêntese, *parênteses*

MORFOLOGIA

> **Observações:**
>
> ✔ Seguem esta regra a palavra *mãe* (plural *mães*) e os substantivos em *-n*: pólen, *polens*, éden, *edens*, íon, *ions*, próton, *protons*, nêutron, *neutrons*, elétron, *eletrons*, líquen, *liquens*, hífen, *hifens*, abdômen, *abdomens* (formas menos usadas que *abdome, abdomes*). Cânon, porém, faz *cânones*.
>
> ✔ O substantivo *avô* tem dois plurais: *avôs* (o avô paterno e o materno) e *avós* (o avô e a avó, ou *os antepassados*).
>
> ✔ Pluralizam-se por essa regra os nomes das letras: os *ás*, os *bês*, os *és*, os *agás*, os *is*, os *ós*, os *erres*, os *esses*, etc.: Colocar os pingos nos *is*. "A juriti, pombinha eternamente magoada, é toda *us*." (Monteiro Lobato)
>
> Contudo, também se pode grafar: os *ii*, os *ff*, os *ss*, etc.: "As folhas enchem de *ff* as vogais do vento." (Mário Quintana)

▪ Substantivos terminados em *-r* ou *-z*

Forma-se o plural acrescentando-se *-es* ao singular:

colher, *colheres* – cateter, *cateteres* – masseter, *masseteres* – clister, *clisteres* – ureter, *ureteres* – bôer, *bôeres* – dólar, *dólares* – faquir, *faquires* – abajur, *abajures* – clamor, *clamores* – esfíncter, *esfíncteres* – prócer, *próceres* – hambúrguer, *hambúrgueres* – frízer, *frízeres* – cruz, *cruzes* – raiz, *raízes* – noz, *nozes*

Caráter faz *caracteres*; júnior, *juniores*; sênior, *seniores*; sóror, *sorores*, com deslocamento do acento tônico.

▪ Substantivos terminados em *-al, -el, -ol, -ul*

Pluralizam-se trocando o *-l* final por *-is*:

pombal, *pombais* – papel, *papéis* – mel, *méis* (ou *meles*) – túnel, *túneis* – anzol, *anzóis* – sol, *sóis* – paul, *pauis* – álcool, *álcoois*

Exceções: mal / *males*, cônsul / *cônsules*, real (antiga moeda portuguesa) / *réis*.

▪ Substantivos terminados em *-il*

Flexionam-se no plural de duas maneiras:
a) os oxítonos mudam *-il* em *-is*: funil, *funis*; fuzil, *fuzis*
b) os paroxítonos mudam *-il* em *-eis*: fóssil, *fósseis*; réptil, *répteis*; projétil, *projéteis*.

> **Observação:**
>
> ✔ As formas oxítonas *reptil, reptis* e *projetil, projetis*, embora corretas, são pouco usadas. *Til* tem o plural regular: o *til*, os *tis*.

▪ Substantivos terminados em *-m*

Trocam esta letra por *-ns*:

nuvem, *nuvens* – fim, *fins* – som, *sons* – refém, *reféns* – pajem, *pajens* – álbum, *álbuns* – atum, *atuns* – ultimátum, *ultimátuns* – totem, *totens* – item, *itens* – fórum, *fóruns*

MORFOLOGIA 145

- **Substantivos terminados em -s**

  - Os monossílabos e os oxítonos formam o plural mediante o acréscimo da desinência -es:

  gás, *gases* – mês, *meses* – rês, *reses* – país, *países* – deus, *deuses* – ás, *ases* – adeus, *adeuses* – obus, *obuses* – português, *portugueses* – freguês, *fregueses* – lilás, *lilases* – avelós, *aveloses* – revés, *reveses*

  Exceções:

  Cais e *xis* são invariáveis: *os cais, os xis.*

  Cós faz *cós* ou *coses.*

  - Os paroxítonos e proparoxítonos são invariáveis:

  o pires, *os pires* – o atlas, *os atlas* – o oásis, *os oásis* – o ourives, *os ourives* – o alferes, *os alferes* – o bíceps, *os bíceps* – o busílis, *os busílis* – o miosótis, *os miosótis* – a íris, *as íris* – o lótus, *os lótus* – o ônus, *os ônus* – o vírus, *os vírus* – o ônibus, *os ônibus* – o herpes, *os herpes*

- **Substantivos terminados em -x**

  - Uns são invariáveis (vai entre parênteses o valor fonético do x):

  o tórax (cs), *os tórax* – o pneumotórax (cs), *os pneumotórax* – o ônix (cs), *os ônix* – a fênix (s), *as fênix* – uma xerox (cs), *duas xerox* – um fax (cs), *dois fax*

  - Outros (fora de uso) têm o mesmo plural que suas variantes em -ice (atualmente as únicas em vigor):

apêndix (cs)	ou	apêndice, apêndices
cálix (cs)	ou	cálice, *cálices*
códex (xcs)	ou	códice, *códices*
córtex (cs)	ou	córtice, *córtices*
índex (cs)	ou	índice, *índices*

- **Substantivos terminados em -ão**

  - Uns formam o plural com o acréscimo de -s:

  mão, *mãos* – irmão, *irmãos* – cidadão, *cidadãos* – cortesão, *cortesãos* – ancião, *anciãos* – grão, *grãos* – pagão, *pagãos* – desvão, *desvãos* – corrimão, *corrimãos* – temporão, *temporãos* – afegão, *afegãos*, e todos os paroxítonos: órgão, *órgãos* – bênção, *bênçãos* – órfão, *órfãos* – sótão, *sótãos* – gólfão, *gólfãos* – acórdão, *acórdãos*

  - Outros, mais numerosos, mudam -ão em -ões:

  limão, *limões* – botão, *botões* – anão, *anões* – vulcão, *vulcões* – espião, *espiões* – aldeão, *aldeões* – balão, *balões* – mamão, *mamões* – melão, *melões* – caixão, *caixões* – tecelão, *tecelões* – falcão, *falcões* – cirurgião, *cirurgiões* – zangão, *zangões* [1]

  - Outros, enfim, trocam -ão por -ães:

  pão, *pães* – cão, *cães* – capitão, *capitães* – charlatão, *charlatães* – escrivão, *escrivães* – alemão, *alemães* – sacristão, *sacristães* – tabelião, *tabeliães* – guardião, *guardiães* – capelão, *capelães*

---

(1) "Os povos, como as abelhas, trabalham para si e para os seus zangões." (MARQUÊS DE MARICÁ)

MORFOLOGIA

> **Observação:**
>
> ✔ *Artesão* (artífice) → artesãos; *artesão* (adorno arquitetônico) → *artesões*.

Vários substantivos em *-ão* ainda não encontraram uma forma definitiva para o plural, se bem que a flexão *-ões*, por ser mais eufônica, se venha impondo vitoriosamente. Eis alguns exemplos:

aldeão	aldeões	aldeãos	–
castelão	castelões	castelãos	–
deão	deões	deãos	–
ermitão	ermitões	ermitãos	ermitães
faisão	faisões	–	faisães
hortelão	hortelões	hortelãos	–
sultão	sultões	sultãos	sultães
verão	verões	verãos	–
vilão	vilões	vilãos	–
refrão	–	refrãos	refrães

11 PLURAL DOS SUBSTANTIVOS COMPOSTOS

Formam o plural de acordo com as seguintes normas:

- Pluralizam-se os dois elementos, unidos por hífen, quando ocorre:

  a) substantivo + substantivo:

  cirurgião-dentista, *cirurgiões-dentistas*   tia-avó, *tias-avós*

  abelha-mestra, *abelhas-mestras*   redator-chefe, *redatores-chefes*

  tenente-coronel, *tenentes-coronéis*   decreto-lei, *decretos-leis*

  Obs.: Ressalve-se o caso de substantivos compostos intercalados por preposição, como será exposto a seguir.

  b) substantivo + adjetivo:

  amor-perfeito, *amores-perfeitos*

  capitão-mor, *capitães-mores*

  cajá-mirim, *cajás-mirins*

  carro-forte, *carros-fortes*

  cachorro-quente, *cachorros-quentes*

  guarda-civil, *guardas-civis*

  guarda-noturno, *guardas-noturnos*

  obra-prima, *obras-primas*

  sabiá-piranga, *sabiás-pirangas*

c) adjetivo + substantivo:

boa-vida, *boas-vidas*

curta-metragem, *curtas-metragens*

curto-circuito, *curtos-circuitos*

má-língua, *más-línguas*

livre-pensador, *livres-pensadores*

d) numeral + substantivo:

segunda-feira, *segundas-feiras*   quinta-feira, *quintas-feiras*

terça-feira, *terças-feiras*   sexta-feira, *sextas-feiras*

Exceções: os *grão-mestres*, as *grã-cruzes*, os *grã-finos*, os *terra-novas*, os *claro-escuros* (ou *claros-escuros*), os *nova-iorquinos*, os *nova-trentinos*, os *são-bernardos*, os *são-paulinos*, os *são-joanenses*, os *cavalos-vapor*.

▪ Varia apenas o segundo (ou o último) elemento, quando houver:

a) elementos unidos sem hífen:

os *pontapés*, os *girassóis*, os *vaivéns*, as *autopeças*, os *malmequeres*.

b) verbo + substantivo:

os guarda-*roupas*, os guarda-*louças*, os beija-*flores*.

c) elemento invariável + palavra variável:

as sempre-*vivas*, as ave-*marias*, os vice-*reis*, os alto-*falantes*,

os abaixo-*assinados*, os recém-*nascidos*.

d) palavras repetidas:

os quero-*queros*, os tico-*ticos*, os reco-*recos*, os ruge-*ruges*, os quebra-*quebras*,

os corre-*corres*.

Observação:

✔ Contrariamente ao que ensinam as gramáticas, preferimos os plurais *ruge-ruges, treme-tremes, corre-corres,* etc., por serem mais eufônicos. É por eufonia que se explicam os plurais anômalos *padre-nossos, terra-novas, arco-íris, são-joanenses* e outros.

▪ Varia apenas o primeiro elemento:

a) quando ocorre substantivo + preposição + substantivo:

os *pés* de moleque, os *pães* de ló, as *quedas*-d'água, os *paus*-d'arco,

as *mãos* de obra, os *sinais* da cruz, os *autos* de fé, as *câmaras* de ar,

as *orelhas*-de-pau, as *mulas* sem cabeça.

b) quando o segundo elemento limita ou determina o primeiro, indicando finalidade, tipo, semelhança, funcionando como se fosse um adjetivo:

os *pombos*-correio, as *canetas*-tinteiro, os *navios*-escola, os *peixes*-boi, as *frutas*-pão, os *paus*-brasil, as *cidades*-satélite, os *guardas*-marinha, as *fazendas*-modelo, etc.

MORFOLOGIA

Observação:

✔ Não é errado, porém, pluralizar, no caso **b**, os dois elementos e dizer:

pombos-correios, peixes-bois, frutas-pães, homens-rãs, porcos-espinhos, navios-tanques, bananas-maçãs, mangas-rosas, balões-sondas, couves-flores, países-membros, etc.

"*Homens-rãs* buscam corpos no rio Iguaçu." (*Jornal do Brasil*, 22/9/73)

"... ambos já *guardas-marinhas.*" (Vivaldo Coaraci)

✔ Os melhores dicionários brasileiros bem como o *Vocabulário Ortográfico* da ABL, edição de 2009, registram as duas formas.

- Os dois elementos ficam invariáveis quando houver:
  a) verbo + advérbio:

  os *bota-fora,* os *pisa-mansinho.*

  b) verbo + substantivo plural:

  os *troca-tintas,* os *saca-rolhas,* os *guarda-vidas.*

- Casos especiais:

  o louva-a-deus, os *louva-a-deus* – o diz que diz, os *diz que diz* – o bem-te-vi, os *bem-te-vis* – o bem-me-quer, os *bem-me-queres* – o joão-ninguém, os *joões-ninguém* – o fora da lei, os *fora da lei* – o ponto e vírgula, os *ponto e vírgulas* – o sem-terra, os *sem-terra* – o mico-leão--dourado, os *micos-leões-dourados* – o bumba meu boi, os *bumba meu boi* – o arco-íris, os arco-íris.

12 PLURAL DAS PALAVRAS SUBSTANTIVADAS

As palavras substantivadas, isto é, palavras de outras classes gramaticais usadas como substantivos, apresentam, no plural, as flexões próprias destes últimos:

Ouviam-se *vivas* e *morras.*

Pese bem os *prós* e os *contras.*

O aluno errou na prova dos *noves.*

Ouça com a mesma serenidade os *sins* e os *nãos.*

Observação:

✔ Numerais substantivados terminados em *-s* ou *-z* não variam no plural.

Exemplo: Nos testes mensais consegui muitos *seis* e alguns *dez.*

13 PLURAL DOS DIMINUTIVOS

Para a formação do plural dos substantivos diminutivos, veja item 21, no final deste capítulo.

14 PLURAL DOS NOMES PRÓPRIOS PERSONATIVOS

Devem-se pluralizar os nomes próprios de pessoa sempre que a terminação se preste à flexão. Exemplos:

"A poesia vulgar, mormente na pátria dos *Junqueiras*, dos *Álvares de Azevedo*, dos *Casimiros de Abreu* e dos *Gonçalves Dias*, é um pecado publicá-la." (Camilo Castelo Branco)

"As *Raquéis* e *Esteres*." (Mário Barreto)

Os *Napoleões* também são derrotados.

"É impossível que os *Monizes* não fugissem de casa assim que principiou o fogo." (Camilo Castelo Branco)

"Os *Ataídes de Azevedo* são, na verdade, encantadores." (Ciro dos Anjos)

Aos nomes estrangeiros acrescenta-se *s*: os *Kennedys*, os *Stalins*, os *Mozarts*, etc.

15 PLURAL DOS SUBSTANTIVOS ESTRANGEIROS

Substantivos ainda não aportuguesados devem ser escritos como na língua original, acrescentando-se-lhes um *s* (exceto quando terminam em *s* ou *z*). Exemplos:

os *shorts*, os *dancings*, os *shows*, os *déficits*, os *superávits*, os *hábitats*, os *ex-libris*, os *jazz*, os *pit-bulls*, os *watts*, os *icebergs*, as *pizzas*.

• É usual acentuar os latinismos *deficit*, *superavit* e *habitat*, embora ainda não aportuguesados.

Substantivos já aportuguesados flexionam-se de acordo com as regras de nossa língua:

os *clubes* – os *chopes* – os *jipes* – os *times* – os *esportes* – as *toaletes* – os *bibelôs* – os *garçons* – os *cicerones* – o réquiem, os *réquiens* – o te-déum, os *te-déuns* – o álibi, os *álibis*, etc.

No entanto, *gol* [do inglês *goal*] faz *gols*, forma estranha à fonética portuguesa, um barbarismo impingido pelo uso. O plural correto seria *gois* (ô) ou *goles* [cp. g*oleada*], mas não se usa. Em Portugal se diz *golo* (ô), *golos* (ô).

16 PLURAL DAS SIGLAS

Pluralizam-se as siglas acrescentando-lhes um *s* minúsculo:

os *CDs*, os *HPs*, os *PMs*, as *ONGs*, as *Ufirs*.

17 PLURAL COM MUDANÇA DE TIMBRE

Certos substantivos formam o plural com mudança de timbre da vogal tônica (*o* fechado ⇒ *o* aberto). É um fato fonético chamado *metafonia*.

Eis alguns exemplos:

corpo (ô)	*corpos* (ó)	osso (ô)	*ossos* (ó)
esforço	*esforços*	ovo	*ovos*

150 MORFOLOGIA

fogo	*fogos*	poço	*poços*
forno	*fornos*	porto	*portos*
fosso	*fossos*	posto	*postos*
imposto	*impostos*	rogo	*rogos*
olho	*olhos*	tijolo	*tijolos*

• Têm a vogal tônica fechada (ô): *adornos, almoços, bolsos, esposos, estojos, globos, gostos, polvos, rolos, soros,* etc.

Observação:

✔ Distinga-se *molho* (ô), caldo (*molho de carne*), de *molho* (ó), feixe (*molho de lenha*). No plural: *molhos(ô), caldos; molhos(ó),* feixes.

18 PARTICULARIDADES SOBRE O NÚMERO DOS SUBSTANTIVOS

Há substantivos que só se usam no singular: o *sul,* o *norte,* a *fé,* etc.; outros só no plural: os *idos,* as *cãs,* as *núpcias,* os *víveres,* os *pêsames,* etc.; outros, enfim, têm, no plural, sentido diferente do singular: *bem,* virtude, *bens,* riquezas; *honra,* probidade, bom nome, *honras,* homenagens, títulos. Exemplo:

"A *honra* anuncia virtudes, as *honras* nem sempre as supõem." (MARQUÊS DE MARICÁ)

• Deve-se dizer: *Os óculos* (e não o *óculos*) corrigem defeitos da vista. Perdi *meus óculos* (e não *meu óculos*).

Usamos, às vezes, os substantivos no singular, mas com sentido de plural:

"Aqui morreu muito *negro*." (COELHO NETO)
"Celebraram o sacrifício divino muita *vez* em capelas improvisadas." (AFONSO CELSO)

"Juntou-se ali uma população de retirantes que, entre *homem, mulher* e *menino,* ia a bem cinquenta mil." (RAQUEL DE QUEIRÓS)

EXERCÍCIOS

LISTA 17

1. Flexione no plural:

mês – rês – réptil – projétil – túnel – canil – espécime – sol – sal – mal – caráter – hífen – álbum – ás – procônsul – prócer – nenúfar – fã – obus – líquen – ímã – totem – cânon – refém – parêntese – revés – galã – fóssil – fuzil – fusível – ureter – hambúrguer

2. Escreva apenas os substantivos invariáveis em número:

mó – cais – ourives – mel – tórax – íbis – fênix – obus – ônus – nó – dom – bíceps – íris – xerox

3. Escreva no plural:

cidadão – charlatão – tabelião – tecelão – ancião – folião – capelão – aldeão – anão – guardião – corrimão – bênção – órfão – órgão – capitão – escrivão – cirurgião – pagão – anão – afegão

MORFOLOGIA 151

4. Flexione no feminino plural:

cidadão, ator, cônsul, marquês, réu, cortesão, grão-duque

5. Escreva no plural os seguintes substantivos compostos:

a) vanglória, bombom, lobisomem, autolotação, malmequer, vaivém

b) guarda-civil, cartão-postal, terça-feira, tenente-coronel, capitão-mor, má-língua, baixo-relevo, cirurgião-dentista, criado-mudo, capitão-aviador, redator-chefe, vera-efígie, meio-termo, pão-duro, táxi-aéreo, ferro-velho, curta-metragem, alto-relevo, boia-fria, carro-forte

c) guarda-chuva, pai-nosso, terra-nova, alto-falante, abaixo-assinado, papa-mel, salvo-conduto, grão-vizir, busca-pé, tico-tico, bem-te-vi, pisca-pisca, vice-rei

d) pombo-correio, mapa-múndi, manga-espada, joão-ninguém, guarda-marinha, porco-espinho, banana-maçã, caminhão-pipa, navio-escola, ano-luz, carro-bomba

e) flor-de-maio, água-de-colônia, pão de ló, orelha-de-pau, ama de leite, limão-de-cheiro, pau-d'água, estrela-do-mar, joão-de-barro

6. Cite dois substantivos que só se usam no plural e quatro substantivos compostos que não variam no plural.

7. Passe as frases seguintes para o plural:

a) Fez belas evoluções a porta-estandarte da escola de samba.

b) Não se via peixe-voador fora da água.

c) O terra-nova mostrou-se eficiente no patrulhamento das cidades.

d) O beija-flor é uma pequena obra-prima da natureza.

e) O projétil do folião atingiu o guarda-marinha.

f) O homem-rã estava junto ao navio-tanque.

g) O artesão fez a mesinha de cabeceira.

h) O homem-mosca encontrou-se na rua com o homem-sanduíche.

i) Ele fabrica salsicha e detesta cachorro-quente.

j) O olho-de-boi é selo raríssimo.

k) O hambúrguer me tentava, mas o real faltava.

8. Escreva o único plural cuja vogal tônica é fechada:

fornos – rogos – bolsos – poços – miolos

9. O plural **gols** é um barbarismo. Por quê?

10. Construa uma frase com o substantivo **óculos**.

11. Escreva as frases no plural:

a) Quero um cachorro-quente.

b) Sempre faço pão de ló e pé de moleque para festas.

c) Rasgarei qualquer abaixo-assinado que receber.

MORFOLOGIA

d) Você, como Van Gogh, aprecia girassol?

e) O beija-flor está novamente no quintal.

12. Alguns substantivos têm sentidos diferentes no singular e no plural. Descubra o sentido de cada palavra dos pares abaixo e, depois, elabore frases que deixem bem evidente a diferença entre elas.

a) ouro/ouros

b) vencimento/vencimentos

c) copa/copas

d) féria/férias

19 FLEXÃO DOS SUBSTANTIVOS: GRAU

Grau dos substantivos é a propriedade que essas palavras têm de exprimir as variações de tamanho dos seres.

São dois os graus dos substantivos: o aumentativo e o diminutivo.

forma normal	aumentativo	diminutivo
⇓	⇓	⇓
gato	gatão	gatinho
casa	casarão	casinha

▪ Grau aumentativo

Veja este exemplo, em que a autora se refere à onça:

"A flecha acertara em cheio na *bocarra* da *bichona*." (Edi Lima)

As palavras destacadas estão no grau aumentativo.

O grau aumentativo exprime um aumento do ser relativamente ao seu tamanho normal. Pode ser formado sintética ou analiticamente.

a) *Aumentativo sintético*: forma-se com sufixos aumentativos, sendo os mais comuns:

-aça: barcaça, barbaça, populaça, caraça

-aço: balaço, calhamaço, volumaço

-alha: muralha, gentalha, fornalha

-ão (com as variantes **-alhão**, **-arão**, **-zarrão**, **-arrão**, **-eirão**, **-zão**): cavalão, garrafão, vagalhão, casarão, homenzarrão, gatarrão, vozeirão, pezão

-arra: bocarra, naviarra

-ázio: copázio, balázio

-ona: mulherona, vacona, pernona, vozona

-orra: cabeçorra, beiçorra, patorra, manzorra

-uça: dentuça

-aréu: povaréu, fogaréu, folharéu

b) *Aumentativo analítico*: forma-se com o auxílio do adjetivo *grande*, ou outros de mesmo sentido:

letra grande, pedra enorme, estátuta colossal, obra gigantesca, planície imensa.

- Na linguagem publicitária se diz: *liquidação monstro, megaevento*.

▪ Grau diminutivo

Na seguinte frase, a palavra destacada está no grau diminutivo:

"Que brancos são seus *pezinhos*!" (MÁRIO QUINTANA)

O grau diminutivo exprime um ser com seu tamanho normal diminuído. Pode ser formado sintética ou analiticamente.

a) *Diminutivo sintético*: forma-se com sufixos diminutivos. Eis os mais comuns:

-acho: riacho, fogacho

-ebre: casebre

-eco: livreco, jornaleco, boieco

-ejo: lugarejo, animalejo, vilarejo

-elho: rapazelho, artiguelho, grupelho

-eto, -eta: poemeto, saleta, maleta

-ete: filete, diabrete

-ico: burrico, namorico

-im: espadim, flautim, selim, camarim

-inho: livrinho, dedinho

-inha: casinha, janelinha

-zinho, -zinha: irmãozinho, irmãzinha

-isco: chuvisco, pedrisco

-ito, -ita: mosquito, cabrito, senhorita

-oca: sitioca, engenhoca

-ola: sacola, bandeirola, rapazola, casinhola, arteríola

-ote: velhote, serrote, caixote, morrote

-ucho: papelucho

-(c)ulo, -(c)ula: glóbulo, homúnculo, radícula

b) *Diminutivo analítico*: forma-se com o adjetivo *pequeno*, ou outros de igual sentido. Exemplos: chave pequena, casa pequenina, semente minúscula.

Observações:

✔ Em geral, os aumentativos e diminutivos, juntamente com a ideia de grandeza ou pequenez, exprimem também deformidade, desprezo ou troça. Dizemos, por isso, que têm *sentido pejorativo* ou *depreciativo*. Exemplos: *gentalha, narigão, beiçorra, livreco, musiqueta, papelucho, gentinha, povinho.*

"O *homenzinho* estava lívido." (AFONSO SCHMIDT)

"Não suporto *mulheraças*." (MONTEIRO LOBATO)

"Grita o *povinho* furioso impropérios aos condenados." (JOSÉ SARAMAGO)

"Decidira não dar trela à *gentinha* da vila." (JORGE AMADO)

154 MORFOLOGIA

✔ As formas diminutivas exprimem, frequentemente, carinho, ternura, afetividade: *filhinho, avozinha, mãezinha, Carlito, Antoninho*.

✔ Existem aumentativos que são fictícios, isto é, têm a forma aumentativa, mas sem o sentido de aumento: *cartão, caldeirão, colchão, calção*, etc.

✔ A escolha entre os prefixos *-inho(a)* e *-zinho(a)* é condicionada pela acentuação tônica e a terminação dos vocábulos. Os proparoxítonos, por exemplo, e os terminados em sílaba nasal, ditongo, hiato ou vogal tônica recebem o sufixo *-zinho(a)*: *lampadazinha, irmãozinho, heroizinho, bauzinho, ruazinha, cafezinho*. Recebem o sufixo *-inho(a)* as palavras terminadas em *-s* ou *-z*, ou em uma dessas consoantes seguida de vogal: *paisinho* (pequeno *país*), *rapazinho, princesinha, rosinha, belezinha*, etc.

Em alguns casos coexistem as duas formas: *colherzinha* ou *colherinha, florzinha* ou *florinha, pastorzinho* ou *pastorinho*.

✔ Observe as formas diminutivas *prainha, radinho, Emilinha, sandalinha, xicrinha*, correntes na linguagem popular.

"*Radinho* de pilha ridiculariza a paz da roça." (Paulo Mendes Campos)

"… *prainha* perdida na curva alta do rio." (Josué Guimarães)

✔ Registram-se aumentativos e diminutivos formados por prefixação:

maxissaia, supermercado, minissaia, minifúndio, minicalculadora, etc.

20 ADJETIVOS COM AS FLEXÕES DE AUMENTATIVO E DIMINUTIVO

Na linguagem emotiva e coloquial, é comum o emprego de adjetivos com as flexões próprias do aumentativo e diminutivo. Exemplos:

menino *bonzinho*, garota *bonitinha*, garoto *espertinho*, areia *branquinha*, café *quentinho*, moço *bonitão*, homem *espertalhão*, criança *gorducha* e *moleirona*, avô *bonachão*.

Note-se que essas formas aumentativas e diminutivas dos adjetivos equivalem, geralmente, a superlativos:

areia *branquinha* = areia *muito branca*

moço *bonitão* = moço *muito bonito*

Outros exemplos:

"Era tão *fragilzinha* minha amiga!" (Godofredo Rangel)

"Que boi *grandão* é esse, minha gente, que eu nunca vi?" (Luís Jardim)

21 PLURAL DOS DIMINUTIVOS EM *-ZINHO* E *-ZITO*

Observe bem os exemplos seguintes:

pãe(s)	+ zinhos	➔	*pãezinhos*	mão(s)	+ zinhas	➔	*mãozinhas*
animai(s)	+ zinhos	➔	*animaizinhos*	papéi(s)	+ zinhos	➔	*papeizinhos*
botõe(s)	+ zinhos	➔	*botõezinhos*	nuven(s)	+ zinhas	➔	*nuvenzinhas*
chapéu(s)	+ zinhos	➔	*chapeuzinhos*	funi(s)	+ zinhos	➔	*funizinhos*

farói(s)	+ zinhos	→	*faroizinhos*		túnei(s)	+ zinhos	→	*tuneizinhos*
tren(s)	+ zinhos	→	*trenzinhos*		pai(s)	+ zinhos	→	*paizinhos*
colhere(s)	+ zinhas	→	*colherezinhas*		pé(s)	+ zinhos	→	*pezinhos*
flore(s)	+ zinhas	→	*florezinhas*		pé(s)	+ zitos	→	*pezitos*

Regra:
Flexiona-se o substantivo no plural, retira-se o *s* final e acrescenta-se o sufixo diminutivo.

Observação:

✔ São anômalos os plurais *pastorinhos(as), papelinhos, florzinhas, florinhas, colherzinhas* e *mulherzinhas*, correntes na linguagem popular e usados até por escritores de renome.

EXERCÍCIOS

1. Forme o aumentativo sintético dos substantivos seguintes:

boca – chapéu – espada – festa – bala – homem – nariz – rapaz – mão – moço – pé – vaga – cara – voz

2. Com o auxílio dos sufixos dados no quadro, forme o diminutivo dos substantivos abaixo:

Sufixos: **-acho**, **-ebre**, **-eco**, **-elho**, **-ejo**, **-ela**, **-eta**, **-ete**, **-éu**, **-ico**, **-inhola**, **-isco**, **-im**, **-iço**, **-inho**, **-oca**, **-ote**, **-ulo**

lugar – porta – globo – rio – casa – rua – serra – engenho – espada – jornal – beiço – sala – papel – chuva – grupo – namoro – aranha – ilha

3. Forme o diminutivo dos substantivos abaixo, utilizando os sufixos: **-ulo** e **-ula** ou **-culo** e **-cula**:

corpo – animal – grão – gota – nota – ovo – obra – feixe – homem – raiz – questão – monte – verso – flor – pele – campa – flama – pé – casa – cela – rei – lobo (ó) – nó

4. Flexione os substantivos seguintes no diminutivo plural, utilizando os sufixos **-inho(a)** ou **-zinho(a)**, conforme convenha:

nuvem – cão – canal – papel – chapéu – túnel – país – pai – automóvel – funil – flor – café – irmão – princesa – leitão – ideia – baú – animal – pastor – colher – mulher – praia – rádio

5. Dê a forma normal, isto é, não flexionada, dos substantivos seguintes:

ruela – pobretão – pratarraz – vilanaz – viela – casulo – radícula – alegrão – chapelão – sitioca – manzorra – povaréu – pecadilho – nódulo – cançoneta – sineta – galeota – veranico – camarim – bastonete – terriola – vareta – patorra – hotelejo – febrícula – ossículo – festança – rapazola – selim – ricaço – carroção – rapagão

MORFOLOGIA

6. Escreva cada frase e coloque entre parênteses o grau do substantivo destacado:

Coloquei os **peixinhos** no aquário.   aumentativo sintético
Vagalhões batiam no cais deserto.   aumentativo analítico
Seus **olhos** miúdos fitavam-me surpresos.   diminutivo sintético
Vi desabar a **estátua** colossal.   diminutivo analítico

7. Substitua os diminutivos pelas respectivas formas normais:

a) O fortim da ilhota não resistiu ao ataque do inimigo.
b) O régulo chegou àquela aldeola à boquinha da noite.
c) O fidalgote aborreceu-se por uma questiúncula.
d) "Eu teria que voltar ao homúnculo de metro e quarenta e cinco." (Aníbal Machado)
e) "Homens sujos de pó empurravam vagonetes de lenha." (Amando Fontes)

8. Copie as frases abaixo, sublinhando com um traço as formas sintéticas dos aumentativos e com dois as analíticas:

a) "Examinei os olhões amarelos, os dentes enormes e as patorras do bicho." (Edi Lima)
b) "O dono da fazenda virou-se para ver que barulhão era aquele. Vendo o boi que não tinha mais tamanho, ele gritou: 'Que boi grandão é esse, minha gente, que eu nunca vi?'" (Luís Jardim)

9. Escreva a frase abaixo e copie do quadro a conotação correta da palavra "empreguinho":

João arrumou um **empreguinho** no escritório de uma fábrica.

diminuição – carinho – desprezo – zombaria

10. Dê o diminutivo plural dos substantivos:

a) pão   d) pá
b) chapéu   e) cartão
c) pastel   f) mão

11. Identifique nas frases o que os aumentativos e diminutivos exprimem (desprezo, troça, carinho ou afetividade):

a) Meu filho, não brinque com essa **gentalha**!
b) Você quer trinta reais por esse **livreco**?
c) **Filhinho**, você não está com frio?
d) Você o acha bonito? Com aquele **narigão** achatado?

SUBSTANTIVO
Exercícios de exames e concursos

[Página 668]

ARTIGO

Consideremos o exemplo seguinte:

Certa vez, passando por **uma** praça, encontrei **um** menino chorando. **A** praça estava deserta e **o** menino, sozinho, **as** mãos e **os** cabelos sujos de terra.

As palavras destacadas são *artigos*.

> **Artigo é uma palavra que antepomos aos substantivos para dar aos seres um sentido determinado ou indeterminado.**
>
> **Indica, ao mesmo tempo, o gênero e o número dos substantivos.**

Dividem-se os artigos em *definidos* e *indefinidos*.

1 DEFINIDOS

o, a, os, as (*o* filho, *a* filha, *os* filhos, *as* filhas)

2 INDEFINIDOS

um, uma, uns, umas (*um* filho, *uma* filha, *uns* filhos, *umas* filhas)

Os artigos definidos se antepõem a substantivos que designam seres definidos, determinados:

Viajei com **o** médico (um médico referido, conhecido, determinado).

Os artigos indefinidos se antepõem a substantivos que designam seres indefinidos, indeterminados:

Viajei com **um** médico (um médico não referido, desconhecido, indeterminado).

Os artigos podem unir-se às preposições *a, de, em* e *por*, formando combinações e contrações antes de substantivos:

▪ **masculinos**

ao, aos, do, dos, no, nos, pelo, pelos, num, nuns

Exemplos: ir **ao** colégio; precisar **do** carro; correr **pelos** campos.

MORFOLOGIA

- **femininos**

  à, às, da, das, na, nas, pela, pelas, numa, numas

  Exemplos: ir **à** escola; sair **da** sala; lutar **pela** paz.

EXERCÍCIOS

LISTA 19

1. Anote em seu caderno a alternativa que não apresenta erro no emprego do artigo.

a) Sempre me deu uma dó dela!

b) Você não trouxe o óculos hoje?

c) Ainda não dei a telefonema que você me pediu.

d) Não falarei com as pessoas cujo o nome não conste dessa lista.

e) A personagem Capitu é uma das mais conhecidas da literatura brasileira.

2. Explique, em seu caderno, a diferença de sentido que existe entre os pares de frases abaixo:

a) Conversei com o médico.

    Conversei com um médico.

b) O ônibus passou lotado.

    Passou um ônibus lotado.

c) Esse lápis não é meu.

    Esse lápis não é o meu.

3. Substitua em seu caderno o símbolo por um artigo feminino ou masculino. Se tiver dúvida a respeito do gênero do substantivo, consulte um dicionário.

a) Você não imagina ◆ dó que o garoto me dá!

b) Estou diante de ◆ grande dilema. Não sei como agir!

c) ◆ apendicite do paciente recebeu tratamento adequado?

d) Não se usa mais ◆ trema em palavras portuguesas.

e) É muito grave ◆ pane que seu carro sofreu?

4. Palavras de outras classes gramaticais podem ser usadas como substantivo quando precedidas por um *artigo*. Escreva em seu caderno frases em que os adjetivos e verbos abaixo sejam usados como substantivos.

a) verde

b) cantar

c) saber

d) absurdo

e) amanhecer

5. Lembrando-se de que o artigo sempre vem anteposto ao substantivo, indicando-lhe o gênero e o número, mencione as passagens onde **a/o** *não foram empregados como artigos*.

"A partir deste ano, a arrecadação será menor. Além disso, o aumento do salário mínimo obrigará o governo a arcar com mais despesas... Os cortes, embora difíceis para os autores e penosos para os que serão privados dos serviços estatais, têm um aspecto positivo por mostrar que o compromisso do Brasil com a transparência é inarredável. A estabilidade é a garantia de que o Brasil permanecerá no mapa da economia mundial..." (Revista *Veja*)

ARTIGO

Exercícios de exames e concursos

[Página 669]

ADJETIVO

Considere estes exemplos:

"O **velho** touro da fazenda saiu, **arrogante**." (Raquel de Queirós)

"Na ponta do chalé brilhava um **grande** ovo de louça **azul**." (Cecília Meireles)

As palavras destacadas atribuem qualidades aos substantivos (touro, ovo, louça): são, por isso, *adjetivos*.

1 ADJETIVOS

Adjetivos são palavras que expressam as qualidades ou características dos seres.

Na frase, os adjetivos exercem as funções sintáticas de *predicativo* e *adjunto adnominal*. (Veja páginas 343 e 363.)

2 ADJETIVOS PÁTRIOS

Entre os adjetivos, existem os que designam a nacionalidade, o lugar de origem de alguém ou de alguma coisa: são os *adjetivos pátrios*. Citemos alguns:

Angola	*angolano*	Egito	*egípcio*
Argélia	*argelino*	El Salvador	*salvadorenho*
Áustria	*austríaco*	Equador	*equatoriano*
Bagdá	*bagdali*	Estados Unidos	*norte-americano, ianque*
Bizâncio	*bizantino*	Etiópia	*etíope*
Brasília	*brasiliense*	Florença	*florentino*
Buenos Aires	*portenho*	Goiás	*goiano*
Cairo	*cairota*	Grécia	*grego, helênico*
Calábria	*calabrês*	Guatemala	*guatemalteco*
Campinas	*campineiro*	Índia	*indiano*
Campos	*campista*	Japão	*japonês, nipônico*
Cartago	*cartaginês*	Lácio	*latino*
Chipre	*cipriota*	Lacônia	*lacônico*
Lapônia	*lapão*	Nova Zelândia	*neozelandês*

Lima	*limenho*	Panamá	*panamenho*
Lisboa	*lisboeta, lisbonense*	Pequim	*pequinês*
Londres	*londrino*	Rio de Janeiro (estado)	*fluminense*
Madri	*madrileno, madrilense*	Rio de Janeiro (cidade)	*carioca*
Marajó	*marajoara*	São Paulo (estado)	*paulista*
Marrocos	*marroquino*	São Paulo (cidade)	*paulistano*
Mato Grosso	*mato-grossense*	Túnis	*tunisiano*
Moscou	*moscovita*	Veneza	*veneziano*
Nápoles	*napolitano*		

3 FORMAÇÃO DO ADJETIVO

Quanto à formação, o adjetivo pode ser:

- **primitivo**

    O que não deriva de outra palavra:

    bom, forte, feliz, etc.

- **derivado**

    O que deriva de substantivos ou verbos:

    famoso, carnavalesco, amado, etc.

- **simples**

    O que é formado de um só elemento:

    brasileiro, escuro, etc.

- **composto**

    O que é formado de mais de um elemento:

    luso-brasileiro, castanho-escuro, etc.

Alguns adjetivos pátrios compostos apresentam o primeiro elemento reduzido e invariável. Eis os principais:

afro (= africano)   cultura *afro-brasileira*

anglo (= inglês)   comércio *anglo-americano*

austro (= austríaco)   império *austro-húngaro*

euro (= europeu)   tratado *euro-americano*

franco (= francês)   amizade *franco-brasileira*

greco (= grego)   civilização *greco-romana*

hispano (= espanhol)   literatura *hispano-americana*

ibero (= ibérico)   civilização *ibero-americana*

ítalo (= italiano)	acordo comercial *ítalo-francês*
luso (= lusitano)	literatura *luso-brasileira*
nipo (= nipônico)	jovem *nipo-argentina*
sino (= chinês)	guerra *sino-japonesa*
teuto (= alemão)	descendentes *teuto-argentinos*

4 LOCUÇÃO ADJETIVA

Locução adjetiva é uma expressão que equivale a um adjetivo. Exemplos:

presente *de rei*	=	presente *régio*
amor *de filho*	=	amor *filial*
paixões *sem freio*	=	paixões *desenfreadas* ou *infrenes*
confiança *sem limites*	=	confiança *ilimitada*
pescoço *de touro*	=	pescoço *taurino*
as margens *do Nilo*	=	as margens *nilóticas*
aves *da noite*	=	aves *noturnas*
alimento *sem sabor*	=	alimento *insípido*

Outros exemplos de locuções adjetivas:

o andar *de cima*; as patas *de trás*; gente *de fora*; floresta *a perder de vista*; rapaz *sem-vergonha*; produtos *de primeira*; olhar *de espanto*; homem *à toa*; estar *com fome*; desculpa *sem pés nem cabeça*.

Observe as diversas maneiras de caracterizar os substantivos:

homem *corajoso*	=	homem *de coragem*	=	homem *que tem coragem*
gente *serrana*	=	gente *da serra*	=	gente *que mora na serra*

5 ADJETIVOS ERUDITOS

Numerosos adjetivos eruditos, que significam "relativo a", "próprio de", "semelhante a", "da cor de", equivalem a locuções adjetivas: *torácico* = do tórax, relativo ao tórax; *sulfurino* = da cor do enxofre; *férreo* = de ferro, como ferro.

Eis os mais frequentes desses adjetivos, ao lado dos nomes dos seres a que se referem:

açúcar: *sacarino*	astro: *sideral*	bode: *hircino*
água: *hídrico*	audição: *auditivo*	boi: *bovino*
águia: *aquilino*	baço: *esplênico*	braço: *braquial*
aluno: *discente*	bálsamo: *balsâmico*	brejo: *palustre*
anel: *anular*	bexiga: *vesical*	cabeça: *cefálico*
aranha: *aracnídeo*	bílis ou bile: *biliar*	cabelo: *capilar*
arcebispo: *arquiepiscopal*	bispo: *episcopal*	cabra: *caprino*
asno: *asinino*	boca: *bucal, oral*	caça: *venatório, cinegético*
campo: *rural, campestre*	garganta: *gutural*	óleo: *oleaginoso*

caos: *caótico*
cavalo: *equídeo, equino, hípico*
cela, célula: *celular*
chumbo: *plúmbeo*
chuva: *pluvial*
cinza: *cinéreo*
circo: *circense*
cobra: *colubrino, ofídico*
cobre: *cúprico*
coelho: *cunicular*
coração: *cardíaco*
correio: *postal*
costas: *dorsal*
criança: *pueril, infantil*
dança: *coreográfico*
daltonismo: *daltônico*
dano: *daninho*
dedo: *digital*
diamante: *adamantino*
dieta: *dietético*
dinheiro: *pecuniário*
direito: *jurídico*
domingo: *dominical*
éden: *edênico*
eixo: *axial*
embriaguez: *ébrio*
enxofre: *sulfúrico, sulfúreo, sulfuroso*
erva: *herbáceo*
espelho: *especular*
estômago: *gástrico*
estrela: *estelar*
éter: *etéreo*
fábrica: *fabril*
faraó: *faraônico*
fêmur: *femoral*
fera: *beluíno, feroz, ferino*
ferro: *férreo*
fígado: *hepático*
fogo: *ígneo*
fleuma: *fleumático*
formiga: *formicular*
gado: *pecuário*
gafanhoto: *acrídio*

gato: *felino, felídeo*
gelo: *glacial*
glúten: *glutinoso*
guerra: *bélico*
homem: *viril*
Igreja: *eclesiástico*
ilha: *insular*
inverno: *hibernal*
irmão: *fraternal*
jovem: *juvenil*
junho: *junino*
Lacônia: *lacônico*
lago: *lacustre*
lágrima: *lacrimal*
leão: *leonino*
lebre: *leporino*
leite: *lácteo, láctico*
limão: *cítrico*
laranja: *cítrico*
linha: *linear*
lobo: *lupino*
Lua: *lunar*
macaco, símio: *simiesco*
madeira, lenho: *lígneo*
maçãs do rosto: *malar*
mar: *marinho, marítimo, equóreo*
manhã: *matutino, matinal*
marfim: *ebúrneo, ebóreo*
margem: *marginal*
margem de rio: *ribeirinho, justafluvial*
memória: *mnemônico*
mestre: *magistral*
moeda: *monetário, numismático*
Moisés: *mosaico*
monge: *monástico*
morte: *letal, mortífero*
nádegas: *glúteo*
nariz: *nasal*
navio, navegação: *naval*
Nilo (rio): *nilótico*
neve: *níveo*
norte: *setentrional, boreal*

olhos: *ocular, óptico, oftálmico*
Olimpo, olimpíadas: *olímpico*
opala: *opalino, opalescente*
outono: *outonal*
ouvido: *auricular, ótico*
ovelha: *ovino*
paixão: *passional*
pâncreas: *pancreático*
paraíso: *paradisíaco*
pedra: *pétreo*
peixe: *ictíico, ictiológico, písceo*
pele: *cutâneo, epidérmico*
pelve: *pélvico*
pesca: *pesqueiro, piscatório*
pescoço: *cervical*
Platão: *platônico*
plebe: *plebeu*
pombo: *columbino*
porco: *suíno, porcino*
prata: *argênteo, argentino, argírico*
primavera: *primaveril*
professor: *docente*
prosa: *prosaico*
pulmão: *pulmonar*
pus: *purulento*
raposa: *vulpino*
rato: *murino*
rim: *renal*
rio: *fluvial, potâmico*
rocha: *rupestre*
romance: *romanesco*
sabão: *saponáceo*
selos: *filatélico*
seda: *sérico, seríceo*
sonho: *onírico*
sul: *meridional, austral*
tarde: *vespertino*
tecido: *têxtil*
Terra: *terrestre, terreno, telúrico*
terremoto: *sísmico*
tórax: *torácico*
touro: *taurino*
túmulo: *tumular*
umbigo: *umbilical*

universo habitado: *ecumênico*
útero: *uterino*
vasos sanguíneos: *vascular*
veia: *venoso*
velho, velhice: *senil*
vento: *eólio, eólico*

Vênus: *venusiano*
verão, estio: *estival*
verme: *vermicular*
víbora: *viperino*
vidro: *vítreo, hialino*
vinho: *vínico, vinário, vinoso*

vinagre: *acético*
violeta: *violáceo*
virilha: *inguinal*
voz: *fônico, vocal*
vulcão: *vulcânico*

6 FLEXÃO DO ADJETIVO

O adjetivo varia em gênero, número e grau.

Flexiona-se para concordar em gênero e número com o substantivo caracterizado. Exemplos: moço *bonito*, moça *bonita,* moços *bonitos*, moças *bonitas*.

7 FLEXÃO DO ADJETIVO: GÊNERO

Quanto ao gênero, dividem-se os adjetivos em:

▪ Uniformes

Os que têm a mesma forma em ambos os gêneros:

leal – azul – cruel – gentil – grácil – vil – regular – superior – inferior – incolor – anterior – ulterior – esmoler – ruim – comum – jovem – feliz – audaz – loquaz – veloz – soez – cortês – pedrês – reles – simples – nômade – fluminense – paulista – otimista – carijó – só – tupi – lilás, etc.

Com referência à irmã diretora de um convento, dizemos, porém: a madre *superiora* ou, simplesmente, a *superiora*.

▪ Biformes

Os que possuem duas formas, uma para o masculino e outra para o feminino:

ativo, *ativa*	plebeu, *plebeia*
cru, *crua*	judeu, *judia*
mau, *má*	sandeu, *sandia*
ateu, *ateia*	vilão, *vilã, viloa*
hebreu, *hebreia*	burguês, *burguesa*
europeu, *europeia*	inglês, *inglesa*
alemão, *alemã*	siamês, *siamesa*
chão (plano, simples), *chã*	roedor, *roedora*
cristão, *cristã*	trabalhador, *trabalhadora*
são, *sã*	tabaréu, *tabaroa*
vão, *vã*	andaluz, *andaluza*
temporão, *temporã*	espanhol, *espanhola*

folgazão, *folgazã, folgazona*

chorão, *chorona*

bom, *boa*

parvo, *parva, párvoa*

"São tantas as formiguinhas *trabalhadeiras*!" (GODOFREDO RANGEL)

"Minha *párvoa* franqueza." (CAMILO CASTELO BRANCO)

8 REGRAS PARA A FORMAÇÃO DO FEMININO

- Os adjetivos biformes simples flexionam-se em gênero pelas mesmas regras de flexão dos substantivos:

  lindo, *linda*; japonês, *japonesa*; sonhador, *sonhadora*.

- Os adjetivos compostos recebem a flexão feminina apenas no segundo elemento:

  sociedade *luso-brasileira*, festa *cívico-religiosa*, saia *verde-escura*.

- Nos adjetivos terminados em *-oso* muda-se a vogal tônica fechada em vogal aberta:

  bondoso (ô), bondosa (ó); gostoso (ô), gostosa (ó).

9 PLURAL DOS ADJETIVOS SIMPLES

Os adjetivos simples seguem as mesmas regras da flexão numérica dos substantivos:

gostoso	*gostosos*	azul	*azuis*	amável	*amáveis*
cru	*crus*	fiel	*fiéis*	útil	*úteis*
gentil	*gentis*	audaz	*audazes*	são	*sãos*
igual	*iguais*	feroz	*ferozes*	vã	*vãs*

Nos adjetivos terminados em *-oso*, muda-se a vogal tônica fechada em vogal aberta:

glorioso (ô), gloriosos (ó); famoso (ô), famosos (ó).

10 PLURAL DOS ADJETIVOS COMPOSTOS

Para formar o plural dos adjetivos compostos, observem-se os seguintes princípios:

- Os componentes sendo adjetivos, somente o último toma a flexão do plural:

  cabelos *castanho-escuros*[1], saudades *doce-amargas*, ciências *político-sociais*, conflitos *russo-americanos*, lenços *verde-claros*, folhas *verde-escuras*, penas *amarelo-gualdas*, poemas *herói-cômicos*, hábitos *grã-finos*, clínicas *médico-cirúrgicas*, jogos *infanto-juvenis*.

Observações:

✔ Escritores modernos contrariam esta regra, usando os dois elementos no plural, sem os hifenizar: "Tinha os olhos de vovó, *verdes claros*." (RAQUEL JARDIM, *Os Anos 40*, p. 17)

---

(1) " Cabelos *castanho-claros*" (CIRO DOS ANJOS, *Explorações*, p. 30).

"Cabelos *castanho-louros*" (AMANDO FONTES, *Os Corumbas*, p. 88).

Exceções:

- Flexionam-se os dois componentes de *surdo-mudo*: meninos *surdos-mudos*, crianças *surdas-mudas*.

- *Azul-marinho, azul-celeste* e *azul-ferrete* são invariáveis: ternos *azul-marinho*, mantos *azul-celeste*, gravatas *azul-ferrete*.

- Os componentes sendo *palavra* (ou *elemento*) *invariável + adjetivo*, somente esse último se flexionará:

    meninos *mal-educados*, povos *semi-selvagens*, esforços *sobre-humanos*, crianças *recém-nascidas*.

Segue essa regra o adjetivo *sem-vergonha*, que alguns gramáticos consideram invariável:

Eles são muito *sem-vergonhas*.

- Os compostos de *adjetivo + substantivo* são invariáveis:

    tapetes *verde-esmeralda*, blusas *amarelo-laranja*, chapéus *escuro-cinza*, gravatas *verde-malva*, ternos *verde-oliva*, saias *azul-pavão*, olhos *verde-mar*, calções *azul-ferrete*, vestidos *azul-turquesa*.

Nos adjetivos compostos desse tipo, subentende-se a expressão *da cor de*:

tapetes *verde-esmeralda* = tapetes *da cor verde da esmeralda*

- Invariáveis ficam também as locuções adjetivas formadas de *cor + de + substantivo*:

    vestidos *cor-de-rosa*, olhos da *cor do mar*, cabelos *cor de palha*, olhos da *cor da safira*, estofos da *cor do abacate*, suéteres *cor de café*, etc.

Observações:

✓ Por concisão, frequentemente dizemos apenas: fitas *violeta*, ternos *cinza*, luvas *creme*, sapatos *gelo*, botões *rosa*, gravatas *grená*, etc.

✓ São também invariáveis os adjetivos *ultravioleta*, *sem-par* e *sem-sal*: raios *ultravioleta*, alegrias *sem-par*, anedotas *sem-sal*.

EXERCÍCIOS

1. Copie as frases abaixo e, em seguida, passe um traço sob os adjetivos:

   a) No salão, jovens dançavam ao ritmo alucinante de músicas modernas.

   b) Os jovens artesãos trabalhavam numa oficina pequena e escura.

   c) Pessoas supersticiosas viram no estranho fenômeno um sinal de desgraça iminente.

   d) "Não há um lugar calmo nas cidades do homem branco", disse o chefe indígena.

166 MORFOLOGIA

2. Substitua os asteriscos pelos adjetivos derivados dos substantivos entre parênteses:

a) Atravessamos as ruas *** da grande cidade. (**caos**)

b) Seus bilhetes eram vazados em linguagem ***. (**Lacônia**)

c) Todos temiam seus ditos ***. (**fera**)

d) O diretor era um homem *** e metódico. (**fleuma**)

e) Arrancamos o joio e outras ervas ***.(**dano**)

f) Para pagar dívidas, empenhei objetos ***. (**valia**)

g) Nosso professor citou uma frase muito ***. (**expressão**)

3. Substitua as locuções adjetivas pelos adjetivos equivalentes:

a) beleza **de anjo**

b) força **de leão**

c) lábio **de lebre**

d) orelhas **de asno**

e) pescoço **de touro**

f) engenho **de guerra**

g) aventura **de romance**

h) funcionário **sem aptidão**

i) vegetação **dos brejos**

j) cidades **dos lagos**

k) exposição **de selos**

l) alimento **sem sabor**

m) líquido **sem cheiro**

n) paixões **sem freio**

o) populações **das margens dos rios**

p) proeminências **das maçãs do rosto**

4. Reorganize as colunas, relacionando corretamente os adjetivos aos substantivos:

aquilino	fogo	inguinal	pele
letal	direito	magistral	umbigo
ígneo	ilha	cutâneo	sonho
jurídico	pescoço	têxtil	vinagre
hepático	águia	umbilical	vento
insular	fígado	onírico	mestre
capilar	morte	senil	tecido
cefálico	braço	eólico, eólio	virilha
cervical	cabelo	ictiológico	velho
braquial	cabeça	acético	peixe

5. Dê os adjetivos pátrios referentes aos seguintes nomes de lugar:

Marajó – Recife – Belo Horizonte – Buenos Aires – Madri – Nápoles – Cairo – Etiópia – Índia – Panamá – Bizâncio – Túnis – Lapônia – Chipre – Argélia – Equador – Líbano – Veneza – Cartago – Lácio – Pequim

6. Substitua as orações e expressões destacadas por adjetivos de igual significação:

a) Pássaro **que come insetos**

b) Ave **que come peixe**

c) Cirurgia **que não causa dor**

d) Árvores **que têm um século**

e) Animal **que rasteja e que tem peçonha**

f) Comida **sem sal**

MORFOLOGIA 167

g) Água **boa para beber**

h) Coisa **em que há prazer**

i) Obelisco **feito de um só bloco de pedra**

7. Passe para o feminino:

a) Infante português

b) Cidadão cortês

c) Espião andaluz

d) Estudante plebeu

e) Moço folgazão, mas trabalhador

f) Príncipe cristão

8. Substitua ∗ pela forma feminina dos adjetivos:

Moço hebreu	Moça ∗
Idioma inglês	Língua ∗
Pastor judeu	Pastora ∗
Tenista alemão	Tenista ∗
Nervo motor	Força ∗
Motivo superior	Razão ∗

9. Troque o ∗ pela forma feminina dos adjetivos entre parênteses:

a) Menina ∗ (surdo-mudo)

b) Aliança ∗ (luso-brasileiro)

c) Academia ∗ (recém-fundado)

d) Tranças ∗ (castanho-escuro)

e) Línguas ∗ (indo-europeu)

f) Mantas ∗ (azul-turquesa)

10. Flexione no plural:

a) Pé grácil

b) Feijão cru

c) Ação má

d) Raiz útil

e) Caráter inflexível

f) Cãozinho feroz

g) Túnica inconsútil

h) Gesto hostil

i) Rapagão loquaz

j) Venerável ancião

k) Gás letal

l) Raio ultravioleta

m) Cão fiel

n) Mau cidadão

o) Raio infravermelho

p) Placa cinza

11. Escreva no plural:

a) Cerimônia cívico-religiosa

b) Saia azul-pavão

c) Terno azul-marinho

d) Conflito sino-russo-japonês

e) Vestido cor-de-rosa

f) Tecido malva

g) Rapazinho mal-educado

h) Rei todo-poderoso

i) Olho verde-claro

j) Anedota sem-sal

k) Pessoa mal-agradecida

l) "Onde andará o sem-vergonha desse papagaio?" (Graciliano Ramos)

12. Siga o exemplo, empregando os adjetivos pátrios compostos:

Exemplo: rivalidades (China – Japão) **rivalidades sino-japonesas**

acordos (Japão – Brasil)

indivíduos (Alemanha – Argentina)

empresas (França – Itália)

costumes (África – Brasil)

povos (Espanha – América)
comemorações (Ibéria – América)

convenções (Portugal – Brasil)
tropas (Inglaterra – França)

13. Escreva os grupos em que a relação **adjetivo/substantivo** está correta:

a) linear/linha – bélico/guerra – ígneo/fogo – renal/rim

b) proteico/proteína – hídrico/água – glúteo/glúten – cítrico/limão

14. Substitua as expressões destacadas por adjetivos correspondentes. Faça as modificações necessárias:

a) Meu pai sofre de uma doença **do coração**.

b) Tinham confiança **sem limites** nos filhos.

c) Sua atitude **não tem defesa**.

d) Apresentou argumentos **sem consistência**.

e) Era uma pessoa totalmente **sem habilidade.**

f) A história se passa numa mansão **não habitada**.

15. Indique as frases em que houver erro na flexão dos adjetivos compostos:

a) A garota tinha lindos cabelos castanhos-escuros e olhos verde-esmeraldas.

b) Todas as suas calças eram azul-marinhas e suas gravatas, azuis-celestes.

c) Seus uniformes verde-oliva destacavam-se no branco da neve.

d) A boneca veio com sapatinhos cores-de-rosa e luvas verde-malva.

e) Naquela década tão conturbada, o que mais preocupava a humanidade eram os conflitos russo-americanos.

16. Forme adjetivos com o auxílio do sufixo **-vel**. Oriente-se pelo exemplo:

lavar – lavável

a) confiar   d) admitir

b) discutir   e) substituir

c) desejar

17. Muitas vezes, encontramos, em rótulos de remédios, adjetivos eruditos que equivalem a locuções adjetivas, como loção **capilar**, que se destina aos cabelos. Vejamos se consegue identificar os substantivos a que se referem:

a) auricular   d) gástrico

b) herbáceo   e) lacrimal

c) hepático   f) oftálmico

18. Substitua por superlativo os adjetivos que aparecem entre parênteses. Oriente-se pelo exemplo:

A jovem pensou encontrar uma criatura (feroz) à sua espera.
A jovem pensou encontrar um criatura *ferocíssima* à sua espera.

a) Achei o problema (**difícil**).

b) Soraia é (**amiga**) de minha madrinha.

c) Mário fez um (**bom**) negócio quando vendeu seu carro.

d) Giovana acha (**fácil**) todos os exercícios do livro de Matemática.

e) Os amigos de meu irmão são todos (**simpáticos**).

11 GRAU DO ADJETIVO

O grau do adjetivo exprime a intensidade das qualidades dos seres. São dois os graus do adjetivo: o *comparativo* e o *superlativo*.

12 FLEXÃO DO ADJETIVO: GRAU COMPARATIVO

Usa-se o grau comparativo para comparar qualidades dos seres.

O grau comparativo pode ser:

- **de igualdade**

    Sou *tão alto* como (ou quanto) você.

- **de superioridade** —— *analítico*: Sou *mais alto* (do) que você.
    sintético: O Sol é *maior* (do) que a Terra.

- **de inferioridade**

    Sou *menos alto* (do) que você.

    Pode-se dizer: Sou mais alto **que** (ou **do que**) você.

    Note bem:

a) No comparativo de igualdade, o segundo termo da comparação é introduzido pelas palavras *como*, *quanto*, ou *quão*:

    Rui é tão belo *quanto* (ou *quão*) inteligente.

    "Lançou um último olhar às duas casas, tão próximas *quanto* parecidas." (Lígia Fagundes Teles)

b) Alguns adjetivos possuem, para o comparativo de superioridade, formas sintéticas, herdadas do latim. São eles:

bom	*melhor*	pequeno	*menor*
mau	*pior*	alto	*superior*
grande	*maior*	baixo	*inferior*

c) Excepcionalmente, usam-se as formas analíticas desses adjetivos quando se comparam duas qualidades do mesmo ser:

    Aquele menino é *mais bom* do que inteligente.

13 FLEXÃO DO ADJETIVO: GRAU SUPERLATIVO

O superlativo expressa qualidades num grau muito elevado ou em grau máximo.

O grau superlativo pode ser absoluto ou relativo e apresenta as seguintes modalidades:

170 MORFOLOGIA

- **absoluto**
  - *analítico*: A torre é *muito alta*.
  - *sintético*: A torre é *altíssima*.

- **relativo**
  - *de superioridade*:
    - *analítico*: João é o *mais alto* de todos.
    - *sintético*: Este monte é *o maior* de todos.
  - *de inferioridade*:
    - Pedro é *o menos alto* de todos nós.

Note bem:

a) O superlativo absoluto analítico é expresso por meio dos advérbios *muito, extremamente, excepcionalmente*, etc., antepostos ao adjetivo. Exemplo:

Procusto era um assaltante *muito* (ou *extremamente*) mau.

b) O superlativo absoluto sintético apresenta-se sob duas formas em bom número de adjetivos: uma *erudita*, de origem latina, outra *popular*, de origem vernácula. A forma erudita é constituída pelo radical do adjetivo latino + um dos sufixos *-íssimo, -imo* ou *-érrimo*:

fidelíssimo, facílimo, paupérrimo, minutíssimo (muito miúdo).

O sufixo *-érrimo* é restrito aos adjetivos terminados em *r* no latim. Exemplos:

pauper (pobre) originou *pauperrimus*, em latim, e *paupérrimo*, em português.

macer (magro) deu *macerrimus*, em latim, e *macérrimo*, em português.

A forma popular é constituída do radical do adjetivo português + o sufixo *-íssimo*:

altíssimo, pobríssimo, agilíssimo, amarguíssimo, friíssimo, etc.

c) Em vez dos superlativos normais *seriíssimo, sumariíssimo, ordinariíssimo, precariíssimo, primariíssimo, necessariíssimo*, preferem-se, na língua atual, as formas *seríssimo, sumaríssimo, ordinaríssimo, precaríssimo, primaríssimo, necessaríssimo*, sem o desagradável hiato *i-í*. Exemplos:

"Ali, estavam simplesmente uns restos, os despojos *precaríssimos*." (ANTÔNIO CARLOS VILAÇA)

"… apresentara-se em trajes *sumaríssimos*, atentando contra o decoro." (CARLOS DRUMMOND DE ANDRADE, *Os Dias Lindos*, p. 80)

Cheio e *feio* fazem, respectivamente: *cheíssimo* ou *cheiíssimo, feíssimo* ou *feiíssimo*.

14 SUPERLATIVOS ABSOLUTOS SINTÉTICOS ERUDITOS

Eis os principais superlativos absolutos, quase todos exclusivos da língua culta:

acre, *acérrimo*	fácil, *facílimo*	nobre, *nobilíssimo*
alto, *supremo, sumo*	feliz, *felicíssimo*	parco, *parcíssimo*
ágil, *agílimo*	feroz, *ferocíssimo*	pequeno, *mínimo*
amargo, *amaríssimo*	fiel, *fidelíssimo*	pessoal, *personalíssimo*
amável, *amabilíssimo*	frágil, *fragílimo*	pio, *piíssimo*

amigo, *amicíssimo*	frio, *frigidíssimo*	pobre, *paupérrimo*
antigo, *antiquíssimo*	geral, *generalíssimo*	pródigo, *prodigalíssimo*
áspero, *aspérrimo*	grácil, *gracílimo*	provável, *probabilíssimo*
atroz, *atrocíssimo*	grande, *máximo*	pudico, *pudicíssimo*
baixo, *ínfimo*	humilde, *humílimo*	respeitável, *respeitabilíssimo*
benéfico, *beneficentíssimo*	incrível, *incredibilíssimo*	sábio, *sapientíssimo*
benévolo, *benevolentíssimo*	inimigo, *inimicíssimo*	sagrado, *sacratíssimo*
bom, *ótimo*	íntegro, *integérrimo*	salubre, *salubérrimo*
célebre, *celebérrimo*	livre, *libérrimo*	são, *saníssimo*
comum, *comuníssimo*	magnífico, *magnificentíssimo*	simpático, *simpaticíssimo*
cristão, *cristianíssimo*	magro, *macérrimo*	simples, *simplicíssimo*
cruel, *crudelíssimo*	mau, *péssimo*	soberbo, *superbíssimo*
difícil, *dificílimo*	mísero, *misérrimo*	terrível, *terribilíssimo*
doce, *dulcíssimo*	negro, *nigérrimo*	veloz, *velocíssimo*
dócil, *docílimo*	notável, *notabilíssimo*	voraz, *voracíssimo*

15 OUTRAS FORMAS DE SUPERLATIVO ABSOLUTO

Pode-se também superlativar a ideia contida no adjetivo:

- por meio de certos prefixos:

  garota *supersimpática*, nave *ultrarrápida*, produto *extrafino*, criança *superalimentada*, temperamento *hipersensível*.

- com a repetição do adjetivo:
  Ela era *linda, linda*! (= Ela era *lindíssima!*)

- por meio de uma comparação:
  feio *como o diabo*, doce *como mel*, valente *como quê*, etc.

- por meio de certas expressões da língua coloquial:

  podre de rico, linda de morrer, magro de dar pena, etc.

- com a flexão diminutiva do adjetivo:
  A igreja ficou *cheinha*.
  A semente do fumo é *pequenininha*.

- com a flexão aumentativa do adjetivo:
  boi *grandão*, homem *grandalhão*, sinhá *gordalhona*, moço *bonitão*

Observações:

- ✓ O superlativo *meritíssimo* (= de grande mérito, muito digno), tratamento dado, ordinariamente, a juízes de direito, não possui a forma normal correspondente, que seria *mérito* (do lat. *meritus*, merecedor), mas este, em português, se tornou substantivo, sinônimo de *merecimento*.

- ✓ Na linguagem enfática, ocorre *grandessíssimo*, por *grandíssimo*, em expressões depreciativas ou insultuosas: *grandessíssimo* tolo, *grandessíssimo* canalha.

- ✓ Ao lado de *macérrimo*, ocorre frequentemente a forma anormal *magérrimo*, usada por escritores modernistas. Deve ser evitada; não tem tradição na língua.

- ✓ Na linguagem informal, frequente é também o hábito de enfatizar qualidades por meio do sufixo *-érrimo*, em vez de *-íssimo*: *elegantérrimo, chiquérrimo, chatérrimo*, etc. Veja na página anterior o que se disse acerca do sufixo *-érrimo*, que, em bom português, ocorre em pouco mais de dez superlativos, todos de base latina.

- ✓ Certos adjetivos não comportam as variações de grau. Exemplos: *seguinte, mortal, eterno, onipotente, celeste, mensal, anual*, etc.

EXERCÍCIOS

LISTA 21

1. Dê o grau dos adjetivos:
   a) A intemperança não é menos funesta que a preguiça.
   b) As abelhas são tão operosas quanto as formigas.
   c) "O homem é o pequeníssimo bicho da terra, de que fala o Camões." (Camilo Castelo Branco)
   d) "Os mais arrojados em falar são ordinariamente os menos profundos em saber." (Marquês de Maricá)
   e) Mercúrio é o menor dos planetas, e Júpiter, o maior deles.
   f) Os santos eram extremamente puros, mas não se julgavam melhores que os outros homens.

2. Substitua o ∩ pelo superlativo absoluto sintético erudito dos adjetivos entre parênteses:
   a) A ninguém negues o ∩ direito à vida. (**sagrado**)
   b) ∩ aeronaves, levais a vida ou a morte? (**velozes**)
   c) A chegada do noivo deixou Marta ∩. (**feliz**)
   d) Lúcia era uma colega ∩. (**simpática**)
   e) É gente ∩, porém de ∩ sentimentos. (**pobre – nobre**)
   f) Para o tédio o trabalho é ∩ remédio. (**eficaz**)
   g) ∩ sábios iniciaram a vida como ∩ serventes. (**notáveis – humildes**)

3. Escreva as frases, flexionando os adjetivos no grau superlativo absoluto sintético erudito:
   a) **Frágeis** criaturas, aceitai o **doce** jugo das leis **sábias** do Criador.
   b) Jandira deve ter **sérios** motivos para adiar seu casamento.
   c) A mesma iguaria pode ser **boa** para uns e **má** para outros.

4. Escreva corretamente o único superlativo errôneo:

acérrimo – aspérrimo – celebérrimo – elegantérrimo – misérrimo

5. Qual é o grau do adjetivo em destaque na frase?

O jaguar é o mais **perigoso** dos carnívoros de nossas florestas.

6. Releia o item relativo a outras formas de superlativo absoluto. Em seguida, registre superlativos por meio de:

a) um prefixo:

b) repetição do adjetivo:

c) uma comparação:

d) um sufixo diminutivo:

7. Comente os superlativos em destaque:

"Enquanto a **chiquérrima** namorada não vem, ele observa a vizinhança com binóculos." (Susana Schuld, *Jornal do Brasil*, 6/7/91)

"Você é chato, Tomás, **chatérrimo**." (José Cardoso Pires)

"Os modelos sociais são magros, às vezes **magérrimos**." (Marina Colasanti)

"Sabe o que fez, **grandessíssimo** tratante?" (Alexandre Herculano)

8. Em seu caderno, escreva os superlativos do texto abaixo, dando-lhes a significação.

Portão

O portão fica bocejando, aberto
para os alunos retardatários.
Não há pressa em viver
nem nas ladeiras duras de subir,
quanto mais para estudar a insípida cartilha.
Mas se o pai do menino é da oposição
à ilustríssima autoridade municipal,
prima da eminentíssima autoridade provincial,
prima por sua vez da sacratíssima
autoridade nacional,
ah, isso não: o vagabundo
ficará mofando lá fora
e leva no boletim uma galáxia de zeros.
A gente aprende muito no portão
fechado.

(Carlos Drummond de Andrade, Boitempo – *Menino Antigo*, Record, Rio de Janeiro, 2006)

ADJETIVO
Exercícios de exames e concursos

[Página 669]

NUMERAL

Nos exemplos seguintes, as palavras destacadas são numerais:

Comprei **cinco** livros.	cinco	→	número, quantidade
Moro no **segundo** andar.	segundo	→	ordem numérica
Comemos um **terço** do bolo.	terço	→	parte, fração
Trinta é o **triplo** de dez.	triplo	→	múltiplo

1 NUMERAL

Numeral é uma palavra que exprime número, ordem numérica, múltiplo ou fração.

O numeral pode ser *cardinal*, *ordinal*, *multiplicativo* e *fracionário*. Exemplos:

dez litros; *sexta* série; um *terço* do bolo; o *triplo* de vinte.

Incluem-se entre os numerais as seguintes palavras:

- **zero**

  grau *zero*, *zero* hora, *zero* quilômetro.

- **ambos** (= os dois, um e outro), **ambas** (= as duas, uma e outra)

  São substantivos coletivos numéricos:

  a) *par, dezena, década, dúzia, vintena, centena, centúria, grosa, milheiro, milhar* e outros coletivos que indicam um agrupamento numericamente exato;

  b) *biênio, triênio, quadriênio, lustro* ou *quinquênio, década* ou *decênio, milênio, centenário* e *sesquicentenário* (150 anos), referentes a anos;

  c) *tríduo* e *novena*, referentes a dias, e *bimestre, trimestre, semestre*, relativos a meses.

Observação:

✔ As palavras *último, penúltimo* e *antepenúltimo* são adjetivos. *Metade* é substantivo.

2 FLEXÃO DOS NUMERAIS

Alguns numerais se flexionam, outros não.

- Os **cardinais**, com exceção de *um* (fem. *uma)*, *dois* (fem. *duas*) e daqueles terminados em *-entos* e *-ão* (duzentas, trezentas, milhões, etc.), são invariáveis.

- Os **ordinais** variam em gênero e número: *primeira* volta, *primeiros* resultados, as *segundas* eleições, etc.

- No plural flexionam-se os numerais cardinais substantivados que terminam por fonema vocálico: dois *cinquentas*, dois *setes*, três *oitos*, dois *cens*, quatro *uns*, etc. Permanecem invariáveis os que finalizam por fonema consonantal: Pedro tirou quatro *seis* e dois *dez*, nos testes mensais.

3 LEITURA E ESCRITA DOS NÚMEROS

Intercala-se a conjunção **e** entre as centenas e as dezenas e entre estas e as unidades. Exemplo:

3.655.264 = três milhões seiscentos **e** cinquenta **e** cinco mil duzentos **e** sessenta **e** quatro

Observações:

✔ Na escrita dos números por extenso não se põe vírgula entre uma classe e outra.

✔ Não se usa ponto na escrita dos anos: 1998, 2000, 2005, etc.

4 QUADRO DOS PRINCIPAIS NUMERAIS

Cardinais	Ordinais	Multiplicativos	Fracionários
um	primeiro	—	—
dois	segundo	dobro, duplo	meio
três	terceiro	triplo (tríplice)	terço
quatro	quarto	quádruplo	quarto
cinco	quinto	quíntuplo	quinto
seis	sexto	sêxtuplo	sexto
sete	sétimo	sétuplo	sétimo
oito	oitavo	óctuplo	oitavo
nove	nono	nônuplo	nono
dez	décimo	décuplo	décimo
onze	décimo primeiro	—	onze avos
doze	décimo segundo	—	doze avos
treze	décimo terceiro	—	treze avos

176 MORFOLOGIA

Cardinais	Ordinais	Multiplicativos	Fracionários
catorze	décimo quarto	—	catorze avos
quinze	décimo quinto	—	quinze avos
dezesseis	décimo sexto	—	dezesseis avos
dezessete	décimo sétimo	—	dezessete avos
dezoito	décimo oitavo	—	dezoito avos
dezenove	décimo nono	—	dezenove avos
vinte	vigésimo	—	vinte avos
trinta	trigésimo	—	trinta avos
quarenta	quadragésimo	—	quarenta avos
cinquenta	quinquagésimo	—	cinquenta avos
sessenta	sexagésimo	—	sessenta avos
setenta	septuagésimo	—	setenta avos
oitenta	octogésimo	—	oitenta avos
noventa	nonagésimo	—	noventa avos
cem, cento	centésimo	cêntuplo	centésimo
duzentos	ducentésimo	—	ducentésimo
trezentos	trecentésimo	—	trecentésimo
quatrocentos	quadringentésimo	—	quadringentésimo
quinhentos	quingentésimo	—	quingentésimo
seiscentos	sexcentésimo	—	sexcentésimo
setecentos	setingentésimo	—	setingentésimo
oitocentos	octingentésimo	—	octingentésimo
novecentos	nongentésimo	—	nongentésimo
mil	milésimo	—	milésimo
milhão	milionésimo	—	milionésimo
bilhão	bilionésimo	—	bilionésimo

5 FORMAS DUPLAS

Os seguintes numerais apresentam mais de uma forma:

undécimo *ou* décimo primeiro

sexcentésimo *ou* seiscentésimo

duodécimo *ou* décimo segundo

septingentésimo *ou* setingentésimo

catorze *ou* quatorze

noningentésimo *ou* nongentésimo

septuagésimo *ou* setuagésimo

A partir de *dois mil* é melhor usar *segundo milésimo, terceiro milésimo*, etc., do que *dois milésimos, três milésimos*, etc. Assim:

No segundo milésimo quingentésimo aniversário da fundação da cidade...
Na terceira milésima ducentésima vigésima quinta página da enciclopédia...

EXERCÍCIOS

LISTA 22

1. Escreva por extenso os números seguintes:

112 – 660 – 7.663.251 – 3.012.005 – 14.612.063 – 216.153.374.001

2. Escreva por extenso os ordinais correspondentes aos seguintes cardinais:

12, 20, 50, 60, 70, 80, 90, 200, 300, 400, 500, 600, 700, 800, 900, 258, 10.000, 100.000, 1.000.000

3. Escreva os números por extenso e pluralize os substantivos:

  3 (pãozinho)   1.222 (laranja)
12 (leitãozinho)   660 (grama)
14 (papelzinho)   1.001 (razão)

4. Informe quantos anos representam estes substantivos coletivos numéricos:

década
lustro
milênio
quadriênio
século
quinquênio
bicentenário
sesquicentenário

5. Escreva os numerais por extenso:

século V
século XIX
capítulo III
capítulo XI
Paulo VI
Leão XIII
D. Pedro II
Luís XV

6. Informe se **um** e **uma** são artigos ou numerais:

Eis **uma** afirmação primária: se de **um** número positivo eu tiro **um**, diminuo-o de **uma** unidade.

MORFOLOGIA

7. Escreva as frases, substituindo os asteriscos pelas formas corretas dos numerais indicados entre parênteses:

a) Pelo serviço, deram-lhe *** reais. (*mil – um mil*)

b) Era o *** carro sorteado. (*octagésimo – octogésimo*)

c) Elói mora na Rua *** de Setembro. (*VII – Sete*)

d) Havia mais de *** de desempregados. (*1,5 milhões – 1,5 milhão*)

e) Abri o livro na página ***. (*décima quinta – 15*)

f) Nasceu no dia *** de maio de 1990. (*1º – 1*)

8. Como se leem os numerais em destaque?

a) São Paulo comemorou seu **450º** aniversário com dezenas de atrações.

b) Durante a vacinação em massa, **1.255.352** pessoas foram imunizadas.

c) Esse foi seu **45º** gol no Flamengo.

d) Você sabe se esse conflito ocorreu no século **IX** ou no **XI**?

e) Amanhã comemoramos o **80º** aniversário da empresa.

9. Escreva por extenso os numerais representados por algarismos nas frases abaixo. Faça a concordância necessária:

a) O artigo (9º) do Regimento Interno fala da constituição da mesa diretora, porém a cláusula (1ª) não menciona a presença de representantes.

b) A professora atribuiu três (8), dois (9) e quatro (7) ao grupo.

c) O livro tem (240) páginas.

d) Vamos imediatamente tirar a prova dos (9).

10. Veja se é possível passar os numerais para o feminino plural. Se for, copie a frase fazendo as alterações necessárias:

a) O segundo colocado também será premiado.

b) O primeiro a entrar deu um grito e saiu correndo.

11. Diga se os algarismos que aparecem nas frases abaixo devem ser lidos como ordinais ou cardinais.

a) Você conhece a vida de D. Pedro II?

b) O papa que escreveu essa encíclica mencionada no texto foi João XXIII.

c) Foi D. João VI que determinou a abertura dos portos?

d) Leiam para a próxima aula do capítulo III ao capítulo VIII. E, para a semana seguinte, do capítulo IX ao XV. Depois discutiremos o capítulo XXII em classe.

e) O rei Henrique VIII também participou desses acontecimentos?

12. Suponha que você ganhou na loteria e recebeu um prêmio de R$ 21.216.817,00. Como estaria preenchida a linha que, no cheque, indica por extenso a quantia a ser paga ao portador?

NUMERAL
Exercícios de exames e concursos
[Página 670]

PRONOME

Na frase:

Prendi *teu* cachorro, mas não *o* maltratei.

a palavra **o** substitui e representa o substantivo **cachorro** e a palavra **teu** o determina, isto é, indica que o animal pertence à 2ª pessoa do discurso (a pessoa com quem se fala).

As palavras **o** e **teu**, nessa frase, são *pronomes*.

1 PRONOMES

Pronomes são palavras que substituem os substantivos ou os determinam, indicando a pessoa do discurso.

Pessoa do discurso é a que participa ou é objeto do ato da comunicação.

2 CLASSIFICAÇÃO DOS PRONOMES

Há seis espécies de pronomes:

- pessoais
- possessivos
- demonstrativos
- indefinidos
- relativos
- interrogativos

3 PRONOMES SUBSTANTIVOS E PRONOMES ADJETIVOS

No exemplo citado acima, a palavra **o** é *pronome substantivo*, porque substitui o substantivo *cachorro*, ao passo que **teu** é *pronome adjetivo*, porque determina o substantivo junto do qual se encontra.

4 PRONOMES PESSOAIS

Observe as palavras destacadas deste exemplo:

Mauro havia deitado tarde. *Ele* ainda dormia quando a mãe *o* chamou.

As palavras **ele** e **o** substituem o nome *Mauro*, que é a 3ª pessoa do discurso, ou seja, a pessoa de quem se fala. Por isso, **ele** e **o**, nessa frase, são *pronomes pessoais*.

MORFOLOGIA

Pronomes pessoais são palavras que substituem os substantivos e representam as pessoas do discurso.

As pessoas do discurso (ou pessoas gramaticais) são três:

- **1ª pessoa**

  a que fala: *eu*, *nós*

- **2ª pessoa**

  a com quem se fala: *tu*, *vós*

- **3ª pessoa**

  a pessoa ou coisa de que se fala: *ele*, *ela*, *eles*, *elas*

  Os pronomes pessoais dividem-se em *retos* e *oblíquos*:

- **pronomes retos**

  Funcionam, em regra, como sujeito da oração.

- **oblíquos**

  Funcionam como objetos ou complementos.

  Exemplos:

Sujeito	**Objeto**	**Verbo**
Eu	te	convido.
Nós	o	ajudamos.
Ela	me	chamou.
Eles	lhe	bateram.

Quadro dos Pronomes Pessoais

Pessoas do discurso	Pronomes retos	Pronomes oblíquos
	Função subjetiva	Função objetiva
1ª pessoa do singular	eu	me, mim, comigo
2ª pessoa do singular	tu	te, ti, contigo
3ª pessoa do singular	ele, ela	se, si, consigo, lhe, o, a
1ª pessoa do plural	nós	nos, conosco
2ª pessoa do plural	vós	vos, convosco
3ª pessoa do plural	eles, elas	se, si, consigo, lhes, os, as

Quanto à acentuação, os pronomes oblíquos monossilábicos dividem-se em:

- **tônicos**

    mim, ti, si

- **átonos**

    me, te, se, lhe, lhes, o, a, os, as, nos, vos

Associados a verbos terminados em *-r*, *-s* ou *-z*, e à palavra *eis*, os pronomes **o**, **a**, **os**, **as** assumem as antigas formas **lo**, **la**, **los**, **las**, caindo aquelas consoantes. Exemplos:

Mandaram prendê-**lo**.   Ajudemo-**la**.   Fê-**los** entrar.   Ei-**lo** aqui!

Associados a verbos terminados em ditongo nasal (*-am*, *-em*, *-ão*, *-õe*), os ditos pronomes tomam as formas **no**, **na**, **nos**, **nas**:

Trazem-**no**.   Ajudavam-**na**.   Dão-**nos** de graça.   Põe-**no** aqui.

- **Pronomes oblíquos reflexivos**

    São os que se referem ao sujeito da oração, sendo da mesma pessoa que este. Exemplos:

    Alexandre só pensa em **si**.   Eu **me** machuquei na escada.

    O operário feriu-**se** ao subir no muro.   Nós **nos** perfilamos corretamente.

    Tu não **te** enxergas?   A mãe trouxe as crianças **consigo**.

    Com exceção de **o**, **a**, **os**, **as**, **lhe**, **lhes**, os demais pronomes oblíquos podem ser reflexivos.

    Os pronomes *migo*, *tigo*, *sigo*, *nosco*, *vosco*, do português antigo, se combinaram com a preposição *com*, dando as formas atuais: **comigo**, **contigo**, **consigo**, **conosco**, **convosco**.

5 PRONOMES DE TRATAMENTO

Entre os pronomes pessoais incluem-se os *pronomes de tratamento*, também chamados *formas de tratamento*, que se usam no trato com as pessoas. Dependendo da pessoa a quem nos dirigimos, do seu cargo, título, idade, dignidade, o tratamento será familiar ou cerimonioso.

Eis os principais pronomes de tratamento, seguidos de suas abreviaturas, que, de modo geral, devem ser evitadas:

você (v.): no tratamento familiar, informal

o senhor (Sr.), *a senhora* (Sr.ª): no tratamento de respeito

a senhorita (Sr.ᵗᵃ): a moças solteiras

Vossa Senhoria (V. S.ª): para pessoas de cerimônia, principalmente na correspondência comercial; para funcionários graduados

Vossa Excelência (V. Ex.ª): para altas autoridades

Vossa Reverendíssima (V. Rev.ᵐᵃ): para sacerdotes

Vossa Eminência (V. Em.ª): para cardeais

Vossa Santidade (V. S.): para o Papa

Vossa Majestade (V. M.): para reis e rainhas

Vossa Majestade Imperial (V. M. I.): para imperadores

Vossa Alteza (V. A.): para príncipes, princesas e duques

Esses pronomes são da 2ª pessoa, mas se usam com as formas verbais e os pronomes possessivos da 3ª pessoa. Exemplo:

"Vossa Majestade **pode** partir tranquilo para a *sua* expedição." (Vivaldo Coaraci)

Referindo-se à 3ª pessoa, apresentam-se com o possessivo *sua*: *Sua Senhoria, Sua Excelência, Sua Majestade*, etc. Exemplos:

Sua Excelência volta hoje para Brasília.

"Certa manhã, *Sua Majestade* o rei Marcos I acordou ao som de tiros."

(Ofélia e Narbal Fontes)

Observações:

✔ *Você* (plural *vocês*), usado no trato familiar e íntimo, é a contração de *vosmecê*, que, por sua vez, deriva de *Vossa Mercê*.

✔ Na linguagem popular, é de uso generalizado o tratamento *seu*, forma reduzida de *senhor*: Como vai, *seu* Pedro?

6 PRONOMES POSSESSIVOS

Os *pronomes possessivos* referem-se às pessoas do discurso, atribuindo-lhes a posse de alguma coisa. Por exemplo, na frase:

Meu relógio estava atrasado.

a palavra **meu** informa que o relógio pertence à 1ª pessoa (*eu*). **Meu**, portanto, é um pronome possessivo.

Eis as formas dos pronomes possessivos:

- **1ª pessoa do singular**

  meu, minha, meus, minhas

- **2ª pessoa do singular**

  teu, tua, teus, tuas

- **3ª pessoa do singular**

  seu, sua, seus, suas

- **1ª pessoa do plural**

  nosso, nossa, nossos, nossas

- **2ª pessoa do plural**

  vosso, vossa, vossos, vossas

- **3ª pessoa do plural**

  seu, sua, seus, suas

7 PRONOMES DEMONSTRATIVOS

Pronomes demonstrativos são os que indicam o lugar, a posição ou a identidade dos seres, relativamente às pessoas do discurso. Exemplos:

Compro **este** carro (aqui).

(O pronome **este** indica que o carro está perto da pessoa que fala.)

Compro **esse** carro (aí).

(O pronome **esse** indica que o carro está perto da pessoa com quem falo ou afastado da pessoa que fala.)

Compro **aquele** carro (lá).

(O pronome **aquele** diz que o carro está afastado da pessoa que fala e daquela com quem falo.)

Aos pronomes *este, esse, aquele* correspondem *isto, isso, aquilo,* que são invariáveis e se empregam exclusivamente como substitutos dos substantivos. Exemplos:

Isto é meu.

Isso que você está levando é seu?

Aquilo que Dario está levando não é dele.

São os seguintes os pronomes demonstrativos:

- *este(s), esta(s), esse(s), essa(s), aquele(s), aquela(s), aqueloutro(s), aqueloutra(s), mesmo(s), mesma(s), próprio(s), própria(s), tal, tais, semelhante(s)*

As contrações *aqueloutro, aqueloutra* são raramente usadas em lugar de *aquele outro, aquela outra.*

- *isto, isso, aquilo, o, a, os, as*

  Exemplos:

  Estes rapazes são os mesmos que vieram ontem.

  Os **próprios** sábios podem enganar-se.

  Não digas **tal**.

  Tais crimes não podem ficar impunes.

  Não faças **semelhantes** coisas.

  Ninguém sabe **o** que ele resolveu. [o = aquilo]

  Ela casou ontem. Não **o** sabias? [o = isso]

184 MORFOLOGIA

"Teus dentes não são tão brancos quanto eu **o** desejaria." (Lêdo Ivo)

São poucos **os** que sabem **isto**. [os = aqueles]

Sabeis ser gentis quando **isso** vos convém.

"Eu sou **a** que no mundo anda perdida." (Florbela Espanca) [a = aquela]

"Nunca tive um jardim que se parecesse com **aqueloutro** que ficou lá longe."

(Vivaldo Coaraci)

Observações:

✔ *O, a, os, as* – que também podem ser artigos e pronomes pessoais – são pronomes demonstrativos quando equivalem a *isto, aquilo, aquele, aquela, aqueles, aquelas*: Leve *o* (= aquilo) que lhe pertence. É esta *a* (= aquela) que você quer?

✔ A locução *o quê*, salvo melhor interpretação, é pronome demonstrativo em frases como: O médico examinou minuciosamente o enfermo; após *o quê*, prescreveu-lhe repouso absoluto. [o quê = isso]

✔ Pode ocorrer a contração das preposições *a, de, em* com pronome demonstrativo: *àquele, àquela, deste, desta, disso, nisso, no*, etc. Exemplos:

Cheguei *àquele* sítio às 10 horas. [àquele = a aquele]

Não acreditei *no* que estava vendo. [no = naquilo]

6 PRONOMES RELATIVOS

Veja este exemplo:

Armando comprou a casa **que** lhe convinha.

A palavra **que** representa o substantivo *casa*, relaciona-se com o termo *casa*: é um *pronome relativo*.

> **Pronomes relativos *são palavras que representam substantivos já referidos, com os quais estão relacionadas. Daí denominarem-se relativos.***

A palavra que o pronome relativo representa chama-se *antecedente*. No exemplo dado, o antecedente de **que** é **casa**.

Outros exemplos de pronomes relativos:

Sejamos gratos a Deus, a **quem** tudo devemos.

O lugar **onde** paramos era deserto.

Traga tudo **quanto** lhe pertence.

Leve tantos ingressos **quantos** quiser.

Posso saber o motivo por **que** (ou pelo **qual**) desistiu do concurso?

Levarei alguns livros na viagem, com **os quais** pretendo encher o tempo.

"Por fim, entrou numa rua larga, com muitas árvores, através **das quais** se avistava o rio."

(ÉRICO VERÍSSIMO)

"Depois, seu olhar se fixou no corrimão da escada, **cujos** degraus não voltaria a pisar."

(LÊDO IVO)

"… uma catedral imensa, **cujas** torres tocassem o céu." (CIRO DOS ANJOS)

"Tirei um colete velho, em **cujo** bolso trazia cinco moedas de ouro." (MACHADO DE ASSIS)

"Afinal deram com uma caverna, **cuja** entrada transpuseram com agilidade."

(MARIA DE LOURDES TEIXEIRA)

Eis o quadro dos pronomes relativos:

VARIÁVEIS				INVARIÁVEIS
masculino		feminino		
o qual	os quais	a qual	as quais	quem
cujo	cujos	cuja	cujas	que
quanto	quantos	quanta	quantas	onde

Observações:

✔ O pronome relativo *quem* só se aplica a pessoas, tem antecedente, vem sempre precedido de preposição e equivale a *o qual*: O médico de *quem* falo é meu conterrâneo.

✔ Os pronomes *cujo, cuja* significam *do qual, da qual* e precedem sempre um substantivo sem artigo: Qual será o animal *cujo nome* a autora não quis revelar? [*cujo nome* = o nome do qual]

✔ *Quanto(s)* e *quanta(s)* são pronomes relativos quando precedidos de um dos pronomes indefinidos *tudo, tanto(s), tanta(s), todos, todas*: Tenho tudo *quanto* quero. Leve tantos *quantos* precisar. Nenhum ovo, de todos *quantos* levei, se quebrou.

✔ *Onde*, como pronome relativo, tem sempre antecedente e equivale a *em que*: A casa *onde* moro foi de meu avô. [*onde* = em que]

Os pronomes relativos nos permitem reunir duas orações numa só frase. Exemplos:

Das árvores caíam folhas.
O vento levava essas folhas. } Das árvores caíam folhas, **que** o vento levava.

Os planetas são súditos.
O rei deles é o Sol. } Os planetas são súditos **cujo** rei é o Sol.

186 MORFOLOGIA

O futebol é um esporte.
O povo gosta muito deste esporte. } O futebol é um esporte **de que** o povo gosta muito.

Visitei a cidade.
Você nasceu nessa cidade. } Visitei a cidade **onde** você nasceu.

O local é perigoso.
Você se dirige ao local. } É perigoso o local **a que** você se dirige.

Tenho uma coleção de quadros.
Já me ofereceram milhões por ela. } Tenho uma coleção de quadros **pela qual** já me ofereceram milhões.

9 PRONOMES INDEFINIDOS

Estes pronomes se referem à 3ª pessoa do discurso, designando-a de modo vago, impreciso, indeterminado.

▪ Pronomes indefinidos substantivos

Funcionam como substantivo.

algo, alguém, fulano, sicrano, beltrano, nada, ninguém, outrem, quem, tudo

Exemplos:

Algo o incomoda?

Acreditam em **tudo** o que **fulano** diz ou **sicrano** escreve.

Não faça a **outrem** o que não queres que te façam.

Quem avisa amigo é.

Encontrei **quem** me pode ajudar.

Ele gosta de **quem** o elogia.

Observação:

✔ *Quem*, pronome indefinido, ao invés do pronome relativo *quem*, não tem antecedente.

▪ Pronomes indefinidos adjetivos

Funcionam como adjetivo.

cada, certo, certos, certa, certas

Exemplos:

Cada povo tem seus costumes.

Certas pessoas exercem várias profissões.

Certo dia apareceu em casa um repórter famoso.

- **Ora são pronomes adjetivos, ora pronomes substantivos**

    algum, alguns, alguma(s), bastante(s) (= muito, muitos), demais, mais, menos, muito(s), muita(s), nenhum, nenhuns, nenhuma(s), outro(s), outra(s), pouco(s), pouca(s), qualquer, quaisquer, qual, que, quanto(s), quanta(s), tal, tais, tanto(s), tanta(s), todo(s), toda(s), um, uns, uma(s), vários, várias

    Exemplos:

    Alguns contentam-se com **pouco**.

    Nesses rios havia **muito** ouro.

    Fiquei **bastante** tempo à sua espera.

    Nenhum dia se passe, sem que **algum** bem se faça.

    "**Menos** palavras e **mais** ações", disse ele, encerrando o discurso.

    Dois tripulantes se salvaram; os **demais** pereceram.

    "Seu Ivo não mora em parte **nenhuma**." (Graciliano Ramos)

    Quantos há ali a quem a fome obriga a aceitar **quaisquer** tarefas!

    João tinha **vários** planos, **qual** (= cada qual) mais arrojado e difícil.

    Não sabíamos **que** fazer; no entanto, havia **muito** que fazer.

    Eu estava invadida não sei por **que** estranhos sentimentos.

    Que loucura cometeste!

    O médico atendia a **quantos** o procurassem.

    "Olhos de **tanta** suavidade **quanta** penetração." (Camilo Castelo Branco)

    Diz as coisas com **tal** jeito que **todos** o aprovam.

    "Mas, apesar disso, **um** que facilitou, como eu, está sempre com a pulga atrás da orelha."

    (Monteiro Lobato)

    Uns partem, **outros** ficam.

Observações:

✔ Os pronomes deste grupo que exprimem quantidade, como *mais, menos, muito, pouco*, etc., funcionam como advérbios de intensidade, quando modificam adjetivos, verbos ou advérbios. *Quanto*, além de pronome indefinido (*Quanto* dinheiro gastou!), pode ser pronome relativo (Devolva tudo *quanto* lhe dei.) e advérbio de intensidade (Você sabe *quanto* a estimo.).

✔ *Bastante*, na acepção de *suficiente*, é adjetivo: Há comida *bastante*? Não houve provas *bastantes* para condenar o réu.

✔ Quando são pronomes adjetivos, *um, uns, uma(s)* confundem-se, na maioria dos casos, com os artigos indefinidos.

188 MORFOLOGIA

- **Locuções pronominais indefinidas**

> *cada qual, cada um, qualquer um, quantos quer (que), quem quer (que), seja quem for, seja qual for, todo aquele (que), tal qual (= certo), tal e qual, tal ou qual, um ou outro, uma ou outra, etc.*

Exemplos:

"**Cada qual** tem o ar que Deus lhe deu." (Machado de Assis)

"No tronco havia **tal qual** inclinação." (Camilo Castelo Branco)

"… com **tais e tais** enfeites." (Machado de Assis)

"Sentia umas **tais ou quais** cócegas de curiosidade." (Machado de Assis)

Apenas **uma ou outra** pessoa entrava naquela loja.

10 PRONOMES INTERROGATIVOS

Os pronomes interrogativos se usam em frases interrogativas. Como os indefinidos, referem-se de modo impreciso à 3ª pessoa do discurso. Exemplos:

Que há?	**Que** dia é hoje?
Reagir contra **quê**?	Por **que** motivo não veio?
Quem foi?	**Qual** será?
Quantos vêm?	**Quantas** pessoas moram aqui?

EXERCÍCIOS

LISTA 23

1. A que pessoa do discurso se referem os pronomes desta frase?

Você deve ir **comigo** para **os** receber.

2. Escreva as frases, colocando na frente **A** ou **S,** conforme houver **pronome adjetivo** ou **pronome substantivo**:

Aquilo não era bom sinal.

O mascate conhecia bem aquelas paragens.

Havia muita gente.

Quem avisa amigo é.

3. Reorganize as colunas, realizando a correspondência correta entre as frases, de acordo com os pronomes em destaque:

Isto é muito importante.	(1) pessoal
Todos **a** olhavam curiosos.	(2) possessivo
Veja **quem** é.	(3) demonstrativo
São amiguinhas a **quem** quero muito bem.	(4) indefinido

Que lhe diria você?　　　　　　　　　　　(5) relativo

Guardei o que é **vosso**.　　　　　　　　　(6) interrogativo

4. Substitua o ∗ pelos pronomes pessoais adequados, na pessoa indicada entre parênteses:

a) Que ∗ teria acontecido? (3ª pessoa do plural)

b) Aqui ninguém ∗ incomodará. (3ª pessoa do plural)

c) Ele falava alto para ∗ ouvi-lo. (1ª pessoa do singular)

d) Após ligeiro desmaio, ela voltou a ∗ . (3ª pessoa do singular)

e) Meus amigos imploravam para ∗ atravessar o rio. (1ª pessoa do singular)

f) O que resta agora entre mim e ∗ ? (2ª pessoa do singular)

g) Os gritos dele chegaram até ∗. (1ª pessoa do singular)

5. Anexe corretamente os pronomes oblíquos aos verbos:

a) chamar + o =

b) conhecer + a =

c) levem + o =

d) indispõe + a =

e) convidam + o =

f) seguimos + os =

g) vimos + as =

h) fez + os =

6. Escreva as frases, colocando em seguida a elas **A** ou **T**, conforme o pronome em destaque seja átono ou tônico:

Não **nos** apressemos.

Elói era um rapaz cheio de **si**.

Não vá sem **mim**.

Ele atirou-**se** ao mar.

7. Copie somente a frase em que ocorre pronome reflexivo:

Pendura-**se** a roupa num galho de árvore.

O macaco pendura-**se** num galho de árvore.

8. Copie apenas o pronome de tratamento referente a príncipes:

Vossa Excelência – Vossa Eminência – Vossa Alteza

9. Substitua corretamente ∗ por **Vossa** ou **Sua**, conforme a pessoa do discurso:

a) ∗ Excelência estava bem-humorado. (3ª pessoa)

b) ∗ Excelência pretende viajar para a Europa? (2ª pessoa)

10. Reconheça e classifique os pronomes:

a) "Qualquer pessoa que lesse tal coisa não a levaria a sério." (Carlos Drummond de Andrade)

b) "Ninguém teve coragem de falar antes que ela o fizesse." (José Condé)

c) "Tudo isso são prazeres que um intelectual modesto pode usufruir." (Rubem Braga)

d) "Olhe, se esta [casa] vale os cinquenta contos, quantos não vale a que você deseja para si, a do Campos?" (Machado de Assis)

e) "O alumínio era algo que as fascinava." (Edy Lima)

f) "Quem pode adivinhar o que se passa na mente de outrem?" (José Fonseca Fernandes)

g) "E depois todos entravam numa jaula cuja chave se perdia." (Lêdo Ivo)

h) "Iam pela ilharga da montanha, sobre lajes que tornavam cavos quaisquer ruídos." (José Geraldo Vieira)

11. Identifique os pronomes relativos e indique seus antecedentes:

a) O artista vendeu todos os quadros que pintou.

b) Já houve muitas espécies de elefantes, das quais só restam duas.

c) Queria ir para uma cidade onde houvesse mais conforto.

d) O diretor recebeu os ex-alunos, com quem manteve longa conversa.

e) Abri um grande álbum, cujas páginas estavam amarelecidas.

12. Por meio de pronomes relativos adequados, junte cada par de frases numa só, fazendo as modificações necessárias.

a) Tio Onofre contava histórias. As histórias dele me apavoravam.

b) Junto à fonte vi uma jovem. Pedi a ela um pouco d'água.

c) Os planetas são súditos. O rei deles é o Sol.

d) Veja o perigo. Você se expõe a esse perigo.

e) Antes do jogo houve uma cerimônia cívica. Durante essa cerimônia o povo se manteve em silêncio.

13. Classifique a palavra **um** de acordo com a classe gramatical a que pertence.

O que **um** faz todos aprovam.   (1) artigo indefinido

Não lhe sobrou **um** só real.   (2) pronome indefinido

Lutou como **um** herói.   (3) numeral cardinal

14. Classifique o pronome **quem** destacado nas frases abaixo, de acordo com a coluna numerada:

Quem procura acha.

Quem é perfeito?

Conhece a pessoa a **quem** me refiro?

(1) **relativo**

(2) **indefinido**

(3) **interrogativo**

15. Copie as frases abaixo, antepondo as letras **R**, **D** ou **T**, conforme o pronome **que** for **relativo**, **indefinido** ou **interrogativo**.

As aulas a **que** assisti foram proveitosas.

"**Que** incógnitos veios de ouro exploram?" (Camilo Castelo Branco)

Não sabia **que** responder.

Você o chamou para **quê**?

"Cada experiência por **que** passamos é favor da vida." (Vivaldo Coaraci)

"Desanimaram não sei por **quê**." (Aníbal Machado)

16. Copie as frases e ao lado de cada uma escreva **A**, **D**, **O** ou **P**, conforme as palavras **o**, **a**, **os**, **as** forem **artigo**, **pronome demonstrativo**, **pronome pessoal oblíquo** ou **preposição**.

a) Corro até **a** janela e abro-**a**.

b) Abri **a** do meio e daí **a** pouco **a** fechei.

c) Amparei **os** que precisavam de amparo.

d) **As** que eu tenho não **as** dou **a** ninguém.

e) Não **o** aconselho **a** ficar aqui.

f) "Era uma bela ponte, ele próprio **o** reconhecia." (Aníbal Machado)

g) "**A** modéstia doura **os** talentos, **a** vaidade **os** deslustra." (Marquês de Maricá)

h) Eu não **a** ajudo por interesse: faço-**o** por pura amizade.

17. Substitua o * nas frases pelos pronomes pessoais oblíquos adequados:

a) Quando * pedem algum favor, Nélson * faz com prazer.

b) Eles tentam fugir, mas não conseguem: uma estranha força * mantém imóveis.

c) Quando a atriz aparecia, saudavam * aos gritos, atiravam * flores.

d) A esbelta ginasta rodopiou sobre * mesma, leve, graciosa.

18. Troque o * por pronomes relativos adequados ao contexto:

a) Ele não respondeu à pergunta * lhe fiz.

b) Aproximei-me da mesa de pingue-pongue, sobre * havia duas raquetes.

c) São perigosos os rios em * águas vivem sucuris.

d) O moço a * me dirigi parecia ser o gerente da loja.

e) Elza chamou o filho da vizinha, * veio correndo.

19. Reorganize as colunas, de maneira a corresponderem à classe gramatical de **quanto**:

1. **Quanto** ouro existe ali!   (1) pronome relativo

2. Tenho tudo **quanto** quero.   (3) advérbio de intensidade

3. Sabes **quanto** te amo.   (2) pronome indefinido

20. Forme uma frase com o pronome **menos** seguido de substantivo feminino.

21. Substitua os asteriscos nas frases pelos pronomes adequados:

a) Percorri ***** país, de norte a sul. (*todo – todo o*)

b) Nem ***** país é banhado pelo mar. (*todo – todo o*)

c) Peço a Vossa Senhoria me envie o ***** currículo. (*seu – vosso*)

d) Lembra a água corrente ***** tua voz. (*esta – essa*)

e) Grave bem *****: É melhor prevenir o mal do que remediá-lo. (*isto – isso*)

22. Aponte os substantivos a que se referem os pronomes oblíquos usados nas frases abaixo:

a) Sérgio trouxe uma camisa e, com repugnância, **a** entregou ao irmão.

b) "Escrevo perfeitamente ouvindo os grilos. Havia uma orquestra deles, mas eu nem **os** notava." (Graciliano Ramos)

c) "[...]e a velha tinha um ar sabido, nem sequer escondia o sorriso. O melhor seria não deixá-**la** sozinha na saleta, com o armário de louça nova." (Clarice Lispector)

d) "Com tanto choro, o pai acordou lá dentro, e veio, estremunhado, ver de que se tratava. O menino mostrou-**lhe** a tartaruga morta." (Millôr Fernandes)

23. Complete usando o pronome demonstrativo adequado para indicar a posição dos objetos em relação às pessoas do discurso:

a) Traga-me * revista. (*A revista está longe do falante e do ouvinte.*)

b) Onde você comprou * revista? (*A revista está nas mãos do ouvinte.*)

c) * camisa é um presente para você. (*O objeto está nas mãos do falante.*)

24. Complete as frases usando corretamente as formas pronominais **eu** ou **mim**:

a) O cãozinho deitou-se entre * e meu namorado.

b) Eu sempre socorri os que precisavam de *.

c) Este exercício é para * fazer em casa?

d) Você está certo de que as rosas são para * ?

e) Essas rosas são para * entregar à Marta?

f) Não faça nada sem * mandar!

MORFOLOGIA 193

25. Reescreva as frases substituindo o termo destacado por um pronome oblíquo:

a) Entreguei *seu material* ao diretor.

b) Entreguei seu material *ao diretor*.

c) Levei *os alunos da creche* ao parque de diversões.

d) Pretendo consultar *o advogado* imediatamente.

e) Fizeram *o funcionário* desistir da promoção!

26. Aponte e corrija erros na utilização dos pronomes pessoais; apenas em uma frase não há erro:

a) Renato estava entre eu e Leandro.

b) Professor, queremos conversar consigo.

c) O médico trouxe consigo os remédios que utilizaria durante a consulta.

d) Receberam nós com carinho e atenção.

e) Infelizmente, não deu para mim sair mais cedo hoje.

f) Liana, tenho uma encomenda para si.

27. Faça o mesmo em relação aos pronomes demonstrativos e relativos. Apenas em uma frase não há erro:

a) Chorar e lamentar-se, isto não resolverá seus problemas.

b) Pense nisso: amanhã estaremos em nossa velha casa.

c) Até este chapéu que tens na cabeça me pertence!

d) Os pais cujos os filhos se comportaram mal deverão permanecer na sala.

e) Pretendíamos falar duramente com ele, mas não o fizemos.

f) Taís e Renato tinham temperamentos diferentes: esta era calma e alegre; aquele, agitado e loquaz.

28. O pronome pessoal utilizado *consigo*, no item *c)* do exercício 26, foi utilizado corretamente. Use-o em outra frase.

29. O pronome demonstrativo *o*, no item *e)* do exercício 27, foi usado corretramente. Use-o numa frase semelhante.

PRONOME
Exercícios de exames e concursos

[Página 671]

VERBO

Considere estes exemplos:

O criado **abriu** o portão.   [**abriu** exprime uma ação]
Fernando **estava** doente.   [**estava** exprime um estado, uma situação]
Nevou em São Joaquim.   [**nevou** exprime um fato, um fenômeno]

As palavras *abriu*, *estava* e *nevou* são verbos.

1 VERBO

Verbo é uma palavra que exprime ação, estado, fato ou fenômeno.

O verbo é palavra indispensável na organização do período.

Dentre as classes de palavras, o verbo é a mais rica em flexões. Com efeito, o verbo reveste diferentes formas para indicar a pessoa do discurso, o número, o tempo, o modo e a voz. Ao conjunto ordenado das flexões ou formas de um verbo dá-se o nome de *conjugação*.

2 PESSOA E NÚMERO

O verbo varia para indicar o número e a pessoa. Exemplo:

	singular	plural
1ª pessoa	eu *penso*	nós *pensamos*
2ª pessoa	tu *pensas*	vós *pensais*
3ª pessoa	ele *pensa*	eles *pensam*

3 TEMPOS VERBAIS

Os **tempos** situam o fato ou a ação verbal dentro de determinado momento (*durante* o ato da comunicação, *antes* ou *depois* dele). São três os tempos verbais:

- presente

Agora eu *leio*.

- **pretérito (= passado)**

    a) imperfeito: Depois de entrar, ele *trancava* a porta.
    b) perfeito: Ele *trancou* a porta.
    c) mais-que-perfeito: Quando cheguei, ele já *trancara* a porta.

- **futuro**

    a) do presente: Beatriz *ganhará* o prêmio.
    b) do pretérito: Beatriz *ganharia* o prêmio.

    Não nos parece adequada a denominação *futuro do presente*. Bastaria chamar esse tempo simplesmente de *futuro*.

    Quanto à forma, os tempos podem ser *simples* ou *compostos*.

    Na conjugação ativa, os tempos simples apresentam-se sob formas simples (*leio, andava, corremos*, etc.) e os compostos, sob formas compostas (*tenho lido, tinham andado, havia corrido,* etc.).

    Na voz passiva, tanto os tempos simples como os compostos apresentam formas compostas: *sou premiado, fomos chamados, tens sido visto*, etc.

4 MODOS DO VERBO

Os **modos** indicam as diferentes maneiras de um fato se realizar. São três:

- **indicativo**

    Exprime um fato certo, positivo:
    Vou hoje.   *Saíram* cedo.

- **imperativo**

    Exprime ordem, proibição, conselho, pedido:
    Volte logo.   Não *fiquem* aqui.   *Sejam* prudentes.

- **subjuntivo**

    Enuncia um fato possível, duvidoso, hipotético:
    É possível que *chova*.   Se você *trabalhasse*, não passaria fome.

5 FORMAS NOMINAIS

Além desses três modos, existem as **formas nominais** do verbo, que enunciam simplesmente um fato, de maneira vaga, imprecisa, impessoal. São formas nominais do verbo:

- **o infinitivo**

    plantar, vender, ferir

- **o gerúndio**

    plantando, vendendo, ferindo

- **o particípio**

    plantado, vendido, ferido

MORFOLOGIA

> **Observação:**
>
> ✔ Chamam-se *formas nominais* porque, sem embargo de sua significação verbal, podem desempenhar as funções próprias dos nomes, substantivos e adjetivos: o *andar*, água *fervendo*, tempo *perdido*.

O infinitivo pode ser *pessoal* ou *impessoal*. Denomina-se:

a) **pessoal**, quando tem sujeito:

Para *sermos* vencedores, é preciso lutar. [sujeito: *nós*]

b) **impessoal**, quando não tem sujeito:

"*Ser* ou *não ser*, eis a questão." (SHAKESPEARE)

O infinitivo pessoal ora se apresenta *flexionado*, ora *não flexionado*:

a) **flexionado**: andares tu, andarmos nós, andardes vós, andarem eles
b) **não flexionado**: andar eu, andar ele

6 VOZ

Quanto à **voz**, os verbos se classificam em:

- **ativos**

  O patrão *chamou* o empregado.

- **passivos**

  O empregado *foi chamado* pelo patrão.

- **reflexivos**

  A criança *feriu-se* na gangorra.

7 VERBOS AUXILIARES

Verbos auxiliares são os que se juntam a uma forma nominal de outro verbo para constituir a voz passiva, os tempos compostos e as locuções verbais:

Somos castigados pelos nossos erros.

Tenho estudado muito esta semana.

Jacinto *havia* chegado naquele momento.

O mecânico *estava* consertando o carro.

O secretário *vai* anunciar os resultados.

Começava a escurecer na cidade de Itu.

Principais verbos auxiliares:

ter, haver, ser, estar.

Veja na pág. 200 (locuções verbais) outros exemplos de verbos auxiliares.

8 CONJUGAÇÕES

Os verbos da língua portuguesa se agrupam em três conjugações, de conformidade com a terminação do infinitivo:

- Os da 1ª conjugação terminam em **-ar**: *cantar*, *falar*, *amar*, etc.

- Os da 2ª conjugação terminam em **-er**: *bater*, *comer*, *ver*, etc.

- Os da 3ª conjugação terminam em **-ir**: *partir*, *abrir*, *rir*, etc.

Cada conjugação se caracteriza por uma vogal temática:

A → 1ª conjugação: lev**ar**

E → 2ª conjugação: bat**er**

I → 3ª conjugação: un**ir**

Ao radical acrescido de vogal temática chama-se *tema*. Nos verbos supracitados os temas são *leva-*, *bate-* e *uni-*, respectivamente.

Observações:

✔ O verbo *pôr*, antigo *poer* (do latim *ponere*), perdeu a vogal temática do infinitivo. É um verbo anômalo da 2ª conjugação.

✔ A nossa língua possui aproximadamente onze mil verbos, dos quais mais de dez mil são da 1ª conjugação. Hoje, esta é a única conjugação prolífica. Exemplos: *televisionar*, *teleguiar*, *agilizar*, *globalizar*, etc.

9 ELEMENTOS ESTRUTURAIS DOS VERBOS

Num verbo devemos distinguir o *radical*, que é o elemento básico, normalmente invariável, e a *terminação*, que varia para indicar o tempo e o modo, a pessoa e o número. Exemplos:

radical	terminação	radical	terminação
cant-	ar	cant-	avas
vend-	er	vend-	ia
part-	ir	part-	imos
traz-	er	troux-	eram

Na terminação, ou seja, na parte flexiva do verbo, encontramos pelo menos um destes elementos:

MORFOLOGIA

- **vogal temática**

  Caracteriza a conjugação.

- **desinência modo-temporal**

  Indica o modo e o tempo do verbo: na forma *andáSSEmos*, por exemplo, o elemento destacado denota o pretérito imperfeito do subjuntivo.

- **desinência número-pessoal**

  A flexão *-mos* de *partimos*, por exemplo, configura a primeira pessoa do plural.

10 TEMPOS PRIMITIVOS E DERIVADOS

Quanto à formação, dividem-se os tempos em *primitivos* e *derivados*. São tempos primitivos:

- o **presente do infinitivo impessoal**: amar, caber, etc.;
- o **presente do indicativo** (1ª e 2ª pessoas do singular e 2ª pessoa do plural): digo, dizes, dizeis;
- o **pretérito perfeito do indicativo** (3ª pessoa do plural): disseram.

Os tempos derivados formam-se com o radical dos primitivos.

Vamos esquematizar a formação dos tempos simples da voz ativa:

- O **presente do infinitivo**

Exemplo: **caber**

forma:

a) o pretérito imperfeito do indicativo: *cabia, cabias, cabia*, etc.

b) o futuro do presente: *caberei, caberás, caberá*, etc.

c) o futuro do pretérito: *caberia, caberias, caberia*, etc.

d) o infinitivo pessoal: *caber, caberes, caber*, etc.

e) o gerúndio: *cabendo*

f) o particípio: *cabido*

- O **presente do indicativo**

Exemplo: **digo**, **dizes**, **dizeis**

forma:

a) o presente do subjuntivo: *digo*   →   *diga, digas, diga, digamos, digais, digam*

b) o imperativo afirmativo: *dizes*   →   *dize; dizeis → dizei*

▪ Do pretérito perfeito do indicativo

Exemplo: **disseram**

derivam:

a) o pretérito mais-que-perfeito do indicativo: *dissera, disseras, dissera*, etc.
b) o pretérito imperfeito do subjuntivo: *dissesse, dissesses, dissesse*, etc.
c) o futuro do subjuntivo: *disser, disseres, disser*, etc.

11 MODO IMPERATIVO

Considerem-se estes exemplos de Machado de Assis:

"*Anda, aprende,* tola!"   →   imperativo afirmativo
"*Não te assustes,* disse ela."   →   imperativo negativo

▪ imperativo afirmativo

Forma-se assim: a 2ª pessoa do singular (tu) e a 2ª do plural (vós) derivam das pessoas correspondentes do presente do indicativo, suprimindo-se o **s** final; as demais pessoas (você, nós, vocês) são tomadas do presente do subjuntivo, sem qualquer alteração.

▪ imperativo negativo

Não possui, em português, formas especiais: suas pessoas são iguais às correspondentes do presente do subjuntivo.

Atente-se para o seguinte quadro:

12 FORMAÇÃO DO IMPERATIVO

Pessoas	Presente do indicativo	Imperativo afirmativo	Presente do subjuntivo	Imperativo negativo
tu	dizes →	dize	digas →	não digas
você		diga	← diga →	não diga
nós		digamos	← digamos →	não digamos
vós	dizeis →	dizei	digais →	não digais
vocês		digam	← digam →	não digam

Observações:

✔ O verbo *ser* no imperativo afirmativo faz, excepcionalmente: *sê* (tu), *sede* (vós).

✔ O imperativo não possui a 1ª pessoa do singular nem as 3ªs pessoas. As formas verbais correspondentes aos pronomes de tratamento (você, vocês, o senhor, os senhores, etc.), embora revistam aspecto de 3ª pessoa, verdadeiramente referem-se à 2ª pessoa do discurso (a pessoa com quem se fala).

13 FORMAÇÃO DOS TEMPOS COMPOSTOS

Eis como se formam os tempos compostos:

▪ tempos compostos da voz ativa

São formados pelos verbos auxiliares *ter* ou *haver*, seguidos do particípio do verbo principal:

Tenho trabalhado muito.
Havíamos saído cedo.
Tinham posto a mesa no salão.

▪ tempos compostos da voz passiva

Formam-se com o concurso simultâneo dos auxiliares *ter* (ou *haver*) e *ser*, seguidos do particípio do verbo principal:

Tenho sido maltratado por ele.
Os dois *tinham* (ou *haviam*) *sido vistos* no cinema.

▪ locuções verbais

Outro tipo de conjugação composta – também chamada *conjugação perifrástica* – são as **locuções verbais**, constituídas de um verbo auxiliar seguido de gerúndio ou infinitivo do verbo principal:

Tenho de ir hoje. *Hei de ir* amanhã.
Estava lendo o jornal. Não *podia atender*.
Que *vais fazer*? *Ficas esperando* o quê?
Ela *começou a rir*, não *queria comprometer-se*.
Não *devem hesitar*. *Podemos precisar* dele.
Deveis ir prestar-lhe vossas homenagens.
Clóvis *anda viajando*. Ele *vive fazendo* projetos.
Sandra *veio correndo*: o noivo *acabara de chegar*.
João *entrou a falar* alto. [*entrou* = começou]
O jornal *voltou a circular*.

(No último exemplo, *voltou* é verbo auxiliar e *circular*, verbo principal.)

14 VERBOS REGULARES, IRREGULARES E DEFECTIVOS

Quanto à conjugação, dividem-se os verbos em:

▪ regulares

Os que seguem um paradigma ou modelo comum de conjugação, mantendo o radical invariável: *cantar*, *bater*, *partir*, etc.

▪ irregulares

Os que sofrem alterações no radical e/ou nas terminações, afastando-se do paradigma: *dar*, *trazer*, *dizer*, *ir*, *ouvir*, etc.

MORFOLOGIA 201

> **Observação:**
>
> ✔ Entre os irregulares destacam-se os *anômalos*, como os verbos *pôr* (sem vogal temática no infinitivo), *ser* e *ir* (que apresentam radicais diferentes: *sou, era, fui; vou, ia, fui*).

▪ defectivos

Os que não possuem a conjugação completa, não sendo usados em certos modos, tempos ou pessoas: *abolir, demolir, reaver, precaver, soer*, etc.

EXERCÍCIOS

LISTA 24

1. Reorganize as colunas de acordo com o que os verbos exprimem nas frases:

Quando **venta**, o tempo esfria.	ação
Atravessei o rio a nado.	estado
Sarita **era** alegre, expansiva.	fenômeno

2. Destaque os elementos estruturais da forma verbal **cortássemos:**

radical / desinência modo-temporal / tema / desinência número-pessoal

3. Dê o que se pede acerca de cada um dos verbos em destaque:

— Homens armados **invadirão** a casa em que **moras** e matarão tua mulher e filhos – **disse**-me o vidente.

— Não **creio** que isso **aconteça** — contestei com ironia —, não tenho mulher nem filhos e moro sob uma ponte.

a) conjugação;

b) pessoa;

c) número;

d) tempo;

e) modo.

4. Reorganize as três colunas correlacionando-as corretamente:

Vá agora, Luís.	indicativo	fato incerto
O náufrago **salvou**-se.	subjuntivo	ordem
Talvez Elói não **venha**.	imperativo	fato certo

5. Reorganize corretamente as duas colunas e identifique, oralmente, os tempos verbais:

O vento **soprava** forte.	fato atual
Fiz o que lhe **prometera**.	fato passado não concluído
Assistirei às Olimpíadas.	fato passado concluído
Preciso de um dicionário.	fato passado anterior a outro também passado

MORFOLOGIA

Prometi que o **ajudaria**.   fato a ser realizado

Elas **colheram** a uva.   fato futuro situado no passado

6. Copie o quadro abaixo, substituindo os asteriscos pelas formas do imperativo do verbo **falar**:

Pessoas	Presente do indicativo	Imperativo afirmativo	Presente do subjuntivo	Imperativo negativo
Tu	falas (-s) →	****	fales →	Não ****
Você	–	****	← fale →	Não ****
Nós	–	****	← falemos →	Não ****
Vós	falais (-s) →	****	faleis →	Não ****
Vocês	–	****	← falem →	Não ****

7. Escreva as frases e sublinhe as locuções verbais:

a) Quando Joel chegou, eu estava abrindo as garrafas.

b) Clóvis terá de trabalhar dobrado e sua vida vai ficar mais dura.

8. Indique a voz dos verbos:

a) A carta **foi lida** por todas.

b) João **feriu-se** na obra.

c) **Acendemos** a fogueira.

d) O mel **é produzido** pelas abelhas.

9. Complete as frases substituindo o * pelo presente do indicativo ou pelo presente do subjuntivo, conforme convenha:

a) Quero que ele * em casa hoje. (ficar)

b) É possível que eu não * para o hotel. (voltar)

c) Não creio que ele * o serviço hoje. (terminar)

d) Sempre que eu lhe *, ela * por monossílabos. (telefonar/responder)

e) Eu * que você não * feliz. (pensar/ser)

10. Complete usando o pretérito perfeito, o pretérito imperfeito ou o mais-que-perfeito do indicativo dos verbos entre parênteses:

a) Eu * a carteira que * no dia anterior. (encontrar/perder)

b) Eles sempre me * que * futebol quando jovens. (dizer/jogar)

c) Minha mãe * a carne, quando o gás *. (cozinhar/acabar)

11. Complete usando o futuro do presente ou o futuro do pretérito do indicativo:

a) Se forem bem tratados, esses canteiros * repletos de flores. (ficar)

b) Prometi a seu pai que não o * sozinho. (deixar)

c) Eu * com meu chefe se as circunstâncias o exigirem. (falar)

d) O pai decidiu que todos se * para a capital. (mudar)

12. Escreva frases com os verbos abaixo, começando a frase com as palavras "Quando eu..." ou "Se eu".

a) fazer

b) trazer

c) ir

d) vir

e) pôr

13. Escreva as frases abaixo utilizando os verbos na voz passiva (veja p. 220, nº 18):

a) Um estrangeiro comprou todas as peças de cerâmica.

b) A nova bibliotecária comprou vários livros de História.

c) Os jogadores fizeram muitas promessas aos torcedores do clube.

d) A polícia cercará a praça Manuel Bandeira.

e) Os críticos sempre elogiam obras de vanguarda.

14. Complete as frases, flexionando corretamente os verbos irregulares entre parênteses:

a) Se * mais alguma coisa no carro, me avise. (caber)

b) Se você * o que lhe pedi, eu * o dinheiro. (fazer/trazer)

c) Se Júlio * as malas no carro e Ivan * conosco, partiremos. (pôr/ir)

d) Sempre * os conselhos que me dão e * explicações sobre aquilo que não entendo. (ouvir/pedir)

e) Quando seus primos * vir, * lhes que * seus agasalhos. (querer/dizer/pôr)

VERBOS AUXILIARES

ser, estar, ter, haver

INDICATIVO

1. **presente**

sou	estou	tenho	hei
és	estás	tens	hás
é	está	tem	há
somos	estamos	temos	havemos
sois	estais	tendes	haveis
são	estão	têm	hão

2. **pretérito imperfeito**

era	estava	tinha	havia
eras	estavas	tinhas	havias
era	estava	tinha	havia
éramos	estávamos	tínhamos	havíamos
éreis	estáveis	tínheis	havíeis
eram	estavam	tinham	haviam

3. pretérito perfeito simples

fui	estive	tive	houve
foste	estiveste	tiveste	houveste
foi	esteve	teve	houve
fomos	estivemos	tivemos	houvemos
fostes	estivestes	tivestes	houvestes
foram	estiveram	tiveram	houveram

4. pretérito perfeito composto

tenho sido	tenho estado	tenho tido	tenho havido
tens sido	tens estado	tens tido	tens havido
tem sido	tem estado	tem tido	tem havido
temos sido	temos estado	temos tido	temos havido
tendes sido	tendes estado	tendes tido	tendes havido
têm sido	têm estado	têm tido	têm havido

5. pretérito mais-que-perfeito simples

fora	estivera	tivera	houvera
foras	estiveras	tiveras	houveras
fora	estivera	tivera	houvera
fôramos	estivéramos	tivéramos	houvéramos
fôreis	estivéreis	tivéreis	houvéreis
foram	estiveram	tiveram	houveram

6. pretérito mais-que-perfeito composto

tinha sido	tinha estado	tinha tido	tinha havido
tinhas sido	tinhas estado	tinhas tido	tinhas havido
tinha sido	tinha estado	tinha tido	tinha havido
tínhamos sido	tínhamos estado	tínhamos tido	tínhamos havido
tínheis sido	tínheis estado	tínheis tido	tínheis havido
tinham sido	tinham estado	tinham tido	tinham havido

7. futuro do presente simples

serei	estarei	terei	haverei
serás	estarás	terás	haverás
será	estará	terá	haverá
seremos	estaremos	teremos	haveremos
sereis	estareis	tereis	havereis
serão	estarão	terão	haverão

MORFOLOGIA 205

8. **futuro do presente composto**

terei sido	terei estado	terei tido	terei havido
terás sido	terás estado	terás tido	terás havido
terá sido	terá estado	terá tido	terá havido
teremos sido	teremos estado	teremos tido	teremos havido
tereis sido	tereis estado	tereis tido	tereis havido
terão sido	terão estado	terão tido	terão havido

9. **futuro do pretérito simples**

seria	estaria	teria	haveria
serias	estarias	terias	haverias
seria	estaria	teria	haveria
seríamos	estaríamos	teríamos	haveríamos
seríeis	estaríeis	teríeis	haveríeis
seriam	estariam	teriam	haveriam

10. **futuro do pretérito composto**

teria sido	teria estado	teria tido	teria havido
terias sido	terias estado	terias tido	terias havido
teria sido	teria estado	teria tido	teria havido
teríamos sido	teríamos estado	teríamos tido	teríamos havido
teríeis sido	teríeis estado	teríeis tido	teríeis havido
teriam sido	teriam estado	teriam tido	teriam havido

SUBJUNTIVO

1. **presente**

seja	esteja	tenha	haja
sejas	estejas	tenhas	hajas
seja	esteja	tenha	haja
sejamos	estejamos	tenhamos	hajamos
sejais	estejais	tenhais	hajais
sejam	estejam	tenham	hajam

2. **pretérito imperfeito**

fosse	estivesse	tivesse	houvesse
fosses	estivesses	tivesses	houvesses
fosse	estivesse	tivesse	houvesse
fôssemos	estivéssemos	tivéssemos	houvéssemos
fôsseis	estivésseis	tivésseis	houvésseis
fossem	estivessem	tivessem	houvessem

206 MORFOLOGIA

3. **pretérito perfeito composto**

tenha sido	tenha estado	tenha tido	tenha havido
tenhas sido	tenhas estado	tenhas tido	tenhas havido
tenha sido	tenha estado	tenha tido	tenha havido
tenhamos sido	tenhamos estado	tenhamos tido	tenhamos havido
tenhais sido	tenhais estado	tenhais tido	tenhais havido
tenham sido	tenham estado	tenham tido	tenham havido

4. **pretérito mais-que-perfeito composto**

tivesse sido	tivesse estado	tivesse tido	tivesse havido
tivesses sido	tivesses estado	tivesses tido	tivesses havido
tivesse sido	tivesse estado	tivesse tido	tivesse havido
tivéssemos sido	tivéssemos estado	tivéssemos tido	tivéssemos havido
tivésseis sido	tivésseis estado	tivésseis tido	tivésseis havido
tivessem sido	tivessem estado	tivessem tido	tivessem havido

5. **futuro simples**

se eu for	se eu estiver	se eu tiver	se eu houver
se tu fores	se tu estiveres	se tu tiveres	se tu houveres
se ele for	se ele estiver	se ele tiver	se ele houver
se nós formos	se nós estivermos	se nós tivermos	se nós houvermos
se vós fordes	se vós estiverdes	se vós tiverdes	se vós houverdes
se eles forem	se eles estiverem	se eles tiverem	se eles houverem

6. **futuro composto**

tiver sido	tiver estado	tiver tido	tiver havido
tiveres sido	tiveres estado	tiveres tido	tiveres havido
tiver sido	tiver estado	tiver tido	tiver havido
tivermos sido	tivermos estado	tivermos tido	tivermos havido
tiverdes sido	tiverdes estado	tiverdes tido	tiverdes havido
tiverem sido	tiverem estado	tiverem tido	tiverem havido

IMPERATIVO

1. **afirmativo**

sê tu	está tu	tem tu	há tu
seja você	esteja você	tenha você	haja você
sejamos nós	estejamos nós	tenhamos nós	hajamos nós
sede vós	estai vós	tende vós	havei vós
sejam vocês	estejam vocês	tenham vocês	hajam vocês

2. negativo

não sejas tu	não estejas tu	não tenhas tu	não hajas tu
não seja você	não esteja você	não tenha você	não haja você
não sejamos nós	não estejamos nós	não tenhamos nós	não hajamos nós
não sejais vós	não estejais vós	não tenhais vós	não hajais vós
não sejam vocês	não estejam vocês	não tenham vocês	não hajam vocês

INFINITIVO

1. impessoal

presente:	ser	estar	ter	haver
pretérito:	ter sido	ter estado	ter tido	ter havido

2. pessoal

presente:	ser	estar	ter	haver
	seres	estares	teres	haveres
	ser	estar	ter	haver
	sermos	estarmos	termos	havermos
	serdes	estardes	terdes	haverdes
	serem	estarem	terem	haverem
pretérito:	ter sido	ter estado	ter tido	ter havido
	teres sido	teres estado	teres tido	teres havido
	ter sido	ter estado	ter tido	ter havido
	termos sido	termos estado	termos tido	termos havido
	terdes sido	terdes estado	terdes tido	terdes havido
	terem sido	terem estado	terem tido	terem havido

GERÚNDIO

presente:	sendo	estando	tendo	havendo
pretérito:	tendo sido	tendo estado	tendo tido	tendo havido

PARTICÍPIO

sido	estado	tido	havido

Observação:

✔ Como *ter* conjugam-se todos os seus derivados: *abster-se, ater-se, conter, deter, entreter, manter, obter, reter, suster*. Basta antepor-lhes o prefixo. Exemplos: *contenho, contive, detiveram, entretínhamos, mantivesse, retiver*, etc. Observe a acentuação: tu *manténs, mantém* tu; ele *mantém*, eles *mantêm*.

EXERCÍCIOS

1. Dê a pessoa, o número, o tempo e o modo dos verbos da frase:

   Onde **estarias** agora, se eu não **contivesse** o agressor?

2. Escreva as frases, flexionando corretamente os verbos destacados, de acordo com o contexto:

   a) Quando **ser** crianças, não tínheis essas preocupações.

   b) É possível que elas **estar** viajando. **Haver** tempo que não são vistas em casa.

   c) Talvez **haver** desabado algumas barreiras.

   d) Como não **obter** resposta, esmurrou a porta com violência.

   e) Praticai o bem, **ser** atenciosos, convivei pacificamente com todos.

   f) Até ali ele se **manter** calado. (pretérito mais-que-perfeito)

   g) Veja como as crianças se **entreter** a observar os peixes no aquário!

   h) Se nos **ater** ao parecer de um só homem, sem dúvida haveremos de errar.

   i) Até agora eles **ter** sido muito bons para mim.

   j) O doceiro parava em todas as casas onde **haver** crianças.

   k) Se não **ser** os bombeiros, todos teriam perecido.

   l) Eles são **ter** e **haver** como pessoas de bem. (particípio)

   m) Se você tem algo a dizer, fale, mas **ser** breve.

   n) Fábio avançou contra mim, João o **deter**: eu não **conter** o riso.

   o) **Haver** países que **manter** no espaço satélites espiões.

   p) Enquanto bebíamos, Félix nos **entreter** com suas brincadeiras.

3. Nas frases do exercício anterior, sublinhe os verbos **ser, ter, haver** e **estar** quando são auxiliares.

4. Conjugue o verbo **entreter** nos tempos derivados do pretérito.

5. Dê as formas pedidas dos verbos seguintes:

   manter – 2ª pessoa do plural do imperativo afirmativo

   obter – 1ª pessoa do plural do pretérito mais-que-perfeito do indicativo

   deter – 3ª pessoa do singular do pretérito imperfeito do subjuntivo

   haver – 3ª pessoa do singular do presente do subjuntivo

MORFOLOGIA 209

VERBOS REGULARES

paradigmas

Primeira conjugação   *CANTAR*

	INDICATIVO		SUBJUNTIVO	
	tempos simples	**tempos compostos**	**tempos simples**	**tempos compostos**
PRESENTE	canto cantas canta cantamos cantais cantam		cante cantes cante cantemos canteis cantem	
PRETÉRITO IMPERFEITO	cantava cantavas cantava cantávamos cantáveis cantavam		cantasse cantasses cantasse cantássemos cantásseis cantassem	
PRETÉRITO PERFEITO	cantei cantaste cantou cantamos cantastes cantaram	tenho cantado tens cantado tem cantado temos cantado tendes cantado têm cantado		tenha cantado tenhas cantado tenha cantado tenhamos cantado tenhais cantado tenham cantado
PRETÉRITO MAIS--QUE-PERFEITO	cantara cantaras cantara cantáramos cantáreis cantaram	tinha cantado tinhas cantado tinha cantado tínhamos cantado tínheis cantado tinham cantado		tivesse cantado tivesses cantado tivesse cantado tivéssemos cantado tivésseis cantado tivessem cantado
FUTURO DO PRESENTE	cantarei cantarás cantará cantaremos cantareis cantarão	terei cantado terás cantado terá cantado teremos cantado tereis cantado terão cantado	cantar cantares cantar cantarmos cantardes cantarem	tiver cantado tiveres cantado tiver cantado tivermos cantado tiverdes cantado tiverem cantado
FUTURO DO PRETÉRITO	cantaria cantarias cantaria cantaríamos cantaríeis cantariam	teria cantado terias cantado teria cantado teríamos cantado teríeis cantado teriam cantado		

IMPERATIVO	FORMAS NOMINAIS
afirmativo	INFINITIVO
canta (tu)	**presente impessoal**
cante (você)	cantar
cantemos (nós)	
cantai (vós)	
cantem (vocês)	**presente pessoal**
	cantar
	cantares
negativo	cantar
não cantes (tu)	cantarmos
não cante (você)	cantardes
não cantemos (nós)	cantarem
não canteis (vós)	
não cantem (vocês)	
	pretérito impessoal
	ter cantado
	pretérito pessoal
	ter cantado
	teres cantado
	ter cantado
	termos cantado
	terdes cantado
	terem cantado
	GERÚNDIO
	presente pretérito
	cantando tendo cantado
	PARTICÍPIO
	cantado

Observações:

✔ Por este modelo se conjugam todos os verbos regulares da 1ª conjugação: *andar, lavar, saltar, saudar, caçar, suar,* etc.

✔ Para a formação dos tempos compostos pode-se usar também o verbo *haver: hei cantado, havia cantado, haverei cantado,* etc.

✔ Há verbos que merecem reparos, no tocante à grafia e à ortoépia. Assim:

a) Os verbos em *-car,* como *ficar, secar,* etc., trocam o *c* por *qu* antes de *e: fique, fiquei, fiquemos; seque, sequei,* etc.

b) Os terminados em *-çar,* como *caçar, abraçar,* perdem a *cedilha* antes do *e: cace, cacemos,* etc.

c) Os verbos em *-gar,* como *jogar, negar,* mudam o *g* em *gu* antes do *e: jogue, joguei, joguemos,* etc.

d) O verbo *roubar* escreve-se e pronuncia-se com o ditongo *ou: roubo, roubas, rouba,* etc., e não "róbo", "róbas", "róba". Assim também *estoura,* e não "estóra", *afrouxa,* e não "afróxa".

e) Nos verbos em *-oar* não se acentua o grupo *oo: voo, entoo, magoo; magoas, magoe; coo, coas, coa.*

f) O verbo *saudar* tem o *u* acentuado nas formas rizotônicas: *saúdo, saúdas, saúdam, saúde,* etc.

g) Nos verbos *obstar, optar, captar, interceptar, pugnar, impugnar, repugnar, designar, eclipsar,* etc., cujo radical termina por duas ou mais consoantes, evite-se intercalar, tanto na pronúncia como na escrita, um *i* entre essas consoantes: *opto, optas, opta,* etc., e não: "ópito", "ópitas", "ópita", nem "opito", "opitas", "opita", etc.; *pugno, pugnas, pugna,* etc., e não: "púguino", "púguinas", "púguina", etc.

h) Os verbos em *-jar* conservam o *j* em todos os tempos: *viajo, viajes, viaje, viajemos, viajeis, viajem.*

i) Os verbos em *-oiar,* como *apoiar, boiar,* etc., têm o **o** tônico aberto nas formas rizotônicas: *apoio, apoias, apoia, apoiam; apoie, apoies, apoie, apoiem.*

j) Nos verbos em *-eijar, -ejar, -eirar, -eixar, -elhar,* a vogal **e** dessas terminações é fechada (*ê* e não *é*): *aleijo, aleija, aleijem, despejo, despeja, despejam, inteiro, inteiram, enfeixo, enfeixa, espelho, espelha, espelham,* etc.

VERBOS REGULARES

Segunda conjugação   *BATER*

		INDICATIVO		SUBJUNTIVO	
		tempos simples	tempos compostos	tempos simples	tempos compostos
PRESENTE		bato bates bate batemos bateis batem		bata batas bata batamos batais batam	
PRETÉRITO IMPERFEITO		batia batias batia batíamos batíeis batiam		batesse batesses batesse batêssemos batêsseis batessem	
PRETÉRITO PERFEITO		bati bateste bateu batemos batestes bateram	tenho batido tens batido tem batido temos batido tendes batido têm batido		tenha batido tenhas batido tenha batido tenhamos batido tenhais batido tenham batido
PRETÉRITO MAIS- -QUE-PERFEITO		batera bateras batera batêramos batêreis bateram	tinha batido tinhas batido tinha batido tínhamos batido tínheis batido tinham batido		tivesse batido tivesses batido tivesse batido tivéssemos batido tivésseis batido tivessem batido
FUTURO DO PRESENTE		baterei baterás baterá bateremos batereis baterão	terei batido terás batido terá batido teremos batido tereis batido terão batido	bater bateres bater batermos baterdes baterem	tiver batido tiveres batido tiver batido tivermos batido tiverdes batido tiverem batido
FUTURO DO PRETÉRITO		bateria baterias bateria bateríamos bateríeis bateriam	teria batido terias batido teria batido teríamos batido teríeis batido teriam batido		

IMPERATIVO	FORMAS NOMINAIS
afirmativo	INFINITIVO
bate (tu)	**presente impessoal**
bata (você)	bater
batamos (nós)	
batei (vós)	**presente pessoal**
batam (vocês)	bater batermos
	bateres baterdes
	bater baterem
negativo	**pretérito impessoal**
não batas (tu)	ter batido
não bata (você)	
não batamos (nós)	**pretérito pessoal**
não batais (vós)	ter batido termos batido
não batam (vocês)	teres batido terdes batido
	ter batido terem batido
	GERÚNDIO
	presente **pretérito**
	batendo tendo batido
	PARTICÍPIO
	batido

Observações:

✔ Seguem este paradigma todos os verbos regulares da 2ª conjugação: *comer, temer, beber, descer, crescer, repreender, conhecer*, etc.

✔ Os tempos compostos são formados também com o verbo *haver: havia batido, haja batido, houvesse batido*, etc.

✔ Os verbos em *-cer*, como *descer, vencer*, etc., terão ç antes de *o* e *a*: *desço, desça, desçamos, desçam*, etc.

✔ Os verbos em *-ger*, como *proteger*, mudam o *g* em *j* antes de *o* e *a*: *protejo, protejas, proteja, protejamos, protejais, protejam*.

✔ Os verbos em *-guer*, como *erguer*, perdem o *u* antes de *o* e *a*: *ergo, erga, ergamos*.

✔ Muitos verbos da 2ª conjugação têm, no presente do indicativo, o *e* ou o *o* tônicos do radical fechados na 1ª pessoal do singular e abertos nas 2ª e 3ª pessoas do singular e na 3ª do plural. Exemplos:

ergo (êr), *ergues* (ér), *ergue* (ér), *erguem* (ér); *corro* (ô), *corres* (ó), *corre* (ó), *correm* (ó). Essa alteração no timbre da vogal chama-se *metafonia*.

Assim também: *escrever, dever, morder, coser* (costurar), *cozer* (cozinhar), etc.

VERBOS REGULARES

Terceira conjugação *PARTIR*

		INDICATIVO		SUBJUNTIVO	
		tempos simples	**tempos compostos**	**tempos simples**	**tempos compostos**
PRESENTE		parto partes parte partimos partis partem		parta partas parta partamos partais partam	
PRETÉRITO IMPERFEITO		partia partias partia partíamos partíeis partiam		partisse partisses partisse partíssemos partísseis partissem	
PRETÉRITO PERFEITO		parti partiste partiu partimos partistes partiram	tenho partido tens partido tem partido temos partido tendes partido têm partido		tenha partido tenhas partido tenha partido tenhamos partido tenhais partido tenham partido
PRETÉRITO MAIS-QUE-PERFEITO		partira partiras partira partíramos partíreis partiram	tinha partido tinhas partido tinha partido tínhamos partido tínheis partido tinham partido		tivesse partido tivesses partido tivesse partido tivéssemos partido tivésseis partido tivessem partido
FUTURO DO PRESENTE		partirei partirás partirá partiremos partireis partirão	terei partido terás partido terá partido teremos partido tereis partido terão partido	partir partires partir partirmos partirdes partirem	tiver partido tiveres partido tiver partido tivermos partido tiverdes partido tiverem partido
FUTURO DO PRETÉRITO		partiria partirias partiria partiríamos partiríeis partiriam	teria partido terias partido teria partido teríamos partido teríeis partido teriam partido		

IMPERATIVO	FORMAS NOMINAIS
afirmativo	INFINITIVO
parte (tu)	**presente impessoal**
parta (você)	partir
partamos (nós)	**presente pessoal**
parti (vós)	partir　　partirmos
partam (vocês)	partires　　partirdes
	partir　　partirem
	pretérito impessoal
	ter partido
negativo	**pretérito pessoal**
não partas (tu)	ter partido　termos partido
não parta (você)	teres partido　terdes partido
não partamos (nós)	ter partido　terem partido
não partais (vós)	
não partam (vocês)	
	GERÚNDIO
	presente　　**pretérito**
	partindo　　tendo partido
	PARTICÍPIO
	partido

Observações:

✔ Como *partir* se conjugam: *repartir, dirigir, exigir, dividir*, etc.

✔ Para os tempos compostos, usa-se também o verbo *haver*: *haver partido, havia partido, houvesse partido*, etc.

✔ Os verbos terminados em *-gir* mudam o *g* em *j* antes de *o* e *a*: *dirigir, dirijo, dirija, dirijamos*, etc.

✔ Os terminados em *-guir* (nos quais o *u* não é proferido) perdem o *u* antes de *o* e *a*: *distinguir, distingo, distinga*, etc.

✔ Na 2ª e 3ª pessoas do singular do presente do indicativo dos verbos regulares em *-uir*, grafa-se *ui* e não *ue*, por se tratar de ditongo decrescente: *concluis, conclui, influis, influi, arguir, argui*, etc.

MORFOLOGIA

EXERCÍCIOS

LISTA 26

1. Prossiga dando a pessoa, o número, o tempo e o modo das formas verbais:

Exemplo: cansam – **3ª pessoa do plural do presente do indicativo**

deixávamos –

cessariam –

dançarão –

dançaram –

achastes –

assaste –

considerem –

atáramos –

deixei –

deixasse –

2. Conjugue por escrito o verbo **descansar** nos tempos simples do indicativo.

3. Conjugue por escrito o verbo **alcançar** nos tempos do subjuntivo.

4. Flexione por escrito o verbo **despejar** no imperativo afirmativo e no negativo.

5. Conjugue por escrito o verbo **suar** no infinitivo presente pessoal.

6. Escreva as formas nominais (infinitivo, gerúndio e particípio) do verbo em destaque:
Não **deixes** o certo pelo duvidoso.

7. Relacione as frases aos respectivos tempos dos verbos que estão em destaque:

É melhor que a **conservemos** na água.	pretérito perfeito do indicativo
Por que **desanimastes**?	pretérito mais-que-perfeito do indicativo
Pedi que **examinassem** as contas.	futuro do pretérito
Alcançariam o fugitivo?	presente do subjuntivo
Ninguém os **autorizara** a entrar.	pretérito imperfeito do subjuntivo

8. Substitua o * pelos verbos nos tempos do subjuntivo, nas formas adequadas ao contexto:

a) Pedi às crianças que *. (**sossegar**)

b) Peço ao moço que * as cartas na caixa. (**depositar**)

c) É preciso que nós mesmas * a roupa. (**consertar**)

d) Pior para eles, se * minhas recomendações. (**desprezar**)

e) Proponho-vos que * para vossas casas. (**voltar**)

f) Espero que Luís já * os colegas. (**avisar**)

g) Não o verás, por mais que * longe. (**enxergar**)

h) Pode acontecer que o avião * ou * em outra cidade. (**atrasar – descer**)

9. Forme frases com os verbos abaixo na 3ª pessoa do singular do presente do indicativo:
roubar – saudar – almejar – espelhar – magoar – optar – vistoriar

MORFOLOGIA 217

10. Reescreva as frases, flexionando corretamente os verbos em destaque, no presente do indicativo ou do subjuntivo, de acordo com o contexto sintático:

a) A História **restaurar** o passado.

b) Farei tudo para que os dois se **reconciliar**.

c) Alguns se **gloriar** do que não fizeram.

d) **Estourar** morteiros e **espocar** foguetes.

e) Peço-te que não **afrouxar** a marcha.

f) Aconselho-os a que **viajar** amiúde e **ampliar** seus conhecimentos.

g) Ele **gesticular** e **vociferar** contra os que lhe **impugnar** as opiniões.

h) Pobre homem! Uns o **caluniar**, outros lhe **roubar** o sossego.

i) A polícia **interceptar** o veículo e **apreender** o contrabando.

j) É de esperar que **nascer** novos gênios da música.

k) É possível que **ocorrer** outros terremotos na região.

l) Conversando, talvez nos **entender** e nos **tornar** bons amigos.

11. Conjugue o verbo **crescer** nos tempos simples do indicativo.

Conjugue o verbo **mexer** nos tempos do subjuntivo.

12. Flexione o verbo **descer** no imperativo afirmativo e no negativo.

13. Escreva as frases, colocando entre parênteses os respectivos tempos e modos dos verbos em destaque. Veja os tempos e modos abaixo:

Cássio **desaparecera** no mar.

Existiriam discos voadores?

Talvez **existam**.

Dividi para vencerdes.

Eu **dividi** os lucros.

Se me **morderes**, prendo-te.

Cuidado para não **morderes** a língua!

a) pretérito perfeito do indicativo

b) futuro do subjuntivo

c) pretérito mais-que-perfeito do indicativo

d) infinitivo presente pessoal

e) imperativo afirmativo

f) presente do subjuntivo

g) futuro do pretérito do indicativo

14. Dê as formas verbais pedidas:

apoiar – 1ª pes. sing. pres. indic.

telegrafar – 3ª pes. sing. pres. indic.

deliciar – 3ª pes. sing. pres. indic.

eclipsar – 3ª pes. sing. pret. perf. indic.

exercer – 3ª pes. pl. pres. subj.

designar – 2ª pes. sing. pres. subj.

conceder – 1ª pes. pl. pret. imperf. subj.

florescer – 3ª pes. pl. fut. do pres.

proteger – 1ª pes. pl. pres. subj.

dirigir – 2ª pes. sing. imper. neg.

extinguir – 3ª pes. sing. pret. perf. indic.

distinguir – 3ª pes. sing. pret. imperf. indic.

proibir – 3ª pes. pl. pres. subj.

exigir – 1ª pes. pl. imper. afirm.

15. Escreva as frases, substituindo as expressões em destaque pelos verbos equivalentes, fazendo as necessárias adaptações:

a) As jovens contavam casos, **diziam gracejos** e riam alto.

b) A banda **deu início** à retreta com o hino *Cidade Maravilhosa*.

c) Noêmia não **causara boa impressão** ao povo da cidade.

d) É preciso que alguma força **dê impulso** ao veículo.

e) Falta de dinheiro **torna impossível** a muitos **fazer excursões** durante as férias.

f) **Demos graças** a Deus por termos escapado ilesos.

16. Passe para a 2ª pessoa do singular ou plural, conforme o caso:

a) Divide e sê vencedor.

b) Não esqueçais o passado nem vos afeiçoeis demais ao presente.

c) Recebe com alegria os amigos que te visitam.

d) Abri as portas à esperança; não deixeis entrar o desânimo.

e) Não magoes nunca nem entristeças tua mãe.

f) Queremos que participeis de nossa alegria: entrai e comei!

g) Frequenta os bons e serás bom; convive com os maus, serás como eles.

17. Use o tratamento **vocês** em lugar do tratamento **vós**:

a) Não vendais a honra nem atraiçoeis os amigos.

b) Permiti, prezados ouvintes, que vos faça uma pergunta.

c) Não vos mexais, belas jovens, senão o retrato sai borrado.

18. Mude os tempos simples em destaque nos correspondentes compostos:

a) Até então a vida para mim **fora** suave.

b) Onde, na infância, **brincáramos** alegres, ali agora só se viam edifícios tristes.

c) Não a **deixarás** entregue à própria sorte?

d) Confesso que não me **esforcei** tanto quanto poderia.

e) Quem lhe **ensinaria** o caminho? Quem a **protegeria**?

f) Voltarás para casa assim que **concluíres** a tarefa.

19. Substitua os tempos em destaque pelos indicados entre parênteses:

a) Espero que você **inclua** meu nome na lista. (pretérito perfeito)

b) Se me **ouvissem**, agora não estariam se lamentando. (pretérito mais-que-perfeito)

c) **É** bom **voltares** para a tua terra natal. (pretérito)

d) **É** uma injustiça não o **atenderem**. (pretérito)

15 VOZES DO VERBO

Voz do verbo é a forma que este assume para indicar que a ação verbal é praticada ou sofrida pelo sujeito.

Três são as vozes dos verbos: a *ativa*, a *passiva* e a *reflexiva*.

16 VOZ ATIVA

Um verbo está na *voz ativa* quando o sujeito é agente, isto é, faz a ação expressa pelo verbo. Exemplos:

O caçador **abateu** a ave.

O vento **agitava** as águas.

Os pais **educam** os filhos.

17 VOZ PASSIVA

Um verbo está na *voz passiva* quando o sujeito é paciente, isto é, sofre, recebe ou desfruta a ação expressa pelo verbo. Exemplos:

A ave foi **abatida** pelo caçador.

As águas **eram agitadas** pelo vento.

Os filhos **são educados** pelos pais.

Observação:

✔ Só verbos transitivos podem ser usados na voz passiva.

18 FORMAÇÃO DA VOZ PASSIVA

A voz passiva, mais frequentemente, é formada:

- pelo verbo auxiliar *ser* seguido do particípio do verbo principal. Nesse caso, a voz é *passiva analítica*. Exemplos:

O homem **é afligido** pelas doenças.

A criança **era conduzida** pelo pai.

As ruas **serão enfeitadas**.

Seriam abertas novas escolas.

"Dos conveses dos navios **seriam vistas** torres de petróleo em todo o litoral." (Ledo Ivo)

Na voz passiva analítica, o verbo pode vir acompanhado de um agente, como nos dois primeiros exemplos deste parágrafo.

Menos frequentemente, pode-se exprimir a passiva analítica com outros verbos auxiliares. Exemplos:

A aldeia **estava isolada** pelas águas.

A presa **estava sendo devorada** pelo leão.

O cachorro **ficou esmagado** pela roda do ônibus.

A noiva **vinha acompanhada** pelo pai.

O preso **ia escoltado** pelos guardas.

"Eu **ia perseguido** por criaturas inexistentes." (Graciliano Ramos)

- com o pronome apassivador *se* associado a um verbo ativo da 3ª pessoa. Nesse caso, temos *voz passiva pronominal*. Exemplos:

Regam-se as plantas de manhã cedo.

Organizou-se o campeonato.

Abrir-se-ão novas escolas de artes e ofícios.

Ainda não **se lançaram** as redes.

Já **se têm feito** muitas experiências.

Entregaram-se os troféus aos vencedores da corrida.

"Não indagava o motivo de **se encherem** os cestos, perguntava se eles realmente **se enchiam**." (Graciliano Ramos)

Por clareza, preferir-se-á a passiva analítica toda vez que o sujeito for uma pessoa ou animal que possa ser o agente da ação verbal. Exemplo:

Foi retirada a guarda.

["**Retirou-se** a guarda" tanto pode ser voz passiva como reflexiva.]

19 VOZ REFLEXIVA

Na *voz reflexiva* o sujeito é ao mesmo tempo agente e paciente: faz uma ação cujos efeitos ele mesmo sofre ou recebe. Exemplos:

O caçador **feriu-se**.

A menina **penteou-se** e saiu com as colegas.

Sacrifiquei-me por ele.

Os pais **contemplam-se** nos filhos.

O preso **suicidou-se**.

Vistamo-nos e **enfeitemo-nos** para a festa!

O verbo reflexivo é conjugado com os pronomes reflexivos *me, te, se, nos, vos, se*. Esses pronomes são reflexivos quando se lhes pode acrescentar *a mim mesmo, a ti mesmo, a si mesmo, a nós mesmos, a vós mesmos, a si mesmos*, respectivamente. Exemplos:

Consideras-te aprovado? (**a ti mesmo**)

Classes sociais **arrogam-se** (**a si mesmas**) direitos que a lei lhes nega.

Às vezes **nos intoxicamos** com alimentos deteriorados.

Errando, **prejudicamo-nos** a nós mesmos.

Aquele escritor **fez-se** por si mesmo.

Por que **vos atribuís** tanta importância?

Observações:

✔ Não se deve atribuir sentido reflexivo a verbos que designam sentimentos, como *queixar-se, alegrar-se, arrepender-se, zangar-se, indignar-se* e outros meramente pronominais. O pronome átono como que se dilui nesses verbos, dos quais é parte integrante. A prova de que não são reflexivos é que não se pode dizer, por exemplo, *zango-me a mim mesmo*.

✔ Observe-se também que em frases como "João fala de si" há *reflexividade*, mas não há *voz reflexiva*, porque o verbo não é reflexivo.

Uma variante da voz reflexiva é a que denota reciprocidade, ação mútua ou correspondida. Os verbos dessa voz, por alguns chamados *recíprocos*, usam-se, geralmente, no plural e podem ser reforçados pelas expressões *um ao outro, reciprocamente, mutuamente*. Exemplos:

Amam-se como irmãos. (Amam um ao outro.)

Os dois pretendentes *insultaram-se*.

Ó povos, por que *vos guerreais* tão barbaramente?

Os dois escritores *carteavam-se* assiduamente.

Muitas vezes, *atrapalhamo-nos* uns aos outros.

Cumprimentaram-se e *abraçaram-se* com alegria e emoção.

"A gente *se correspondia* por meio de sinais e gestos, de janela a janela." (Rubem Braga)

"Fazia meses que não *se viam*." (Autran Dourado)

"As companheiras *convidavam-se* umas às outras." (Helena Silveira)

"Os dois irmãos *entreolharam-se* em silêncio." (Camilo Castelo Branco)

"Tacapes e tangapemas *entrechocam-se* no ar." (Gastão Cruls)

"O Presidente esperará que vocês *se entredevorem*, para ver o que sobra." (Ciro dos Anjos)

Observação:

✔ Em muitos verbos reflexivos a ideia de reciprocidade é reforçada pelo prefixo *entre*: *entremear-se, entrechocar-se, entrebater-se, entredevorar-se, entrecruzar-se, entredilacerar-se, entrematar-se, entremorder-se, entreolhar-se, entrequerer-se, entrevistar-se.*

20 CONVERSÃO DA VOZ ATIVA NA PASSIVA

Pode-se mudar a voz ativa na passiva sem alterar substancialmente o sentido da frase. Exemplo:
Gutenberg **inventou** a imprensa. – voz ativa
A imprensa **foi inventada** por Gutenberg. – voz passiva

Observe que o objeto direto será o sujeito da passiva, o sujeito da ativa passará a agente da passiva e o verbo ativo assumirá a forma passiva, conservando o mesmo tempo. Outros exemplos:

Os calores intensos **provocam** as chuvas.
As chuvas **são provocadas** pelos calores intensos.
Os mestres **têm** constantemente **aconselhado** os alunos.
Os alunos **têm sido** constantemente **aconselhados** pelos mestres.
Eu o **acompanharei.**
Ele **será acompanhado** por mim.
Todos te **louvariam**.
Serias louvado por todos.
Receberam-me com festa.
Fui recebido com festa.
Condenar-te-iam, se cometesses tais desatinos.
Serias condenado, se cometesses tais desatinos.

(Quando o sujeito da voz ativa for indeterminado, como nos dois últimos exemplos, não haverá complemento agente da passiva.)

Observações finais:

✔ Aos verbos que não são ativos nem passivos ou reflexivos, alguns gramáticos chamam *neutros*:
O vinho é bom.   Aqui *chove* muito.

✔ Há formas passivas com sentido ativo:
É chegada a hora. (= *Chegou* a hora.)
Eu ainda não *era nascido*. (= Eu ainda não *tinha nascido*.)
"*São decorridos* três meses do crime, e o edifício ainda continua na berlinda." (Aníbal Machado) (são decorridos = *decorreram*)
"Imaginei que ela saíra do mato *almoçada* e feliz." (Machado de Assis)
"Nós estávamos *brigados*." (Machado de Assis)
Ferreira de Castro era um homem *lido* e *viajado*. (= que leu e viajou)

✔ Os verbos *chamar-se, batizar-se, operar-se* (no sentido cirúrgico) e *vacinar-se* são considerados passivos por alguns autores, por isso que o sujeito é paciente:
Chamo-me Luís.   *Batizei-me* na igreja do Carmo.
Operou-se de hérnia.   *Vacinaram-se* contra o tifo.

CONJUGAÇÃO DE UM VERBO NA VOZ PASSIVA ANALÍTICA

GUIAR

INDICATIVO

presente
sou guiado
és guiado
é guiado
somos guiados
sois guiados
são guiados

pretérito imperfeito
era guiado
eras guiado
era guiado
éramos guiados
éreis guiados
eram guiados

pretérito perfeito simples
fui guiado
foste guiado
foi guiado
fomos guiados
fostes guiados
foram guiados

pretérito perfeito composto
tenho sido guiado
tens sido guiado
tem sido guiado
temos sido guiados
tendes sido guiados
têm sido guiados

pretérito mais-que-perfeito simples
fora guiado
foras guiado
fora guiado
fôramos guiados
fôreis guiados
foram guiados

pretérito mais-que-perfeito composto
tinha sido guiado
tinhas sido guiado
tinha sido guiado
tínhamos sido guiados
tínheis sido guiados
tinham sido guiados

futuro do presente simples
serei guiado
serás guiado
será guiado
seremos guiados
sereis guiados
serão guiados

futuro do presente composto
terei sido guiado
terás sido guiado
terá sido guiado
teremos sido guiados
tereis sido guiados
terão sido guiados

futuro do pretérito simples
seria guiado
serias guiado
seria guiado
seríamos guiados
seríeis guiados
seriam guiados

futuro do pretérito composto
teria sido guiado
terias sido guiado
teria sido guiado
teríamos sido guiados
teríeis sido guiados
teriam sido guiados

IMPERATIVO

afirmativo

sê guiado

seja guiado

sejamos guiados

sede guiados

sejam guiados

negativo

não sejas guiado

não seja guiado

não sejamos guiados

não sejais guiados

não sejam guiados

SUBJUNTIVO

presente

seja guiado

sejas guiado

seja guiado

sejamos guiados

sejais guiados

sejam guiados

pretérito imperfeito

fosse guiado

fosses guiado

fosse guiado

fôssemos guiados

fôsseis guiados

fossem guiados

pretérito perfeito composto

tenha sido guiado

tenhas sido guiado

tenha sido guiado

tenhamos sido guiados

tenhais sido guiados

tenham sido guiados

pretérito mais-que-perfeito composto

tivesse sido guiado

tivesses sido guiado

tivesse sido guiado

tivéssemos sido guiados

tivésseis sido guiados

tivessem sido guiados

futuro simples

for guiado

fores guiado

for guiado

formos guiados

fordes guiados

forem guiados

futuro composto

tiver sido guiado

tiveres sido guiado

tiver sido guiado

tivermos sido guiados

tiverdes sido guiados

tiverem sido guiados

FORMAS NOMINAIS

infinitivo presente impessoal

ser guiado

infinitivo pretérito impessoal

ter sido guiado

infinitivo presente pessoal	infinitivo pretérito pessoal
ser guiado	ter sido guiado
seres guiado	teres sido guiado
ser guiado	ter sido guiado
sermos guiados	termos sido guiados
serdes guiados	terdes sido guiados
serem guiados	terem sido guiados

gerúndio presente	gerúndio pretérito	particípio
sendo guiado	tendo sido guiado	guiado

Observações:

✔ Sendo o sujeito um ser do gênero feminino, o particípio terá as desinências *-a, -as*: sou *guiada*, ela é *guiada*, somos *guiadas*, etc.

✔ Nos tempos compostos, pode-se usar o auxiliar *haver* em lugar de *ter: haverei sido guiado, havia sido guia-do, se houver sido guiada, havendo sido guiadas*, etc.

✔ Entendem alguns autores que na voz passiva não há imperativo.

21 CONJUGAÇÃO DOS VERBOS PRONOMINAIS

Há os verbos essencialmente pronominais, que só se usam com os pronomes átonos (*quei-xar-se, arrepender-se, dignar-se*, etc.), e os acidentalmente pronominais (*pentear-se, matar-se, atribuir-se*, etc.), que nem sempre se usam com os ditos pronomes.

Os verbos pronominais abrangem, portanto, os reflexivos e são conjugados como na voz ativa, mas associando-se-lhes os pronomes *me, te, se, nos, vos, se*.

As formas da 1ª pessoa do plural perdem o *s* final antes de receber o pronome enclítico. Exemplo:

"Desconcertados com essa reação que não esperávamos, *afastamo-nos* em pequenos gru-pos." (JOSÉ J. VEIGA)

Eis um exemplo de conjugação pronominal:

LEMBRAR-SE

INDICATIVO

Presente: lembro-me, lembras-te, lembra-se, lembramo-nos, lembrais-vos, lembram-se.

Pretérito imperfeito: lembrava-me, lembravas-te, lembrava-se, lembrávamo-nos, lembráveis-vos, lembravam-se.

Pretérito perfeito simples: lembrei-me, lembraste-te, lembrou-se, lembramo-nos, lembrastes-vos, lembraram-se.

Pretérito perfeito composto: tenho-me lembrado, tens-te lembrado, tem-se lembrado, temo-nos lembrado, tendes-vos lembrado, têm-se lembrado.

Pretérito mais-que-perfeito simples: lembrara-me, lembraras-te, lembrara-se, lembráramo-nos, lembráreis-vos, lembraram-se.

Pretérito mais-que-perfeito composto: tinha-me lembrado, tinhas-te lembrado, tinha-se lembrado, tínhamo-nos lembrado, tínheis-vos lembrado, tinham-se lembrado.

Futuro do presente simples: lembrar-me-ei, lembrar-te-ás, lembrar-se-á, lembrar-nos-emos, lembrar-vos-eis, lembrar-se-ão.

Futuro do presente composto: ter-me-ei lembrado, ter-te-ás lembrado, ter-se-á lembrado, ter-nos-emos lembrado, ter-vos-eis lembrado, ter-se-ão lembrado.

Futuro do pretérito simples: lembrar-me-ia, lembrar-te-ias, lembrar-se-ia, lembrar-nos-íamos, lembrar-vos-íeis, lembrar-se-iam.

Futuro do pretérito composto: ter-me-ia lembrado, ter-te-ias lembrado, ter-se-ia lembrado, ter-nos-íamos lembrado, ter-vos-íeis lembrado, ter-se-iam lembrado.

SUBJUNTIVO

Presente: lembre-me, lembres-te, lembre-se, lembremo-nos, lembrai-vos, lembrem-se.

Pretérito imperfeito: lembrasse-me, lembrasses-te, lembrasse-se, lembrássemo-nos, lembrásseis-vos, lembrassem-se.

Pretérito perfeito composto. Neste tempo não se usam pronomes oblíquos pospostos, mas antepostos ao verbo: que me tenha lembrado, que te tenhas lembrado, que se tenha lembrado, etc.

Pretérito mais-que-perfeito composto: tivesse-me lembrado, tivesses-te lembrado, tivesse-se lembrado, tivéssemo-nos lembrado, tivésseis-vos lembrado, tivessem-se lembrado.

Futuro simples. Neste tempo os pronomes oblíquos são antepostos ao verbo: se me lembrar, se te lembrares, se se lembrar, etc.

Futuro composto. Neste tempo os pronomes oblíquos são antepostos ao verbo: se me tiver lembrado, se te tiveres lembrado, se se tiver lembrado, etc.

IMPERATIVO

Afirmativo: lembra-te, lembre-se, lembremo-nos, lembrai-vos, lembrem-se.

Negativo (sempre com os pronomes antepostos): não te lembres, não se lembre, não nos lembremos, não vos lembreis, não se lembrem.

FORMAS NOMINAIS

Infinitivo presente impessoal: lembrar-se.

Infinitivo presente pessoal: lembrar-me, lembrares-te, lembrar-se, lembrarmo-nos, lembrardes--vos, lembrarem-se.

Infinitivo pretérito impessoal: ter-se lembrado.

Infinitivo pretérito pessoal: ter-me lembrado, teres-te lembrado, ter-se lembrado, termo-nos lembrado, terdes-vos lembrado, terem-se lembrado.

Gerúndio presente: lembrando-se.

Gerúndio pretérito: tendo-se lembrado.

Particípio. Não admite a forma pronominal.

> **Observações:**
>
> ✔ Por este modelo conjugam-se: *queixar-se, esquecer-se, arrepender-se, iludir-se, vestir-se*, etc.
>
> ✔ Um verbo pronominal pode também ser conjugado com os pronomes antepostos (proclíticos): *eu me lembro, tu te lembras, ele se lembra, nós nos lembramos, vós vos lembrais, eles se lembram*, etc. Veja páginas 538, parágrafo 6, e 543, parágrafo 9.

EXERCÍCIOS — LISTA 27

1. Reorganize as colunas, fazendo as frases corresponderem à voz adequada dos verbos:

Demoliram-se as casas.	(1) ativa
As abelhas **colhem** o néctar.	(2) passiva analítica
Cumprimentamo-nos cordialmente.	(3) passiva pronominal
A casa **foi reformada**.	(4) reflexiva
Rita **olhou-se** no espelho.	(5) reflexiva recíproca

2. Informe a voz dos verbos:

a) Laranjas eram vendidas por atacado e a varejo.

b) "As mortalhas das lagartas vestem os homens de gala." (MARQUÊS DE MARICÁ)

c) "Os abusos, como os dentes, nunca se arrancam sem dores." (MARQUÊS DE MARICÁ)

d) Os moradores entreolharam-se decepcionados.

e) Quem nunca comeu melado, quando come, se lambuza.

f) "Um dos professores sugeriu, ao se discutirem os programas, a ideia do ensino integral da Zoologia." (CARLOS DE LAET)

g) "Nunca nos falamos, apenas nos cumprimentávamos." (AUTRAN DOURADO)

h) A cidade estava sitiada pelo exército romano.

i) "Por que foram os persas, logo que se deram às delícias do luxo, vencidos pelos lacedemônios?" (CAMILO CASTELO BRANCO)

j) "As reses famintas comem-no [o tingui] e se envenenam." (GUSTAVO BARROSO)

3. Converta a voz ativa na passiva analítica:

a) A luz circular do refletor envolve o pianista e o piano.

b) A civilização invadiu e conquistou o morro.

c) Nas escolas, os alunos recitavam belas poesias, no Dia da Bandeira.

d) Soldados, vossos chefes vos elogiaram?

e) Entreguei-lhe a carta ontem.

f) Meu bisavô fundara a cidade.

g) As tuas mãos não mais acenderiam o nosso fogo.

h) Atendeu-nos prontamente o diretor.

i) A moça entregara dois anéis para consertar.

j) As caixas de doces abria-as eu.

k) Quem o chamou aqui, menino?

l) A esta hora a diretora talvez já esteja publicando os resultados dos exames.

m) Os chefes do partido o teriam ameaçado de morte.

n) Censuram-te por causa dos teus desatinos.

o) Concederam-lhe a licença.

4. Mude a voz passiva na ativa:

Exemplo: O trabalho é abençoado por Deus – Deus **abençoa** o trabalho.

a) O Egito, país fabuloso, é fertilizado pelas enchentes do Nilo.

b) O terreno tinha sido invadido pelo mato.

c) A estrada era percorrida por linhas de ônibus.

d) Muitas dessas árvores foram por mim mesmo plantadas.

e) Elas teriam sido elogiadas pelo diretor.

f) Eles têm sido frequentemente criticados pela imprensa.

g) O povo fora mantido a distância pelos guardas.

h) Ele sempre era acolhido por ti com carinho.

i) Foi ele visto por ti quando era detido pelos guardas?

j) Teria eu sido aceito por vós?

k) Teria ele sido readmitido pelo senhor?

l) Se ela estivesse sendo incomodada por nós...

m) Sem dúvida, ele iria ser perseguido pelos adversários políticos.

n) A Terra poderá ser atingida por destroços de satélites artificiais.

o) "O céu é árido, sem manchas, como se fora varrido por um vento de maldição." (Gustavo Barroso)

5. Troque a voz passiva analítica pela pronominal:

Exemplo: As roseiras **são podadas**. – **Podam-se** as roseiras.

a) Os galhos são cortados e os troncos serrados.

b) Foram retidos os cães e outros animais perigosos.

c) Nem sempre são obtidos bons resultados.

d) Tinham sido abertos vários concursos naquele ano.

e) Nos cantos do salão eram vistos grupos de convidados.

f) Foi-lhe cassada a licença, devido a irregularidades.

g) Eis as prerrogativas que são concedidas.

h) Nas tardes frescas a mesa era armada no caramanchão do jardim.

i) Afinal, a obra fora inaugurada dentro do prazo.

j) Era a primeira cerimônia pública que ia ser realizada ali.

k) Caso sejam mantidas as comportas fechadas...

l) Serão escritos os títulos com tinta vermelha.

m) Sejam mobilizadas todas as forças imediatamente.

n) Seriam concedidos os recursos necessários.

o) "Em Grécia e Roma as festas anuais eram solenizadas com espetáculos." (Camilo Castelo Branco)

6. Copie a única frase em que há voz reflexiva recíproca:

Deram-se os prêmios aos vencedores.

Pedro e João deram-se provas de estima.

Gabriel e seu irmão deram-se ao trabalho de despachar a minha bagagem.

7. Conjugue os verbos **zangar-se** e **arrepender-se** no presente do indicativo, com os pronomes pospostos aos verbos.

8. Dos verbos abaixo dê as pessoas pedidas, na voz passiva:

avisar – 3ª pes. pl. do pret. perf. composto do indic.

atender – 1ª pes. pl. do pret. imperf. do subj.

iludir – 2ª pes. sing. do pret. mais-que-perf. composto do indic.

9. Dê as pessoas pedidas dos seguintes verbos pronominais:

calar-se – 2ª pes. pl. do imperativo afirmativo

esquecer-te – 2ª pes. sing. do imperativo negativo

arrepender-se – 3ª pes. sing. do futuro do presente (pronome intercalado)

divertir-se – 1ª pes. pl. do pret. perf. simples do indicativo

vestir-se – 1ª pes. sing. do pret. mais-que-perfeito composto do indic. (pronome posposto ao verbo auxiliar)

10. Siga o exemplo, modificando a frase, sem lhe alterar o sentido:

a) Ainda não **houve apuração** dos fatos.

Ainda não **foram apurados** os fatos.

Ainda não **se apuraram** os fatos.

b) Ainda não **houve confirmação** dos jogos de domingo.

230 MORFOLOGIA

22 VERBOS IRREGULARES

Para mais facilmente compreender e assimilar o processo da conjugação irregular, é importante saber distinguir:

a) **tempos primitivos** e **tempos derivados**;

b) **formas rizotônicas** (as que têm o acento tônico no radical, como: *sirv-o*) e **arrizotônicas** (as que têm o acento tônico na terminação, como: *serv-imos*).

No presente do indicativo dos verbos cujo infinitivo tem mais de uma sílaba, são rizotônicas a 1ª, a 2ª e a 3ª pessoas do singular e a 3ª pessoa do plural, e arrizotônicas a 1ª e a 2ª pessoas do plural. Exemplos:

agrid-o, agrid-es, agrid-e, agrid-em   →   formas rizotônicas

agred-imos, agred-is   →   formas arrizotônicas

Se um tempo primitivo for irregular, seus derivados também o serão. Isto se verifica, por exemplo, no verbo *caber*:

tempos primitivos	**tempos derivados**

caibo (presente do indicativo)   →   **caiba** (presente do subjuntivo)

couberam (pretérito perfeito do indicativo)

- **coubera** (pretérito mais-que-perfeito do indicativo)
- **couber** (futuro do subjuntivo)
- **coubesse** (pretérito imperfeito do subjuntivo)

Quando se diz que um verbo é irregular, não se deve entender que ele o seja em todo o quadro de suas flexões. O verbo *perder*, para citar um exemplo, apresenta formas irregulares, como *perco, perca, percam*, etc., e outras regulares, como *perde, perdia, perdi*, etc.

Estudaremos, a seguir, os verbos irregulares das três conjugações. Não incluímos os auxiliares *ser, estar, ter* e *haver*, já conjugados anteriormente, mas registramos alguns verbos regulares dignos de atenção. Não damos os tempos compostos nem as formas regulares que não apresentam dificuldades.

1ª CONJUGAÇÃO

DAR

Indicativo presente: dou, dás, dá, damos, dais, dão.

Pretérito imperfeito: dava, davas, dava, dávamos, dáveis, davam.

Pretérito perfeito: dei, deste, deu, demos, destes, deram.

Pretérito mais-que-perfeito: dera, deras, dera, déramos, déreis, deram.

Futuro do presente: darei, darás, dará, daremos, dareis, darão.

Futuro do pretérito: daria, darias, daria, daríamos, daríeis, dariam.

Imperativo afirmativo: dá, dê, demos, dai, deem.

Imperativo negativo: não dês, não dê, não demos, não deis, não deem.

Subjuntivo presente: dê, dês, dê, demos, deis, deem.

Pretérito imperfeito: desse, desses, desse, déssemos, désseis, dessem.

Futuro: der, deres, der, dermos, derdes, derem.

Infinitivo presente impessoal: dar.

Infinitivo presente pessoal: dar, dares, dar, darmos, dardes, darem.

Gerúndio: dando.

Particípio: dado.

Assim se conjuga o derivado *desdar*. *Circundar* é regular.

APROPINQUAR-SE (= aproximar-se)

Indicativo *presente*: apro*pín*quo-me, apro*pín*quas-te, apro*pín*qua-se, apropinquamo-nos, apro-pin*quais*-vos, apro*pín*quam-se.

Imperativo afirmativo: apro*pín*qua-te, apro*pín*que-se, apropin*que*mo-nos, apropin*quai*-vos, apro*pín*quem-se.

Subjuntivo *presente*: que eu me apro*pín*que, que tu te apro*pín*ques, etc.

Este verbo, de pouco uso, é regular. Os destaques indicam as sílabas tônicas.

MOBILIAR

Indicativo *presente*: mob*í*lio, mob*í*lias, mob*í*lia, mobiliamos, mobiliais, mob*í*liam.

Subjuntivo *presente*: mob*í*lie, mob*í*lies, mob*í*lie, mobiliemos, mobilieis, mob*í*liem.

Verbo regular na escrita e irregular na pronúncia (o *i* destacado é tônico), pois dos verbos em *-iliar* é o único que assim se pronuncia. Os outros têm a sílaba tônica *-li*: auxi*lio*, conci*lio*, reconci*lio*, fi*lio*, reta*lio*. Há ainda as variantes *mobilhar* e *mobilar* (esta última, forma lusitana), que fazem, respectivamente, *mobilho, mobilhas* e *mobilo, mobilas*, etc.

AGUAR

Indicativo *presente*: águo, águas, água, aguamos, aguais, águam.

Pretérito perfeito: aguei, aguaste, aguou, etc.

Subjuntivo *presente*: águe, águes, águe, aguemos, agueis, águem.

Verbo regular. Assim se conjugam *desaguar, enxaguar* e *minguar* [1].

Nas formas desses verbos terminadas em *-gue, -gues, -guem*, o acento agudo, com a abolição do trema pelo novo Acordo Ortográfico de 1990, tornou-se necessário.

Gramáticos e escritores há que preferem *aguo, aguas, desagua, enxagua, mingua,* com acento tônico no *u*, mas tal pronúncia divorcia-se do uso comum.

AVERIGUAR (= verificar)

Indicativo *presente*: averiguo, averiguas, averigua, averiguamos, averiguais, averiguam.

Pretérito perfeito: averiguei, averiguaste, averiguou, etc.

Imperativo afirmativo: averigua, averi*gúe*, averiguemos, averiguai, averi*gúem*.

Subjuntivo *presente*: averi*gúe*, averi*gúes*, averi*gúe*, averiguemos, averigueis, averi*gúem*.

---

[1] "Os nobres impulsos não esmorecem, quando lhes míngua ressonância." (CIRO DOS ANJOS, *Explorações no Tempo*, p. 146)

Verbo regular. Vai grifado o *u* tônico, o qual, no grupo *gue*, deve ser acentuado para evitar falsas pronúncias. Equivocadamente, o novo Acordo Ortográfico aboliu o acento gráfico neste caso. Ora, não se pode grafar *averigue, averigues, averiguem* e *obrigue, obrigues, obriguem* da mesma forma! Assim serão conjugados *apaniguar* (= proteger) e *apaziguar* (= pacificar).

OBLIQUAR (= caminhar ou seguir obliquamente; agir com dissimulação)

Indicativo *presente*: obli*qu*o, obli*qu*as, obli*qu*a, obli*qu*amos, obli*qu*ais, obli*qu*am.

Imperativo afirmativo: obli*qu*a, obli*qú*e, obli*qu*emos, obli*qu*ai, obli*qú*em.

Imperativo negativo: não obli*qú*es, não obli*qú*e, não obli*qu*emos, não obli*qu*eis, não obli*qú*em.

Verbo regular de emprego raro. Os destaques indicam as sílabas tônicas. Contrariamente ao que preceitua o novo sistema ortográfico, achamos que o *u* tônico do grupo *que* deve ser acentuado.

Segue este modelo o verbo defectivo *adequar*, que só possui as formas arrizotônicas: *adequamos, adequais, adequava, adequei, adequado*, etc.

MAGOAR

Indicativo *presente*: magoo, magoas, magoa, magoamos, magoais, magoam.

Subjuntivo *presente*: magoe, magoes, magoe, magoemos, magoeis, magoem.

Verbo regular. Assim se conjugam os verbos em *-oar: abençoar, doar, abotoar, soar, voar*, etc. Não se acentuam os grupos *-oa* e *-oe*.

APIEDAR-SE (= ter piedade, compadecer-se)

Indicativo *presente*: apiedo-me, apiedas-te, apieda-se, apiedamo-nos, apiedais-vos, apiedam-se.

Subjuntivo *presente*: que eu me apiede, que tu te apiedes, que ele se apiede, etc.

Imperativo *afirmativo*: apieda-te, apiede-se, apiedemo-nos, apiedai-vos, apiedem-se.

Seu antônimo é *desapiedar-se*. É tendência geral conjugar *apiedar-se* regularmente:

"Trigo, que eu semeei, *apieda-te* de mim!" (Raimundo Correia)

"*Apiedo-me* dos amigos." (Gastão Cruls)

"... quando *se apieda*." (Hermes Fontes)

"... quem não *se apieda* dos outros." (Gustavo Corção)

"Que Deus *se apiede* dos pecadores que assim procedem!" (Peregrino Júnior)

As formas irregulares *apiado-me, apiadas-te, apiada-se, apiadam-se, apiada-te*, etc. (calcadas no antigo verbo *apiadar-se*) não são recomendáveis.

RESFOLEGAR

Indicativo *presente:* resfolgo, resfolgas, resfolga, resfolegamos, resfolegais, resfolgam.

Imperfeito: resfolegava, etc.

Pretérito perfeito: resfoleguei, etc.

Subjuntivo *presente*: resfolgue, resfolgues, resfolgue, resfoleguemos, resfolegueis, resfolguem.

Este verbo perde o *e* da penúltima sílaba nas formas rizotônicas. As formas usuais são as arrizotônicas: *resfolegar, resfolegava, resfolegavam*, etc.

É menos recomendável a conjugação regular (*resfólego, resfólegas*, etc.) que alguns gramáticos adotam. Há a variante *resfolgar*, inteiramente regular.

SOBRESTAR (= parar, deter-se; suspender)

Conjuga-se como *estar*, de que é derivado: sobrestou, sobrestava, sobrestive, sobrestarei, sobresteja, etc.

"*Sobresteve* o tupi." (Gonçalves Dias)

"Pacatuba aperrou a arma, mas eu *sobrestive-lhe* o gesto." (Gastão Cruls)

VERBOS TERMINADOS EM *-EAR*

Os verbos terminados em *-ear* intercalam um *i* eufônico nas formas rizotônicas. Pode servir de modelo o verbo seguinte:

NOMEAR

Indicativo presente: nomeio, nomeias, nomeia, nomeamos, nomeais, nomeiam.

Pretérito imperfeito: nomeava, nomeavas, nomeava, nomeávamos, nomeáveis, nomeavam.

Pretérito perfeito: nomeei, nomeaste, nomeou, nomeamos, nomeastes, nomearam.

Subjuntivo presente: nomeie, nomeies, nomeie, nomeemos, nomeeis, nomeiem.

Imperativo afirmativo: nomeia, nomeie, nomeemos, nomeai, nomeiem.

Imperativo negativo: não nomeies, não nomeie, não nomeemos, não nomeeis, não nomeiem. É regular o resto da conjugação.

Assim se conjugam: *apear, atear, cear, recear, folhear, frear, passear, gear, enlear, bloquear, afear, granjear, hastear, lisonjear, semear, titubear, arrear, recrear, idear* e *estrear*. Esses dois últimos são os únicos que têm o e aberto nas formas rizotônicas, porém, sem acento gráfico: *ideio, ideias, ideia, ideie, ideies, estreio, estreias, estreia, estreie*, etc.

VERBOS TERMINADOS EM *-IAR*

Os verbos terminados em *-iar* podem ser distribuídos em dois grupos:

1º) Os que se conjugam regularmente, que são a maioria: *abreviar, agraciar, aliar, alumiar, angariar, caluniar, obviar, gloriar-se, historiar, injuriar, vangloriar-se, criar, presenciar, premiar, arriar, copiar*, etc. Seguem o modelo *copiar*:

COPIAR

Indicativo presente: copio, copias, copia, copiamos, copiais, copiam.

Pretérito perfeito: copiei, copiaste, copiou, etc.

Pretérito mais-que-perfeito: copiara, copiaras, etc.

Subjuntivo presente: copie, copies, copie, copiemos, copieis, copiem.

Imperativo afirmativo: copia, copie, copiemos, copiai, copiem.

Imperativo negativo: não copies, não copie, não copiemos, não copieis, não copiem.

2º) Os que mudam o *i* da penúltima sílaba em *ei*, nas formas rizotônicas. São os seis seguintes: *mediar, intermediar, ansiar, remediar* [2], *incendiar, odiar*. Conjugaremos esse último, que servirá de modelo para os outros cinco.

---

[2] "Uns homens ocasionam os males e exigem que outros os remedeiem." (Marquês de Maricá)

ODIAR

Indicativo *presente*: odeio, odeias, odeia, odiamos, odiais, odeiam.

Pretérito imperfeito: odiava, odiavas, odiava, etc.

Pretérito perfeito: odiei, odiaste, odiou, etc.

Pretérito mais-que-perfeito: odiara, odiaras, odiara, odiáramos, odiáreis, odiaram.

Subjuntivo *presente*: odeie, odeies, odeie, odiemos, odieis, odeiem.

Imperativo afirmativo: odeia, odeie, odiemos, odiai, odeiem.

Imperativo negativo: não odeies, não odeie, não odiemos, não odieis, não odeiem. E assim por diante.

2ª CONJUGAÇÃO

ABSTER-SE

Indicativo *presente*: abstenho-me, absténs-te, abstém-se, abstemo-nos, abstende-vos, abstêm-se.

Pretérito imperfeito: abstinha-me, abstinhas-te, abstinha-se, abstínhamo-nos, etc.

Pretérito perfeito: abstive-me, abstiveste-te, absteve-se, abstivemo-nos, etc.

Pretérito mais-que-perfeito: abstivera-me, abstiveras-te, abstivera-se, etc.

Futuro do presente: abster-me-ei, abster-te-ás, abster-se-á, abster-nos-emos, etc.

Futuro do pretérito: abster-me-ia, abster-te-ias, abster-se-ia, abster-nos-íamos, etc.

Imperativo afirmativo: abstém-te, abstenha-se, abstenhamo-nos, abstende-vos, abstenham-se.

Subjuntivo *presente*: que me abstenha, que te abstenhas, que se abstenha, etc.

Pretérito imperfeito: se me abstivesse, se te abstivesses, se se abstivesse, etc.

Futuro: se me abstiver, se te abstiveres, se se abstiver, etc.

Gerúndio: abstendo-se.

Particípio: abstido.

Conjuga-se como *ter*.

COMPRAZER-SE (= sentir prazer, gostar)

Tem a conjugação completa e figura no rol dos verbos abundantes. Segue o modelo *jazer* (com irregularidade apenas na 3ª pessoa do singular do presente do indicativo), sendo que nos tempos do pretérito apresenta formas irregulares ao lado das regulares:

comprazo-me, comprazes-te, compraz-se, comprazemo-nos, etc.; *comprazia-me*, etc.; *comprazer-me-ei*, etc.; *comprazer-me-ia*, etc.; *compraza-me*, etc.; *comprazi-me* ou *comprouve-me; comprazera-me* ou *comprouvera-me; comprazesse-me* ou *comprouvesse-me; se me comprazer* ou *se me comprouver*, etc.[3]

---

[3] "Embora o conselheiro às vezes se *comprouvesse* em seguir as suas aventuras policiais modernas." (João Alphonsus, *Contos e Novelas*, p. 137, Rio de Janeiro, 1965)

"Sentiu-se que o gênio da noite se *comprazera* em criar gruta ímpar e assombrosa." (Ferreira de Castro, *A Selva*, Guimarães Editores, 2006)

"Não mais *me comprazi* na sua palavra." (Carlos de Laet)

MORFOLOGIA 235

CABER

Indicativo *presente*: caibo, cabes, cabe, cabemos, cabeis, cabem.

Pretérito perfeito: coube, coubeste, coube, coubemos, coubestes, couberam.

Pretérito mais-que-perfeito: coubera, couberas, coubera, coubéramos, coubéreis, couberam.

Subjuntivo *presente*: caiba, caibas, caiba, caibamos, caibais, caibam.

Pretérito imperfeito: coubesse, coubesses, coubesse, coubéssemos, coubésseis, coubessem.

Futuro: couber, couberes, couber, coubermos, couberdes, couberem.

Gerúndio: cabendo.

Particípio: cabido.

Imperativo: não existe.

CRER

Indicativo *presente*: creio, crês, crê, cremos, credes, creem.

Pretérito imperfeito: cria, crias, cria, críamos, críeis, criam.

Pretérito perfeito: cri, creste, creu, cremos, crestes, creram.

Imperativo afirmativo: crê, creia, creiamos, crede, creiam.

Subjuntivo *presente*: creia, creias, creia, creiamos, creiais, creiam.

Pretérito imperfeito: cresse, cresses, cresse, crêssemos, crêsseis, cressem.

Futuro: crer, creres, crer, crermos, crerdes, crerem.

Gerúndio: crendo.

Particípio: crido.

Assim se conjugam *descrer* e *ler*.

DIZER

Indicativo *presente*: digo, dizes, diz, dizemos, dizeis, dizem.

Pretérito imperfeito: dizia, dizias, dizia, dizíamos, dizíeis, diziam.

Pretérito perfeito: disse, disseste, disse, dissemos, dissestes, disseram.

Pretérito mais-que-perfeito: dissera, disseras, dissera, etc.

Futuro do presente: direi, dirás, dirá, diremos, direis, dirão.

Futuro do pretérito: diria, dirias, diria, diríamos, diríeis, diriam.

Imperativo afirmativo: dize, diga, digamos, dizei, digam.

Subjuntivo *presente*: diga, digas, diga, digamos, digais, digam.

Pretérito imperfeito: dissesse, dissesses, dissesse, disséssemos, dissésseis, dissessem.

Futuro: disser, disseres, disser, dissermos, disserdes, disserem.

Infinitivo *impessoal*: dizer.

Infinitivo pessoal: dizer, dizeres, dizer, dizermos, dizerdes, dizerem.

Gerúndio: dizendo.

Particípio: dito.

Seguem este paradigma os derivados *bendizer, condizer, contradizer, desdizer, entredizer, maldizer, predizer* e *redizer*.

ESCREVER

Escrever e seus derivados *descrever, inscrever, prescrever, proscrever, reescrever, sobrescrever, subscrever* são irregulares apenas no particípio: *escrito, descrito, inscrito, prescrito, proscrito, reescrito, sobrescrito, subscrito.*

FAZER

Indicativo *presente*: faço, fazes, faz, fazemos, fazeis, fazem.

Pretérito perfeito: fiz, fizeste, fez, fizemos, fizestes, fizeram.

Pretérito mais-que-perfeito: fizera, fizeras, fizera, fizéramos, fizéreis, fizeram.

Futuro do presente: farei, farás, fará, faremos, fareis, farão.

Futuro do pretérito: faria, farias, faria, faríamos, faríeis, fariam.

Imperativo afirmativo: faze, faça, façamos, fazei, façam.

Subjuntivo *presente*: faça, faças, faça, façamos, façais, façam.

Pretérito imperfeito: fizesse, fizesses, fizesse, fizéssemos, fizésseis, fizessem.

Futuro: fizer, fizeres, fizer, fizermos, fizerdes, fizerem.

Infinitivo *impessoal*: fazer.

Infinitivo pessoal: fazer, fazeres, fazer, fazermos, fazerdes, fazerem.

Gerúndio: fazendo.

Particípio: feito.

Como *fazer* se conjugam os seus derivados: *afazer-se, desfazer, refazer, perfazer, satisfazer*, etc.

JAZER

Indicativo *presente*: jazo, jazes, *jaz*, jazemos, jazeis, jazem.

Pretérito perfeito: jazi, jazeste, jazeu, jazemos, jazestes, jazeram.

Futuro do presente: jazerei, jazerás, jazerá, etc.

Futuro do pretérito: jazeria, jazerias, jazeria, etc.

Imperativo afirmativo: jaze, jaza, jazamos, jazei, jazam.

Subjuntivo *presente*: jaza, jazas, jaza, jazamos, jazais, jazam.

Pretérito imperfeito: jazesse, jazesses, jazesse, etc.

Futuro: jazer, jazeres, jazer, jazermos, jazerdes, jazerem.

Gerúndio: jazendo.

Particípio: jazido.

Esse verbo, que significa "estar deitado", "estar no chão", é irregular só na 3ª pessoa do singular do presente do indicativo.

Segue esse modelo o verbo *comprazer-se*, conjugado anteriormente.

LER

Indicativo *presente*: leio, lês, lê, lemos, ledes, leem.

Pretérito imperfeito: lia, lias, lia, etc.

Pretérito perfeito: li, leste, leu, lemos, lestes, leram.

Pretérito mais-que-perfeito: lera, leras, lera, lêramos, lêreis, leram.

Imperativo afirmativo: lê, leia, leiamos, lede, leiam.

Subjuntivo *presente*: leia, leias, leia, leiamos, leiais, leiam.

Pretérito imperfeito: lesse, lesses, lesse, lêssemos, lêsseis, lessem.

Futuro: ler, leres, ler, lermos, lerdes, lerem.

Gerúndio: lendo.

Particípio: lido.

Ler e seus derivados *reler* e *tresler* conjugam-se como *crer*.

MOER

Indicativo *presente*: moo, *móis*, *mói*, moemos, moeis, moem.

Pretérito imperfeito: moía, moías, moía, moíamos, moíeis, moíam.

Pretérito perfeito: moí, moeste, moeu, etc.

Imperativo *afirmativo*: *mói,* moa, moamos, moei, moam.

Subjuntivo *presente*: moa, moas, moa, moamos, moais, moam.

Pretérito imperfeito: moesse, moesses, moesse, etc.

Gerúndio: moendo.

Particípio: moído.

Irregular apenas na 2ª e 3ª pessoas do singular do presente do indicativo e na 2ª pessoa do singular do imperativo. Assim se conjugam *esmoer, remoer, roer, corroer, doer-se, condoer-se* e *doer*.

PERDER

Indicativo *presente*: perco, perdes, perde, perdemos, perdeis, perdem.

Subjuntivo *presente*: perca, percas, perca, percamos, percais, percam.

Imperativo afirmativo: perde, perca, percamos, perdei, percam.

Regular no resto. As formas com a consoante *c* têm o e fechado: perco (ê), percas (ê), perca (ê), percam (ê).

PODER

Indicativo *presente*: posso, podes, pode, podemos, podeis, podem.

Pretérito imperfeito: podia, podias, podia, etc.

Pretérito perfeito: pude, pudeste, pôde, pudemos, pudestes, puderam.

Pretérito mais-que-perfeito: pudera, puderas, pudera, pudéramos, pudéreis, puderam.

Imperativo: não existe.

Subjuntivo *presente*: possa, possas, possa, possamos, possais, possam.

Pretérito imperfeito: pudesse, pudesses, pudesse, pudéssemos, pudésseis, pudessem.

Futuro: puder, puderes, puder, pudermos, puderdes, puderem.

Infinitivo pessoal: poder, poderes, poder, podermos, poderdes, poderem.

Gerúndio: podendo.

Particípio: podido.

PÔR

Indicativo *presente*: ponho, pões, põe, pomos, pondes, põem.

Pretérito imperfeito: punha, punhas, punha, púnhamos, púnheis, punham.

Pretérito perfeito: pus, puseste, pôs, pusemos, pusestes, puseram.

Pretérito mais-que-perfeito: pusera, puseras, pusera, puséramos, puséreis, puseram.

Futuro do presente: porei, porás, porá, poremos, poreis, porão.

Futuro do pretérito: poria, porias, poria, poríamos, poríeis, poriam.

Imperativo afirmativo: põe, ponha, ponhamos, ponde, ponham.

Imperativo negativo: não ponhas, não ponha, não ponhamos, não ponhais, não ponham.

Subjuntivo *presente*: ponha, ponhas, ponha, ponhamos, ponhais, ponham.

Pretérito imperfeito: pusesse, pusesses, pusesse, puséssemos, pusésseis, pusessem.

Futuro: puser, puseres, puser, pusermos, puserdes, puserem.

Infinitivo *impessoal*: pôr.

Infinitivo pessoal: pôr, pores, pôr, pormos, pordes, porem.

Gerúndio: pondo.

Particípio: posto.

Pôr é o antigo verbo *poer*, motivo pelo qual é incluído entre os irregulares da 2ª conjugação.

Como *pôr* conjugam-se todos os seus derivados: *antepor, apor, compor, contrapor, decompor, depor, descompor, dispor, entrepor, expor, impor, indispor, interpor, justapor, maldispor, opor, pospor, predispor, prepor, pressupor, propor, recompor, repor, sobrepor, sotopor, superpor, supor, transpor.*

PRAZER (= causar prazer, agradar)

Só se usa na 3ª pessoa do singular.

Indicativo *presente*: praz.

Pretérito imperfeito: prazia.

Pretérito perfeito: prouve.

Pretérito mais-que-perfeito: prouvera.

Futuro do presente: prazerá.

Futuro do pretérito: prazeria.

Subjuntivo *presente*: praza.

Pretérito imperfeito: prouvesse.

Futuro: prouver.

Gerúndio: prazendo.

Particípio: prazido.

Assim se conjugam *aprazer* e *desaprazer*: "Pois que *aprouve* ao dia findar, aceito a noite." (CARLOS DRUMMOND DE ANDRADE)

MORFOLOGIA 239

PRECAVER

Indicativo *presente*: precavemos, precaveis (defectivo nas outras pessoas).

Pretérito imperfeito: precavia, precavias, precavia, etc.

Pretérito perfeito: precavi, precaveste, precaveu, precavemos, precavestes, precaveram.

Imperativo: precavei.

Subjuntivo *presente*: não há.

Pretérito imperfeito: precavesse, precavesses, precavesse, etc.

Futuro: precaver, precaveres, precaver, precavermos, precaverdes, precaverem.

Gerúndio: precavendo.

Particípio: precavido.

Este verbo é defectivo. Não se usa nas formas rizotônicas. Não é formado de *ver* nem de *vir*, sendo, portanto, errôneas as formas *precavejo, precavês, precavenho, precavéns, precavém, precavêm, precavenha, precavenham*. Nas formas em que é defectivo, empregaremos os verbos *precatar, acautelar, cuidar* ou *prevenir*. Usa-se mais frequentemente como verbo reflexivo: *precavemo-nos, precavia-me, precavei-vos*, etc.

Em vez de "ele que *se precavenha*", diga "que ele *se previna*" ou "que ele *se acautele*" ou ainda "que ele *se cuide*".

PROVER

Indicativo *presente*: provejo, provês, provê, provemos, provedes, proveem.

Pretérito imperfeito: provia, provias, provia, etc.

Pretérito perfeito: provi, proveste, proveu, provemos, provestes, proveram.

Pretérito mais-que-perfeito: provera, proveras, provera, etc.

Futuro do presente: proverei, proverás, proverá, etc.

Futuro do pretérito: proveria, proverias, proveria, etc.

Imperativo afirmativo: provê, proveja, provejamos, provede, provejam.

Subjuntivo *presente*: proveja, provejas, proveja, provejamos, provejais, provejam.

Pretérito imperfeito: provesse, provesses, provesse, etc.

Futuro: prover, proveres, prover, provermos, proverdes, proverem.

Gerúndio: provendo.

Particípio: provido.

Este verbo, que significa *abastecer, providenciar,* conjuga-se como *ver*, exceto no pretérito perfeito e seus derivados e no particípio, em que é regular.

Seu antônimo *desprover* é usado quase exclusivamente no particípio: *desprovido*.

QUERER

Indicativo *presente*: quero, queres, quer, queremos, quereis, querem.

Pretérito imperfeito: queria, querias, queria, etc.

Pretérito perfeito: quis, quiseste, quis, quisemos, quisestes, quiseram.

Pretérito mais-que-perfeito: quisera, quiseras, quisera, quiséramos, quiséreis, quiseram.

Futuro do presente: quererei, quererás, quererá, etc.

Futuro do pretérito: quereria, quererias, quereria, etc.

Imperativo afirmativo: queira você, queiram vocês, querei vós[4].

Imperativo negativo: não queiras, não queira, não queiramos, não queirais, não queiram.

Subjuntivo *presente*: queira, queiras, queira, queiramos, queirais, queiram.

Pretérito imperfeito: quisesse, quisesses, quisesse, quiséssemos, quisésseis, quisessem.

Futuro: quiser, quiseres, quiser, quisermos, quiserdes, quiserem.

Infinitivo *pessoal*: querer, quereres, querer, querermos, quererdes, quererem.

Gerúndio: querendo.

Particípio: querido.

Os derivados *benquerer* e *malquerer*, além do particípio regular *benquerido, malquerido*, têm outro, irregular: *benquisto, malquisto*, usados como adjetivos.

REQUERER

Indicativo *presente*: requeiro, requeres, requer, requeremos, requereis, requerem.

Pretérito perfeito: requeri, requereste, requereu, requeremos, requerestes, requereram.

Pretérito mais-que-perfeito: requerera, requereras, requerera, etc.

Futuro do presente: requererei, requererás, requererá, etc.

Futuro do pretérito: requereria, requererias, requereria, etc.

Imperativo afirmativo: requere, requeira, requeiramos, requerei, requeiram.

Subjuntivo *presente*: requeira, requeiras, requeira, requeiramos, requeirais, requeiram.

Pretérito imperfeito: requeresse, requeresses, requeresse, etc.

Futuro: requerer, requereres, requerer, requerermos, requererdes, requererem.

Gerúndio: requerendo.

Particípio: requerido.

Este verbo não segue a conjugação de *querer*. É irregular apenas na 1ª e na 3ª pessoa do singular do indicativo presente e, portanto, no presente do subjuntivo, no imperativo negativo e no imperativo afirmativo (requeira você, requeiram vocês).

REAVER

Conjuga-se como *haver*, mas só possui as formas que têm a letra *v*.

Indicativo *presente*: reavemos, reaveis. (Não existem: *reei, reás, reá, reão*.)

Pretérito imperfeito: reavia, reavias, reavia, etc.

Pretérito perfeito: reouve, reouveste, reouve, reouvemos, reouvestes, reouveram.

Pretérito mais-que-perfeito: reouvera, reouveras, reouvera, etc.

Futuro do presente: reaverei, reaverás, etc.

Futuro do pretérito: reaveria, reaverias, etc.

Imperativo afirmativo: reavei.

Subjuntivo *pretérito imperfeito*: reouvesse, reouvesses, reouvesse, reouvéssemos, reouvésseis, reouvessem.

---

[4] *"Querei* só o que podeis e seres onipotentes." (Antônio Vieira)

Futuro: reouver, reouveres, reouver, reouvermos, reouverdes, reouverem.

Gerúndio: reavendo.

Particípio: reavido.

Reaveja, reavejam são formas errôneas, inadmissíveis. O presente do subjuntivo não existe, nem, portanto, o imperativo negativo. Supre-se com as formas do sinônimo *recuperar*: *recupere, recuperes, recupere*, etc.

SABER

Indicativo *presente*: sei, sabes, sabe, sabemos, sabeis, sabem.

Pretérito perfeito: soube, soubeste, soube, soubemos, soubestes, souberam.

Pretérito mais-que-perfeito: soubera, souberas, soubera, soubéramos, soubéreis, souberam.

Subjuntivo *presente*: saiba, saibas, saiba, saibamos, saibais, saibam.

Pretérito imperfeito: soubesse, soubesses, soubesse, soubéssemos, soubésseis, soubessem.

Futuro: souber, souberes, souber, soubermos, souberdes, souberem.

Imperativo afirmativo: sabe, saiba, saibamos, sabei[5], saibam.

É regular nos outros tempos.

SOER (= costumar)

Indicativo *presente*: sóis, sói, soemos, soeis, soem. (Pronuncie *sóem*.)

Pretérito imperfeito: soía, soías, soía, soíamos, soíeis, soíam.

Verbo defectivo, inusitado nas demais formas. Nas formas vigentes segue o verbo *moer*.

TRAZER

Indicativo *presente*: trago, trazes, traz, trazemos, trazeis, trazem.

Pretérito imperfeito: trazia, trazias, trazia, etc.

Pretérito perfeito: trouxe, trouxeste, trouxe, trouxemos, trouxestes, trouxeram.

Pretérito mais-que-perfeito: trouxera, trouxeras, trouxera, trouxéramos, trouxéreis, trouxeram.

Futuro do presente: trarei, trarás, trará, traremos, trareis, trarão.

Futuro do pretérito: traria, trarias, traria, traríamos, traríeis, trariam.

Imperativo afirmativo: traze, traga, tragamos, trazei, tragam.

Subjuntivo *presente*: traga, tragas, traga, tragamos, tragais, tragam.

Pretérito imperfeito: trouxesse, trouxesses, trouxesse, trouxéssemos, trouxésseis, trouxessem.

Futuro: trouxer, trouxeres, trouxer, trouxermos, trouxerdes, trouxerem.

Infinitivo *pessoal*: trazer, trazeres, trazer, trazermos, trazerdes, trazerem.

Gerúndio: trazendo.

Particípio: trazido.

---

[5] "Sabei sofrer, merecereis gozar." (Marquês de Maricá)

"Pois sabei que, naquele tempo, estava eu na quarta edição." (Machado de Assis)

"Sabei, moços, que há inferno, e não fica longe; é aqui." (Rubem Braga)

MORFOLOGIA

VALER

Indicativo presente: valho, vales, vale, valemos, valeis, valem.
Subjuntivo presente: valha, valhas, valha, valhamos, valhais, valham.
Imperativo afirmativo: vale, valha, valhamos, valei, valham.

Nos outros tempos é regular.

Assim se conjugam *equivaler* e *desvaler*.

VER

Indicativo presente: vejo, vês, vê, vemos, vedes, veem.
Pretérito perfeito: vi, viste, viu, vimos, vistes, viram.
Pretérito mais-que-perfeito: vira, viras, vira, víramos, víreis, viram.
Imperativo afirmativo: vê, veja, vejamos, vede, vejam.
Subjuntivo presente: veja, vejas, veja, vejamos, vejais, vejam.
Pretérito imperfeito: visse, visses, visse, víssemos, vísseis, vissem.
Futuro: vir, vires, vir, virmos, virdes, virem.
Gerúndio: vendo.
Particípio: visto.

Como *ver* se conjugam: *antever, entrever, prever, rever*. Observe que no futuro do subjuntivo se diz "se você *vir*", "se eu *vir*", e não "se você *ver*", "se eu *ver*".

3ª CONJUGAÇÃO

ABOLIR

Indicativo presente: aboles, abole, abolimos, abolis, abolem.
Imperativo afirmativo: abole, aboli.
Subjuntivo presente: não existe.

Defectivo nas formas em que ao *l* do radical se seguiria *a* ou *o*, o que ocorre apenas no presente do indicativo e seus derivados.

Por este verbo se conjugam: *banir, brandir, carpir, colorir, comedir-se, delir, demolir, extorquir, esculpir, haurir, delinquir*, etc.

AGREDIR

Indicativo presente: agrido, agrides, agride, agredimos, agredis, agridem.
Subjuntivo presente: agrida, agridas, agrida, agridamos, agridais, agridam.
Imperativo afirmativo: agride, agrida, agridamos, agredi, agridam.

Regular nos demais tempos.

Este verbo muda a vogal *e* em *i* nas formas rizotônicas do presente do indicativo e em todas as formas dos seus dois derivados, excetuando-se a 2ª pessoa do plural do imperativo afirmativo (agredi).

São conjugados assim: *progredir, regredir, transgredir, denegrir, prevenir, cerzir*.

CAIR

Indicativo *presente*: caio, cais, cai, caímos, caís, caem.

Subjuntivo *presente*: caia, caias, caia, caiamos, caiais, caiam.

Imperativo afirmativo: cai, caia, caiamos, caí, caiam.

Regular no resto.

Seguem este modelo os verbos terminados em -*air*: *decair, recair, sair, sobressair, trair, distrair, abstrair, detrair, subtrair*, etc.

COBRIR

Indicativo *presente*: cubro, cobres, cobre, cobrimos, cobris, cobrem.

Subjuntivo *presente*: cubra, cubras, cubra, cubramos, cubrais, cubram.

Imperativo afirmativo: cobre, cubra, cubramos, cobri, cubram.

Particípio: coberto.

Observe: *o* → *u* na 1ª pessoa do singular do presente do indicativo e em todas as pessoas do presente do subjuntivo.

Assim se conjugam: *dormir, engolir, tossir, encobrir, descobrir.* Os três primeiros, porém, têm o particípio regular. *Abrir, entreabrir* e *reabrir* seguem *cobrir*, no particípio: *aberto, entreaberto, reaberto.*

CONDUZIR

Este verbo e todos os terminados em -*uzir* perdem o e final na 3ª pessoa do singular do presente do indicativo: *conduz, induz, reduz, seduz, luz, reluz*, etc.

CONSTRUIR

Indicativo *presente*: construo, constróis, constrói, construímos, construís, constroem.

Imperativo afirmativo: constrói, construa, construamos, construí, construam.

Regular no resto. Não se usam as formas regulares *construi(s), construem.*

Assim se conjugam *destruir, reconstruir* e *estruir* (destruir, desperdiçar).

FALIR

Indicativo *presente*: falimos, falis.

Pretérito imperfeito: falia, falias, falia, falíamos, falíeis, faliam.

Pretérito perfeito: fali, faliste, faliu, etc.

Pretérito mais-que-perfeito: falira, faliras, falira, etc.

Particípio: falido.

Verbo regular defectivo. Usa-se apenas nas formas em que ao *l* se segue *i.*

Modelam-se por *falir*: *aguerrir, empedernir, espavorir, remir*, etc.

FERIR

Indicativo *presente*: firo, feres, fere, ferimos, feris, ferem.
Subjuntivo *presente*: fira, firas, fira, firamos, firais, firam.
Imperativo afirmativo: fere, fira, firamos, feri, firam.

Regular no resto. Note: e → *i* na 1ª pessoa do singular do indicativo presente e em todo o presente do subjuntivo.

Seguem a conjugação de *ferir: aderir, advertir, aferir, auferir, compelir, competir, concernir, convergir, deferir, despir, diferir, divergir, discernir, divertir, gerir, digerir, ingerir, sugerir, refletir, vestir, servir, desservir, seguir, repelir, conseguir, perseguir, prosseguir, preterir, inserir, revestir.*

FRIGIR

Indicativo *presente*: frijo, freges, frege, frigimos, frigis, fregem.
Subjuntivo *presente*: frija, frijas, frija, frijamos, frijais, frijam.
Imperativo afirmativo: frege, frija, frijamos, frigi, frijam.
Particípio: frito ou frigido. *Frito* funciona também como adjetivo: peixe *frito*.

Regular no resto. Verbo de pouco uso. Emprega-se, de preferência, o sinônimo *fritar*. Aparece na expressão "no frigir dos ovos" = no fim de tudo.

FUGIR

Indicativo *presente*: fujo, foges, foge, fugimos, fugis, fogem.
Imperativo afirmativo: foge, fuja, fujamos, fugi, fujam.
Subjuntivo *presente*: fuja, fujas, fuja, fujamos, fujais, fujam.

Regular nas demais formas.

Seguem este modelo: *acudir, bulir, cuspir, entupir, escapulir, sacudir, subir*. Não se usam as formas regulares *entupes, entupe, entupem,* do verbo *entupir*, suplantadas pelas irregulares *entopes, entope, entopem*.

IR

Indicativo *presente*: vou, vais, vai, vamos, ides, vão.
Pretérito imperfeito: ia, ias, ia, íamos, íeis, iam.
Pretérito perfeito: fui, foste, foi, fomos, fostes, foram.
Pretérito mais-que-perfeito: fora, foras, fora, fôramos, fôreis, foram.
Futuro do presente: irei, irás, irá, iremos, ireis, irão.
Futuro do pretérito: iria, irias, iria, iríamos, iríeis, iriam.
Imperativo afirmativo: vai, vá, vamos, ide, vão.
Imperativo negativo: não vás, não vá, não vamos, não vades, não vão.
Subjuntivo *presente*: vá, vás, vá, vamos, vades, vão.
Pretérito imperfeito: fosse, fosses, fosse, fôssemos, fôsseis, fossem.
Futuro: for, fores, for, formos, fordes, forem.
Infinitivo *pessoal*: ir, ires, ir, irmos, irdes, irem.

Gerúndio: indo.

Particípio: ido.

MENTIR

Indicativo *presente*: minto, mentes, mente, mentimos, mentis, mentem.

Subjuntivo *presente*: minta, mintas, minta, mintamos, mintais, mintam.

Imperativo afirmativo: mente, minta, mintamos, menti, mintam.

Regular no resto da conjugação. Como no verbo *ferir*, a vogal *e* muda em *i* na 1ª pessoa do singular do presente do indicativo e em todas as do presente do subjuntivo, mas, por ser nasal, conserva o timbre fechado na 2ª e 3ª pessoas do singular e 3ª do plural do presente do indicativo.

Seguem este modelo: *desmentir, sentir, consentir, ressentir, pressentir.*

OUVIR

Indicativo *presente*: ouço, ouves, ouve, ouvimos, ouvis, ouvem.

Imperativo afirmativo: ouve, ouça, ouçamos, ouvi, ouçam.

Subjuntivo *presente*: ouça, ouças, ouça, ouçamos, ouçais, ouçam.

Imperativo negativo: não ouças, não ouça, não ouçamos, não ouçais, não ouçam.

Gerúndio: ouvindo.

Particípio: ouvido.

Regular nos demais tempos.

PEDIR

Indicativo *presente*: peço, pedes, pede, pedimos, pedis, pedem.

Subjuntivo *presente*: peça, peças, peça, peçamos, peçais, peçam.

Imperativo afirmativo: pede, peça, peçamos, pedi, peçam.

Imperativo negativo: não peças, não peça, não peçamos, não peçais, não peçam.

Regular nas outras formas.

Conjugam-se assim: *despedir, expedir, impedir, desimpedir* e *medir.*

POLIR

Indicativo *presente*: pulo, pules, pule, polimos, polis, pulem.

Subjuntivo *presente*: pula, pulas, pula, pulamos, pulais, pulam.

Imperativo afirmativo: pule, pula, pulamos, poli, pulam.

Irregular nas formas rizotônicas, nas quais o *o* do radical muda em *u*. Segue a conjugação do verbo *sortir.*

REMIR

Verbo regular, mas só tem as formas em que ao *m* segue a vogal *i.*

MORFOLOGIA

As formas que lhe faltam são supridas com as do verbo sinônimo *redimir*, que é regular e tem a conjugação completa: **redimo**, **redimes**, **redime**, *remimos, remis*, **redimem**.

Conjugam-se como *falir*.

POSSUIR

Indicativo presente: possuo, possuis, possui, possuímos, possuís, possuem.

Pretérito imperfeito: possuía, possuías, possuía, etc.

Pretérito perfeito: possuí, possuíste, possuiu, possuímos, possuístes, possuíram.

Pretérito mais-que-perfeito: possuíra, possuíras, possuíra, etc.

Subjuntivo presente: possua, possuas, possua, possuamos, possuais, possuam.

Imperativo afirmativo: possui, possua, possuamos, possuí, possuam.

Verbo regular, apresentando a particularidade gráfica *-ui*, e não *-ue*, na 2ª e 3ª pessoas do singular do presente do indicativo, por haver ditongo decrescente.

Por este se conjugam todos os verbos em *-uir* (*destituir, concluir, influir, anuir, arguir, fruir, obstruir, instruir, restituir*, etc.), exceto *construir, reconstruir* e *destruir*, irregulares no indicativo presente. Alguns, como *puir, ruir*, etc., são defectivos nas pessoas em que o *u* é seguido de *o* ou *a*.

Quanto ao verbo *arguir*, o *u* recebe acento gráfico quando tônico e seguido de *i* ou *e*: arguo, *argúis, argúi, arguímos, arguís, argúem*; arguí, arguíste, arguíu, arguímos, aguístes, arguíram, etc. Contrariamente ao que preceitua o novo sistema ortográfico, entendemos que se devem acentuar os grupos *gui, gue* desse verbo quando as vogais *i* e *u* são tônicas, a fim de afastar pronúncias errôneas. *Argui*, sem acento, por exemplo, pode ser pronunciado como *segui*.

RIR

Indicativo presente: rio, ris, ri, rimos, rides, riem.

Pretérito imperfeito: ria, rias, ria, ríamos, ríeis, riam.

Pretérito perfeito: ri, riste, riu, rimos, ristes, riram.

Imperativo afirmativo: ri, ria, riamos, ride, riam.

Subjuntivo presente: ria, rias, ria, riamos, riais, riam.

Imperfeito: risse, risses, risse, ríssemos, rísseis, rissem.

Particípio: rido.

Como *rir* se conjuga o derivado *sorrir*.

SORTIR

Indicativo presente: surto, surtes, surte, sortimos, sortis, surtem.

Subjuntivo presente: surta, surtas, surta, surtamos, surtais, surtam.

Imperativo afirmativo: surte, surta, surtamos, sorti, surtam.

Irregular nas formas rizotônicas, nas quais a vogal *o* muda em *u*.

Segue esta conjugação o verbo *polir*.

Sortir significa *abastecer, fazer sortimento, combinar*. Não confundir com *surtir* (= ter como resultado, alcançar efeito, originar), que só tem as terceiras pessoas: o plano *surtiu* efeito; as negociações não *surtiram* efeito.

SUMIR

Indicativo presente: sumo, somes, some, sumimos, sumis, somem.

Subjuntivo presente: suma, sumas, suma, sumamos, sumais, sumam.

Imperativo afirmativo: some, suma, sumamos, sumi, sumam.

Regular no resto da conjugação.

Assim também *consumir*: *consumo, consomes, consome, consumimos, consumis, consomem*. *Assumir, reassumir, resumir* e *presumir* são regulares: *assumo, assumes, assume, assumimos, assumis, assumem*, etc.

SUBMERGIR

Indicativo presente: submerjo (ê), submerges, submerge, submergimos, submergis, submergem.

Subjuntivo presente: submerja (ê), submerjas, submerja, etc.

Particípio: submergido e submerso (mais usado como adjetivo: *corpo submerso*).

Seguem esse modelo *emergir, imergir* e *aspergir*. Este último, porém, pode ser conjugado como *ferir* (*aspirjo, asperges, asperge*, etc.; *aspirja, aspirjas, aspirja*, etc.), observando-se que as formas com *i* tônico praticamente não se usam.

VIR

Indicativo presente: venho, vens, vem, vimos, vindes, vêm.

Pretérito imperfeito: vinha, vinhas, vinha, vínhamos, vínheis, vinham.

Pretérito perfeito: vim, vieste, veio, viemos, viestes, vieram.

Pretérito mais-que-perfeito: viera, vieras, viera, viéramos, viéreis, vieram.

Futuro do presente: virei, virás, virá, viremos, vireis, virão.

Futuro do pretérito: viria, virias, viria, viríamos, viríeis, viriam.

Imperativo afirmativo: vem, venha, venhamos, vinde, venham.

Subjuntivo presente: venha, venhas, venha, venhamos, venhais, venham.

Pretérito imperfeito: viesse, viesses, viesse, viéssemos, viésseis, viessem.

Futuro: vier, vieres, vier, viermos, vierdes, vierem.

Infinitivo pessoal: vir, vires, vir, virmos, virdes, virem.

Gerúndio: vindo.

Particípio: vindo.

Por este se conjugam *advir, convir, intervir, provir, sobrevir, avir-se, desavir-se* (= desentender-se).

Desavindo, além de particípio, é adjetivo: Eram casais *desavindos*. Os vereadores estavam *desavindos* com o prefeito.

23 VERBOS DEFECTIVOS

Verbos defectivos são os que não possuem a conjugação completa, por não serem usados em certos modos, tempos ou pessoas.

A defectividade verbal verifica-se principalmente em formas que, por serem antieufônicas (exemplo: *abolir*, 1ª pessoa do singular do indicativo presente) ou homofônicas (exemplos: *soer* e *falir*, 1ª pessoa do singular do indicativo presente), não foram vivificadas pelo uso. Há, porém, casos de verbos defectivos que não se explicam por nenhuma razão de ordem fonética, mas pelo simples desuso.

Ocorre maior incidência de defectividade verbal na 3ª conjugação e em formas rizotônicas.

Os verbos defectivos podem ser distribuídos em quatro grupos:

1º) Os que não têm as formas em que ao radical se seguem *a* ou *o*, o que ocorre apenas no presente do indicativo e do subjuntivo e no imperativo. O verbo *abolir* serve de exemplo.

INDICATIVO PRESENTE	SUBJUNTIVO PRESENTE	IMPERATIVO	
		AFIRMATIVO	NEGATIVO
—	—		
aboles	—	abole	—
abole	—	—	—
abolimos	—	—	—
abolis	—	aboli	—
abolem	—	—	—

Pertencem a este grupo, entre outros: *aturdir, brandir, carpir, colorir, delir, demolir, exaurir, explodir, fremir, haurir, delinquir, extorquir, puir, ruir, retorquir, latir, urgir, tinir, pascer.*

Observação:

✔ Em escritores modernos aparecem, no entanto, alguns desses verbos na 1ª pessoa do presente do indicativo, como *explodo, lato,* etc.: "Daqui vocês não me tiram – respondeu-lhes a bomba. O primeiro que me tocar, eu *explodo.*" (Carlos Drummond de Andrade)

2º) Os que só se usam nas formas em que ao radical segue *i*, ou seja, nas formas arrizotônicas. A defectividade destes verbos, como nos do primeiro grupo, só se verifica no presente do indicativo e do subjuntivo e no imperativo.

Sirva de exemplo o verbo *falir*:

INDICATIVO PRESENTE	SUBJUNTIVO PRESENTE	IMPERATIVO	
		AFIRMATIVO	NEGATIVO
—	—		
—	—	—	—
—	—	—	—
falimos	—	—	—
falis	—	fali	—
—	—	—	—

Seguem este paradigma: *aguerrir, embair, empedernir, remir, transir*, etc. Pertencem também a este grupo os verbos *adequar* e *precaver-se*, pois só possuem as formas arrizotônicas.

3º) Verbos que, pela sua significação, não podem ter imperativo (*acontecer, poder* e *caber*) ou que, por exprimirem ação recíproca (*entrechocar-se, entreolhar-se*), se usam exclusivamente nas três pessoas do plural.

4º) Os três seguintes, já estudados, que apresentam particularidades especiais: *reaver, prazer* e *soer*.

Observação:

✔ Verbos que exprimem fenômenos meteorológicos, como *chover, ventar, trovejar*, etc., a rigor não são defectivos, uma vez que, em sentido figurado, podem ser usados em todas as pessoas.

As formas inexistentes dos verbos defectivos suprem-se:

a) com as de um verbo sinônimo: eu *recupero*, tu *recuperas*, etc. (para *reaver*); eu *redimo*, tu *redimes*, ele *redime*, eles *redimem* (para *remir*); eu *me previno* ou *me acautelo,* etc. (*para precaver*);

b) com construções perifrásticas: *estou demolindo, estou colorindo, vou à falência*; embora o cachorro *comece a latir*, etc.

24 VERBOS ABUNDANTES

Verbos abundantes são os que apresentam duas ou mais formas em certos tempos, modos ou pessoas: *comprazi-me* e *comprouve-me, apiedo-me* e *apiado-me* (forma arcaica), *elegido* e *eleito*.

Essas variantes verbais são mais frequentes no particípio, havendo numerosos verbos, geralmente transitivos, que, ao lado do particípio regular em *-ado*, ou *-ido*, possuem outro, irregular, as mais das vezes proveniente do particípio latino.

Eis alguns desses verbos seguidos de seus particípios:

absolver	*absolvido, absolto*	imprimir	*imprimido, impresso*
aceitar	*aceitado, aceito*	incorrer	*incorrido, incurso*
acender	*acendido, aceso*	incluir	*incluído, incluso*
anexar	*anexado, anexo*	inserir	*inserido, inserto*
assentar	*assentado, assente*	isentar	*isentado, isento*
benzer	*benzido, bento*	limpar	*limpado, limpo*
contundir	*contundido, contuso*	matar	*matado, morto*
despertar	*despertado, desperto*	morrer	*morrido, morto*
dispersar	*dispersado, disperso*	nascer	*nascido, nato*
entregar	*entregado, entregue*	pagar	*pagado, pago*
eleger	*elegido, eleito*	pegar	*pegado, pego* (ê)
erigir	*erigido, ereto*	prender	*prendido, preso*
expelir	*expelido, expulso*	romper	*rompido, roto*

MORFOLOGIA

expulsar _____	expulsado, expulso	sepultar _____	sepultado, sepulto
expressar _____	expressado, expresso	submergir _____	submergido, submerso
exprimir _____	exprimido, expresso	suprimir _____	suprimido, supresso
extinguir _____	extinguido, extinto	surpreender _____	surpreendido, surpreso
frigir _____	frigido, frito	soltar _____	soltado, solto
ganhar _____	ganhado, ganho	suspender _____	suspendido, suspenso
gastar _____	gastado, gasto	tingir _____	tingido, tinto

As formas participiais regulares usam-se, em regra, com os auxiliares *ter* e *haver*, na voz ativa, e as irregulares com os auxiliares *ser* e *estar*, na voz passiva:

"Foi temeridade *haver aceitado* o convite." (CIRO DOS ANJOS)

O convite *foi aceito* pelo professor.

O caçador *tinha soltado* os cães.

Os cães não *seriam soltos* pelo caçador.

O pescador *teria salvado* o náufrago.

O náufrago *estaria* (ou *seria*) *salvo*.

"Por que *tinha* ele *suspendido* a leitura?" (GRACILIANO RAMOS)

A leitura *estava* (ou *fora*) *suspensa*.

Essa regra, no entanto, não é seguida rigorosamente, havendo numerosas formas irregulares que se usam tanto na voz ativa como na passiva, e algumas formas regulares também empregadas na voz passiva. Exemplos:

voz ativa	**voz passiva**
Tinha *aceitado* ou *aceito* o convite.	O convite foi *aceito*.
Tinha *acendido* ou *aceso* as velas.	As velas eram *acesas* ou *acendidas*.
Tinha *elegido* ou *eleito* os candidatos.	Os candidatos são ou estão *eleitos*.
A nuvem tinha-os *envolvido* ou *envolto*.	Foram *envoltos* ou *envolvidos* pela nuvem.
Tinha *entregado* ou *entregue* a carta.	As cartas eram *entregues*.
Tinha-os *expulsado* ou *expulso*.	Foram *expulsos* da sala.
Tinha *ganho* ou *ganhado* o prêmio.	O prêmio foi ou estava *ganho*.
Tinha *gastado* ou *gasto* o dinheiro.	Foi *gasto* muito dinheiro.
Tinha *imprimido* ou *impresso* a obra.	Foi *impressa* a obra. Foi *imprimida* grande velocidade ao carro[6].
Tinha *inserido* ou *inserto* dois artigos no projeto de lei.	Foram *inseridos* ou *insertos* dois artigos no projeto de lei.
Teria *matado* ou *morto* o agressor.	O agressor teria sido *morto*.
Tê-lo-iam *pegado* ou *pego* de surpresa.	O ladrão foi *pego* pela polícia.
Terá *pago* a dívida?	A dívida foi *paga*?
Tinha *salvado* ou *salvo* muitas vidas.	A vida foi ou estava *salva*.
Tinham *extinguido* ou *extinto* o incêndio.	O incêndio foi *extinto*.

---

[6] "... orientação imprimida por ele." (J. GERALDO VIEIRA, *A 40ª Porta*, p. 56)

As formas irregulares, sem dúvida por serem mais breves, gozam de franca preferência, na língua atual, e algumas tanto se impuseram que acabaram por suplantar as concorrentes. É o caso de *ganho* e *pago*, que vêm tornando obsoletos os particípios regulares *ganhado* e *pagado*. Assim também se explica a forma *pasmo* (particípio irregular de *pasmar*), empregado como adjetivo, em vez de *pasmado*, e de largo uso na língua falada e escrita.

Os exemplos seguintes comprovam a preferência dos autores pelos particípios irregulares:

"Podia ter *salvo* a rapariga." (Érico Veríssimo)

"Anda, abraça Brígida. É quem tem *salvo* teu pai." (J. Geraldo Vieira)

"Um dos rapazes que o havia *salvo* era um latagão simpático." (Antônio Callado)

"Meu pai ganhou uma medalha de ouro por haver *salvo* duas criancinhas num incêndio de um mocambo no Recife." (Austregésilo de Ataíde)

"Tudo que é meu eu lhe dei sem você haver *aceito*." (Stella Leonardos)

"Bastava levar água *benta* por ele e o efeito seria o mesmo." (Otto Lara Resende)

"Proibiu-se que estes metais fossem *limpos*." (Ramalho Ortigão)

"... tinha-a *limpo* com uma lixa." (Raquel de Queirós)

"Dias depois, vi chegar um rapazinho *seguro* por dois homens." (Graciliano Ramos)

"Tinha trabalhado como um mouro, e tinha *ganho* dinheiro!" (Eça de Queirós)

"Mas o que é que eu tenho *ganho* com isso?" (Herberto Sales)

"Pelo caminho haviam *gasto* mais do que imaginavam." (Jorge Amado)

"Tinham-lhe *gasto* o fio em pedra de amolar." (Graciliano Ramos)

"... como se a indiferença os houvesse *gasto*." (Fernando Namora)

"Os que não houvessem *pago* imposto lá mesmo, teriam que o fazer em Santos, e em dobro." (Cassiano Ricardo)

"Ele ficou *pasmo*, sem palavra." (Carlos Drummond de Andrade)

"Podíamos ter *morto* os que vieram hoje." (Ferreira de Castro)

Com os verbos *estar, ficar* e *andar*, usam-se quase sempre as formas irregulares, com feição de adjetivos e função de predicativos:

Os brinquedos estavam *dispersos* pelo chão.

A raia ficou *presa* à rede elétrica.

Os animais andavam *soltos* pela estrada.

"Só essas árvores estavam *despertas*." (José Américo)

"Estará *sepulto* Churchill." (Raquel de Queirós)

"O passado amargo há muito estava *sepulto*." (Míria Botelho)

Finalmente, advirta-se que vários particípios irregulares, perdida a força verbal, passaram para a categoria de meros adjetivos. Citemos, entre outros: *confuso* (de *confundir*), *correto* (de *corrigir*), *exausto* (de *exaurir*), *insurreto* (de *insurgir-se*), *omisso* (de *omitir*), *submisso* (de *submeter*), *corrupto* (de *corromper*). Exemplos:

homem *corrupto*; frase *correta*; grupos *insurretos*

MORFOLOGIA

CONJUGAÇÃO DE UM VERBO COM OS PRONOMES OBLÍQUOS O, A, OS, AS

Indicativo presente: faço-o, faze-lo, fá-lo, fazemo-lo, fazei-lo, fazem-no.

Pretérito imperfeito: fazia-o, fazia-lo, fazia-o, fazíamo-lo, fazíei-lo, faziam-no.

Pretérito perfeito: fi-lo, fizeste-o, fê-lo, fizemo-lo, fizeste-lo, fizeram-no.

Pretérito mais-que-perfeito: fizera-o, fizera-lo, fizera-o, fizéramo-lo, fizérei-lo, fizeram-no.

Futuro do presente: fá-lo-ei, fá-lo-ás, fá-lo-á, fá-lo-emos, fá-lo-eis, fá-lo-ão.

Futuro do pretérito: fá-lo-ia, fá-lo-ias, fá-lo-ia, fá-lo-íamos, fá-lo-íeis, fá-lo-iam.

Imperativo afirmativo: faze-o, faça-o, façamo-lo, fazei-o, façam-no.

Imperativo negativo: não o faças, não o faça, não o façamos, não o façais, não o façam.

Subjuntivo presente: que o faça, que o faças, que o faça, que o façamos, que o façais, que o façam.

Pretérito imperfeito: se o fizesse, se o fizesses, se o fizesse, se o fizéssemos, se o fizésseis, se o fizessem.

Futuro: se o fizer, se o fizeres, se o fizer, se o fizermos, se o fizerdes, se o fizerem.

Infinitivo impessoal: fazê-lo.

Infinitivo pessoal: fazê-lo, fazere-lo, fazê-lo, fazermo-lo, fazerde-lo, fazerem-no.

Gerúndio: fazendo-o.

Tempos compostos: tenho-o feito, tinha-o feito, tê-lo-ei feito, tê-lo-ia feito, que o tenha feito, se o tivesse feito, se o tiver feito, tê-lo feito, tendo-o feito.

Note bem:

a) Quando o verbo termina em vogal oral, ou em ditongo ou tritongo orais, associam-se-lhe os pronomes enclíticos *o, a, os, as*, sem nenhuma alteração:
faço-o, defendei-a, vende-os, deu-as

b) Quando a forma verbal termina em *-r, -s* ou *-z*, desaparecem estas consoantes e os pronomes assumem as formas *lo, la, los, las*:
dar + o → *dá-lo*   fizestes + a → *fizeste-la*   fez + os → *fê-los*

c) Se o verbo termina por um ditongo nasal (*-am, -em, -ão, -õe*), os pronomes tomam as formas *no, na, nos, nas*:
trazem-no, dão-na, faziam-nos, põe-nas

d) No futuro do indicativo os pronomes não podem ser pospostos ao verbo:
vendê-lo-ei (ou *eu o venderei*) e nunca: *venderei-o*
vendê-la-ia (ou *eu a venderia*) e nunca: *venderia-a*

e) Nos tempos do subjuntivo os pronomes átonos são, em geral, antepostos.

f) Ao particípio não se associam os pronomes átonos.

Observação:

✔ Na prática, associações como *fi-lo, qui-lo, fá-lo-ão*, etc. devem ser evitadas, por serem malsoantes e de mau gosto. Nesses casos, deve-se antepor o pronome oblíquo ao verbo: eu *o fiz* calar; ele *os quis* enganar; eles *a farão* feliz; nós *as fazíamos* rir; etc.

MORFOLOGIA 253

25 PRONÚNCIA CORRETA DE ALGUNS VERBOS

- Nos verbos cujo radical termina em -ei, -eu, -oi, -ou, seguidos de consoante, é fechada a vogal-base desses ditongos:

  a) Pronuncie *ei* (como na palavra *lei*):
  aleijo, aleijas, aleija, aleijam, aleije, aleijem;
  abeiro-me, abeira-se, abeiram-se, abeire-se, abeira-te;
  enfeixo, enfeixas, enfeixa, enfeixe, enfeixam, enfeixem, enfeixes;
  inteiro, inteiras, inteira, inteiram, inteire, inteires, inteirem.

  b) Pronuncie *eu* (como na palavra *deu*):
  endeuso, endeusas, endeusa, endeusam, endeuse, endeuses, endeusem.

  c) Pronuncie *oi* (como na palavra *boi*):
  açoito, açoitas, açoita, açoitam, açoite, açoites, açoitem;
  foiço, foiças, foiça, foiçam, foice, foices, foicem;
  desmoito, desmoitas, desmoita, desmoitam, desmoite, desmoites, desmoitem;
  noivo, noivas, noiva, noivam, noive, noives, noivem.

  d) Pronuncie *ou* (como na palavra *ouro*):
  afrouxo, afrouxas, afrouxa, afrouxam, afrouxe, afrouxes, afrouxem;
  roubo, roubas, rouba, roubam, roube, roubes, roubem;
  estouro, estouras, estoura, estouram, estoure, estoures, estourem.

- Nos verbos terminados em -ejar e -elhar, como *despejar, almejar, arejar, velejar, pelejar, planejar, espelhar, aparelhar, semelhar, avermelhar*, etc., o e tônico profere-se fechado:
  despejo, despejas, despeja, despejam, despeje, despejes, despejem

  espelho, espelhas, espelha, espelham, espelhe, espelhes, espelhem.

- Verbos como *englobar, desposar, forçar, rogar, mofar, ensopar, escovar, estorvar, enroscar, rosnar, lograr*, etc. têm o o aberto nas formas rizotônicas:
  escovo, escova, escove, desposa, ensopa, ensopam, etc.

- Na terminação -oem, a vogal o é fechada nos verbos finalizados em -oar: *voem, magoem, coem, doem* (doar), *soem* (soar), *abençoem, coroem, abotoem*, etc., e aberta nos verbos terminados em -oer: *doem* (doer), *soem* (soer), *moem, roem, corroem*, etc.

- Nas três pessoas do singular e na 3ª do plural do presente do indicativo e do subjuntivo do verbo *saudar*, a vogal u forma hiato e não ditongo:
  saúdo (sa-ú-do), saúdas, saúda, saúdam;
  saúde (sa-ú-de), saúdes, saúde, saúdem.

- O u do dígrafo gu dos verbos *distinguir* e *extinguir* não soa. Pronuncie *gue, gui*, como no verbo *seguir*:
  distingue, distinguem, distinguiu, extinguiu, etc.
  (segue)   (seguem)   (seguiu)   (seguiu)

254 MORFOLOGIA

EXERCÍCIOS

LISTA 28

1. Escreva as frases, substituindo o * pelas formas adequadas do verbo **dar**:

a) As plantas * às aves alimento e abrigo.

b) Quando cheguei, Adriano já * a notícia a meus pais.

c) Precisamos de um livro que nos * a explicação do fenômeno.

d) Deus quis que a roseira * rosas e espinhos.

e) Vós, porém, não * espinhos, dai somente rosas!

f) Vocês, porém, não deem espinhos, * somente rosas.

g) Tu, porém, não * espinhos, dá somente rosas!

2. Nos verbos terminados em -*ear*, intercala-se um *i* nas formas rizotônicas. Copie as sequências que comprovam a regra:

ateamos – passeais – ceávamos

geia – granjeia – hasteiam

recreemos – nomeeis – freei

nomeio – passeias – semeie

3. Dos verbos terminados em -*iar*, somente seis trocam o *i* da terminação por *ei*, nas formas rizotônicas. Suas iniciais, se excluirmos *intermediar*, formam a palavra MÁRIO. Copie somente a sequência que comprova a afirmação.

alia – copia – calunias – presencio – premia – injurie – obviam

odeio – remedeiam – medeia – anseiam – incendeiem

4. Troque as pessoas do plural pelas correspondentes do singular:

Abstivemo-nos de bebida.

Saudai os atletas.

Couberam no porta-malas?

Credes em mim?

Talvez **caibam** aqui.

Quiseram humilhar-me.

Trouxemos comida.

Não **ateeis** fogo ao capinzal.

Não **puderam** vir.

Por mais que **escutemos**, não **ouvimos** nada.

Ceamos com tio Luís.

Quantos alunos os senhores **argúem** na aula de hoje?

Não **obtivemos** resposta.

Pusemos água na fervura.

5. Flexione os verbos nas pessoas pedidas:

nomear – 1ª pessoa pl. pret. perf. indic.

folhear – 3ª pessoa sing. pres. indic.

odiar – 2ª pessoa sing. pres. subj.

ansiar – 3ª pessoa pl. pres. subj.

passear – 1ª pessoa pl. pres. subj.

ver – 1ª pessoa sing. futuro subj.

deter – 3ª pessoa pl. pret. perf. indic.

obter – 1ª pessoa sing. futuro. subj.

caber – 1ª pessoa sing. pres. indic.

crer – 2ª pessoa sing. pret. imperf. subj.

reaver – 1ª pessoa sing. pret. perf. indic.

prever – 3ª pessoa pl. futuro subj.

6. Reproduza o quadro em seu caderno, substituindo os asteriscos pelas formas do imperativo afirmativo e do negativo do verbo **fazer**:

pessoas	presente do indicativo	imperativo afirmativo	presente do subjuntivo	imperativo negativo
Tu	fazes (-s) →	****	faças →	não ****
Você	–	****	← faça →	não ****
Nós	–	****	← façamos →	não ****
Vós	fazeis (-s) →	****	façais →	não ****
Vocês	–	****	← façam →	não ****

7. Passe os verbos para o presente do indicativo ou do subjuntivo, conforme a frase, conservando a mesma pessoa:

a) Na haste flexível desabotoou a primeira rosa.

b) Os vícios consumiram-lhe em pouco tempo a saúde e o patrimônio.

c) O coronel reassumiu o comando das tropas.

d) "Requeri minha aposentadoria, não podia mais trabalhar", disse o velho.

e) Que lucros auferiste de tantos esforços?

f) Os comissários proveram ao abastecimento dos navios.

g) O manuscrito jazeu esquecido no fundo de um armário.

h) Quando nos lembrávamos do passado, receávamos o futuro.

i) Muitos se abstiveram de bebidas alcoólicas.

j) Eu cobria o doente para que ele não tossisse.

k) A memória cerziu e reconstituiu os fatos que se distanciaram no passado.

l) A minha proposta não lhe aprouve.

m) Convinha que a viúva mobiliasse logo a casa.

n) Talvez houvesse outro livro que valesse menos e fosse melhor.

o) Talvez houvesse alguma coisa que o impedisse de voltar.

p) Vós sorríeis incrédulos, dizíeis que não proviemos de Deus, mas do macaco.

8. Substitua o * em cada frase pela forma verbal correta:

a) É bom que você se * contra assaltos. (**precavenha – previna**)

b) É bom que eu me *. Essa gente é falsa. (**acautele – precava**)

c) Pedi-lhe que se * contra o perigo dos tóxicos. (**precavisse – precavesse**)

d) Abra os olhos! Acautele-se, * ! (**precavenha-se – cuide-se**)

e) Felizmente, eu * tudo o que perdi. (**reavi – reouve**)

f) Não creio que eles * o prestígio perdido. (**reajam – recuperem**)

256 MORFOLOGIA

9. Substitua o ∗ pelas formas adequadas do imperativo afirmativo do verbo *servir*:

Governante, ∗ o povo e não a ti mesmo.

Governante, ∗ o povo e não a si mesmo.

Governantes, ∗ o povo e não a nós mesmos.

Governantes, ∗ o povo e não a vós mesmos.

Governantes, ∗ o povo e não a si mesmos.

10. Escreva a frase utilizando a sequência que a completa corretamente:

Se o senhor a *** na fábrica, ***-lhe que *** com prudência.

ver – dizei – aja   vir – dize – haja

ver – diga – aja   vir – diga – aja

11. Conjugue os verbos abaixo no pretérito perfeito do indicativo:

entreter – querer – pôr – transpor – ver – prever – vir – convir

12. Escreva as sentenças, flexionando os verbos em destaque nas formas que o contexto exige:

a) As formigas não desanimam e **reconstruir** o ninho.

b) Os males não se **remediar** lastimando-os.

c) Feliz serás tu se **reaver** o que perdeste.

d) Nenhum descanso teríamos enquanto não **reaver** o talismã.

e) O adulador **soer** ser maldizente.

f) **Prazer** a Deus que tal não aconteça!

g) O inverno, dentro de poucos dias, afastará o sol e **trazer** o frio.

h) Nada o **satisfazer**, enquanto não tivesse certeza do amor de Cláudia.

i) Ela **suster** o bule no ar e perguntou se eu queria café.

j) Se **sobrevir** contratempos, não desanimes.

k) O guarda persegue e **balear** o assaltante.

l) Cultivai as boas maneiras, que elas vos **fazer** simpáticos.

m) Não é justo que (nós) **diminuir** o número de convivas no banquete da vida.

n) Terroristas atacam embaixada e **incendiar** carros de diplomatas.

o) Se você **compor** a melodia, eu farei a letra da canção.

p) Os revolucionários tomaram a cidade e **depor** o presidente.

13. Substitua os asteriscos nas frases pelos verbos em destaque, nas formas indicadas:

a) Nós *** que o rio fosse fundo. (**supor**, pretérito imperf. do indic.)

b) Eu não *** na discussão. (**intervir**, pretérito perf. do indic.)

c) O motorista parou o carro, *** com violência. (**frear**, gerúndio)

d) Sete países do Pacífico *** aos testes nucleares. (**opor-se**, pretérito perf. do indic.)

e) Ele parecia receoso de que alguém o ***. (**contradizer**, pretérito imperf. do subj.)

f) Os dois *** e um *** o outro. (**desavir-se**, pret. perf. do indic. – **descompor**, pret. imperf. do indic.)

g) Até então eu não tinha *** nos debates. (**intervir**, particípio)

h) Cristo *** a destruição de Jerusalém. (**predizer**, pret. mais-que-perf. do indic.)

i) Comprarei as roupas que me ***. (**convir**, futuro subj.)

j) As pesquisas de opinião pública fazem com que certos candidatos *** a sua derrota. (**pressentir**, presente subj.)

k) O Brasil *** o litígio entre os dois países. (**intermediar**, pres. do indic.)

l) Se o senhor se *** desses bens, terá vida mais tranquila. (**desfazer**, futuro do subj.)

14. Troque as formas simples pelas compostas dos mesmos tempos:

a) **Granjeei** a simpatia de todos.

b) **Escrevi** muitas cartas a Jane.

c) Ele me **descrevera** o local.

d) Quem o **descobrira**?

e) Donde **proviera** aquele monstro?

f) João **proveu** ao sustento da família.

15. Escreva no caderno os verbos defectivos:

ler – reaver – soer – precaver – rir – abolir – falir – transir – ouvir

16. Troque as formas destacadas pelas equivalentes dos verbos indicados:

Verifique as causas. (averiguar)   **Pensamos** bem nisso. (refletir)

Realizai a obra. (fazer)   Ele não **interferiu**. (intervir)

Arriscavas a vida? (expor)   Se **interferíssemos**... (intervir)

Não **aconteceu** nada. (haver)   Eles **providenciam** tudo. (prover)

Olhai as aves do céu. (ver)   Donde **originou-se** a vida? (provir)

Eu **conduzirei** o animal. (trazer)

17. Siga o exemplo, dando as categorias das formas verbais:

valho – 1ª pessoa do singular do presente do indicativo do verbo **valer**

estreie – abster-me-ei – compraz-se – pudemos – predissésseis – podermos – creiamos – bendize – remoo – supúnhamos – suponhamos – dispuser – veem – propus – proponde – prouve – requeira – traríeis – víramos – cirze – induz – dispa – conduze – divirjas – sobressaia – bulas – ide – impeço – rides – ris – sorride – virdes – provim – sobresteve

18. Escreva as frases, substituindo os asteriscos pelas formas adequadas:

infligem – infringem – deferem – diferem – surtiram – sortiram – provêm – proveem

a) As nações frequentemente * os convênios (acordos).

b) Os chefes *-lhes castigos cruéis.

c) Os ministros * nossos requerimentos.

d) As opiniões * .

e) Os comerciantes * seus estabelecimentos.

f) As tentativas não * o efeito almejado.

g) Os frutos * da terra.

h) Os pais * às necessidades da prole.

258 MORFOLOGIA

19. Passe para a 2ª pessoa do plural:

a) Não emprestes o teu nem o alheio, não terás cuidados nem receio.

b) Não lisonjeies nem maldigas, faze o bem, foge do mal e não te arrependerás.

c) Se aspiras à paz definitiva, sorri ao destino que te fere.

d) Ouve, vê e cala, viverás vida folgada.

e) Bane do espírito o fantasma da dúvida e põe tua confiança em Deus.

f) Não desprezes o pobre, vai antes ao seu encontro e alivia-lhe o sofrimento.

g) Não reclames da visita inesperada: recebe-a sempre bem.

20. Conjugue o verbo **precaver-se** no presente do indicativo e no imperativo afirmativo, suprindo com sinônimos as pessoas em que é defectivo.

21. Flexione os verbos abaixo nas pessoas pedidas:

a) **dar**, **doar**, **soar**: 3ª pessoa do plural do presente do subjuntivo

b) **crer**, **ler**, **vir**, **doer**, **soer**, **ter**: 3ª pessoa do plural do presente do indicativo

c) **ver**, **prever**, **vir**, **convir**: 3ª pessoa do singular do futuro do subjuntivo

22. Conjugue os verbos abaixo nos tempos pedidos, com os pronomes átonos pospostos ou intercalados, conforme for o caso:

a) **dizê-lo** – presente do indicativo

b) **conduzi-la** – futuro do presente

c) **enviá-los** – futuro do pretérito

d) **adverti-las** – imperativo afirmativo

23. Escreva as frases seguintes, substituindo os tempos simples pelos compostos correspondentes, colocando corretamente os pronomes oblíquos:

a) O diretor suspendera-os por três dias.

b) Esse dinheiro, ganhá-lo-ias sem trabalho e sacrifício?

c) Se eles o entregassem, nós o aceitaríamos.

d) Esses fugazes prazeres, vós os pagastes bem caro.

e) Os revoltosos imprimi-lo-iam em oficinas gráficas clandestinas. [lo = jornal]

f) O diretor imprimira nova orientação ao jornal.

g) Nunca as acendêramos.

24. Use as formas adequadas do particípio dos verbos indicados:

a) A polícia havia *** o grupo de manifestantes. **(dispersar)**

b) As folhas estavam *** no chão. **(dispersar)**

c) A multidão seria *** a gás lacrimogêneo. **(dispersar)**

d) As chuvas tinham *** o fogo. **(extinguir)**

e) Estava enfim *** o infame cativeiro! **(extinguir)**

f) A raça humana seria *** pelas explosões nucleares. **(extinguir)**

VERBO
Exercícios de exames e concursos
[Página 672]

ADVÉRBIO

1 ADVÉRBIO

Comparemos estes exemplos:

O navio chegou.   O navio chegou **ontem**.

A palavra *ontem* acrescentou ao verbo *chegou* uma circunstância de tempo: *ontem* é um advérbio.

Paulo jogou.   Paulo jogou **bem**.

A palavra *bem* modificou a ação de Paulo, expressa pelo verbo *jogou: bem*, aqui, é um advérbio.

Paulo jogou bem.   Paulo jogou **muito** bem.

A palavra *muito* intensificou o sentido do advérbio *bem: muito*, aqui, é um advérbio.

A moça é linda.   A moça é **muito** linda.

A palavra *muito* intensificou a qualidade contida no adjetivo *linda: muito*, nesta frase, é um advérbio.

> **Advérbio** *é uma palavra que modifica o sentido do verbo, do adjetivo e do próprio advérbio.*

Na oração, o advérbio exerce a função sintática de adjunto adverbial.

A maioria dos advérbios modifica o verbo, ao qual acrescentam uma circunstância. Só os de intensidade é que podem também modificar adjetivos e advérbios.

2 CLASSIFICAÇÃO DOS ADVÉRBIOS

De acordo com as circunstâncias ou a ideia acessória que exprimem, os advérbios se dizem:

- **de afirmação**

  sim, certamente, deveras, incontestavelmente, realmente, efetivamente.

- **de dúvida**

  talvez, quiçá, acaso, porventura, certamente, provavelmente, decerto, certo. Exemplo:

  "**Certo** perdeste o senso!" (Olavo Bilac)

MORFOLOGIA

- **de intensidade**

muito, mui, pouco, assaz, bastante, mais, menos, tão, demasiado, meio, todo, completa-mente, profundamente, demasiadamente, excessivamente, demais, nada, ligeiramente, leve-mente, que, quão, quanto, bem, mal, quase, apenas, como. Exemplos:

A prova foi **muito** fácil
Isto não é **nada** fácil.
Que bom!
Quanto insisti!
O desenho estava **apenas** esboçado.
Como comem!

- **de lugar**

abaixo, acima, acolá, cá, lá, aqui, ali, aí, além, aquém, algures (= em algum lugar), alhures (= em outro lugar), nenhures (= em nenhum lugar), atrás, fora, afora, dentro, perto, longe, adiante, diante, onde, avante, através, defronte, aonde, donde, detrás.

- **de modo**

bem, mal, assim, depressa, devagar, como, adrede, debalde, alerta, melhor (= mais bem), pior (= mais mal), aliás (de outro modo), calmamente, livremente, propositadamente, selva-gemente, e quase todos os advérbios terminados em *-mente*.

- **de negação**

não, tampouco (= também não).

- **de tempo**

agora, hoje, amanhã, depois, ontem, anteontem, já, sempre, amiúde, nunca, jamais, ainda, logo, antes, cedo, tarde, ora, afinal, outrora, então, breve, aqui (= neste momento), nisto, aí (= então, nesse momento), entrementes, brevemente, imediatamente, raramente, finalmente, comumente, presentemente, diariamente, concomitantemente, simultaneamente, etc.

3 ADVÉRBIOS INTERROGATIVOS

São as palavras *onde, aonde, donde, quando, como, por que,* nas interrogações diretas ou indiretas, referentes às circunstâncias de lugar, tempo, modo e causa. Exemplos:

Interrogação direta	Interrogação indireta
Como aprendeu?	Perguntei *como* aprendeu.
Onde mora?	Indaguei *onde* morava.
Por que choras?	Não sei *por que* choras.
Aonde vai?	Perguntei *aonde* ia.
Donde vens?	Pergunto *donde* vens.
Quando voltas?	Pergunto *quando* voltas.

MORFOLOGIA 261

Observação:

✔ Seria mais acertado grafar o advérbio interrogativo *por que* numa só palavra: *Porque* fez isso? Perguntaram *porque* me atrasei.

Os advérbios em *-mente* derivam-se dos adjetivos: à forma feminina (quando houver) dos adjetivos acrescenta-se o sufixo *-mente*. Exemplos:

friamente, esplendidamente, comodamente, ferozmente, etc.

Excetuam-se alguns advérbios derivados de adjetivos em *-ês*, como *portuguesmente, francesmente*, etc. Exemplos:

"Cuido que escrevi clara e *portuguesmente* a minha ideia." (CAMILO CASTELO BRANCO)

"Manuel soa honesto, *portuguesmente* honesto." (MANUEL BANDEIRA)

"O chapéu-coco equilibra-se *inglesmente* na cabeça de cabelos louros e compridos." (LUÍS HENRIQUE TAVARES)

"... uma governanta almoçava *burguesmente*." (ELSIE LESSA)

4 LOCUÇÕES ADVERBIAIS

São expressões que têm a função dos advérbios. Iniciam-se ordinariamente por uma preposição:

às cegas, às claras, à toa, a medo, à pressa, às pressas, a pé, a pique, a fundo, a jusante, a montante, à uma, às escondidas, às tontas, à noite, às vezes, ao acaso, de repente, de chofre, de forma alguma, de cor, de improviso, de propósito, de viva voz, de súbito, de uma assentada, de soslaio, de quando em quando, de vez em quando, em breve, em vão, por miúdo, por atacado, em cima, por fora, por ora, por trás, para trás (olhar *para trás*), de perto, sem dúvida, com certeza, por certo, por um triz, mal e mal, o mais das vezes (ou as mais das vezes), passo a passo, lado a lado, vez por outra, de fome, de medo, de manhãzinha, de alto a baixo, etc.

Exemplos:

O capitão me olhou **de alto a baixo**.

"Chegou **de manhãzinha** a Florianópolis." (JORNAL DO BRASIL, 19/10/1991)

Observação:

✔ As locuções adverbiais classificam-se como os advérbios, ou melhor, de acordo com a circunstância que exprimem: de modo, de lugar, de tempo, de causa, etc.

5 GRAUS DOS ADVÉRBIOS

Certos advérbios de modo, tempo, lugar e intensidade são, à semelhança dos adjetivos, suscetíveis de grau, conforme se vê do seguinte esquema:

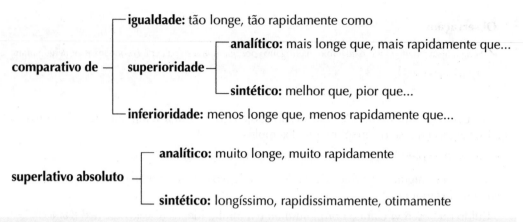

Observação:

✔ Para indicar o limite da possibilidade, dizemos: "o mais cedo possível", "o mais longe que puder", "o mais depressa possível", "o máximo de vezes", etc. Exemplos:

"Jorge despediu-se do médico levando a promessa de que este iria à casa de D. Antônia *o mais cedo que pudesse*." (MACHADO DE ASSIS)

"... dar-me o seu estrídulo tlintlim *o máximo de vezes*." (CIRO DOS ANJOS)

Na linguagem familiar, certos advérbios assumem forma diminutiva, mas com ideia de intensidade, a modo de superlativos: *agorinha, cedinho, pertinho, rentinho, juntinho, devagarinho* (= muito devagar), *depressinha* (= bem depressa), *rapidinho* (= bem rápido).

- Frequentemente, empregamos adjetivos com valor de advérbios:
  Ele falou **claro** (= claramente).
  Ana tinha ido ao cinema, o que **raro** acontecia (= raramente).
  Bem **caros** pagarás os teus deleites. [ou: **Bem caro** pagarás os teus deleites.]
  "Amadeu não conseguiu dormir **direito**." (AUTRAN DOURADO)
  "Foram **direto** ao galpão do engenheiro-chefe." (JOSUÉ GUIMARÃES)

- Quando ocorrem dois ou mais advérbios em *-mente*, em geral sufixamos apenas o último:
  O aluno respondeu **calma** e **respeitosamente**.

Veja emprego dos advérbios, págs. 571 a 574.

6 PALAVRAS E LOCUÇÕES DENOTATIVAS

De acordo com a Nomenclatura Gramatical Brasileira, serão classificadas à parte certas palavras e locuções – outrora consideradas advérbios – que não se enquadram em nenhuma das dez classes conhecidas. Tais palavras e locuções, chamadas "denotativas", exprimem:

- **afetividade**
  felizmente, infelizmente, ainda bem:
  Felizmente não me machuquei.
  Ainda bem que o orador foi breve!

MORFOLOGIA 263

- **designação ou indicação**

  eis:

  Eis o anel que perdi. *Ei*-lo!

- **exclusão**

  exclusive, menos, exceto, fora, salvo, tirante, senão, sequer:

  Voltaram todos, **menos** (ou *exceto, salvo, fora*) André.

  Não me descontou **sequer** um real.

  Ninguém, **senão** Deus, poderia salvá-lo.

- **inclusão**

  inclusive, também, mesmo, ainda, até, ademais, além disso, de mais a mais:

  Eu **também** vou.

  Levou-me para sua casa e **ainda** me deu roupa e dinheiro.

  Aqui falta tudo, **até** água.

- **limitação**

  só, apenas, somente, unicamente:

  Só Deus é perfeito.

  Apenas um aluno teve nota boa.

- **realce**

  cá, lá, só, é que, sobretudo, mesmo, embora:

  Eu **cá** me arranjo!

  Você **é que** não se mexe!

  É isso **mesmo**!

  Veja **só**!

  Vá **embora**!

  Eu sei **lá** o que ele pretende?

- **retificação**

  aliás, ou melhor, isto é, ou antes:

  Venha ao meio-dia, **ou melhor**, venha já.

  Aquele casal era japonês, **aliás**, descendente de japoneses.

  "Finda a saudação cortês, o cavalo calou-se, **isto é**, recolheu o movimento do rabo."
  (CARLOS DRUMMOND DE ANDRADE)

- **explanação**

  isto é, a saber, por exemplo:

  Os elementos do mundo físico são quatro, **a saber**: terra, fogo, água e ar.

MORFOLOGIA

- **situação**

    afinal, agora, então, mas:

    Afinal, quem tem razão?

    Posso mostrar-lhes o sítio; **agora**, vender eu não vendo.

    Então, que achou do filme?

    Mas você fez isso, meu filho?

    Observação:

    ✔ Na análise dir-se-á: palavra ou locução denotativa de exclusão, de inclusão, de realce, etc.

EXERCÍCIOS — LISTA 29

1. Copie as frases. Em seguida, sublinhe e classifique os advérbios:

a) Fiz tudo muito calmamente: devagar se chega mais depressa.
b) As ilusões andam sempre na frente e as desilusões atrás.
c) Teu irmão partiu ontem, meio triste. Talvez não o vejas aqui tão cedo.
d) Uns comem pouco, outros comem demais.
e) Amiúde vemos pessoas que falam bem e agem mal.
f) A casa era muito velha, o telhado já meio torto, o assoalho todo esburacado.
g) Como se faz para obter água bem limpa?
h) "O homem pasmava dos nomes daqueles objetos, nenhum dos quais soava portuguesmente." (Camilo Castelo Branco)
i) "Sentiu-se extraordinariamente forte." (Lígia Fagundes Telles)
j) A cidade hoje é bem diferente do que foi outrora.

2. Localize e classifique os advérbios e as locuções verbais das frases abaixo:

a) Sino que assim badalas, não falas à toa!
b) É o que se murmura por aí, à boca pequena.
c) "O Brasil então medrava a olhos vistos. (Carlos de Laet)
d) Realmente, há pessoas que são como os vitrais de igrejas: feias por fora, bonitas por dentro.
e) De vez em quando falavam baixo, trocando segredos à socapa.
f) "Fugiam em carreira pelo vale afora." (Aníbal Machado)
g) Onde ele se demorava mais era na agência do correio, com certeza, para vigiar a abertura das malas.
h) A linha reta nem sempre é o caminho mais curto entre dois pontos.
i) Num átimo, cessou de todo o ruído das vozes e ele entrou a falar à vontade, calma e decididamente.
j) À noite, as águas arrombam a represa: a jusante, o povo foge em massa, mal agasalhado.

MORFOLOGIA 265

3. Substitua as locuções destacadas pelos advérbios correspondentes:

a) A máquina trabalha **sem interrupção**.

b) A patroa repreendeu **com aspereza** a empregada.

c) Agistes **sem flexão** e **com precipitação**.

d) O crime foi praticado **com frieza** e **premeditação**.

e) Depois que liquidou as dívidas, foi consolidando **pouco a pouco** sua situação econômica.

f) O artista toca e canta **ao mesmo tempo**.

g) Percebia-se no olhar vago e distante do proscrito que sua alma estava **em outro lugar**.

h) Não sei onde, mas já sucedeu **em algum lugar** um caso assim.

i) É preciso que o homem e a natureza convivam **em paz**.

j) Joel abriu **com displicência** o livro e leu um trecho.

4. Informe se as palavras **melhor** e **pior** são comparativos de **bem** e **mal** ou de **bom** e **mau**:

a) Se bem o disse, melhor o fez.

b) O vício é pior que a pobreza.

c) O sábio nem sempre é melhor que o iletrado.

d) Estes agiram pior do que aqueles.

e) Uns melhor, outros pior, todos desempenharam satisfatoriamente os seus papéis.

5. Informe o grau dos advérbios destacados:

a) Ri **melhor** quem ri por último, disse-lhe **muito calmamente**.

b) Ele agiu **corretissimamente**.

c) Hei de chegar **mais longe** do que ele.

d) Vive-se **tão bem** aqui como lá.

e) "Deveria ser **muitíssimo longe**." (MACHADO DE ASSIS)

f) Você saiu-se **menos mal** do que esperávamos.

g) "...pugnando **nobilissimamente** pela liberdade dos índios." (CARLOS DE LAET)

h) Levanto-me **cedinho** e apronto-me **bem depressa**.

i) "Tinha impressão de que Zito estava dirigindo o país **direitinho**." (ANÍBAL MACHADO)

6. Escreva as frases abaixo trocando os asteriscos por advérbios derivados das palavras entre parênteses:

a) Fomos recebidos *** .(**calor**)

b) O prédio desabou *** . (**fragor**)

c) O juiz o condenou *** . (**inexorável**)

d) Você respondeu *** . (**acerto**)

e) Alguns erravam *** . (**propósito**)

f) Ele a humilhou *** . (**acinte**)

g) Certos remédios agem ***, mas *** . (**lento – eficaz**)

MORFOLOGIA

7. Dê a classe gramatical das palavras destacadas:

a) **Mais** vale **muito** saber que **muito** ouro.

b) "Creiam-me, o **menos mau** é recordar." (Machado de Assis)

c) Há coisas **muito** caras e **pouco** úteis.

d) Arranjou um **meio** de vida que lhe garantisse **mais** conforto.

e) Ficou **meio** tonto com o **meio** copo de vinho: não bebeu **demais**.

f) É **mau** costume andar **mal** vestido.

8. Copie somente a frase em que há uma expressão denotativa de retificação:

a) Os mais espertos **é que** saíram lucrando.

b) Lerei o livro todo, **ou melhor**, as passagens que me agradarem.

c) O Sol, **isto é**, a mais próxima das estrelas, comanda a vida terrestre.

d) Na sala não havia **sequer** uma cadeira.

9. Escreva as frases substituindo *** por **mal** ou **mau**. Em seguida, classifique essas duas palavras em **substantivo**, **adjetivo** ou **advérbio**:

a) Esta frase soa ***.

b) Esse *** tem cura?

c) Fiz um *** negócio.

d) Fui *** informado.

e) Ele agiu ***.

f) Teve um *** sonho.

10. Leia o texto abaixo observando os advérbios e as locuções adverbiais.

LEITURA
Eclipse lunar

Pois ali está, no meio da noite, a Lua. É mesmo um lago de prata, com vagas sombras cinzentas – sombras de árvores, de barcos, de aves aquáticas... O céu está muito límpido, e é puro o brilho das estrelas. Mas em breve se produzirá o eclipse.

E, então, pouco a pouco, o luminoso contorno vai sendo perturbado pela escuridão. A Terra, esta nossa misteriosa morada, vai projetando sua forma naquele redondo espelho. Muito lentamente sobe a mancha negra sobre aquela cintilante claridade. É mesmo um dragão de trevas que vai calmamente bebendo aquela água tão clara; devorando, pétala por pétala, aquela flor tranquila.

E o globo da Lua, num dado momento, parece roxo, sanguíneo, como um vaso de sangue. Que singular metamorfose, e que triste símbolo! Ali vemos a Terra, melancolicamente reproduzida na apagada limpidez da Lua. Ali estamos, com estas lutas, estes males, ambições, cóleras, sangue. Ali estamos projetados! E poderíamos pensar, um momento, na sombra amarga que somos. Sombra imensa. Mancha sanguínea. (Por que insistimos em ser assim?)

Ah! – mas o eclipse passa. Recupera-se a Lua, mais brilhante do que nunca. Parece até purificada.

(Brilharemos um dia também com o maior brilho? Perderemos para sempre este peso de treva?)

(Cecília Meireles, *Escolha o Seu Sonho*, Record, Rio de Janeiro, 1996)

11. Acrescente advérbios ou expressões adverbiais às frases, de acordo com as circunstâncias indicadas:

a) Os estudantes encontraram forte resistência. (**negação, lugar**)

b) O secretário entrou no plenário. (**tempo, modo**)

c) Você foi indelicado. (**tempo, intensidade**)

d) A festa acabava. (**lugar, tempo, modo**)

e) As crianças estarão sonolentas depois do jantar. (**afirmação, intensidade, tempo**)

12. Escreva as frases fazendo as correções necessárias:

a) Sentia-me cansado fisicamente e moralmente.

b) Chegou tarde porque mora longíssimo.

c) As garotas estão menas agitadas agora.

d) Minha mãe está meia cansada de tanto trabalhar.

13. "Sua filha está muito bem agasalhada."

Se na frase acima você retirar o advérbio **bem**, o sentido continua o mesmo? Explique.

14. Escreva as frases abaixo, substituindo o termo destacado pelo que está entre parênteses. Faça as adaptações necessárias.

a) Esperei muito *tempo* por você. (**horas**)

b) *Ele* falava muito alto. (**todas**)

c) *Ivan* estava muito triste. (**Alguns**)

d) *Cássio* estava muito cansado. (**Os turistas**)

e) Quando menor, *eu* brinquei muito com seu irmão. (**nós**)

f) O amigo já lhe deu muito *conselho* sensato. (**conselhos**)

15. Em quais das frases do exercício anterior a palavra **muito** não é advérbio? Justifique a sua resposta.

16. Transforme os adjetivos em advérbios, utilizando o sufixo **-mente**. Depois, anote a que conclusão chegou sobre a maneira de obter essa transformação.

fácil, caridoso, firme, leve, esperançoso, calmo, inteiro, grave, ágil, penoso, claro, manso.

ADVÉRBIO
Exercícios de exames e concursos
[Página 674]

PREPOSIÇÃO

Veja estes exemplos:

A motocicleta **de** Cláudio era nova.

Trabalhemos **com** alegria.

Isabel mora **em** Niterói.

1 PREPOSIÇÃO

As palavras **de**, **com** e **em** estão ligando termos dependentes (Cláudio, alegria e Niterói) a termos principais (motocicleta, trabalhemos e mora): são *preposições*.

A preposição liga um termo dependente a um termo principal ou subordinante, estabelecendo entre ambos relações de posse, modo, lugar, causa, fim, etc.

Nos exemplos acima, as preposições *de, com* e *em* estabelecem relações de posse, modo e lugar, respectivamente.

> Preposição é *uma palavra invariável que liga um termo dependente a um termo principal, estabelecendo uma relação entre ambos.*

Observe mais estes exemplos:

termo subordinante	preposição	termo dependente
Recorremos	a	Jerônimo.
Choravam	de	alegria.
Olhei	para	ele.
Esperamos	por	você.
A luta	contra	o mal.

O termo dependente pode ser uma oração:

"Aconselhou-me *a não o ler*." (Graciliano Ramos) [o = o livro]

"Estava convencido *de que um dia lhe dariam razão*." (Herberto Sales)

- **Em síntese:**

a) As preposições são conectivos subordinativos.

b) Antepõem-se a termos dependentes (objetos indiretos, complementos nominais, adjuntos, etc.) e a orações subordinadas.

c) Estabelecem entre os termos as mais diversas relações.

Dividem-se as preposições em *essenciais* (as que sempre foram preposições) e *acidentais* (palavras de outras classes gramaticais que acidentalmente funcionam como preposições).

▪ Preposições essenciais

a, ante, após, até, com, contra, de, desde (dês), em, entre, para, perante, por (per), sem, sob, sobre, trás.

"Ela ainda se agarrava **a** fantasias." (GRACILIANO RAMOS)

"Prostradas **ante** o meu retrato, minhas irmãs rezavam." (ANÍBAL MACHADO)

"Fumava cigarro **após** cigarro." (JOSÉ FONSECA FERNANDES)

"**Dês** pequeno que sou ativo e ladino." (ANTÔNIO OLAVO PEREIRA)

"E calculas tu quanto seria cômico estar **entre** ti e ela..." (CAMILO CASTELO BRANCO)

"Fora intimado **a** comparecer **perante** o juiz, **para** ser interrogado." (ANÍBAL MACHADO)

Os carros passavam **sob** um arco **de** triunfo erguido **sobre** a ponte.

Chegamos **até** um porto, remando **contra** a maré.

Observações:

✔ A preposição *após*, acidentalmente, pode ser advérbio, com a significação de *atrás*, *depois*: Terminou a festa à meia-noite e as visitas saíram logo *após*.

✔ *Dês* é o mesmo que *desde* e ocorre com pouca frequência em autores modernos:

"... *dês* que surgiste em minha estrada, abandonei formas banais." (RONALD DE CARVALHO)

"... *dês* que ele era menino." (JOSÉ CONDÉ)

✔ *Per* usa-se na locução adverbial *de per si* (= isoladamente, por sua vez): "No último instante, cada um, *de per si*, conseguiria libertar-se". (FERNANDO NAMORA)

✔ *Trás*, modernamente, só se usa em locuções adverbiais e prepositivas: *por trás, para trás, por trás de*. Como preposição, aparece, por exemplo, no antigo ditado: *Trás* mim virá quem bom me fará.

✔ *Para*, na fala popular, apresenta a forma sincopada *pra*: "Traz aqui um cafezinho *pra* gente!" (LUÍS JARDIM)

✔ *Até*, como vimos, pode ser palavra denotativa de inclusão: Os ladrões roubaram-lhe *até* a roupa do corpo.

✔ As preposições essenciais exigem as formas oblíquas *mim, ti* e *si* dos pronomes pessoais: Recorreu a *mim*. Preciso de *ti*. Só pensam *em si*.

▪ Preposições acidentais

conforme (= de acordo com), *consoante, segundo, durante, mediante, visto* (= devido a, por causa de), *como*, etc. Exemplos:

Vestimo-nos **conforme** a moda e o tempo.

Os heróis tiveram **como** prêmio uma coroa de louros.

"A prudência o mandava viver em Lisboa **consoante** os costumes de Lisboa, e na província, *segundo* o seu gênio e hábitos aldeãos." (Camilo Castelo Branco)

Mediante manobras mesquinhas, o escrivão conseguira prestígio.

Vovô dormiu **durante** a viagem.

A vida hoje torna-se difícil, **visto** a sua estonteante complexidade.

2 LOCUÇÕES PREPOSITIVAS

São expressões com a função das preposições. Em geral são formadas de *advérbio* (ou locução adverbial) + *preposição:* abaixo de, acima de, a fim de, além de, a par de, apesar de, atrás de, através de, antes de, junto de, junto a, ao encontro de, de encontro a, embaixo de, em frente de (ou a), em cima de, em face de, longe de, defronte de, a instâncias de, de acordo com, por causa de, por trás de, não obstante (= apesar de), para com (o respeito *para com* os mais velhos), a despeito de (= apesar de), devido a, em virtude de, em atenção a, em obediência a, em via de, a favor de, ao invés de, à (ou *na*) proporção de, até a (foi *até à* porta), à custa de, a expensas de, sob pena de, etc.

Exemplos:

Passamos **através de** mata cerrada.

Não nos atendeu, **não obstante** nossa insistência.

Em atenção à sua idade, não lhe batemos.

A instâncias dos amigos, ele concordou em cantar sua última canção.

> **Observação:**
>
> ✔ Numerosos autores não veem locução prepositiva nas sequências *de até* (crianças *de até* sete anos), *de sobre, de sob, por entre* (passar *por entre* a multidão), *por sob, por sobre, para sobre* (atirar os livros *para sobre* o armário), por entenderem que, em tais conjuntos, cada preposição conserva o seu sentido próprio.
>
> De acordo com essa análise, ver-se-á o conjunto *preposição* + *locução prepositiva* em frases como:
>
> Sai *de diante de* mim!
>
> A Lua nasce *por detrás do* morro.
>
> Venha *para perto de* nós.
>
> Chegou *por trás de* nós.

3 RELAÇÕES EXPRESSAS PELAS PREPOSIÇÕES

Isoladamente, as preposições são palavras vazias de sentido, se bem que algumas delas contenham uma vaga noção de tempo e lugar. Na frase, porém, exprimem relações as mais diversas, tais como:

- **assunto:** Falou *sobre* política.
- **causa:** Morreu *de* fome.
- **companhia:** Jantei *com* ele.

MORFOLOGIA 271

- **especialidade:** Formou-se *em* Medicina.
- **direção:** Olhe *para* frente.
- **fim** ou **finalidade:** Trabalha *para* viver.
- **falta:** Estou *sem* recursos.
- **instrumento:** Feriu-se *com* a própria espada.
- **lugar:** Moro *em* São Paulo.
- **meio:** Viajei *de* avião.
- **modo, conformidade:** Trajava à moderna.
- **oposição:** João falou *contra* nós.
- **posse, pertença, propriedade:** Vi o carro *de* Mário.
- **matéria:** Era uma casa *de* tijolos.
- **origem:** Descendia *de* família ilustre.
- **tempo:** Viajei *durante* as férias.

4 COMBINAÇÕES E CONTRAÇÕES

As preposições *a, de, em* e *per* unem-se com outras palavras, formando um só vocábulo. Há *combinação* quando a preposição se une sem perda de fonema; se a preposição sofre queda de fonema, haverá *contração*.

- A preposição *a* combina-se com os artigos e pronomes demonstrativos *o, os* e com o advérbio *onde*, dando: *ao, aos, aonde*.
- As preposições *a, de, em, per* contraem-se com os artigos e, algumas delas, com certos pronomes e advérbios. Eis alguns exemplos:

a + a = à	de + o = do	em + esse = nesse
a + as = *às*	de + ele = dele	em + o = no
a + aquele = àquele	de + este = deste	em + um = num
a + aquela = àquela	de + isto = disto	em + aquele = naquele
a + aquilo = àquilo	de + aqui = daqui	per + o = pelo

- Registrem-se ainda as contrações *coa* (com + a), *coas* (com + as), *pro* (para + o), *pros* (para + os), *pra* (para + a), *pras* (para + as), mais frequentes na fala popular, e *dentre* (de + entre).

LISTA **30**

EXERCÍCIOS

1. Classifique as frases de acordo com o tipo de relação expresso pelas preposições.

Inclinei-me **para** beber.

A menina chorava **de** dor.

Ele dança **conforme** a música.

Cortou-se **com** a gilete.

Não fales **de** guerra.

Viajou **sem** passaporte.

A janela dava **para** o telhado.

É um direito **dos** cidadãos.

MORFOLOGIA

Saí **de** madrugada.	Passeei **com** os colegas.
Viajei **de** ônibus.	Sofia descende **de** nobres.
A pena era **de** ouro.	Eles opõem-se **a** tudo.
Nuno formou-se **em** Direito.	Moro **em** Campinas.

2. Escreva as frases abaixo e em seguida passe um traço sob as preposições e dois sob as combinações e contrações:

a) Ao chegar à Amazônia, senti que estava ante um mundo diferente.

b) Desde a nascente até o poço, o córrego murmurejava entre pedras roliças.

c) Após o jantar, Heitor dava um giro pela praça ou sentava-se num banco do jardim, sob um toldo de lona.

d) Tive de voltar para casa a pé, devido à falta de condução.

e) Naquele galpão, construído por meu avô, só se viam caixas de vinho sobre mesas toscas.

3. Copie as frases colocando um traço em volta das preposições e sublinhando as locuções prepositivas:

a) Ítalo buzinou em frente à janela, a fim de me acordar.

b) Antes de o sol raiar, estávamos junto ao rio, que atravessaríamos a nado.

c) Filipe, a despeito de seu gênio concentrado, era extremamente simpático.

d) Através de meu primo, firmei laços de amizade com muitas pessoas da localidade.

e) O réu foi intimado a comparecer perante o juiz para ser interrogado.

f) Atrás de mim, dois homens discutiam a propósito de futebol.

g) O gavião pousou sobre o ramo, que vergou sob o peso da ave.

4. Reorganize as três colunas de forma a relacionar as locuções prepositivas sinônimas:

devido a	acerca de	a despeito de
a respeito de	não obstante	em virtude de
apesar de	por causa de	a propósito de

5. Substitua o * pelas preposições adequadas, contraídas com o artigo quando necessário:

a) O soalho rangia * meus pés.

b) " * o silêncio sombrio do visitante, a professora teve medo." (ANÍBAL MACHADO)

c) " * manobras mesquinhas o esperto escrivão conseguiu prestígio." (ANÍBAL MACHADO)

d) "E caminhou sozinho * passos vacilantes." (CAMILO CASTELO BRANCO)

e) Saíam de casa uma vez por ano, * velho costume.

f) "Resta ainda uma dúvida * desfazer." (SAID ALI)

g) Era preciso romper * velhos hábitos.

h) "Todos são iguais * a lei." (C. Drummond de Andrade)

i) "Quem me pôs no coração este amor * vida, senão tu?" (M. de Assis)

j) "Era a maior dignidade * que podia aspirar." (M. de Assis)

k) Estava ansioso * me ver livre daquilo tudo.

l) "Investia como cego * as paredes." (C. Castelo Branco)

m) Dei-me pressa * regressar * casa.

n) Não se atiram pedras * árvores sem fruto.

o) Mostrava-se insensível * admoestações do irmão, * cuja companhia se desinteressara.

p) "Lavínia lançou ao enfermo um olhar * zombeteiro e inquieto." (Lígia Fagundes Teles)

q) As estrelas empalidecem * o esplendor do Sol.

r) Chamava-se Virginiano: nascera * o signo de Virgem.

s) Ariosto, * arquiteto, considerava-se um homem realizado.

t) Na noite * que chegamos, tudo parecia tão triste!

6. Classifique as frases de acordo com o valor da locução prepositiva em destaque, especificando se é de **distância** ou de **negação intensiva**:

Longe de o castigar, ainda o abençoou.

A escola não ficava **longe de** minha casa.

O resultado está **longe de** ser o que eu esperava.

Longe dos olhos, **longe do** coração.

Não lhe quero mal, **longe disso**!

7. Escreva as frases e ponha entre parênteses a classificação correta da palavra **até**, **preposição** ou **palavra denotativa de inclusão**.

Os ladrões levaram-lhe **até** a roupa do corpo.

O cafezal estendia-se **até** a linha do horizonte.

Esse camelô consegue vender **até** pentes a carecas.

8. Substitua adequadamente os asteriscos por **afim** e **a fim**, **ao encontro de** e **de encontro a**:

a) Fui à mata próxima **** de catar lenha.

b) O português é um idioma **** do espanhol.

c) O ônibus desgovernou-se e foi **** um muro.

d) A criança, toda feliz, correu **** seu pai.

e) Que dia aziago! Tudo foi **** meus desejos.

f) O ano é bom. Tudo vai **** nossas expectativas.

9. Classifique a palavra **a**, que pode ser artigo, pronome pessoal, pronome demonstrativo e preposição:

a) A menina saiu de casa sem que a mãe a visse e foi juntar-se a suas amigas.

b) Devolva a fita a seu pai: não é a que eu queria.

MORFOLOGIA

10. Troque corretamente o * por **entre** e **dentre**:

a) Ela sentou-se * mim e Pedro.

b) Retirou uma carta * velhos papéis.

c) Eis que * os arbustos sai um caçador.

11. Forme frases com as preposições **sob** e **sobre**.

12. Una os termos dependentes aos verbos substituindo * por preposições adequadas:

a) Assisti * cenas tristes.

b) Não vá * mim.

c) Prostrou-se * o altar e orou.

d) Lute * nobres ideais.

e) Abriguei-me * uma tenda.

f) O tigre arrojou-se * a presa.

13. Identifique as relações que as preposições exprimem em cada frase.

a) Dizem que o rapaz morreu de pneumonia.

b) Carlos, preste atenção! Não olhe para trás!

c) Você escreve para expressar seus sentimentos?

d) Ana feriu-se com aquela faca afiada.

e) Na história, o porquinho construiu uma casa de palha e seu irmão, uma de tábuas.

f) Pedi arroz à grega. E você?

g) Viajamos de trem durante vários dias.

14. Indique os casos em que a preposição aparece ligada a outras palavras, combinando-se ou formando contrações:

a) Meu irmão sempre envia bilhetes à namorada.

b) Nunca consigo perceber aonde você quer chegar.

c) Suas fotos estão naquela caixa amarela.

d) Você sempre vai ao cinema de seu bairro?

e) Nós também vamos participar desta manifestação de protesto.

15. Indique se, nas frases abaixo, aparecem preposições ou locuções prepositivas:

a) Faremos um estudo a fim de determinar a extensão do problema.

b) Longe dos pais, as crianças eram mais cordatas.

c) Meu irmão dormiu durante todo o percurso.

d) As cartas registradas estão embaixo da pasta amarela.

e) Chegamos até aqui lutando contra tudo e contra todos.

MORFOLOGIA 275

16. Formule frases em que a preposição aparece empregada expressando a relação indicada entre parênteses. Oriente-se pelo exemplo.

de (procedência): Chegou há pouco do Acre.

a) **de** (causa)

b) **para** (finalidade)

c) **de** (qualidade)

d) **de** (matéria)

e) **contra** (oposição)

f) **de** (posse)

17. Qual o significado da preposição *sobre* na estrofe de Manuel Bandeira transcrita a seguir?

"Da terceira vez não vi mais nada
Os céus se misturaram com a terra
E o espírito de Deus voltou a se mover sobre a face das águas."

a) a respeito de

b) além de

c) na superfície de

d) a fim de

e) diante de

5 CRASE

A palavra crase (do grego *krásis* = mistura, fusão) designa, em gramática normativa, a contração da preposição *a* com:

- **o artigo feminino *a* ou *as***

  Fomos à cidade e assistimos às festas.

- **o pronome demonstrativo *a* ou *as***

  Chamou as filhas e entregou a chave à mais velha.

- **o *a* inicial dos pronomes *aquele(s), aquela(s), aquilo***

  Refiro-me àquele fato. Poucos vão àquela ilha.

Observação:

✔ Na escrita, assinala-se a crase com o acento grave. A contração à, que representa a fusão da preposição a com o artigo a, não é tônica, mas pode ser proferida um tanto mais fortemente que o a átono.

6 CRASE DA PREPOSIÇÃO *A* COM OS ARTIGOS *A, AS*

Considerem-se estes exemplos:

Irei à cidade. [Irei *a a* cidade.]

Apresentei-me à diretora. [Apresentei-me *a a* diretora.]

Dedico-me *às* artes. [Dedico-me *a as* artes.]

Obedeço *às* leis de Deus. [Obedeço *a as* leis de Deus.]

A crase, como se vê dos exemplos citados, resulta da contração da preposição *a* (exigida por um termo subordinante) com o artigo feminino *a* ou *as* (reclamado por um termo dependente).

Outros exemplos:

	preposição	artigo			
	↓	↓			
Fomos	a	a	praia.	→	Fomos **à** praia.
Estavam junto	a	a	porta.	→	Estavam junto **à** porta.
Compareci	a	as	reuniões.	→	Compareci **às** reuniões.

Se não houver a presença da preposição ou do artigo, não haverá crase e, consequentemente, não se acentuará o **a** ou **as**:

	preposição	artigo	
	↓	↓	
Os turistas visitaram		a	cidade.
A concórdia une		as	nações.
Não digas isto	a		ninguém.
Ele parecia entregue	a		tristes cogitações.
Lançaram-se	a		nova ofensiva.

Regra geral. O acento indicador de crase só tem cabimento diante de palavras femininas determinadas pelo artigo definido *a* ou *as* e subordinadas a termos que exigem a preposição *a*.

Veja mais estes exemplos:

As crianças voltaram à piscina. [Voltar *a* (preposição) *a* (artigo) piscina.]

Ninguém é insensível à dor.

Exige-se a assistência *às* aulas.

Atribuiu o insucesso à má sorte.

Procedeu-se à apuração dos votos.

Devemos aliar a teoria à prática.

Avançamos rente à parede.

O trem chegou à estação *às* 18 horas.

Os garimpeiros assistiam à cena em silêncio, entreolhando-se à luz das candeias.

"Fez uma excursão à cidade de Santos." (CAMILO CASTELO BRANCO)

Refiro-me às duas (ou às tais) meninas de nariz arrebitado.

A desnutrição abre caminho às doenças.

Plantou videiras no pomar, às quais dedica muito carinho.

Observação:

✔ Os termos diante dos quais ocorre a crase exercem as funções sintáticas de complementos (objeto direto, objeto indireto, complemento nominal) ou de adjuntos adverbiais.

7 CASOS EM QUE NÃO HÁ CRASE

Não havendo o artigo *a(s)* antes do termo dependente, é evidente que não pode ocorrer a crase. Por isso não se acentua o *a*:

▪ diante de palavras masculinas

Não assisto *a* filmes de guerra ou de violência.

Isto cheira *a* vinho.

Casarão do império cede lugar *a* edifício.

"Bicho se caça *a* pau e pedra." (RICARDO RAMOS)

Admirei os quadros *a* óleo.

Escreveu um bilhetinho *a* lápis.

Fomos *a* São Lourenço, onde passeamos *a* pé, *a* cavalo, de charrete.

"Juntos íamos *a* bailes e teatros." (CAMILO CASTELO BRANCO)

Fiz ver *a* Roberto que era irracional seu ódio *a* estrangeiros.

Venho *a* mando de meu patrão.

Não gaste *a* vista: óculos *a* prazo. (DE UM ANÚNCIO COMERCIAL.)

Observação:

✔ Ocorrendo a elipse da palavra *moda* ou *maneira*, das expressões *à moda de, à maneira de*, haverá crase diante de nomes masculinos:

Calçados à Luís XV (à *moda de* Luís XV).

Cabelos à Sansão.

Estilo à Coelho Neto.

"Era um senhor atarracado, de grossos bigodes à Kaiser." (JOSÉ MARIA BELO)

"Aliás magníficas perucas à Luís XIV." (MÁRIO QUINTANA)

▪ diante de substantivos femininos usados em sentido geral e indeterminado:

Não vai *a* festas nem *a* reuniões.

Dedicas o trabalho *a* homem ou *a* mulher?

A Funai decidiu fechar o parque indígena *a* visitas.

Não dê atenção *a* pessoas suspeitas.

"Nunca supus poder resistir *a* marchas tão longas." (Gastão Cruls)

"Depois comprara um cone de papel com pipocas recendentes *a* gordura vegetal." (Érico Veríssimo)

"O tormento maior era não poder confiar *a* pessoa alguma os seus cuidados." (Herman Lima)

"O exército dos invasores, semelhante *a* serpe monstruosa..." (Alexandre Herculano)

"Kravchenko apresentar-me-á *a* princesas eslavas." (José Geraldo Vieira)

Dirigi-me *a* duas (ou *a* diversas) pessoas vizinhas.

Contei o caso *a* uma (ou *a* certa) senhora supersticiosa.

- **diante de nomes de parentesco, precedidos de pronome possessivo**

Recorri *a minha mãe.*

Peça desculpas *a sua irmã.*

Faremos uma visita *a nossa(s) tia(s).*

"A quem puxaste? *A teu pai* ou *a tua mãe?*" (Viana Moog)

"Arrependi-me de ter falado *a minha prima.*" (Graciliano Ramos)

"Nunca saio satisfeito das visitas que faço *a minha mãe.*" (Antônio Olavo Pereira)

- **diante de nomes próprios que não admitem o artigo**

Rezamos *a Nossa Senhora* todos os dias.

Dedicaram templos *a Minerva* e *a Júpiter.*

O guerreiro branco falou *a Iracema.*

O historiador referiu-se *a Joana d'Arc.*

Fiz uma promessa *a Santa Teresinha.*

Iremos *a Curitiba* e depois *a Londrina.*

Chegamos *a Paquetá* ao meio-dia.

[Cp. A imagem *de* Nossa Senhora. História *de* Joana d'Arc. Vim *de* Curitiba. Cheguei *de* Londrina. Moro *em* Paquetá.]

Observação:

✔ Haverá crase quando o nome próprio admitir o artigo ou vier acompanhado de adjetivo ou locução adjetiva:

A jovem tinha devoção à *Virgem Maria.*

Entreguei a carta à *Julia* (no trato familiar e íntimo).

Fomos à *Bahia* por ocasião dos 500 anos do Brasil.

Chegamos à *Argentina* ao raiar do dia.

Referiu-se à *Roma dos Césares.*

Assim foi que cheguei à *histórica Ouro Preto* numa tarde de maio.

[Cp. Viemos *da* Bahia. Cheguei *da* Argentina. Voltei *da* histórica Ouro Preto. Estou sob a proteção *da* Virgem Maria.]

- **diante da palavra *casa*, no sentido de *lar, domicílio*, quando não acompanhada de adjetivo ou locução adjetiva:**

Voltamos *a* casa tristes. [Cp. Vou *para* casa; vim *de* casa.]

"Chegou Basílio *a* casa, e atirou-se a chorar sobre a cama." (Camilo Castelo Branco)

"Chegavam *a* casa quase sempre à tardinha." (HERBERTO SALES)

"A chuva reteve-o no Clube Campestre e só pela madrugada regressou *a* casa."
(GERALDO FRANÇA LIMA)

> **Observação:**
>
> ✔ Se a palavra *casa* vier acompanhada de adjetivo ou locução adjetiva, terá lugar o acento da crase:
>
>> O filho pródigo voltou à *casa paterna*.
>>
>> Fiz uma visita à *velha casa de meus avós*.
>>
>> Fui à *casa de meu colega*.
>>
>> "Estavam nisto quando a costureira chegou à *casa da baronesa*." (MACHADO DE ASSIS)

A crase é de rigor com a dita palavra no sentido de *estabelecimento comercial* ou *hospitalar, residência oficial de chefe de Estado, dinastia*, enfim, quando *casa* não significa *lar, domicílio*:

Fui à Casa Açucena comprar um presente.

O presidente americano regressou à Casa Branca.

Poucos têm acesso à Casa da Moeda.

"O príncipe pertencia à casa de Bragança." (VITÓRIO BERGO)

- **nas locuções formadas com a repetição da mesma palavra**

    Tomou o remédio *gota a gota*.

    Estavam *frente a frente*.

    Foi de *cidade a cidade*.

    Entraram *uma a uma*.

    Dia a dia, a empresa foi crescendo.

    "Gramados e pastos eram, de *ponta a ponta*, um só atoalhado branco." (MONTEIRO LOBATO)

- **diante do substantivo *terra*, em oposição a *bordo*, a *mar***

    Os marinheiros tinham descido *a terra* para visitar a cidade.

    Vendo o tubarão, o nadador voltou logo *a terra*.

    "Eu aposto em como ele não vai *a terra*." (FERREIRA DE CASTRO)

- **Fora desse caso, escreve-se à:**

    Aves voavam rente à *terra*.

    Gulliver chegou, primeiramente, à *terra* dos liliputianos.

    Os astronautas voltaram à *Terra*.

- **diante de artigos indefinidos e de pronomes pessoais (inclusive de tratamento, com exceção de *senhora* e *senhorita*) e interrogativos**

    Chegamos à cidade *a uma* hora morta.

    Recorreram *a mim* (*a nós, a ela, a você, a dona Marta*, etc.).

Solicito *a Vossa Senhoria* o obséquio de anotar nosso endereço.

Não me referi *a Vossa Excelência*.

"Hei de pedir licença *a Sua Majestade*, e espero alcançá-la." (CAMILO CASTELO BRANCO)

Falaste *a que* pessoa? *A quem* falaste?

A qual delas se refere você?

- **Escreve-se, porém, com o acento indicador de crase:**

Peço *à senhora* que tenha paciência.

É um favor que peço *à senhorita*.

- **antes de outros pronomes que rejeitam o artigo, o que ocorre com a maioria dos indefinidos e relativos e boa parte dos demonstrativos**

Escrevi *a todas* as (ou *a algumas, a várias, a muitas*) colegas.

Não ligo *a essas* (ou *a tais*) coisas.

Foi o vício que o levou *a tamanha* degradação.

O letreiro pode despencar *a qualquer* hora.

Esta é a vida *a que* aspiramos.

A tia gostava de Jacinta, *a quem* sempre ajudava.

As cartas *a que* ela não respondeu estão guardadas.

Ali havia uma árvore, *a cuja* sombra descansamos.

Diariamente chegam turistas *a esta* cidade.

"A penedia, *a essa* hora, faiscava." (JOSÉ GERALDO VIEIRA)

Estamos *a pouca* (ou *a certa*) distância da fronteira.

> **Observação:**
>
> ✔ Há, no entanto, pronomes que admitem o artigo, dando ensejo à crase:
>
> Não fale nada *às outras* colegas.
>
> Assistimos sempre *às mesmas* cenas.
>
> Diga *à tal* senhora que sua reclamação não procede.
>
> Não temo as acusações de X, *às quais* responderei oportunamente.
>
> Estavam atentas umas *às outras*.

- **diante de numerais cardinais referentes a substantivos não determinados pelo artigo, usados em sentido genérico**

Chanceler inicia visita *a oito* países africanos.

[Chanceler visita *oito* países africanos.]

Assisti *a duas* sessões (ou *a uma* só sessão).

A fazenda ficava *a três* léguas da cidade.

Daqui *a quatro* semanas muita coisa terá mudado.

O número de candidatas aprovadas não chega *a vinte*.

Foi isto *a* 16 de agosto de 1959.

"Então aquilo tinha acontecido de meia-noite *a três* horas!" (Graciliano Ramos)

Usa-se, porém, a crase nas locuções adverbiais que exprimem hora determinada e nos casos em que o numeral estiver precedido de artigo:

Chegamos *às oito* horas da noite.

Assisti *às duas* sessões de ontem.

Entregaram-se os prêmios *às três* alunas vencedoras.

- **diante de verbos**

Estamos dispostos *a trabalhar* pela paz no mundo.

Quando me dispunha *a sair*, começou *a chover*.

Puseram-se *a discutir* em voz alta.

8 CASOS ESPECIAIS

O uso do artigo antes dos pronomes possessivos, salvo em alguns casos, fica ao arbítrio de quem escreve. Daí a possibilidade de haver, ou não, a crase antes desses pronomes:

A minha viagem é certa. ➜ Referiu-se *à* minha viagem.

Minha viagem é certa. ➜ Referiu-se *a* minha viagem.

As minhas colegas vêm. ➜ Fiz um apelo *às* minhas colegas.

Minhas colegas vêm. ➜ Fiz um apelo *a* minhas colegas.

Observações:

✔ Seguindo-se a atual tendência, é preferível usar o artigo, e, portanto, a crase, diante dos possessivos que não se referem a nomes de parentesco.

✔ Ocorrendo a elipse do substantivo, o a será acentuado:

Ele referia-se à desgraça do amigo e não à sua. [à sua *desgraça*]

Eu fui à formatura dele, mas ele não compareceu à minha.

Opcional é também, na linguagem familiar, o uso do artigo diante de nomes próprios personativos. A crase, portanto, dependerá da preferência do escritor. Exemplos:

Mandamos um convite à (ou *a*) Maurília.

Escrevi à (ou *a*) Lúcia.

Na língua formal, sobretudo quando se faz referência a mulheres célebres, não se usa artigo e, portanto, não se acentua o *a*:

A polícia dará proteção *a* Márcia Nogueira, testemunha do crime.

Por que os ingleses tinham ódio *a* Joana d'Arc?

[*Joana d'Arc* foi uma heroína francesa.]

Em um e outro caso, o acento indicativo de crase será de rigor, se o nome vier acompanhado de um adjunto:

Quem negará elogios à corajosa Maria Quitéria de Medeiros?

Refiro-me à Beatriz do Dr. Vieira.

À querida Estela (nas dedicatórias).

O professor referiu-se à intrépida Joana d'Arc.

Coloca-se acento grave sobre *a* da expressão *à distância de*, seja a distância determinada, precisa ou não:

Achava-me *à distância de* cem (ou de alguns) metros da fronteira.

Paramos *à distância de* alguns metros do riacho.

Se antes de *distância* ocorrer adjetivo ou palavra que não admite o artigo definido, não se acentuará o *a*:

O trem passava *a pouca distância da* casa.

"Só o João conservava-se *a respeitável distância da* água." (COELHO NETO)

Quando se trata da locução adverbial *a distância*, é opcional o uso do acento grave sobre o *a*. Renomados escritores modernos ora acentuam, ora não acentuam. Exemplos:

"É necessário vê-los *a distância.*" (GRACILIANO RAMOS)

"Pedras de gamão estalavam *à distância*." (GRACILIANO RAMOS)

"Os merceeiros ignaros, os negociantes sovinas, eram, porém, mantidos *a distância*." (CIRO DOS ANJOS)

"Além disso, convinha que as alunas fossem mantidas *à distância*." (CIRO DOS ANJOS)

"Seguiu-a *a distância*, discretamente." (FERNANDO NAMORA)

"Observava *à distância* os convidados do cirurgião." (FERNANDO NAMORA)

"O vento soprava, sacudindo faíscas *a distância*." (JOSÉ LINS DO REGO)

"Os canhões punham *à distância* os franceses cobiçosos." (JOSÉ LINS DO REGO)

Para dizer *a grande distância, ao longe,* pode-se usar também *na distância*:

"O mar se fundia *na distância*, brilhante e azul." (ELSIE LESSA)

- **A crase nas locuções**

Acentua-se, geralmente, o *a* ou *as* de locuções formadas de substantivos femininos:

a) **locuções adverbiais**

à direita, à esquerda, à força, à farta, à milanesa (= à moda milanesa), à oriental (= à moda oriental), à mesa (estar à mesa), à noite (= de noite), à risca, à solta, à vontade, à saída (= na saída), à uma hora, às sete horas, à zero hora, às vezes, à toa, às claras, às pressas (ou à pressa), etc.

b) **locuções prepositivas**

à custa de, à espera de, à força de, à procura de, à vista de, etc.

MORFOLOGIA 283

c) **locuções conjuntivas**

à medida que, à proporção que:

O uso do acento grave é opcional nas locuções adverbiais que indicam meio ou instrumento:

barco a (ou à) vela; escrever a (ou à) máquina; escrever a (ou à) mão; fechar o cofre a (ou à) chave; repelir o invasor a (ou à) bala, etc.

Observação:

✔ Não há consenso, entre os gramáticos, quanto ao emprego do acento grave nesse último caso. Uns invocam, em favor dele, a tradição da língua, ou melhor, o uso tradicional entre os portugueses, que pronunciam o à (contração) um pouco mais fortemente do que o a simples. Outros entendem ser descabido o acento, porquanto nas ditas locuções não ocorre crase, o a é simples preposição, como em a *lápis, a giz, a óleo, a facão*, etc. Além disso, argumentam, os brasileiros pronunciam a e à de igual modo. São válidas e boas ambas as opiniões. Quem escreve escolherá a que achar melhor e mais adequada.

Não se acentua locução constituída de *a + substantivo plural*:

a expensas de, a duras penas, a marteladas, a desoras, a duas mãos, etc.

É descabido e vetado o acento grave em locução formada com substantivo masculino. Grafa-se, portanto:

a cavalo, a pé, a gás, a nado, a mando de, a pedido de, etc.

É desnecessário o acento grave no *a* ou *as*, depois de *até*, a não ser que sua falta possa gerar ambiguidade (duplo sentido):

Chegou *até* a praia. Andei *até* a igreja. Fomos *até as* dunas.

Os garimpeiros danificaram todo o rio *até à* nascente. [Sem o acento grave, poder-se-ia entender que os garimpeiros danificaram inclusive a nascente do rio.]

Há, portanto, casos em que o acento grave, nas locuções, não assinala crase; emprega-se, simplesmente, para deixar bem claro que se trata de um adjunto adverbial. Comparem-se, por exemplo, as expressões seguintes, em que a ausência do acento grave torna o sentido dúbio:

ver a distância e *ver à distância*
matar a fome e *matar à fome*
cheirar a gasolina e *cheirar à gasolina*
enfrentar-se a espada e *enfrentar-se à espada*
receber a bala e *receber à bala*

---

9 **CRASE DA PREPOSIÇÃO *A* COM OS PRONOMES DEMONSTRATIVOS**

A crase pode também resultar da contração da preposição *a* com os pronomes demonstrativos *aquele, aquela, aqueles, aquelas, aquilo, a, as*:

Não irás *àquela* festa. [*a aquela*]

Vou *àquele* cinema. [*a aquele*]

Não dei importância *àquilo*. [a aquilo]

Não estou falando de todas as jovens; refiro-me à que você namora. [a a]

Àquela ordem estranha, o soldado estremeceu.

Recomeçamos a caminhada, rumo *àquele* pico.

A capitania de Minas Gerais estava unida à de São Paulo.

As alunas vinham correndo, e a professora entregava a bola à que chegasse primeiro.

Falarei *às* que quiserem me ouvir.

Essa anedota é semelhante à que meu professor contou.

"... suas forças são inferiores *às* de Nassau." (ASSIS BRASIL)

EXERCÍCIOS

LISTA 31

1. Escreva as duas frases, colocando, ao lado de cada palavra **a**, sua classificação de acordo com a lista abaixo e acentuando a que representa uma contração:

1) artigo definido
4) preposição
2) pronome pessoal oblíquo
5) contração
3) pronome demonstrativo

a) Emprestei **a** máquina **a** José, que **a** devolveu **a** empregada.

b) Emprestei-lhe **a** minha máquina, não **a** de meu irmão.

2. Faça como nos exemplos, substituindo os asteriscos:

AO (masculino) ➔ À (feminino)   A (masculino) ➔ A (feminino)

a) Alice obedece **ao pai** e **à mãe**.

b) Dedicas o livro **a homem** ou **a mulher**?

c) Recorremos ao diretor e ****** .

d) Prestaram homenagem a papai e ****** .

e) Muitos ofereceram flores aos noivos e ****** .

f) São brinquedos que agradam a meninos e ****** .

g) Fui apresentado a reis e ****** , a príncipes e ****** .

h) Apresentaram-me ao rei e ****** , ao príncipe e ****** .

3. Escreva as frases, substituindo os asteriscos de acordo com os exemplos e observando as correlações:

DA ➔ À   DE ➔ A

Voltei **da** cidade.   ➔ Fui **à** cidade.

Vim **de** Brasília.   ➔ Fui **a** Brasília.

a) Voltei **da** Bahia.   ➔ Irei novamente ****** .

b) Voltei **de** Curitiba ontem.   ➔ Fui ****** .

c) Vim **de** Minas hoje.   ➔ Voltarei ****** .

d) Chegamos **da** Argentina. ➔ Iremos ****** .

e) João veio **da** farmácia.   ➔ Vá correndo ****** .

4. Justifique o emprego ou a ausência do acento grave:

Ontem encontrei rindo **a** garota de Atibaia, que faltou **às** aulas para ir **a** Santos, para ir **à** praia. Talvez algum dia **a** encontre chorando.

5. Escreva as frases classificando-as em três grupos de acordo com a classificação da palavra **a(s)**, conforme indicação abaixo; em seguida, acentue a única contração que ocorre nos exemplos dados:

(1) **artigo definido**   (2) **preposição**   (3) **contração**

Fui e voltei **a** pé.   O diretor atendeu **as** alunas.

Socorreu **a** vítima?   Não atendem **a** reclamações.

Vendo TV **a** cores.   O álcool é nocivo **a** saúde.

Estávamos **a** sós.   O carro era movido **a** álcool.

Não ligue **a** boatos.   Eu levo o estudo **a** sério.

6. Nas frases abaixo não ocorre crase. Escreva-as e coloque após cada uma delas o motivo, de acordo com a relação abaixo:

Percorri a rua de ponta **a** ponta.   (1) palavra masculina

Não há ninguém igual **a** ela.   (2) verbo

Amanhã tornarás **a** sorrir.   (3) pronome pessoal

Demos graças **a** Deus.   (4) locução formada por palavra repetida

7. Nos exemplos do exercício anterior não há crase porque ocorre apenas o artigo definido **a** ou apenas a preposição **a**?

8. Assinala-se a crase com acento grave. Copie as frases abaixo, colocando-o onde for necessário:

a) A um sinal do instrutor, todos voltaram a piscina.

b) Edi levou a criança a uma praça e ficou sentada a sombra das árvores.

c) Prefiro coca-cola a guaraná, vinho a cerveja, água da fonte a do rio.

d) Devido a ventania, nenhum homem-asa se atreveu a saltar da Pedra Bonita.

e) Fiz marcha a ré e parei em frente a uma loja que vendia a vista e a prazo.

f) A meia-noite, o retirante chegou a cidade com um saco as costas.

g) Isto não compete só as autoridades, compete a mim, a você, a todos.

h) Chamou-o a parte e disse-lhe: "Quanto a isso, pode ficar tranquilo."

i) Quanto a tia, nada a reclamar: pessoa fina, tem horror a discussões.

j) Encostou-se a janela, atento a campainha do telefone.

k) Daqui a cem anos, naves talvez levem gente a Lua, a Vênus e a outros mundos.

l) A saída do cinema, vozes de adultos misturavam-se a gritos de crianças.

9. Copie somente a frase em que o acento indicador de crase é indispensável:

A rodovia BR-101 liga Natal a Porto Alegre.

Às vezes ela vai a um cinema, outras vezes assiste a uma novela.

O marinheiro desceu a terra e fez rápida visita a sua mãe.

A exportação deve ser igual ou superior a importação.

10. Substitua * por **a**, **as**, **à** ou **às**, conforme convenha:

O Sol nasce * leste.   Nada pôde resistir * força das águas.

Chegou os lábios * taça.   Feriram-me * costas os espinhos.

Os pneus aderem * pista.   As frutas pertenciam * aves.

Assistiu * reuniões de ontem?   O rio corre paralelamente * mata.

O futuro pertence * Deus.   Ele só bebe após * refeições.

Estou * suas ordens.   Ainda não respondi * essa carta.

286 MORFOLOGIA

11. Escreva a frase abaixo, substituindo os asteriscos pela série que a completa de forma correta:

Na velha fazenda, **** que cheguei **** nove horas e que percorri **** cavalo, vi ferramentas expostas **** chuva e plantações abandonadas **** formigas.

à – às – a – a – às   a – às – a – à – às
a – as – à – a – às   à – às – à – a – as

12. Escreva as frases, colocando acento grave nos pronomes demonstrativos em destaque e justificando-o:

a) Nunca tinha visto um mágico igual **aquele**.

b) Costumo ir **aquela** ilha para pescar.

c) **Aquela** hora a família já devia estar dormindo.

d) Na entrevista limitamo-nos **aquilo** que mais nos interessava.

e) Pedi uma blusa igual **a** que estava à mostra na vitrine.

13. Transcreva as frases abaixo, usando o acento indicador de crase onde for necessário:

a) Sentou-se a mesa e começou a escrever a máquina.

b) Decidiu não mais voltar a Argentina, renunciando a toda a obra a que consagrara muitos anos de trabalho.

c) O Brasil foi sempre mais fiel a força da toga que a da espada.

d) Já se havia habituado aquela vida, quando o médico aventou a ideia de submetê-lo a uma intervenção cirúrgica.

e) Voltamos a casa quase a uma hora da madrugada.

f) Regressou a Belo Horizonte e dirigiu-se a casa paterna.

g) A onda da vida trouxe-nos a mesma praia.

h) Estando a porta da loja, vi assomar a distância dois cavalheiros que caminhavam lado a lado e pareciam dirigir-se aquela casa comercial.

i) Chegamos aquele sítio as 9 horas para assistir a inauguração da escola.

j) Do Rio de Janeiro a Vila Rica a viagem mais rápida era feita a cavalo, levando-se de 12 a 15 dias.

k) "Não podemos deixar de ir a igreja para agradecer a Nossa Senhora." (Josué Montelo)

l) "O ar cheira a gasolina." (Ribeiro Couto)

m) "Depois convidou-os a procederem a nomeação do secretário." (João Felício dos Santos)

n) "Nos dias festivos havia jantares suntuosos a Luculo, a tarde passeios no jardim e pescarias no tanque em escaleres dourados, a noite bailes e representações teatrais." (João Felício dos Santos)

o) "Nem nos sonhos cheguei a aspirar a tal emprego." (Ciro dos Anjos)

p) "A tarde os trabalhadores descansam a beira do caminho." (Cecília Meireles)

q) "Fechava os ouvidos aqueles tristes comentários." (João Clímaco Bezerra)

r) "As fofocas eram sussurradas a meia voz." (Carlos Marchi)

14. Copie as frases, colocando o acento indicador de crase onde for adequado:

a) "Maria José ficara imóvel, entregue a mudas cogitações." (Raquel de Queirós)

b) "Tresandava a álcool a dois passos de distância." (Fernando Namora)

c) "A carroça chegou a aldeia ainda a uma hora morta." (Fernando Namora)

d) "Uns quadros a óleo enfeitariam a minha sala." (Graciliano Ramos)

e) "Caçulinha, que era tão viva e inteligente, bem poderia chegar a professora." (Amando Fontes)

f) "Predominava, entretanto, em meio aquele baralhar de emoções, o sentimento de perda." (Antônio Olavo Pereira)

g) "Chegavam a casa quase sempre a tardinha." (Herberto Sales)

h) "Venho dizer a Vossa Reverendíssima que estou pronto a partir para o Xingu." (Antonio Callado)

i) "Sua inteligência excedia a das criaturas humanas." (Cecília Meireles)

j) "Há nomes gravados a canivete, eu sei." (Rubem Braga)

k) "Geminiano Ramos usava bigodões a Stalin." (Érico Veríssimo)

l) "Face as perspectivas que se abriam a sua frente, Henri ficou muito emocionado." (Rubem Fonseca)

15. O acento grave, nos exemplos abaixo, altera o sentido da frase. Explique cada caso:

a) Despediu-se a francesa.
Despediu-se à francesa.

d) A noite vinha-os consolar.
À noite vinha-os consolar.

b) Sua constância tinha de ser posta a mais dura prova.
Sua constância tinha de ser posta à mais dura prova.

e) O dinheiro, leva-o a filha dele.
O dinheiro, leva-o à filha dele.

c) Ele matou a fome.
Ele matou à fome.

f) Corri a cidade.
Corri à cidade.

16. Ponha o acento da crase, se necessário:

Passaram

- a distância.
- a pouca distância de nós.
- a distância de cinco metros de nós.
- a uma e meia da tarde.
- a segunda parte do programa.
- a outros assuntos.
- uma a uma, vestidas a oriental.
- o rio a nado.
- a vista de todos.
- a nos importunar com cartas anônimas.
- a hora de sempre, em direção a escola.
- a direção da empresa a pessoas incompetentes.

17. Assinale as frases em que o acento grave é opcional:

a) Levamos encomendas **a** domicílio.
b) Não sabia **a** quem recorrer.
c) Fechou o cofre **a** chave.
d) Chovia desde **a** meia-noite.
e) Seguiram-no **a** distância.

f) Fiz isso **a** duras penas.
g) Eles não têm fogão **a** gás.
h) Começou **a** ventar forte.
i) Não dê isto **a** ninguém.
j) Fui até **a** estrada.

288 MORFOLOGIA

18. Copie, indicando a ocorrência de crase por meio de acento grave.

a) A bebida alcoólica é prejudicial a saúde.

b) É preciso que sejamos úteis a sociedade em que vivemos.

c) O cão é fiel a seu dono.

d) Diga-lhe que estou a sua espera.

e) Chovendo, não iremos a praia.

19. Faça como no exercício anterior.

a) Nada escapava a destreza de sua mãe.

b) Partiremos daqui a sete dias.

c) "Deus te leve a salvo, brioso e altivo barco." (JOSÉ DE ALENCAR)

d) Deu preferência aquele carro.

e) Os estrangeiros faziam reverências a todos os chefes das tribos.

f) A sua agressividade põe tudo a perder.

g) Os índios xavantes chegaram a era do satélite.

20. Escreva as frases abaixo, substituindo os termos destacados pelas palavras que aparecem entre parênteses. Faça as adaptações necessárias:

a) Nunca fui a **Curitiba** (Brasília), mas já fui ao **Paraguai** (Argentina).

b) Referia-se ao **médico** da família (médica).

c) Ao **passo** que estudava, aprendia coisas novas (medida).

d) As chuvas causam prejuízo aos **agricultores** (lavoura).

e) Assistimos ao **filme** premiado (peça).

21. Copie as frases abaixo, completando-as com **aquele, àquele, aquela, àquela ou àquilo**:

a) Os índios obedeciam cegamente * bravo cacique.

b) Referia-se * que todos sabiam ser proibido.

c) Encontrei * menina de quem falávamos ontem.

d) Visitamos * museu com a nossa professora.

e) Acostumei-me * vida tranquila.

22. Indique as frases em que o acento indicador de crase foi utilizado incorretamente. Justifique sua resposta.

a) Não temos nada à declarar, senhores.

b) Minha mãe só pinta quadros à óleo.

c) Você ainda só escreve à lápis?

d) Não damos atenção à observações destrutivas.

e) Depois do bolo, todos voltaram à piscina.

f) Você assiste à peças desse autor tão mal visto pelos críticos?

g) A secretária referia-se à pasta desaparecida.

PREPOSIÇÃO
Exercícios de exames e concursos
[Página 675]

CONJUNÇÃO

Examinemos estes exemplos:

a) Tristeza **e** alegria não moram juntas.

b) Os livros ensinam **e** divertem.

c) Saímos de casa **quando** amanhecia.

1 CONJUNÇÕES

No primeiro exemplo, a palavra **e** liga duas palavras da mesma oração: é uma *conjunção*.

No segundo e terceiro exemplos, as palavras **e** e **quando** estão ligando orações: são também *conjunções*.

Conjunção é uma palavra invariável que liga orações ou palavras da mesma oração.

No segundo exemplo, a conjunção liga as orações sem fazer que uma dependa da outra, sem que a segunda complete o sentido da primeira; por isso, a conjunção e é *coordenativa*.

No terceiro exemplo, a conjunção liga duas orações que se completam uma à outra e faz que a segunda dependa da primeira; por isso, a conjunção *quando* é *subordinativa*.

As conjunções, portanto, dividem-se em *coordenativas* e *subordinativas*.

2 CONJUNÇÕES COORDENATIVAS

As conjunções coordenativas podem ser:

- **aditivas**

Dão ideia de adição, acrescentamento: *e, nem, mas também, mas ainda, senão também, como também, bem como*.

O agricultor colheu o trigo *e* o vendeu.

Não aprovo *nem* permitirei essas coisas.

Os livros não só instruem, *mas também* divertem.

As abelhas não apenas produzem mel e cera, *mas ainda* polinizam as flores.

MORFOLOGIA

▪ adversativas

Exprimem oposição, contraste, ressalva, compensação: *mas, porém, todavia, contudo, entretanto, senão, ao passo que, antes* (= pelo contrário), *no entanto, não obstante, apesar disso, em todo caso.*

Querem ter dinheiro, *mas* não trabalham.

Ela não era bonita, *contudo* cativava pela simpatia.

Não vemos a planta crescer, *no entanto* ela cresce.

A culpa, não a atribuo a vós, *senão* a ele.

O professor não proíbe, *antes* estimula as perguntas em aula.

O exército do rei parecia invencível, *não obstante* foi derrotado.

Você já sabe bastante, *porém* deve estudar mais.

Eu sou pobre, *ao passo que* ele é rico.

Hoje não atendo, *em todo caso* entre.

▪ alternativas

Exprimem alternativa, alternância: *ou, ou... ou, ora... ora, já... já, quer... quer,* etc.

Os sequestradores deviam render-se *ou* seriam mortos.

Ou você estuda *ou* arruma um emprego.

Ora triste, *ora* alegre, a vida segue o seu ritmo.

Quer reagisse, *quer* se calasse, sempre acabava apanhando.

"*Já* chora, *já* se ri, *já* se enfurece." (LUÍS DE CAMÕES)

▪ conclusivas

Iniciam uma conclusão: *logo, portanto, por conseguinte, pois* (posposto ao verbo), *por isso.*

As árvores balançam, *logo* está ventando.

Você é o proprietário do carro, *portanto* é o responsável.

O mal é irremediável; deves, *pois,* conformar-te.

▪ explicativas

Precedem uma explicação, um motivo: *que, porque, porquanto, pois* (anteposto ao verbo).

Não solte balões, *que* (ou *porque,* ou *pois,* ou *porquanto*) podem causar incêndios.

Choveu durante a noite, *porque* as ruas estão molhadas.

Observação:

✔ A conjunção *e* pode apresentar-se com sentido adversativo:

Sofrem duras privações *e* [= mas] não se queixam.

"Quis dizer mais alguma coisa *e* não pôde." (JORGE AMADO)

3 CONJUNÇÕES SUBORDINATIVAS

As conjunções subordinativas ligam duas orações, subordinando uma à outra. Com exceção das integrantes, essas conjunções iniciam orações que traduzem circunstâncias (causa, comparação, concessão, condição ou hipótese, conformidade, consequência, finalidade, proporção, tempo). Abrangem as seguintes classes:

- **causais**

Introduzem orações que exprimem causa: *porque, que, pois, como, porquanto, visto que, visto como, já que, uma vez que, desde que.*

O tambor soa *porque* é oco. [*porque é oco: causa*; o tambor soa: *efeito*]

Como estivesse de luto, não nos recebeu.

Desde que é impossível, não insistirei.

- **comparativas**

Introduzem orações que representam o segundo elemento de uma comparação: *como, (tal) qual, tal e qual, assim como, (tal) como, (tão* ou *tanto) como, (mais) que* ou *do que, (menos) que* ou *do que, (tanto) quanto, que nem, feito* (= como, do mesmo modo que), *o mesmo que* (= como).

Ele era arrastado pela vida *como* uma folha pelo vento.

O exército avançava pela planície *qual* uma serpente imensa.

"Os cães, *tal qual* os homens, podem participar das três categorias." (Paulo Mendes Campos)

"Sou *o mesmo que* um cisco em minha própria casa." (Antônio Olavo Pereira)

"E pia *tal e qual* a caça procurada." (Amadeu de Queirós)

"Por que ficou me olhando assim *feito* boba?" (Carlos Drummond de Andrade)

Os pedestres se cruzavam pelas ruas *que nem* formigas apressadas.

Nada nos anima tanto *como* (ou *quanto*) um elogio sincero.

Os governantes realizam menos *do que* prometem.

- **concessivas**

Iniciam orações que exprimem um fato que se concede, que se admite, em oposição a outro: *embora, conquanto, que, ainda que, mesmo que, ainda quando, mesmo quando, posto que, por mais que, por muito que, por menos que, se bem que, em que* (pese), *nem que, dado que, sem que* (= embora não).

Célia vestia-se bem, *embora* fosse pobre.

A vida tem um sentido, *por mais* absurda *que* possa parecer.

Beba, *nem que* seja um pouco.

Dez minutos *que* fossem, para mim, seria muito tempo.

Fez tudo direito, *sem que* eu lhe ensinasse.

Em que pese à autoridade deste cientista, não podemos aceitar suas afirmações.

Não sei dirigir, e, *dado que* soubesse, não dirigiria de noite.

"O próprio edifício, *posto que* avelhentado e fraco, também parecia animado de espírito guerreiro." (Alexandre Herculano)

▪ condicionais

Iniciam orações que exprimem condição ou hipótese: *se, caso, contanto que, desde que, salvo se, sem que* (= se não), *a não ser que, a menos que, dado que*.

Ficaremos sentidos, *se* você não vier.

Comprarei o quadro, *desde que* não seja caro.

Não sairás daqui *sem que* antes me confesses tudo.

"Eleutério decidiu logo dormir repimpadamente sobre a areia, *a menos que* os mosquitos se opusessem." (Ferreira de Castro)

▪ conformativas

Indicam conformidade de um fato com outro: *como, conforme, segundo, consoante*.

As coisas não são *como* (ou *conforme*) dizem.

"Digo essas coisas por alto, *segundo* as ouvi narrar." (Machado de Assis)

▪ consecutivas

Iniciam orações que exprimem consequência: *que* (precedido dos termos intensivos *tal, tão, tanto, tamanho*, às vezes subentendidos), *de sorte que, de modo que, de forma que, de maneira que, sem que, que* (não).

Minha mão tremia tanto *que* mal podia escrever.

Falou com uma calma *que* todos ficaram atônitos. [uma calma tal que...]

Ontem estive doente, *de sorte que* (ou *de modo que*) não saí.

Não podem ver um cachorro na rua *sem que* o persigam.

Não podem ver um brinquedo *que* não o queiram comprar.

▪ finais

Iniciam orações que exprimem finalidade: *para que, a fim de que, que* (= para que).

Afastou-se depressa, *para que* não o víssemos.

Falei-lhe com bons termos, *a fim de que* não se ofendesse.

Fiz-lhe sinal *que* se calasse.

▪ proporcionais

Iniciam orações que exprimem proporcionalidade: à *proporção que, à medida que, ao passo que, quanto mais... (tanto mais), quanto mais... (tanto menos), quanto menos... (tanto mais), quanto mais... (mais), (tanto)... quanto*.

À medida que se vive, mais se aprende.

À proporção que subíamos, o ar ia ficando mais leve.

Quanto mais as cidades crescem, mais problemas vão tendo.

Os soldados respondiam, *à medida que* eram chamados.

Observação:

✔ São incorretas as locuções proporcionais *à medida em que, na medida que* e *na medida em que*. A forma correta é *à medida que*:

"*À medida que* os anos passam, as minhas possibilidades diminuem." (Maria José de Queirós)

Existe, sim, a expressão *na medida em que*, na qual o *que* é pronome relativo, não forma locução conjuntiva como em *à medida que*. Exemplos de uso correto da expressão *na medida em que*:

"A rigor, tal cordialidade não existe *na medida em que* é apregoada". (Viana Moog)

"A expansão da lavoura algodoeira não pôde produzir-se em São Paulo *na mesma medida em que* se produziu noutras terras." (Sérgio Buarque de Holanda)

▪ temporais

Introduzem orações que exprimem tempo: *quando, enquanto, logo que, mal* (= logo que), *sempre que, assim que, desde que, antes que, depois que, até que, agora que, ao mesmo tempo que, toda vez que*.

Venha *quando* você quiser.

Não fale *enquanto* come.

Ela me reconheceu, *mal* lhe dirigi a palavra.

Desde que o mundo existe, sempre houve guerras.

Agora que o tempo esquentou, podemos ir à praia.

Ao mesmo tempo que corriam, atiravam pedras para trás.

"Ninguém o arredava dali, *até que* eu voltasse." (Povina Cavalcânti)

▪ integrantes

Introduzem orações que funcionam como substantivos: *que, se*.

Pedi-lhe *que* me desculpasse. [= Pedi-lhe desculpas.]

Verifique *se* o muro é sólido. [= Verifique a solidez do muro.]

Observação:

✔ Em frases como "Sairás *sem que* te vejam", "Morreu *sem que* ninguém o chorasse", consideramos *sem que* conjunção subordinativa *modal*. A NGB, porém, não consigna esse tipo de conjunção.

4 LOCUÇÕES CONJUNTIVAS

No entanto, visto que, desde que, se bem que, por mais que, ainda quando, à medida que, logo que, a fim de que, ao mesmo tempo que, etc.

A locução correta é *ao mesmo tempo que*, e não *ao mesmo tempo em que*: "*Ao mesmo tempo que* marchavam, os soldados cantavam hinos."

5 A CONJUNÇÃO *QUE*

a) Muitas conjunções não têm classificação única, imutável, devendo, portanto, ser classificadas de acordo com o sentido que apresentam no contexto. Assim, a conjunção **que** pode ser:

- **aditiva** (= e)

  Esfrega *que* esfrega, mas a nódoa não sai.

  A nós *que* não a eles, compete fazê-lo.

- **explicativa** (= pois, porque)

  Apressemo-nos, *que* chove.

- **integrante**

  Diga-lhe *que* não irei.

- **consecutiva**

  Tanto se esforçou *que* conseguiu vencer.

  Não vão a uma festa *que* não voltem cansados.

  Onde estavas, *que* não te vi?

- **comparativa** (= do que, como)

  A luz é mais veloz *que* o som.

  Ficou vermelho *que nem* brasa.

- **concessiva** (= embora, ainda que)

  Alguns minutos *que* fossem, ainda assim seria muito tempo.

  Beba, um pouco *que* seja.

- **temporal** (= depois que, logo que)

  Chegados *que* fomos, dirigimo-nos ao hotel.

- **final** (= para que)

  Vendo-me à janela, fez sinal *que* descesse.

- **causal** (= porque, visto que)

  "Velho *que* sou, apenas conheço as flores do meu tempo." (Vivaldo Coaraci)

b) A locução conjuntiva *sem que* pode ser, conforme a frase:

- **concessiva** (*sem que* = embora não)

  Nós lhe dávamos roupa e comida, *sem que* ele pedisse.

- **condicional** (*sem que* = se não, caso não)

  Ninguém será bom cientista, *sem que* estude muito.

- **consecutiva** (*sem que* = que não)

  Não vão a uma festa *sem que* voltem cansados.

- **modal** (*sem que* = de modo que não)

  Sairás *sem que* te vejam.

MORFOLOGIA 295

EXERCÍCIOS

LISTA 32

1. Classifique as conjunções coordenativas:

a) "O major Camilo não ata nem desata." (RICARDO RAMOS)

b) "Desta vez ou tomas juízo, ou ficas sem coisa nenhuma." (MACHADO DE ASSIS)

c) "O Rubião olhou duas outras vezes e não a conhecera ou fingia não conhecê-la." (ALCINDO GUANABARA)

d) "Nem eu lavro a terra, nem vós também." (CARLOS DE LAET)

e) Leve-lhe flores, que ela aniversaria amanhã.

f) Ele sofria, mas não se queixava.

g) Não vos peço benevolência, senão justiça.

h) Não suportava mais a vista dos aviões, quer fosse na tela, quer fosse nos ares.

i) Sois jovens e tendes um ideal, podeis, portanto, ser felizes.

j) Os filhos não somente estudam, mas ainda auxiliam os pais.

k) João é bom pai, pois os filhos o amam.

l) "Queres granjear fortuna, logo deves trabalhar." (SAID ALI)

m) Ela devia ter chorado muito, porque os olhos estavam roxos.

2. Transcreva as frases, classificando-as de acordo com o valor das conjunções coordenativas em destaque, conforme lista abaixo:

(1) acrescentamento

(4) conclusão

(2) contraste

(5) explicação, motivo

(3) alternância, alternativa

Emílio sofre, **contudo** não se queixa.

Ora trabalha, **ora** se diverte.

Apressa-te, **que** o tempo é pouco.

Não me escreve **nem** me visita.

Ele comprara o ingresso, **portanto** podia entrar.

3. Classifique as conjunções subordinativas em destaque:

a) "Ontem o vento andava mais devagar **do que** o rio." (ANÍBAL MACHADO)

b) "**Quando** levantou a cabeça, vi **que** chorava deveras." (MACHADO DE ASSIS)

c) "Não sei **se** saiu do país, **se** se matou." (CAMILO CASTELO BRANCO)

d) **À proporção que** os dias passam, a vida vai encarecendo.

e) "A calúnia, **conquanto** escrita em palavras cultas e penteadas, é sempre calúnia." (CAMILO CASTELO BRANCO)

f) "A rapidez da marcha era tal, **que** escapava a toda compreensão." (MACHADO DE ASSIS)

g) "Alguns conhecidos tinham passado, palavreando com ele, **consoante** costumavam." (CAMILO CASTELO BRANCO)

h) Pegou-me pelo braço **para que** eu apressasse o passo.

i) "Bebia **que** era uma lástima." (RIBEIRO COUTO)

j) "Não posso deitar-me sem tocar piano, **nem que** seja um pouco." (ANÍBAL MACHADO)

MORFOLOGIA

k) "Devia soar-lhe **como** um ai plangente aquele silvo agudo." (Camilo Castelo Branco)

l) Recendia **que nem** um galho de manacá florido.

m) As plantas morrerão, **se** persistir a seca.

n) Só não lincharam o assaltante **porque** a polícia impediu.

4. Escreva as duas colunas fazendo corresponder as frases às circunstâncias expressas pelas conjunções subordinativas:

Caso não os encontre, eu lhe telefono.	causa
Como estivesse ventando, fechei a janela.	comparação
Segure-o com força, **para que** não fuja.	concessão, admissão
Tamanho foi o impacto **que** o carro incendiou-se.	hipótese, condição
A volta não demorou tanto **como** a ida.	conformidade
Não falaria **nem que** o matassem.	consequência, efeito
Mal me viu, veio abraçar-me.	finalidade
Ele não é, **como** dizem, um criminoso.	proporção
Aproximei-me **sem que** ele percebesse.	tempo
Quanto mais cresce, **mais** linda fica.	modo

5. Classifique as conjunções subordinativas em destaque, como fez no exercício 3:

a) Irei contigo, **desde que** minha família não se oponha.

b) Não fez nada **desde que** chegou.

c) **Desde que** estás disposto, convém **que** inicies já o trabalho.

d) Vejo **que** sabes **tanto quanto** nós, **se bem que** tenhas estado no local dos acontecimentos.

e) Malha-se o ferro **enquanto** está quente.

f) **Como** a escola era perto, íamos a pé.

g) Eu podia assistir à pescaria, **contanto que** ficasse em silêncio.

h) **Embora** pertencêssemos a partidos rivais, nossas ideias coincidiam em muitos pontos, de modo que era possível convivermos como bons amigos.

i) **Conquanto** estivéssemos cansados, nosso pai não permitia que fôssemos dormir sem que antes tivéssemos rezado as orações.

j) **Visto como** o futuro é incerto, trabalharei agora **enquanto** as forças me permitirem.

k) "Caúla, **mesmo que** o quisesse, não saberia o que dizer." (Adonias Filho)

l) "**Tanto** nos leva ao porto o navio **quanto** o mar." (Aníbal Machado)

6. Classifique as conjunções dos períodos seguintes:

a) Quando eu te trazia biscoitos, tu os guardavas, e eu te censurava, porque me parecias avara, pois nem os comias nem os repartias com outrem.

b) Como é gorda, ela cansa mais depressa, mas não se queixa nem diminui o passo.

c) Fui visitar Letícia e levei-lhe, conforme você me lembrou, um ramo de flores.

d) "Pareceu-me que a minha posição melhorava, mas enganei-me." (Camilo Castelo Branco)

e) Sou pobre, como bem sabes; contudo, tenho a certeza de que, se fosse rico, não seria mais feliz do que sou agora.

f) Por mais distraído que fosses, leitor amigo, terias notado que ele ficara sinceramente alegre, posto que contivesse a alegria, segundo convinha a um filósofo.

7. Transcreva as frases abaixo e classifique a palavra **que**, sobrepondo-lhe a letra correspondente:

(A) pronome relativo

(B) pronome indefinido

(C) pronome interrogativo

(D) advérbio de intensidade

(E) conjunção coordenativa

(F) conjunção subordinativa

(G) substantivo

(H) preposição

(I) interjeição

(J) palavra expletiva

(K) palavra denotativa de exclusão (que não = exceto)

1) Há pessoas que sofrem.

2) Que força tem o vento!

3) Que tencionas fazer agora?

4) Que bom seria viver aqui!

5) "Procura que procura." (AMADEU AMARAL)

6) Apressa-te, que vem gente.

7) Criança que és, não podes compreender isto.

8) Sabemos que a Terra gira no espaço.

9) Não sai à rua, que não leve a netinha.

10) Fiz-lhe sinal que se calasse.

11) Falou de tal modo que nos empolgou.

12) "Cinco contos que fossem, era um arranjo menor..." (MACHADO DE ASSIS)

13) Felicidade vale mais que riqueza.

14) "Que gentil que estava a espanhola!" (MACHADO DE ASSIS)

15) "O patrão já dera ordem de ajuntar mais um peão, que os dois que havia não davam conta do serviço." (DARCI AZAMBUJA)

16) A verdade é que a mulher não soube que inventar para defender o procedimento do marido.

17) "Quê! – atalhou Vasco – pois aquele homem tão sério!... tão temente a Deus!" (CAMILO CASTELO BRANCO)

18) "Leio nos seus olhos claros um quê de profunda curiosidade." (GASPARINO DAMATA)

19) Parece que ele se referiu a outra pessoa, que não a mim.

20) "Punham-se a procurar não se sabia quê." (FERNANDO NAMORA)

21) "Não existia mistério que resolver." (JORGE AMADO)

22) "Os doze anos, ai de mim, nunca mais que chegavam." (CIRO DOS ANJOS)

23) "Tão gulosa que era, tinha sempre à mão alguma coisa para comer." (ANTÔNIO OLAVO PEREIRA)

24) "Senti-me leve, transportado a outras paragens, que não as terrenas." (OTTO LARA RESENDE)

25) Quem não tiver coragem de escalar o pico, que fique em casa.

8. Em cada grupo, copie a única conjunção subordinativa que não pertence à classe das:

1) **comparativas**: como – assim como – tal e qual – qual – (mais) que – o mesmo que – (tanto) quanto – porquanto – feito

2) **concessivas**: embora – ainda que – mesmo que – ainda quando – por mais que – nem que – se – se bem que – sem que

9. Transcreva as frases; em seguida sublinhe e classifique as conjunções:

a) "Poderás, se fugires, orientar-te pelas estrelas." (Santos Fernando)

b) "Confundia agitação com ação, tal e qual o Melquíades." (Ciro dos Anjos)

c) Ia escrevendo ora devagar, ora depressa, conforme o ritmo dos pensamentos.

d) "Ele, Caúla, não ficaria ancorado como uma canoa." (Adonias Filho)

e) Sagaz como era, logo percebeu que havia novidades.

f) O frio excessivo, como se sabe, impede a condensação necessária à queda da neve.

g) Por mais leve que pisasse, seus passos reboavam.

h) A planície dir-se-ia que busca o fim do mundo, de tão extensa que é.

i) Segundo narram alguns historiadores, muitos escravos se precipitaram no abismo a fim de fugir às torturas.

j) "Nos canteiros empoçados as plantas sacudiam-se tal qual jaçanãs nos lagos." (Stella Leonardos)

10. Escreva as frases, substituindo o ∗ corretamente por **mal** ou **mau**, e numere-as de acordo com a classe gramatical dessas palavras:

Isto é um ∗ sinal.

O ∗ é infeliz.

A guerra é um ∗.

∗ me viu, veio correndo.

Você agiu ∗ .

∗ ouvi o que ele disse.

(1) substantivo concreto   (4) advérbio de modo

(2) substantivo abstrato   (5) advérbio de intensidade

(3) adjetivo   (6) conjunção subordinativa temporal

11. Copie a única frase com a locução conjuntiva correta:

Os rios se avolumam, **na medida em que** avançam para o mar.

Os rios se avolumam, **à medida que** avançam para o mar.

Os rios se avolumam, **à medida em que** avançam para o mar.

Os rios se avolumam, **na medida que** avançam para o mar.

12. Use, em duas frases:

a) ao mesmo tempo que;   b) à medida que.

13. Observe que tipo de relação há entre as frases. Depois una-as em um só período, usando as conjunções coordenativas mais adequadas.

a) Explicou o caminho diversas vezes. Não entendi direito o trajeto.

b) Ande logo. Chegaremos atrasados.

c) Não irei. Não mandarei representantes.

d) Não fale alto. Estamos num hospital.

e) Não veio hoje. Deve estar com algum problema sério.

14. Escreva as frases substituindo a conjunção coordenativa por uma concessiva. Faça as alterações necessárias.

Trabalhei muito, mas não estou cansada.

Embora tenha trabalhado muito, não estou cansada.

a) Você é muito inteligente, mas precisa estudar mais.

b) Querem ter sucesso, porém não se esforçam.

c) Clara ganhava pouco, mas vestia-se com cuidado.

15. Una as orações utilizando conjunções subordinativas adequadas para expressar as circunstâncias indicadas entre parênteses. Faça as alterações necessárias.

a) Não nos recebeu. Estava em reunião. (**causa**)

b) Não vou a estádios. Gosto de futebol. (**concessão**)

c) Conto esses fatos. Ouvi esses fatos assim. (**conformidade**)

d) Explicou tudo com muitos detalhes. Todos entenderam. (**consequência**)

e) Falei-lhe com carinho. Queria que ele me ouvisse. (**finalidade**)

16. Indique qual das conjunções aditivas indica ideia de oposição.

a) Meu irmão e eu fomos ao cinema do bairro.

b) Bruna não telefonou nem deu notícias.

c) Leandro apareceu com o carro e disse que o comprara há pouco.

d) Estou procurando Alice há mais de uma hora e ainda não a encontrei.

e) Não só trouxemos as prendas, mas também armamos as barracas da quermesse.

17. Complete as frases usando conjunções adequadas para explicar a relação que há entre as orações:

a) Ontem chovia * ventava assustadoramente.

b) Iria com você ao teatro * não tivesse de cuidar do bebê.

c) Fiz todas as tarefas * você recomendou.

d) As lágrimas eram tantas * ele sequer via quem estava ao seu redor.

e) A passagem do tempo o assustava * não estava satisfeito com sua própria vida.

18. Identifique o tipo de relação que a conjunção **como** estabelece entre as orações.

a) Como eu já te disse antes, aquela criança está com sérios problemas.

b) Chovia como só chove em minha terra natal!

c) Como estivesse exausto, resolveu não participar da festa.

d) A história não aconteceu como te contaram.

e) Como não tivesse mais condições de estudar, começou a procurar emprego.

CONJUNÇÃO
Exercícios de exames e concursos
[Página 677]

INTERJEIÇÃO

1 INTERJEIÇÃO

Interjeição é uma palavra ou locução que exprime um estado emotivo:

"**Caramba**! Isto é que se chama talento!" (Josué Montelo)

"**Puxa vida**! Outra vez! – exclamou Gumersindo, brecando o carro." (Edy Lima)

Vozes ou exclamações vivas, as interjeições são um recurso da linguagem afetiva ou emocional. Podem exprimir e registrar os mais variados sentimentos e emoções:

aclamação: *viva!*

dor, arrependimento, lástima: *ai! ui! ah! oh! ai de mim! meu Deus! que pena! xi!*

advertência: *cuidado! devagar! atenção! calma! sentido! alerta! olha! olha lá! vê bem!*

dúvida, suspeita: *hum! epa!*

admiração, surpresa, espanto: *ah! oh! ih! puxa! céus! caramba! quê! ué! hem?! uai! credo! nossa! opa! xi!*

impaciência, aborrecimento, desagrado: *irra! apre! arre! vote! ora bolas! puxa vida! hum!*

animação: *eia! sus! coragem! avante! upa! força! vamos!*

aplauso, felicitação, satisfação: *bravo! apoiado! ótimo! viva! boa! bis! isso! parabéns! muito bem!*

desacordo, incredulidade: *qual! qual o quê! pois sim! que esperança!*

alegria: *ah! oh! eh! viva! eta! aleluia! oba!*

desapontamento: *ué! uai!*

alívio: *uf! ufa! arre! ah!*

apelo, pedido, chamamento: *ó! alô! socorro! psiu! eh! ei! olá! misericórdia! valha-me Deus!*

afugentamento: *sai! fora! passa! rua! chit! arreda! xô!*

desejo: *oh! oxalá! tomara! quem me dera! queira Deus!*

indignação, repulsa: *fora! morra! abaixo! não! t'esconjuro!*

assentimento, concordância: *claro! pudera! sim! pois não! ótimo! tá! hã-hã!*

reprovação: *não apoiado! fiau! francamente! ora essa! ora!*

silêncio: *psiu! pst! caluda! silêncio! bico calado!*

saudação: *ave! salve! olá! bom dia! oi! anauê!* (saudação integralista)

despedida: *adeus! até logo! tchau!*

medo, terror, horror: *ui! uh! cruzes!*

desculpa: *perdão!*

pena: *oh! coitado! que pena! pobre dele!*

agradecimento: *obrigado! muito obrigado! obrigada! graças a Deus! grato!*

Observação:

✔ A mesma interjeição pode registrar mais de um sentimento, segundo o tom de voz com que a proferimos.

Além dessas, existem ainda as interjeições imitativas, que exprimem ruídos e vozes: *pum! miau! plaft! trac! pof! zás! zás-trás! tique-taque! quá-quá-quá!*, etc.

Psssiu! – chamou alguém atrás de mim.

"Chap, chap, chap. Era o vascolejar da água nas garrafas! (Graciliano Ramos)

2 LOCUÇÃO INTERJETIVA

Locução interjetiva é uma expressão que vale por uma interjeição:

Meu Deus! Muito bem! Alto lá! Ai de mim! Ó de casa!

As interjeições são como que frases resumidas, sintéticas:

ué! = Eu não esperava por essa!

perdão! = Peço-lhe que me desculpe.

São proferidas com entoação especial, que se representa, graficamente, com o ponto de exclamação. Este pode aparecer depois da interjeição ou no fim da frase, ou mesmo ser repetido:

"Oh! é um anjo aquela menina." (Machado de Assis)

"Oh, trágicas novelas!" (Cabral do Nascimento)

Arre! você é teimosa!

Não se deve confundir a interjeição de apelo *ó* com a sua homônima *oh!*, que exprime admiração, alegria, tristeza, etc. Faz-se pausa depois do *oh!* exclamativo e não a fazemos depois do *ó* vocativo. Exemplos:

"Ó natureza! *ó* mãe piedosa e pura!" (Olavo Bilac)

"Oh! a jornada negra!" (Olavo Bilac)

Observação:

✔ Dentre as interjeições cumpre distinguir as que são exclusivamente interjeições (*oh! arre! olá!*, etc.) e as palavras de outras classes gramaticais usadas eventualmente como interjeições (*viva! cuidado! adiante!*, etc.).

EXERCÍCIOS

LISTA 33

1. Que sentimentos, emoções, etc. exprimem as interjeições e locuções interjetivas destes exemplos?

1) "Adeus, astros da noite!" (Olavo Bilac)

2) "Ih! mamãe, mas está todo estragado [o piano]!" (Aníbal Machado)

3) "Quê! – atalhou Vasco – pois aquele homem tão sério!... tão temente a Deus!"
(Camilo Castelo Branco)

4) "Valha-me Deus! exclamou ela aflitivamente." (CAMILO CASTELO BRANCO)

5) "Rua! Isto aqui não é casa da sogra!" (ORÍGENES LESSA)

6) "Cuidado, Emília! disse Narizinho." (MONTEIRO LOBATO)

7) "De repente, no melhor da festa, plaft! uma jabuticaba cai do galho..." (MONTEIRO LOBATO)

8) "Uf! Que trabalho me deu!" (MONTEIRO LOBATO)

9) "Vamos! Dize alguma coisa!" (MONTEIRO LOBATO)

10) "Ah! toda alma num cárcere anda presa!" (CRUZ E SOUSA)

11) "Zás! um certeiro golpe de foice dá com ela [a paca] em terra." (MONTEIRO LOBATO)

12) "Ah! É o senhor o tão falado milionário?!" (ARAÚJO NABUCO)

13) "— Então? hoje está mais fortezinho...

— Qual! passei mal a noite." (MACHADO DE ASSIS)

14) "Eh, doutorzinho! chegou tua hora!" (ANÍBAL MACHADO)

15) "Oxalá não tivesse de tingir o sangue as ruas de Córdova." (ALEXANDRE HERCULANO)

16) Ora bolas! Sempre fazendo das tuas!

17) "Tu vais partir, Dom Gil! Sus! cavaleiro!" (JOÃO RIBEIRO)

18) Ó almas, devagar! Não esgoteis a taça...

19) Epa! Há algo se mexendo no armário!

20) "Oi! Dr. Fernando. Vai para a cidade?" (JOSÉ FONSECA FERNANDES)

21) "Ei, você aí, ó sardento, esfrega aquele pedaço de tijolo nas lajes." (JOSUÉ GUIMARÃES)

22) "Caramba! São bem uns quatro quilômetros até o Anhangabaú." (JOSÉ FONSECA FERNANDES)

23) "Puxa, que pontaria, hem!" (EDI LIMA)

24) Sentinela, alerta!

25) "Na porta, o Santo olhou o nosso herói: 'Opa, você de novo? Ah, conseguiu o cavalo, hem! Muito bem, amarre o cavalo aí fora e pode entrar'." (MILLÔR FERNANDES)

26) "Xi, seu Antônio, estou sem um níquel, depois eu pago." (MILLÔR FERNANDES)

27) Calma! Não se afogue num copo d'água.

28) "Bravo! Assim é que é!" (CARLOS DRUMMOND DE ANDRADE)

2. Escreva as frases abaixo substituindo * pelas interjeições **ó** ou **oh!**, conforme convenha:

a) * não esperava por essa!

b) "Deus! * Deus! onde estás que não respondes?" (CASTRO ALVES)

c) * com todo o prazer, senhor Lourenço!

d) "* borboleta, pára! * Mocidade, espera!" (RAIMUNDO CORREIA)

e) "E a esperança? * a esperança, essa é que não renascera!" (ALEXANDRE HERCULANO)

MORFOLOGIA 303

3. Leia as frases abaixo, procurando perceber os estados, sentimentos ou emoções que expressam as interjeições:

a) Cuidado! O chão está molhado.

b) Puxa! Não pensei que este lugar fosse tão bonito!

c) Puxa vida! Você não para um segundo sequer, Chiquinho!

d) Ufa! Consegui terminar o exercício!

e) Ué! Seu irmão não veio com você?

4. Escreva orações utilizando as interjeições abaixo para exprimir as emoções ou estados indicados:

a) desejo: tomara!

b) pena: coitado!

c) espanto: credo!

d) espanto: nossa!

e) concordância: claro!

5. Faça o mesmo utilizando locuções interjetivas:

a) apoio: muito bem!

b) espanto: meu Deus!

c) pena: meu Deus!

d) aborrecimento: puxa vida!

e) desejo: queira Deus!

CONECTIVOS

Os *conectivos* ligam palavras ou orações. São elementos de ligação, na frase. Exemplos:

O prazer **e** a dor são passageiros.

A espada vence, **mas** não convence.

No primeiro exemplo, o conectivo **e** liga duas palavras; no segundo, o conectivo **mas** liga duas orações.

Os conectivos dividem-se em duas classes: *coordenativos* e *subordinativos*.

- **Quadro sinótico dos conectivos**

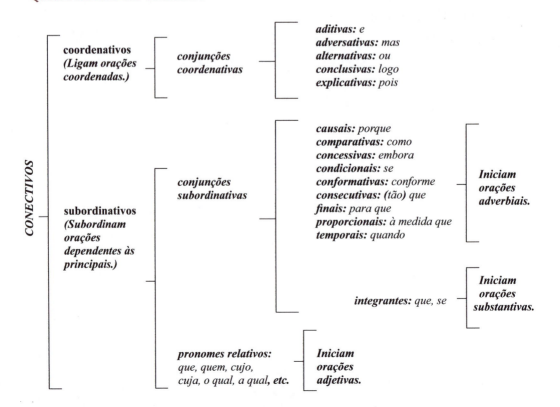

FORMAS VARIANTES

Veja estes exemplos:

A mãe de Alfredo não gostava que ele *assobiasse*.

"Ataliba *assovia* enquanto corta a lenha." (JORGE AMADO)

Assoviar é variante de *assobiar*.

Existe na língua hodierna bom número de palavras que, ao lado da forma considerada normal, apresentam uma ou mais variantes. Em alguns casos é indiferente o emprego de uma ou de outra forma (*cousa* ou *coisa*, *assobiar* ou *assoviar*, etc.); em outros, pelo contrário, deve-se dar preferência às formas que mais se impuseram, graças ao uso constante e generalizado.

São exemplos de formas variantes:

aluguel, aluguer	entretimento, entretenimento
assobiar, assoviar	engambelar, engabelar
assobio, assovio	quociente, cociente
bílis, bile	rubi, rubim
coisa, cousa	remoinhar, redemoinhar
escoicear, escoucear	remoinho, redemoinho
louro, loiro	endemoniado, endemoninhado
derrubar, derribar	infarto, enfarte
espargir, esparzir	líquido, líquido (ki)
marimbondo, maribondo	traquina, traquinas
bêbedo, bêbado	catorze, quatorze
malvadez, malvadeza	cota, quota
percentagem, porcentagem	taverna, taberna
pitoresco, pinturesco	eriçar, erriçar
lacrimejar, lagrimejar	espécime, espécimen
diabete, diabetes	ridiculizar, ridicularizar
cacaréus, cacarecos	fleuma, flegma
baralhar, embaralhar	coradouro, coaradouro, coarador
desvario, desvairo	transpassar, traspassar, trespassar
perspectiva, perspetiva	nambu, nhambu, inambu, inhambu, inamu

MORFOLOGIA

EXERCÍCIO

LISTA 34

1. Informe onde aparecem formas variantes e onde há erro. No caso de variantes, diga qual a forma considerada normal; no caso de erro, corrija-o:

a) O garoto *assobiava* e corria pela rua.

b) Era um rapaz *louro*, muito bonito e simpático.

c) Você já leu o livro de José Sarney chamado "*Marimbondos* de fogo"?

d) Tenho o *previlégio* de conhecê-lo há anos!

e) Você é um *bêbedo*, que não sabe o que diz.

f) Você tem *catorze* ou quinze anos?

g) Aborrecia-me a *fleuma* com que ele empilhava os tijolos.

h) Vou fazer um bazar *beneficiente* em minha casa.

i) Reveja o *cociente* dessas contas.

j) Quero *cincoenta* copos de papel.

k) Quantas *cotas* do empreendimento seu pai adquiriu?

ANÁLISE MORFOLÓGICA

Consiste a análise morfológica em dar a classe das palavras, sua classificação, fazer o levantamento dos diversos acidentes gramaticais (gênero, número, grau, pessoa, etc.) e identificar-lhes o processo de formação e os elementos mórficos que as constituem. Exemplos:

- **cafeteira**

    Substantivo comum, concreto, feminino, singular; derivado, formado por sufixação.

    Radical: *café;* sufixo (nominal): *eira;* desinência (nominal): *a;* consoante de ligação: *t.*

- **detivemos**

    1ª pessoa do plural do pretérito perfeito simples do indicativo do verbo irregular da 2ª conjugação *deter*, voz ativa; formado por prefixação (*de* + *ter*).

    Radical: *tiv;* prefixo: *de;* vogal temática: *e;* desinência número-pessoal: *mos.*

    Na análise *morfossintática* de uma palavra, faz-se, juntamente, a análise morfológica e a sintática.

LEITURA
Janeiro

Janeiro desnastra os arrozais,

o fumo é desfolhado

e a larva ameaça o algodoal.

A mão do homem corrige todos os acasos.

Janeiro vê a altura viva das mudas

nos viveiros.

É tempo ainda de semear.

As frutas submetem-se aos enxertos, promissoras.

Reverdecer é simples como a luz.

(VALMIR AYALA, *Águas como Espadas*, p. 13,
LR Editores Ltda., São Paulo, 1983)

SEMÂNTICA

trata da significação das palavras

Soneto à Lua

Vens chegando de longe, tão cansada,

Tão frágil e tão pálida vens vindo,

Que pareces, ó doce Lua amiga,

Vir impelida pelo vento leve.

Pelo vento gentil que está soprando

Tu pareces tangida, como um barco

Com as suas louras velas enfunadas,

E vens a navegar nos altos mares...

Atravessando campos e cidades,

Quantas artes e sortes não fizeste,

Ó triste Lua dos enamorados!

Quantas flores e virgens distraídas

Não seduziste para a estranha viagem

Por esse mar de amor, cheio de abismos!

(AUGUSTO FREDERICO SCHMIDT, *Eu Te Direi as Grandes Palavras*,
2ª ed., p. 74, Editora Nova Fronteira, Rio de Janeiro, 1977)

SIGNIFICAÇÃO DAS PALAVRAS

1 SINÔNIMOS

Sinônimos são palavras de sentido igual ou aproximado. Exemplos:

alfabeto, abecedário

brado, grito, clamor

extinguir, apagar, abolir, suprimir

justo, certo, exato, reto, íntegro, imparcial

Geralmente não é indiferente usar um sinônimo pelo outro. Embora irmanados pelo sentido comum, os sinônimos diferenciam-se, entretanto, uns dos outros, por matizes de significação e certas propriedades que o escritor não pode desconhecer.

Com efeito, estes têm sentido mais amplo, aqueles, mais restrito (*animal* e *quadrúpede*); uns são próprios da fala corrente, desataviada, vulgar, outros, ao invés, pertencem à esfera da linguagem culta, literária, científica ou poética (*orador* e *tribuno, oculista* e *oftalmologista, cinzento* e *cinéreo*).

A contribuição greco-latina é responsável pela existência, em nossa língua, de numerosos pares de sinônimos. Exemplos:

adversário e *antagonista*	*moral* e *ética*
translúcido e *diáfano*	*colóquio* e *diálogo*
semicírculo e *hemiciclo*	*transformação* e *metamorfose*
contraveneno e *antídoto*	*oposição* e *antítese*

O fato linguístico de existirem sinônimos chama-se *sinonímia*, palavra que também designa o *emprego de sinônimos*.

O bom escritor deve conhecer os segredos da sinonímia. Entre dois ou mais sinônimos há sempre um que se impõe, por ser mais adequado, mais expressivo ou pitoresco.

2 ANTÔNIMOS

Antônimos são palavras de significação oposta. Exemplos:

ordem e *anarquia*	*louvar* e *censurar*
soberba e *humildade*	*mal* e *bem*

A antonímia pode originar-se de um prefixo de sentido oposto ou negativo. Exemplos:

SEMÂNTICA 311

bendizer, maldizer   *ativo, inativo*

simpático, antipático   *esperar, desesperar*

progredir, regredir   *comunista, anticomunista*

concórdia, discórdia   *simétrico, assimétrico*

explícito, implícito   *pré-nupcial, pós-nupcial*

3 HOMÔNIMOS

Homônimos são palavras que têm a mesma pronúncia, e às vezes a mesma grafia, mas significação diferente. Exemplos:

são (sadio), *são* (forma do verbo *ser*) e *são* (santo)

aço (substantivo) e *asso* (verbo)

Só o contexto é que determina a significação dos homônimos. A homonímia pode ser causa de ambiguidade, por isso é considerada uma deficiência dos idiomas.

O que mais nos impressiona nos homônimos é o seu aspecto fônico (som) e o gráfico (grafia). Daí serem divididos em:

• **homógrafos heterofônicos (iguais na escrita e diferentes no timbre ou na intensidade das vogais):**

rego (substantivo) e *rego* (verbo)

colher (verbo) e *colher* (substantivo)

jogo (substantivo) e *jogo* (verbo)

vede (verbo *ver*) e *vede* (verbo *vedar*)

apoio (verbo) e *apoio* (substantivo)

para (verbo *parar*) e *para* (preposição)

pelo (subst.: *cabelo*), *pelo* (forma do verbo *pelar*) e *pelo* (contração de *per + o*)

providência (substantivo) e *providencia* (verbo)

ás (substantivo), *às* (contração) e *as* (artigo)

Observação:

✔ Palavras como as dos dois últimos exemplos, a rigor, não são homógrafas, visto que o acento gráfico desfaz a homografia. Razões de ordem didática, porém, nos levam a incluí-las neste grupo de homônimos.

• **homófonos heterográficos (iguais na pronúncia e diferentes na escrita):**

acender (atear, pôr fogo) e *ascender* (subir)

concertar (harmonizar) e *consertar* (reparar, emendar)

concerto (harmonia, sessão musical) e *conserto* (ato de consertar)

cegar (tornar cego) e *segar* (cortar, ceifar)

apreçar (determinar o preço, avaliar) e *apressar* (acelerar)

cela (pequeno quarto), *sela* (arreio) e *sela* (verbo *selar*)

censo (recenseamento) e *senso* (juízo)

cerrar (fechar) e *serrar* (cortar)

paço (palácio) e *passo* (andar)

hera (trepadeira) e *era* (época), *era* (verbo)

caça (ato de caçar), *cassa* (tecido) e *cassa* (verbo *cassar* = anular)

cessão (ato de ceder), *seção* (divisão, repartição)[1] e *sessão* (tempo de uma reunião ou espetáculo)

- **homófonos homográficos (iguais na escrita e na pronúncia):**

  caminha (substantivo), *caminha* (verbo)

  cedo (verbo), *cedo* (advérbio)

  somem (forma do verbo *somar*), *somem* (forma do verbo *sumir*)

  livre (adjetivo), *livre* (forma do verbo *livrar*)

  pomos (substantivo), *pomos* (forma do verbo *pôr*)

  alude (avalancha), *alude* (forma do verbo *aludir*)

4 PARÔNIMOS

Parônimos são palavras parecidas na escrita e na pronúncia:

coro e *couro*	*osso* e *ouço*
cesta e *sesta* (é)	*sede* (vontade de beber) e *cede* (verbo *ceder*)
eminente e *iminente*	*comprimento* e *cumprimento*
tetânico e *titânico*	*deferir* (conceder, dar deferimento) e *diferir*
atoar e *atuar*	(ser diferente, *divergir,* adiar)
degradar e *degredar*	*ratificar* (confirmar) e *retificar* (tornar reto, corrigir)
cético e *séptico*	*vultoso* (volumoso, muito grande: soma *vultosa*)
prescrever e *proscrever*	e *vultuoso* (congestionado: rosto *vultuoso*)
descrição e *discrição*	
infligir (aplicar) e *infringir* (transgredir)	

5 POLISSEMIA

Uma palavra pode ter mais de uma significação. A esse fato linguístico dá-se o nome de *polissemia*. Exemplos:

mangueira: tubo de borracha ou de plástico para regar as plantas ou apagar incêndios; árvore frutífera; grande curral de gado.

pena: pluma; peça de metal para escrever; punição; dó.

velar: cobrir com véu; ocultar; vigiar, cuidar; relativo ao véu do palato.

Podemos citar ainda, como exemplos de palavras polissêmicas, o verbo *dar* e os substantivos *linha* e *ponto*, que têm dezenas de acepções.

---

(1) Existe ainda a variante *secção* (latim *sectio, sectionis* = corte), que se aplica melhor ao sentido etimológico (*corte, amputação*).

SEMÂNTICA 313

6 SENTIDO PRÓPRIO E SENTIDO FIGURADO

As palavras podem ser empregadas no sentido próprio ou no sentido figurado. Exemplos:

Construí um muro de **pedra**. (sentido próprio)

Ênio tem um coração de **pedra**. (sentido figurado)

A água **pingava** da torneira. (sentido próprio)

As horas iam **pingando** lentamente. (sentido figurado)

7 DENOTAÇÃO E CONOTAÇÃO

Observe a palavra em destaque destes exemplos:

Comprei uma correntinha de **ouro**.

Fulano nadava em **ouro**.

No primeiro exemplo, a palavra *ouro* denota ou designa simplesmente o conhecido metal precioso, dúctil, brilhante, de cor amarela: tem sentido próprio, real, *denotativo*. No segundo, *ouro* sugere ou evoca riquezas, opulência, poder, glória, luxo, ostentação, conforto, prazeres: tem sentido *conotativo*, possui várias *conotações* (ideias associadas, sentimentos, evocações que irradiam da palavra).

Como se vê, certas palavras têm grande poder evocativo, uma extraordinária carga semântica; são capazes de sugerir muito mais do que o objeto designado, desencadeando, conforme a situação, ideias, sentimentos e emoções de toda ordem. Quantas coisas podem sugerir palavras conotativas como *selva, mar, praia, sol, festa*!

EXERCÍCIOS

LISTA 35

1. Dê sinônimos das palavras seguintes:

remoto	percalço	repúdio
granjear	motejo	afeito
inexorável	vicejar	fútil
malfadado	suscitar	infrene
turbamulta	repulsivo	meandro

2. Reorganize as colunas, relacionando os sinônimos de origem latina aos de origem grega:

transparente	diálogo
adversário	ética
moral	diáfano
solilóquio	monólogo
colóquio	antagonista

SEMÂNTICA

circunlóquio	protótipo
modelo	metamorfose
transformação	hipótese
contraveneno	perífrase
suposição	antídoto

3. Substitua as palavras destacadas por sinônimos:

a) "Os cabelos, dum **curioso** louro-esverdeado, **iam** muito bem com o tom do uniforme." (Érico Veríssimo)

b) "De noite a cidade **enfeitiça**, mas, de dia, também **desilude**." (Guedes de Amorim)

c) O **retorno** da nave à Terra **fez-se** de modo **análogo** ao das missões Apolo.

d) A contenção dos gastos do governo **gerou** um **declínio** da inflação.

e) Sacudi o **torpor** que se **apoderou** de mim.

4. Substitua as palavras destacadas pelos seus antônimos:

a) A **polidez** vos torna **simpáticos**.

b) Considerai a vida **agitada** e **árdua** de nossos **contemporâneos**!

c) "Os **velhos impugnam** as modas recentes e **defendem** as antigas." (Marquês de Maricá)

d) "A **amenidade** do semblante anuncia a **bondade** do coração." (Marquês de Maricá)

e) Bruno era um rapaz **generoso, perdulário, extrovertido**.

5. Copie, em cada grupo, apenas a palavra que não é sinônimo:

a) presidente – ministro – chefe de Estado – primeiro mandatário

b) terremoto – tremor de terra – abalo sísmico – fissão – sismo

c) nave espacial – cosmonave – espaçonave – avião – veículo espacial

6. Reorganize as colunas de acordo com o tipo de homônimo:

cedo (verbo), cedo (advérbio)	homógrafos heterofônicos
torre (substantivo), torre (verbo)	homógrafos heterográficos
cinto (substantivo), sinto (verbo)	homógrafos homográficos

7. Organize frases com os homônimos das palavras destacadas:

a) A menina dos olhos **verdes** foi à **sessão** das 16 horas.

b) A **cruz** nos **traz** a **graça**.

c) Depois da **caça** faz-se o **conserto** das redes.

d) "A pobre senhora **concertou** o xale sobre os ombros e retomou o rumo da cidade." (Amando Fontes)

SEMÂNTICA 315

8. Dê a significação dos homônimos seguintes:

acender e ascender – acento e assento – censo e senso – cerrar e serrar – cerviz e servis – empoçar e empossar – incerto e inserto – incipiente e insipiente – laço e lasso – mole (adjetivo) e mole (substantivo) – coser e cozer – acerto e asserto – cessão, seção e sessão – ruço e russo

9. Informe a diferença de significação dos parônimos seguintes:

a) vultoso, vultuoso

b) auspícios, hospícios

c) acidente, incidente

d) conjetura, conjuntura

e) estofar, estufar

f) intimorato, intemerato

g) inerme, inerte

h) premissas, primícias

i) prescrever, proscrever

j) tráfego, tráfico

k) ratificar, retificar

l) flagrante, fragrante

m) indefeso, indefesso

n) ablação, ablução, oblação

10. Escreva as frases abaixo substituindo os asteriscos pelos parônimos adequados:

a) O secretário não **** o meu requerimento. (**diferiu, deferiu**)

b) Não hás de **** impunemente as leis. (**infringir, infligir**)

c) Fiz uma simples ****. (**conjuntura, conjetura**)

d) Há homens **** em ciência e virtude. (**iminentes, eminentes**)

e) Os fatos **** meus prognósticos. (**retificaram, ratificaram**)

f) Viu-se na **** de perder suas terras. (**iminência, eminência**)

11. Dê exemplos de palavras:

a) polissêmicas

b) conotativas

12. Transcreva as frases antepondo **P** ou **F**, conforme houver sentido próprio ou figurado:

Quebrei um galho de árvore.

O Presidente **quebrou** o protocolo.

Não sejas **escravo** da moda.

O **escravo** fugiu para o quilombo.

Tive uma ideia **luminosa.**

Os cometas têm uma longa cauda **luminosa.**

Joel estava **imerso** em profunda tristeza.

Doces recordações do passado e **amargas** desilusões.

13. Escreva as frases, substituindo ∗ por uma das palavras entre parênteses. Depois, anteponha **H** ou **P**, conforme elas sejam homônimos ou parônimos.

O preso saiu da ∗. (**cela, sela**)

Vítor usa cabelo ∗. (**comprido, cumprido**)

O calor ∗ o ferro. (**delata, dilata**)

SEMÂNTICA

O * é um sinal gráfico. (**acento, assento**)

O cisne * a cabeça na água. (**emergiu, imergiu**)

Paguei as * de luz e água. (**tachas, taxas**)

* os olhos e dormi. (**cerrei, serrei**)

João é um bom *. (**celeiro, seleiro**)

Agi com calma e *. (**descrição, discrição**)

Manuel * o fardo. (**arreou, arriou**)

Mandei * o cavalo. (**arrear, arriar**)

Ele tem uma força *. (**tetânica, titânica**)

O carro foi para o *. (**concerto, conserto**)

Estávamos * três dias das eleições. (**a, há**)

14. Dê antônimos das palavras relacionadas, utilizando prefixos *in-, im-, des-, i-*:

moral – parcial – reverente – satisfeito – esperar – ativo – responsável – humano – harmonia

15. Formule orações que exemplifiquem a diferença de sentido entre os pares de homônimos abaixo:

a) acento e assento

b) para e para (verbo/preposição)

c) jogo e jogo (substantivo/verbo)

d) cela e sela

e) sessão e seção

16. Faça o mesmo em relação aos parônimos:

a) descrição e discrição

b) osso e ouço

c) comprimento e cumprimento

d) infligir e infringir

17. Veja se as palavras foram utilizadas em seu sentido próprio ou em sentido figurado.

a) "O pavão é um arco-íris de plumas." (Rubem Braga)

b) Venha ver o arco-íris!

c) "Me deixe, sim, meu grão de amor." (Marisa Monte/Carlinhos Brown)

d) É necessário incluir grãos em uma alimentação balanceada.

18. Lembrando-se do que viu sobre **polissemia**, dê exemplos de frases que exemplifiquem diferentes sentidos em que podem ser utilizadas as palavras abaixo.

a) manga

b) pena

c) romper

d) grave

SIGNIFICAÇÃO DAS PALAVRAS
Exercícios de exames e concursos
[Página 679]

SINTAXE

estuda as palavras associadas na frase

Inverno

Nesses dias de inverno
em que a chuva fustiga a vidraça,
sonho desperto, as mãos
na nuca. Olho o teto, a praça,
e cavalgo uma moto possante
pelas estradas do Sul.
Treme de febre o pampa,
treme a cordilheira e o Aconcágua.
Estico minha ânsia sob sol e neve,
cuspo salitre
e vomito este Pacífico
que me persegue.

(SÉRGIO CAPARELLI, *Restos de Arco-Íris*, p. 64,
L&PM Editores, Porto Alegre, 1985)

ANÁLISE SINTÁTICA

1 NOÇÕES PRELIMINARES

A *análise sintática* examina a estrutura do período, divide e classifica as orações que o constituem e reconhece a função sintática dos termos de cada oração.

Preliminarmente, daremos uma ideia do que seja *frase, oração, período, termo, função sintática* e *núcleo de um termo da oração*.

As palavras, tanto na expressão escrita como na oral, são reunidas e ordenadas em frases. Pela frase é que se alcança o objetivo do discurso, ou seja, da atividade linguística: a comunicação com o ouvinte ou o leitor.

2 FRASE

Frase é todo enunciado capaz de transmitir, a quem nos ouve ou lê, tudo o que pensamos, queremos ou sentimos. Pode revestir as mais variadas formas, desde a simples palavra até o período mais complexo, elaborado segundo os padrões sintáticos do idioma.

São exemplos de frases:

Socorro!

Muito obrigado!

Que horror!

Sentinela, alerta!

Cada um por si e Deus por todos.

Grande nau, grande tormenta.

Por que agridem a natureza?

"Tudo seco em redor." (Graciliano Ramos)

"Boa tarde, mãe Margarida!" (Graciliano Ramos)

"Fumaça nas chaminés, o céu tranquilo, limpo o terreiro." (Adonias Filho)

"As luzes da cidade estavam amortecidas." (Érico Veríssimo)

"Tropas do exército regular do Sul, ajudadas pelos seus aliados brancos de além-mar, tinham sido levadas em helicópteros para o lugar onde se presumia estivesse o inimigo, mas este se havia sumido por completo." (Érico Veríssimo)

Observações:

✔ As frases são proferidas com entonação e pausas especiais, indicadas na escrita pelos sinais de pontuação.

✔ Muitas frases, mormente as que se desviam do esquema sujeito + predicado, só podem ser entendidas dentro do contexto (= o escrito em que figuram) e na situação (= o ambiente, as circunstâncias) em que o falante está.

✔ Chamam-se *frases nominais* as que se apresentam sem o verbo. Exemplo: *Tudo parado e morto*.

Quanto ao sentido, as frases podem ser:

- **declarativas**

  Encerram a declaração ou enunciação de um juízo acerca de alguém ou de alguma coisa:

  A retificação da velha estrada é uma obra inadiável.

  Neli não quis montar o cavalo velho, de pelo ruço.

- **interrogativas**

  São uma pergunta, uma interrogação:

  "Por que faço eu sempre o que não queria?" (Fernando Pessoa)

  "Não sabe, ao menos, o nome do pequeno?" (Machado de Assis)

- **imperativas**

  Contêm uma ordem, proibição, exortação ou pedido:

  "Cale-se! Respeite este templo." (Érico Veríssimo)

  "Vamos, meu filho, ande depressa!" (Herberto Sales)

  "Segue teu rumo e canta em paz." (Cecília Meireles)

  "Não me leves para o mar." (Vicente de Carvalho)

- **exclamativas**

  Traduzem admiração, surpresa, arrependimento, etc.:

  Como eles são audaciosos!

  Não voltaram mais!

  "Uma senhora instruída meter-se nestas bibocas!" (Graciliano Ramos)

- **optativas**

  Exprimem um desejo:

  Bons ventos o levem!

  Oxalá não sejam vãos tantos sacrifícios!

  "E queira Deus que te não enganes, menino!" (Carlos de Laet)

  "Quem me dera ser como Casimiro Lopes!" (Graciliano Ramos)

- **imprecativas**

    Encerram uma imprecação (praga, maldição):

    "Esta luz me falte, se eu minto, senhor!" (Camilo Castelo Branco)

    "Não encontres amor nas mulheres!" (Gonçalves Dias)

    "Maldito seja quem arme ciladas no seu caminho!" (Domingos Carvalho da Silva)

Como se vê dos exemplos citados, os diversos tipos de frase podem encerrar uma afirmação ou uma negação. No primeiro caso, a frase é afirmativa, no segundo, negativa.

O que caracteriza e distingue esses diferentes tipos de frase é a entonação, ora ascendente ora descendente. A mesma frase pode assumir sentidos diferentes, conforme o tom com que a proferimos. Observe:

Olavo esteve aqui.

Olavo esteve aqui?

Olavo esteve aqui?!

Olavo esteve aqui!

3 ORAÇÃO

Oração é a frase de estrutura sintática que apresenta, normalmente, sujeito e predicado e, excepcionalmente, só o predicado. Exemplos:

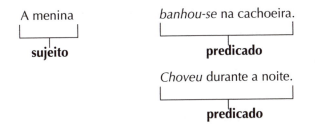

Observações:

✔ Em toda oração há um verbo ou locução verbal (às vezes elípticos).

✔ Não têm estrutura sintática, portanto não são orações e não podem ser analisadas sintaticamente frases como:
Socorro!
Com licença!
Que rapaz impertinente!
Muito riso, pouco siso.
"A bênção, mãe Nácia!" (Raquel de Queirós)

Na oração as palavras estão relacionadas entre si, como partes de um conjunto harmônico: elas formam os *termos* ou as *unidades sintáticas* da oração. Cada termo da oração desempenha uma *função sintática*.

4 NÚCLEO DE UM TERMO

Núcleo de um termo é a palavra principal (geralmente um substantivo, pronome ou verbo), que encerra a essência de sua significação. Nos exemplos seguintes, as palavras *amigo* e *revestiu* são o núcleo do sujeito e do predicado, respectivamente:

"O **amigo** *retardatário do presidente* prepara-se para desembarcar." (ANÍBAL MACHADO)

A avezinha **revestiu** *o interior do ninho com macias plumas*.

Segundo sua importância, os termos da oração se dizem *essenciais, integrantes e acessórios*, como logo adiante se verá.

5 PERÍODO

Período é a frase constituída de uma ou mais orações.

- **O período é *simples* quando constituído de uma só oração:**

"A ignorância do bem **é** a causa do mal." (DEMÓCRITO)

"Na esplanada do Museu *alongavam-se* cada vez mais sobre as lajes as sombras das estátuas de pedra de mandarins d'antanho." (ÉRICO VERÍSSIMO)

No período simples há um só verbo (ou locução verbal).

- **O período é *composto* quando formado por mais de uma oração:**

"O gato não nos **afaga**, **afaga-se** em nós." (MACHADO DE ASSIS)

O líder Xanana Gusmão **disse** que a língua portuguesa **será adotada** oficialmente no Timor-Leste.

No período composto há mais de um verbo (ou locução verbal).

Observações:

✔ A oração do período simples chama-se *absoluta*.

✔ Na língua escrita abre-se o período com letra maiúscula e fecha-se com ponto final, ponto de exclamação ou interrogação e, em certos casos, com dois-pontos ou reticências.

LEITURA
Enquanto é maio

Durante quatro ou cinco meses por ano o Rio é uma cidade desesperadamente infernal, com o seu calor. E eis que de repente os termômetros se comportam e o céu azula e o ar se limpa e purifica, o mar lava as suas ondas, as árvores pintam de luz o verde das suas folhas e tudo se adoça, dentro e fora dos seres humanos.

E me inquieto e quisera ser ubíqua e onipresente, pois não posso sair daqui, nem um minuto, e perder o Rio, nos seus dias de maio. E Petrópolis, ali, junto, está um delírio de beleza. Teresópolis, Friburgo, Penedo, Itatiaia, São Paulo, Caraguatatuba, Parati e Vila Bela hão de estar igualmente esplendorosas. E que diremos de Salvador e Recife, quem sabe se até Brasília? Pois é maio em todas elas. O que sobremaneira nos inquieta, pois já não será possível festejar o acontecimento em todas essas latitudes.

SINTAXE 323

E vos escrevo, vigiando a paisagem pelas janelas abertas, pois não sei se ficará muito tempo assim à minha espera. E tenho remorsos de ir ao cinema e teatro, pois é um privilégio assistir a tais espetáculos em maio, mas uma tristeza perder um minuto que seja de maio, do lado de fora deles.

E é mister reunir os amigos e amar mais do que nunca os bem-amados e agradecer – ah, não vos esqueçais – aos vossos deuses, não importa quais sejam, o breve, o precário, o maravilhoso privilégio de estardes vivos e sãos e alegres, em maio.

(ELSIE LESSA, *A Dama da Noite*, p. 164, Livraria José Olympio Editora, Rio de Janeiro, 1963)

EXERCÍCIOS

LISTA 36

1. Aponte os enunciados que são frases, mas não constituem orações:

a) Cuidado!
b) O Brasil exporta minério, café e soja.
c) Meus pêsames!
d) Muito riso, pouco siso.
e) As árvores pintam de luz o verde de suas folhas.

2. Diga quantas orações há em cada verso reproduzido:

a) "A razão **dá-se** a quem **tem**." (NOEL ROSA)
b) "**Acabou** a hora do trabalho, **começou** o tempo do lazer." (ARNALDO ANTUNES)
c) "Seu pensador, **vê** se **decifras** para mim.
  Eu já **passei** por tanto horror.
  Por que **é** que não **morri**?" (EDVALDO SANTANA)
d) "O vento **verga** as árvores, o vento clamoroso da aurora." (MÁRIO QUINTANA)
e) "Toda vez que **toca** o telefone, eu **penso** que **é** você." (ENGENHEIROS DO HAWAI)
f) "Deus **diz**: **faze** TU, que eu te **ajudarei**. **Madruga** e **verás**, **trabalha** e **terás**." (GLAUCO MATOSO)

3. Divida os períodos em orações, dizendo se se trata de período simples ou composto.

a) As palavras de importação **penetram** na língua graças à influência que as culturas e civilizações **exercem** umas sobre as outras.
b) No decorrer dos séculos, **criaram-se**, no seio da língua, devido ao inventivo povo luso-brasileiro, numerosas palavras que **enriqueceram** nosso vocabulário.
c) **Encontramos**, no vocabulário português, palavras oriundas do grego, do alemão, do árabe, do francês, do inglês, do italiano...

4. Dê exemplos de:

a) uma frase que não é oração;
b) uma frase imperativa que seja oração;
c) uma frase interrogativa que é também oração;
d) uma frase optativa que é também oração;
e) uma frase exclamativa que seja oração;

TERMOS ESSENCIAIS DA ORAÇÃO

São dois os termos essenciais (ou fundamentais) da oração: *sujeito* e *predicado*. Exemplos:

sujeito	predicado
Pobreza	não é vileza.
Os sertanistas	capturavam os índios.
Um vento áspero	sacudia as árvores.

Sujeito é o ser do qual se diz alguma coisa.

Predicado é aquilo que se declara do sujeito, ou melhor, é o termo que contém a declaração, referida, em geral, ao sujeito.

1 SUJEITO

O sujeito é constituído por um substantivo ou pronome, ou por uma palavra ou expressão substantivada. Exemplos:

O sino era grande.

Ela tem uma educação fina.

Vossa Excelência agiu com imparcialidade.

Isto não me agrada.

Morrer pela pátria é glorioso.

"Ouvia-se *o matraquear de máquinas de escrever*." (ÉRICO VERÍSSIMO)

O núcleo (isto é, a palavra-base) do sujeito é, pois, um substantivo ou pronome. Em torno do núcleo podem aparecer palavras secundárias (artigos, adjetivos, locuções adjetivas, etc.). Exemplo:

"*Todos os ligeiros* **rumores** *da mata* tinham uma voz para a selvagem filha do sertão." (JOSÉ DE ALENCAR)

O sujeito pode ser:

▪ **simples** – quando tem um só núcleo:

As *rosas* têm espinhos.

"Um *bando* de galinhas-d'angola atravessa a rua em fila indiana." (ANTÔNIO OLAVO PEREIRA)

▪ **composto** – quando tem mais de um núcleo:

"O *burro* e o *cavalo* nadavam ao lado da canoa." (HERBERTO SALES)

- **expresso** – quando está explícito, enunciado:

  Eu viajarei amanhã.

- **oculto** (ou **elíptico**) – quando está implícito, isto é, quando não está expresso, mas se deduz do contexto:

  Viajarei amanhã. [sujeito: *eu*, que se deduz da desinência do verbo]

  "Um soldado saltou para a calçada e aproximou-se." (Érico Veríssimo)

  [O sujeito, *soldado*, está expresso na primeira oração e elíptico na segunda: e (ele) aproximou-se.]

  Crianças, guardem os brinquedos. [sujeito: *vocês*]

- **agente** – se faz a ação expressa pelo verbo da voz ativa:

  O *Nilo* fertiliza o Egito.

- **paciente** – quando sofre ou recebe os efeitos da ação expressa pelo verbo passivo:

  O *criminoso* é atormentado pelo remorso.

  Muitos *sertanistas* foram mortos pelos índios.

  Construíram-se *açudes*. [= *Açudes* foram construídos.]

- **agente e paciente** – quando o sujeito faz a ação expressa por um verbo reflexivo e ele mesmo sofre ou recebe os efeitos dessa ação:

  O *operário* feriu-se durante o trabalho.

  Regina trancou-se no quarto.

- **indeterminado** – quando não se indica o agente da ação verbal:

  Atropelaram uma senhora na esquina.

  [Quem atropelou a senhora? Não se diz, não se sabe quem a atropelou.]

  Come-se bem naquele restaurante.

  Não confundir sujeito indeterminado com sujeito oculto.

  Sujeito formado por pronome indefinido não é indeterminado, mas expresso:

  Alguém me ensinará o caminho. *Ninguém* lhe telefonou.

- **Em português assinala-se a indeterminação do sujeito de três modos:**

  a) usando-se o verbo na 3ª pessoa do plural, sem referência a qualquer agente já expresso nas orações anteriores. Exemplos:

  Na rua *olhavam*-no com admiração.

  "*Bateram* palmas no portãozinho da frente." (Josué Guimarães)

  "De qualquer modo, foi uma judiação *matarem* a moça." (Rubem Braga)

  b) com um verbo ativo na 3ª pessoa do singular, acompanhado do pronome *se*. Exemplos:

  Aqui *se vive* bem.

  Devagar *se vai* ao longe.

  Quando *se* é jovem, a memória é mais vivaz.

  Trata-se de fenômenos que nem a ciência sabe explicar.

  "E *passou-se* a falar em internacionalização da Amazônia." (Tiago de Melo)

"Quando *se* é menino, *tem-se* o espírito inteiramente aberto: receptivo, crédulo, esperançoso." (Povina Cavalcânti)

"*Saía-se* do coração da brenha só para *se ver* o barco." (Ferreira de Castro)

Observação:

✔ O pronome *se*, neste caso, é índice de indeterminação do sujeito. Pode ser omitido junto de infinitivos: "É difícil *subir* a corrente, mas sobe-se". (Machado de Assis)

c) deixando-se o verbo no infinitivo impessoal. Exemplos:

Era penoso *carregar* aqueles fardos enormes.

É triste *assistir* a estas cenas repulsivas.

▪ Posição do sujeito na oração

Normalmente, o sujeito antecede o predicado; todavia, a posposição do sujeito ao verbo é fato corriqueiro em nossa língua. Exemplos:

É facílimo *este problema!*

Vão-se *os anéis*, fiquem *os dedos*.

"Breve desapareceram *os dois guerreiros* entre as árvores." (José de Alencar)

"Foi ouvida por Deus *a súplica do condenado*." (Ramalho Ortigão)

"Mas terás *tu* paciência por duas horas?" (Camilo Castelo Branco)

"No muro de tijolo vermelho passeavam *lagartixas*." (Graciliano Ramos)

"Para o cargo de primeiro governador do Brasil foi escolhido *o fidalgo Tomé de Sousa*." (Eduardo Bueno)

▪ Orações sem sujeito

Observe-se a estrutura destas orações:

sujeito	predicado
–	Havia ratos no porão.
–	Choveu durante o jogo.

Constata-se que essas orações não têm sujeito. Constituem a enunciação pura e absoluta de um fato, através do predicado; o conteúdo verbal não é atribuído a nenhum ser. São construídas com os verbos impessoais, na 3ª pessoa do singular.

São verbos impessoais:

• *haver* (nos sentidos de *existir, acontecer, realizar-se, decorrer*). Exemplos:

Há plantas venenosas.

Havia quadros nas paredes.

Houve algo de anormal?

Havia três noites que não dormia.

Onde *houvesse* festas e danças, ali estava ele.

Fora dessas acepções, o verbo *haver* não é impessoal.

Observações:

✔ *Haver* transmite a sua impessoalidade aos verbos que com ele formam locução. Não têm sujeito, portanto, orações como estas:

"*Deve haver* outros implicados."

"Não *podia haver* leis mais sábias."

✔ Na linguagem despreocupada e espontânea da nossa comunicação diária, usamos o verbo *ter*, impessoal, por *haver*, *existir*: Não *tem* mais vagas. *Tinha* muitas pessoas na fila.

• *fazer, passar, ser* e *estar*, com referência ao tempo. Exemplos:

Faz dois anos que me formei.

"*Fazia* dias que o Balão não aparecia na porteira do curral." (José J. Veiga)

Hoje *fez* muito calor.

Fazia um frio intenso.

Era no mês de maio.

Era à hora do jantar.

Eram trinta de maio de 1980.

Abria a janela, se *estava* calor.

Olhei o relógio: *passava* das cinco horas da tarde.

Observações:

✔ Os verbos *ser* e *estar* também são impessoais em frases do tipo:

"*Era* como se me achasse num cinema." (Graciliano Ramos)

"*Está* cheio de gente aqui." (Dalton Trevisan)

Se ele não veio *é* porque está doente. [é: v. impessoal]

✔ O verbo *ser*, impessoal, concorda, excepcionalmente, na 3ª pessoa do plural, em frases como:

Eram 25 de março de 1960.

São duas horas da tarde.

Daqui à cidade *são* dez quilômetros.

• *chover, ventar, nevar, gear, relampejar, amanhecer, anoitecer* e outros que exprimem fenômenos meteorológicos. Exemplos:

Chovia torrencialmente.

Ventou muito durante a noite.

Anoiteceu rapidamente.

Nevou no Sul do país.

Usados em sentido figurado, esses verbos têm sujeito e deixam de ser impessoais. Exemplos:

O orador *trovejava* ameaças.

"*Coruscou* um relâmpago de duzentas baionetas." (EUCLIDES DA CUNHA)

"Aí lhe *amanheceram* dias de perfeita ventura." (CAMILO CASTELO BRANCO)

"*Choviam* sobre a cidadela os projéteis da artilharia francesa." (EDUARDO PRADO)

"*Anoiteci.* Sou treva só." (MÁRIO DA SILVA BRITO)

2 PREDICADO

Há três tipos de predicado: *nominal, verbal* e *verbo-nominal.*

▪ Predicado nominal

Seu núcleo significativo é um nome (substantivo, adjetivo, pronome), ligado ao sujeito por um verbo de ligação. Exemplo:

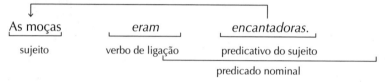

Outros exemplos de predicado nominal:

A Terra *é um planeta.*   Minha mãe *ficou feliz.*
A ilha *está deserta.*   Os atletas *pareciam cansados.*
O espião *é aquele.*   O tempo *continua chuvoso.*

O núcleo do predicado nominal chama-se *predicativo do sujeito,* porque atribui ao sujeito uma qualidade ou característica.

Os verbos de ligação (ser, estar, parecer, etc.) funcionam como um elo entre o sujeito e o predicado.

Mais adiante, estudaremos o predicativo e os verbos de ligação com mais profundidade.

▪ Predicado verbal

Seu núcleo é um verbo, seguido, ou não, de complemento(s) ou termos acessórios. Pode ter uma das seguintes estruturas básicas:

a)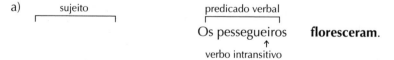

Verbo intransitivo é o que tem sentido completo, não precisa de complemento para formar o predicado.

b)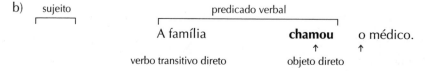

Verbo transitivo direto é o que não tem significação completa, precisa de um complemento para inteirar a informação. Esse complemento denomina-se *objeto direto*.

c)
sujeito	predicado verbal
Os jovens	**gostam** de aventuras.
	↑ ↑
	verbo transitivo indireto — objeto indireto

Verbo transitivo indireto é o que pede um complemento regido de preposição. Esse complemento denomina-se *objeto indireto*.

d)
sujeito	predicado verbal
O pintor	**ofereceu** o quadro a um amigo.
	↑ ↑ ↑
	verbo transitivo direto e indireto — objeto direto — objeto indireto

Verbo transitivo direto e indireto é o que se constrói com dois complementos (objeto direto + objeto indireto).

- **Predicado verbo-nominal**

Tem dois núcleos significativos: um verbo e um nome. Pode ser organizado:

a) com verbo intransitivo + predicativo do sujeito:

O soldado **voltou ferido**. [O soldado *voltou* e estava *ferido*.]

b) com verbo transitivo direto + predicativo do sujeito:

O réu **deixou** a sala **abatido**. [O réu *deixou* a sala e estava *abatido*.]

c) com verbo transitivo indireto + predicativo do sujeito:

Eu **assisti** à cena **revoltado**. [Eu *assisti* à cena e estava *revoltado*.]

d) com verbo transitivo direto + predicativo do objeto:

Eu **acho** Denise **bonita**.

O termo *bonita* refere-se ao objeto direto (Denise): é *predicativo do objeto*.

Todos esses tipos de predicado podem ter suas estruturas ampliadas por termos acessórios. Exemplos:

Minha mãe ficou muito feliz com a notícia.

Os pessegueiros floresceram no mês passado.

A família chamou o médico imediatamente.

O pintor ofereceu um belo quadro a um amigo de Campinas.

O soldado voltou da guerra gravemente ferido.

Eu acho Denise, aeromoça da Varig, muito bonita.

Como vemos dos exemplos acima, o verbo é indispensável para a formação do predicado, sendo, quase sempre, o elemento essencial da declaração.

Entretanto, é muito comum a elipse (ou omissão) do verbo, quando este puder ser facilmente subentendido, em geral por estar expresso ou implícito na oração anterior. Exemplos:

"A fraqueza de Pilatos é enorme, a ferocidade dos algozes inexcedível." (MACHADO DE ASSIS) [Está subentendido o verbo é, depois de *algozes*.]

"Mas o sal está no Norte, o peixe, no Sul." (PAULO MOREIRA DA SILVA) [Subentende-se o verbo *está*, depois de *peixe*.]

"A cidade parecia mais alegre; o povo, mais contente." (POVINA CAVALCÂNTI) [Isto é: o povo *parecia* mais contente.]

"Vamos jogar, só nós dois? Você chuta para mim e eu para você." (ANTÔNIO OLINTO) [Está elíptico o verbo *chuto*, depois do pronome *eu*.]

A mesa era farta e as iguarias, finas. [Está oculto o verbo *eram*, depois do sujeito *iguarias*.]

"– Quando poderei voltar? perguntou Simão.

– Em poucos dias, salvo se as cousas se complicarem." (MACHADO DE ASSIS) [Isto é: *Poderá voltar* em poucos dias...]

EXERCÍCIOS

LISTA 37

1. Transcreva somente as frases nominais, isto é, as que se apresentam sem o verbo.

"Ruído de chave na porta, passos leves no corredor." (JORGE AMADO)

Às margens dos rios nasceram muitas cidades brasileiras.

"Ninguém na rua, nesta noite chuvosa." (JOSÉ CONDÉ)

"Faltavam apenas onze dias para o carnaval." (JOSÉ CONDÉ)

2. Classifique as frases quanto ao sentido, conforme se fez na pág. 320:

a) "Um bonito lampião iluminava a varanda." (POVINA CAVALCÂNTI)

b) "Que gentil que estava a espanhola!" (MACHADO DE ASSIS)

c) "O marquês desobedece às ordens de el-rei?" (REBELO DA SILVA)

d) "Filho de Araquém, deita-te na porta da cabana e nunca mais te levantes da terra." (JOSÉ DE ALENCAR)

e) "Quem me dera ser como Casimiro Lopes!" (GRACILIANO RAMOS)

f) "Maldito seja quem arme ciladas no seu caminho!" (DOMINGOS CARVALHO DA SILVA)

3. Transcreva os períodos abaixo antepondo **S** ao período simples e **C** ao composto:

No calor da tarde, Sultão cerra os olhos e dorme.

Elias jamais levou a mulher a um teatro ou a uma sala de concertos.

4. Copie as frases; sublinhe os sujeitos:

a) "Nenhum governo é bom para os homens maus." (Marquês de Maricá)

b) "Tudo passa sobre a terra." (José de Alencar)

c) Depois da abdicação do Imperador, em 7 de abril de 1831, nosso país entrou em grande agitação.

d) "Poti e seus guerreiros o acompanharam." (José de Alencar)

e) "De repente, entre os ramos das árvores, seus olhos viram sentada, à porta da cabana, Iracema…" (José de Alencar)

f) No ano centenário da fundação de nossa cidade, realizaram-se grandes obras.

g) "Nenhum respeito lhes inspiram os cabelos brancos." (Carlos de Laet)

h) "Ninguém se fie da felicidade presente." (Machado de Assis)

i) "As virtudes são econômicas, mas os vícios, dispendiosos." (Marquês de Maricá)

j) "O dia descobre a terra, a noite descortina os céus." (Marquês de Maricá)

k) "Para onde vai a minha vida, e quem a leva?" (Fernando Pessoa)

5. Transcreva as frases; em seguida sublinhe com um traço os núcleos dos sujeitos e com dois os dos predicados.

a) As araras de cores vistosas posavam para os turistas.

b) No inverno as noites são mais longas.

c) Ao longo da praia sucediam-se hotéis, restaurantes, casas luxuosas.

d) As geadas e as secas deixam os lavradores preocupados.

e) À noite, Anselmo voltou para casa exausto.

f) A voz do orador era bonita, mas suas palavras soavam ocas.

g) Furioso, o pasteleiro chinês correu atrás do ladrão.

6. Separe o sujeito do predicado e ponha **S** sobre o primeiro e **P** sobre o segundo:

a) "Perfilam-se corretos seus ilustres batalhadores." (Carlos de Laet)

b) Àquela hora ainda não tinham sido acesas as luzes da cidade.

c) Ouviu-se por toda a sala um oh! de decepção.

d) "O patear cadente dos cavalos fazia um ruído cavo na terra empapada pela chuva." (Camilo Castelo Branco)

e) "Difundia-se nos ares o coro da primeira reza." (Euclides da Cunha)

f) Súbito ruflar de asas veio quebrar o solene silêncio da mata.

g) "Na esplanada do Museu alongavam-se cada vez mais sobre as lajes as sombras das estátuas de pedra de mandarins d'antanho." (Érico Veríssimo)

h) "Ouvia-se o matraquear de máquinas de escrever." (Érico Veríssimo)

i) "Saltaram do moderníssimo carro de corrida uma garota e um rapaz." (Maria de Lourdes Teixeira)

j) "Por florestas, por vales, por montanhas, serpenteia espumante o Paraíba." (Raimundo Correia)

SINTAXE

7. Classifique o sujeito das seguintes orações:

Exemplo:

Eu fiz o teste.

Eu: simples, expresso, agente.

a) "Queres tu abandonar teu esposo?" (José de Alencar)

b) As doenças e as guerras ceifam milhares de vidas.

c) "Agora só buscas as praias ardentes." (José de Alencar)

d) Garantir-se-ão os direitos dos cidadãos. [garantir-se-ão = serão garantidos]

e) No colégio ensinaram-me o bom caminho.

f) Aprendem-se muitas coisas com a força de vontade.

g) Não se progride sem esforço.

h) O aqualouco atirou-se do trampolim.

8. Escreva as orações antepondo o predicado ao sujeito:

a) A generosidade cabe aos vitoriosos.

b) Pratos saborosos já fumegavam sobre a grande mesa.

c) O movimento de pedestres pouco a pouco vai diminuindo nas ruas.

d) As plantações, vastas e belas, ali estavam como prova do seu esforço.

e) A rapidez e a agilidade dos esgrimistas eram impressionantes.

f) O ouro negro vai jorrar das entranhas da terra até quando?

9. Escreva as orações abaixo, numerando-as de acordo com a seguinte classificação:

(1) Orações sem sujeito

(2) Orações com sujeito indeterminado

(3) Orações com sujeito oculto

Júlio, no clube falaram mal de você.

Embaixo da árvore havia pedras espalhadas.

Apertamo-nos as mãos amigavelmente.

Não faz muito tempo, houve ali um motim.

Naquela cidadezinha da Espanha, uma vez por ano, soltam um touro na rua.

Trabalha-se de dia, descansa-se à noite.

No trabalho, use equipamento de proteção.

10. Copie a frases e sublinhe os verbos impessoais, orientando-se pelo item **"Orações sem sujeito"**.

a) "Havia muitos anos que não vinha ao Rio." (Aníbal Machado)

b) Fazia frio e ventava muito.

c) Faz duas semanas que cheguei.

d) Aqui, quando chove, não se sai de casa.

e) Houve ataques em que choveram balas e granadas.

f) Era uma bela tarde de maio; as lojas da pequena cidade já haviam cerrado as portas.

g) "Ia fechar a janela próxima, se havia alguma brisa, ou abri-la, se estava calor." (MACHADO DE ASSIS)

h) "Quando os encontrava na rua, era como se não os conhecesse." (ARTUR AZEVEDO)

i) "Pois ninguém deixa de bater, se sabe que tem gente do outro lado."
(CARLOS DRUMMOND DE ANDRADE)

j) "Vislumbrou o despertador de mostrador cintilante: passava das quatro horas da manhã."
(JOSÉ FONSECA FERNANDES)

11. Transcreva as frases abaixo; sublinhe e numere os predicados de acordo com sua classificação:

(1) **nominal**   (2) **verbal**   (3) **verbo-nominal**

Soa um toque áspero de trompa.

Os estudantes saem das aulas cansados.

"A distância alimenta o sonho." (ANÍBAL MACHADO)

"Eram sólidos e bons os móveis." (MACHADO DE ASSIS)

Toda aquela dedicação deixava-o insensível.

"Um oficial militar caíra ferido." (CAMILO CASTELO BRANCO)

Assistimos à cena estarrecidos.

No município paulista de Iporanga existem belíssimas grutas.

Devido às fortes chuvas, os rios estavam cheios.

12. Escreva orações que tenham as seguintes estruturas:

a) sujeito + verbo de ligação + predicativo do sujeito

b) sujeito + verbo transitivo direto + objeto direto

13. Reconheça os verbos elípticos:

a) "Os varões olhavam-no com respeito, alguns com inveja, não raros com incredulidade."
(MACHADO DE ASSIS)

b) "É transparente o céu, liso o mar, calmo o espaço." (TEÓFILO DIAS)

c) Eles se orgulham de suas misérias como Antístenes de seus andrajos.

d) "O nosso amigo não pôde, por enfermo, realizar sua preleção." (CARLOS DE LAET)

e) "Eu ensinarei dança, e tu piano e canto." (CAMILO CASTELO BRANCO)

f) "Três dias depois, amanhecera o piano engalanado de flores... e a casa preparada para a recepção dos pretendentes." (ANÍBAL MACHADO)

g) "Dona Eusébia vigiava-nos, mas pouco." (MACHADO DE ASSIS)

h) "Alguns colegas entenderam-me; outros não." (CARLOS DE LAET)

i) "Quando adolescente, estudante em Salvador, participei dos festejos da noite de São João."
(POVINA CAVALCÂNTI)

SINTAXE

j) "O céu, à tarde, cada vez se tornava mais vermelho, os ventos mais quentes, mais forte a claridade." (ADONIAS FILHO)

k) "Não fiz o artigo, a revista não saiu, a literatura francesa não perdeu nada com isso, a brasileira muito menos." (RUBEM BRAGA)

l) "No caminho encontrou um velho amigo e perguntou a ele aonde ia. Disse o amigo que ao céu." (MILLÔR FERNANDES)

14. Em "Ouviram do Ipiranga as margens plácidas/De um povo heroico o brado retumbante...", início do Hino Nacional brasileiro, o sujeito é:

a) oculto

b) indeterminado

c) as margens plácidas

d) um povo heroico

15. Identifique as frases que apresentam oração sem sujeito.

a) Em sua gestão, houve muitos conflitos entre índios e garimpeiros.

b) Choviam elogios de todos os lados.

c) Existem muitas pessoas feridas ainda sem socorro.

d) Nadavam lado a lado o americano e o árabe.

e) Naquela região do país, neva durante o inverno.

16. Escreva as orações transformando os predicados verbais em verbo-nominais. Siga o exemplo.

Os jogadores viajaram.

Os jogadores viajaram confiantes.

a) O sol surgiu no horizonte.

b) Os professores entraram na sala.

c) Os alunos assistiram ao jogo.

d) Encontraram a filha de Adélia.

17. Se necessário, acrescente complementos aos verbos. Em seguida, classifique-os quanto à predicação.

a) As crianças já chegaram.

b) Para a festa traremos.

c) Os organizadores ofereceram.

d) Depois de uma conversa, lembrei-me.

e) Nossos antepassados sempre acreditaram.

f) As suas irmãs eram.

18. Escreva as orações de modo que passem a apresentar **sujeito paciente**.

a) O amor inundava seus corações.

b) Carlos dispensou o motorista.

c) Se não agirmos, as queimadas destruirão as florestas.

19. Lembrando-se de que as orações sem sujeito são construídas com verbos impessoais, sempre usados na terceira pessoa do singular, substitua os símbolos pelos verbos entre parênteses, nos tempos e pessoas adequados.

a) Durante os anos da guerra, ainda • quadros nas paredes da antiga mansão. (haver)

b) • algo estranho na aula passada? (haver)

c) Já • dois anos que moro nesta cidade. (fazer)

d) Onde • livros e revistas, ali poderíamos encontrar Júlio. (haver)

e) • primavera. O céu estava azul e o sol radioso. (ser)

20. Identifique a alternativa em que não aparece sujeito indeterminado.

a) Está muito frio hoje.

b) Vive-se bem nesta cidadezinha!

c) Durante as comemorações, trouxeram muitos brinquedos para os os garotos do orfanato.

d) Come-se bem neste restaurante.

e) Fala-se muito mal de estrangeiros por aqui, não?

3 PREDICAÇÃO VERBAL

Chama-se **predicação verbal** o modo pelo qual o verbo forma o predicado.

Há verbos que, por natureza, têm sentido completo, podendo, por si mesmos, constituir o predicado: são os verbos de *predicação completa*, denominados **intransitivos**. Exemplos:

As flores *murcharam*.

Os animais *correm*.

As folhas *caem*.

"Os inimigos dos Moreiras *rejubilaram*." (Graciliano Ramos)

"A mão *ardia* e o dedo *inchava*." (Luís Jardim)

"E *espocavam* gargalhadas no grupo…" (Aluísio Azevedo)

Outros verbos há, pelo contrário, que para integrar o predicado necessitam de outros termos: são os verbos de *predicação incompleta*, denominados **transitivos**. Exemplos:

João *puxou* a rede.

"Não *invejo* os ricos, nem *aspiro* à riqueza." (Otto Lara Resende)

"Não *simpatizava* com as pessoas investidas no poder." (Camilo Castelo Branco)

"*Julgava*-o um aluado." (Ciro dos Anjos)

Observe que, sem os seus complementos, os verbos *puxou, invejo, aspiro,* etc. não transmitiriam informação completa: puxou *o quê*? Não invejo *a quem*? Não aspiro *a quê*?

SINTAXE

Os verbos de predicação completa denominam-se *intransitivos* e os de predicação incompleta, *transitivos*.

Os verbos transitivos subdividem-se em:

- transitivos diretos
- transitivos diretos e indiretos (bitransitivos)
- transitivos indiretos

Além dos verbos transitivos e intransitivos, que encerram uma noção definida, um conteúdo significativo, existem os *de ligação*, verbos que entram na formação do predicado nominal, relacionando o predicativo com seu sujeito, como adiante se verá.

4 CLASSIFICAÇÃO DOS VERBOS QUANTO À PREDICAÇÃO

Quanto à predicação, classificam-se, pois, os verbos em:

▪ Intransitivos

São os que não precisam de complemento, pois têm sentido completo. Exemplos:

"Três contos *bastavam*, insistiu ele." (Machado de Assis)

"Os guerreiros tabajaras *dormem*." (José de Alencar)

"A pobreza e a preguiça *andam* sempre em companhia." (Marquês de Maricá)

"As sovas de meu pai *doíam* por muito tempo." (Machado de Assis)

"*Fui* e *parei* diante dele." (Machado de Assis)

"O padre *apareceu* e logo o burburinho *cessou*." (Coelho Neto)

Observações:

✔ Os verbos intransitivos podem vir acompanhados de um adjunto adverbial e mesmo de um predicativo (qualidade, característica):

Fui *cedo*.

Passeamos *pela cidade*.

Cheguei *atrasado*.

Entrei *em casa aborrecido*.

✔ As orações formadas com verbos intransitivos não podem "transitar" (= passar) para a voz passiva.

✔ Verbos intransitivos passam, ocasionalmente, a transitivos quando construídos com objeto direto ou indireto.

"Inutilmente a minha alma *o chora!*" (Cabral do Nascimento)

"Depois me deitei e *dormi um sono pesado*." (Luís Jardim)

"*Morrerás morte* vil da mão de um forte." (Gonçalves Dias)

"Inútil tentativa de *viajar o passado*, penetrar no mundo que já morreu..." (Ciro dos Anjos)

"Os olhos pestanejavam e *choravam lágrimas quentes*..." (Graciliano Ramos)

"*Sorriu* para Holanda *um sorriso* ainda marcado de pavor." (Viana Moog)

"Tinha a testa enrugada, como quem *vivera vida* de contínuo pensar." (Alexandre Herculano)

"Pouco dinheiro *basta ao homem* sóbrio e econômico." (Aulete)

✔ Alguns verbos essencialmente intransitivos: *anoitecer, crescer, brilhar, ir, agir, sair, nascer, latir, rir, tremer, brincar, chegar, vir, mentir, suar, adoecer*, etc.

SINTAXE 337

▪ Transitivos diretos

São os que pedem um *objeto direto*, isto é, um complemento sem preposição. Exemplos:

Comprei um terreno e *construí* a casa.

"Trabalho honesto *produz* riqueza honrada." (Marquês de Maricá)

"Então, solenemente Maria *acendia* a lâmpada de sábado." (Guedes de Amorim)

"As poucas vezes que o *visitei* foi por motivo de doença dele." (Mário de Alencar)

"Simão Bacamarte não o *contrariou*." (Machado de Assis)

Dentre os verbos transitivos diretos merecem destaque os que formam o predicado verbo-nominal e se constroem com um complemento acompanhado de predicativo, como vimos no capítulo anterior. Exemplos:

Consideramos o caso extraordinário.

Inês *trazia* as mãos sempre limpas.

Julgo Marcelo incapaz disso.

O povo *chamava*-os de anarquistas.

"Deus vos *fez* padre e bispo." (Carlos de Laet)

"Ele *achou* estranho o cerimonial." (Érico Veríssimo)

"Todos a *tratam* por madame." (Vivaldo Coaraci)

"Já outro dia, *encontrei*-a muito prevenida." (Ciro dos Anjos)

Pertencem a esse grupo:

julgar, chamar, nomear, eleger, proclamar, designar, considerar, declarar, adotar, ter, fazer, tornar, encontrar, deixar, ver, coroar, sagrar, achar, etc.

Observações:

✔ Os verbos transitivos diretos, em geral, podem ser usados também na voz passiva.

✔ Outra característica desses verbos é a de poderem receber, como objeto direto, os pronomes **o, a, os, as**: *convido-o, encontro-os, incomodo-a, conheço-as.*

✔ Verbos transitivos diretos podem ser construídos, acidentalmente, com preposição, a qual lhes acrescenta novo matiz semântico: *arrancar da espada; puxar da faca; pegar de uma ferramenta; tomar do lápis; cumprir com o dever.*

✔ Alguns verbos transitivos diretos: *abençoar, achar, acolher, avisar, abraçar, comprar, castigar, contrariar, convidar, desculpar, dizer, estimar, elogiar, entristecer, encontrar, ferir, imitar, levar, perseguir, prejudicar, receber, saudar, socorrer, ter, unir, ver,* etc.

▪ Transitivos indiretos

São os que reclamam um complemento regido de preposição, chamado *objeto indireto*. Exemplos:

"Ninguém *perdoa* ao quarentão que *se apaixona* por uma adolescente." (Ciro dos Anjos)

"Populares *assistiam* à cena aparentemente apáticos e neutros." (Érico Veríssimo)

"Lúcio não *atinava* com essa mudança instantânea." (José Américo)

"Do que eu mais *gostava* era do tempo do retiro espiritual." (José Geraldo Vieira)

"Não *sucedesse* a morte à vida!" (Cabral do Nascimento)

"*Desinteressa-se* totalmente de você." (José Geraldo Vieira)

"Dr. Leandro *proverá* a tudo." (Antônio Olavo Pereira)

"Nem nos sonhos cheguei a *aspirar* a tal emprego." (Ciro dos Anjos)

"As coisas *obedeciam* ao seu tempo regular." (Raquel de Queirós)

"Quem ouvir pensará que estou *atirando* aos nhambus, claro." (Guimarães Rosa)

"*Ansiava* pelo novo dia que vinha nascendo." (Fernando Sabino)

"O luxo *contribuiu* para a sua ruína." (Aulete)

"O ator não teria dinheiro para lhe *pagar*." (Fernando Namora)

"*Sucedi-*lhe no cargo de diretor do Arquivo Histórico…" (Ciro dos Anjos)

"Aqui tem já Vossa Excelência três pessoas que lhe *querem* muito." (Camilo Castelo Branco)

"Não acreditava que Deus lhe *houvesse perdoado* enquanto lhe não restituísse o filho." (Camilo Castelo Branco)

Entre os verbos transitivos indiretos importa distinguir:

a) Os que se constroem com os pronomes objetivos *lhe, lhes*. Em geral, são verbos que exigem a preposição **a**: *agradar-lhe, agradeço-lhe, apraz-lhe, bate-lhe, desagrada-lhe, desobedecem-lhe, interessa-lhe, obedece-lhe, paga-lhe, perdoo-lhe, quero-lhe* (= *quero--lhe bem*), *resiste-lhe, repugna-lhe, sucede-lhe, valeu-lhe*, etc.

b) Os que não admitem para objeto indireto as formas oblíquas *lhe, lhes*, construindo-se com os pronomes retos precedidos de preposição: *aludir a ele, anuir a ele, assistir a ela, atentar nele, depender dele, investir contra ele, não ligar para ele, recorrer a ele, simpatizar com ele*, etc.

Principais verbos transitivos indiretos:

abusar (de)	cuidar (de)	obedecer (a)
aludir (a)	cogitar (em, de)	obstar (a)
assistir (a)	conspirar (contra)	pagar (a)
anuir (a)	carecer (de)	perdoar (a)
aspirar (a)	crer (em)	presidir (a)
aprazer (a)	confiar (em)	precisar (de)
ansiar (por)	contribuir (para)	querer (a)
atentar (em)	gostar (de)	recorrer (a)
agradar (a)	interessar (a)	repugnar (a)
atirar (a, em, contra)	investir (contra, com)	resistir (a)
bater (em) [= espancar]	lutar (contra)	valer (a)
contentar-se (com, de, em)	lembrar-se (de)	zombar (de)

SINTAXE 339

Observações:

✔ Em princípio, verbos transitivos indiretos não comportam a forma passiva. Excetuam-se *pagar, perdoar, obedecer*, e poucos mais, usados também como transitivos diretos:

João paga (perdoa, obedece) o médico. → *O médico é pago (perdoado, obedecido) por João.*

✔ Há verbos transitivos indiretos, como *atirar, investir, contentar-se*, etc., que admitem mais de uma preposição, sem mudança de sentido. Outros mudam de sentido com a troca da preposição, como nestes exemplos:

Trate de sua vida. [*tratar* = cuidar]

É desagradável *tratar com* gente grosseira. [*tratar* = lidar]

✔ Verbos como *aspirar, assistir, dispor, servir*, etc. variam de significação conforme sejam usados como transitivos diretos ou indiretos. Exemplo: *aspirar* o perfume (absorver), *aspirar* a um cargo (desejar).

- **Transitivos diretos e indiretos**

São os que se usam com *dois objetos*: um direto, outro indireto, concomitantemente. Exemplos:

No inverno, Dona Cleia *dava* roupa aos pobres.

A empresa *fornece* comida aos trabalhadores.

Oferecemos flores à noiva.

Ceda o lugar aos mais velhos.

Perdoa-lhe tudo. [= *perdoa* tudo a ele]

"A sua intuição *preveniu*-a de uma desgraça." (Fernando Namora)

"*Causou*-me dó a morte do avô." (Luís Jardim) [*Causou* dó a mim...]

"*Ensinamos* técnicas agrícolas aos camponeses." (Érico Veríssimo)

"Era o que eu faria, se ela me *preferisse* a você." (A. Olavo Pereira)

"*Expliquei* isso a ele, disse adeus e fui andando." (José J. Veiga)

"O século XX *familiarizou* o homem com a máquina." (Aurélio)

Principais verbos transitivos diretos e indiretos (bitransitivos):

atirar, atribuir, dar, doar, ceder, apresentar, ofertar, oferecer, pedir, prometer, explicar, ensinar, proporcionar, perdoar, pagar, preferir, devolver, chamar, entregar, perguntar, informar, aconselhar, propor, prevenir, relatar, narrar.

- **De ligação**

Os que ligam ao sujeito uma palavra ou expressão chamada *predicativo*. Esses verbos, como já vimos, entram na formação do predicado nominal. Exemplos:

A Terra *é* móvel.

A água *está* fria.

O moço *anda* (= está) triste.

Mário *encontra-se* doente.

A lua *parecia* um disco.

As crianças *tornam-se* rebeldes.

A crisálida *vira* borboleta.

Pedro *fez-se* lívido.

O dia *continuava* chuvoso.

Ele *permaneceu* sentado.

SINTAXE

João *ficou* zangado.

O fato *pareceu-lhe* estranho.

A Lua *ia* (= estava) alta.

Minha proposta *saiu* vitoriosa.

A operação *resultou* inútil.[1]

As matrículas *acham-se* abertas.

Observações:

✔ Os verbos de ligação não servem apenas de nexo, mas exprimem ainda os diversos aspectos sob os quais se considera a qualidade atribuída ao sujeito. O verbo *ser*, por exemplo, traduz aspecto permanente e o verbo *estar*, aspecto transitório:

Ele *é* doente. → aspecto permanente

Ele *está* doente. → aspecto transitório

✔ Muitos desses verbos passam à categoria dos intransitivos em frases como:

Era (= existia) uma vez uma princesa.

Eu não *estava* em casa.

Fiquei à sombra. *Anda* com dificuldades. *Parece* que vai chover.

Os verbos, relativamente à predicação, não têm classificação fixa, imutável. Conforme a regência e o sentido que apresentam na frase, podem pertencer ora a um grupo, ora a outro. Assim:

O homem *anda*. *(intransitivo)*

O homem *anda* triste. *(de ligação)*

O cego não *vê*. *(intransitivo)*

O cego não *vê* o obstáculo. *(transitivo direto)*

Deram 12 horas. *(intransitivo)*

A terra *dá* bons frutos. *(transitivo direto)*

Não *dei* com a chave do enigma. *(transitivo indireto)*

Os pais *dão* conselhos aos filhos. *(transitivo direto e indireto)*

▪ Verbos vicários

Verbos **vicários** são os que substituem outro verbo, na mesma frase, e que se empregam para evitar a repetição do que foi expresso antes. Usam-se como vicários os verbos *ser* e *fazer*. Exemplos:

Se a professora reclama *é* porque não a respeitam. [*é* = reclama]

O pouco que aprendi *foi* com meu velho pai. [*foi* = aprendi]

Visita seu mestre todos os anos e *o faz* como quem cumpre um ritual. [*o faz* = visita seu mestre]

As moças desfilavam, uma a uma, diante de nós, e *o faziam* com naturalidade e graça. [*o faziam* = desfilavam]

---

(1) Não faltam, em escritores modernos, exemplos do verbo *resultar* usado com predicativo: "Que importava que o convívio humano aparentemente *resultasse inútil?*" (FERNANDO NAMORA, *O Homem Disfarçado*, p. 39).

SINTAXE 341

LISTA 38

EXERCÍCIOS

1. Reorganize as duas colunas fazendo a correspondência correta da predicação dos verbos:

O animal **obedece** a seus instintos.	intransitivo
Os metais **são** úteis.	transitivo direto
As crianças **gritavam**.	transitivo indireto
Chamei um técnico.	transitivo direto e indireto
Daremos o prêmio ao vencedor.	de ligação

2. Escreva as orações, antepondo (**a**) ou (**b**), conforme ocorrer verbo intransitivo ou transitivo direto:

Abri a caixa com cuidado.

O egoísmo **cerra** o coração.

O paraquedas não **abriu**.

O eco **repercutiu** ao longe.

3. Copie apenas a oração cujo verbo é transitivo indireto:

Passavam mulheres e crianças em direção ao rio.

Dentro das gaiolas, macaquinhos salientes **provocavam** risos.

Poucos **resistem** à pressão da publicidade comercial.

4. Numere as orações abaixo de acordo com a tabela, atendendo à predicação dos verbos:

(1) intransitivo

(2) transitivo direto

(3) transitivo indireto

(4) transitivo direto e indireto

(5) de ligação

As orquídeas **gostam** de ambientes úmidos e quentes.

Crianças morenas de olhos sonhadores **brincavam** nas calçadas.

O desfile das escolas de samba **foi** um espetáculo deslumbrante.

A televisão **deve** às crianças programações mais ricas e educativas.

No centro da praça um fabuloso baobá **atraiu** nossa atenção.

5. No período "Ivone **andava** depressa, **parecia** preocupada e não **respondia** às minhas perguntas", os verbos são, pela ordem:

a) transitivo direto – de ligação – transitivo indireto

b) intransitivo – de ligação – transitivo indireto

c) de ligação – intransitivo – transitivo direto e indireto

SINTAXE

6. Transcreva somente as orações em que NÃO há erro quanto à classificação do verbo:

Ela participou de uma série de festivais. (transitivo indireto)

Neide apresentou-me a seus pais. (transitivo direto e indireto)

A costureira pagou a conta? (transitivo direto)

Pagou a conta à costureira? (transitivo direto e indireto)

As feras rugiam em suas jaulas. (transitivo indireto)

Estrondavam trovões a cada instante. (intransitivo)

Meus prognósticos estariam certos? (de ligação)

O pânico apoderou-se de nós. (transitivo indireto)

7. Escreva as orações na ordem inversa (predicado antes do sujeito); em seguida, responda:

a) Os gêneros alimentícios encarecem dia a dia.

b) A produção de cana-de-açúcar cresceu muito?

c) Artistas e personalidades famosas dançaram ao som da orquestra.

d) Uma brisa suave soprava do lado do mar.

e) Todos os vossos mirabolantes planos cairão por terra como castelos de areia.

Todos os verbos deste exercício são intransitivos ou transitivos?

8. Substitua os asteriscos por complementos adequados aos verbos transitivos indiretos:

Os pais preocupam-se *****.   Muitos trabalhadores não aderiram *****.

Assistimos, maravilhados, *****.   Emilio apaixonou-se *****.

Em nosso encontro, Samuel aludiu *****.

9. Classifique os verbos quanto à predicação:

a) A secretária ficou indecisa: comunicaria, ou não, o fato ao diretor?

b) A Horácio não interessavam tais conversas, embora não fossem totalmente fúteis.

c) Dei condução à professora, com a qual, aliás, eu simpatizava muito.

d) Aspirávamos ao título de pentacampeões e julgávamos fácil a vitória.

e) "Marcela ofereceu-me polidamente o refresco." (MACHADO DE ASSIS)

f) "Não estou doente, minha filha. A palidez é a minha cor natural." (CAMILO CASTELO BRANCO)

g) "Ansiava pelo novo dia que vinha nascendo." (FERNANDO SABINO)

h) "Abriu a porta e aspirou o ar." (DALTON TREVISAN)

i) "Mencionarei também aqueles a quem Loiola chamava *cometas*." (HERMAN LIMA)

j) "E sorriu um sorriso cheio de doçura e de satisfação." (JORGE AMADO)

10. Releia o parágrafo sobre **verbos vicários** e, em seguida, invente frases com os verbos **ser** e **fazer**.

PREDICAÇÃO VERBAL
Exercícios de exames e concursos

[Página 680]

SINTAXE 343

5 PREDICATIVO

Há o predicativo do sujeito e o predicativo do objeto.

▪ Predicativo do sujeito

É o termo que exprime um atributo, um estado ou modo de ser do sujeito, ao qual se prende por um verbo de ligação, no predicado nominal. Exemplos:

sujeito	verbo de ligação	predicativo do sujeito
A bandeira	é	o símbolo da Pátria.
A mesa	era	de mármore.
O mar	estava	agitado.
A ilha	parecia	um monstro.
Todos	andam [= estão]	apreensivos.
Eu	não sou	ele.
Os premiados	foram	dois.
As crianças	estavam	com fome.
A árvore	ficou	sem folhas.
A tentativa	resultou	inútil.
Eles	devem ser	irmãos.
As águas	podiam estar	poluídas.
O portão	permanecerá	fechado.
A vida	tornou-se	insuportável.

Além desse tipo de predicativo, existe outro que entra na constituição do predicado verbo--nominal. Exemplos:

O trem chegou *atrasado*. [= O trem chegou e *estava atrasado*.]

O menino abriu a porta *ansioso*.

Todos partiram *alegres*.

Marta entrou *séria*.

O professor sorriu *satisfeito*.

O prisioneiro foi encontrado *morto*.

O soldado foi julgado *incapaz*.

Ele será eleito *presidente*.

Ele é tido por *sábio*.

O cosmonauta foi aclamado como *herói*.

Lembro-me dela *com saudade*. [= Lembro-me dela *saudoso*.]

SINTAXE

Observações:

✔ O predicativo subjetivo às vezes está preposicionado.

✔ Pode o predicativo preceder o sujeito e até mesmo o verbo:

São *horríveis* essas coisas!   *Quem* são esses homens?

Que *linda* estava Amélia!   *Lentos* e *tristes*, os retirantes iam passando.

Completamente *feliz* ninguém é.   *Novo* ainda, eu não entendia certas coisas.

Raros são os verdadeiros líderes.   Onde está a criança *que* fui?

▪ Predicativo do objeto

É o termo que se refere ao objeto de um verbo transitivo. Exemplos:

sujeito	verbo e objeto	predicativo do objeto
O juiz	declarou o réu	inocente.
O povo	elegeu-o	deputado.
As paixões	tornam os homens	cegos.
Nós	julgamos o fato	milagroso.
Os presos	tinham os pés	inchados.
Ela	adotou-o	por filho.
Muitos	consideram-no	(como) um sábio.
Alguns	chamam-no	(de) impostor.
Os inimigos	chamam-lhe	(de) traidor.
As batalhas	sagraram-no	herói.
A doença	deixou-me	sem apetite.
A mãe	viu-o	desanimado.
Silvinho	acha-se	um gênio.

Observações:

✔ O predicativo objetivo, como vemos dos exemplos acima, às vezes vem regido de preposição. Esta, em certos casos, é facultativa.

✔ O predicativo objetivo geralmente se refere ao objeto direto. Excepcionalmente, pode referir-se ao objeto indireto do verbo *chamar*: *Chamavam-lhe poeta*.

✔ Podemos antepor o predicativo a seu objeto:

O advogado considerava *indiscutíveis* os direitos da herdeira.

Julgo *inoportuna* essa viagem.

"E até *embriagado* o vi muitas vezes." (Camilo Castelo Branco)

"Tinha *estendida* a seus pés uma planta rústica da cidade." (Érico Veríssimo)

"Sentia ainda muito *abertos* os ferimentos que aquele choque com o mundo me causara." (Lima Barreto)

SINTAXE 345

EXERCÍCIOS

LISTA 39

1. Transcreva os períodos em seu caderno e sublinhe com um traço os predicativos do sujeito:

a) A noite era serena.

b) Estavam roxos os olhos da criança.

c) A atriz permaneceu sentada e parecia abatida.

d) O gato de porcelana virou um monte de cacos.

e) A chuva continuava forte e as ruas ficaram alagadas e intransitáveis.

f) Uns partem tristes, outros chegam alegres.

g) Meu tio foi nomeado embaixador.

h) Ando desconfiado, esse homem parece um espião.

i) Uns saíram prejudicados, outros acabaram pobres.

j) "Que passassem! Livre estava o trânsito para a direita." (Aníbal Machado)

k) A situação foi considerada pelo governador como gravíssima.

l) Afável e comunicativo, o técnico chegou a brincar com os repórteres que o procuraram.

2. Copie as frases; em cada uma há mais de um predicativo do sujeito. Sublinhe-os:

a) Belém hoje é um grande porto e centro comercial.

b) A terra é fértil, os rios piscosos e abundante a caça.

c) Sentada estava e sentada ficaria até que o filho retornasse.

d) A chuva refrescou o ar, a noite cai leve e serena.

e) Tudo isso que você me diz é inaudito, absurdo, insensato.

f) Sílvio levantou-se rápido, abriu a porta e estacou surpreso.

g) Devido à sua grande popularidade, a vida do artista tornou-se agitada, cansativa, insuportável.

3. Escreva as frases colocando o predicativo do sujeito em três posições diferentes, como no exemplo:

O coração de Nosso Senhor é **misericordiosíssimo**.

É **misericordiosíssimo** o coração de Nosso Senhor.

Misericordiosíssimo é o coração de Nosso Senhor.

a) Os verdadeiros líderes são **raros**.

b) O sertanejo que tangia as reses era **magro e de rosto duro**.

c) Aquela selva era **tão cerrada e hostil** que ninguém ousava penetrá-la.

4. Troque a expressão em destaque pelo predicativo do sujeito, como no exemplo:

Marta reviu **com emoção** a casa em que nascera.

Marta reviu **emocionada** a casa em que nascera.

a) Teresa me escutou **com atenção**, mas acabou rindo-se de meus conselhos.

b) Os policiais avançaram **com cautela** por entre arbustos e pedras.

c) As duas meninas bateram à porta **com impaciência**, gritando pela empregada.

d) Vilma olhou **com tristeza** para a mãe e sentiu uma vontade enorme de abraçá-la.

5. Transcreva as frases, sublinhando com um traço os predicativos do objeto:

a) "Os vencidos julgaram mais decoroso o silêncio." (MACHADO DE ASSIS)

b) "Olhou para as suas terras e viu-as incultas e maninhas." (CARLOS DE LAET)

c) O juiz deu por terminada a audiência e foi para outra sala.

d) "Meus progressos na escola faziam-me vaidoso." (POVINA CAVALCÂNTI)

e) Receava que o tomassem por malfeitor.

f) "Sempre os imaginei como ingênuas crianças." (OSMAN LINS)

g) Aquelas barbaridades punham-me fremente de cólera.

h) Acho indiscutíveis os teus direitos.

i) "Deram-me como bastante conhecedora da língua." (CAMILO CASTELO BRANCO)

j) "A Heródoto chamam o pai da História." (JOÃO RIBEIRO)

6. Copie as frases; sublinhe com um traço os predicativos do sujeito e com dois os predicativos do objeto:

a) A prosperidade fê-lo orgulhoso.

b) Passada a tempestade, o lugarejo reapareceu calmo, lavado.

c) Tenho a notícia por inverídica.

d) Tinham como inevitável a morte do refém.

e) Julgaram-no incapaz de exercer o cargo.

f) O rapaz ficou imóvel na poltrona, fingindo-se doente.

g) A rica viúva o adotou por filho.

h) O avarento tem o ouro por seu deus.

i) "Em toda parte andava acesa a guerra." (LUÍS DE CAMÕES)

j) O tempo ia sereno posto que frio." (ALEXANDRE HERCULANO)

k) "Não te vá iludir essa alegria, que é tão dos outros e tão pouco tua." (OLEGÁRIO MARIANO)

l) "A pequena cultura de chá torna alegre outra vez a terra abandonada."
(CARLOS DRUMMOND DE ANDRADE)

m) "Apagaremos tudo, só ficarão acesas as velas." (LÍGIA FAGUNDES TELLES)

n) "Só esperamos que eles não tenham trazido escondidos hipopótamos, gorilas, hienas, nem tigres e leões que vivem nas suas imensas florestas." (JORNAL DO BRASIL, 22/6/1974)

o) As adolescentes surgiram lindas, em seus vestidos vaporosos.

SINTAXE 347

7. Como o exercício precedente:

a) Nunca o vi triste.

b) César foi aclamado imperador.

c) Encontrei a sala desarrumada.

d) "Esse canto é de dor ou de alegria?" (Olegário Mariano)

e) A imaginação torna presentes os dias passados.

f) "O que fazia engraçadíssima Carlota eram as espessas sobrancelhas." (Camilo Castelo Branco)

g) "Fiquei desconsolado com esta reflexão, chamei-me pródigo." (Machado de Assis)

h) Fina e persistente, a chuva caía sobre a cidade triste.

i) "A terra despertava triste." (Euclides da Cunha)

j) "Descubra as reservas de bravura que você há de ter escondidas." (Raquel de Queirós)

k) "Bons ou maus, esses homens são nossos aliados." (Érico Veríssimo)

l) "Como eram gostosas as pitombas, que eu preferia verdosas, porque eram carnudas." (Povina Cavalcânti)

m) "Enorme e brilhante, erguia-se sobre os homens a cruz de ouro." (Luís Henrique Tavares)

n) O homem não pode aceitar como suas as regras da máquina.

o) "As mulheres o achavam um homem fascinante." (Rubem Fonseca)

p) O cliente acusou o advogado de omisso e incompetente.

8. Faça concordar os predicativos com os respectivos objetos diretos:

a) Vi **ancorado** na baía os navios petrolíferos.

b) A luz jorrou forte e tornou **visível** os quadros das paredes.

c) Ele manteve **estendido** sobre a mesa a planta do prédio.

d) O cineasta já tem quase **pronto** seus dois novos filmes.

e) Os invasores retiraram-se, deixando **gravado** nos muros palavras insultuosas.

TERMOS ESSENCIAIS DA ORAÇÃO
Exercícios de exames e concursos

[Página 681]

TERMOS INTEGRANTES DA ORAÇÃO

Chamam-se **termos integrantes da oração** os que completam a significação transitiva dos verbos e nomes. *Integram* (inteiram, completam) o sentido da oração, sendo por isso indispensáveis à compreensão do enunciado.

São os seguintes:

a) complementos verbais: objeto direto e objeto indireto

b) complemento nominal

c) agente da passiva

1 OBJETO DIRETO

Objeto direto é o complemento dos verbos de predicação incompleta, não regido, normalmente, de preposição. Exemplos:

As plantas purificam **o ar**.

"Nunca mais ele arpoara **um peixe-boi**." (Ferreira de Castro)

Procurei **o livro**, mas não **o** encontrei.

Ninguém **me** visitou.

Esta é a casa **que** eu vendi.

Houve **grandes festejos**.

Tia Mirtes já não sentia **dor nem cansaço**.

O povo aclamou **o imperador e a imperatriz**.

"Mendonça cumprimentou-**as** respeitosamente." (Machado de Assis)

"Tão leve estou que já nem **sombra** tenho." (Mário Quintana)

"**Lembranças** havia que eram úlceras incuráveis da memória." (Érico Veríssimo)

A) O objeto direto tem as seguintes características:

- completa a significação dos verbos transitivos diretos;

- normalmente, não vem regido de preposição;

- traduz o ser sobre o qual recai a ação expressa por um verbo ativo:
  Caim matou **Abel**.

- Torna-se sujeito da oração na voz passiva:
  Abel foi morto por Caim.

B) O objeto direto pode ser constituído:

- por um substantivo ou expressão substantivada:
  O lavrador cultiva a **terra**.
  Unimos o **útil** ao agradável.

- pelos pronomes oblíquos *o, as, os, as, me, te, se, nos, vos*:

  Espero-**o** na estação.

  Estimo-**os** muito.

  Sílvia olhou-**se** ao espelho.

  Não **me** convidas?

  Ela **nos** chama.

  Avisamo-**lo** a tempo.

  Procuram-**na** em toda parte.

  Meu Deus, eu **vos** amo.

  "Marchei resolutamente para a maluca e intimei-**a** a ficar quieta." (Graciliano Ramos)

  "Vós haveis de crescer, perder-**vos**-ei de vista." (Cabral do Nascimento)

- por qualquer pronome substantivo:
  Não vi **ninguém** na loja.
  A árvore **que** plantei floresceu. [*que*: objeto direto de *plantei*]
  Onde foi que você achou **isso**?
  Quando vira as folhas do livro, ela **o** faz com cuidado.

  "**Que** teria o homem percebido nos meus escritos?" (Graciliano Ramos)

C) Frequentemente transitivam-se verbos intransitivos, dando-se-lhes por objeto direto uma palavra cognata ou da mesma esfera semântica:

  "**Viveu** José Joaquim Alves **vida** tranquila e patriarcal." (Vivaldo Coaraci)

  "Pela primeira vez **chorou** o **choro** da tristeza." (Aníbal Machado)

  "Nenhum de nós **pelejou** a **batalha** de Salamina." (Machado de Assis)

  "Como andei contando um **sonho**, me lembrei de outro **que** já **sonhei** mais de uma vez." (Oto Lara Resende)

Em tais construções é de rigor que o objeto venha acompanhado de um adjunto.

2 OBJETO DIRETO PREPOSICIONADO

Há casos em que o objeto direto, isto é, o complemento de verbos transitivos diretos, vem precedido de preposição, geralmente a preposição **a**. Isto ocorre principalmente:

- quando o objeto direto é um pronome pessoal tônico:
  Deste modo, prejudicas **a ti** e **a ela**.
  "Mas dona Carolina amava mais **a ele** do que aos outros filhos." (Raquel Jardim)
  "Pareceu-me que Roberto hostilizava antes **a mim** do que à ideia." (Ciro dos Anjos)

"Ricardina lastimava o seu amigo como **a si** própria." (Camilo Castelo Branco)

"Amava-a tanto como **a nós**." (José Geraldo Vieira)

- quando o objeto é o pronome relativo *quem*:

"Pedro Severiano tinha um filho **a quem** idolatrava." (Carlos de Laet)

"Abraçou a todos; deu um beijo em Adelaide, **a quem** felicitou pelo desenvolvimento das suas graças." (Machado de Assis)

"Agora sabia que podia manobrar com ele – com aquele homem **a quem** na realidade também temia, como todos ali." (Herberto Sales)

- quando precisamos assegurar a clareza da frase, evitando que o objeto direto seja tomado como sujeito, impedindo construções ambíguas:

Convence, enfim, **ao pai** o filho amado[1].

"Vence o mal **ao remédio**." (Antônio Ferreira)

"Tratava-me sem cerimônia, como **a um irmão**." (Olavo Bilac)

A qual delas iria homenagear o cavaleiro?

"E olhava o amigo como **a um filho** mais velho." (Luís Henrique Tavares)

"Olho Gabriela como **a uma criança**, e não mulher feita." (Ciro dos Anjos)

"Foi a comadre do Rubião que o agasalhou e mais **ao cachorro**." (Machado de Assis)

"Encontrou-a e **ao marido** na fazenda das Lajes." (Ciro dos Anjos)

"**A inimigo** não se poupa." (Viana Moog)

"Também se adormece a fome, como **às crianças**, cantando." (José Américo)

"**Ao poeta Drummond**, que mora mais além, a feira deve incomodar, porque os grandes caminhões roncam sob sua janela." (Rubem Braga)

- em expressões de reciprocidade, para garantir a clareza e a eufonia da frase:

"Os tigres despedaçaram-se uns **aos outros**." (Camilo Castelo Branco)

"As companheiras convidavam-se umas **às outras**." (Helena Silveira)

"Era o abraço de duas criaturas que só tinham uma **à outra**." (Vivaldo Coaraci)

- com nomes próprios ou comuns, referentes a pessoas, principalmente na expressão dos sentimentos ou pela eufonia da frase:

Judas traiu **a Cristo**.

Amemos **a Deus** sobre todas as coisas.

"Provavelmente, enganavam é **a Pedro**." (Ciro dos Anjos)

"O estrangeiro foi quem ofendeu **a Tupã**." (José de Alencar)

"É certo que ele teme **a Deus** e crê na doutrina." (Machado de Assis)

"E dali em diante, o drama intensificava-se, fazendo sorrir, de plena satisfação, **a Caetano**." (Ferreira de Castro)

"Esse último rasgo do Costa persuadiu **a crédulos e incrédulos**." (Machado de Assis)

"Diabolicamente, o dinheiro atrai **a pequenos e grandes**." (Ciro dos Anjos)

---

(1)   Sem a preposição *a* diante do objeto (o pai), a frase ficaria ambígua, obscura, pois tanto poderia ser entendida como sujeito a palavra *pai* como a palavra *filho*.

- em construções enfáticas, nas quais antecipamos o objeto direto para dar-lhe realce:

  A você é que não enganam!

  A médico, confessor e letrado nunca enganes.

  "**A este confrade** conheço desde os seus mais tenros anos." (CARLOS DE LAET)

  "**Ao Medeiros** não o amordaçavam as convenções." (FERNANDO NAMORA)

- sendo objeto direto o numeral *ambos(as)*:

  "O aguaceiro caiu, molhou **a ambos**." (ANÍBAL MACHADO)

  "Se eu previsse que os matava **a ambos**..." (CAMILO CASTELO BRANCO)

- com certos pronomes indefinidos, sobretudo referentes a pessoas:

  Se todos são teus irmãos, por que amas **a uns** e odeias **a outros**?

  Aumente sua felicidade, tornando felizes também **aos outros**.

  A quantos a vida ilude!

  "A estupefação imobilizou **a todos**." (MACHADO DE ASSIS)

  "**A tudo** e **a todos** eu culpo." (ANÍBAL MACHADO)

  "Como fosse acanhado, não interrogou **a ninguém**." (MACHADO DE ASSIS)

- em certas construções enfáticas como *puxar* (ou *arrancar*) *da espada, pegar da pena, cumprir com o dever, atirar com os livros sobre a mesa*, etc.:

  "Arrancam **das espadas** de aço fino..." (LUÍS DE CAMÕES)

  "Chegou a costureira, pegou **do pano**, pegou **da agulha**, pegou **da linha**, enfiou a linha na agulha e entrou a coser." (MACHADO DE ASSIS)

  "Imagina-se a consternação de Itaguaí, quando soube **do caso**". (MACHADO DE ASSIS)

Observações:

✔ Nos quatro primeiros casos estudados, a preposição é de rigor; nos cinco outros, facultativa.

✔ A substituição do objeto direto preposicionado pelo pronome oblíquo átono, quando possível, se faz com as formas *o(s)*, *a(s)* e não *lhe*, *lhes*:

  amar a Deus → amá-lo; convencer ao amigo → convencê-lo.

✔ O objeto direto preposicionado, é óbvio, só ocorre com verbo transitivo direto.

Podem resumir-se em três as razões ou finalidades do emprego do objeto direto preposicionado:
- a clareza da frase;
- a harmonia da frase;
- a ênfase ou a força da expressão.

SINTAXE

3 OBJETO DIRETO PLEONÁSTICO

Quando queremos dar destaque ou ênfase à ideia contida no objeto direto, colocamo-lo no início da frase e depois o repetimos ou reforçamos por meio do pronome oblíquo. A esse objeto repetido sob forma pronominal chama-se *pleonástico*, *enfático* ou *redundante*. Exemplos:

O dinheiro, Jaime **o** trazia escondido nas mangas da camisa.

O bem, muitos **o** louvam, mas poucos **o** seguem.

"**Seus cavalos**, ela **os** montava em pelo." (JORGE AMADO)

"**Os** que lá não penetram, engole-**os** a obscuridade." (MACHADO DE ASSIS)

"De mais a mais, **frutas** os passarinhos conseguem-**nas** pelo seu próprio esforço." (VIVALDO COARACI)

"**Aquelas veemências**, quem não **as** ouviu de voz ou não **as** viu de letra? (RAQUEL DE QUEIRÓS)

> **Observação:**
>
> ✔ Escritores modernos omitem, frequentemente, o pronome objetivo:
>
> "E os amigos a gente conhece na hora do aperto." (JOSUÉ MONTELO)
>
> "Esse segredo eu guardaria só para mim." (POVINA CAVALCÂNTI)

4 OBJETO INDIRETO

Objeto indireto é o complemento verbal regido de preposição necessária e sem valor circunstancial. Representa, ordinariamente, o ser a que se destina ou se refere a ação verbal:

"Nunca desobedeci **a meu pai**." (POVINA CAVALCÂNTI)

A) O objeto indireto completa a significação dos verbos:

- transitivos indiretos

Assisti **ao** jogo.	Atentou **contra a vida do rei**.
Assistimos **à missa** e **à festa**.	Gosto **de frutas** e **de doces**.
Aludiu **ao fato**.	Obedeço **ao regulamento**.
Aspiro **a uma vida calma**.	Deus **lhe** perdoe. (*ao* pecador)
Absteve-se **de vinho**.	Paguei **ao médico** ontem.
Deparei **com um estranho**.	Preciso **de ti** amanhã.
O pai batia-**lhe**. (*no* filho)	Ele zombou **de nós**.
Anseio **pela tua volta**.	Responderei **à carta de Lúcia**.
Não cedi **à tentação**.	Resistimos **ao ataque**.
Não consisto **nisso**.	A terra pertencia **aos índios**.
Lembre-se **de nós**.	Pio XII sucedeu **a Pio XI**.

"**A que influência** alude?" (MACHADO DE ASSIS)

Não abuse **dos remédios**: recorra **a eles** só quando não houver outro remédio.

SINTAXE 353

- transitivos diretos e indiretos (na voz ativa ou passiva)

Dou graças **a Deus**.

Ceda o lugar **aos mais velhos**.

Dedicou sua vida **aos doentes** e **aos pobres**.

Disse-**lhe** a verdade.   [Disse a verdade *ao moço*.]

Peço-**lhe** desculpas.   [Peço desculpas *ao professor*.]

Revoltavam o povo **contra o regime**.

Não revelarei isto **a ninguém**.

Acostumou o corpo **ao frio** e **às intempéries**.

Beijou as mãos **ao sacerdote**.

O juiz confiou-**lhe** a guarda do menino.

Perdoo-**lhe** a ofensa.

Devolva-**lhe** o dinheiro.   [Devolva o dinheiro *a ele*.]

Não **lhe** foi devolvido o livro.   [Não *lhe* devolveram o livro.]

Devolveu-se-**lhe** o livro.   [O livro foi-*lhe* devolvido.]

Aos vencidos tomavam-se os bens à força.

A árvore foi sacrificada **à tirania do progresso**.

B) O objeto indireto pode ainda acompanhar verbos de outras categorias, os quais, no caso, são considerados acidentalmente transitivos indiretos:

A bom entendedor meia palavra basta.

Sobram-**lhe** qualidades e recursos.   [*lhe* – a ele]

Isto não **lhe** convém.

A proposta pareceu-**lhe** aceitável.

Observações:

✔ Há verbos que podem construir-se com dois objetos indiretos, regidos de preposições diferentes:

Rogue a *Deus por nós*.

Ela queixou-se *de mim a seu pai*.

Pedirei *para ti a meu senhor* um rico presente.

✔ Não confundir o objeto indireto com o *complemento nominal* nem com o *adjunto adverbial*.

✔ Em frases como "Para *mim* tudo eram alegrias", "Para *ele* nada é impossível", os pronomes em destaque podem ser considerados adjuntos adverbiais.

C) O objeto indireto é sempre regido de preposição, expressa ou implícita.

a) A preposição está implícita nos pronomes objetivos indiretos (átonos) *me, te, se, lhe, nos, vos, lhes*. Exemplos:

Obedecem-**me**. [= Obedecem *a mim*.]   Rogo-**lhe** que fique. [= Rogo *a você*...]

Isto **te** pertence. [= Isto pertence *a ti*.]   Peço-**vos** isto. [= Peço isto *a vós*.]

- Nos demais casos a preposição é expressa como característica do objeto indireto:

Recorro **a Deus**.	Não preciso **disto**.
Dê isto **a** (ou para) **ele**.	O filme **a que** assisti agradou **ao público**.
Contenta-se **com pouco**.	Assisti **ao desenrolar** da luta.
Ele só pensa **em si**.	A coisa **de que** mais gosto é pescar.
Esperei **por ti**.	A pessoa **a quem** me refiro você a conhece.
Falou **contra nós**.	Os obstáculos **contra os quais** luto são muitos.
Conto **com você**.	As pessoas **com quem** conto são poucas.

D) Como atestam os exemplos acima, o objeto indireto é representado pelos substantivos (ou expressões substantivas) ou pelos pronomes.

As preposições que o ligam ao verbo são: *a, com, contra, de, em, para* e *por*.

5 OBJETO INDIRETO PLEONÁSTICO

À semelhança do objeto direto, o objeto indireto pode vir repetido ou reforçado, por ênfase. Exemplos:

"**A mim** o que **me** deu foi pena." (Ribeiro Couto)

"Que **me** importa **a mim** o destino de uma mulher tísica...?" (Machado de Assis) [*tísica* = tuberculosa]

"E, **aos brigões**, incapazes de se moverem, basta-**lhes** xingarem-se à distância." (Dalton Trevisan)

"Mas que **te** importam **a ti** os assuntos que me são agradáveis?" (Graciliano Ramos)

6 COMPLEMENTO NOMINAL

Complemento nominal é o termo complementar reclamado pela significação transitiva, incompleta, de certos substantivos, adjetivos e advérbios. Vem sempre regido de preposição. Exemplos:

A defesa **da pátria**.	Apto **para o trabalho**.
O respeito **às leis**.	Útil **ao bem comum**.
Assistência **às aulas**.	Contente **com a sorte**.
Aliança **com o estrangeiro**.	Precavido **contra os males**.
A luta **contra o mal**.	Insaciável **de vingança**.
G. Bell foi o inventor **do telefone**.	Confiante **na vitória**.
O amor **ao trabalho**.	Tudo ficou reduzido **a cinzas**.
Nossa fé **em Deus**.	Responsável **pela ordem**.
Gosto **pela arte**.	Impróprio **para menores**.
Disposição **para o trabalho**.	Atencioso **para com todos**.
Suas atenções **para com todos**.	Relativamente **a alguém**.
Teve raiva **de si mesmo**.	Favoravelmente **ao réu**.

"O ódio **ao mal** é amor **do bem**, e a ira **contra o mal**, entusiasmo divino." (Rui Barbosa)

"Ah, não fosse ele surdo **à minha voz**!" (Cabral do Nascimento)

"A sensibilidade existe e está a serviço **da harmonia, da beleza e do equilíbrio**." (Luís Carlos Lisboa)

"Pois bem, nada me abala relativamente **ao Rubião**." (Machado de Assis)

A grande rodovia corre paralelamente **às fronteiras setentrionais do Brasil**.

Observações:

✔ O complemento nominal representa o recebedor, o paciente, o alvo da declaração expressa por um nome: amor a *Deus*, a condenação da *violência*, o medo de *assaltos*, a remessa de *cartas*, útil ao *homem*, compositor de *músicas*, etc. É regido pelas mesmas preposições usadas no objeto indireto. Difere deste apenas porque, em vez de complementar verbos, completa nomes (substantivos, adjetivos) e alguns advérbios em -*mente*.

✔ A nomes que requerem complemento nominal correspondem, geralmente, verbos de mesmo radical: *amor ao próximo*, *amar o próximo*; *perdão das injúrias*, *perdoar as injúrias*; *obediente aos pais*, *obedecer aos pais*; *regresso à pátria*, *regressar à pátria*; *remessa de cartas*, *remeter cartas*; *criação de impostos*, *criar impostos*; *queima de fogos*, *queimar fogos*; *recordação do passado*, *recordar o passado*; *resistência ao mal*, *resistir ao mal*, etc.

7 AGENTE DA PASSIVA

Agente da passiva é o complemento de um verbo na voz passiva. Representa o ser que pratica a ação expressa pelo verbo passivo. Vem regido comumente pela preposição *por* e, menos frequentemente, pela preposição *de*:

Alfredo é estimado **pelos colegas**.

A cidade estava cercada **pelo exército romano**.

"Era conhecida **de todo mundo** a fama de suas riquezas." (Olavo Bilac)

A) O agente da passiva pode ser expresso pelos substantivos ou pelos pronomes:

As flores são umedecidas **pelo orvalho**.

A carta foi cuidadosamente corrigida **por mim**.

Muitos já estavam dominados **por ele**.

Aquele é o cachorro **pelo qual** fui mordido.

Conheço o funcionário **por quem** fui atendido.

Por quem teria ele sido denunciado?

B) Vimos que o agente da passiva corresponde ao sujeito da oração na voz ativa. Observe:

A rainha era aclamada **pela multidão**.   (voz passiva)

A multidão aclamava a rainha.   (voz ativa)

Ele será acompanhado **por ti**.   (voz passiva)

Tu o acompanharás.   (voz ativa)

Observações:

✔ Conforme frisamos anteriormente, frase de forma passiva analítica sem complemento agente expresso, ao passar para a ativa, terá sujeito indeterminado e o verbo na 3ª pessoa do plural:

Ele foi expulso da cidade. → Expulsaram-no da cidade.

As florestas são devastadas. → Devastam as florestas.

✔ Na passiva pronominal não se declara o agente:

Nas ruas assobiavam-se as canções dele pelos pedestres. (errado)

Nas ruas eram assobiadas as canções dele pelos pedestres. (certo)

Assobiavam-se as canções dele nas ruas. (certo)

EXERCÍCIOS — LISTA 40

1. Transcreva as frases e sublinhe com um traço os objetos diretos:
   a) Os holandeses invadiram a Bahia em 1624.
   b) O trabalho produz a riqueza e a felicidade.
   c) Fatos impressionantes relatou esse turista.
   d) "O louvor ganha amigos, a maledicência inimigos." (Marquês de Maricá)
   e) Muitos favores já temos recebido desta família.
   f) No rio das Mortes houve combates sangrentos.
   g) Devemos unir o útil ao agradável.
   h) "Desenhou a casa do engenho, as árvores, os morros." (Garcia de Paiva)

2. Copie as orações, antepondo a elas **1** ou **2**, de acordo com a função das palavras em destaque:

   (1) objeto direto   (2) objeto indireto

   a) No Sul do Brasil, o inverno obedece ao **ciclo** das estações.
   b) Não devemos recorrer à **violência**.
   c) A volta do sol trouxe de novo a **alegria** aos corações.
   d) O antiquário possuía até **moedas** da Roma dos Césares.
   e) Ao **Exército** compete defender a pátria.

3. Transcreva as orações e sublinhe os objetos indiretos:
   a) Assisti a uma cena impressionante.
   b) Obedeço a ordens superiores.
   c) Não aspiro a esse título.
   d) Aludiu ele à minha obra?
   e) Cristo perdoou ao bom ladrão e prometeu-lhe o paraíso.
   f) Emília não acredita em horóscopos.
   g) A polícia interditou a área às pessoas estranhas ao trabalho.
   h) Optei pela solução mais segura.

SINTAXE 357

i) Por acaso necessitam de tanto espaço?

j) "Ninguém objetaria à entrada ou à saída de ninguém." (Paulo Mendes Campos)

k) "Nesse ponto, desobedecera à mãe." (João Clímaco Bezerra)

l) Tal atitude não convém a um juiz.

m) As crianças logo se familiarizaram com os animais.

n) Dulce ainda não respondera à carta de sua amiga.

o) "A terra não pertence ao homem; é o homem que pertence à terra."
   (Seattle, chefe índio americano)

4. Copie as frases e sublinhe com um traço os objetos diretos e com dois os indiretos:

a) O embaixador ofereceu um jantar ao líder político.

b) Agradeça a Deus o dom da vida, todos os dias.

c) Confiei a Vicente os meus planos.

d) Pagamos a cerveja ao garçom e mostramos as fotos a Denise.

e) "Ao coronel Lelê deveu mais tarde meu pai um favor inesquecível." (Povina Cavalcânti)

5. Copie as frases e informe se os pronomes oblíquos funcionam como objeto direto ou indireto:

a) Nós **o** elogiamos.

b) Eu **lhe** agradeci muito.

c) Todos **a** admiram.

d) João **me** persegue.

e) João **me** obedece.

f) Ela **te** ama.

g) Ela **te** confessará tudo.

h) Guarde-**os** na caixa.

i) Vim convidá-**los**.

j) Ele **nos** estima.

k) Isto **nos** pertence.

l) Confie em **mim**.

m) Confie menos em **si**.

n) Refiro-me a **ti** mesmo.

o) Quem **vos** chamou?

p) Quem **vos** deu a vida?

q) Beatriz **os** veste e **lhes** dá comida.

r) Sílvia olhou-**se** no espelho.

6. Copie as frases e complete os verbos transitivos diretos substituindo o ∗ pelo pronome oblíquo **o**, e os verbos transitivos indiretos substituindo o ∗ pelo pronome oblíquo **lhe**:

a) Estimo-∗ muito.

b) Avise-∗ depressa.

c) Não ∗ respondas.

d) Não ∗ invejemos.

e) Atribuo-∗ a culpa.

f) Espero-∗ em casa.

g) Conheço-∗ muito bem.

h) Felicito-∗ pela vitória.

i) Confesso-∗ a verdade.

7. Complete as orações substituindo os asteriscos por objetos indiretos adequados:

a) Assistirei ∗∗∗∗∗.

b) Não resisti ∗∗∗∗∗.

c) Ele aspira ∗∗∗∗∗.

d) Elza simpatizou ∗∗∗∗∗.

e) Refiro-me ∗∗∗∗∗.

f) A fauna depende ∗∗∗∗∗.

g) Todos se opõem ∗∗∗∗∗.

h) Luís desobedeceu ∗∗∗∗∗.

8. Reorganize as colunas em seu caderno, de modo a fazê-las corresponder corretamente, de acordo com a função do pronome relativo **que**:

Não me agradou o filme a **que** assisti.	sujeito
Compro os livros **que** me interessam.	objeto direto
São ótimos os livros **que** estou lendo.	objeto indireto

9. Nos exemplos seguintes os pronomes em destaque são objetos diretos ou indiretos. Copie as frases em seu caderno e aponte a distinção, sobrepondo **D** aos primeiros e **I** aos segundos:

a) Meu avô chamava-**me** e eu **o** atendia prontamente.

b) Valmor fez **o que lhe** ordenei.

c) Nas cidades **que** visitei nas férias, achei **tudo** caro.

d) Há coisas de **que** não gostamos e pessoas com **quem** não simpatizamos.

e) "A virtude **nos** diviniza, o vício **nos** embrutece." (MARQUÊS DE MARICÁ)

f) "Pajé, eu **te** agradeço o agasalho **que me** deste." (JOSÉ DE ALENCAR)

g) "Cada qual tem o ar **que** Deus **lhe** deu." (MACHADO DE ASSIS)

h) Refiro-**lhe o que** ouvi.

i) Confesso-**vos aquilo que** nunca revelei a **ninguém**.

j) Ele arroga-**se** direitos **que** não possui.

k) "Expliquei **isso** a **ele**." (JOSÉ J. VEIGA)

l) Não sabemos **o que** o destino **nos** reserva.

10. Escreva as orações, iniciando-as com o objeto direto ou indireto, a fim de realçar esses termos, como no exemplo:

Exemplo: Eu não poderia ter tido **surpresa mais agradável**.
Surpresa mais agradável eu não poderia ter tido.

a) Eu catava no mato até a lenha do fogão.

b) Faltam disciplina e coragem a esses adolescentes.

c) Interessam particularmente a nós técnicas agrícolas mais avançadas.

d) Colombo chamou de índios aos nativos da América.

e) Esse meu amigo estaria planejando que estranhos negócios?

f) Najibe ofereceu a seus fregueses calendários com belas estampas.

11. Transcreva apenas a oração em que ocorre objeto direto pleonástico:

a) "As horas disponíveis eu as ocupava com a coleção de selos." (Murilo Rubião)

b) A longa estiagem preocupa agricultores e pecuaristas.

c) A presença do cachorro não agradou ao visitante.

12. Copie somente as duas frases em que ocorre objeto direto preposicionado:

a) Ainda não respondi à carta de Beatriz.

b) Muitos encontram a Deus servindo o próximo.

c) Quem resiste a seus encantos?

d) Não se prenda a minúcias.

e) Será que as barbas longas honram mais a quem as cultiva?

13. Copie os períodos e explique os seguintes casos de objeto direto preposicionado:

a) "Foi **a Tupã** que o pajé serviu." (JOSÉ DE ALENCAR)

b) "Vence o mal **ao remédio**." (ANTÔNIO FERREIRA)

c) "Aquele fim imprevisto decepcionara **a todas**." (MONTEIRO LOBATO)

d) "Somente **ao tronco** que devassa os ares o raio ofende." (GONÇALVES DIAS)

e) "Por fim, sustentando-me numa das mãos e **ao Fagundes** na outra, o gigante atravessou a sala..." (ANÍBAL MACHADO)

f) "Rubião... esqueceu a sala, a mulher e **a si**." (MACHADO DE ASSIS)

g) "Olhou o especialista como **a um irmão**." (JOSÉ FONSECA FERNANDES)

h) "Levarei comigo o prazer de vos ter abençoado **a ambos**." (CAMILO CASTELO BRANCO)

i) "**A ela** ninguém convidava." (HELENA SILVEIRA)

j) "Eles [os traficantes] alugavam limusines blindadas, contratavam policiais para protegê-los e **às malas** cheias de dólares." (*JORNAL DO BRASIL*)

14. Como o exercício anterior:

a) Não sei dizer **a quem** ele mais estimava.

b) "O nascimento enobrece **a alguns**, o procedimento **a muitos**." (MARQUÊS DE MARICÁ)

c) Louvemos **a Deus** na alegria e no sofrimento.

d) Nomearam procurador **a um amigo** de meu pai.

e) "Nós a enfeitamos e perfumamos como **a uma noiva**." (RAQUEL DE QUEIRÓS)

f) "Então Agostinho tomou-a nos braços, **a ela** e **à gata**, e Noca sorriu." (JORGE AMADO)

g) "Os parceiros do barão acusaram-se uns **aos outros**." (MACHADO DE ASSIS)

h) "Não se deve amar **a ninguém** como **a Deus**." (MACHADO DE ASSIS)

i) "Atrai o poviléu como o pólen **às abelhas**." (CIRO DOS ANJOS)

j) "Se as pessoas não aceitam a vaca como passageira, nós não aceitamos **a elas**." (EDI LIMA)

k) **A quem** escolheria Simões para seu assessor?

l) "As roupas de embaixador não honram nem desonram mais quem as veste que o macacão **ao mecânico**." (RUBEM BRAGA)

15. Transcreva as frases em seu caderno, numerando-as de acordo com a causa determinante do objeto direto preposicionado:

a) Quem não ama **a seus pais**?   (1) clareza

b) Júlio tratava-o como **a um irmão**.   (2) harmonia, ritmo

c) A festa decepcionou **a todos**.   (3) ênfase

16. Copie os períodos abaixo; sublinhe os objetos pleonásticos, dizendo se são diretos ou indiretos:

a) "As flores leva-as a brisa." (JOSÉ DE ALENCAR)

b) "A mim me basta a celebridade que ela veio a ganhar..." (CAMILO CASTELO BRANCO)

c) Que lhe importa a ele a nossa desgraça?

d) "Se o mundo tinha razão, não o diremos nós." (CAMILO CASTELO BRANCO)

e) "A nós também nos rechearam de angústia." (CARLOS DRUMMOND DE ANDRADE)

f) "Ao Medeiros não o amordaçavam as convenções." (FERNANDO NAMORA)

g) "De tarde, são outros que o admiram a ele e à obra." (MACHADO DE ASSIS)

h) "Que me importa a mim a glória?" (ALEXANDRE HERCULANO)

i) "As migalhas que lhe ficavam entre os dedos, levava-as à boca." (ANTÔNIO OLAVO PEREIRA)

j) "A lança, eles a faziam, espécie de arpão." (ADONIAS FILHO)

17. Em seu caderno, transforme as orações usando o objeto direto pleonástico:

Exemplo: O ministro do culto ensina a religião.

A religião, ensina-a o ministro do culto.

a) Ele reservava as glórias para si.

b) Ninguém viu os frutos de tantos esforços.

SINTAXE

c) Deus fez as flores para a nossa alegria.

d) Todos previram o fatal desenlace.

e) Vós encontrareis a explicação neste livro.

f) Ela não tem, não teve nunca amigas.

18. Copie as frases e numere-as de acordo com a função das palavras em destaque:

(1) objeto direto preposicionado

(2) objeto indireto

(3) complemento nominal

a) Todo homem tem direito **à liberdade**.

b) Tenho pena desse jovem, **ao qual** a vida ilude com tantas seduções.

c) O povo se opunha **à instalação** da usina nuclear.

19. Copie o período e dê a função sintática das palavras em destaque:
"As **feras**, depois do aprendizado da **caça** e dos meios de defesa, dão aos **filhotes** a **liberdade**."
(MARIA JOSÉ DE QUEIRÓS)

20. Copie as frases e sublinhe os complementos nominais:

a) Teresa tinha medo das trovoadas.

b) Ninguém está contente com a sua sorte.

c) Tem muita disposição para a música.

d) Estávamos ansiosos pelos resultados.

e) Tende amor ao próximo e não vos esqueçais da assistência aos desamparados.

f) "Os moleques se atropelavam na disputa dos papéis." (ANÍBAL MACHADO)

g) "Há silêncio relativamente àquela nobre personagem." (CARLOS DE LAET)

h) "Os pretos sofriam como predestinados à dor." (MONTEIRO LOBATO)

i) Piscava e mordia os beiços, num tique comum aos que bebem.

j) "Quem me pôs no coração este amor da vida, senão tu?" (MACHADO DE ASSIS)

k) A ciência deve ser aplicada em benefício do homem.

21. Como o exercício anterior:

a) "A aliança com os maus é sempre funesta aos governos." (MARQUÊS DE MARICÁ)

b) "De Portugal passou ao Brasil a devoção à Virgem." (CARLOS DE LAET)

c) "Todo ser humano tem um direito natural à liberdade." (ÉRICO VERÍSSIMO)

d) "Podes vê-lo e falar-lhe, contanto que imediatamente à operação." (CAMILO CASTELO BRANCO)

e) "Conta ver-me outra vez dependente de seus cuidados, submisso às suas ordens."
(ANTÔNIO OLAVO PEREIRA)

f) "O sapo-boi enche a mata com mugidos semelhantes aos do touro." (RENATO DA SILVA)

g) O telefone tornou-se indispensável ao homem da cidade.

h) Encontrei-o entregue a seu trabalho, a mesa cheia de mapas.

i) Orgulhosa do pai, Lígia não escondia sua admiração por ele.

j) "A convivência com os semelhantes é um apelo muito forte." (LUÍS CARLOS LESSA)

22. Copie as frases substituindo ∗ por complementos nominais adequados:

a) Sônia tem alergia ∗.   c) Ele é versado ∗.   e) Estou quite ∗.

b) O gás é nocivo ∗.   d) José foi afável ∗.   f) És responsável ∗.

SINTAXE 361

23. Escreva as frases trocando o complemento nominal pelo verbal, como no exemplo:

O visitante fez elogios **à beleza da moça**.

O visitante elogiou **a beleza da moça**.

a) Tais práticas são contrárias **à boa convivência**.

b) Motorista não deve ter ódio **a pedestre**.

c) Joel demonstrou interesse **pela campanha**.

d) Não tenha demasiado apego **às riquezas**.

e) Se tens amor **à vida**, não entres nas águas deste mar.

f) Ninguém fez referência **ao namoro de Susana**.

g) Há plantas resistentes **à seca.**

24. Responda em seu caderno. No período "Jerônimo foi atencioso com os dois **turistas** e apontou-**lhes** a casa **que** procuravam", as palavras em destaque são, respectivamente:

a) objeto indireto – objeto direto – complemento nominal

b) complemento nominal – objeto indireto – sujeito

c) complemento nominal – objeto indireto – objeto direto

25. Transcreva as frases e sublinhe os agentes da passiva:

a) Os homens são atormentados pelas doenças.

b) A cidade estava sitiada pelo exército romano.

c) "O plano de assalto à casa foi traçado por mim." (Rubem Braga)

d) "Passou-lhe na mente a conjetura de que era amado daquela doce criatura." (Camilo Castelo Branco)

e) O avô, pela sua simpatia, era muito estimado por todos.

f) O Congresso Nacional é convocado por quem estiver na presidência do Senado.

g) Márcia tinha grande amor à tia, por quem fora educada.

h) "A primeira partida foi ganha por Fidélio, perdida por Seixas." (Jorge Amado)
[*perdida* = foi perdida]

i) "A terra vai sendo aberta por intermináveis sulcos." (Cecília Meireles)

26. Converta, em seu caderno, as orações abaixo na voz passiva:

a) Nenhuma editora imprimirá esses manuscritos.

b) Quem a teria denunciado?

c) Todos te admiram, Luciana.

d) Quem os terá posto aqui?

e) Que tribunal nos julgará?

f) De ano a ano as nações livres vão consolidando o regime democrático.

g) Os alunos escreviam as frases no quadro.

27. Converta a voz passiva em ativa, substituindo, ao mesmo tempo, os destaques por pronomes oblíquos adequados:

a) Talvez **a caverna** tenha sido descoberta por algum pertinaz espeleólogo.

b) **A boiada** foi contida pelos vaqueiros a muito custo.

c) Tive medo de que **Teresa** fosse ouvida pelos pais.

d) **A bandeira da Ordem de Cristo** foi solenemente entregue a Cabral pelo rei Dom Manuel, em 9 de março de 1500.

SINTAXE

28. Responda no caderno: Qual a função da palavra **desfile** no período abaixo? **Complemento nominal**, **objeto direto** ou **objeto indireto**?

"Garoto participa do **desfile** esforçando-se em tirar som da tuba." (Jornal do Brasil)

29. Copie o período e dê a função sintática das palavras em destaque:

"Cabiam a **Simón Bolívar tarefas** não só de comandante militar, mas também de governante e organizador." (Moacir Werneck de Castro)

30. Depois de copiar os períodos, dê a função sintática dos termos destacados:

a) Os garotos procuravam seus **amigos** havia horas.

b) Os jovens sonhavam com uma **profissão** melhor.

c) Carla contou a **história** aos **pais**.

d) "Abri **cavernas** no mar/construí **segredos**/teci com teias de luz/as mais delicadas **roupagens**."
(Roseana Murray)

e) A luta contra os **poderosos** consumia todos os seus **momentos**.

31. Escreva as frases e dê a função sintática dos pronomes destacados:

a) O ator criticou-**o** pelas observações feitas.

b) Diga-**me** apenas a verdade.

c) **Eu** sempre **o** encontro perto da pracinha.

d) Obedeça-**me** sem reclamar!

e) Não **lhe** devolvi ainda o livro de inglês.

32. Escreva a oração na voz passiva, destacando o agente da passiva:

a) O orvalho umedecia as plantas.

b) A multidão aclamava o general rebelde.

c) Corrigi as provas com o maior cuidado.

33. Classifique, em seu caderno, os termos destacados em objetos indiretos ou complementos nominais:

a) Lembrem-se *de nós* ao visitarem os museus.

b) A luta *contra o câncer* tornara-o paciente e destemido.

c) Gosto muito *de pinturas* surrealistas.

d) Não tinham nenhum gosto *pela arte*.

e) Sempre tiveram necessidade *de afeto*, mas nunca o receberam.

34. Escreva as orações transformando os complementos nominais em objetos indiretos ou diretos, conforme o caso. Faça as necessárias adaptações.

a) Era famoso por seu respeito às convenções sociais.

b) Estava confiante na vitória.

c) Os moradores tinham necessidade de mais verde.

d) A condenação da violência, sem medidas eficazes, não basta.

e) O perdão das dívidas não foi sequer cogitado.

35. Transcreva os complementos verbais que utilizou nas frases do exercício anterior, informando se são objetos diretos ou indiretos.

TERMOS INTEGRANTES DA ORAÇÃO
Exercícios de exames e concursos

[Página 682]

TERMOS ACESSÓRIOS DA ORAÇÃO

Termos acessórios são os que desempenham na oração uma função secundária, qual seja a de caracterizar um ser, determinar os substantivos, exprimir alguma circunstância.

São três os termos acessórios da oração: *adjunto adnominal*, *adjunto adverbial* e *aposto*.

1 ADJUNTO ADNOMINAL

Adjunto adnominal é o termo que caracteriza ou determina os substantivos. Exemplo: **Meu** irmão veste roupas **vistosas**.

- *Meu* determina o substantivo *irmão*: é um *adjunto adnominal*.
- *Vistosas* caracteriza o substantivo *roupas*: é também *adjunto adnominal*.

O adjunto adnominal pode ser expresso:

- pelos **adjetivos**: água *fresca*, terras *férteis*, animal *feroz*;
- pelos **artigos**: *o* mundo, *as* ruas, *um* rapaz;
- pelos **pronomes adjetivos**: *nosso* tio, *este* lugar, *pouco* sal, *muitas* rãs, país *cuja* história conheço, *que* rua?;
- pelos **numerais**: *dois* pés, *quinto* ano, capítulo *sexto*;
- pelas **locuções** ou **expressões adjetivas** que exprimem qualidade, posse, origem, fim ou outra especificação:

  presente *de rei* (= régio): qualidade

  livro *do mestre*, as mãos *dele*: posse, pertença

  água *da fonte*, filho *de fazendeiros*: origem

  fio *de aço*, casa *de madeira*: matéria

  casa *de ensino*, aulas *de inglês*: fim, especialidade

  homem *sem escrúpulos* (= inescrupuloso): qualidade

  histórias *de arrepiar os cabelos* (= arrepiadoras): qualidade

  criança *com febre* (= febril): característica

  aviso *do diretor*: agente

SINTAXE

Observações:

✔ Não confundir o adjunto adnominal formado por locução adjetiva com complemento nominal. Este, como vimos, representa o alvo da ação expressa por um nome transitivo: a eleição *do presidente*, aviso *de perigo*, declaração *de guerra*, empréstimo *de dinheiro*, plantio de *árvores*, colheita *de trigo*, destruidor *de matas*, descoberta *de petróleo*, amor *ao próximo*, etc.

O adjunto adnominal formado por locução adjetiva representa o agente da ação ou a origem, pertença, qualidade de alguém ou de alguma coisa: o discurso *do presidente*, aviso *de amigo*, declaração *do ministro*, empréstimo *do banco*, a casa *do fazendeiro*, folhas *de árvores*, farinha *de trigo*, beleza *das matas*, cheiro de *petróleo*, amor *de mãe*.

✔ Pronomes oblíquos com sentido possessivo, alguns autores os consideram adjuntos adnominais, outros, objetos indiretos. Preferimos a última análise. Veja pág. 560, item final.

2 ADJUNTO ADVERBIAL

Adjunto adverbial é o termo que exprime uma circunstância (de tempo, lugar, modo, etc.) ou, em outras palavras, que modifica o sentido de um verbo, adjetivo ou advérbio. Exemplo: "Meninas *numa tarde* brincavam *de roda na praça*". (GERALDO FRANÇA DE LIMA)

O adjunto adverbial é expresso:

- pelos **advérbios**:

Cheguei *cedo*.
Ande *devagar*.
Maria é *mais* alta.
Não durma ao volante.

Moramos *aqui*.
Ele fala *bem*, fala *corretamente*.
Volte *bem* depressa.
Talvez esteja enganado.

- pelas **locuções** ou **expressões adverbiais**:

Às vezes viajava *de trem*.
Compreendo *sem esforço*.
Saí *com meu pai*.

Júlio reside *em Niterói*.
Errei *por distração*.
Escureceu *de repente*.

Observações:

✔ Pode ocorrer a elipse da preposição antes de adjuntos adverbiais de tempo e modo:
Aquela noite, não dormi.   [= Naquela noite...]
Domingo que vem não sairei.   [= No domingo...]
Ouvidos atentos, aproximei-me da porta.   [= De ouvidos atentos...]

✔ Os adjuntos adverbiais classificam-se de acordo com as circunstâncias que exprimem: adjunto adverbial de lugar, modo, tempo, intensidade, causa, companhia, meio, assunto, negação, etc. A NGB, porém, não dá nenhuma classificação dos adjuntos adverbiais.

✔ É importante saber distinguir adjunto adverbial de adjunto adnominal, de objeto indireto e de complemento nominal: sair *do mar* (adj. adv.), água *do mar* (adj. adn.), gostar *do mar* (obj. indir.), ter medo *do mar* (compl. nom.).

3 APOSTO

Aposto é uma palavra ou expressão que explica ou esclarece, desenvolve ou resume outro termo da oração. Exemplos:

D. Pedro II, **imperador do Brasil**, foi um monarca sábio.

"Nicanor, **ascensorista**, expôs-me seu caso de consciência." (Carlos Drummond de Andrade)

"No Brasil, *região do ouro e dos escravos*, encontramos a felicidade." (Camilo Castelo Branco)

"No fundo do mato virgem nasceu Macunaíma, **herói de nossa gente**." (Mário de Andrade)

Casas e pastos, árvores e plantações, **tudo** foi destruído pela enchente.

"O pastor, o guarda, o médico, **todos** olham e não dizem nada." (Ricardo Ramos)

Prezamos acima de tudo duas coisas: **a vida e a liberdade**.

"Cada casa arrumava, no terreiro em frente, a sua fogueira: **uma pirâmide de toros de madeira decepados pela manhã**." (Povina Cavalcânti)

"Ele, **Caúla**, não ficaria ancorado como uma canoa." (Adonias Filho)

"E isso exigiria estratagemas, **coisas** a que era avesso." (José Geraldo Vieira)

A) O núcleo do aposto é um substantivo ou um pronome substantivo. Exemplos de apostos expressos pelos pronomes:

Foram os dois, *ele e ela*.

Só não tenho um retrato: **o** de minha irmã.

O dia amanheceu chuvoso, **o** que me obrigou a ficar em casa.

B) O aposto não pode ser formado por adjetivos. Nas frases seguintes, por exemplo, não há aposto, mas predicativo do sujeito:

Audaciosos, os dois surfistas atiraram-se às ondas.

As borboletas, **leves** e **graciosas**, esvoaçavam num balé de cores.

C) Os apostos, em geral, destacam-se por pausas, indicadas, na escrita, por vírgulas, dois-pontos ou travessões. Não havendo pausa, não haverá vírgula, como nestes exemplos:

Minha irmã **Beatriz**; o escritor **João Ribeiro**; o romance **Toia**; o rio *Amazonas;* a Rua *Osvaldo Cruz;* o Colégio **Tiradentes**, etc.

"Onde estariam os descendentes de Amaro **vaqueiro**?" (Graciliano Ramos)

D) O aposto pode preceder o termo a que se refere, o qual, às vezes, está elíptico. Exemplos:

Rapaz impulsivo, Mário não se conteve.

Mensageira da ideia, a palavra é a mais bela expressão da alma humana.

"**Irmão do mar, do espaço,**

Amei as solidões sobre os rochedos ásperos." (Cabral do Nascimento)

O aposto em destaque, no último exemplo, refere-se ao sujeito oculto *eu*.

E) O aposto, às vezes, refere-se a toda uma oração. Exemplos:

Nuvens escuras borravam os espaços silenciosos, **sinal** de tempestade iminente.

SINTAXE

O espaço é incomensurável, **fato** que me deixa atônito.

Simão era muito espirituoso, **o** que me levava a preferir sua companhia.

F) Um aposto pode referir-se a outro aposto:

"Serafim Gonçalves casou-se com Lígia Tavares, **filha do velho coronel Tavares, senhor de engenho**." (LÊDO IVO)

G) O aposto pode vir precedido das expressões explicativas *isto é, a saber*, ou da preposição acidental *como*:

Dois países sul-americanos, **isto é**, **a Bolívia e o Paraguai**, não são banhados pelo mar.

Este escritor, **como romancista**, nunca foi superado.

H) O aposto que se refere a objeto indireto, complemento nominal ou adjunto adverbial vem precedido de preposição:

O rei perdoou aos dois: **ao fidalgo e ao criado**.

"Acho que adoeci disso, **de beleza, da intensidade das coisas**." (RAQUEL JARDIM)

De cobras, morcegos, bichos, **de tudo** ela tinha medo.

4 VOCATIVO

Vocativo [do latim *vocare* = chamar] é o termo (nome, título, apelido) usado para chamar ou interpelar a pessoa, o animal ou a coisa personificada a que nos dirigimos:

"**Elesbão**? Ó **Elesbão**! Venha ajudar-nos, por favor!" (MARIA DE LOURDES TEIXEIRA)

"A ordem, **meus amigos**, é a base do governo." (MACHADO DE ASSIS)

"Correi, correi, **ó lágrimas saudosas!**" (FAGUNDES VARELA)

"Ei-lo, o teu defensor, **ó Liberdade!**" (MENDES LEAL)

"Vocês por aqui, **meninos**?!" (AFONSO ARINOS)

"**Meu nobre perdigueiro**, vem comigo!" (CASTRO ALVES)

"Serenai, **verdes mares!**" (JOSÉ DE ALENCAR)

"Voltem para sua floresta, **seus antropófagos!**" (RUBEM BRAGA)

Observação:

✔ Profere-se o vocativo com entoação exclamativa. Na escrita é separado por vírgula(s).

No exemplo inicial, os pontos interrogativo e exclamativo indicam um chamado alto e prolongado.

O vocativo se refere sempre à 2ª pessoa do discurso, que pode ser uma pessoa, um animal, uma coisa real ou entidade abstrata personificada. Podemos antepor-lhe uma interjeição de apelo (*ó, olá, eh!*):

"Tem compaixão de nós, **ó Cristo!**" (ALEXANDRE HERCULANO)

"**Ó Dr. Nogueira**, mande-me cá o Padilha, amanhã!" (GRACILIANO RAMOS)

SINTAXE 367

"Esconde-te, **ó sol de maio, ó alegria do mundo**!" (C. Castelo Branco)

Eh! rapazes, são horas!

"**Olá compadre**, mais alto, mais alto!" (Augusto Meyer)

O vocativo é um termo à parte. Não pertence à estrutura da oração, por isso não se anexa ao sujeito nem ao predicado.

EXERCÍCIOS

LISTA 41

1. Transcreva as frases e sublinhe os adjuntos adnominais:

a) Em muitas cidades do Brasil, as velhas mansões estão deixando o lugar para grandes edifícios modernos.

b) Esta viga de metal será aproveitada para a construção de minha casa.

c) Pela primeira vez, em muitos anos, a campanha conseguiu atingir seus objetivos: foram queimados em praça pública cerca de novecentos balões.

2. Depois de copiar as frases em seu caderno, sublinhe os adjuntos adverbiais e classifique-os:

a) Ontem, pela manhã, foi visto, na rua, o palhaço Gog, montado num jumento, virado para o rabo do animal.

b) À tarde, Onofre voltou depressa à oficina, onde encontrou os empregados dormindo profundamente.

c) – Guilhermino, muito bem escrita sua redação sobre o cachorro, mas está exatamente igual à de seu irmão.

– É porque o cachorro é o mesmo, professora.

3. Transcreva somente a análise correta dos termos em destaque:

Índios não vimos, durante a travessia da **mata** no interior do **Pará**, mas dormíamos **armados**, com medo de algum **ataque**.

➢ sujeito – complemento nominal – adjunto adnominal – predicativo do sujeito – adjunto adnominal

➢ objeto direto – adjunto adnominal – complemento nominal – predicativo do objeto – adjunto adnominal

➢ objeto direto – complemento nominal – adjunto adnominal – predicativo do sujeito – complemento nominal

4. Localize os adjuntos adverbiais e escreva as frases colocando-os em outra ordem, quando for possível:

a) Aos sábados, o movimento cresce espantosamente, por causa da feira.

b) Na toalha da mesa, Vivaldino risca vincos paralelos, com a lâmina da faca.

c) Foi inaugurada, no Parque do Flamengo, em março de 1979, a marina da Glória.

5. Transcreva as frases; sublinhe os apostos:

a) "Já brilha na cabana de Araquém o fogo, companheiro da noite." (José de Alencar)

b) "Quando mais nada devêramos aos portugueses, nós estas duas coisas lhes deveríamos, a religião e a língua..." (Carlos de Laet)

c) Médico pobre, o Dr. Bento andava sempre a cavalo.

d) "A hoteleira colocou na minha mesa uma jarra de flores, privilégio, segundo me dissera, dos hóspedes recém-chegados." (Aníbal Machado)

e) "Os pequenos são dois, um menino e uma menina." (Artur Azevedo)

f) O irmão de Álvaro, o Jaime, esse viveu pouco tempo em nossa companhia, uns dois anos.

g) "Tibiriçá, o líder da tribo, vivia na aldeia de Piratininga." (Eduardo Bueno)

h) "Os meus cães, Rex e Rita, companheiros fiéis de todas as horas, como animais de puro-sangue, estão excluídos da competição." (Vivaldo Coaraci)

i) Ente racional e livre, o homem é capaz de distinguir o bem do mal, o justo do injusto.

j) "Os livros deviam passar diretamente para as estantes, o que pouparia tempo e trabalho." (Cecília Meireles)

6. Como o exercício precedente:

a) O recente clube do bairro dera ao jovem outra alegria: a piscina.

b) A anta, ou tapir, animal pacato, não ataca o homem.

c) "Onde estariam os descendentes de Amaro vaqueiro?" (Graciliano Ramos)

d) Possuímos, no Brasil, um barco magnífico, o saveiro.

e) "Tudo acabou: as casas, os jardins, as árvores." (Rubem Braga)

f) "De maio a agosto, os meses sem r, ninguém podia tomar banho no rio, dava febre". (José J. Veiga)

g) Só eles, os práticos, conhecem os segredos da baía e sabem orientar os comandantes dos navios.

h) "Era gordo, alto e claro – três coisas que o envaideciam." (Lêdo Ivo)

i) Pobres e ricos, párias e marajás, todos se banham nas águas sagradas do Ganges.

j) "Mas onde há essas pontes, o mono não ousa passar porque ali enxameiam esses estranhos monos sem cauda, os homens, bichos cruéis que matam outros bichos só pelo prazer de matar." (Rubem Braga)

7. Depois de copiar os períodos abaixo, sublinhe com um traço os apostos e com dois os vocativos:

a) "Olhe, D. Evarista, disse-lhe o padre Lopes, vigário do lugar, veja se seu marido dá um passeio ao Rio de Janeiro." (Machado de Assis)

b) "Ó grande mar – escola de naufrágios!

Chora um adeus em cada colo de onda!" (Geir Campos)

c) "Ei, você aí, ó sardento, esfrega aquele pedaço de tijolo nas lajes." (Josué Guimarães)

d) "É tão igual ao nosso o teu semblante, ó Natureza!" (Cabral do Nascimento)

e) "Olá, meu rapaz, isto não é vida!" (Machado de Assis)

f) "Entrou de lábios comprimidos, o que lhe afilava mais ainda o narizinho pontudo." (Antonio Calado)

g) "Vai, minha alma, branco veleiro,

vai sem destino, a bússola tonta..." (Maria Fernanda de Castro)

h) "O Redentor do homem, Jesus Cristo, é o centro do cosmo e da História." (João Paulo II)

8. Dê a função sintática das palavras destacadas:

A disposição de enfrentar **qualquer** sacrifício para garantir o **carnaval** foi levada ao extremo, **ontem**, pelas muitas **pessoas** que procuraram as agências da Caixa Econômica Federal a fim de penhorar **joias** e **outros** objetos de **valor, recurso** que **lhes** garantiu o dinheiro necessário à **compra** das **fantasias** ou ao ingresso nos **bailes**.

9. Siga o exemplo, trocando o adjunto adverbial pelo predicativo do sujeito:

Exemplo: As chamas propagaram-se **rapidamente**.

As chamas propagaram-se **rápidas**.

a) As gaivotas voavam **apressadamente** sobre as ondas.

b) Os dois homens avançaram **cautelosamente**.

c) A música difundiu-se **suavemente** e **deleitosamente** pela sala.

10. Dê a função sintática dos termos destacados:

a) O **imenso** mar **azul** deixava-o deslumbrado.

b) **Naquele instante**, o garoto começou a gritar.

c) O jeito, **companheiros**, é permanecermos unidos.

d) Ande **mais devagar**, Ana!

e) Clarice Lispector, **grande escritora moderna**, nasceu em 1925 na Ucrânia.

11. Escreva as frases substituindo os asteriscos por adjuntos adnominais:

a) * amigo sempre esteve presente nos momentos mais * de minha vida.

b) João trouxe * livros * para o trabalho.

c) * vizinho só quer mesmo sombra e água * .

d) * amigos moram em * e * cidades.

12. Identifique as circunstâncias expressas pelos adjuntos adverbiais em cada frase.

a) Só entrarão com autorização do diretor.

b) Chorei de emoção.

c) Conversávamos sobre pintura e música.

d) Saía com amigos todas as tardes.

e) Arrumou-se para a festa dos vizinhos.

13. Complete as frases utilizando adjuntos adverbiais que expressem as circunstâncias indicadas.

a) * fosse melhor você mesma conversar com Pedro. (dúvida)

b) Fez o desenho * . (conformidade)

c) Não escreva * . (modo)

d) Fez o trabalho todo * rapidamente. (intensidade)

e) * participava das reuniões que promovíamos. (tempo)

14. Nas frases seguintes, identifique o aposto e o vocativo:

a) Meu amigo, você viu Tião, o rei do acarajé?

b) O desastre deixou muitos feridos, coisa lastimável.

c) Professor, como se resolve este problema?

TERMOS ACESSÓRIOS DA ORAÇÃO
Exercícios de exames e concursos

[Página 683]

PERÍODO COMPOSTO

O período composto, como já dissemos, é constituído de duas ou mais orações.

1 FORMAÇÃO DO PERÍODO COMPOSTO

Para a formação do período composto, podemos usar dois processos sintáticos: a *coordenação* e/ou a *subordinação*.

- Na **coordenação**, as orações se sucedem igualitariamente, sem que umas dependam sintaticamente das outras. Exemplos:

  "Assinei as cartas / e meti-as nos envelopes." (GRACILIANO RAMOS)

  "Adaptou-se à aspereza da vida, / enfrentou a adversidade, / desafiou o destino." (VIVALDO COARACI)

- Na **subordinação**, pelo contrário, há orações que dependem sintaticamente de outras, isto é, que são termos (sujeito, objeto, complemento, etc.) de outras. O período seguinte, por exemplo, está estruturado por subordinação, porque a oração em destaque é objeto direto da precedente, ou seja, completa o sentido da outra oração:

  Sílvia esperou / **que o marido voltasse**. [= Sílvia esperou **a volta do marido**.]

- O **período composto por coordenação** é constituído de orações independentes. Estas ou vêm ligadas pelas conjunções coordenativas ou estão simplesmente justapostas, isto é, sem conectivo que as enlace. Exemplos:

  "O guerreiro cristão atravessou a cabana / **e** sumiu-se na treva." (JOSÉ DE ALENCAR)

  "Agachou-se, / apanhou uma pedra / **e** atirou-a." (FERNANDO SABINO)

  A música se aviva, / o ritmo torna-se irresistível, frenético, alucinante.

- O **período composto por subordinação** consta de uma ou mais de uma oração principal e de uma ou mais orações dependentes ou subordinadas. Exemplos:

  Malha-se o ferro / **enquanto** está quente.

  Malha-se o ferro: oração principal; *enquanto está quente*: oração subordinada.

  Peço-te / **que** procedas / **como** convém.

  Peço-te: oração principal; *que procedas*: oração subordinada; *como convém*: oração subordinada.

Combinando os dois processos, temos um **período composto por coordenação e subordinação**, simultaneamente, ou **período misto**, no qual encontramos orações coordenadas independentes, orações principais e orações subordinadas. Exemplo:

Examinei a árvore / **e** constatei / **que** nos seus galhos havia parasitas.

Examinei a árvore: oração coordenada; *e constatei*: oração coordenada e principal; *que nos seus galhos havia parasitas*: oração subordinada.

Dos exemplos citados vê-se que num período composto podem ocorrer três tipos de orações:

a) coordenadas

b) principais

c) subordinadas

EXERCÍCIOS

1. Utilizando o processo sintático da subordinação, reduza as frases de cada grupo a um só período, fazendo as necessárias adaptações:

a) Fui à cidade vizinha despedir-me de um irmão. Ele trabalhava num hotel.

b) Plínio recebeu a boa notícia e sentiu-se muito comovido. Chegou a chorar.

c) O grupo escolar ficava perto, mas eu ia sempre acompanhado de minha irmã Luciana. Ela me havia ensinado a ler.

d) Alberto me fez uma pergunta. Não prestei atenção. Eu estava pensando em outra coisa.

e) O proprietário voltaria mais tarde. Assim nos informou o porteiro do edifício.

f) Nem os próprios deuses podem contentar toda a gente. Muito menos nós, homens, o podemos fazer.

g) O filho andara tanto tempo afastado deles. Agora parecia-lhes um estranho.

2. Como o exercício precedente:

a) Jacinto não sabia como preencher o tempo. Aborrecia-se muito com isso.

b) Ele não era daquela terra: via-se isso pelo modo de vestir e de falar.

c) Conduziram-me à presença da diretora, numa sala severa. Das paredes desta sala pendiam quadros e um crucifixo.

d) Foi violenta a fúria da tromba-d'água. Até veículos eram arrastados para o abismo.

e) Éramos ainda crianças. Não podíamos sair sozinhos aos domingos. Isto nos deixava humilhados.

f) Entre a minha casa e a do vizinho há um muro. Vejo, às vezes, por cima dele, cabecinhas de crianças esperando o momento oportuno para furtarem mangas.

g) Esta dura sentença não me abalou. Até me envaideceu.

3. Os períodos abaixo estão mal construídos. Desdobre-os em outros mais curtos e corretos. Faça as alterações necessárias:

a) Era noite fechada e todas as luzes estavam acesas, enquanto na estação um apito estridente deu ordem de partida e a locomotiva resfolegou, silvou forte, e o trem começou a deslocar-se em marcha lenta.

SINTAXE

b) Um, dois dias de ansiosa espera, até que, afinal, certa hora em que o sol estava a pino, escureceu de súbito e relâmpagos cortaram o espaço e, dentro de minutos, as águas desabavam fartas, lavando a terra abrasada.

4. Transforme em períodos compostos:

a) "O tempo corrige tudo. Aumenta o saber. Clareia a mente da gente." (José Fonseca Fernandes)

b) "A campainha do telefone tocou várias vezes. Imperativa, insistente, irritante. Não me mexi." (Vilma Guimarães Rosa)

c) "Trabalhava no algodão, debaixo da poeira. Por isso vivia tossindo." (João Clímaco Bezerra)

d) Em Belém, pode-se visitar o Paraíso das Tartarugas. Ali centenas desses répteis são criados em viveiros.

5. Escreva cada período, numerando-o de acordo com o respectivo processo sintático:

(1) coordenação

(2) subordinação

(3) coordenação e subordinação

O matuto respondeu que onça só ataca homem nas fitas de cinema.

Eu tinha pressa e precisava de alguém que me ajudasse.

Acolheremos essas crianças ou as deixaremos na rua.

O cão que fica acorrentado salta de alegria, quando é posto em liberdade.

O jornal é torrente que desliza e passa, o livro é lago que recolhe e guarda.

Vão-se os anéis, mas fiquem os dedos.

6. Estruture os períodos abaixo pelo processo da subordinação. Ligue as orações em destaque com os conectivos indicados entre parênteses, fazendo as necessárias alterações:

a) **Era inocente** e condenaram-no. (**embora**)

b) **Entreterás as crianças com bons divertimentos** e elas serão dóceis. (**se**)

c) **Ele interveio arbitrariamente no caso** e todos ficaram revoltados. (**como**)

d) **As terras estavam ocupadas por terceiros**, mas nunca haviam sido alienadas por seus legítimos donos. (**conquanto**)

e) As fibras do linho eram trançadas umas nas outras: **assim se obtinham fios longos**. (**para que**)

f) Os caracteres estavam desbotados; **a carta era quase ilegível**. (**tão... que**)

PERÍODO COMPOSTO

Exercícios de exames e concursos

[Página 683]

ORAÇÕES COORDENADAS INDEPENDENTES

Esquema:

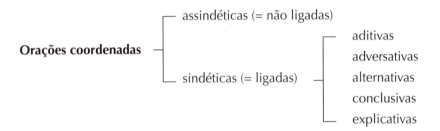

Oração coordenada é a que está ligada a outra de mesma natureza sintática.

No período composto por coordenação, as coordenadas são independentes (isto é, não funcionam como termos de outras) e se dizem:

a) **sindéticas**, quando se prendem às outras pelas conjunções coordenativas;
b) **assindéticas**, se estiverem apenas justapostas, sem conectivo, como as duas primeiras orações deste período:

"Inclinei-me, apanhei o embrulho e segui." (Machado de Assis)

Inclinei-me: oração coordenada assindética;

apanhei o embrulho: oração coordenada assindética;

e segui: oração coordenada sindética aditiva.

Outros exemplos de orações coordenadas assindéticas:

"A noite avança, há uma paz profunda na casa deserta." (Antônio Olavo Pereira)

"O ferro mata apenas; o ouro infama, avilta, desonra." (Coelho Neto)

"Avancei lentamente até o bueiro, sentei-me." (Graciliano Ramos)

"Jonas dá o sinal de partida, as lanchas se movimentam lentamente, os saveiros acompanham." (Jorge Amado)

1 ORAÇÕES COORDENADAS SINDÉTICAS

As *orações coordenadas sindéticas* recebem o nome das conjunções coordenativas que as iniciam. Podem ser, portanto:

- **aditivas** (expressam adição, sequência de fatos ou de pensamentos):

A doença vem a cavalo *e volta a pé*.

As pessoas não se mexiam *nem falavam*.

"Não só findaram as queixas contra o alienista, *mas até nenhum ressentimento ficou dos atos* que ele praticara." (MACHADO DE ASSIS)

Os livros não somente instruem, *mas também divertem*.

Ela não somente se orgulhava de seu marido *como também o amava muito*.

> **Observações:**
>
> ✔ Nos três últimos exemplos, as orações coordenadas aditivas aparecem correlacionadas e são enfáticas. A conexão de orações desse tipo se faz por meio do par correlato *não só... mas também*, que apresenta as variantes: *não somente... mas ainda, não somente... como também, não somente... senão também, não só... mas até*.
>
> ✔ Usa-se *e* antes de *nem* só em dois casos. Primeiro, se a ênfase o exigir: "Não queremos *e nem* podemos entrar no exame de tamanha complexidade." (JOÃO RIBEIRO). Segundo, nas expressões *e nem sequer, e nem por isso, e nem assim, e nem sempre*: Recebeu a esmola *e nem sequer* agradeceu. Viu seus projetos desprezados *e nem por isso* se abalou.

- **adversativas** (exprimem contraste, oposição, ressalva):

A espada vence, *mas não convence*.

"É dura a vida, *mas aceitam-na*." (CECÍLIA MEIRELES)

Tens razão, *contudo não te exaltes*.

Havia muito serviço, *entretanto ninguém trabalhava*.

O mar é generoso, *porém às vezes torna-se cruel*.

O instinto social não é privilégio do homem, *antes, se nos depara nos próprios animais*. [*antes* = pelo contrário]

"Já não era um tímido passageiro que embarcara em São Paulo *e sim um estoico aviador*." (JOSÉ FONSECA FERNANDES) [*e sim* = mas]

- **alternativas** (exprimem alternância, alternativa, exclusão):

Venha agora *ou perderá a vez*.

"Jacinta não vinha à sala, *ou retirava-se logo*." (MACHADO DE ASSIS)

"Em aviação, tudo precisa ser benfeito *ou custará preço muito caro*." (Renato Inácio da Silva)

"*A louca ora o acariciava, ora o rasgava freneticamente*." (Luís Jardim)

"*Ou Amaro estuda ou largo-o de mão!*" (Graciliano Ramos)

O misterioso disco *já escurecia, já brilhava intensamente*.

Observação:

✔ Nos três últimos exemplos, ambas as orações são coordenadas alternativas.

- **conclusivas** (expressam conclusão, dedução, consequência):

  Vives mentindo; *logo, não mereces fé*.

  Ele é teu pai: *respeita-lhe, pois, a vontade*.

  Raimundo é homem são, *portanto deve trabalhar*.

- **explicativas** (exprimem explicação, motivo, razão):

  Leve-lhe uma lembrança, *que ela aniversaria amanhã*.

  "A mim ninguém engana, *que não nasci ontem*." (Érico Veríssimo)

  "Qualquer que seja a tua infância, conquista-a, *que te abençoo*." (Fernando Sabino)

  O cavalo estava cansado, *pois arfava muito*.

  Não mintas, *porque é pior para ti*.

  Ninguém podia queixar-se, *porquanto eu estava cumprindo o meu dever*.

  Decerto alguém o agrediu, *pois* (ou *porque*) *o nariz dele sangra*.

Observação:

✔ As orações coordenadas *explicativas* não devem ser confundidas com as subordinadas adverbiais *causais*: estas exprimem a causa de um fato, aquelas dão o motivo, a explicação da declaração anterior. Exemplos:

João está triste *porque perdeu o emprego*. → oração adverbial causal

[A perda do emprego é a causa da tristeza de João.]

A criança devia estar doente, *porque chorava muito*. → oração explicativa

[O choro da criança não podia ser a causa de sua doença.]

Note-se também que há pausa (vírgula, na escrita) entre a oração explicativa e a precedente e que esta é, muitas vezes, imperativa, o que não acontece com a oração adverbial causal.

SINTAXE

2 ORAÇÕES COORDENADAS ASSINDÉTICAS

As *orações coordenadas assindéticas* são separadas por pausas, que na escrita se marcam por vírgula, ponto e vírgula ou dois-pontos. Exemplos:

"*O sol apareceu, cortou o nevoeiro.*" (JOSÉ FONSECA FERNANDES)

"*Matamos o tempo; o tempo nos enterra.*" (MACHADO DE ASSIS)

"*Não dançou; viu, conversou, riu um pouco e saiu.*" (MACHADO DE ASSIS)

"*Apertei-lhe a mão: estava gelada.*" (CARLOS DE LAET)

Observação importante:

✔ As orações coordenadas são autônomas quanto à estrutura sintática, mas inter-relacionadas, interdependentes, quanto ao sentido.

EXERCÍCIOS

LISTA 43

1. Transcreva apenas o período cujas orações são todas coordenadas assindéticas:

a) Teria o avião caído na selva ou estaria pousado em local desconhecido?

b) "A mata agita-se, revoluteia, contorce-se toda e sacode-se!" (MANUEL BANDEIRA)

c) "Elisa recomenda à pequena Araci atenção na casa, fecha a porta, dirige-se para o Correio". (JORGE AMADO)

2. Classifique as orações coordenadas sindéticas em destaque, numerando-as de 1 a 5, de acordo com a tabela abaixo:

(1) aditivas (4) conclusivas

(2) adversativas (5) explicativas

(3) alternativas

➢ Ou galopa **ou sai da estrada**. (Refrão gaúcho)

➢ "A civilização não se mede pelo aperfeiçoamento material, **mas sim pela elevação moral**." (EDUARDO PRADO)

➢ Os operários protestam, reclamam **e exigem explicações**.

➢ Decerto choveu nas cabeceiras do rio, **porque o caudal avolumou-se muito**, **hoje**.

➢ Os argumentos sobre os malefícios da poluição não os abalam **nem comovem**.

➢ O homem depende do solo e da flora; **deve, pois, preservá-los**.

➢ "O navio deve estar mesmo afundando, **pois os ratos já começaram a abandoná-lo**." (ÉRICO VERÍSSIMO)

➢ Seremos vencedores **ou iremos provar o amargor da derrota**?

➢ O rio ora se estreitava, **ora se alargava caprichosamente**.

➢ Mônica não era uma beldade, **contudo impunha-se pela sua simpatia**.

➢ Astrônomos já tentaram estabelecer contato com seres extraterrestres; **suas tentativas**, **porém**, **resultaram infrutíferas**.

SINTAXE 377

3. Escreva três vezes o período final do exercício anterior, trocando a conjunção **porém** por outras equivalentes.

4. Divida e classifique as orações coordenadas:

a) "Ele falava, contava tudo." (OLAVO BILAC)

b) Ou o governo gasta menos ou acabará dando com os burros n'água.

c) "As grandes árvores nem se mexem, pois não dão confiança a essa brisa, mas as plantinhas miúdas ficam felizes." (ANÍBAL MACHADO)

d) "O major Camilo não ata nem desata." (RICARDO RAMOS)

e) A punição foi justa, portanto não se queixe.

f) "Abram-me estas portas, que eu a trarei!" (CAMILO CASTELO BRANCO)

g) Não tinha experiência, mas boa vontade não lhe faltava.

h) "Um cachorro talvez rosnasse ou mordesse." (ADONIAS FILHO)

i) A árvore provavelmente estava meio podre, pois o vento a derrubou.

5. Divida e classifique as orações coordenadas destes períodos:

a) A mulher tentou passar, porém sua passagem foi barrada.

b) A ordem era absurda, entretanto ninguém protestou.

c) As folhas, no inverno, amarelecem e caem, ou ficam inativas.

d) Netuno é deus do mar, mas Baco tem afogado mais gente. (PROVÉRBIO GREGO)

e) Não te queixes, que há outros mais infelizes.

f) "O dia é belo, esplende ao sol a baía, os aviões rumorejam, passam mulheres perfumadas." (ANÍBAL MACHADO)

g) Os verdadeiros mestres não só ensinam, mas também educam.

h) O acusado não é criminoso; logo, será absolvido.

i) "Ora se esconde, ora ressurge, ora se inclina." (OLEGÁRIO MARIANO)

j) Ela é rica, poderia exibir roupas finas, no entanto veste-se com simplicidade.

k) "A atmosfera oleosa não arejava o peito, antes sufocava." (AUTRAN DOURADO)

l) O Sol não somente ilumina a Terra, mas ainda lhe dá calor e vida.

6. Relacione as orações em destaque a seus significados:

(1) acrescentamento   (4) conclusão
(2) contraste, oposição   (5) explicação, motivo
(3) alternância, alternativa

Deus é amor, **portanto Ele nos ama**.

A água evapora-se **e forma as nuvens**.

Ela devia estar triste, **pois não sorriu uma só vez**.

Ou ele se rende **ou será morto**.

A vida o arrocha, **mas Tomé não afrouxa**.

Não reclame de seus pais, **que ninguém no mundo é perfeito**.

Alguns ora aplaudiam, **ora vaiavam os oradores**.

ORAÇÕES COORDENADAS INDEPENDENTES
Exercícios de exames e concursos

[Página 683]

ORAÇÕES PRINCIPAIS E SUBORDINADAS

1 ORAÇÃO PRINCIPAL

Analisemos este período composto por subordinação:

Pedi que tivessem calma. [= Pedi calma.]

Pedi: oração principal

que tivessem calma: oração subordinada

A primeira oração é principal porque não depende, sintaticamente, da segunda, que a completa.

A segunda oração é subordinada porque completa o sentido da primeira, da qual depende, funcionando como objeto direto.

Vejamos, agora, este período composto por coordenação e subordinação:

Acordamos quando amanhecia e partimos alegres.

[= Acordamos de manhã cedo e partimos alegres.]

Acordamos: oração principal
quando amanhecia: oração subordinada adverbial temporal
e partimos alegres: oração coordenada sindética aditiva

Observe que a segunda oração depende da primeira, funcionando como um adjunto adverbial de tempo.

> **Oração principal** *é a que não exerce, no período, nenhuma função sintática e vem acompanhada de oração dependente, que lhe completa ou amplia o sentido.*

Oração principal somente pode ocorrer num período composto por subordinação ou num período misto.

Orações coordenadas são ao mesmo tempo *principais* sempre que houver outras que delas dependam. Exemplo:

Eu não disse nada, **mas achei** que tinham razão.

Eu não disse nada: oração coordenada assindética
mas achei: oração coordenada sindética adversativa e principal
que tinham razão: oração subordinada à segunda oração

A segunda oração é coordenada sindética adversativa e, ao mesmo tempo, principal em relação à seguinte.

Num período misto, pode haver mais de uma oração principal. Exemplos:

Eu sei que a vida é bela, **mas também não ignoro** que ela é áspera.

"**Estimo** que sejam felizes, **e espero** que não se esqueçam de mim." (MACHADO DE ASSIS)

As orações em destaque são principais em relação às imediatas.

2 ORAÇÃO SUBORDINADA

Oração subordinada é a que depende de outra: serve-lhe de termo e completa-lhe ou amplia-lhe o sentido.

Quando se apresenta desenvolvida vem, geralmente, ligada por um conectivo subordinativo. Exemplos:

Eu não esperava **que ele concordasse**.

Tínhamos certeza **de que seríamos mal recebidos**.

O tambor soa **porque é oco**.

A cobra é um animal **que se arrasta**. [= rastejante]

A oração subordinada exerce função sintática de um termo de outra oração, sendo, por isso, necessária à perfeita realização do enunciado. Nos exemplos dados, as orações em destaque são, respectivamente, objeto direto, complemento nominal, adjunto adverbial de causa e adjunto adnominal.

Uma oração subordinada pode depender de outra subordinada e não da principal, que inicia o período. Exemplo:

Quero que saibam **quanto o sucesso me custou**.

Quero: oração principal

que saibam: oração subordinada à principal

quanto o sucesso me custou: oração subordinada à segunda oração

3 CLASSIFICAÇÃO DAS ORAÇÕES SUBORDINADAS

As orações subordinadas classificam-se, de acordo com seu valor ou função, em *substantivas, adjetivas* e *adverbiais*.

- **substantivas** – exercem as funções próprias dos substantivos (sujeito, objeto direto, objeto indireto, predicativo, complemento nominal, aposto). Exemplos, com as orações substantivas em destaque:

Peço **que desistas**. → oração substantiva objetiva direta
[Peço **tua desistência**. → objeto direto]

É necessário **que você compareça**. → oração substantiva subjetiva
[É necessário *seu comparecimento*. → sujeito]

- **adjetivas** – exercem a função dos adjetivos (adjunto adnominal):

Pessoa **que mente** não merece fé.
[Pessoa *mentirosa* não merece fé.]

Confortai os homens **que sofrem**.
[Confortai os homens *sofredores*.]

"Era esta a verdade **que ninguém contestou**." (Camilo Castelo Branco)
[Era esta a verdade *incontestável*.]

- **adverbiais** – exercem a função dos advérbios (adjunto adverbial):

Chegamos **quando anoitecia**.
[Chegamos *pela noitinha*.]

Quando amanhece, sopram ventos frescos.
[*De manhã* sopram ventos frescos.]

As pernas tremiam-lhe **porque tinha medo**.
[As pernas tremiam-lhe *de medo*.]

Quanto à forma, as orações subordinadas podem apresentar-se *desenvolvidas* ou *reduzidas*. Exemplos:

Peço-lhes **que voltem aqui amanhã**. (desenvolvida)
Peço-lhes **voltarem aqui amanhã**. (reduzida)

Se fores por este caminho, chegarás antes. (desenvolvida)
Indo por este caminho, chegarás antes. (reduzida)

Quanto à conexão, as orações subordinadas desenvolvidas podem ser:

a) *sindéticas*, isto é, com conectivo, caso mais frequente. Exemplos:

Acredita-se **que** *o Sol tenha mais de cinco bilhões de anos*.

Os índios se revoltarão, **se** *lhes invadirmos as terras*.

b) *assindéticas* ou *justapostas*, isto é, sem conectivo, caso menos frequente. Exemplos:

Ignoro *quantas reses há nesta fazenda*.

Faziam o trabalho maquinalmente, *tão habituados estavam*.

4 ORAÇÕES SUBORDINADAS COORDENADAS

Duas ou mais orações subordinadas com a mesma função podem estar coordenadas entre si. Exemplos:

Teus pais desejam *que estudes* **e** *que te formes*.

Teus pais desejam
— que estudes → oração substantiva objetiva direta
e
— que te formes → oração substantiva objetiva direta

Se trabalhares **e** *(se) fores honesto,* serás feliz.

Quando ela chegar **e** *(quando) te vir aqui,* ficará contente.

Exigiu-me *que cultivasse as terras* **ou** *as vendesse.* [ou *que* as vendesse]

"O homem brinca com as forças da natureza *que ele não conhece* **nem** *domina.*" (VIVALDO COARACI) [*nem domina* = e *que* não domina]

Tenho a sensação *de que viajo para muito longe* **e** *não voltarei nunca mais.* [Isto é: e de que não voltarei nunca mais.]

"A ausência diminui as paixões medíocres e aumenta as grandes, *como o vento apaga as velas* **e** *atiça as fogueiras.*" (MACHADO DE ASSIS)

"Continuou resmungando lá dentro, *enquanto arrastava malas, abria* **e** *fechava gavetas com estrondo.*" (A. OLAVO PEREIRA)

"Era estranho *que a mana se conservasse calada, não desse uma palavra, não fizesse um comentário.*" (LUÍS JARDIM)

"Arriscou algumas passadas, convencido *de que o observavam* **e** *censuravam.*" (GRACILIANO RAMOS) [**e** *de que o* censuravam]

"Por mais que eu admire o mestre do 'Grande Sertão', **e** *bastantemente o inveje*, não creio que o ande imitando." (RAQUEL DE QUEIRÓS)

Observação:

✔ Só se coordenam orações subordinadas de mesma espécie e função. Observe que o conectivo subordinativo, as mais das vezes, está elíptico.

EXERCÍCIOS

LISTA 44

1. Divida as orações colocando-as entre colchetes e ponha **P** sobre as principais e **S** sobre as subordinadas:
   a) O meteorologista avisou que o ano seria chuvoso.
   b) Chegaram as grandes máquinas que iam aplainar o terreno.
   c) Enquanto o patrão viveu, a empresa prosperou.

2. Transcreva os períodos compostos e sublinhe as orações principais:
   a) "Respondi-lhe que não era poeta." (MACHADO DE ASSIS)
   b) Se o Nilo secar amanhã de manhã, o Egito morrerá amanhã à noite. (Adágio)
   c) "Conto com vossemecê, e creia que tem em mim um amigo." (CAMILO CASTELO BRANCO)
   d) "Os olhos, que eram travessos, fizeram-se murchos." (MACHADO DE ASSIS)
   e) Assegurou-me que viajaria, mas não me disse quando ia voltar.

3. Continue o exercício, colocando entre colchetes as orações subordinadas coordenadas entre si, atendendo aos conectivos ocultos:
   a) Pediu-me [que esquecesse tudo] [e lhe perdoasse].
   b) "Há umas plantas que nascem e crescem depressa, outras são tardias e pecas." (MACHADO DE ASSIS) [*peco (pê)* = atacado de doença]
   c) "Peça-lhe que viva, que se case e que me esqueça." (CAMILO CASTELO BRANCO)
   d) Quando se trabalha e se tem esperança, a felicidade mora em nós.

SINTAXE

e) "Chovesse ou fizesse sol, o Major não faltava." (Povina Cavalcânti)

f) "Não haverá ninguém no cais, porque é tarde e faz frio lá fora." (Vilma Guimarães Rosa)

4. Copie os períodos, numerando-os de acordo com o tipo de oração subordinada:

(1) subordinada substantiva

(2) subordinada adjetiva

(3) subordinada adverbial

Reconheço **que agi mal**.

Quando me retirei, já era noite fechada.

É conveniente **que fiques aqui**.

Quero isto **porque é justo**.

Há plantas **que são venenosas**.

Pedra **que rola** não cria limo.

5. Substitua as orações subordinadas adjetivas por adjetivos e as substantivas por substantivos equivalentes, fazendo as necessárias alterações:

Exemplo: Necessito **de que me ajudes**.

Necessito **de tua ajuda**.

a) O senhor necessita **de que o ajudemos**?

b) O homem **que estuda** penetra o mistério das coisas.

c) Pratiquemos ações **que enobreçam**.

d) É indispensável **que estejam presentes e que participem nos debates**.

e) Meu pai não se opõe **a que eu viaje à Europa**.

f) Alimentas um ideal **que não se pode atingir, que é uma utopia**.

6. Substitua os termos em destaque por orações subordinadas equivalentes iniciadas por conectivos subordinativos, fazendo as adaptações necessárias:

a) Evitemos palavras **ofensivas**.

b) O professor pediu **a colaboração dos alunos**.

c) Ninguém impede **vossa permanência** aqui.

d) **Ao escurecer**, as aves buscam os ninhos.

e) **À nossa chegada**, a multidão se alvoroçou.

f) O comandante exortava os soldados **à luta** contra os invasores.

g) Em princípio, sou favorável **ao teu pedido tão insistente**.

h) **Com a minha aproximação**, eles se calaram.

i) Será necessário **nosso comparecimento** à reunião.

j) É imprescindível **a colaboração de todos** nesta campanha.

k) O médico advertiu-a **da gravidade da doença**.

l) Cerca-o uma corte **aduladora e exploradora**.

m) Admitia-se **a existência de seres vivos** na Lua.

ORAÇÕES PRINCIPAIS E SUBORDINADAS
Exercícios de exames e concursos

[Página 683]

ORAÇÕES SUBORDINADAS SUBSTANTIVAS

As *orações subordinadas substantivas* são designadas de acordo com a sua função no período.

1 CLASSIFICAÇÃO DAS ORAÇÕES SUBORDINADAS SUBSTANTIVAS

Compreendem sete espécies:

- **subjetivas** – funcionam como sujeito do verbo da oração principal:
  É necessário **que você colabore**. [= *Sua colaboração* é necessária.]
  Parece **que a situação melhorou**.
  Aconteceu **que não o encontrei em casa**.
  Importa **que saibas isso bem**.
  Às vezes sucedia **que um de nós se machucava**.
  Não consta **que ele fosse antirreligioso**.
  Convém **que sigas uma profissão**.
  É bom **que você venha**.
  Não é segredo **que os dois não se entendem**.
  Ficou provado **que os documentos eram falsos**.
  Foi decidido **que não haveria convites**.
  Não se sabia **se ela vinha**.
  Sabe-se **que ele é rico**.
  Constatou-se **que os remédios eram falsos**.
  Acreditava-se **que a Terra fosse imóvel**.
  "Receava-se **tivesse havido algum desastre**." (ANÍBAL MACHADO)
  Dir-se-ia **que ele estava cego**.
  Julgar-nos-á **quem nos criou**.
  Quem avisa amigo é.
  Ignora-se **como** (ou **quando** ou **onde**) **se deu o acidente**.
  "Logo correu **que havia chegado à terra um literato**." (GRACILIANO RAMOS)
  "Nunca se sabe **quem está conosco ou contra nós**." (ÉRICO VERÍSSIMO)

Observação:

✔ As subordinadas subjetivas, como se vê nos exemplos acima, desempenham a função de sujeito de verbos usados na 3ª pessoa do singular e são iniciadas, quando se apresentam desenvolvidas, pelas conjunções integrantes *que* (às vezes elíptica) e *se*, pelos pronomes indefinidos *quem, qual, quanto, que*, e pelos advérbios *como, quando, onde, porque, quão*, nas interrogações indiretas.

- **objetivas diretas** – funcionam como objeto direto do verbo da oração principal:

O mestre exigia **que todos estivessem presentes**. [= O mestre exigia *a presença de todos*.]

Mariana esperou **que o marido voltasse**.

Ninguém pode dizer: **desta água não beberei**.

O fiscal verificou **se tudo estava em ordem**.

Perguntaram **quem era o dono da fábrica**.

Indaguei **de quem eram aqueles quadros**.

Veja **que horas são**.

Não posso dizer **qual delas é a mais feia**.

Ignoro **quantos são os desabrigados**.

O freguês perguntou **quanto custava aquele relógio**.

Ignoramos **como se salvaram**.

Perguntei-lhe **quando ia casar**.

Não sabemos **onde anda o proprietário do imóvel**.

Eu sei **por que ele não veio**.

Bem sabes **quão desagradáveis são essas coisas**.

Peço a Vossa Excelência **me escute um pouco mais**. [= *que* me escute]

Adriana me perguntou **de quem era o retrato**.

"Ignoro **a que pessoas se referia o Dr. Magalhães**." (Graciliano Ramos)

"No meu quarto, caí vencido sobre a cama, abafando soluços que não desejava **fossem ouvidos na sala ao lado**." (Gastão Cruls) [= *que* fossem ouvidos]

"Jamais pensei **fosse tão bom assim**." (Marina Colasanti)

As orações substantivas objetivas diretas desenvolvidas são iniciadas:

a) pelas conjunções integrantes *que* (às vezes elíptica) e *se*;

b) pelos pronomes indefinidos *que, quem, qual, quanto* (às vezes regidos de preposição), nas interrogações indiretas;

c) pelos advérbios *como, quando, onde, por que, quão* (às vezes regidos de preposição), nas interrogações indiretas.

- **objetivas indiretas** – funcionam como objeto indireto:

Não me oponho **a que você viaje**. [= Não me oponho *à sua viagem*.]

Aconselha-o **a que trabalhe mais**.

Daremos o prêmio **a quem o merecer**.

Lembre-se **de que a vida é breve**.

O santo exortava o povo **a que se mantivesse fiel a Deus**.

O soldado insistia **em que a prisão fosse feita**.

"O coronel Ferreira avisava-o **de que se acautelasse**." (Camilo Castelo Branco)

"Alguém me convencera **de que eu devia jejuar**." (Graciliano Ramos)

"Abriu-se o templo **a quem quer que cresse em Deus**." (Jônatas Serrano)

Observações:

✔ As orações objetivas indiretas são regidas de preposição.

✔ É frequente a elipse (omissão) da preposição:

"Não me lembrei *que estava diante de um cavalheiro*..." (Camilo Castelo Branco), isto é: Não me lembrei *de* que estava diante de um cavalheiro.

"Esqueceu-se *que tenho cinquenta anos?*" (Camilo Castelo Branco), ou seja: Esqueceu-se *de* que tenho cinquenta anos?

"Ambos concordaram *que essas ideias não tinham senso comum*". (Machado de Assis) [=concordaram *em* que...]

- **predicativas** – exercem a função de predicativo do sujeito:

  Seu receio era **que chovesse**. [Seu receio era *a chuva*.]

  Minha esperança era **que ele desistisse**.

  Meu maior desejo agora é **que me deixem em paz**.

  Não sou **quem você pensa**.

  Arnaldo foi **quem trabalhou menos**.

  Para alguns a pátria é **onde se está bem**.

  "O certo é **que a pacata fisionomia da cidadezinha ganhou animação**."
  (Povina Cavalcânti)

Em certos casos, são realçadas com a preposição expletiva *de*:

  A expectativa é **de que a safra agrícola aumente**.

  "A impressão é **de que uma e outra seriam a mesma coisa**."
  (Carlos Castelo Branco, *Jornal do Brasil*, 10/9/1991)

- **completivas nominais** – têm a função de complemento nominal de um substantivo ou adjetivo da oração principal:

  Sou favorável **a que o prendam**. [= Sou favorável à *prisão dele*.]

  Estava ansioso **por que voltasses**.

  Sê grato **a quem te ensina**.

  "Fabiano tinha a certeza **de que não se acabaria tão cedo**." (Graciliano Ramos)

  "Deixei-me estar em casa, desde a tarde, na esperança **de que me chamasse**."
  (Antônio Olavo Pereira)

  "Estava convencido **de que um dia lhe dariam razão**." (Herberto Sales)

  "Mariana teve a sensação **de que alguém a observava**." (Ana Miranda)

  "O romano estava intimamente convencido **de que era superior a todos os outros povos**."
  (Jônatas Serrano)

  "É inútil uma coleção de armas **para quem já não caça mais**." (Maria de Lourdes Teixeira)

  "Há necessidade **de quem é luz do mundo e sal da terra**." (Dom Eugênio Sales)

SINTAXE

> **Observação:**
>
> ✔ As completivas nominais são regidas de preposição, a qual em certos casos pode ser omitida, como neste exemplo: "Zé Grande tinha a impressão *que estava voltando a ser criança*." (HAROLDO BRUNO).

- **apositivas** – servem de aposto:

  Só desejo uma coisa: **que vivam felizes**. [Só desejo uma coisa: *a sua felicidade*.]

  Só lhe peço isto: **honre o nosso nome**.

  "Talvez o que eu houvesse sentido fosse o presságio disto: **de que virias a morrer**...*"* (OSMAN LINS)

  "Mas diga-me uma cousa, **essa proposta traz algum motivo oculto**?" (MACHADO DE ASSIS)

  "A notícia veio de supetão: **iam meter-me na escola**.*"* (GRACILIANO RAMOS)

  "E confesso uma verdade: **eu era um homem puro**.*"* (POVINA CAVALCÂNTI)

- orações com função de **agente da passiva**:

  O quadro foi comprado **por quem o fez**. [= *pelo seu autor*]

  A obra foi apreciada **por quantos a viram**.

> **Observação:**
>
> ✔ A NGB não faz referência a esse tipo de oração substantiva.

Orações subordinadas substantivas podem estar coordenadas. Exemplos:

"Parece **que a paisagem tem vida e se ajoelha** a rezar." (OLEGÁRIO MARIANO) [*e se ajoelha* = e *que* se ajoelha]

"Contei-lhe **que Timóteo vendera o forde e se mudara**." (ANTÔNIO OLAVO PEREIRA) [*e se mudara* = e *que* se mudara]

"Tínhamos a impressão **de que a fala ranzinza nos acariciava e repreendia**." (GRACILIANO RAMOS) [*e repreendia* = e *de que* repreendia]

"Só aí me inteirei **de que ela havia sofrido e era boa**.*"* (GRACILIANO RAMOS) [*e era boa* = e *de que* era boa]

EXERCÍCIOS

LISTA 45

1. Siga os exemplos, transformando os termos em destaque em orações substantivas, sem alterar o sentido básico das frases. Observe que as orações substantivas têm as mesmas funções dos substantivos:

É possível **a ida do homem a Vênus**.

É possível **que o homem vá a Vênus**.

a) Parecia impossível **o voo de máquinas tão pesadas**.

b) Interessa a todos **a baixa dos preços**.

Pedimos **seu comparecimento em nosso escritório**.

Pedimos **que compareça em nosso escritório**.

c) O porteiro impediu **a entrada dos retardatários**.

d) Constatei **a existência, em mim, de forças antagônicas**.

Alfredo precisava **da ajuda de sua irmã**.

Alfredo precisava **de que sua irmã o ajudasse**.

e) Os pais não se opunham **ao casamento da filha com o pugilista**.

f) O funcionário se queixa **da perseguição do chefe**.

Tínhamos medo **do ataque de animais ferozes**.

Tínhamos medo **de que animais ferozes nos atacassem**.

g) À noite, tive conhecimento **da chegada de meus primos**.

h) Eu estava convicto **da inocência do acusado**.

2. Transcreva apenas os períodos em que há oração substantiva subjetiva:

   Aqui está o anel que achei.   Ficarei triste, se você não vier.

   Aconteceu que faltou luz.   Sabe-se que o ouro é dúctil.

3. Copie somente o período em que a oração substantiva funciona como sujeito da oração principal:

   ➤ Parece que ele é surdo.

   ➤ Desejo que venham todos.

4. Ponha entre colchetes as orações substantivas e classifique-as:

   (**S**) subjetivas   (**OD**) objetivas diretas

   a) Sabemos que o calor dilata os corpos.

   b) Acreditava-se que o homem chegaria à Lua.

   c) Convém que obedeças aos ditames da razão.

   d) Ignoramos quando ocorreu o acidente.

   e) É provável que os egípcios tenham inventado a fabricação do vidro.

   f) É fato inconteste que a civilização grega influenciou a romana.

   g) "Ninguém lhe perguntou donde vinha." (Vivaldo Coaraci)

   h) Foi decidido que não haveria discursos durante o banquete.

   i) Seja dito, a bem da verdade, que Rafael não mentia.

   j) Admitamos que o mundo acabe amanhã.

   k) "Creio que a grande paixão de Childe foi o Egito." (Manuel Bandeira)

5. Transcreva os períodos antepondo **OI** quando houver oração substantiva objetiva indireta, e **CN** se ocorrer oração completiva nominal:

   ➤ "Tenho a certeza de que Sérvulo irá ajudá-la muito." (Vilma Guimarães Rosa)

   ➤ "Joana agarrava-se loucamente à esperança de que Dedé haveria de voltar." (Bernardo Élis)

> Eles agora se convenceram de que o estudo é indispensável.

> Margarida lembrou-se de que o relógio estava atrasado.

> Eles agora estão convencidos de que o estudo é indispensável.

6. Copie as frases e numere os períodos, de **1** a **7**, de acordo com as orações subordinadas substantivas que neles ocorrem, obedecendo à seguinte classificação:

(1) orações subjetivas

(2) orações objetivas diretas

(3) orações objetivas indiretas

(4) orações predicativas

(5) orações completivas nominais

(6) orações apositivas

(7) orações com função de agente da passiva

a) Perguntei se ele estava satisfeito ali.

b) É justo que amparemos nossos pais.

c) A minha opinião é que você não deve ir.

d) "Nada obsta a que o joguem [o futebol] com elegantes pernadas as damas e senhoritas." (CARLOS DE LAET)

e) Havia suspeitas de que ele fosse o criminoso.

f) "Lá se vê quão salutar é a vara da lei." (CAMILO CASTELO BRANCO)

g) Não se esqueça de que você também é falível.

h) Seremos julgados por quem nos criou.

i) "Só ponho uma condição: vai almoçar comigo." (CARLOS DE LAET)

j) Estamos ansiosos por que terminem as aulas.

k) Na traseira do fordeco, lia-se o aviso: "Mantenha distância".

l) Na loteria da vida, o acertador é quem não aposta.

m) Tive o pressentimento de que os dois carros iriam chocar-se.

7. Transcreva apenas o período em que ocorre oração substantiva apositiva:

> No portão da casa havia o aviso: "Nosso cão não é seu amigo".

> No portão da casa estava escrito: "Nosso cão não é seu amigo".

> No portão da casa a placa avisava: "Nosso cão não é seu amigo".

8. Complete os períodos, substituindo os asteriscos por **orações substantivas** adequadas e classifique-as:

a) É necessário **********.

b) Perguntamos **********.

c) Comentava-se **********.

d) Informo V. Sª **********.

e) Bastaria **********.

f) A verdade é **********.

g) Ela estava ansiosa **********.

h) Na traseira do ônibus estava a advertência: **********.

9. Copie o período abaixo e em seguida aponte a análise correta das três orações em destaque:

[**Dizem**] [**que em boca fechada não entram moscas;**] [por isso, é bom] [**que não demos com a língua nos dentes.**]

➤ oração principal – substantiva objetiva direta – substantiva subjetiva

➤ oração principal – substantiva subjetiva – substantiva predicativa

10. Divida e classifique as orações deste período:

"O pescador subaquático está agora estendido na relva: ninguém sabe se ele dorme ou perdeu os sentidos." (ÉRICO VERÍSSIMO)

11. Sublinhe e classifique as orações subordinadas substantivas, observando que em quatro períodos há orações subordinadas coordenadas:

a) "Os brancos tinham como dogma que de outra maneira não se levavam pretos."
(MONTEIRO LOBATO)

b) Cada vez mais me convenço de que a guerra é uma estupidez.

c) "Parecia-nos que um santuário estava sendo profanado." (VIVALDO COARACI)

d) O rei o persuadiu a que aceitasse o cargo.

e) "O público insistiu em que não se retirava." (RAMALHO ORTIGÃO)

f) "Ninguém pergunta ao retirante donde vem nem para onde vai." (JOSÉ AMÉRICO)

g) "E nunca se sabia como, quando e com que armas ia atacar." (ÉRICO VERÍSSIMO)

h) "A notícia corria de boca em boca: íamos ter um circo na cidade." (POVINA CAVALCÂNTI)

i) "Não importa que só tenha quinze anos e se ache feia." (VILMA GUIMARÃES ROSA)

j) Rômulo não se opôs a que o filho vendesse a casa e fosse morar no Rio.

ORAÇÕES SUBORDINADAS SUBSTANTIVAS
Exercícios de exames e concursos

[Página 683]

ORAÇÕES SUBORDINADAS ADJETIVAS

Comparemos as duas frases:

O professor gosta dos alunos **estudiosos**.

O professor gosta dos alunos **que estudam**.

estudiosos: adjunto adnominal de *alunos*

que estudam: oração subordinada adjetiva

A oração **que estudam** é chamada *adjetiva* porque tem o mesmo valor do adjetivo *estudiosos*, funciona como adjunto adnominal do substantivo *alunos*.

> **As orações subordinadas adjetivas** *são as que exercem, como os adjetivos, a função de* **adjunto adnominal.**

São introduzidas, as mais das vezes, pelos pronomes relativos e referem-se a um termo antecedente, que pode ser um substantivo ou pronome. Outros exemplos, com os antecedentes sublinhados:

Há coisas **que nos comovem**.

O professor **a quem fui apresentado** era muito simpático.

Há palavras **cuja origem é obscura**.

Este é o motivo **pelo qual desisti do torneio**.

Os jogadores dirigiram-se ao estádio, **onde a multidão os esperava**.

É teu tudo **quanto aqui existe**.

Ele falava cantando, o **que muito nos divertia**. [*o* = coisa, fato]

Ele, **que trabalhou**, não ganhou nada.

Para uns, **que viajam**, as estrelas são guias.

Ó flor, **que me sorris**, que fim terás? [antecedente: *tu*]

"A poeira **que levantou** o fez espirrar." (NÉLIDA PIÑON)

Observe que a oração subordinada adjetiva, como nos quatro últimos exemplos, pode estar intercalada na oração principal:

Ele não ganhou nada: oração principal

que trabalhou: oração subordinada adjetiva

> **Observação:**
>
> ✔ Convém recordar os pronomes relativos.

Não faltam exemplos de orações adjetivas iniciadas pelo pronome indefinido *quem*, sem antecedente:

Os benefícios persistem na memória **de quem os faz**.

Encarecemos as qualidades **de quem amamos**.

"Tinha a expressão obstinada **de quem tenta** desembaçar um espelho." (Lígia Fagundes Telles)

> **Observação:**
>
> ✔ Neste, como em outros casos, desaconselhamos o processo artificial dos desdobramentos [Encarecemos as qualidades *daqueles que* amamos], processo esse que se divorcia do moderno conceito de análise sintática. Deve-se analisar a frase como se apresenta no texto.

Registrem-se também as orações adjetivas introduzidas pelo advérbio relativo *como* (= por que, pelo qual, pela qual). Exemplos:

Admiro o modo **como ele trabalha**.

"Não reproduzo suas palavras da maneira **como as enunciou**." (Monteiro Lobato)

1 CLASSIFICAÇÃO DAS ORAÇÕES SUBORDINADAS ADJETIVAS

Há dois tipos de orações subordinadas adjetivas: *explicativas* e *restritivas*.

- **explicativas** – explicam ou esclarecem, à maneira de aposto, o termo antecedente, atribuindo-lhe uma qualidade que lhe é inerente ou acrescentando-lhe uma informação. Exemplos:

Deus, **que é nosso pai**, nos salvará.

Valério, **que nasceu rico**, acabou na miséria.

Ele tem amor às plantas, **que cultiva com carinho**.

Alguém, **que passe por ali à noite**, poderá ser assaltado.

"Olhou a caatinga amarela, **que o poente avermelhava**." (Graciliano Ramos)

"Mariana sentou-se no catre, **ao lado do qual estava o baú de roupas**." (Ana Miranda)

As explicativas são isoladas por pausas, que na escrita se indicam por vírgulas.

- **restritivas** – restringem ou limitam a significação do termo antecedente, sendo indispensáveis ao sentido da frase. Exemplos:

Pedra **que rola** não cria limo.

Os animais **que se alimentam de carne** chamam-se carnívoros.

Rubem Braga é um dos cronistas **que mais belas páginas escreveram**.

SINTAXE

> "Há saudades **que a gente nunca esquece**." (Olegário Mariano)
> "Escolheu a rua **que o levaria ao bairro dos clubes**." (Fernando Namora)
> "As pessoas **a que a gente se dirige** sorriem." (Graciliano Ramos)
> "A vida me ensinou a conhecer os homens **com os quais eu lido**." (Josué Guimarães)
> "Existem coisas **cujo alcance nos escapa**; nem por isso deixam de existir."
> (Inácio de Loyola Brandão)

A oração adjetiva do primeiro exemplo restringe, limita, reduz a categoria das pedras: não são todas as pedras que não criam limo, mas só as que rolam.

Observação:

✔ Não se faz pausa entre a oração principal e a adjetiva restritiva; por isso, não tem cabimento a vírgula. Há, no entanto, autores que, mesmo neste caso, usam vírgula.

• As orações adjetivas vêm precedidas de preposição (ou locução prepositiva), sempre que esta for reclamada pelo verbo que as constitui. Exemplos:

Este é um título **a que toda moça bonita aspira**. [aspirar *a* algo]

A velhinha era uma dessas pessoas **às quais não se pode mentir**.

Trouxe-lhe as frutas **de que você gosta**. [gostar *de* algo]

Algumas colegas **com quem estudo** são alunas brilhantes.

Havia ali pessoas **por quem eu não queria ser visto**.

Este é um ideal **por que sempre lutei**. [lutar *por* algo]

"A casa **em que Antônia morava** foi posta abaixo." (Manuel Bandeira) [morar *em* um lugar]

Não desespere, recorra a Deus, **em cujas mãos está a nossa vida**.

De repente, achei-me num mundo desconhecido, desconcertante, **com o qual eu nunca mantivera qualquer contato**. [manter contato *com* algo]

Os doentes foram instalados num galpão, **perto do qual acendemos grandes fogueiras**.

"A doença de Margarida durou dois dias, **no fim dos quais levantou-se a viúva um pouco abatida**." (Machado de Assis)

• Orações adjetivas podem estar coordenadas. Exemplos:

"Cerca-o uma corte **que o adula e explora**." (Ramalho Ortigão)

[e explora = e *que* o explora]

"Não assim o panorama do mar, **que é vário e a cada instante se recria**." (Ciro dos Anjos)
[Isto é: e *que* a cada instante se recria.]

EXERCÍCIOS

LISTA 46

1. Ponha as orações adjetivas entre colchetes e destaque os antecedentes, como no exemplo:

a) Mal podia encobrir a **tristeza** [que o minava.]

b) Nem tudo que reluz é ouro.

c) "São amiguinhas a quem quero bem." (Vivaldo Coaraci)

SINTAXE 393

d) Amo a vida por tudo quanto ela me dá.

e) "O presente é a bigorna onde se forja o futuro." (VICTOR HUGO)

f) "A dor que se dissimula dói mais." (MACHADO DE ASSIS)

g) Há certas aranhas cujas teias parecem fios de prata.

h) "Não houve labor a que se eximisse." (CARLOS DE LAET)

i) "A maneira como a receberam era um aviso." (ANÍBAL MACHADO)

j) "Neste caminho encontra-se o tesouro pelo qual tantas almas estremecem." (CRUZ E SOUSA)

2. Siga o exemplo, observando que a oração adjetiva tem a função de um adjunto adnominal:

Assisti a cenas **que me comoveram**.

Assisti a cenas **comoventes**.

a) Ela tem um olhar **que me fascina**.

b) Mauro tem atitudes **que irritam**.

c) Existem gases **que causam a morte**.

d) Há insetos **que transmitem doenças**.

3. Transcreva os períodos numerando-os de forma a distinguir **que**, pronome relativo, de **que**, conjunção subordinativa integrante:

(1) pronome relativo: oração adjetiva

(2) conjunção integrante: oração substantiva

➢ Este é um mal que tem cura.

➢ Não sabem o que querem.

➢ Confesso que errei.

➢ Não é justo que o magoes.

4. Ponha as orações adjetivas entre colchetes e escreva **E** para as explicativas e **R** para as restritivas:

a) "A mãe, que era surda, estava na sala com ela." (MACHADO DE ASSIS)

b) "Ela reparou nas roupas curiosas que as crianças usavam." (VILMA GUIMARÃES ROSA)

c) "Ele próprio desculpou a irritação com que lhe falei." (MACHADO DE ASSIS)

d) Ele pôs-se a contar velhos casos, em que não achei graça.

e) "Tem nas faces o branco das areias que bordam o mar." (JOSÉ DE ALENCAR)

f) "Esse professor de quem falo era um homem magro e triste." (JOSÉ J. VEIGA)

g) "O instinto moral é a razão em botão, a qual se desenvolve com o tempo, experiência e reflexão." (MARQUÊS DE MARICÁ)

h) "O velho pajé, para quem são estas dádivas, as recebe com desdém." (JOSÉ DE ALENCAR)

i) "Onde está a vela do saveiro que o mar engoliu?" (JORGE AMADO)

j) "Por que estará de implicância comigo, que nunca lhe pisei nos calos?" (CARLOS DRUMMOND DE ANDRADE)

k) Passamos por muitos trechos onde nem estrada havia.

l) "A máquina mais complicada que ele conhecia era o monjolo." (ÉRICO VERÍSSIMO)

m) O homem pôs-se a olhar as laranjeiras, cujos galhos sem folhas pareciam arranhar o céu cinzento.

n) Estavam ainda ali no chão as cascas dos ovos pelos quais o orador fora atingido.

o) Enviamos-lhes roupas, alimentos, remédios e outras coisas de que precisavam.

p) "Apenas um homem, de quantos assistiam à cena, soltou uma risada." (Érico Veríssimo) [**de quantos** = de todos quantos]

q) O vulcão, que parecia extinto, voltou a dar sinal de vida.

5. Os pronomes relativos exercem na frase funções sintáticas: sujeito, objeto direto, objeto indireto, adjunto adverbial, adjunto adnominal, agente da passiva, etc. Dê a função dos que ocorrem nos períodos do exercício 4.

Exemplo: **que** (do primeiro período) → sujeito

6. Em cada um dos períodos seguintes há duas orações adjetivas. Destaque-as e classifique-as (explicativa ou restritiva):

a) Ofereceu-lhe o vestidinho que ela mesma – que costurava tão bem – fizera na máquina.

b) "Tenho visto criaturas que trabalham demais e não progridem." (Graciliano Ramos)

c) "Deus, que é Pai de todos, sabia da luta que ela tivera." (Adonias Filho)

7. As orações adjetivas vêm precedidas de preposição quando o verbo a exigir. Classifique as orações adjetivas dos períodos seguintes e dê a função sintática dos pronomes relativos.

a) Ele me puxou para ver um quadro [de que havia gostado muito].

b) Não era muito grande a mesa [a que nos sentamos].

c) Os moradores das palafitas vivem à beira do rio, [do qual retiram o seu sustento].

d) As pessoas [a quem Juliano recorreu] não o atenderam.

8. Orientado pelo exemplo, escreva os períodos convertendo as orações coordenadas em destaque em subordinadas adjetivas:

A máquina é uma potência infernal; **os homens não são completamente donos dela**.

A máquina é uma potência infernal, **de que os homens não são completamente donos**.

a) Ainda estavam no chão os cacos de vidro; **o garoto nos alvejara com esses cacos**.

b) Fizeram-lhe graves acusações; **ele se defendeu delas com veemência e coragem**.

c) Encontrou-se um velho colete; **no bolso dele havia moedas de ouro**.

d) Havia, no colégio, frequentes reuniões; **apenas alguns pais compareciam a elas**.

e) No jardim havia canteiros floridos; **crianças perseguiam borboletas por entre eles**.

f) Este é um problema difícil; **para a sua solução se exigem competência e recursos**.

g) O povo fez questão de empurrar a carreta; **sobre ela estava o féretro**.

h) Era um estudante que eu conheci num carnaval; **e me tornei amigo dele**.

i) Entrei numa pequena loja; **nas prateleiras dela se enfileiravam objetos de artesanato.**

9. Faça como no exercício anterior, porém intercalando a oração adjetiva na oração principal:

A oficina ficava no fim da rua; **Juvenal trabalhava nessa oficina**.

A oficina **em que Juvenal trabalhava** ficava no fim da rua.

a) A casa é modesta, mas aconchegante; **nós moramos nela**.

b) O festival conta com a participação de artistas famosos; **eu assistirei a ele hoje à noite**.

c) As tintas eram extraídas dos vegetais; **com elas se matizavam os tecidos**.

d) A montanha era alta e arborizada; **do cimo dela se descortinava o mar**.

e) O lago era grande e límpido; **eu costumava brincar às suas margens**.

f) O oficial foi transferido para Brasília; **Nair simpatizava com ele**.

g) O local era inóspito, agressivo; **tínhamos chegado a esse local**.

h) As flores eram de Barbacena; **e delas mandei tecer uma grinalda**.

i) Os animais são da ordem dos primatas; **o professor se referiu a eles**.

10. Divida e classifique as orações dos períodos seguintes:

a) "Luís Filipe começou a falar sobre alguns casos difíceis que apareceram no hospital, mas a verdade é que eu não o ouvia." (LÍGIA FAGUNDES TELLES)

b) "Não interrompemos a quem nos louva, mas aos que nos censuram, acusam ou contradizem." (MARQUÊS DE MARICÁ)

c) Você, que é íntimo dele, aconselhe-o a que desista de tão arriscado empreendimento.

11. Escreva os períodos abaixo mudando as orações coordenadas em destaque em orações adjetivas, que nos itens **a** e **f** devem ser intercaladas na oração principal:

a) Os tiranos eram soberbos e cruéis, **e o povo se submetia ao poder deles**.

b) Atravessamos o jardim e dirigimo-nos à piscina, **e sentamo-nos à beira dessa piscina**.

c) Por fim, desemboquei numa rua larga, com muitas árvores; **através dessas árvores se avistava o mar**.

d) Percebi nas suas palavras uma benevolente ironia; **no fundo dessa ironia se escondia, contudo, uma indisfarçável tristeza**.

e) O índio olhou, depois, as flechas cruzadas na parede; **perante essas flechas duas vezes baixou e ergueu a cabeça**, como para aprovar a presença delas ali.

f) A peça de teatro é da autoria de um aluno desta escola; **assisti ao ensaio dela**.

g) Volutas de fumaça subiam languidamente das mesas; **em torno dessas mesas pessoas conversavam animadamente**.

12. Escreva o seguinte período substituindo corretamente o pronome relativo **onde**, que inicia a oração adjetiva, pelo pronome **cujo**:

"Agora as ruas estreitas iam ficando para trás, a igreja, também o cemitério, onde, diante do portão, havia o umbuzeiro." (JOSÉ CONDÉ)

13. Escreva corretamente as frases substituindo ∗ por preposição + pronome relativo:

a) Pelos equipamentos ∗ dispõe, este hospital é considerado o melhor do país.

b) A estátua da fonte é uma criança nua, ∗ cabeça os passarinhos pousam.

c) Os amigos de Lauro eram justamente aqueles ∗ as mães não queriam que seus filhos brincassem.

14. Transcreva apenas a sequência correta das orações do último período do exercício anterior:

➢ oração principal – oração subordinada substantiva objetiva indireta – oração subordinada adjetiva explicativa

➢ oração principal – oração subordinada adjetiva restritiva – oração subordinada substantiva objetiva direta

➢ oração principal – oração subordinada adjetiva explicativa – oração subordinada adjetiva restritiva

ORAÇÕES SUBORDINADAS ADJETIVAS
Exercícios de exames e concursos

[Página 683]

ORAÇÕES SUBORDINADAS ADVERBIAIS

Veja este exemplo:

Saímos de casa **quando amanhecia**. [= Saímos de casa **de manhã cedo**.]

A oração **quando amanhecia** exprime uma circunstância de tempo, funciona como um *adjunto adverbial*: por isso, é uma oração subordinada *adverbial*.

> **As orações subordinadas adverbiais** *têm a função dos adjuntos adverbiais, isto é, exprimem circunstâncias de tempo, modo, fim, causa, condição, hipótese, etc.*

São iniciadas, quando desenvolvidas, pelas conjunções subordinativas (excluindo-se as subordinativas integrantes). É importante saber distinguir os diferentes tipos dessas conjunções.

1 CLASSIFICAÇÃO DAS ORAÇÕES SUBORDINADAS ADVERBIAIS

As orações subordinadas adverbiais classificam-se de acordo com as conjunções que as introduzem. Portanto, podem ser:

- **causais** – exprimem causa, motivo, razão. Exemplos:

    O tambor soa **porque é oco**.

    Como não me atendessem, repreendi-os severamente.

    Como ele estava armado, ninguém ousou reagir.

    "Faltou à reunião, **visto que esteve doente**." (Arlindo de Sousa)

    Já que (ou **visto que** ou **desde que** ou **uma vez que**) **ninguém se mexe**, temos que agir nós, cidadãos.

    "Maximiano temera que o coronel o agredisse, **de tão violento que ficara**." (Jorge Amado)

    "**Velho que sou**, apenas conheço as flores do meu tempo." (Vivaldo Coaraci)

    Desprezam-me, **por isso que sou pobre**.

    Não posso ir hoje, **tanto mais que meu filho está doente**.

    Não encontrei o livro em nenhuma loja, **pela simples razão que ele não existe**.

Observação:

✔ Pode-se considerar causal justaposta (= sem conectivo) a segunda oração de construções como:

   Não se ouvia nada, *tamanho era o barulho*.

   É difícil distinguir um do outro, *tão parecidos são*.

   Nem se podia passar, *tantas eram as formigas*.

SINTAXE 397

- **comparativas** – representam o segundo termo de uma comparação.

  a) orações comparativas com o verbo expresso:

  "A preguiça gasta a vida **como a ferrugem consome o ferro**." (Marquês de Maricá)

  Ela o atraía irresistivelmente, **como o ímã atrai o ferro**.

  Os retirantes deixaram a cidade tão pobres **como vieram**.

  Como a flor se abre ao Sol, assim minha alma se abriu à luz daquele olhar.

  "Nos Estados Unidos há universidades para todas as inteligências **como há hotéis para todas as bolsas**." (Eduardo Prado)

  O lugar é **tal qual** (ou **tal como**) **você o descreveu**.

  Certos cantores gesticulam mais **do que cantam**.

  Rui voltou para casa **como quem vai para a prisão**.

  b) orações comparativas com o predicado ou o verbo subentendidos:

  O esquilo é tão ágil **quanto o macaco**. [= quanto o macaco é ágil]

  Nenhum nadador treinou tanto **como Ricardo**. [= como Ricardo treinou]

  A luz é mais veloz **do que o som**. [= do que o som é veloz]

  Não há tirania pior **que a dos vícios inveterados**.

  O orador foi mais brilhante **do que profundo**.

  Sua morada era antes um barraco escuro **que uma casa humilde**.

  De modo geral, pessoas gordas vivem menos **do que as magras**.

  "E dizia que os vaga-lumes bailavam gentis **quais falenas no ar**." (Luís Henrique Tavares)

  Ela recendia perfumes **que nem um ramo de manacá florido**.

Observação:

✔ Esta é a análise tradicionalmente aceita, mas artificial. Seria preferível ver, nos exemplos citados na alínea b, não orações adverbiais comparativas, mas simples adjuntos adverbiais de comparação.

Pela mesma razão, é melhor análise a que vê adjunto adverbial de comparação em estruturas de cunho popular como:

"Luzia *que só espelho!*" (Luís Jardim)

"É forte *como o diabo*." (Aurélio Buarque de Holanda)

Ficou vermelho *que nem brasa*.

  c) orações comparativas hipotéticas:

  O homem parou perplexo, **como se esperasse um guia**.

  Os cavalos iam à toda, **como se mil demônios os esporeassem**.

  "O zunido espalhou-se na sala **como se um inseto estivesse voejando**." (Vilma Guimarães Rosa)

Observação:

✔ Esse tipo de oração reúne as ideias de comparação e hipótese. Por isso, há quem subentenda verbo e analise: "O homem parou perplexo / como *pararia*, / se esperasse um guia." Tal análise, porém, é desaconselhada, por ser artificial. É preferível considerar *como se* uma locução comparativa.

- **concessivas** – exprimem um fato que se concede, que se admite, em oposição ao da oração principal. Exemplos:

Admirava-o muito, **embora** (ou **conquanto** ou **posto que** ou **se bem que**) **não o conhecesse pessoalmente**.

Embora não possuísse informações seguras, ainda assim arriscou uma opinião.

Cumpriremos nosso dever, **ainda que** (ou **mesmo quando** ou **ainda quando** ou **mesmo que**) **todos nos critiquem**.

Por mais que gritasse, não me ouviram.

Os louvores, **pequenos que sejam**, são ouvidos com agrado.

"**Nem que a gente quisesse**, conseguiria esquecer." (Otto Lara Resende)

"Os cavalos vinham quase em cima dela, **por mais que o cocheiro os sofreasse**." (Machado de Assis)

"**Por muito mau que fosse o seringal**, devia ser melhor que aquilo." (Ferreira de Castro)

"Em cada escola [filosófica], **por exagerada que seja**, há sempre uma apreciável parcela de verdade integral." (Jônatas Serrano)

"**Se o via derrubado, rosto no pó**, nem por isso o respeitava menos." (Ondina Ferreira) [*Se* o via = *embora* o visse.]

Ajudava-os em tudo, **sem que isso fosse de minha obrigação**.

Júlio César resolveu passar o Rubicão, **fossem quais fossem as consequências**.

O responsável deve ser punido, **quem quer que seja**.

Por incrível que pareça, eles não sabiam o nome de sua cidade.

"**Chovesse ou fizesse sol**, o Major não faltava." (Povina Cavalcânti)

"**Em que pese aos inimigos do paraense**, sinceramente confesso que o admiro." (Graciliano Ramos)

Observação:

✔ As orações subordinadas adverbiais concessivas, quando coordenadas alternativas, como no penúltimo exemplo, dispensam, em geral, a conjunção subordinativa (*embora*).

- **condicionais** – exprimem condição, hipótese. Exemplos:

Deus só nos perdoará **se perdoarmos aos nossos ofensores**.

Se o conhecesses, não o condenarias.

"Que diria o pai **se soubesse disso**?" (Carlos Drummond de Andrade)

A cápsula do satélite será recuperada, **caso a experiência tenha êxito**.

Você pode ir, **contanto que** (ou **desde que**) **volte cedo**.

Não sairei de meu consultório, **a menos que** (ou **a não ser que**) **haja casos urgentes**.

Poderão chegar lá ainda hoje, **salvo se acontecer algum imprevisto**.

Não poderás ser bom médico, **sem que estudes muito**.

"**Se convidada**, [a menina] senta no colo da gente, conversa um pouco e logo sai correndo." (RAQUEL DE QUEIRÓS) [*se convidada* = se for convidada]

Não fosse a perícia do guia, talvez teríamos perecido todos.

"**Escrevesse eu esses livros** e estaria rico. (AUTRAN DOURADO)

"**Houvesse chegado um minuto antes, ou um minuto depois**, e tudo teria sido diferente." (VIANA MOOG)

"A carinha [de Neuma] podia ser de chinesa, **fossem os olhos mais enviesados**." (RAQUEL DE QUEIRÓS) [*fossem os olhos* = se fossem os olhos]

Observações:

✔ Às vezes a oração condicional (como nos quatro últimos exemplos) aparece justaposta, sem o conectivo *se*.

✔ A conjunção *se* às vezes apresenta-se com o valor aproximado de *visto que*, transmitindo ideia de causa a orações que funcionam como base ou ponto de partida de um raciocínio. Exemplos:

Se a alimentação é uma necessidade básica, cumpre incentivar a agropecuária.

Se os homens são por natureza imperfeitos, as sociedades humanas não podem ser perfeitas.

Se no inverno a sala já era quente, no verão tornava-se uma fornalha.

✔ Diz-se, corretamente: *Caso* (e não *se caso*) tenha pago a conta, desconsidere este aviso.

▪ **conformativas** – exprimem acordo ou conformidade de um fato com outro. Exemplos:

O homem age **conforme pensa**.

Relatei os fatos **como** (ou **conforme**) **os ouvi**.

Como diz o povo, tristezas não pagam dívidas.

O jornal, **como sabemos**, é um grande veículo de informação.

Vim hoje, **conforme lhe prometi**.

"Digo essas coisas por alto, **segundo as ouvi narrar anos depois**." (MACHADO DE ASSIS)

Segundo ouvi dizer, Fleming descobriu a penicilina por acaso.

Consoante opinam alguns, a História se repete.

"**Como deveis saber**, há em todas as coisas um sentido filosófico." (MACHADO DE ASSIS)

"Um eclipse da Lua pode ser total ou parcial, **conforme a Lua fique ou não completamente mergulhada no cone de sombra da Terra**." (RONALDO DE FREITAS MOURÃO)

Observação:

✔ *Como* introduz oração conformativa quando equivale a *conforme*.

- **consecutivas** – exprimem uma consequência, um efeito ou resultado. Exemplos:

Fazia tanto frio **que meus dedos estavam endurecidos**.

"A fumaça era tanta **que eu mal podia abrir os olhos**." (José J. Veiga)

De tal sorte a cidade crescera **que não a reconhecia mais**.

As notícias de casa eram boas, **de maneira que pude prolongar minha viagem**.

Ontem estive doente, **de sorte que** (ou **de modo que** ou **de forma que** ou **de maneira que**) **não saí de casa**.

"Corria para a rua, para o trabalho, para o tumulto, a estontear-se, **de modo que lhe fosse difícil** encontrar-se a sós consigo." (Fernando Namora)

"Ainda assim, não andei tão depressa **que amarrotasse as calças**." (Machado de Assis)

"Não esperava, tanto **que me pediu um prazinho para a resposta**." (Amadeu de Queirós)

"Deus! ó Deus! onde estás **que não respondes**?" (Castro Alves)

"Tinha um filho, podia erguê-lo ao sol, **sem que a guerra o arrebatasse**." (José Geraldo Vieira)

Não vão a uma festa **que não voltem bêbedos**. [*que não* = sem que]

"Não podia fitá-lo **sem que** (ou **que não**) **risse**." (Celso Luft)

"Não se sentava **que não enterrasse a cara nas mãos**." (José Américo)

"Bebia **que era uma lástima**!" (Ribeiro Couto)

Falou com uma calma e frieza **que todos ficaram atônitos**.

"Tenho medo disso **que me pelo**!" (Coelho Neto)

"Essa gente fazia um barulho, **que assustava os transeuntes**..." (Graciliano Ramos)

Observações:

✔ Às vezes, como nos quatro últimos exemplos citados, o termo intensivo (tão, tanto, tal, tamanho, etc.) da oração principal está oculto: Bebia *tanto* que era uma lástima. Falou com uma calma *tal* que todos ficaram atônitos.

✔ A oração adverbial do exemplo de Fernando Namora pode ser considerada também final, por traduzir, simultaneamente, consequência e finalidade.

Para expressar uma consequência impossível, emprega-se, por influência do francês, a locução *para que*, antecedida de *muito* (ou *demais*) + adjetivo. Exemplos:

O fardo era muito pesado *para que eu pudesse erguê-lo*.

O convite era demais tentador *para que João o recusasse*.

"O seu corpo era pesado demais *para que eu conseguisse arrastá-lo*." (Murilo Rubião)

"As festas estavam muito próximas *para que a morte de Totonha pudesse perturbar a alegre expectativa da cidade*." (José Condé)

- **finais** – exprimem finalidade, objetivo. Exemplos:

  "O futuro se nos oculta **para que nós o imaginemos**." (Marquês de Maricá)

  Aproximei-me dele **a fim de que me ouvisse melhor**.

  "Fiz-lhe sinal **que se calasse**." (Machado de Assis) [*que* = para que]

  "Instara muito comigo **não deixasse de frequentar as recepções da mulher**." (Machado de Assis) [*não deixasse* = para que não deixasse]

  "Quando sentiu que ia chegando, cruzou os braços no peito, **não fosse o coração saltar-lhe**." (José Geraldo Vieira)

Observação:

✔ Pode ocorrer a elipse total ou parcial da locução conjuntiva final, como atestam os três últimos exemplos.

- **proporcionais** – denotam proporcionalidade. Exemplos:

  À medida que se vive, mais se aprende.

  À proporção que avançávamos, as casas iam rareando.

  O valor do salário, **ao passo que os preços sobem**, vai diminuindo.

  Aparecem, às vezes, correlacionadas com as orações principais. Exemplos:

  Quanto mais se tem, (tanto) mais se deseja.

  Quanto maior for a altura, maior será o tombo.

  Quanto menos te esforçares, mais te arrependerás.

  Tanto gostava de um **quanto** (ou **como**) **aborrecia o outro**.

  Vimos que a locução proporcional correta é *à medida que*, e não *na medida em que*. Essa última forma, considerada errada, aparece frequentemente, ora com valor causal, ora condicional, em frases como:

  O aumento descontrolado dos preços é injusto e perverso, **na medida em que** atinge principalmente a classe pobre.

  Um empreendimento só poderá ter êxito **na medida em que** for bem concebido e executado.

  Em lugar de *na medida em que*, é melhor usar *porque* ou *visto que* na primeira frase, e *se* ou *desde que* na outra.

- **temporais** – indicam o tempo em que se realiza o fato expresso na oração principal. Exemplos:

  Formiga, **quando quer se perder**, cria asas. (Dito popular)

  "Lá pelas sete da noite, **quando escurecia**, as casas se esvaziavam." (Povina Cavalcânti)

  "**Quando os tiranos caem**, os povos se levantam." (Marquês de Maricá)

  Enquanto foi rico, todos o procuravam.

  Um dos garimpeiros falou, **enquanto os outros escutavam silenciosos**.

  Sempre que vou à cidade, passo pelas livrarias.

  Todas as vezes que agredimos a natureza, ela se volta contra nós.

Mal chegamos ao local, vimos toda a extensão da catástrofe.

Ela me reconheceu **apenas** (ou **mal** ou **logo que** ou **assim que**) **lhe dirigi a palavra**.

Minha mãe ficava acordada **até que eu voltasse**.

"Deolindo veio à terra **tão depressa alcançou a licença**." (Machado de Assis)

"**Nem bem sentou-se no banco**, o moço ergueu-se rápido." (José Fonseca Fernandes)

Agora que estás de férias, que pretendes fazer?

"Ela acalentou o bebê, manteve-o apertado contra o peito, **ao mesmo tempo que lhe afagava os cabelos**." (Helena Jobim)

Por que ela ainda não apareceu **desde que estamos aqui**?

"**Desde que não confia nele** manda-o embora e chama outro." (Ramalho Ortigão)

No texto donde foi extraído o último exemplo, *desde que* tem sentido nitidamente temporal (= quando, logo que, desde o momento que).

- **modais** – exprimem modo, maneira. Exemplos:

Aqui viverás em paz, **sem que ninguém te incomode**.

Entrou na sala **sem que nos cumprimentasse**.

Essas orações não estão consignadas na NGB, o que constitui uma omissão.

2 ORAÇÕES ADVERBIAIS LOCATIVAS

Equivalem a um adjunto adverbial de lugar e são iniciadas pelo advérbio *onde* (que pode vir precedido de preposição), sem antecedente. Exemplos:

"**Onde me espetam**, fico." (Machado de Assis)

"Não pode haver reflexão **onde tudo é distração**." (Marquês de Maricá)

Quero ir **aonde estás**.

Venha **por onde eu passar**.

"**Onde quer que farejem raposas**, perseguem-nas com fúria." (Gustavo Barroso)

Observação:

✔ Estas orações não são mencionadas na NGB.

Existem ainda outros tipos de orações adverbiais. Veja esta:

Irei **com quem quiser me acompanhar**. → adverbial de companhia

[Neste caso, é análise desaconselhada desdobrar *quem* em *aquele que*.]

Orações adverbiais podem estar coordenadas, conforme vimos anteriormente. Exemplos:

"**Quando chamou Raquel e enfiou-lhe no braço a linda pulseira**, a filha estava com dezesseis anos." (Amadeu Amaral)

"Andorinhas devotas, **chovesse *ou* fizesse sol**, adejavam somente na igreja de Santa Rita." (José Américo)

SINTAXE 403

EXERCÍCIOS

LISTA 47

1. Prossiga de acordo com o exemplo, observando que a oração subordinada adverbial exerce a função de um adjunto adverbial:

a) Partimos da cidade **de manhã cedo**. → adjunto adverbial

Partimos da cidade **quando amanhecia.** → oração subordinada adverbial

b) Chegamos à fazenda **antes da noite**.

c) Não lhe telefonei **por esquecimento**.

d) **Na retirada**, os soldados davam tiros para o ar.

2. Ponha entre colchetes as orações subordinadas adverbiais e numere os períodos de acordo com a classificação dessas orações:

Minha mão tremia tanto que mal podia escrever.

Joel acompanhou a irmã, embora estivesse cansado.

Onde há fumaça, há fogo.

À medida que subimos, o ar se rarefaz.

Fiz-lhe sinal para que não insistisse.

Os detentos fugiram da penitenciária porque eram maltratados.

Ali vivíamos felizes, sem que ninguém nos perturbasse.

"Envelheçamos como as árvores fortes envelhecem!" (OLAVO BILAC)

"Por que não foi lá ontem, como me tinha dito?" (MACHADO DE ASSIS)

"Ia escurecendo quando entrou em casa." (GARCIA DE PAIVA)

"Se Deus não guarda a cidade, em vão a sentinela vigia." (CECÍLIA MEIRELES)

(1) causal
(2) comparativa
(3) concessiva
(4) condicional
(5) conformativa
(6) consecutiva
(7) final
(8) proporcional
(9) temporal
(10) modal
(11) locativa

3. Faça como no exercício anterior:

A raposa, como não pudesse alcançar as uvas, desdenhou-as.

"Não venham colheitas fartas e serei mais um vencido pela fatalidade das coisas." (MONTEIRO LOBATO)

"As tuas saudades ficam onde deixas o coração." (C. CASTELO BRANCO)

"Quanto mais os arredava, mais eles perseveravam." (FERNANDO NAMORA)

"Como o assunto estivesse reduzido a cinzas, calamo-nos." (GRACILIANO RAMOS)

"Tivesse tua mãe vindo dar-te adeus e talvez tudo se arranjasse." (ANTÔNIO OLAVO PEREIRA)

"Por mais leve que pisasse, seus passos reboavam." (JOSÉ GERALDO VIEIRA)

Depois que veio para a cidade, a vida dele mudou.

A geada, como se sabe, é a grande inimiga da lavoura.

Chame o sacerdote, se você quiser, contanto que o doutor também venha.

O ladrão entrou no prédio sem que o porteiro percebesse.

Os políticos prometem mais do que realizam.

Nas estradas há acostamentos, a fim de que os veículos não parem na pista.

Tão violenta foi a tromba-d'água de ontem que arrastou carros e ônibus.

Inquieto estará o nosso coração enquanto não descansar em Deus.

Mal girei a chave da fechadura, senti a respiração de alguém atrás de mim.

À proporção que as plantas crescem, suas raízes se aprofundam.

Joana saiu de casa alegre como quem vai a uma festa.

"O fogo, mesmo que venha chuva grossa, queimará a noite inteira." (Adonias Filho)

Conforme havíamos previsto, as safras este ano foram boas.

Empregados e patrões chegaram a um acordo, de maneira que não houve greve.

Neste rio não existem peixes, pela simples razão que a poluição os matou.

"Ainda que o corpo doa, tenho de me levantar." (Bráulio Pedroso)

"Mas, se iniciou o gesto, não chegou a completá-lo." (Ariano Suassuna)

"Um pouco que alguém se aproxime e já sente odores." (Lígia Fagundes Telles)

"Havia seiva em tudo como há sangue em nosso corpo." (Clarice Lispector)

4. Varie a estrutura da oração adverbial causal, conforme o exemplo:

Os dois meninos se perderam **porque não conheciam a mata**.

Como não conhecessem a mata, os dois meninos se perderam.

Os dois meninos se perderam, **visto que não conheciam a mata**.

Os dois meninos se perderam, **por isso que não conheciam a mata**.

Os dois meninos se perderam **por não conhecerem a mata**.

Eles não poderão ser bons fotógrafos **porque não distinguem as cores**.

5. Copie o período e sublinhe a oração subordinada adverbial causal:

"Em poucos anos o consumo mundial de borracha centuplicou, e como só havia seringueiras na Amazônia, a exportação do látex trouxe a Manaus uma fortuna fabulosa."
(Carlos de Sá Moreira)

6. Escreva as orações adverbiais em destaque e classifique-as:

(1) oração adverbial causal   (3) oração adverbial conformativa

(2) oração adverbial comparativa

O retorno da nave espacial à Terra fez-se **como fora previsto**.

Como a Lua ainda não tinha surgido, tudo estava imerso na escuridão.

Como sempre acontece, o tempo sepultou a memória do grande morto.

Suas palavras soaram no recinto **como chicotadas**.

Se você gosta mesmo dele, **como diz**, por que o ofende?

"Lá saiu o Dr. Rui, apressado **como quem vai apagar fogo**." (Josué Guimarães)

O carro andava aos trancos, **como se o motorista estivesse bêbedo**.

O terremoto fora violentíssimo, **como atestavam os escombros de casas destruídas**.

7. Escreva o período três vezes, substituindo por equivalentes o conectivo que inicia a oração adverbial concessiva:

Miguel tentará consertar o carro, **conquanto** não entenda muito de mecânica.

SINTAXE 405

8. Escreva os períodos e classifique as orações em destaque:

(1) oração adverbial causal   (3) oração adverbial condicional

(2) oração adverbial temporal

Desde que cheguei aqui, não houve nenhum progresso.

Poderás fazer sucesso, **desde que saibas falar**.

Desde que não sabes ler, eu vou ler em teu lugar.

9. Com que oração do exercício anterior se relaciona a oração em destaque?

Os escritos ficam, as palavras voam, **contanto que não as apanhe a rede de algum gravador oculto**!

10. Escreva, em seu caderno, as orações subordinadas adverbiais destacadas e identifique-as de acordo com os números do quadro abaixo:

    1) causal   2) consecutiva   3) condicional   4) concessiva

a) **Caso aconteça algum imprevisto**, avise-me imediatamente.

b) Não carregue muito dinheiro consigo, **mesmo que o tenha**.

c) Se Neusa sair à rua, paralisa o trânsito, **de tão bonita que é**.

d) Neusa é tão bonita **que**, se sair à rua, **paralisa o trânsito**.

11. Analise o segmento em destaque e, depois, escreva o período duas vezes, trocando o conectivo **que nem** por equivalentes:

Na outra pista vinha um caminhão cheio de luzes **que nem um dragão chamejante**.

12. Destacamos as orações adverbiais assindéticas (sem conectivo). Classifique-as, depois de reconhecer a conjunção subentendida:

a) Esta cidade não teria crescido tanto, **não fossem seus múltiplos atrativos**.

b) **Houvéssemos chegado um minuto depois**, e seria a catástrofe.

c) Os homens continuavam atirando nas avezinhas e, **atirassem a vida inteira**, não matariam a metade delas.

d) Esforcei-me por demonstrar coragem, **não fossem os colegas acusar-me de covarde**.

13. Escreva o período abaixo, substituindo a conjunção em destaque pelas locuções conjuntivas adequadas, sem alterar o sentido da frase. Escolha-as no quadro seguinte:

    ainda que – desde que – mesmo que – nem que – sem que – logo que

Frase: Silvério aceitaria qualquer trabalho, **embora** fosse o de carregar pedras.

14. Repita a frase duas vezes, trocando a locução conjuntiva por equivalentes. Em seguida, classifique a oração adverbial:

Algum dia hei de casar com Beatriz, **salvo se** houver onça no caminho.

15. Siga o exemplo, dando ênfase à oração adverbial concessiva:

Embora a proposta fosse tentadora, não a aceitei.

Por mais tentadora que fosse a proposta, não a aceitei.

Muitas vezes, **embora nos esforcemos**, não conseguimos alcançar o nosso objetivo.

16. Reescreva e complete os períodos abaixo, substituindo convenientemente os asteriscos:

a) Mal o orador abriu a boca,***.

b) Segundo afirmam os médicos,***.

c) À medida que os dias passam,***.

d) Se não me falha a memória,***.

e) Por incrível que pareça,***.

f) ***, já que as mãos carregavam sacolas.

g) ***, se bem que lhe reconheça qualidades.

h) *** que não pude conter o riso.

17. Estruture o período de tal forma que a oração principal passe a subordinada adverbial causal:

Os meninos temiam que o santo os castigasse e iam brincar longe.

18. Transcreva o período em que NÃO há oração adverbial:

a) "Mexia-me como se andasse entre cacos de vidro." (Graciliano Ramos)

b) "Agora que Luluzinho já está vacinado, pode morder qualquer um?" (Millôr Fernandes)

c) Ali o artista poderá viver em paz, sem que os fãs o perturbem.

d) Verifiquei se havia alguma infiltração no teto da casa.

e) Para onde quer que me voltasse, eu só via paredes de edifícios.

f) Se desarmado ele já é perigoso, quanto mais se estiver armado.

g) O horizonte, ao passo que avanço, vai se afastando.

19. Proceda como no exemplo, mudando a estrutura do período sem lhe alterar substancialmente o significado:

O fardo era tão pesado **que eu não podia erguê-lo**.
O fardo era muito (ou demais) pesado **para que eu pudesse erguê-lo**.

a) A proposta era tão tentadora **que não podíamos recusá-la**.

b) Essas lembranças são tão vivas **que não as posso esquecer**.

20. Invente um período no qual, como nos exemplos dados, a oração adverbial iniciada pela conjunção **se** exprima, predominantemente, ideia de causa (se = visto que):

Se o fumo é nocivo à saúde, não aconselho ninguém a fumar.
Se não pode haver efeito sem causa, o mundo não surgiu do nada.

21. Forme períodos cujas orações adverbiais estejam coordenadas, como nestes exemplos:

Quando o filho viajava para longe e não lhe escrevia, ela ficava aflita.
Se alguém risse ou falasse alto, o chefe reclamava.
"Quanto mais o índio envelhece e se aproxima da morte, mais feliz fica." (Edilson Martins)

22. Escreva as frases abaixo, divida e classifique as orações:

a) Não contarei isto a ninguém para que não digam que eu invento qualidades que não tenho.

b) Ela falou de minha mãe com tanta saudade que me cativou logo, posto que me entristecesse.

c) "Observava como ele torneava ou esculpia a madeira." (Graciliano Ramos)

d) "Por duas vezes senti o cavalo tão próximo que, se estendesse a mão, tinha certeza de que poderia tocá-lo." (Lígia Fagundes Telles)

SINTAXE 407

23. Escreva os períodos e informe a ideia expressa pela oração em destaque:

a) **Caso o satélite se desintegre**, seus destroços atingirão a Terra.
(causa, concessão, hipótese, consequência)

b) **Como o vento era muito forte**, caíam muitas mangas maduras.
(comparação, modo, tempo, causa)

c) Ninguém quis carregar o fardo, **se bem que não fosse pesado**.
(causa, concessão, hipótese, proporção)

d) Eu conhecia bem a cidade, **de modo que cheguei facilmente ao estádio**.
(consequência, causa, modo, proporção)

24. Leia o texto abaixo e indique o período em que ocorre oração adverbial comparativa.

LEITURA

O comércio e a civilização

O comércio foi, a princípio, o instigador, o promotor, o pai da civilização, criando-a e desenvolvendo-a, e é hoje o seu regulador máximo, como repartidor do trabalho e das riquezas, aproximando os povos, transformando os inimigos em clientes recíprocos, uniformizando os costumes e os idiomas, estabelecendo uma solidariedade real entre todos os homens.

O comércio, avassalador do mundo, concentra e reparte. Concentra os produtos e reparte-os depois pela face da terra.

Ainda haverá quem diga que o comércio enriquece à custa do produtor, como a erva parasita vive a expensas da árvore?

Grande distribuidor, ele representa no organismo social o mesmo papel do sistema de circulação sanguínea no organismo animal. O corpo morre, quando o sangue para.

A sociedade definharia e morreria, se o comércio deixasse de levar a todos os seus órgãos a nutrição. Não se pode compreender o trabalho senão dividido e repartido. A divisão do trabalho é uma lei fundamental e soberana da vida social: quanto mais dividido é o labor humano, maior e mais dominadora é a ação do homem sobre a natureza.

Como poderia haver relações entre o produtor e o consumidor, se não houvesse comércio? É ele quem abre a foz, a embocadura, o desaguadouro da indústria. É ele quem estimula a produção, quem ativa o trabalho, descobrindo as necessidades do mercado, e, mais do que isso, provocando-as e inventando-as. Assim, ele é o maior fator econômico. É ele quem promove a circulação dos capitais. Sempre alerta, previne crises, sofre os riscos da alta e da baixa dos preços, provê e providencia...

O comércio é nobre. Os agiotas, os onzeneiros, os usuários, os monopolistas, os sindicateiros, os açambarcadores do capital ou do pão, os que especulam com a miséria do povo, os que negociam em carne humana e em lágrimas, não são comerciantes: são, entre os muitos bons e os muitos puros, os poucos maus que fazem avultar a bondade e a pureza dos outros.

(OLAVO BILAC, *Obra Reunida*, Nova Aguilar, Rio de Janeiro, 1996)

ORAÇÕES SUBORDINADAS ADVERBIAIS
Exercícios de exames e concursos
[Página 683]

ORAÇÕES REDUZIDAS

Leia e compare:

a) Afirmou o sertanista [*que não há* selvagens gigantes].

b) Afirmou o sertanista [*não haver* selvagens gigantes.]

Tanto na primeira como na segunda construção, a oração entre colchetes é subordinada substantiva objetiva direta. A forma dessa oração é diferente, mas o sentido é o mesmo.

Na segunda construção, a oração subordinada se apresenta sem conectivo (elemento de ligação) e tem o verbo numa forma nominal (infinitivo): é uma oração *reduzida*.

1 ORAÇÕES REDUZIDAS

Oração reduzida é a que se apresenta sem conectivo e com o verbo numa forma nominal.

Em geral, é possível desenvolver orações reduzidas. Para isso, substitui-se a forma nominal do verbo por um tempo do indicativo ou do subjuntivo e inicia-se a oração com um conectivo adequado, de tal modo que se mude a forma da frase sem lhe alterar o sentido. Exemplos:

orações reduzidas		orações desenvolvidas
Penso *estar preparado.*	=	Penso *que estou preparado.*
Dizem *ter estado lá.*	=	Dizem *que estiveram lá.*
Fazendo assim, conseguirás.	=	*Se fizeres assim,* conseguirás.
Ao saber isso, entristeceu-se.	=	*Quando soube isso,* entristeceu-se.
Foi à festa *sem ser convidado.*	=	Foi à festa *sem que fosse convidado.*
Não falei *por não ter certeza.*	=	Não falei *porque não tinha certeza.*
Viam-se folhas *girando no ar.*	=	Viam-se folhas *que giravam no ar.*
Terminada a prova, fui para casa.	=	*Depois que terminei a prova,* fui para casa.
É bom *ficarmos atentos.*	=	É bom *que fiquemos atentos.*
Espero *poder chegar lá hoje.*	=	Espero *que poderei* (ou *possa*) *chegar lá hoje.*
Tenho a impressão *de o estar vendo.*	=	Tenho a impressão *de que o estou vendo.*
Disse-me *estar sendo perseguido pelo patrão.*	=	Disse-me *que está sendo perseguido pelo patrão.*

• reduzidas fixas

Há, no entanto, exemplos de reduzidas que não se prestam a tais desdobramentos. Haja vista:

Agrada-me *ouvir isso.*

Dispõem-se *a atacar o navio.*

Eu tinha vontade *de jogá-lo fora.*

Enriqueceu *vendendo frutas.*

"Seduz-me *auscultar os caminhos* que ainda não trilhei." (Ferreira de Castro)

2 CLASSIFICAÇÃO DAS ORAÇÕES REDUZIDAS

Há três tipos de orações reduzidas:

a) de *infinitivo*;

b) de *gerúndio*;

c) de *particípio*;

As orações reduzidas são quase sempre subordinadas e analisam-se como as desenvolvidas correspondentes, ou melhor, de acordo com a sua função no período. Exemplo:

Fui à cidade *para consultar o médico.*

para consultar o médico: subordinada adverbial final, reduzida de infinitivo

■ reduzidas de infinitivo

Podem ser:

a) Substantivas subjetivas:

Não convém *procederes assim.*

É possível *terem tão pouco interesse?!*

Não adianta nada *reclamarem da sorte.*

Vale a pena *estudar tantas matérias?*

Importa *prevenir os acidentes.*

Custou-lhe muito *concluir o curso superior.*

Tornara-se impossível *continuarem juntos.*

"É certo *ter vivido e morrido em Famalicão uma endiabrada mulher,* a quem chamaram Maria da Fonte." (Camilo Castelo Branco)

"Não me pesa *confessá-lo.*" (Ciro dos Anjos)

"Até hoje, não me agrada *ver uma ave prisioneira.*" (Povina Cavalcânti)

"Faz mal a Marcoré *ver mãe e avó desunidas.*" (Antônio Olavo Pereira)

"De nada servia *pegarem-me os dedos, tentarem dominá-los.*" (Graciliano Ramos)

Dói *ver essas crianças abandonadas.*

"Indispensável *os meninos entrarem no bom caminho.*" (Graciliano Ramos)

"Inútil *definir este animal aflito.*" (Antônio Gedeão)

Encontrar Marcelo em casa é muito difícil.

Acabarem as flores num monte de lixo me causa tristeza.

b) Substantivas objetivas diretas:

O índio não aceita *viver sem liberdade*.

Não leve a mal *eu ter me referido a você*.

"Foi o que acreditei *ter lido nos olhos das alunas*." (Ciro dos Anjos)

"Achei uma injustiça *não me premiarem também*." (Ciro dos Anjos)

"Era esta a herança dos miseráveis, que ele sabia *não escassearem na quase solitária e meia arruinada Carteia*." (Alexandre Herculano) [*meia* = meio]

c) Substantivas objetivas indiretas:

Nada me impede *de ir agora*.

Acusavam-no *de traficar pedras preciosas*.

"Ainda me não arrependo *de o haver restituído à liberdade*." (Machado de Assis)

"Por que não aconselha sua sobrinha *a deixar essa profissão*, D. Glória?" (Graciliano Ramos)

"Acostumei-me *a julgá-lo um bicho perigoso*." (Graciliano Ramos)

O pai habituará os filhos *a respeitá-lo*.

d) Substantivas predicativas:

O essencial é *salvarmos a nossa alma*.

Sua vontade foi sempre *ser um grande jogador*.

Seu sonho era *morar no Rio*.

Recusar o computador seria *adiar a solução de muitos problemas humanos*.

O destino deles é *serem devorados pelos outros peixes*.

"O mais sensato seria *voltares para casa de teus pais*." (Ferreira de Castro)

Aparecem, em bons escritores, realçadas pela preposição expletiva *de*:

"Sabes tu, Gonçalo Nunes, que o dever de um alcaide é *de nunca entregar, por nenhum caso, o seu castelo a inimigos*...?" (Alexandre Herculano)

e) Substantivas completivas nominais:

Tinha ânsia *de retornar à sua pátria*.

Estou disposto *a ir sozinho*.

Este piloto é capaz *de fazer incríveis acrobacias*.

O líder reafirmou seu propósito *de prosseguir nas negociações*.

"Recuou, muito pálida, receosa *de se contaminar*." (Graciliano Ramos)

"Também das meninas é a obrigação *de trazer água para casa*." (Raquel de Queirós)

f) Substantivas apositivas:

És bonita e inteligente; só te falta uma coisa: *seres mais humilde*.

"Ele chegava aos cinquenta e cinco anos com apenas dois problemas: *não fumar e não comer em excesso*." (Viana Moog)

g) Adverbiais temporais:

Ao despedirem-se, choravam.

"*Ao perceber o logro*, Zezé desorientou-se." (Ciro dos Anjos)

Pense bem, *antes de falar*.

Não os deixei em paz, *até eles se decidirem*.

h) Adverbiais finais:

Os marinheiros deixaram os navios *a fim de conhecer a cidade*.

"O animal feroz mata *para se alimentar*." (Fernando Namora)

Para melhor fotografarem o eclipse solar, astrônomos subiram a doze mil metros, a bordo de um avião.

"Arrastei-me chorando, apalpando o chão, *a procurar qualquer coisa*." (Graciliano Ramos)

i) Adverbiais concessivas:

Aprenderam a ler *sem terem frequentado escola*.

Apesar de (ou *não obstante*, ou *sem embargo de*) *ser ainda criança*, Marcelo não teve medo.

j) Adverbiais condicionais:

Você não sairá *sem antes me avisar*.

A ser eu rei, não faria outra coisa.

A prosseguirem esses crimes, ninguém mais terá sossego.

A julgar pelas aparências, Paulo e Vera são um casal feliz.

k) Adverbiais causais:

Marta não veio *por se achar doente*.

Por não gostar dos artistas, não vi o filme.

Comprarei os dois cavalos, *visto serem de boa raça*.

"Quase nos matam *de tanto nos abraçar*." (José Geraldo Vieira)

l) Adverbiais consecutivas:

Muito distraído devia estar você *para não me ver na festa*.

Aquela cena impressionou-o muito, *a ponto de lhe tirar o sono*.

"Eu é que era jovem, *a ponto de provocar reparo*." (Amadeu de Queirós)

Não podiam demorar-se mais, *sob pena de perderem o avião*.

m) Adverbiais modais:

Retirei-me discretamente, *sem ser percebido*.

"O funcionário da polícia tinha passado *sem fazer a saudação do costume*." (Graciliano Ramos)

"Eugênia saiu *sem despedir-se do pai*." (Camilo Castelo Branco)

"Ela o encarou por algum tempo, em silêncio, *como a analisá-lo*." (Érico Veríssimo)

n) Adjetivas:

A morte é o último inimigo *a ser destruído por Cristo*.

O capitão não era homem *de se entregar facilmente*.

"Não sou homem [*de inventar coisas*], [*mas de contá-las*]." (Rubem Braga)

Não constituem orações reduzidas os infinitivos:

- de locuções verbais:

  Deves ir já!

  Não *pode haver* dúvidas!

  Foi levar o recado.

  Viviam a elogiar os filhos.

  Provavelmente *andam* por aí *a cochichar* que...

  "Não havia por que *ficar* ali *a recriminar-se*." (Érico Veríssimo)

- substantivados:

  "*O comer* era quando Deus fosse servido." (Raquel de Queirós)

■ reduzidas de gerúndio

Estas orações podem ser:

a) Subordinadas adjetivas:

Passaram guardas *conduzindo presos*. [= guardas *que conduziam presos*]

Havia ali crianças *pedindo esmola*.

"Iam cinco soldados, *portando fuzis*." (Luís Henrique Tavares)

b) Adverbiais temporais:

Chegando lá, avise-me. [= *Quando chegar lá*, avise-me.]

"*Em aparecendo febre,* peço a qualquer tropeiro que chame o Dr. Felício dos Santos." (Carlos de Laet)

"Você, *varrendo o quarto*, não terá encontrado algumas?" (Graciliano Ramos)

Cheguei a Belém três dias depois, *tendo rodado mais de quatro mil quilômetros*.

c) Adverbiais concessivas:

Admira-me que, *sendo tão esperto*, você tenha acreditado neles.

Mesmo correndo, não o alcançou.

"... *não sendo religioso*, mandei dizer uma missa pelo eterno descanso do coronel." [= *embora não fosse religioso*] (Machado de Assis)

"Abomina o espírito de fantasia, *sendo dos* que mais o possuem." (Carlos Drummond de Andrade) [*sendo* = embora seja]

"Eu não podia entender a hostilidade de meu tio, *sabendo embora* que ele não era de rir à toa para mim." (José J. Veiga)

d) Adverbiais condicionais:

Ficando aí, nada verás. [= *Se ficares aí*, nada verás.]

Estudando, você aprenderá em pouco tempo.

"Chegarás facilmente lá, *querendo*." (Said Ali)

"Havia uma técnica para soltar busca-pé, a fim de evitar que, *estourando* ao acendê-lo, arrebentasse na mão." (Povina Cavalcânti)

e) Adverbiais causais:

Estando adoentado, não saí de casa. [= *Como estava adoentado*]

Prevendo uma resposta indelicada, não o interroguei.

"*Julgando inúteis as cautelas*, curvei-me à fatalidade." (Graciliano Ramos)

Tendo perdido o dinheiro, João viu-se obrigado a voltar a pé.

Agora veja que errei *mantendo-me calado*.

f) Adverbiais modais:

Aprendeu-se um ofício *praticando-o*.

O homem entrou na sala *dando empurrões*.

"Caminhava ao meu encontro, *sinistramente sorrindo*." (Cecília Meireles)

As alunas espalharam-se pelo pátio, *rindo e papagueando*.

"O ladrão abriu a porta *servindo-se de gazua*." (Said Ali)

"Tive a ideia extravagante de chegar à cidade *andando sobre as árvores*." (Graciliano Ramos)

A oração adverbial modal traduz o modo como se realiza o fato expresso pela oração principal.

Observação:

✔ As orações adverbiais modais não são mencionadas na NGB.

g) Adverbiais conformativas:

Seguindo velho hábito, ele e a esposa iam juntos ao culto divino na igreja da paróquia." (Érico Veríssimo)

h) Coordenadas aditivas:

A mãe aconchegou a criança e a beijou, *largando-a, em seguida*.

[*largando-a, em seguida* = e a largou, em seguida]

O balão subiu rapidamente, *desaparecendo no céu*.

"Ela [a capitania de Itamaracá] se iniciava na baía da Traição, na Paraíba, *prolongando-se até a ponta sul da ilha de Itamaracá."* (Eduardo Bueno)

As coordenadas aditivas traduzem fatos imediatos, ações subsequentes a (não consequentes de) outras. Essas orações são de difícil classificação. Optamos pela que nos parece melhor.

Não constituem orações reduzidas os gerúndios de locuções verbais como:

Foi andando devagar até a beira do abismo.

O médico *está viajando*.

Fiquei sabendo muitas coisas a respeito desse artista.

■ reduzidas de particípio

Apresentam-se com essa forma orações:

a) Subordinadas adjetivas:

Esta é a notícia *divulgada pela imprensa*. [= *que foi divulgada pela imprensa*]

O menino trouxe a gaiola, *feita pelo pai*.

As histórias *contadas por ele* têm muita graça.

"Era um burrinho pedrês, miúdo e resignado, *vindo de Passa-Tempo*." (GUIMARÃES ROSA) [*vindo* = que viera]

Observação:

✔ Em muitos casos, os particípios são meros adjetivos, devendo ser analisados, conforme o caso, como adjuntos adnominais ou predicativos:

São dez os alunos *aprovados*. → adjunto adnominal

Vi *jogada* no chão a minha blusa verde. → predicativo do objeto

b) Adverbiais temporais:

Abertas as portas, entraram as visitas. [= *Depois que foram abertas as portas*]

Feito isto, podem sair.

"*Findas as lições*, espaçou as visitas, sumiu-se afinal." (GRACILIANO RAMOS)

Chegados que fomos àquela cidade, procuramos um hotel.

"*Concluída que foi a cabana*, instalaram-se contentes." (COELHO NETO)

Observação:

✔ É expletiva ou de realce a sequência *que* + verbo *ser* que ocorre em orações adverbiais temporais como as dos últimos dois exemplos.

c) Adverbiais concessivas:

Mesmo oprimidos, não cederemos. [= *Mesmo que sejamos oprimidos*]

Sitiada por um inimigo implacável, a cidade não se rendeu.

d) Adverbiais condicionais:

"*Aceita a força por fundamento jurídico*, então o mundo seria uma arena de feras." (JÔNATAS SERRANO) [*Aceita* = Se fosse aceita]

e) Adverbiais causais:

Surpreendidos por repentina chuva, pusemo-nos a correr. [*Surpreendidos = Como fomos surpreendidos*]

"*Muito ocupado no Asilo*, não tenho com quem deixar os órfãos." (OTTO LARA RESENDE)

Observação sobre orações reduzidas:

✔ Inúmeras orações reduzidas, mormente adverbiais, prestam-se a mais de uma interpretação. As fronteiras entre os diversos tipos nem sempre são nítidas. Nem faltam exemplos de orações reduzidas que não se enquadram nos esquemas da NGB. Haja vista:

Forçaram o preso a confessar o crime, *torturando-o*. (oração adverbial de meio ou de modo)

Em vez de (ou *longe de*, ou *em lugar de*) *se abandonar ao desânimo*, ele reagiu e venceu. (oração adverbial de exclusão ou de negação)

Não fez nada o mês inteiro, *a não ser* (ou *senão*) *passear*. (oração adverbial de exceção)

Sobre (ou *além de*) *serem rápidos*, os jogadores eram fortes. (oração coordenada aditiva)

"Recebeu a joia, *entregando-a depois à esposa*." (SAID ALI) (oração coordenada aditiva)

Tenha-se em mente, porém, que o fundamental não é saber classificar as orações, mas usá-las com acerto, na prática da comunicação oral e escrita.

O emprego criterioso das orações reduzidas assegura à linguagem concisão e elegância. Quem escreve há de saber utilizar oportunamente ora a forma plena, ora a forma reduzida.

EXERCÍCIOS

LISTA 48

1. Siga o exemplo, transformando os termos destacados em orações reduzidas:

Isabel não suportava **o trato com pessoas mal-educadas**.

Isabel não suportava **tratar com pessoas mal-educadas**.

a) Seria muito ruim para nós **a divulgação de falsidades**.

b) Economizei dinheiro para **a aquisição de um gravador**.

c) A vantagem deles é **o conhecimento de todos os segredos da selva**.

2. As orações em destaque são substantivas reduzidas de infinitivo. Numere-as, de acordo com o indicado:

(1) subjetiva

(2) objetiva direta

(3) objetiva indireta

(4) completiva nominal

(5) predicativa

(6) apositiva

Aconselharam-me a **desfazer o noivado**.

Todos conheciam a mania de Laura: **empenhar joias**.

Depende de V. Sa. **libertar esses presos**.

Um de seus passatempos é **colecionar selos**.

Parti com a doce esperança **de encontrar meu amor**.

Lamento **ter perdido essa oportunidade**.

3. Em seu caderno, reorganize as duas colunas, classificando corretamente as orações adverbiais reduzidas de infinitivo:

Não podia demorar-me, **sob pena de perder o avião**.   causal

Retirei-me discretamente, **sem ser percebido**.   concessiva

É difícil curar um mal **sem lhe conhecer as causas**.   condicional

Ao clarear o dia, descemos da montanha.   consecutiva

Não pude viajar **por ter perdido o dinheiro**.   final

Tirou o cachimbo da boca **a fim de poder falar**.   modal

Apesar de ser mais fraco, Davi matou Golias.   temporal

4. Classifique as orações adverbiais reduzidas de gerúndio, numerando-as adequadamente:

(1) causal   (3) modal

(2) condicional   (4) temporal

Aumentando-se a produção, a exportação crescerá.

Vendo-se perdido, o toureiro gritou por socorro.

Chegando ao alto da árvore, sacudiu-a fortemente.

Matou as formigas esmagando-as com o calcanhar.

5. Classifique as orações adverbiais reduzidas de particípio, numerando-as:

(1) causal   (3) condicional

(2) concessiva   (4) temporal

Terminado o almoço, comentamos as notícias do dia.

Ofendido pelo empregado, o patrão descontrolou-se.

Mesmo picado por uma jararaca, o novilho não morreu.

Instituída a pena de morte, o crime diminuiria?

6. Copie a única oração reduzida que não é adjetiva:

A estrada **a ser construída pelo governo** terá 500 km de extensão.

O menino trouxe a gaiola, **feita na véspera pelo pai**.

Incumbiram-me **de apascentar um rebanho de ovelhas**.

Ouvimos a voz da araponga **cortando o silêncio da mata**.

Ernesto não era homem **de levar desaforo para casa**.

7. Desenvolva as orações reduzidas:

a) **Hasteada a bandeira por um capitão**, cantou-se o Hino Nacional.

b) Hoje cedo, **indo ao quintal**, surpreendi a pereira toda florida.

c) Iremos nós mesmos, **sendo preciso**.

d) **Prevendo uma recepção fria**, não fui visitá-lo.

e) À beira da estrada, vimos crianças **empinando papagaios**.

f) Os moradores de um edifício em chamas, **ao saltar das janelas**, deveriam cair em redes protetoras.

g) Não os deixei em paz **até eles se decidirem**.

h) Então você se apaixonou pela moça **antes de conhecê-la**?

i) Nos eclipses, a Lua escurece **por entrar no cone de sombra da Terra**.

j) Dizem os retirantes **ter passado muitas privações na cidade grande**.

8. Classifique as orações reduzidas[1]:

a) "É preciso trabalhar todos os dias pela alegria geral." (Tiago de Melo)

b) Garantiu-me o pescador serem baleias aquelas manchas escuras.

c) A grande pedra parecia uma sentinela vigiando a planície.

d) "Chegando a Nápoles, cresceram-lhe desejos de subir ao Vesúvio." (Carlos de Laet)

e) Urge erradicar da televisão brasileira todo conteúdo negativo.

f) Eles vangloriam-se de ter escalado o mais alto pico do Brasil.

g) O sapateiro tinha a pretensão de se tornar prefeito da cidade.

h) "Um sonho tinha: possuir um barco para apanhar peixe grande." (Adonias Filho)

i) Não tendo interesse no caso, não intervim.

j) Apesar de possuir asas, o pinguim não voa.

k) Ela não tem culpa de ser rica, como ele de ser pobre.

9. As orações reduzidas em destaque do período abaixo são, respectivamente:

substantiva subjetiva – substantiva objetiva direta

substantiva objetiva direta – substantiva subjetiva

substantiva predicativa – substantiva subjetiva

substantiva subjetiva – substantiva apositiva

"Convém **lembrar** que os defensores dos UFOS acreditam **serem os discos naves espaciais de origem extraterrena**." (Ronaldo de Freitas Mourão)

10. Classifique as orações reduzidas:

a) "Não descrevo as festas por não interessarem ao nosso propósito." (Machado de Assis)

b) Eu achava estupidez exigirem tanto esforço de uma criança.

c) "Proibidas que foram as entradas livres, enfureceram-se os colonos e arderam em fúrias contra os jesuítas." (Carlos de Laet)

d) "Doeu-lhe ver espalhados sobre a sua cama os fragmentos coloridos."
(Antônio Olavo Pereira)

e) "A continuar assim, não vou longe." (Otto Lara Resende)

f) "Estaria transformado a ponto de não ser reconhecido?" (Graciliano Ramos)

g) Eles têm a preocupação de não deixar o menor vestígio por onde passam.

h) A dificuldade era discernir a amizade do interesse.

i) A selva, habitada por animais ferozes, estava à nossa espera.

---

(1) Quando se classificam orações reduzidas, não é preciso desenvolvê-las, mas pode-se fazê-lo mentalmente, o que, sem dúvida, ajudará a classificá-las com acerto.

SINTAXE

j) "Tio Maxêncio ainda não te perdoou não teres descido para a missa de sétimo dia." (José Geraldo Vieira)

k) "Custa corrigir velhos hábitos." (Celso Luft)

l) "A rainha e a corte francesa adotaram o hábito de fumar." (Eduardo Bueno)

11. Copie os períodos numerando-os de acordo com o tipo de oração reduzida em destaque:

(1) substantiva subjetiva

(2) substantiva objetiva direta

(3) substantiva objetiva indireta

(4) substantiva completiva nominal

"Aconselhou-me **a não o ler.**" (Graciliano Ramos)

"Faz mal a Marcoré **ver mãe e avó desunidas.**" (A. Olavo Pereira)

"Exortou-me **a botar a mão na consciência.**" (Carlos Drummond de Andrade)

"Sou avesso **a derramar sangue humano.**" (Carlos de Laet)

Eu estava com sede e curioso **de experimentar aquela bebida.**

A Funai informou **ter demarcado a reserva indígena.**

"É uma obrigação **pagar a dívida ao velho.**" (Adonias Filho)

Muitos preferem morrer lutando **a viver sem liberdade.**

"O treinador do clube observava o interesse do rapaz **em melhorar o nado livre.**" (José Fonseca Fernandes)

12. Destaque do período seguinte as orações reduzidas, conforme se pede:

"E, aos brigões, incapazes de se moverem, basta-lhes xingarem-se à distância." (Dalton Trevisan)

a) subordinada substantiva subjetiva

b) subordinada substantiva completiva nominal

13. Converta as orações subordinadas em destaque nas reduzidas correspondentes:

a) **Se tudo correr bem**, chegaremos antes do sol posto.

b) **Assim que nos viu**, correu a nosso encontro.

c) **Como a rua fosse estreita**, os namorados falavam-se das janelas.

d) Acreditamos **que há outras soluções possíveis para o problema dos transportes**.

e) **Depois que a notícia foi divulgada pela imprensa**, houve na cidade manifestações de desagrado.

f) Tenho consciência **de que agi corretamente**.

g) Diz-se **que nos diademas dos reis há mais espinhos do que rosas**.

h) Noticia-se **que foram encontrados por um garimpeiro de Goiás dois grandes diamantes**.

i) Descobri, atônito, **que estava contribuindo para a minha própria ruína**.

j) Foste punido **porque não seguiste os conselhos de teus pais**.

14. Como o exercício anterior:

a) **Embora tenhas vivido nesta cidade desde criança**, ainda não lhe conheces os arredores?

b) **Se fosse posta em prática**, esta doutrina seria a solução de muitos problemas sociais.

c) **Quando se vence com perigo**, triunfa-se com glória.

d) Os jovens, **como não têm ainda ideias claras e definitivas**, flutuam à mercê de múltiplas correntes filosóficas.

e) É absurdo **que se deixem criminosos em paz** até que eles resolvam emendar-se sozinhos.

f) Lembro-me **de que achei estranha aquela casa**.

g) Sugeri **que comêssemos o peixe no almoço**.

h) Na ilha vi milhares de asas **que obscureciam o sol**.

i) Pelo caminho ouvi **que repetiam a música do filme**.

j) O rádio espalhou a notícia, **que foi confirmada depois pelos jornais**.

k) Às vezes acontecia **que encontravam alguma jaca madura** e então era aquela festa.

l) A vida é um palco: **depois que acabar a representação e cerrarem-se as cortinas**, só restarão dois personagens, você e Deus.

15. Copie as reduzidas fixas, isto é, que não admitem a forma desenvolvida:

"O divertimento dele era **decepar cabeça de saúva**." (MÁRIO DE ANDRADE)

Recusei-me **a assinar o papel em branco**.

Ao atravessar uma rua, ele olhava à direita e à esquerda.

"**Repetindo o gesto do capelão da frota de Colombo**, o Papa beijou a terra do Novo Mundo." (MANCHETE, 10/2/1979)

16. Orientado pelo esquema, substitua as orações desenvolvidas em destaque pelas equivalentes reduzidas de infinitivo:

1) Informaram que não **há** (ou **havia**) mais ingressos.   [presente ou pretérito imperfeito]
   Informaram não **haver** mais ingressos.   [infinitivo presente]

2) Mauro disse que **fez** (ou **fizera**) boa prova.   [pretérito perfeito ou mais-que-perfeito]
   Mauro disse **ter feito** boa prova.   [infinitivo pretérito]

a) Causou estranheza o fato **de que seus corpos flutuavam no espaço**.

b) Foi **porque montou cavalo xucro** que Saul quebrou a perna.

c) O rádio informa **que não há previsão para o restabelecimento do tráfego aéreo**.

d) Pescadores afirmaram **que viram um objeto voador não identificado**.

e) O menino deveria ter uns dez anos e via-se **que recebera boa educação**.

f) Helena parece **que não gostou da brincadeira de suas colegas**.

g) Chegaram dois homens dizendo **que eram os legítimos donos daquelas terras**.

h) Das vinganças de Henrique Heine disse alguém **que eram** como as de Apolo, que de um talho arrancou a pele ao sátiro Mársias.

i) Seria conveniente que não fosses à festa **sem que te vestisses de acordo com a moda**.

17. Os períodos seguintes estão mal redigidos, devido à desagradável repetição da palavra **que**. Melhore-os, substituindo as orações em destaque pelas reduzidas correspondentes:

a) Li no jornal umas notícias que depois averiguei **que não tinham fundamento**.

b) Marquei consulta com o Dr. Clemente, um médico que diziam **que era muito bom**.

c) Todos esses edifícios, enormes e assustadores, que parece **que querem esmagar-nos**, são a prova concreta de uma falsa civilização.

SINTAXE

d) Guardarei com amor esta carta, que dizes **que escreveste num banco de jardim**.

e) Dizem as crônicas que algumas pessoas afirmavam **que tinham visto cascavéis** dançando no peito do vereador.

f) Referiu-me que uma freira, recentemente chegada, lhe disse **que há por lá sérios receios** de que se deflagre nova guerra.

g) O chefe do grupo considerou **que era demasiado perigoso que alguns dos homens se arriscassem** a entrar naquela selva dominada pelos índios.

h) A mesma pessoa que me disse **que o dito farmacêutico mudou de nome** afirmou, entretanto, **que era de ascendência italiana** e **que exercera já a profissão de escultor**.

i) Aquelas rochas atraem a atenção dos arqueólogos **porque têm marcas** que se acredita **que são vestígios de antiga civilização**.

18. Forme períodos em que figurem orações reduzidas iniciadas pelas locuções prepositivas **longe de, a ponto de, sob pena de, a despeito de**.

19. Escreva as orações subordinadas reduzidas, transformando-as em desenvolvidas.

a) Terminada a leitura da peça, o debate começou.

b) É importante cultivares boas amizades.

c) Percebendo minha tristeza, calou-se.

20. Transforme as orações subordinadas desenvolvidas em reduzidas:

a) Nossa intenção era que participássemos do congresso.

b) Quando a recepção terminou, todos estavam entusiasmados.

c) Penso que estou preparado para tudo.

21. Localize no exercício 19 exemplos de:

a) oração reduzida de infinitivo;

b) oração reduzida de gerúndio;

c) oração reduzida de particípio.

22. Desenvolva a oração reduzida abaixo de duas maneiras diferentes. Depois, classifique cada uma delas.

Consertando o carro, ele rodará ainda muitos quilômetros.

23. Desenvolva as orações reduzidas por meio de pronomes relativos:

a) No colégio, vi um garoto pulando o muro.

b) Você já ouviu os CDs comprados pelo Grêmio?

c) Observei durante longo tempo os médicos discutindo a situação.

d) Havia ali muitos homens procurando emprego.

ORAÇÕES REDUZIDAS
Exercícios de exames e concursos

[Página 685]

ESTUDO COMPLEMENTAR DO PERÍODO COMPOSTO

No *período composto* podem ocorrer:

a) orações subordinadas justapostas, isto é, sem conectivo:

"*Há seis meses* depusemos Sílvia na campa, ao lado de seu Camilo." (Antônio Olavo Pereira)

"Conheciam-se já provavelmente, *tão familiares se mostravam*." (Fernando Namora)

"Lembra-me *quão penoso foi o encontro com o passado*." (Ciro dos Anjos)

"Ficou resolvido *se fizesse, em nome do povo, uma representação ao Imperador*." (Viriato Correia)

"A carinha podia ser de chinesa, *fossem os olhos mais enviesados*." (Raquel de Queirós)

"De maio a agosto, ninguém podia tomar banho no rio, *dava febre*." (José J. Veiga)

b) orações cujo verbo está elíptico, isto é, subentendido:

"*Tão bom* se ela estivesse viva para me ver assim!" (Antônio Olavo Pereira)

[*Tão bom* = Seria tão bom]

"*Absurdo* alguém viver num lugar onde se apertavam tantas casas." (Graciliano Ramos)
[*Absurdo* = Era absurdo]

"Carteia está deserta, *como as demais povoações vizinhas*." (Alexandre Herculano)

"E nunca se sabia *como, quando* e com que armas ia atacar." (Érico Veríssimo)

"Olha-me com ar, *se não de censura*, de ressentimento." (Antônio Olavo Pereira)

"*Humilde embora a choupana* a que se bata, sempre se é acolhido com afabilidade." (Afonso Celso)

"A coleira não aprisionava nem tigre nem leão, *mas um menino*." (Haroldo Bruno)

"Não sei se é lua, *se apenas um rastro de nuvem no azul triste do dia*." (Cecília Meireles)

O candidato promete que, *se eleito*, fará amplas reformas.

c) orações interferentes, que estudaremos a seguir.

1 ORAÇÕES INTERFERENTES

Às orações que se acrescentam "à margem" da frase, como esclarecimento, observação, ressalva, etc., dá-se o nome de *interferentes* ou *intercaladas*.

SINTAXE

- Semelhantes orações interferem na sequência lógica da frase, sendo elementos estranhos à estrutura do período. Exemplos:

"Melhor seria eu ir para o forno (*e o de lá de casa era enorme*), para ao menos eu ir assando ao fogo lento." (Luís Jardim)

"Se não me atirasse às bananas (*devo ter comido meia dúzia*), não poderia ter feito as milhares de coisas que fiz." (Lígia Fagundes Telles)

"Desta vez, *disse ele*, vais para a Europa." (Machado de Assis)

"É muito esperto o seu menino, *exclamaram os ouvintes*." (Machado de Assis)

"É bem feiozinho, *benza-o Deus*, o tal teu amigo!" (Aluísio Azevedo)

"Rico, e muito rico – *pensava Caúla* – quem possuía um barco como aquele!" (Adonias Filho)

"Tive (*por que não direi tudo?*), tive remorsos." (Machado de Assis)

"Esta obra de arte popular até hoje se conservou inédita, *creio eu*." (Graciliano Ramos)

"No monte Calvário (*relembra o nosso grande Vieira*), esteve a Senhora sempre ao pé da Cruz..." (Carlos de Laet)

"Notei, *é verdade*, as pedras roídas nos alicerces." (Aníbal Machado)

"O espaço desta campanha de norte a sul (*aqui chamo, senhores, vossa atenção*) é de mais de 300 léguas por costa." (Carlos de Laet)

Meus irmãos (*digo-o com tristeza*) desviaram-se do bom caminho.

Nenhum destes historiadores, *que eu saiba*, faz referência àquele episódio.

- Às vezes, não é apenas uma oração que se insere na frase, mas um período composto, como neste exemplo:

A cidade, caso o tempo esteja bom – e *não há quem admita o contrário* –, terá este ano um carnaval animadíssimo.

Observação:

✔ As orações interferentes são de largo uso no discurso direto. Veja pág. 643.

Divergem os autores quanto à classificação das orações interferentes. Entendemos que são orações independentes justapostas. Na análise sintática, basta dizer: oração ou período interferente.

EXERCÍCIOS

LISTA 49

1. Escreva somente os períodos em que há orações subordinadas justapostas, isto é, sem conectivo:

a) Não fossem as aves, os insetos nocivos acabariam com as plantas.

b) Qualquer que seja o resultado, permanecerei tranquilo.

c) Perguntaram a que horas o patrão tinha passado pela ponte.

SINTAXE 423

d) Nada o contentará enquanto não tiver a paz interior.

e) Ela pediu às autoridades transferissem o irmão para outro presídio.

2. Transcreva os períodos e sublinhe as orações cujo verbo está subentendido e enuncie esse verbo:

a) A terra era fértil, os rios piscosos e grande o número de animais.

b) "A chuva havia parado, mas o vento não." (SÉRGIO FARACO)

c) "À tarde houve cavalhadas e à noite quermesse." (ÉRICO VERÍSSIMO)

d) "Não se sabia como, quando e com que armas ia atacar." (ÉRICO VERÍSSIMO)

e) O candidato promete que, se eleito, fará amplas reformas.

f) Ela o atraía irresistivelmente, como o ímã ao ferro.

g) Donde terá provindo a vida? Porventura do acaso?

3. Copie os períodos abaixo e sublinhe as orações ou os períodos interferentes:

a) Velhos prédios da Rua do Catete são uma ameaça para os pedestres (pedaços de fachadas tombam no passeio) e podem desabar a qualquer momento.

b) "Tudo que se pode ter de felicidade aqui debaixo deste céu (fez um gesto de declamadora de cidade pequena) a vida me deu." (ELSIE LESSA)

c) "Se eu alteasse o choro, se gritasse – a minha mãe ameaçava – a surra se duplicaria." (LUÍS JARDIM)

d) "Tenho passado por boas, observei, e não me consta que te houvesses interessado por mim." (CARLOS DE LAET)

e) Apesar da chuva e do campo enlameado – até o meio-dia o jogo correu o risco de ser transferido –, a atuação das duas equipes agradou bastante, sobretudo pelas boas jogadas dos ataques.

f) "No bolso do capote, por que não confessar, ia uma garrafinha de um horrível conhaque de contrabando que eu arranjara em Pistoia." (RUBEM BRAGA)

4. Fazendo uso da elipse, redija frases de estrutura semelhante à das seguintes:

a) Absurdo pretender melhorar o mundo sem melhorar o homem.

b) Acanhado, as orelhas ardendo, repeli o elogio: os meus escritos eram fracos, não prestavam.

c) Criatura estranha o filósofo Diógenes, que morava num tonel.

d) A voz áspera, modos sacudidos, ranzinza, impertinente, Fernando era assim.

e) "Veio sem pintura, um vestido leve, sandálias coloridas." (RUBEM BRAGA)

5. Organize períodos em que figurem orações semelhantes às em destaque:

a) Aquela dura sentença, **longe de me abalar**, até me envaideceu.

b) Não só se envergonhava do pai, **como também não o amava**.

c) **Por mais que eu tenha insistido**, não me atendeu.

d) Não se sentava **que não enterrasse a cara nas mãos**.

e) **Tivesse eu os teus recursos**, e quantas coisas haveria de realizar!

f) A planície parecia não ter fim, **de tão extensa que era**.

g) "**Nem bem a porta fechou**, Casimiro redarguiu, agressivo..." (José Fonseca Fernandes)

h) A tempestade fustigava a natureza, **a floresta e o rio como que se contorciam de dor**.

2 MODELOS DE ANÁLISE SINTÁTICA

"A ordem, meus amigos, é a base do governo."

(Machado de Assis)

Período simples; oração absoluta (única no período).

Sujeito: A ordem

Predicado: é a base do governo (*nominal*)

Verbo: é (*de ligação*)

Predicativo do sujeito: a base do governo

Adjuntos adnominais: a, meus, a, do governo

Vocativo: meus amigos

A   B
[Netuno é deus do mar,]   [mas Baco tem afogado mais gente.]

Período composto por coordenação.

A) oração coordenada assindética

   Sujeito: Netuno

   Predicado: é deus do mar (*nominal*)

   Verbo: é (*de ligação*)

   Predicativo do sujeito: deus do mar

   Adjunto adnominal: do mar

B) oração coordenada adversativa sindética

   Sujeito: Baco

   Predicado: tem afogado mais gente (*verbal*)

   Verbo: tem afogado (*transitivo direto*)

   Objeto direto: mais gente

   Adjunto adnominal: mais

   Conectivo coordenativo: mas

SINTAXE

(3)

              A   B   C
[Se bem que eu não o julgue insensível à arte,]   [admira-me]   [vê-lo assim tão entusiasmado.]

Período composto por subordinação.

A) oração subordinada adverbial concessiva

    Sujeito: eu

    Predicado: não o julgue insensível à arte (*verbo-nominal*)

    Verbo: julgue (*transitivo direto*)

    Objeto direto: o

    Predicativo do objeto: insensível

    Complemento nominal: à arte

    Adjunto adverbial de negação: não

    Conectivo subordinativo: se bem que

B) oração principal

    Sujeito: a oração C

    Predicado: admira-me (*verbal*)

    Verbo: admira (*transitivo direto*)

    Objeto direto: me

C) oração sub. subst. subjetiva, reduzida de infinitivo

    Sujeito: eu (*oculto*)

    Predicado: vê-lo assim tão entusiasmado (*verbo-nominal*)

    Verbo: ver (*transitivo direto*)

    Objeto direto: o

    Predicativo do objeto: entusiasmado

    Adjunto adverbial de modo: assim

    Adjunto adverbial de intensidade: tão

(4)

              A   B   A
["Todos os médicos [a quem contei as moléstias dele] foram acordes]
       C   D   E
[em que a morte era certa,] [e só se admiravam] [de ter resistido tanto tempo."]

(MACHADO DE ASSIS)

Período composto por subordinação e coordenação.

A) oração principal

B) oração subordinada adjetiva restritiva

C) oração subordinada substantiva completiva nominal

D) oração coordenada aditiva sindética, principal relativamente à seguinte

E) oração subordinada substantiva objetiva indireta, reduzida de infinitivo

Análise de alguns termos: *quem*, objeto indireto; *dele*, adjunto adnominal; *acordes*, predicativo do sujeito; *tanto*, adjunto adnominal.

A   B
["Certamente, para o garoto o ideal seria]   [que todos fossem embora]
C
[e ele tomasse posse da cápsula.]

(CARLOS DRUMMOND DE ANDRADE)

Período composto por subordinação e coordenação.

A) oração principal

B) oração subordinada substantiva predicativa

C) oração subordinada substantiva predicativa coordenada à oração B (elipse da conjunção integrante *que*: e **que** ele tomasse posse da cápsula)

Análise de alguns termos: *certamente*, adjunto adverbial de afirmação; *garoto*, adjunto adverbial de interesse; *ideal*, sujeito; *tomasse posse* [= *se apossasse*], núcleo do predicado; *cápsula*, objeto indireto.

Análise também aceitável: *tomasse*, núcleo do predicado; *posse*, objeto direto; *cápsula*, complemento nominal.

Observação:

✓ **Cápsula**. Cabine de uma nave espacial.

EXERCÍCIOS

LISTA 50

1. Converta os termos destacados em orações e classifique-as:

a) Quero **sua colaboração**.

b) É necessária nossa **participação**.

c) Tenho necessidade **de sua ajuda**.

d) O mais importante é **a devolução do nosso dinheiro**.

e) Peço-te apenas uma coisa: **o reconhecimento da verdade**.

2. Transforme os períodos simples em compostos utilizando pronome relativo. Oriente-se pelo exemplo.

Estudo em uma escola religiosa. A escola tem muitos alunos.

A escola em que estudo tem muitos alunos.

a) Seu José é ótimo contador. Seu José mora em minha rua.

b) Temos novos funcionários. Esses funcionários foram aprovados em concurso.

c) Paulo é uma pessoa admirável. Podemos contar sempre com ele.

3. Escreva os períodos substituindo os adjuntos adverbiais grifados por orações subordinadas adverbiais equivalentes.

a) *À noite*, retornávamos a nossos lares.

b) Enviaremos o resultado do exame *para a realização do inquérito*.

c) *Apesar de sua agressividade*, Carlinhos é um ótimo garoto.

d) Não terminei o relatório *por falta de dados*.

e) Saíram *no término da festa*.

4. Classifique as orações adverbiais que formulou no exercício anterior.

5. Escreva os períodos acrescentando orações subordinadas adjetivas às principais.

a) O campeão * não participará da próxima competição.

b) A secretária * trabalha na sala ao lado.

c) O livro * é muito interessante.

d) A vila * não existe mais.

e) O colégio * é muito bom.

6. Explique a diferença de sentido que existe entre as frases abaixo:

a) Meu irmão, que mora em Botucatu, virá amanhã.

b) Meu irmão que mora em Botucatu virá amanhã.

ESTUDO COMPLEMENTAR DO PERÍODO COMPOSTO

Exercícios de exames e concursos

[Página 683]

SINAIS DE PONTUAÇÃO

Tríplice é a finalidade dos sinais de pontuação:

a) assinalar as pausas e as inflexões da voz (a entonação) na leitura;

b) separar palavras, expressões e orações que devem ser destacadas;

c) esclarecer o sentido da frase, afastando qualquer ambiguidade.

Não há uniformidade entre os escritores quanto ao emprego dos sinais de pontuação. Não sendo possível traçar normas rigorosas sobre a matéria, daremos aqui apenas as que o uso geral vem sancionando, na atual língua escrita.

1 EMPREGO DA VÍRGULA

A) Emprega-se a vírgula:

- para separar palavras ou orações justapostas assindéticas:

A terra, o mar, o céu, tudo apregoa a glória de Deus. .
Os passantes chegam, olham, perguntam e prosseguem.

- para separar vocativos:

"Olha, *Roque*, você me vai dar um remédio." (MENOTTI DEL PICCHIA)

- para separar apostos e certos predicativos:

São Marcelino Champagnat, *fundador da Congregação dos Irmãos Maristas*, destaca-se entre os grandes educadores da juventude.

"*Pássaro e lesma*, o homem oscila entre o desejo de voar e o desejo de arrastar."
(GUSTAVO CORÇÃO)

Lentos e tristes, os retirantes iam passando.

- para separar orações intercaladas e outras de caráter explicativo:

A História, *diz Cícero*, é a mestra da vida.
Segundo afirmam, há no mundo 396.000 espécies vivas de animais.

"O jornal, *como o entendem hoje em dia*, é o mergulho absoluto na intensidade da vida."
(FÉLIX PACHECO)

- para separar certas expressões explicativas ou retificativas, como *isto é, a saber, por exemplo, ou melhor, ou antes*, etc. Exemplo:

O amor, *isto é*, o mais forte e sublime dos sentimentos humanos, tem seu princípio em Deus.

- para separar orações adjetivas explicativas:

Pelas 11h do dia, *que foi de sol ardente*, alcançamos a margem do rio Paraná.
"O coronel ia enchendo o tambor do revólver, *do qual nunca se apartava*." (HERBERTO SALES)

- de modo geral, para separar orações adverbiais desenvolvidas:

Enquanto o marido pescava, Rosa ficava pintando a paisagem.

- para separar orações adverbiais reduzidas:

"Dali eu via, *sem ser visto*, a sala de visitas." (LÚCIO DE MENDONÇA)
"*Findas as lições*, espaçou as visitas, sumiu-se afinal." (GRACILIANO RAMOS)
"O tiroteio inesperado, *violentando a paz da noite*, fez a cidade estremecer..." (HERBERTO SALES)

- para separar adjuntos adverbiais:

"Eis que, *aos poucos, lá para as bandas do oriente*, clareia um cantinho do céu."
(VISCONDE DE TAUNAY)
"*Com mais de setenta anos*, andava a pé." (GRACILIANO RAMOS)
O adjunto adverbial, quando breve, pode dispensar a vírgula:
"*Dentro do navio* homens e mulheres conversavam." (JORGE AMADO)

- para indicar a elipse de um termo:

Uns diziam que se matou, outros, que fora para o Acre. [= outros *diziam* que fora para o Acre.]
"Às vezes sobe aos ramos da árvore; outras, remexe o uru de palha matizada."
(JOSÉ DE ALENCAR) [= outras *vezes*]

- para separar certas conjunções pospositivas, como *porém, contudo, pois, entretanto, portanto*, etc.:

"Vens, *pois*, anunciar-me uma desventura." (ALEXANDRE HERCULANO)
"As pessoas delicadas, *contudo*, haviam desde a véspera abandonado a cidade." (JOÃO RIBEIRO)

- para separar os elementos paralelos de um provérbio:

Mocidade ociosa, velhice vergonhosa.

- para separar termos que desejamos realçar:

O dinheiro, Jaime o trazia escondido nas mangas do paletó.

- para separar, nas datas, o nome do lugar:

Rio de Janeiro, 10 de maio de 2000.

B) Não se emprega vírgula:

- entre o sujeito e o verbo da oração, quando juntos:

Atletas de várias nacionalidades participarão da grande maratona.

Observação:

✔ Se entre o sujeito e o verbo ocorrer adjunto ou oração, com pausas obrigatórias, terá lugar a vírgula:

Meus olhos, *devido à fumaça*, ardiam e lacrimejavam muito.

As crianças, *quando os pais as tratam mal*, tornam-se agressivas.

- entre o verbo e seus complementos, quando juntos:

  Dona Elza pediu ao diretor do colégio que colocasse o filho em outra turma.

- em geral, antes de oração adverbial consecutiva do tipo:

  O vento soprou tão forte *que arrancou mais de uma árvore.*

2 PONTO E VÍRGULA

O ponto e vírgula denota uma pausa mais sensível que a vírgula e emprega-se principalmente:

- para separar orações coordenadas de certa extensão:

  "Depois Iracema quebrou a flecha homicida; deu a haste ao desconhecido, guardando consigo a ponta farpada." (JOSÉ DE ALENCAR)

  Astrônomos já tentaram estabelecer contato com seres extraterrestres; suas tentativas, porém, foram infrutíferas.

- em enumerações do tipo:

  Destacaram-se, na Conjuração Mineira, Joaquim José da Silva Xavier, alcunhado *Tiradentes*; o poeta Cláudio Manuel da Costa, autor do poema épico *Vila Rica*; o poeta Tomás Antônio Gonzaga, autor de *Marília de Dirceu*; o desembargador Inácio Alvarenga Peixoto e o padre Luís Vieira da Silva, em cuja biblioteca se reuniam os conjurados.

- para separar os considerandos de um decreto, de uma sentença, de uma petição, etc.

- para separar os itens de um artigo de lei, de um regulamento.

3 DOIS-PONTOS

Emprega-se este sinal de pontuação:

- para anunciar a fala dos personagens nas histórias de ficção:

  "O Baixinho retomou o leme, dizendo:
  – Olha, menino, veja a Bahia." (ADONIAS FILHO)
  "Ouvindo passos no corredor, abaixei a voz:
  – Podemos avisar sua tia, não?" (GRACILIANO RAMOS)

- antes de uma citação:

  "Repetia as palavras do pai: O mundo, sem a selva, será triste e mau." (ADONIAS FILHO)
  Bem diz o ditado: Vento ou ventura, pouco dura.
  "O pessoal do extremo norte tem um *slogan*: Amazônia também é Brasil!" (RAQUEL DE QUEIRÓS)

- antes de certos apostos, principalmente nas enumerações:

  Tudo ameaça as plantações: vento, enchentes, geadas, insetos daninhos, bichos, etc.
  Duas coisas lhe davam superioridade: o saber e o prestígio.
  Existem na esgrima três modalidades de arma: florete, sabre e espada.
  "O *Titanic* nasceu de um sonho: o de que era possível construir um navio à prova de naufrágio." (ARTUR DAPIEVE)

- antes de orações apositivas:

    A verdadeira causa das guerras é esta: os homens se esquecem do Decálogo.

    "Só ponho uma condição: vai almoçar comigo." (Carlos de Laet)

    "É triste dizer: o velho às vezes se embriagava." (Autran Dourado)

- para indicar um esclarecimento, um resultado ou resumo do que se disse:

    "Mas padre Anselmo era assim mesmo: amigo dos pobres." (João Clímaco Bezerra)

    "Guardo o mundo na mão: não sei se sou feliz." (Cabral do Nascimento)

    "Afinal a casa não caíra do céu por descuido: fora construída pelo major." (Graciliano Ramos)

    "Resultado: no fim de algum tempo tinha o que se chama 'dinheiro no Banco'." (Carlos Drummond de Andrade)

    "Em resumo: saí com 1.029 cruzeiros no bolso, um tanto confuso." (Carlos Drummond de Andrade)

4 PONTO FINAL

- Emprega-se, principalmente, para fechar o período:

    "Mestre Vitorino morava no mar." (Adonias Filho)

- Usa-se também nas abreviaturas:

    Sr. (senhor), *a.C.* (antes de Cristo), *pág.* (página), *P.S.* (*post scriptum*), etc.

5 PONTO DE INTERROGAÇÃO

- Usa-se no fim de uma palavra, oração ou frase, para indicar pergunta direta, que se faz com entoação ascendente:

    "– Aonde? perguntou Dona Plácida." (Machado de Assis)

    "Não estás farto do espetáculo e da luta?" (Machado de Assis)

    "– Que vai fazer V. Exª? tornou Calisto." (Camilo Castelo Branco)

    "– Que tem isso? perguntava-lhe eu." (Machado de Assis)

    "Caça é coisa para homem, não é, César?" (Antônio Olinto)

- Aparece, às vezes, no fim de uma pergunta intercalada, que pode, ao mesmo tempo, estar entre parênteses:

    "A imprensa (quem o contesta?) é o mais poderoso meio que se tem inventado para a divulgação do pensamento." (Carlos de Laet)

    Outras vezes combina-se com o ponto de exclamação ou as reticências:

    "– A mim?! Que ideia!" (Camilo Castelo Branco)

    "Virgília? Mas então era a mesma senhora que alguns anos depois...?" (Machado de Assis)

Observação:

✔ Não se usa o ponto interrogativo nas perguntas indiretas: *Dize-me o que tens.*

   Desejo saber quem vai. Perguntei quem era.

432 SINTAXE

6 PONTO DE EXCLAMAÇÃO

- Usa-se depois das interjeições, locuções ou frases exclamativas, que se proferem com entonação descendente, exprimindo surpresa, espanto, susto, indignação, piedade, ordem, súplica, etc. Exemplos:

"– Céus! Que injustiça!" (CAMILO CASTELO BRANCO)

"– Nunca! gemeu o enfermo." (MACHADO DE ASSIS)

"Coitada de Dona Plácida!" (MACHADO DE ASSIS)

"Ah! mísero demente! o teu tesouro é falso!" (OLAVO BILAC)

"Suspendam o interrogatório!" (ÉRICO VERÍSSIMO)

"– Um automóvel! Depressa! Depressa!" (FERNANDO NAMORA)

- Substitui a vírgula depois de um vocativo enfático:

"*Colombo!* fecha a porta dos teus mares!" (CASTRO ALVES)

7 RETICÊNCIAS

As reticências (...) são usadas, principalmente:

- para indicar suspensão ou interrupção do pensamento, ou ainda, corte da frase de um personagem pelo interlocutor, nos diálogos:

"– Mas essa cruz, observei eu, não me disseste que era teu pai que..." (MACHADO DE ASSIS)

"– A instrução é indispensável, a instrução é uma chave, a senhora não concorda, dona Madalena?

– Quem se habitua aos livros...

– É não habituar-se, interrompi." (GRACILIANO RAMOS)

- no meio do período, para indicar certa hesitação ou breve interrupção do pensamento:

"– Porque... não sei, porque... porque é a minha sina..." (MACHADO DE ASSIS)

"– Ao contrário, se é amigo dele... peço-lhe que o distraia... que..." (MACHADO DE ASSIS)

- no fim de um período gramaticalmente completo, para sugerir certo prolongamento da ideia:

"Na terra os homens sonham, os homens vivem sonhando..." (MALU DE OURO PRETO)

"Ninguém... A estrada, ampla e silente,

Sem caminhantes adormece..." (OLAVO BILAC)

- para sugerir movimento ou a continuação de um fato:

"E o pingo d'água continua..." (OLEGÁRIO MARIANO)

"E a Vida passa... efêmera e vazia." (RAUL DE LEONI)

- para indicar chamamento ou interpelação, em lugar do ponto interrogativo:

"– Seu Pilar... murmurou ele daí a alguns minutos.

– Que é?" (MACHADO DE ASSIS)

- para indicar supressão de palavra(s) numa frase transcrita, caso em que se podem usar quatro pontos, em vez de três:

"... o chefe dos pescadores... se arroja nas ondas..." (José de Alencar)

"Na primeira semana de agosto,.... a frota ancorou em Málaga...." (Eduardo Bueno)

Neste último caso, as reticências são mero sinal gráfico: não representam pausa nem entonação especial.

Observação:

✔ As reticências e o ponto de exclamação, sinais gráficos subjetivos de grande poder de sugestão e ricos em matizes melódicos, são ótimos auxiliares da linguagem afetiva e poética. Seu uso, porém, é antes arbitrário, pois depende do estado emotivo do escritor.

8 PARÊNTESES

- Usam-se para isolar palavras, locuções ou frases intercaladas no período, com caráter explicativo, as quais são proferidas em tom mais baixo:

"O Cristianismo (escreveu Chateaubriand) inventou o órgão e fez suspirar o bronze." (Carlos de Laet)

"Mas o tempo (e é outro ponto em que eu espero a indulgência dos homens pensadores!), o tempo caleja a sensibilidade..." (Machado de Assis)

- Às vezes substituem a vírgula ou o travessão:

"Ora (direis) ouvir estrelas! Certo

Perdeste o senso!..." (Olavo Bilac)

9 TRAVESSÃO

O travessão (–) é um traço maior que o hífen e usa-se:

- nos diálogos, para indicar mudança de interlocutor ou, simplesmente, início da fala de um personagem:

"– Você é daqui mesmo? perguntei.

– Sou, sim senhor, respondeu o garoto." (Aníbal Machado)

- para separar expressões ou frases explicativas, intercaladas:

Um bom ensino básico – diga-se mais uma vez – exige a valorização do professor.

"Quanto mais andam pelas docas, pelo porto – Amsterdam já tem uma indústria naval –, maior agitação encontram." (Assis Brasil)

"E logo me apresentou à mulher, – uma estimável senhora – e à filha." (Machado de Assis)

- para isolar palavras ou orações que se quer realçar ou enfatizar:

"Acresce que chovia – peneirava – uma chuvinha miúda, triste e constante..." (Machado de Assis)

"O obelisco aponta aos mortais as coisas mais altas: o céu, a Lua, o Sol, as estrelas, – Deus." (Manuel Bandeira)

- às vezes substitui os parênteses e mesmo a vírgula e os dois-pontos:

  "Uma das glórias – e tantas são elas! – da Ordem Beneditina no Brasil é D. Frei Antônio do Desterro." (CARLOS DE LAET)

  "O que o colono do Maranhão pretendia era isto – fazer entradas livres." (CARLOS DE LAET)

  "Mas eis – corre-se então nívea cortina." (CRUZ E SOUSA)

10 ASPAS

- Usam-se as aspas (" ") antes e depois de uma citação textual (palavra, expressão, frase ou trecho):

  Disse o pintor grego Apeles ao sapateiro que o criticara: "Sapateiro, não passes além da sandália!"

  "Proletário, uni-vos." Isto era escrito sem vírgula e sem traço, a piche. (GRACILIANO RAMOS)

  "A bomba não tem endereço certo." (CECÍLIA MEIRELES)

- Costuma-se aspear expressões ou conceitos que se deseja pôr em evidência:

  Miguel Ângelo, "o homem das três almas"... (CARLOS DE LAET)

  Desde os cinco anos merecera eu a alcunha de "menino diabo". (MACHADO DE ASSIS)

  País algum sobrevive sob o insensato refrão de que "é proibido proibir". (DOM EUGÊNIO SALES)

- Põem-se entre aspas ou, então, grifam-se palavras estrangeiras, termos da gíria, expressões que devem ser destacadas:

  Guido vestiu um *short* branco e foi jogar bola.

  O *réveillon* foi muito animado.

  Assim me contou o "tira"... (ANÍBAL MACHADO)

- Títulos de livros, revistas, jornais, filmes, etc. são, de preferência, grifados:

  A notícia foi dada pelo *Jornal do Brasil*.

11 COLCHETES

- Têm a mesma finalidade que os parênteses; todavia, seu uso se restringe aos escritos de cunho didático, filológico, científico:

  "Luzente. [Do lat. *lucente*.] *Adj. 2 g.* Que luz ou brilha." (*Novo Dicionário Aurélio*, 3ª edição, 1999)

  "Cada um colhe [conforme semeia]." (ADRIANO DA GAMA KURY)

- Na transcrição de um texto, indicam inclusão de palavra(s):

"O [peixe] do meio trazia uma concha na boca..." (*Novo Dicionário Aurélio,* 3ª edição, verbete *lhe*)

"Qualquer mudança deve vigir [*sic*] apenas a partir de 1995." (Carlos Castelo Branco)

12 ASTERISCO

O asterisco (*), palavra que significa *estrelinha*, é usado:

- para remeter a uma nota ou explicação ao pé da página ou no fim de um capítulo;
- nos dicionários e nas enciclopédias, para remeter a um verbete;
- no lugar de um nome próprio que não se quer mencionar: *o Dr.*, o jornal****.

13 PARÁGRAFO

Representa-se com o sinal § e serve para indicar um parágrafo de um texto ou artigo de lei.

EXERCÍCIOS — LISTA 51

1. Em uma frase a vírgula é inadequada. Dê a razão:

a) Colhiam café bandos de moças alegres, cantadoras, muito bonitas.

b) Menino pobre, Zezinho não tinha roupa nova para ir à festa.

c) Para lá da via férrea, meninos empinavam papagaios.

d) A tartaruga, conhecido réptil aquático, vem à terra para a desova.

e) Mugidos tristes de reses famintas, cortavam o silêncio da noite.

2. Escreva o trecho abaixo, colocando as vírgulas corretamente:

"De longe por entre coqueiros surge correndo uma mulher vestida de calça e capa de borracha negra dessas de marinheiro; na mão um cajado longo. Não ouvem o que ela grita devido ao vento mas sentem no bastão erguido um gesto de ameaça. Seguem-na um padre e um tipo de barbas. Em seguida os pescadores: velhos moços e meninos." (Jorge Amado)

3. Copie as frases, colocando convenientemente vírgula, ponto e vírgula e dois-pontos:

a) Vaqueiros saltam em cima de cavalos cavalos se lançam atrás dos bois que correm desabalados caatinga adentro.

b) Na cidade vê-se o contrário do que acontece na roça as pessoas estão sempre muito apressadas.

c) Umas excursões levam ao norte às praias de Cabo Frio onde a vida social é muito animada outras conduzem ao sul a Angra dos Reis lugar ideal para a caça submarina.

d) "Durante o ciclo da borracha fora aquela legião de rapazes para os seringais. Poucos voltaram. O Governo prometia mundos e fundos terras hospitais ordenado médicos escolas. E no fim foi o que se viu os desgraçados voltaram como antigamente. Roídos de beribéri de maleita magros famintos. Dinheiro nem um tostão. E os arrebanhadores de gente ricos com casa na cidade." (João Clímaco Bezerra, *A Vinha dos Esquecidos*, p. 97)

4. Ponha os sinais de pontuação adequados na seguinte fábula:

O acordo

Vestido como caçador o homem caçava Estava metido no mais negro da floresta e caçava Mas não procurava qualquer caça não Procurava uma caça determinada capaz de lhe dar uma pele que aquecesse suas noites hibernais

E procurava Procura que procura eis senão quando numa volta da floresta depara nada mais nada menos que com um urso Os dois se defrontam O caçador apavorado pela selvageria do animal O animal apavorado pela civilização em forma de rifle do caçador Mas foi o urso quem falou primeiro

Que é que você está procurando

Eu disse o caçador procuro uma boa pele com a qual possa abrigar-me no inverno E você

Eu disse o urso procuro algo que jantar porque há três dias que não como

E os dois se puseram a pensar E foi de novo o urso quem falou primeiro

Olha caçador vamos entrar na toca e conversar lá dentro que é melhor

Entraram E dentro de meia hora o urso tinha o seu almoço e consequentemente o caçador tinha o seu capote

Moral Falando a gente se entende

(Millôr Fernandes, *Novas Fábulas Fabulosas*, Desiderata, 2007)

5. Copie as frases colocando as vírgulas necessárias.

a) A doença a perda da esposa a viagem do filho tudo o abatia.

b) Falemos amigos de nossos sonhos e esperanças.

c) Os artistas alegres e realizados recebiam seus merecidos prêmios.

d) Dirigiam-se às crianças ou melhor aos alunos da quinta série.

e) Os alunos do ensino médio partirão hoje nós amanhã.

6. Explique por que não se podem usar as vírgulas que aparecem nas frases abaixo.

a) O grande e invencível herói americano, deixou-se cair abatido.

b) Os que zombam de ti não conhecem ainda, a força de teu caráter e de tua vontade.

c) As histórias do filme eram tão tristes e sombrias, que arrancaram lágrimas de toda a plateia.

SINTAXE 437

7. Explique a diferença de sentido entre os pares de frases abaixo:

a) Carlos, o professor está doente.

Carlos, o professor, está doente.

b) As meninas andavam pelas ruas tranquilas.

As meninas andavam pelas ruas, tranquilas.

8. Escreva as frases colocando o termo destacado no ínicio do período. Veja se, então, haverá necessidade de usar vírgula.

a) Os refugiados caminhavam sem destino *após o ataque inimigo*.

b) Falava com as crianças da turma *com muita sensibilidade*.

9. Recoloque, em cada período, o ponto e vírgula omitido.

a) Muitos já tentaram descobrir a cura do câncer as diferentes pesquisas, no entanto, ainda não tiveram sucesso.

b) Os paulistas armaram-se para o ataque, supondo contar com a adesão dos outros estados após alguns combates, no entanto, foram desarmados.

SINAIS DE PONTUAÇÃO
Exercícios de exames e concursos
[Página 685]

SINTAXE DE CONCORDÂNCIA

Concordância é o princípio sintático segundo o qual as palavras dependentes se harmonizam, nas suas flexões, com as palavras de que dependem. Assim:

a) Os adjetivos, pronomes, artigos e numerais concordam em gênero e número com os substantivos a que se referem (concordância nominal);

b) O verbo concordará com o sujeito da oração em número e pessoa (concordância verbal).

CONCORDÂNCIA NOMINAL

1 CONCORDÂNCIA DO ADJETIVO ADJUNTO ADNOMINAL

A concordância do adjetivo, com a função de adjunto adnominal, efetua-se de acordo com as seguintes regras gerais:

- O adjetivo concorda em gênero e número com o substantivo a que se refere. Exemplo:

  O **alto** ipê cobre-se de flores **amarelas**.

- O adjetivo que se refere a mais de um substantivo de gênero ou número diferentes, quando posposto, poderá concordar no masculino plural (concordância mais aconselhada), ou com o substantivo mais próximo. Exemplos:

a) no masculino plural:

"Tinha as espáduas e o colo **feitos** de encomenda para os vestidos decotados." (MACHADO DE ASSIS)

"Os arreios e as bagagens **espalhados** no chão, em roda." (HERMAN LIMA)

"Ainda assim, apareci com o rosto e as mãos muito **marcados**." (POVINA CAVALCÂNTI)

"... grande número de camareiros e camareiras **nativos**." (ÉRICO VERÍSSIMO)

"... um padre-nosso e uma ave-maria **oferecidos** a Nossa Senhora." (MACHADO DE ASSIS)

"Uma solicitude e um interesse mais que **fraternos**." (MÁRIO DE ALENCAR)

"... asas e peito **matizados** de riscas brancas." (LÚCIO DE MENDONÇA)

A atriz possui muitas joias e vestidos **caros**.

"... à descoberta de rios e terras ainda **desconhecidos**." (JOSÉ DE ALENCAR)

"... esperavam-nos alguns tios e tias **maternos**, com os quais fomos viver." (HUMBERTO DE CAMPOS)

b) com o substantivo mais próximo:

A Marinha e o Exército **brasileiro** estavam alerta.

Músicos e bailarinas **ciganas** animavam a festa.

"... toda ela [a casa] cheirando ainda a cal, a tinta e a barro **fresco**." (Humberto de Campos)

"Meu primo estava saudoso dos tempos da infância e falava dos irmãos e irmãs **falecidas**." (Luís Henrique Tavares)

- Anteposto aos substantivos, o adjetivo concorda, em geral, com o mais próximo:

"Escolhestes **mau** lugar e hora..." (Alexandre Herculano)

"... acerca do **possível** ladrão ou ladrões." (Antônio Callado)

Velhas revistas e livros enchiam as prateleiras.

Velhos livros e revistas enchiam as prateleiras.

> **Observação:**
>
> ✔ Seguem esta regra os pronomes adjetivos:
>
> A *sua* idade, sexo e profissão.   *Seus* planos e tentativas.
>
> *Aqueles* vícios e ambições.   Por que *tanto* ódio e perversidade?
>
> "*Seu* Príncipe e filhos." (Luís de Camões, *Os Lusíadas*, III, 124)

Muitas vezes é facultativa a escolha desta ou daquela concordância, mas em todos os casos deve subordinar-se às exigências da eufonia, da clareza e do bom gosto.

Quando dois ou mais adjetivos se referem ao mesmo substantivo determinado pelo artigo, ocorrem dois tipos de construção, um e outro legítimos. Exemplos:

Estudo **as línguas** inglesa e francesa.

Estudo **a língua** inglesa e **a** francesa.

Os dedos indicador e médio estavam feridos.

O dedo indicador e **o** médio estavam feridos.

- Os adjetivos regidos da preposição *de*, que se referem a pronomes neutros indefinidos (*nada, muito, algo, tanto, que*, etc.), normalmente ficam no masculino singular:

Sua vida nada tem de **misterioso**.

Seus olhos têm algo de **sedutor**.

Todavia, por atração, podem esses adjetivos concordar com o substantivo (ou pronome) sujeito:

"Elas nada tinham de **ingênuas**." (José Gualda Dantas)

"Os edifícios da cidade nada têm de **elegantes**." (Mário Barreto)

"Júlia tinha tanto de **magra** e **sardenta**, quanto de **feia**! (Ribeiro Couto)

"Tanto tinha minha tia de **emperiquitada** quanto minha avó de **desmazelada** consigo mesma." (Pedro Nava)

"... esses números nada têm de **precisos**." (Josué de Castro)

440   SINTAXE

2 CONCORDÂNCIA DO ADJETIVO PREDICATIVO COM O SUJEITO

A concordância do adjetivo predicativo com o sujeito realiza-se consoante as seguintes normas:

- O predicativo concorda em gênero e número com o sujeito simples:

  A ciência sem consciência é **desastrosa**.

  Os campos estavam **floridos**, as colheitas seriam **fartas**.

  É **proibida** a caça nesta reserva.

- Quando o sujeito é composto e constituído por substantivos do mesmo gênero, o predicativo deve concordar no plural e no gênero deles:

  O mar e o céu estavam **serenos**.

  A ciência e a virtude são **necessárias**.

  "**Torvos** e **ferozes** eram o gesto e os meneios destes homens sem disciplina."
  (ALEXANDRE HERCULANO)

- Sendo o sujeito composto e constituído por substantivos de gêneros diversos, o predicativo concordará no masculino plural:

  O vale e a montanha são **frescos**.

  "O céu e as árvores ficariam **assombrados**." (MACHADO DE ASSIS)

  Longos eram os dias e as noites para o prisioneiro.

  "O César e a irmã são **louros**." (ANTÔNIO OLINTO)

  O garoto e as meninas avançaram **cautelosos**.

- Menos comum é a concordância com o substantivo mais próximo, o que só é possível quando o predicativo se antecipa ao sujeito:

  "Era **deserta** a vila, a casa, o templo." (GONÇALVES DIAS)

  Onde andará **metido** Antônio e suas irmãs?

  Estavam **molhadas** as cortinas e os tapetes.

- Se o sujeito for representado por um pronome de tratamento, a concordância se efetua com o sexo da pessoa a quem nos referimos:

  Vossa Senhoria, ficará **satisfeito**, eu lhe garanto.

  "Vossa Excelência está **enganado**, Doutor Juiz." (ARIANO SUASSUNA)

  Vossas Excelências, senhores Ministros, são **merecedores** de nossa confiança.

  Vossa Alteza foi **bondoso**. (com referência a um príncipe)

  Vossa Alteza foi muito **severa**. (com referência a uma princesa)

  "Vossa Majestade pode partir **tranquilo** para a sua expedição." (VIVALDO COARACI)

Observação:

✔ A essa concordância do adjetivo com a ideia implícita na expressão de tratamento dá-se o nome de *silepse*, da qual trataremos adiante.

O predicativo aparece às vezes na forma do masculino singular nas estereotipadas locuções *é bom, é necessário, é preciso*, etc., embora o sujeito seja substantivo feminino ou plural:

Bebida alcoólica não é **bom** para o fígado.

"Água de melissa é muito **bom**." (Machado de Assis)

"É **preciso** cautela com semelhantes doutrinas." (Camilo Castelo Branco)

"Hormônios, às refeições, não é **mau**." (Aníbal Machado)

"É **necessário** muita fé." (Mário Barreto)

"Não seria **preciso** muita finura para perceber isso." (Ciro dos Anjos)

Observe-se que em tais casos o sujeito não vem determinado pelo artigo e a concordância se faz não com a forma gramatical da palavra, mas com o fato que se tem em mente:

Tomar hormônios às refeições não é mau.

É necessário **ter muita fé**.

- Havendo determinação do sujeito, ou sendo preciso realçar o predicativo, efetua-se a concordância normalmente:

É necessária a tua presença aqui. [= indispensável]

"**Se eram necessárias** obras, que se fizessem e largamente." (Eça de Queirós)

"**Seriam precisos** outros três homens." (Aníbal Machado)

"**São precisos** também os nomes dos admiradores." (Carlos de Laet)

"Só para consolidar as bases do palácio real, **foram precisas** treze mil estacas." (Ramalho Ortigão)

3 CONCORDÂNCIA DO PREDICATIVO COM O OBJETO

A concordância do adjetivo predicativo com o objeto direto ou indireto subordina-se às seguintes regras gerais:

- O adjetivo concorda em gênero e número com o objeto quando este é simples:

Vi **ancorados** na baía os navios petrolíferos.

"Olhou para as suas terras e viu-as **incultas** e **maninhas**." (Carlos de Laet)

O tribunal qualificou de **ilegais** as nomeações do ex-prefeito.

A noite torna **visíveis** os astros no céu límpido.

- Quando o objeto é composto e constituído por elementos do mesmo gênero, o adjetivo se flexiona no plural e no gênero dos elementos:

A justiça declarou **criminosos** o empresário e seus auxiliares.

Deixe bem **fechadas** a porta e as janelas.

- Sendo o objeto composto e formado de elementos de gêneros diversos, o adjetivo predicativo concordará no masculino plural:

Tomei **emprestados** a régua e o compasso.

Achei muito **simpáticos** o príncipe e sua filha.

"Vi setas e carcás **espedaçados**." (Gonçalves Dias)

Encontrei **jogados** no chão o álbum e as cartas.

Encontrei pai e filha **empenhados** numa discussão.

- Se anteposto ao objeto, poderá o predicativo, neste caso, concordar com o núcleo mais próximo:

É preciso que se mantenham **limpas** as ruas e os jardins.

- Segue as mesmas regras o predicativo expresso pelos substantivos variáveis em gênero e número:

Temiam que as tomassem por **malfeitoras**.

Considero **autores** do crime o comerciante e sua empregada.

4 CONCORDÂNCIA DO PARTICÍPIO PASSIVO

- Na voz passiva, o particípio concorda em gênero e número com o sujeito, como os adjetivos:

Foi **escolhida** a rainha da festa.

Foi **feita** a entrega dos convites.

Os jogadores tinham sido **convocados**.

O governo avisa que não serão **permitidas** invasões de propriedades.

Passadas duas semanas, procurei o devedor.

Minhas três coleções de selos são **postas** à venda.

O que não é **admitido** é a greve abusiva.

Foram **vistas** centenas de rapazes pedalando nas ruas.

- Quando o núcleo do sujeito é, como no último exemplo, um coletivo numérico, pode-se, em geral, efetuar a concordância com o substantivo que o acompanha:

Centenas de rapazes foram **vistos** pedalando nas ruas.

Dezenas de soldados foram **feridos** em combate.

- Referindo-se a dois ou mais substantivos de gêneros diferentes, o particípio concordará no masculino plural:

Atingidos por mísseis, a corveta e o navio foram a pique.

"Mas achei natural que o clube e suas ilusões fossem **leiloados**."
(Carlos Drummond de Andrade)

5 CONCORDÂNCIA DO PRONOME COM O NOME

- O pronome, quando se flexiona, concorda em gênero e número com o substantivo a que se refere:

"Martim quebrou um ramo de murta, a folha da tristeza, e deitou-**o** no jazigo de sua esposa."
(José de Alencar)

"O velho abriu as pálpebras e cerrou-**as** logo." (José de Alencar)

- O pronome que se refere a dois ou mais substantivos de gêneros diferentes flexiona-se no masculino plural:

"Salas e coração habita-**os** a saudade!" (Alberto de Oliveira)

"A generosidade, o esforço e o amor, ensinaste-**os** tu em toda a sua sublimidade."
(Alexandre Herculano)

Conheci naquela escola ótimos rapazes e moças, com **os quais** fiz boas amizades.

"Referi-me à catedral de Notre-Dame e ao Vesúvio familiarmente, como se **os** *tivesse* visto."
(Graciliano Ramos)

Trazem presentes e flores e depositam-**nos** em torno dela.

Observação:

✔ Os substantivos sendo sinônimos, o pronome concorda com o mais próximo:

"Ó mortais, que cegueira e desatino é *o nosso!*" (Manuel Bernardes)

- Os pronomes *um... outro*, quando se referem a substantivos de gêneros diferentes, concordam no masculino:

  Marido e mulher viviam em boa harmonia e ajudavam-se **um ao outro**.

  "Repousavam bem perto **um do outro a matéria e o espírito**." (Alexandre Herculano)

  Nilo e **Sônia** casaram cedo: **um** por amor, **o outro**, por interesse.

- A locução *um e outro*, referida a indivíduos de sexos diferentes, permanece também no masculino:

  "A **mulher** do **colchoeiro** escovou-lhe o chapéu; e, quando ele [Rubião] saiu, **um e outro** agradeceram-lhe muito o benefício da salvação do filho." (Machado de Assis)

- O substantivo que se segue às locuções *um e outro* e *nem um nem outro* fica no singular. Exemplos:

  Um e outro **livro** me agradaram.

  Nem um nem outro **livro** me agradaram.

6 OUTROS CASOS DE CONCORDÂNCIA NOMINAL

Registramos aqui alguns casos especiais de concordância nominal:

Anexo, incluso, leso

Como adjetivos, concordam com o substantivo em gênero e número:

Anexa à presente, vai a relação das mercadorias.

Vão **anexos** os pareceres das comissões técnicas.

Remeto-lhe, **anexas**, duas cópias do contrato.

Remeto-lhe, **inclusa**, uma fotocópia do recibo.

Os crimes de **lesa**-majestade eram punidos com a morte.

Ajudar esses espiões seria crime de **lesa**-pátria.

(Evite a locução espúria *em anexo*).

SINTAXE

- **A olhos vistos**

    Locução adverbial invariável. Significa *visivelmente*.

    "Lúcia emagrecia **a olhos vistos**." (COELHO NETO)

    "Zito envelhecia **a olhos vistos**." (AUTRAN DOURADO)

- **Só**

    Como adjetivo, *só* [= sozinho, único] concorda em número com o substantivo. Como palavra denotativa de limitação, equivalente de *apenas*, *somente*, é invariável.

    Eles estavam **sós**, na sala iluminada.

    Esses dois livros, por si **sós**, bastariam para torná-lo célebre.

    Elas **só** passeiam de carro.

    Só eles estavam na sala.

    > **Observação:**
    >
    > ✔ Forma a locução *a sós* [= sem mais companhia, sozinho]:
    >
    > Estávamos *a sós*.
    >
    > Jesus despediu a multidão e subiu ao monte para orar *a sós*.

- **Possível**

    ▫ Usado em expressões superlativas, este adjetivo ora aparece invariável, ora flexionado:

    "À volta, esperava-nos sempre o almoço com os pratos mais requintados **possível**." (MARIA HELENA CARDOSO)

    "Estas frutas são as mais saborosas **possível**." (CARLOS GÓIS)

    "A mania de Alice era colecionar os enfeites de louça mais grotescos **possíveis**." (LÊDO IVO)

    "... e o resultado obtido foi uma apresentação com movimentos os mais espontâneos **possíveis**." (RONALDO MIRANDA)

    "De modo geral, as características do solo são as mais variadas **possíveis**." (MURILO MELO FILHO)

    As informações obtidas são as melhores (ou as piores) **possíveis**.

    Ele escolhia as tarefas menos penosas **possíveis**.

    ▫ Como se vê dos exemplos citados, há nítida tendência, no português de hoje, para se usar, neste caso, o adjetivo *possível* no plural.

    O singular é de rigor quando a expressão superlativa inicia com a partícula *o* (*o* mais, *o* menos, *o* maior, *o* menor, etc.):

    Os prédios devem ficar **o** mais afastados **possível**.

    Ele trazia sempre as unhas **o** mais bem aparadas **possível**.

    O médico atendeu *o* maior número de pacientes **possível**.

- **Adjetivos adverbiados**

    Certos adjetivos, como *sério*, *claro*, *caro*, *barato*, *alto*, *raro*, etc., quando usados com a função de advérbios terminados em *-mente*, ficam invariáveis:

    Vamos falar **sério**. [*sério* = seriamente]

Penso que falei bem **claro**, disse a secretária.

Esses produtos passam a custar mais **caro**. [ou mais *barato*]

Estas aves voam **alto**. [ou *baixo*]

Gilberto e Regina **raro** vão ao cinema.

"Há pessoas que parecem nascer **errado**." (Machado de Assis)

Junto e *direto* ora funcionam como adjetivos, ora como advérbios:

"Jorge e Dante saltaram **juntos** do carro." (José Louzeiro)

"Era como se tivessem estado **juntos** na véspera." (Autran Dourado)

"Elas moram **junto** há algum tempo." (José Gualda Dantas)

"Foram **direto** ao galpão do engenheiro-chefe." (Josué Guimarães)

"As gaivotas iam **diretas** como um dardo." (Josué Guimarães)

"Vamos carregar, **juntas**, nossa cruz." (Maria José de Queirós)

Junto, estou lhe enviando algumas fotos.

As fotos foram enviadas **junto** com a carta.

- **Todo**

No sentido de *inteiramente*, *completamente*, costuma-se flexionar, embora seja advérbio:

Esses índios andam **todos** nus.

Geou durante a noite e a planície ficou **toda** (ou **todo**) branca.

As meninas iam **todas** de branco.

A casinha ficava sob duas mangueiras, que a cobriam **toda**.

Mas admite-se também a forma invariável:

Fiquei com os cabelos **todo** sujos de terra.

Suas mãos estavam **todo** ensanguentadas.

- **Alerta**

Pela sua origem, *alerta* [= atentamente, de prontidão, em estado de vigilância] é advérbio e, portanto, invariável:

Estamos **alerta**.

Os soldados ficaram **alerta**.

"Todos os sentidos **alerta** funcionam." (Carlos Drummond de Andrade)

"Os brasileiros não podem deixar de estar sempre **alerta**." (Martins de Aguiar)

Contudo, esta palavra é, atualmente, sentida antes como adjetivo, sendo por isso flexionada no plural:

Nossos chefes estão **alertas**. [= vigilantes]

Papa diz aos cristãos que se mantenham **alertas**.

"Uma sentinela de guarda, olhos abertos e sentidos **alertas**, esperando pelo desconhecido..." (Assis Brasil, *Os Crocodilos*, p. 25)

- **Meio**

Usada como advérbio, no sentido de *um pouco*, esta palavra é invariável. Exemplos:

A porta estava **meio** aberta.

As meninas ficaram **meio** nervosas.

Os sapatos eram **meio** velhos, mas serviam.

- **Bastante**
  - Varia quando adjetivo, sinônimo de *suficiente*:
    Não havia provas **bastantes** para condenar o réu.
    Duas malas não eram **bastantes** para as roupas da atriz.
  - Fica invariável quando advérbio, caso em que modifica um adjetivo:
    As cordas eram **bastante** fortes para sustentar o peso.
    Os emissários voltaram **bastante** otimistas.

    "Levi está inquieto com a economia do Brasil. Vê que se aproximam dias **bastante** escuros."
    (Austregésilo de Ataíde)

- **Menos**

    É palavra invariável:
    Gaste **menos** água.
    À noite, há **menos** pessoas na praça.

EXERCÍCIOS

LISTA 52

1. Escreva as frases substituindo o * pelas palavras propostas, fazendo-as concordar corretamente. Em certos casos, a palavra fica invariável; em outros, tanto é lícita a forma masculina como a feminina.
   a) Pai e filhas mantiveram-se *. (**calado**)
   b) Você escolheu * lugar e hora. (**mau**)
   c) Ela revelou um interesse e uma solicitude mais que *. (**fraterno**)
   d) O arbusto e as árvores haviam sido * pela queda do pinheiro. (**esmagado**)
   e) Vai * a lista dos preços. (**incluso**)
   f) É tempo, é paciência, é dinheiro *. (**perdido**)
   g) Não custa muito a gente elogiar-se a si *. (**mesmo**)
   h) Visitei os museus e as escolas *.(**recém-fundado**)
   i) Não se pode negar que Petrópolis é *. (**bonito**)
   j) Encontrareis a guarnição e seu comandante * a combater até a morte. (**disposto**)
   k) Aquela mulher tinha tanto de * quanto de * . (**sedutor, pérfido**)
   l) As mãos eram * pequenas. (**demasiado**)
   m) As janelas * abertas deixavam ouvir o rumor das vozes. (**meio**)
   n) Não admiro nem um nem outro *. (**artista**)
   o) Em um ou outro * encontrei vocábulos e expressões *. (**livro, desconhecido**)
   p) * já tantos anos de seu desaparecimento, os exemplos dele ainda vivem na memória de todos. (**passado**)
   q) O frio e a chuva * prejudicaram o jogo. (**torrencial**)
   r) O tráfego e as comunicações continuavam *. (**interrompido**)
   s) Um e outro * são bons. (**carro**)
   t) Chegam a ser * as conversas deles. (**irritante**)
   u) Muitos eleitores, * à chuva, não votaram. (**devido**)
   v) Descobertas novas, * a pacientes pesquisas e experiências dos cientistas, derrubaram certas teorias de Darwin. (**devido**)

SINTAXE 447

2. Faça como no exercício anterior:

a) Era ela * que arrumava a casa. (mesmo)

b) Quando cheguei em casa era meio-dia e *. (meio)

c) Eu estou * com a tesouraria e vocês estão *? (quite)

d) Suas Excelências estavam * de suas esposas. (acompanhado)

e) Estas são as informações que foi * obter. (possível)

f) Alguns acham * navios de 800 mil toneladas. (possível)

g) Escolhemos as cores mais vivas *. (possível)

h) Serão mais * os homens ou as máquinas? (importante)

i) Achei o príncipe e sua filha muito *. (simpático)

j) Infelizmente, perdi a capa que lhe pedi *. (emprestado)

k) O operário teve uma das pernas *. (amputado)

l) A população respirou aliviada quando viu * o bandido e terrível assaltante. (preso)

m) Centenas de rapazes foram * pedalando nas ruas. (visto)

n) Para onde estariam sendo * a girafa e o tigre *? (levado, feroz)

o) Vai * à presente a relação dos livros solicitados. (anexo)

p) Vão * os comprovantes dos débitos quitados. (anexo)

q) Que * os discos que você comprou? (tal)

r) Emocionada, a moça agradeceu: – Muito *! (obrigado)

s) Compraram-me * óculos escuros de que não gostei. (um, artigo)

t) É * a entrada de pessoas estranhas. (proibido)

3. Escreva os períodos em que NÃO há erro de concordância:

a) As matas foram bastante danificadas pelo fogo.

b) A sala tinha bastantes carteiras, mas era meio escura.

c) As crianças já estavam bastantes crescidas.

d) Salvo algumas plantas mais resistentes, as demais a geada matou.

e) Cinquenta casas, se tantas, formavam a rua do povoado.

f) As duas ilhas ficam muito distante do litoral.

g) Convidamos o maior número de amigos possível.

h) Prestaram-lhe honras devido aos heróis.

i) Prestaram-lhe honras devidas aos heróis.

4. Substitua corretamente os asteriscos pelas palavras entre parênteses:

a) A cidade crescia a olhos ****. (**visto**)

b) Minutos depois, o avião descia em Paris, **** de escuro véu de nuvens. (**coberto**)

c) Achei muito **** a ida e a volta do barco. (**rápido**)

d) As que estavam **** ao repuxo ficaram **** molhadas. (**próximo, todo**)

e) Todas as guarnições militares estavam ****. (**alerta**)

f) Mãe viúva e filho moravam **** numa casa modesta. (**junto**)

g) Esses privilégios custam ****. (**caro**)

h) A casa tinha as paredes e o telhado ****. (**enegrecido**)

i) Disse-me que morava na Rua Codajás, número ****. (**tanto**)

SINTAXE

j) A distância entre os dois portos é de cento e **** milhas. (**tanto**)

k) As crianças não andam ****, mas acompanhadas. (**só**)

l) Nem sempre vemos as coisas **** são. (**tal qual**)

m) As cópias estão **** com os originais. (**conforme**)

n) No seu gabinete, o diretor da Empresa de Chuvas Artificiais despachava de capa e guarda-chuva ****. (**aberto**)

5. Escreva as frases em seu caderno, fazendo concordar corretamente os particípios em destaque:

a) Não será **permitido** a presença de repórteres no recinto.

b) Procura-se um caderno que tem, **escrito** na capa, a palavra DIÁRIO.

c) **Removido** a pedra e o tronco da árvore tombada, o tráfego foi liberado.

d) O fazendeiro comprou vinte reses **vindo** de Goiás.

e) Se **observado** as normas de segurança, o voo livre oferece poucos riscos.

f) A coroa e o manto do imperador foram **exposto** à visitação pública no museu de Petrópolis.

g) Jipe, caminhão e máquinas descem a rua **acompanhado** por crianças.

h) Para ele, terminar a corrida já pode ser **considerado** uma vitória.

i) Rui pediu-me **emprestado** mil reais.

j) Deve ser **levado** em conta a boa vontade dele.

6. Justifique a concordância das palavras em destaque:

a) O carro tinha um dos faróis **queimado**.

b) Há muitos anos que coleciono selos e moedas **raras**.

c) **Entretidos** com seus brinquedos, Guido e suas irmãs nem olharam para mim.

d) Vento e mar **agitado** deixaram **vazias** as praias do Rio, no domingo.

e) Na árvore **próxima** à escola estavam **pousadas** duas rolinhas.

f) Vossa Senhoria, prezado chefe, tem justos motivos para estar **preocupado**.

g) Ele trazia muito bem **tratados** a barba e os cabelos.

h) Não me passou **despercebida** a ironia com que ele proferiu a última frase.

i) "Foram **direto** ao galpão do engenheiro-chefe." (JOSUÉ GUIMARÃES)

j) "Mas por via das dúvidas, melhor é passar ao largo, com os sentidos bem **alertas**." (HAROLDO BRUNO)

7. Substitua o * pelas concordâncias adequadas:

a) Para teus incômodos * água mineral. (*é bom – é boa*)

b) Muito * os seus conselhos. (*útil me foi – úteis me foram*)

c) A que * as marés? (*é devido – são devidas*)

d) Estas são as obras que me * consultar. (*foi permitido – foram permitidas*)

e) O pintor descobriu que * telas falsificadas com o seu nome. (*está sendo vendido – estão sendo vendidas*)

f) * grandes safras para o próximo ano. (*foi previsto – foram previstas*)

g) * como certa a morte do contrabandista. (*foi dado – foi dada*)

h) * bilhões de dólares para o homem ir à Lua. (*foi gasto – foram gastos*)

i) O que não * foi a fuga do preso. (*foi esclarecido – foi esclarecida*)

j) A fuga do preso é que não foi *. (*esclarecido – esclarecida*)

SINTAXE 449

8. Faça concordar os predicativos em destaque:

a) O coqueiro e a palmeira são **alto** e **majestoso**.

b) Veja como são **belo** as rosas e os lírios deste canteiro!

c) Estava **deserto** a praça e o templo.

d) Mantenha o quarto e a sala bem **arejado**.

e) Vi **sentado**, na escada, Sônia e seus irmãos.

f) Estavam **desempregado** centenas de trabalhadores.

g) Nestes campos reinam **soberano** a saúva e seus aliados.

h) Eu não a suspeito **autor** do crime.

i) É preciso que se mantenham **limpo** as ruas e os jardins.

j) Em casa, encontrei meus pais e irmãs **triste** e **abatido**.

k) Suas Excelências mostraram-se muito **atencioso**.

l) Para tão grande obra é **pouco** uma vida.

m) É **proibido** a caça naquela região.

n) Os móveis e as cortinas eram o **mesmo**.

o) Não seria **preciso** muita inteligência para compreender isso.

p) O moço deixou **claro** as suas intenções.

q) Cientistas acham que estamos **só** no Universo.

9. Troque o * pelos pronomes **o**, **a**, **os**, **as**, conforme convenha:

a) As revistas e os jornais, leio- * por alto.

b) Ele podia ajudá-la, mas não * quis.

c) Vi Mário e suas irmãs, porém não * cumprimentei.

d) Aquela ilha, aquelas praias, como eu * conheço!

e) É a doença * que vos torna apáticos.

f) As paixões nos acorrentam sem que * sintamos.

g) "Salas e coração habita- * a saudade!" (ALBERTO DE OLIVEIRA)

h) "As suas horas deve- * Vossa Excelência ao bem da Pátria e indiscreta fui eu obrigando-* a estar fora do parlamento a esta hora." (CAMILO CASTELO BRANCO)

i) Passaram bandos de aves: você gostaria de * ter visto.

10. Substitua corretamente o * pelos pronomes e adjetivos entre parênteses:

a) Malograram * planos e tentativas. (**seu**)

b) Esperavam-me na estação * primos e primas, com * ia passar as férias. (**algum**, **o qual**)

c) São verdades evidentes por si *. (**mesmo**)

d) Estas e * mais foram as palavras do sacerdote. (**pouco**)

e) Aqui não faltam frutas: leve * quantas quiser. (**tanto**)

f) Seria inútil negar o que ela * confessara. (**próprio**)

g) A guerra é sempre um mal, * que sejam os motivos. (**qualquer**)

h) Nesse lago há * peixes. Há * carpas do que carás. (**bastante**, **menos**)

i) Não havia estacas * para fazer a cerca. (**bastante**)

j) As candidatas estavam * nervosas. (**bastante**)

k) Essas duas obras do prefeito, por si *, o redimem de seus erros. (**só**)

11. Transcreva as frases que têm as concordâncias corretas:

a) O governo mobilizou a polícia civil e militar.

b) O governo mobilizou a polícia civil e a militar.

c) O governo mobilizou as polícias civil e militar.

CONCORDÂNCIA VERBAL

O verbo concorda com o sujeito, em harmonia com as seguintes regras gerais:

1 O SUJEITO É SIMPLES

O sujeito sendo simples, com ele concordará o verbo em número e pessoa. Exemplos:

- verbo depois do sujeito:

"As saúvas **eram** uma praga." (POVINA CAVALCÂNTI)

"Tu não **és** inimiga dele, não?" (CAMILO CASTELO BRANCO)

Vós **fostes** chamados à liberdade, irmãos." (SÃO PAULO)

- verbo antes do sujeito:

Acontecem tantas desgraças neste planeta!

Não **faltarão** pessoas que nos queiram ajudar.

A quem **pertencem** essas terras?

"Que me **importavam** as grades negras e pegajosas?" (GRACILIANO RAMOS)

"**Eram** duas princesas muito lindas." (ADRIANO DA GAMA KURY)

2 O SUJEITO É COMPOSTO E DA 3ª PESSOA

- O sujeito, sendo composto e anteposto ao verbo, leva geralmente este para o plural. Exemplos:

"A esposa e o amigo **seguem** sua marcha." (JOSÉ DE ALENCAR)

"Poti e seus guerreiros o **acompanharam**." (JOSÉ DE ALENCAR)

"Vida, graça, novidade, **escorriam**-lhe da alma como de uma fonte perene." (MACHADO DE ASSIS)

- É lícito (mas não obrigatório) deixar o verbo no singular:

a) quando os núcleos do sujeito são sinônimos:

"A decência e honestidade ainda **reinava**." (MÁRIO BARRETO)

"A coragem e afoiteza com que lhe respondi, **perturbou-o**…" (CAMILO CASTELO BRANCO)

"Que barulho, que revolução **será** capaz de perturbar esta serenidade?"(GRACILIANO RAMOS)

b) quando os núcleos do sujeito formam sequência gradativa:

Uma ânsia, uma aflição, uma angústia repentina **começou** a me apertar a alma.

- Sendo o sujeito composto e posposto ao verbo, este poderá concordar no plural ou com o substantivo mais próximo:

"Não **fossem** o rádio de pilha e as revistas, que seria de Elisa?" (Jorge Amado)

"Enquanto ele não vinha, **apareceram** um jornal e uma vela." (Ricardo Ramos)

"Ali **estavam** o rio e as suas lavadeiras." (Povina Cavalcânti)

"… casa abençoada onde **paravam** Deus e o primeiro dos seus ministros." (Carlos de Laet)

"Moço escritor, ao qual não **faltam** o talento e a graça." (Raquel de Queirós)

"Aí **vinham** a cobiça que devora, a cólera que inflama, a inveja que baba…" (Machado de Assis)

"**Proibiu**-se o ofício e lojas de ourives." (Viriato Corrêa)

"Aqui é que **reina** a paz e a alegria nas boas consciências." (Camilo Castelo Branco)

"E de tudo, só **restaria** a árvore, a relva e o cestinho de morangos." (Lígia Fagundes Teles)

"**Assusta**-as, talvez, o ar tranquilo com que as recebo, e a modéstia da casa." (Rubem Braga)

"**Passou**-me pela mente a face e a voz duma professora de escola primária." (Érico Veríssimo)

- Aconselhamos, nesse caso, usar o verbo no plural.

3 O SUJEITO É COMPOSTO E DE PESSOAS DIFERENTES

Se o sujeito composto for de pessoas diversas, o verbo se flexiona no plural e na pessoa que tiver prevalência. [A 1ª pessoa prevalece sobre a 2ª e a 3ª; a 2ª prevalece sobre a 3ª]:

"Foi o que **fizemos** Capitu e eu." (Machado de Assis) [ela e eu = *nós*]

"Tu e ele **partireis** juntos." (Mário Barreto) [tu e ele = *vós*]

Você e meu irmão não me **compreendem**. [você e ele = *vocês*]

Muitas vezes os escritores quebram a rigidez dessa regra:

a) ora fazendo concordar o verbo com o sujeito mais próximo, quando este se pospõe ao verbo:

"O que me resta da felicidade passada **és** tu e eles." (Camilo Castelo Branco)

"Faze uma arca de madeira; **entra** nela tu, tua mulher e teus filhos." (Machado de Assis)

b) ora preferindo a 3ª pessoa na concorrência tu + ele [*tu + ele* = *vocês* em vez de *tu + ele* = *vós*]:

"… Deus e tu **são** testemunhas…" (Almeida Garrett)

"O que eu continuamente peço a Deus é que ele e tu **sejam** meus amigos." (Camilo Castelo Branco)

"Juro que tu e tua mulher me **pagam**". (Coelho Neto)

"Nem tu nem Belkiss a **veem**." (Eugênio de Castro)

CASOS ESPECIAIS DE CONCORDÂNCIA VERBAL

Estudaremos aqui os mais importantes casos especiais de concordância verbal, lembrando que a matéria é complexa e controversa, sujeita a soluções divergentes. As normas que a seguir traçamos têm, muitas vezes, valor relativo, porquanto a escolha desta ou daquela concordância depende, frequentemente, do contexto, da situação e do clima emocional que envolvem o falante ou o escrevente.

1 NÚCLEOS DO SUJEITO UNIDOS POR *OU*

Há duas situações a considerar:

- Se a conjunção *ou* indicar exclusão ou retificação, o verbo concordará com o núcleo do sujeito mais próximo:

  Paulo ou Antônio **será** o presidente.

  O ladrão ou os ladrões não **deixaram** nenhum vestígio.

  Ainda não **foi encontrado** o autor ou os autores do crime.

  "O chefe ou um dos delegados, não me lembra, **era** amigo do Andrade." (Machado de Assis)

- O verbo irá para o plural se a ideia por ele expressa se referir ou puder ser atribuída a todos os núcleos do sujeito:

  "Era tão pequena a cidade, que um grito ou gargalhada forte a **atravessavam** de ponta a ponta." (Aníbal Machado) [Tanto um grito como uma gargalhada atravessavam a cidade.]

  "Naquela crise, só Deus ou Nossa Senhora **podiam** acudir-lhe." (Camilo Castelo Branco)

- Há, no entanto, em bons autores, ocorrência de verbo no singular:

  "A glória ou a vergonha da estirpe **provinha** de atos individuais." (Vivaldo Coaraci)

  "Há dessas reminiscências que não descansam antes que a pena ou a língua as **publique**." (Machado de Assis)

  "Um príncipe ou uma princesa não **casa** sem um vultoso dote." (Viriato Corrêa)

  "Nas classes burguesas é raro o rapaz ou a rapariga que não **saiba** o latim e o francês." (Ramalho Ortigão)

  "Não **faltava** argúcia ou malícia a quem era irmão de Júlia." (Luís Jardim)

2 NÚCLEOS DO SUJEITO UNIDOS PELA PREPOSIÇÃO *COM*

- Usa-se mais frequentemente o verbo no plural quando se atribui a mesma importância, no processo verbal, aos elementos do sujeito unidos pela preposição *com*. Exemplos:

  Manuel com seu compadre **construíram** o barracão.

  "Eu com outros romeiros **vínhamos** de Vigo…" (Camilo Castelo Branco)

  "Ele com mais dois **acercaram**-se da porta." (Camilo Castelo Branco)

- Pode-se usar o verbo no singular quando se deseja dar relevância ao primeiro elemento do sujeito e também quando o verbo vier antes deste. Exemplos:

  O bispo, com dois sacerdotes, **iniciou** solenemente a missa.

  O presidente, com sua comitiva, **chegou** a Paris às 5 h da tarde.

  "Já num sublime e público teatro, se **assenta** o rei inglês com toda a corte." (Luís de Camões)

  "À mesma porta por onde **saíra** a mulher com a filha, chegavam outros pretendentes." (Aníbal Machado)

SINTAXE 453

3 NÚCLEOS DO SUJEITO UNIDOS POR *NEM*

- Quando o sujeito é formado por núcleos no singular unidos pela conjunção *nem*, usa-se, comumente, o verbo no plural. Exemplos:

Nem a riqueza nem o poder o **livraram** de seus inimigos.

Nem eu nem ele o **convidamos**.

"Nem o mundo nem Deus **teriam** força para me constranger a tanto." (ALEXANDRE HERCULANO)

"Nem a Bíblia nem a respeitabilidade lhe **permitem** praguejar alto." (EÇA DE QUEIRÓS)

Nem a mãe nem o pai **tinham** percebido sua ausência." (GARCIA DE PAIVA)

"Nem a mocidade, nem a fortuna **tinham** já forças para reanimar a sua vítima."
(ANTÔNIO FELICIANO DE CASTILHO)

"Nem Hazerot nem Magog **foram eleitos**." (MACHADO DE ASSIS)

- É preferível a concordância no singular:

a) quando o verbo precede o sujeito:

"Não lhe **valeu** a imensidade azul, nem a alegria das flores, nem a pompa das folhas verdes…"
(MACHADO DE ASSIS)

Não o **convidei** eu nem minha esposa.

"Na fazenda, atualmente, não se **recusa** trabalho, nem dinheiro, nem nada a ninguém."
(GUIMARÃES ROSA)

b) quando há exclusão, isto é, quando o fato só pode ser atribuído a um dos elementos do sujeito:

Nem Berlim nem Moscou **sediará** a próxima Olimpíada.
[Só uma cidade pode sediar a Olimpíada.]

Nem Paulo nem João **será eleito** governador do Acre.
[Só um candidato pode ser eleito governador.]

4 NÚCLEOS DO SUJEITO CORRELACIONADOS

O verbo vai para o plural quando os elementos do sujeito composto estão ligados por uma das expressões correlativas *não só… mas também*, *não só como também*, *tanto… como*, etc. Exemplos:

"Não só a nação mas também o príncipe **estariam** pobres." (ALEXANDRE HERCULANO)

"Tanto a Igreja como o Estado **eram** até certo ponto inocentes." (ALEXANDRE HERCULANO)

"Tanto Noêmia como Reinaldo só **mantinham** relações de amizade com um grupo muito reduzido de pessoas." (JOSÉ CONDÉ)

"Tanto a lavoura como a indústria da criação de gado não o **demovem** do seu objetivo."
(CASSIANO RICARDO)

"Tanto Lincoln quanto o Aleijadinho **parecem** deter o segredo de tudo que lhes falta."
(VIANA MOOG)

5 SUJEITOS RESUMIDOS POR *TUDO, NADA, NINGUÉM*

Quando o sujeito composto vem resumido por um dos pronomes *tudo*, *nada*, *ninguém*, etc., o verbo concorda, no singular, com o pronome resumidor. Exemplos:

Jogos, espetáculos, viagens, diversões, nada *pôde* satisfazê-lo.

"O entusiasmo, alguns goles de vinho, o gênio imperioso, estouvado, tudo isso me **levou** a fazer uma coisa única." (Machado de Assis)

Jogadores, árbitro, assistentes, ninguém **saiu** do campo.

6 NÚCLEOS DO SUJEITO DESIGNANDO A MESMA PESSOA OU COISA

O verbo concorda no singular quando os núcleos do sujeito designam a mesma pessoa ou o mesmo ser. Exemplos:

"Aleluia! O brasileiro comum, o homem do povo, o joão-ninguém, agora **é** cédula de Cr$ 500,00!" (Carlos Drummond de Andrade)

"Embora sabendo que tudo vai continuar como está, **fica** o registro, o protesto, em nome dos telespectadores." (Valério Andrade)

Advogado e membro da instituição **afirma** que ela é corrupta.

7 NÚCLEOS DO SUJEITO SÃO INFINITIVOS

O verbo concordará no plural se os infinitivos forem determinados pelo artigo ou exprimirem ideias opostas; caso contrário, tanto é lícito usar o verbo no singular como no plural. Exemplos:

O comer e o beber **são** necessários.

Rir e chorar **fazem** parte da vida.

Montar brinquedos e desmontá-los **divertiam** muito o menino.

"Já tinha ouvido que plantar e colher feijão não **dava** trabalho." (Povina Cavalcânti) [ou *davam*]

Cantar, dançar e representar **faz** [ou *fazem*] a alegria do artista.

"Nenhum rugir ou gemer seu **anulariam** o mal que se consumara no Mirante." (Eça de Queirós)

8 SUJEITO ORACIONAL

Concorda no singular o verbo cujo sujeito é uma oração:

Ainda **falta** comprar os cartões.

predicado sujeito oracional

Estas são realidades que não **adianta** esconder.

[sujeito de adianta: *esconder que (as realidades)*] (Veja item 29, p. 468.)

SINTAXE 455

9 SUJEITO COLETIVO

O verbo concorda no singular com o sujeito coletivo no singular. Exemplos:

A multidão **vociferava** ameaças.

O exército dos aliados **desembarcou** no sul da Itália.

Uma junta de bois **tirou** o automóvel do atoleiro.

Um bloco de foliões **animava** o centro da cidade.

"Uma porção de índios **surgiu** do meio das árvores e nos **rodeou**." (EDY LIMA)

"Surpreendemos uma vara de porcos que **atravessava** o rio a nado." (GASTÃO CRULS)

"… o bando dos guerreiros tabajaras que **fugia** em nuvem negra de pó." (JOSÉ DE ALENCAR)

"Um grupo de rapazes **sentara**-se ali ao lado." (FERNANDO NAMORA)

Observação:

✔ Se o coletivo vier seguido de substantivo plural que o especifique e anteceder ao verbo, este poderá ir para o plural, quando se quer salientar não a ação do conjunto, mas a dos indivíduos, efetuando-se uma concordância não gramatical, mas ideológica:

"Uma grande multidão de crianças, de velhos, de mulheres *penetraram* na caverna…" (ALEXANDRE HERCULANO)

"Uma grande vara de porcos que *se afogaram* de escantilhão no mar…" (CAMILO CASTELO BRANCO)

"Reconheceu que era um par de besouros que *zumbiam* no ar." (MACHADO DE ASSIS)

"Havia na União um grupo de meninos que *praticavam* esse divertimento com uma pertinácia admirável."
(POVINA CAVALCÂNTI)

---

10 A MAIOR PARTE DE, GRANDE NÚMERO DE, ETC.

Sendo o sujeito uma das expressões quantitativas *a maior parte de*, *parte de*, *a maioria de*, *grande número de*, etc., seguida de substantivo ou pronome no plural, o verbo, quando posposto ao sujeito, pode ir para o singular ou para o plural, conforme se queira efetuar uma concordância estritamente gramatical (com o coletivo singular) ou uma concordância enfática, expressiva, com a ideia de pluralidade sugerida pelo sujeito. Exemplos:

"A maior parte dos indígenas **respeitavam** os pajés." (GILBERTO FREYRE)

"A maior parte dos doidos ali metidos **estão** em seu perfeito juízo." (MACHADO DE ASSIS)

"A maior parte das pessoas **pedem** uma sopa, um prato de carne e um prato de legumes."
(RAMALHO ORTIGÃO)

"A maior parte dos nomes **podem** ser empregados em sentido definido ou em sentido indefinido."
(MÁRIO BARRETO)

"Grande parte dos atuais advérbios **nasceram** de substantivos." (IDEM)

"A maioria das pessoas **são** sinuosas, coleantes…" (ONDINA FERREIRA)

"A maioria dos acidentes nas estradas de acesso ao Rio **ocorrem** em dias claros." (*Jornal do Brasil*, 28/12/1972)

"Vocês já imaginaram a maravilha que seria o mundo se ao menos uma quinta parte desses gênios **se realizassem** na maioridade?" (Lígia Fagundes Telles)

"A maioria dos presentes, formando grupos, **contavam** histórias, baixinho, **falavam** de coisas da vida." (Aurélio Buarque de Holanda)

"A maioria dos mouros **era** escrava e pobre." (Alexandre Herculano)

"A maioria dos trabalhadores **recebeu** essa notícia com alegria." (Amando Fontes)

"A maioria das palavras **continua** visível." (Carlos Drummond de Andrade)

"A maioria dos doentes não **podia** compreender que..." (Fernando Namora)

"Metade dos alunos **fez** [ou *fizeram*] o trabalho." (J. Gualda Dantas)

"Meia dúzia de garimpeiros doentes **esperava** a consulta matutina." (Herman Lima)

Visitei os presos. Boa parte deles **dormia** [ou *dormiam*] no chão.

A quantidade de veículos que **circulam** em São Paulo me **impressionou**.

Grande número de eleitores **votou** [ou *votaram*] em branco.

Morreu de gripe a maioria dos índios que tiveram contato com os brancos.

Nos quilombos **refugiava-se** parte dos escravos fugitivos.

Observações:

1ª) Quando o verbo precede o sujeito, como nos dois últimos exemplos, a concordância se efetua no singular.

2ª) Como se vê dos exemplos supracitados, as duas concordâncias são igualmente legítimas, porque têm tradição na língua. Cabe a quem fala ou escreve escolher a que julgar mais adequada à situação. Pode-se, portanto, no caso em foco, usar o verbo no plural, efetuando a concordância não com a forma gramatical das palavras, mas com a ideia de pluralidade que elas encerram e sugerem à nossa mente. Essa *concordância ideológica* é bem mais expressiva que a gramatical, como se pode perceber relendo as frases citadas de Machado de Assis, Ramalho Ortigão, Ondina Ferreira e Aurélio Buarque de Holanda, e cotejando-as com as dos autores que usaram o verbo no singular.

11 UM E OUTRO, NEM UM NEM OUTRO

O sujeito sendo uma dessas expressões, o verbo concorda, de preferência, no plural. Exemplos:

"Um e outro gênero **se destinavam** ao conhecimento..." (Hernâni Cidade)

"Um e outro **descendiam** de velhas famílias do Norte." (Machado de Assis)

Uma e outra família **tinham** [ou *tinha*] parentes no Rio.

"Depois nem um nem outro **acharam** novo motivo para diálogo." (Fernando Namora)

"Não me **ficaria** bem nem uma nem outra coisa." (José Gualda Dantas)

Nem uma nem outra foto **prestavam** [ou *prestava*].

Um e outro livro me **agradaram** [ou *agradou*] muito.

"Um e outro país **deixarão** de ver no outro o Império do Mal." (EMIR SADER)

12 UM OU OUTRO

O verbo concorda no singular com o sujeito *um ou outro*:

"Respondi-lhe que um ou outro colar lhe **ficava** bem." (MACHADO DE ASSIS)

"Uma ou outra **pode** dar lugar a dissentimentos." (MACHADO DE ASSIS)

"Sempre tem um ou outro que **vai** dando um vintém." (RAQUEL DE QUEIRÓS)

13 UM DOS QUE, UMA DAS QUE

- Quando, em orações adjetivas restritivas, o pronome *que* vem antecedido de *um dos* ou expressão análoga, o verbo da oração adjetiva flexiona-se, em regra, no plural:

"O príncipe foi um dos que **despertaram** mais cedo." (ALEXANDRE HERCULANO)

"A baronesa era uma das pessoas que mais **desconfiavam** de nós." (MACHADO DE ASSIS)

"Areteu da Capadócia era um dos muitos médicos gregos que **viviam** em Roma." (MOACYR SCLIAR)

Ele é desses charlatães que **exploram** a crendice humana.

Não sou dos que **acreditam** piamente em soluções mágicas.

- Essa é a concordância lógica, geralmente preferida pelos escritores modernos. Todavia, não é prática condenável fugir ao rigor da lógica gramatical e usar o verbo da oração adjetiva no singular (fazendo-o concordar com a palavra *um*), quando se deseja destacar o indivíduo do grupo, dando-se a entender que ele sobressaiu ou sobressai aos demais:

Ele é um desses parasitas que **vive** à custa dos outros.

"Foi um dos poucos do seu tempo que **reconheceu** a originalidade e importância da literatura brasileira." (JOÃO RIBEIRO)

Observação:

✔ Há gramáticos que condenam tal concordância. Por coerência, deveriam condenar também a comumente aceita em construções anormais do tipo: Quais de *vós sois* isentos de culpa? Quantos de nós *somos* completamente felizes?

- O verbo fica obrigatoriamente no singular quando se aplica apenas ao indivíduo de que se fala, como no exemplo:

Jairo é um dos meus empregados que não **sabe** ler.
[Jairo é o único empregado que não sabe ler.]

Ressalte-se, porém, que nesse caso é preferível construir a frase de outro modo:

Jairo é um empregado meu que não sabe ler.

Dos meus empregados, só Jairo não sabe ler.

- Na linguagem culta formal, ao empregar as expressões em foco, o mais acertado é usar no plural o verbo da oração adjetiva:

O Japão é um dos países que mais **investem** em tecnologia.

Gandhi foi um dos que mais **lutaram** pela paz.

O sertão cearense é uma das áreas que mais **sofrem** com as secas.

Heráclito foi um dos empresários que **conseguiram** superar a crise.

- Embora o caso seja diferente, é oportuno lembrar que, nas orações adjetivas explicativas, nas quais o pronome *que* é separado de seu antecedente por pausa e vírgula, a concordância é determinada pelo sentido da frase:

Um dos meninos, que **estava** sentado à porta da casa, foi chamar o pai.
[Só um menino estava sentado.]

Um dos cinco homens, que **assistiam** àquela cena estupefatos, soltou um grito de protesto.
[Todos os cinco homens assistiam à cena.]

14 MAIS DE UM

O verbo concorda, em regra, no singular. O plural será de rigor se o verbo exprimir reciprocidade, ou se o numeral for superior a um. Exemplos:

Mais de um excursionista já **perdeu** a vida nesta montanha.

Mais de um dos circunstantes **se entreolharam** com espanto.

Devem ter fugido mais de vinte presos.

15 QUAIS DE VÓS? ALGUNS DE NÓS

Sendo o sujeito um dos pronomes interrogativos *quais? quantos?* ou um dos indefinidos *alguns*, *muitos*, *poucos*, etc., seguidos dos pronomes *nós* ou *vós*, o verbo concordará, por atração, com estes últimos, ou, o que é mais lógico, na 3ª pessoa do plural:

"Quantos dentre nós a **conhecemos**?" (ROGÉRIO CÉSAR CERQUEIRA)

"Quais de vós **sois**, como eu, desterrados...?" (ALEXANDRE HERCULANO)

"... quantos dentre vós **estudam** conscienciosamente o passado?" (JOSÉ DE ALENCAR)

Alguns de nós **vieram** [ou *viemos*] de longe.

Poucos dentre nós **conhecem** [ou *conhecemos*] as leis.

"Quantos de nós **teríamos** experimentado essa tentação?" (OLGA SAVARY)

"Já pensou, meu caro, quantos de nós **nos arriscamos** aqui?" (GUILHERME DE FIGUEIREDO)

Observação:

✔ Estando o pronome no singular, no singular (3ª pessoa) ficará o verbo:

Qual de vós *testemunhou* o fato?	Nenhum de vós a *viu*?
Nenhuma de nós a *conhece*.	Qual de nós *falará* primeiro?

SINTAXE 459

16 PRONOMES *QUEM, QUE,* COMO SUJEITOS

- O verbo concordará, em regra, na 3ª pessoa, com os pronomes *quem* e *que*, em frases como estas:

  Sou eu quem **responde** pelos meus atos.

  Somos nós quem **leva** o prejuízo.

  Eram elas quem **fazia** a limpeza da casa.

  "Eras tu quem **tinha** o dom de encantar-me." (OSMAN LINS)

  "Fui eu quem o **ensinou** a desenhar." (MÁRIO BARRETO)

  "Eu fui o último que **se retirou**." (MÁRIO BARRETO)

  Eu sou o que **presenciou** o fato.

  "Sou um homem que ainda não **renegou** nem da cruz, nem da Espanha."
  (ALEXANDRE HERCULANO)

  "Éramos dois sócios que **entravam** no comércio da vida com diferente capital."
  (MACHADO DE ASSIS)

- Todavia, a linguagem enfática justifica a concordância com o sujeito da oração principal:

  "Sou **eu** quem **prendo** aos céus a terra." (GONÇALVES DIAS)

  "Não sou **eu** quem **faço** a perspectiva encolhida." (RICARDO RAMOS)

  "És **tu** quem **dás** frescor à mansa brisa." (GONÇALVES DIAS)

  "Nós somos os galegos que **levamos** a barrica." (CAMILO CASTELO BRANCO)

  "**Vós** sois o algoz que **recebeis** o cutelo da mão providencial." (CAMILO CASTELO BRANCO)

  "Somos **nós** quem a **fazemos**." (RICARDO RAMOS)

  "**Eu** sou a que mais **estou** torcendo para jogarmos juntas." (*Jornal do Brasil*, 21/8/1999)

- A concordância do verbo precedido do pronome relativo *que* far-se-á obrigatoriamente com o sujeito do verbo (*ser*) da oração principal, em frases do tipo:

  Sou **eu** que **pago**.

  És **tu** que **vens** conosco?

  Somos **nós** que **cozinhamos**.

  Eram **eles** que mais **reclamavam**.

  Fomos **nós** que o **encontramos**.

  Fostes **vós** que o **elegestes**.

  Foram **os bombeiros** que a **salvaram**.

  "Fui **eu** que me **pus** a rir." (MACHADO DE ASSIS)

  "Fui **eu** que **imitei** o ronco do bicho." (EDI LIMA)

  "Não seremos **nós** que **iremos**, à maneira dos primitivistas, ficar de tanga e entrar a falar capiau."
  (SÍLVIO ELIA)

Observação:

✔ Em construções desse tipo, é lícito considerar o verbo *ser* e a palavra *que* como elementos expletivos ou enfatizantes, portanto não necessários ao enunciado. Assim:

Sou eu *que* pago. [= Eu pago.]

Somos nós *que* cozinhamos. [= Nós cozinhamos.]

Foram os bombeiros *que* a salvaram. [= Os bombeiros a salvaram.]

✔ Seja qual for a interpretação, o importante é saber que, neste caso, tanto o verbo *ser* como o outro devem concordar com o pronome ou substantivo que precede a palavra *que*.

17 CONCORDÂNCIA COM OS PRONOMES DE TRATAMENTO

Os pronomes de tratamento exigem o verbo na 3ª pessoa, embora se refiram à 2ª pessoa do discurso:

Vossa Excelência **agiu** com moderação.

Vossas Excelências não **ficarão** surdos à voz do povo.

"Espero que V. Sª não me **faça** mal." (Camilo Castelo Branco)

"Vossa Majestade não **pode** consentir que os touros lhe matem o tempo e os vassalos." (Rebelo da Silva)

18 CONCORDÂNCIA COM CERTOS SUBSTANTIVOS PRÓPRIOS NO PLURAL

- Certos substantivos próprios de forma plural, como *Estados Unidos*, *Andes*, *Campinas*, *Lusíadas*, etc., levam o verbo para o plural quando se usam com o artigo; caso contrário, o verbo concorda no singular.

"Os Estados Unidos **são** o país mais rico do mundo." (Eduardo Prado)

Os Andes **se estendem** da Venezuela à Terra do Fogo.

"Os Lusíadas" **imortalizaram** Luís de Camões.

Campinas **orgulha-se** de ter sido o berço de Carlos Gomes.

Minas Gerais **possui** grandes jazidas de ferro.

"Montes Claros **era** um feudo daquela família." (Raquel Jardim)

"Terras do Sem-Fim" **foi quadrinizado** para leitores jovens.

- Tratando-se de títulos de obras, é comum deixar o verbo no singular, sobretudo com o verbo *ser* seguido de predicativo no singular:

"*As Férias de El-Rei* **é** o título da novela." (Rebelo da Silva)

"*As Valkírias* **mostra** claramente o homem que existe por detrás do mago." (Paulo Coelho)

"*Os Sertões* **é** um ensaio sociológico e histórico…" (Celso Luft)

⇒ A concordância, neste caso, não é gramatical, mas *ideológica*, porque se efetua não com a palavra (Valkírias, Sertões, Férias de El-Rei), mas com a *ideia* por ela sugerida (obra ou livro). Ressalte-se, porém, que é também correto usar o verbo no plural:

As Valkírias **mostram** claramente o homem...

"*Os Sertões* **são** um livro de ciência e de paixão, de análise e de protesto." (Alfredo Bosi)

19 CONCORDÂNCIA DO VERBO PASSIVO

- Quando apassivado pelo pronome apassivador *se*, o verbo concordará normalmente com o sujeito:

Vende-se a casa e **compram-se** dois apartamentos.

Gastaram-se milhões, sem que se **vissem** resultados concretos.

"**Correram-se** as cortinas da tribuna real." (Rebelo da Silva)

"**Aperfeiçoavam-se** as aspas, **cravavam-se** pregos necessários à segurança dos postes..." (Camilo Castelo Branco)

"Agora já não **se fazem** destes aparelhos." (Carlos de Laet)

Ouviam-se vozes fortes de comando." (Ferreira de Castro)

Ali só se **viam** ruínas.

"A tentativa de **se aferirem** pesos e medidas." (Ciro dos Anjos)

"Quantas horas faltariam para **se abrirem** os cafés e as bodegas?" (Graciliano Ramos)

"A salvação de Toledo foi não **se terem fechado** suas portas." (Alexandre Herculano)

"Sua sala era absolutamente igual às que **se veem** nos livros ilustrados para o ensino do inglês." (Cecília Meireles)

"Mais tarde se confirma isto, ao **se mandarem** chusmas de criminosos povoar os cafundós desta ou daquela capitania." (Cassiano Ricardo)

"Daí o princípio colonial de só se **concederem** terras em sesmarias às pessoas que possuam meios para realizar a exploração delas e fundar engenhos." (Oliveira Viana)

Observação:

✔ Na literatura moderna há exemplos em contrário, mas que não devem ser seguidos:

"*Vendia-se* seiscentos convites e aquilo ficava cheio." (Ricardo Ramos)

"Em Paris há coisas que não *se entende* bem." (Rubem Braga)

- Nas locuções verbais formadas com os verbos auxiliares *poder* e *dever*, na voz passiva sintética, o verbo auxiliar concordará com o sujeito. Exemplos:

Não **se podem** cortar essas árvores.

[sujeito: *árvores*; locução verbal: *podem cortar*]

Devem-se ler bons livros. [= Devem ser lidos bons livros.]

[sujeito: *livros*; locução verbal: *devem-se ler*]

"Nem de outra forma **se poderiam** imaginar façanhas memoráveis como a do fabuloso Aleixo Garcia." (Sérgio Buarque de Hollanda)

"Em Santarém há poucas casas particulares que **se possam** dizer verdadeiramente antigas." (Almeida Garrett)

462 SINTAXE

- Entretanto, pode-se considerar sujeito do verbo principal a oração iniciada pelo infinitivo e, nesse caso, não há locução verbal e o verbo auxiliar concorda no singular. Assim:

Não **se pode** cortar essas árvores.

[sujeito: *cortar essas árvores*; predicado: *não se pode*]

Deve-se ler bons livros.

[sujeito: *ler bons livros*; predicado: *deve-se*]

- Em síntese: de acordo com a interpretação que se escolher, tanto é lícito usar o verbo auxiliar no singular como no plural. Portanto:

Não **se podem** [ou *pode*] cortar essas árvores.

Devem-se [ou *deve-se*] ler bons livros.

"Quando se joga, **deve-se** aceitar as regras." (Ledo Ivo)

" Concluo que não **se devem** abolir as loterias." (Machado de Assis)

"**Pode-se** comprar livros de segunda mão baratíssimos." (José Paulo Paes)

"De preferência, **deve-se** ler os dois, o historiador e o novelista." (Jorge Amado)

"**Deviam-se** reduzir ao mínimo as relações com o poder público." (Ciro dos Anjos)

"Era loura, mas **podia-se** ver massas castanhas por baixo da tintura dourada do cabelo." (Vinícius de Moraes)

20 VERBOS IMPESSOAIS

Os verbos *haver*, *fazer* (na indicação do tempo), *passar de* (na indicação das horas), *chover* e outros que exprimem fenômenos meteorológicos, quando usados como impessoais, ficam na 3ª pessoa do singular:

"Não **havia** ali vizinhos naquele deserto." (Monteiro Lobato)

"**Havia** já dois anos que nos não víamos." (Machado de Assis)

"Aqui, **faz** verões terríveis." (Camilo Castelo Branco)

"**Faz** hoje ao certo dois meses que morreu na forca o tal malvado…" (Camilo Castelo Branco)

"Conhecera-o assim, **fazia** quase vinte anos." (Josué Montello)

Quando saí de casa, **passava** das oito horas.

"**Chovera** e **nevara** depois, durante muitos dias." (Camilo Castelo Branco)

Observações:

a) Também fica invariável na 3ª pessoa do singular o verbo que forma locução com os verbos impessoais *haver* ou *fazer*:

Deverá haver cinco anos que ocorreu o incêndio.

Vai haver grandes festas.

Há de haver, sem dúvida, fortíssimas razões para ele não aceitar o cargo.

Começou a haver abusos na nova administração.

Vai fazer cem anos que nasceu o genial artista.

Não pode haver rasuras neste documento.

"Haverá, *deve* haver construções históricas em Nova Iorque." (Viana Moog)

b) O verbo *chover*, no sentido figurado [= cair ou sobrevir em grande quantidade], deixa de ser impessoal e, portanto, concordará com o sujeito:

Choviam pétalas de flores.

"Sou aquele sobre quem mais *têm chovido* elogios e diatribes." (Carlos de Laet)

Choveram comentários e palpites." (Carlos Drummond de Andrade)

"E nem lá [na Lua] *chovem* meteoritos, permanentemente." (Raquel de Queirós)

c) Na língua popular brasileira é generalizado o uso de *ter*, impessoal, por *haver*, *existir*. Nem faltam exemplos em escritores modernos:

"No centro do pátio *tem* uma figueira velhíssima, com um banco embaixo." (José Geraldo Vieira)

"Soube que *tem* um cavalo morto, no quintal." (Carlos Drummond de Andrade)

d) Esse emprego do verbo *ter*, impessoal, não é estranho ao português europeu:

"É verdade. *Tem* dias que sai ao romper de alva e recolhe alta noite, respondeu Ângela." (Camilo Castelo Branco) [Tem = Há]

e) *Existir* não é verbo impessoal. Portanto:

Nesta cidade *existem* [e não *existe*] bons médicos.

Não *deviam* [e não *devia*] existir crianças abandonadas.

21 CONCORDÂNCIA DO VERBO SER

▪ O verbo de ligação *ser* concorda com o predicativo nos seguintes casos:

a) quando o sujeito é um dos pronomes *tudo, o, isto, isso* ou *aquilo*:

"Tudo **eram** hipóteses." (Lêdo Ivo)

"Tudo isto **eram** sintomas graves." (Machado de Assis)

Na mocidade tudo **são** esperanças.

"Não, nem tudo **são** dessemelhanças e contrastes entre Brasil e Estados Unidos." (Viana Moog)

"Vamos e venhamos: na floresta nem tudo **são** flores." (Tiago de Melo)

"Aquilo **eram** asperezas que o tempo acepilhava." (Graciliano Ramos)

"Isso **são** sonhos, Mariana!" (Camilo Castelo Branco)

"O que atrapalhava **eram** as caras antipáticas dos guardas." (Aníbal Machado)

"O que atrapalha bastante **são** as discussões a meu respeito." (Aníbal Machado)

"Mas o que o amor é, principalmente, **são** duas pessoas neste mundo." (Raquel de Queirós)

Hoje o que não falta **são** divertimentos.

▫ A concordância com o sujeito, embora menos comum, é também lícita:

"Tudo **é** flores no presente." (Gonçalves Dias)

"O que de mim posso oferecer-lhe **é** espinhos da minha coroa." (Camilo Castelo Branco)

O verbo *ser* fica no singular quando o predicativo é formado de dois núcleos no singular:

"Tudo o mais **é** soledade e silêncio." (Ferreira de Castro)

b) quando o sujeito é um nome de coisa, no singular, e o predicativo um substantivo plural:

"A cama **são** umas palhas." (Camilo Castelo Branco)

" A causa **eram** os seus projetos." (Machado de Assis)

"Vida de craque não **são** rosas." (Raquel de Queirós)

Sua salvação **foram** aquelas ervas.

"Quando D. Angélica soube que a base daqueles pratos e sobremesas **eram** flores, ficou consternada." (José J. Veiga)

Observação:

✔ O sujeito sendo nome de pessoa, com ele concordará o verbo *ser*:

Emília *é* os encantos de sua avó.

Abílio *era* só problemas.

Dá-se também a concordância no singular com o sujeito *que*:

"Ergo-me hoje para escrever mais uma página neste Diário *que* breve *será* cinzas como eu." (Camilo Castelo Branco)

"No edifício *que era* só vidros." (Ricardo Ramos)

---

c) quando o sujeito é uma palavra ou expressão de sentido coletivo ou partitivo, e o predicativo um substantivo no plural:

"A maioria **eram** rapazes." (Aníbal Machado)

A maior parte **eram** famílias pobres.

O resto [ou *o mais*] **são** trastes velhos.

"A maior parte dessa multidão **são** mendigos." (Eça de Queirós)

"Quase a metade dos escritores brasileiros que viveram entre 1870 e 1930 **foram** professores de escolas públicas." (José Murilo de Carvalho)

d) quando o predicativo é um pronome pessoal ou um substantivo, e o sujeito não é pronome pessoal reto:

"O Brasil, senhores, **sois** vós." (Rui Barbosa)

"Nas minhas terras o rei **sou** eu." (Alexandre Herculano)

"O dono da fazenda **serás** tu." (Said Ali)

"... mas a minha riqueza **eras** tu." (Camilo Castelo Branco)

Quem deu o alarme **fui** eu.

Quem plantou essas árvores **fomos** nós.

Quem não ficou nada contente **foram** os camelôs.

Mas:

Eu não **sou** ele. Vós não **sois** eles. Tu não **és** ele.

e) quando o predicativo é o pronome demonstrativo **o** ou a palavra *coisa*:

Divertimentos **é** o que não lhe falta.

"Os bastidores **é** só o que me toca." (Correia Garção)

"Mentiras, **era** o que me pediam, sempre mentiras." (Fernando Namora)

"Os responsórios e os sinos **é** coisa importuna em Tibães." (Camilo Castelo Branco)

"Histórias sobre diamantes **é** o que não falta." (Maria José de Queirós)

f) nas locuções *é muito, é pouco, é suficiente, é demais, é mais que* (ou *do que*), *é menos que* (ou *do que*), etc., cujo sujeito exprime *quantidade, preço, medida*, etc.:

"Seis anos **era** muito." (Camilo Castelo Branco)

Dois mil dólares **é** pouco.

Cinco mil dólares **era** quanto bastava para a viagem.

Doze metros de fio **é** demais.

Seis quilos de carne **é** mais do que precisamos.

Para ele, mil dólares **era** menos que um real.

- Na indicação das horas, datas e distâncias, o verbo *ser* é impessoal (não tem sujeito) e concordará com a expressão designativa de hora, data ou distância:

Era uma hora da tarde.

"**Era** hora e meia, foi pôr o chapéu." (Eça de Queirós)

"**Seriam** seis e meia da tarde." (Raquel de Queirós)

"**Eram** duas horas da tarde." (Machado de Assis)

"**São** horas de fechar esta carta." (Camilo Castelo Branco)

"**Eram** sete de maio da era de 1439…" (Alexandre Herculano)

"Hoje **são** vinte e um do mês, não **são**?" (Camilo Castelo Branco)

"Da estação à fazenda **são** três léguas a cavalo." (Said Ali)

Observações:

1ª) Pode-se, entretanto, na linguagem espontânea, deixar o verbo no singular, concordando com a ideia implícita de "dia":

"Hoje é seis de março." (J. Matoso Câmara Jr.) [Hoje *é dia* seis de março.]

"Hoje é dez de janeiro." (Celso Luft)

2ª) Estando a expressão que designa horas precedida da locução *perto de*, hesitam os escritores entre o plural e o singular:

"*Eram* perto de oito horas." (Machado de Assis)

Era perto de duas horas quando saiu da janela." (Machado de Assis)

"…*era* perto das cinco quando saí." (Eça de Queirós)

3ª) O verbo *passar*, referente a horas, fica na 3ª pessoa do singular, em frases como:

Quando o trem chegou, *passava* das sete horas.

22 LOCUÇÃO DE REALCE *É QUE*

O verbo *ser* permanece invariável na expressão expletiva ou de ralce *é que*:

Eu **é que** mantenho a ordem aqui. [= *Sou* eu que mantenho a ordem aqui.]

Nós **é que** trabalhávamos. [= *Éramos* nós que trabalhávamos.]

As mães **é que** devem educá-los. [= *São* as mães que devem educá-los.]

Os astros **é que** os guiavam. [= *Eram* os astros que os guiavam.]

Divertimentos **é que** não lhe faltavam.

Da mesma forma se diz, com ênfase:

"Vocês são muito **é** atrevidos." (Raquel de Queirós)

"Sentia **era** vontade de ir também sentar-me numa cadeira junto do palco." (Graciliano Ramos)

"Por que **era que** ele usava chapéu sem aba?" (Graciliano Ramos)

Observação:

✔ O verbo *ser* é impessoal e invariável em construções enfáticas como:

Era aqui onde se açoitavam os escravos.   [= Aqui se açoitavam os escravos.]

Foi então que os dois se desentenderam.   [= Então os dois se desentenderam.]

23 ERA UMA VEZ

Por tradição, mantém-se invariável a expressão inicial de histórias *era uma vez*, ainda quando seguida de substantivo plural:

Era uma vez dois cavaleiros andantes.

24 A NÃO SER

- É geralmente considerada locução invariável, equivalente a *exceto*, *salvo*, *senão*. Exemplos:

  Nada restou do edifício, **a não ser** escombros.

  A não ser alguns pescadores, ninguém conhecia aquela praia.

  "Nunca pensara no que podia sair do papel e do lápis, **a não ser** bonecos sem pescoço…" (Carlos Drummond de Andrade)

- Mas não constitui erro usar o verbo *ser* no plural, fazendo-o concordar com o substantivo seguinte, convertido em sujeito da oração infinitiva. Exemplos:

  "As dissipações não produzem nada, **a não serem** dívidas e desgostos." (Machado de Assis)

  "**A não serem** os antigos companheiros de mocidade, ninguém o tratava pelo nome próprio." (Álvaro Lins)

  "**A não serem** os críticos e eruditos, pouca gente manuseia hoje… aquela obra." (Latino Coelho, *apud* Bergo)

25 HAJA VISTA

- A expressão correta é *haja vista*, e não *haja visto*. Pode ser construída de três modos:

a) **Hajam vista** os livros desse autor. [= tenham vista, vejam-se]

b) **Haja vista** os livros desse autor. [= por exemplo, veja] (concordância mais usual)

c) **Haja vista** aos livros desse autor. [= olhe-se para, atente-se para os livros]

A primeira construção (que é a mais lógica) analisa-se deste modo:

Sujeito: os livros; *verbo*: hajam [= tenham]; *objeto direto*: vista.

A situação é preocupante; **hajam vista** os incidentes de sábado.

- Seguida de substantivo (ou pronome) singular, a expressão, evidentemente, permanece invariável:

A situação é preocupante; **haja vista** o incidente de sábado.

26 BEM HAJA / MAL HAJA

Bem haja e *mal haja* usam-se em frases optativas e imprecativas, respectivamente. O verbo concordará normalmente com o sujeito, que vem sempre posposto:

"**Bem haja** Sua Majestade!" (CAMILO CASTELO BRANCO)

Bem hajam os promovedores dessa campanha!

"**Mal hajam** as desgraças da minha vida..." (CAMILO CASTELO BRANCO)

27 CONCORDÂNCIA DOS VERBOS *BATER, DAR* E *SOAR*

Referindo-se às horas, os três verbos acima concordam regularmente com o sujeito, que pode ser *hora, horas* (claro ou oculto), *badaladas* ou *relógio*:

"Nisto, **deu** três horas o relógio da botica." (CAMILO CASTELO BRANCO)

"**Bateram** quatro da manhã em três torres a um tempo..." (MÁRIO BARRETO)

"**Tinham batido** quatro horas no cartório do tabelião Vaz Nunes." (MACHADO DE ASSIS)

"**Deu** uma e meia." (SAID ALI)

"**Davam** nove horas na igreja do Loreto." (REBELO DA SILVA)

"Não tardou muito que no sino do coro **batessem** as badaladas que anunciavam a hora de prima." (ALEXANDRE HERCULANO)

"**Soaram** dez horas nos relógios das igrejas e das fábricas." (AMANDO FONTES)

Observação:

✔ *Passar*, com referência a horas, no sentido de *ser mais de*, é verbo impessoal, por isso fica na 3ª pessoa do singular:

Quando chegamos ao aeroporto, *passava* das 16 horas.

Vamos, já *passa* das oito horas – disse ela ao filho.

28 CONCORDÂNCIA DO VERBO *PARECER*

Em construções com o verbo *parecer* seguido de infinitivo, pode-se flexionar o verbo *parecer* ou o infinitivo que o acompanha:

a) As paredes **pareciam estremecer**. (construção corrente)

b) As paredes **parecia estremecerem**. (construção literária)

Análise da construção **b)**: parecia: *oração principal;* as paredes estremecerem: *oração subordinada substantiva subjetiva.*

Outros exemplos:

"Nervos... que **pareciam estourar** no minuto seguinte." (FERNANDO NAMORA)

"Referiu-me circunstâncias que **parece justificarem** o procedimento do soberano." (LATINO COELHO)

"As lágrimas e os soluços **parecia** não a **deixarem** prosseguir." (ALEXANDRE HERCULANO)

"... quando as estrelas, em ritmo moroso, **parecia caminharem** no céu." (GRAÇA ARANHA)

"Os moravos **parece haverem tomado** a sério, para regra da vida, a palavra irônica do mártir." (RAMALHO ORTIGÃO)

"Volvidos um para o outro, **parecia** não **terem dado** por ele." (FERREIRA DE CASTRO)

"Até **parece escolherem** o modelo." (RAQUEL DE QUEIRÓS)

"O amanhecer e o anoitecer **parece deixarem**-me intacta." (CECÍLIA MEIRELES)

"As corporações que deviam voltar-se para a manutenção da ordem **parece** quase **insurgirem-se** contra ela." (WALTER FONTOURA)

- Usando-se a oração desenvolvida, *parecer* concordará no singular:

"Mesmo os doentes **parece** que são mais felizes." (CECÍLIA MEIRELES)

"Outros, de aparência acabadiça, **parecia** que não podiam com a enxada." (JOSÉ AMÉRICO)

"As notícias **parece** que têm asas." (OTTO LARA RESENDE)

[Isto é: *Parece* que as notícias têm asas.]

Observação:

✔ Essa dualidade de sintaxe verifica-se também com o verbo *ver* na voz passiva: *"Viam-se entrar* mulheres e crianças" ou *"Via-se entrarem* mulheres e crianças."

29 CONCORDÂNCIA COM O SUJEITO ORACIONAL

O verbo cujo sujeito é uma oração concorda obrigatoriamente na 3ª pessoa do singular:

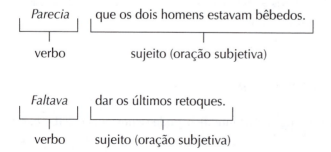

Outros exemplos, com o sujeito oracional em destaque:

Não me interessa **ouvir essas parlendas**.

Anotei os livros **que** faltava **adquirir**. [*faltava* adquirir os livros]

Esses fatos, importa [ou convém] **não esquecê-los**.

São viáveis as reformas **que** se intenta **implantar**?

São problemas esses **que** compete ao governo **solucionar**.

Não se conseguiu **conter os curiosos**.

Tentou-se **aumentar as exportações**.

No momento, procura-se **diminuir as importações**.

Não se pretende **alcançar resultados imediatos**.

São problemas esses **que** não cabe a nós **resolver**.

"A casa é grande; mas tem-se visto **acabarem casas maiores**." (Camilo Castelo Branco)

"O americano pede contas aos seus mandatários pela administração e destino dos bens **que** lhes incumbe **zelar**." (Viana Moog)

"Sobre isto dissemos cousas **que** não importa **escrever aqui**." (Machado de Assis)

30 CONCORDÂNCIA COM SUJEITO INDETERMINADO

O pronome *se* pode funcionar como índice de indeterminação do sujeito. Nesse caso, o verbo concorda obrigatoriamente na 3ª pessoa do singular. Exemplos:

Em casa, **fica-se** mais à vontade.

Detesta-se [e não *detestam-se*] aos indivíduos falsos.

Acabe-se de vez com esses abusos!

Para ir de São Paulo a Curitiba, **levava-se** doze horas.

Trata-se de fenômenos que os cientistas não sabem explicar.

"Não **se trata** de advogados, minha senhora. **Trata-se** de provas." (Geraldo França de Lima)

31 CONCORDÂNCIA COM OS NUMERAIS *MILHÃO, BILHÃO E TRILHÃO*

Estes substantivos numéricos, quando seguidos de substantivo no plural, levam, de preferência, o verbo ao plural. Exemplos colhidos nos melhores jornais do Rio de Janeiro e de São Paulo:

"Um milhão de fiéis **agruparam-se** em procissão."

"**São gastos** ainda um milhão de dólares por ano para a manutenção de cada Ciep."

"Meio milhão de refugiados **se aproximam** da fronteira do Irã."

"Meio milhão de pessoas **foram** às ruas para reverenciar os mártires da resistência."

"Pelas contas da Petrobrás, **podem** faltar um bilhão e meio de litros de álcool."

"Todos os anos, no Brasil, **ocorre** um milhão de acidentes de trânsito."

Eça de Queirós, em *O Egito*, página 99, preferiu, como o jornalista no último exemplo supracitado, usar o verbo no singular:

"Quase um milhão de homens **se move** naquelas ruas estreitas, apertadas e confusas."

Observações:

Milhão, bilhão e *milhar* são substantivos masculinos. Por isso, devem concordar no masculino os artigos, numerais e pronomes que os precedem: *os dois milhões* de pessoas; *os três milhares* de plantas; *alguns milhares* de telhas; *esses bilhões* de criaturas, *os milhares* de meninas que estudam no Rio, etc.

Se o sujeito da oração for *milhões*, o particípio ou o adjetivo podem concordar, no masculino, com *milhões*, ou, por atração, no feminino, com o substantivo feminino plural: Dois milhões de sacas de soja estão ali *armazenados* (ou *armazenadas*). Os outros cinco milhões de moedas serão *cunhados* (ou *cunhadas*) no próximo ano. Foram *colhidos* três milhões de sacas de trigo. Os dois milhões de árvores *plantadas* estão *altas* e *bonitas*.

32 CONCORDÂNCIA COM NUMERAIS FRACIONÁRIOS

▪ De regra, a concordância do verbo efetua-se com o numerador. Exemplos:

"Mais ou menos um terço dos guerrilheiros **ficou** atocaiado perto…" (AUTRAN DOURADO)

"Um quinto dos bens **cabe** ao menino." (JOSÉ GUALDA DANTAS)

Dois terços da população **vivem** da agricultura.

▪ Não nos parece, entretanto, incorreto usar o verbo no plural, quando o número fracionário, seguido de substantivo no plural, tem o numerador 1, como nos exemplos:

"Um terço das mortes violentas no campo **acontecem** no sul do Pará."
(*Jornal do Brasil*, 9/5/1991)

Um quinto dos homens **eram** de cor escura.

33 CONCORDÂNCIA COM PERCENTUAIS

O verbo deve concordar com o número expresso na porcentagem:

Só 1% dos eleitores **se absteve** de votar.

Só 2% dos eleitores **se abstiveram** de votar.

Foram destruídos 20% da mata.

"Cerca de 40% do território **ficam** abaixo de 200 metros." (ANTÔNIO HOUAISS)

"A sondagem revelou ainda que 73% da população **acreditam** que a situação do país piorou."
(*O Estado de S. Paulo*, 29/1/1992)

"Na União 90% dos homens **andavam** armados." (POVINA CAVALCÂNTI)

A pesquisa revelou que 82% (oitenta e *dois* por cento ou oitenta e *duas* por cento) das mulheres **trabalham** fora.

Observação:

✔ Em casos como o da última frase, a concordância efetua-se, pela lógica, no feminino (oitenta e *duas* entre cem mulheres), ou, seguindo o uso geral, no masculino, por se considerar a porcentagem um conjunto numérico invariável em gênero.

34 CONCORDÂNCIA COM O PRONOME *NÓS* SUBENTENDIDO

O verbo concorda com o pronome subentendido *nós* em frases do tipo:

Todos **estávamos** preocupados. [= Todos *nós estávamos* preocupados.]

Os dois **vivíamos** felizes. [= *Nós* dois *vivíamos* felizes.]

"**Ficamos** por aqui, insatisfeitos, os seus amigos." (CARLOS DRUMMOND DE ANDRADE)

35 CONCORDÂNCIA DE SENÃO EM FRASES NEGATIVAS

- Em frases negativas em que *senão* equivale a *mais que*, *a não ser*, e vem seguido de substantivo no plural, costuma-se usar o verbo no plural, fazendo-o concordar com o sujeito oculto *outras coisas*. Exemplos:

Do antigo templo grego não **restam** senão ruínas. [Isto é: não *restam outras coisas* senão ruínas.]

Da velha casa não **sobraram** senão escombros.

"Para os lados do sul e poente, não **se viam** senão edifícios queimados." (ALEXANDRE HERCULANO)

"Por toda a parte não **se ouviam** senão gemidos ou clamores." (REBELO DA SILVA)

"Para mim não **restaram** senão vagos reflexos..." (CIRO DOS ANJOS)

- Segundo alguns autores, pode-se, em tais frases, efetuar a concordância do verbo no singular com o sujeito subentendido *nada*:

Do antigo templo grego não **resta** senão ruínas. [Ou seja: não *resta nada*, senão ruínas.]

Ali não **se via** senão (ou *mais que*) escombros.

As duas interpretações são boas, mas só a primeira tem tradição na língua.

36 CONCORDÂNCIA COM FORMAS GRAMATICAIS

Palavras no plural com sentido gramatical e função de sujeito exigem o verbo no singular:

"Elas" **é** um pronome pessoal. [= A palavra *elas* é um pronome pessoal.]

Na placa **estava** "veiculos", sem acento.

"Contudo, mercadores não **tem** a força de vendilhões." (MACHADO DE ASSIS)

37 MAIS DE, MENOS DE

O verbo concorda com o substantivo que se segue a essas expressões:

Mais de cem pessoas **perderam** suas casas, na enchente.

Sobrou mais de uma cesta de pães.

Gastaram-se menos de dois galões de tinta.

Menos de dez homens **fariam** a colheita das uvas.

EXERCÍCIOS

LISTA 53

1. Transcreva os períodos em que NÃO há erro de concordância verbal:

a) Precisava fazer uma caixa de madeira, mas **faltavam**-me ferramentas.

b) Estávamos ali parados, quando **começaram** a cair grossos pingos de chuva.

c) Raros são os dias em que não **acontecem** fatos desagradáveis.

d) **Sobra**-lhe motivos para poder considerar-se uma pessoa feliz.

e) O que me admira é ainda **existirem** peixes em rios tão poluídos.

f) Quando o médico chegou, **passava** das nove horas.

2. Transcreva as frases antepondo-lhes o número correspondente à razão pela qual o verbo concorda no singular, embora o sujeito seja composto:

(1) Os núcleos do sujeito são sinônimos.

(2) Os núcleos do sujeito formam uma sequência gradativa.

(3) Os núcleos do sujeito referem-se ao mesmo ser.

(4) Concordância com o núcleo do sujeito mais próximo (concordância atrativa).

A dona de casa e mãe de família **anda** preocupada com a alta dos preços.

A segurança e firmeza com que lhes respondi **deixou**-os perplexos.

Passou-me pela mente o rosto e a voz de minha primeira professora.

A inveja, o ódio, a maldade humana **armará** ciladas em teu caminho.

3. Transcreva os períodos em que a concordância está correta:

a) João nunca subirá, na vida: faltam-lhe coragem e idealismo.

b) O puma ou suçuarana costuma caçar de noite.

c) Partireis amanhã tu, Ramiro e as crianças.

d) Partirão amanhã tu, Ramiro e as crianças.

e) Partiremos amanhã tu, Ramiro, as crianças e eu.

f) Partirá amanhã tu, Ramiro e as crianças.

SINTAXE 473

4. Justifique a concordância dos verbos nos exemplos seguintes:

a) "É mofina a condição dos povos em que **faltam** lavradores e **sobejam** legisladores." (MARQUÊS DE MARICÁ)

b) "Itaguaí e o universo **ficavam** à beira de uma revolução." (MACHADO DE ASSIS)

c) "No dia seguinte, **veio** o morgado e a filha a Lisboa." (CAMILO CASTELO BRANCO)

d) "**Seguiram**-na, a distância, o esposo e o médico." (COELHO NETO)

e) "Obelisco não é mourão em que **se amarram** cavalos." (MANUEL BANDEIRA)

f) "**Chegava** a multidão de passageiros dos subúrbios." (FELÍCIO DOS SANTOS)

g) "Eu, o Silêncio e a Solidão **éramos** quem estava aí." (ALEXANDRE HERCULANO)

h) "A maior parte das suas companheiras **eram** felizes." (CAMILO CASTELO BRANCO)

i) "A maioria dos condenados **acabou** nas plagas africanas." (CAMILO CASTELO BRANCO)

j) "Ao lado, em distância conveniente para o fogo não chamuscar a copa verde, uma palmeira ou árvore esguia **era** plantada." (POVINA CAVALCÂNTI)

k) "O falso e o verdadeiro, a verdade e a mentira, tudo **passa**." (ANTÔNIO VIEIRA)

l) "Mais de um ricaço **ficou** reduzido à miséria." (SAID ALI)

5. Justifique a concordância verbal, como fez no exercício 4:

a) "Mas **vivam** os mitos, que são o pão dos homens." (CIRO DOS ANJOS)

b) "Os amigos **nos revezávamos** à sua cabeceira." (AMADEU DE QUEIRÓS)

c) **Sobraram** cerca de sessenta ingressos.

d) "Viajando, viajando, **esquecia-se** o mal e o bem." (ADONIAS FILHO)

e) Não se **trata** de riquezas imaginárias, mas reais.

f) "Aqui **estão** a bandeira e o escudo d'armas da República." (ARIANO SUASSUNA)

g) Infelizmente só quando **acontecem** tragédias é que as autoridades tomam providências.

h) "Não **se atravessam** oceanos só para dançar valsas." (VILMA G. ROSA)

i) Nem o macaco nem a ema **conseguem** escapar à agilidade do puma.

j) "Os pardais **parece** que andam nas pontinhas dos pés, como as bailarinas." (CECÍLIA MEIRELES)

k) "Diante de uma forja, um bando hirsuto de pastores de Moab **esperavam**, enquanto dentro os ferreiros lhes batiam ferros novos para as lanças." (EÇA DE QUEIRÓS)

l) "Uma sucessão de acasos **foi** ocorrendo." (EVANDRO LINS)

6. Substitua os asteriscos pela alternativa que completa corretamente o período.

*** explosões de natureza elétrica no planeta Vênus, o que faz crer que *** de relâmpagos muito fortes, embora não *** provas que *** tal hipótese.

Registrou-se – se tratam – existam – confirmam

Registraram-se – se trata – exista – confirme

Registraram-se – se trata – existam – confirmem

7. Troque o * pelos verbos entre parênteses, flexionando-os corretamente no tempo do indicativo que se pede:

a) Quando a cólera ou o amor nos *, a razão se despede. (**visitar**, presente)

b) Nem os gestos nem o olhar dela * expressão. (**ter**, pretérito imperfeito)

c) A multidão de pedestres * de todos os quadrantes. (**desaguar**, presente)

SINTAXE

d) * menos de cem combatentes. (**restar**, pretérito perfeito)

e) O louvor e a censura * com poucas palavras. (**fazer-se**, presente)

f) Às quatro horas da tarde * no cais o presidente com sua comitiva. (**desembarcar**, pretérito imperfeito)

g) Ali * uma multidão de trepadeiras que * aos troncos das árvores. (**crescer**, **enrodilhar-se**, pretérito imperfeito)

h) A empresa é grande, mas * visto acabarem empresas maiores. (**ter-se**, presente)

i) Fostes vós que o * . (**eleger**, pretérito perfeito)

j) Não seremos nós quem o *. (**condenar**, futuro do presente)

k) És tu que * naquela revista? (**escrever**, presente)

l) Eu fui um dos que mais * na viagem. (**sofrer**, pretérito perfeito)

m) Em Icaraí * e se * a sedução, o encanto, o fascínio que, por todo o resto da existência, * de exercer sobre mim o mar e os largos espaços abertos. (**nascer**, **firmar**, pretérito perfeito; **haver**, pretérito imperfeito)

n) Vivemos numa época em que as palavras * que foram feitas para esconder o pensamento. (**parecer**, presente)

o) O pessoal dos morros * para a festa. (**descer**, pretérito imperfeito)

p) Não só a escola mas também a família *. (**colaborar**, pretérito imperfeito)

8. Faça como no exercício anterior:

a) E muito * para isso as facilidades que tentam o comprador. (**contribuir**, pretérito perfeito)

b) Ali * matas de onde já * desaparecido as onças e onde * a rarear os pequenos animais. (**existir**, **haver**, **começar**, pretérito imperfeito)

c) Cada um de nós * uma coisa diferente. (**querer**, presente)

d) * notícias de todas as partes do mundo. (**chegar**, presente)

e) Na cidade bombardeada não se * senão ruínas. (**ver**, presente)

f) Os esqueletos das árvores * que se estorcem de sofrimento. (**parecer**, presente)

g) Não * a pena tantos sacrifícios feitos? (**valer**, pretérito imperfeito)

h) Agora falarei das coisas que lhe *. (**interessar**, presente)

i) Agora falarei das coisas que lhe * saber. (**interessar**, presente)

j) Um ou outro * para dizer-lhe uma palavra. (**deter-se**, pretérito imperfeito)

k) Prestígio e talento * o que não lhe *. (**ser**, **faltar**, presente)

l) Nem a mãe nem a filha * à terra natal. (**voltar**, pretérito perfeito)

m) Seu orgulho e acanhamento a * de solicitar ajuda. (**impedir**, pretérito perfeito)

n) Graças, ó Cristo, pela vossa vinda ao mundo, da qual * tantos benefícios. (**resultar**, pretérito perfeito)

o) Do trabalho humilde desses homens * muitas vidas. (**depender**, presente)

9. Faça concordar corretamente os verbos em destaque nos tempos indicados:

a) Rogo a Vossa Excelência que não **dar** atenção a esses boatos. (*subjuntivo presente*)

b) Montes Claros **ficar** no norte de Minas Gerais. (*indicativo presente*)

c) Não me **interessar** palavras, quero fatos. (*indicativo presente*)

d) O funcionamento do cérebro e não as batidas do coração é que **determinar** se uma pessoa está viva ou morta. (*indicativo presente*)

e) O cientista afirmou que **ir** se passar vários dias antes que se **receber** as primeiras fotografias do satélite. (*indicativo presente – subjuntivo presente*)

f) Sua presença era indispensável para se **organizar** os serões musicais. (*infinitivo presente pessoal*)

g) Cada ano **aumentar** o número de pessoas que visitam Parati. (*indicativo presente*)

h) Prevíamos os mínimos detalhes, para que depois não **surgir** coisas desagradáveis. (*pretérito imperfeito do subjuntivo*)

i) Durante a semana **suceder**-se as visitas ao enfermo. (*pretérito perfeito*)

j) **Tratar**-se de peças sacras de inestimável valor. (*pretérito imperfeito*)

10. Varie o verbo da frase abaixo, seguindo o exemplo:

A) No zoo da cidade **viviam** alguns animais raros.

B) No zoo da cidade **havia** alguns animais raros.

C) No zoo da cidade **existiam** alguns animais raros.

D) No zoo da cidade **encontravam-se** alguns animais raros.

Nas margens desse rio **viviam** antigamente algumas tribos selvagens.

11. Transcreva apenas os períodos em que a concordância verbal está certa:

a) Só o desenrolar dos acontecimentos é que **poderá** revelar a verdade dos fatos.

b) Só o desenrolar dos acontecimentos é que **poderão** revelar a verdade dos fatos.

c) Daqueles dias longínquos **resta**-me apenas vagas recordações.

d) Daqueles dias longínquos **restam**-me apenas vagas recordações.

e) Como lhe **parecia** altos aqueles edifícios!

f) Como lhe **pareciam** altos aqueles edifícios!

g) Se **existissem** melhores sementes poderia haver melhores colheitas.

h) Se **existisse** melhores sementes poderia haver melhores colheitas.

i) Se existissem melhores sementes **poderiam** haver melhores colheitas.

j) No encontro que tive com Jairo **impressionou**-me as revelações que ele me fez.

k) No encontro que tive com Jairo **impressionaram**-me as revelações que ele me fez.

12. Substitua os asteriscos pelos verbos no tempo indicado entre parênteses. Em seguida, anteponha **A** ou **B**, conforme seja o caso.

(A) Verbo passivo concorda com o sujeito: **Consertam-se** relógios.

(B) Verbo transitivo indireto cujo sujeito é indeterminado concorda na 3ª pessoa do singular: **Precisa-se** de bons técnicos.

*** gritos lancinantes. (**ouvir-se**, pretérito perfeito)

*** de empregadas domésticas. (**precisar-se**, presente)

*** de fenômenos desconhecidos. (**tratar-se**, presente)

*** as plantas com amor. (**tratar-se**, presente)

A cartas dessas não se ***. (**responder**, presente)

Nas doenças, *** aos médicos. (**recorrer-se**, presente)

*** as cartas na caixa. (**depositar-se**, pretérito perfeito)

Há muito não se *** a espetáculos tão belos. (**assistir**, pretérito imperfeito)

Na reunião, *** de problemas que afligem os jovens. (**tratar-se**, pretérito perfeito)

13. Transcreva as frases em que as concordâncias postas entre parênteses estão certas:

a) O que me **espantava** (ou *espantavam*) eram suas afirmações.

b) O pavão era uma das aves do zoo que mais **chamavam** (ou *chamava*) a atenção das crianças.

c) Nem eu nem meu pai os **esperávamos** (ou *esperava*).

d) Um e outro **começaram** (ou *começou*) a gritar.

e) Nem um nem outro **concluiu** (ou *concluíram*) o curso.

f) Não **fossem** (ou *fosse*) os livros, como poderíamos estudar?

g) A maior parte dos carros **tinham** (ou *tinha*) defeitos.

h) Pesquisa revela que 50% dos alunos **pretendem** (ou *pretende*) seguir Medicina.

i) Mais de um piloto **perdeu** (ou *perderam*) a vida nos autódromos.

j) Atrás da montanha **ficavam** (ou *ficava*) a praia e o mar.

k) Alguns de nós **moram** (ou *moramos*) longe.

l) Cacos de vidro não **significam** (ou *significa*) nada quando se tem dez anos.

m) Nenhum dos dois índios **sabia** (ou *sabiam*) falar português.

n) Quem não gostou **foram** (ou *foi*) os vizinhos.

o) Lá em casa todos **eram** (ou *éramos*) felizes.

p) De vez em quando, um de nós ou nós três juntos **estávamos** (ou *estava*) apanhando por causa do gravador.

q) Apenas um ou outro **tentou** (ou *tentaram*) aproximar-se.

r) **Existem** (ou *existe*) perto de três mil mendigos em nossa cidade.

s) Não foi só uma foto que tiramos, **foram** (ou *foi*) várias.

14. Faça como no exercício anterior:

a) Um gesto, um olhar, uma palavra **despertava** (ou *despertavam*) suspeitas.

b) O diretor ou seu secretário **receberá** (ou *receberão*) os visitantes.

c) A família com a enfermeira **viajaram** (ou *viajou*) para a França.

d) Era um grupo de cavaleiros que **vinham** (ou *vinha*) em sentido contrário.

e) O lugar, as companhias, as brincadeiras, tudo **deixou** (ou *deixaram*) em mim saudades.

f) O que se via **eram** (ou *era*) ratos em todos os cantos.

g) Não fui eu quem o **convidou** (ou *convidei*).

h) Nos rios e lagos não **havia** (ou *haviam*) mais peixes.

i) Não lhe **bastam** (ou *basta*) tantas riquezas?

j) Não lhe **basta** (ou *bastam*) possuir tantas riquezas?

k) Peço a Vossas Senhorias que me **enviem** (ou *envieis*) as encomendas com urgência.

l) Um e outro **tinham-se** perdido (ou *tinha-se* perdido) na rua.

m) A maioria dos trabalhadores **recebeu** (ou *receberam*) essa notícia com alegria.

n) Quando a noiva com o pai **assomaram** (ou *assomou*) à porta da igreja, um frêmito percorreu o templo.

o) Um milhão de trabalhadores **aderiram** (ou *aderiu*) à greve.

p) Um terço dos homens **era** (ou *eram*) de cor escura.

q) A não **ser** (ou *serem*) dois mendigos, ninguém estava na praça.

SINTAXE 477

15. Transcreva as frases antepondo **A** ou **B** para justificar a concordância dos verbos:

(A) Concorda no singular o verbo cujo sujeito é uma oração.

(B) Concorda no plural o verbo que tem como sujeito um substantivo comum no plural.

a) Não me **importam** as opiniões desses tais futurólogos.

b) Não me **importa** que eles façam maus prognósticos.

c) **Projeta-se** remodelar as praças da cidade.

d) **Projetam-se** obras urbanísticas de grande importância.

e) Quando **deixarão** de existir guerras e violências?

f) São apenas dois os casos que **resta** solucionar.

g) Anotei os objetos que **faltavam**.

h) Anotei os objetos que **faltava** comprar.

i) Quanto não **terão** custado esses quadros de Portinari?

j) São problemas que não **adianta** adiar.

k) Abandonei as amizades que não me **convinham**.

l) Abandonei as amizades que não me **convinha** manter.

m) **Estavam** faltando apenas algumas lâmpadas.

n) **Estava** faltando apenas instalar algumas lâmpadas.

o) Resolver esses casos não **compete** a nós.

p) Esses casos não **competem** a nós.

q) As grandes realizações **custam** muitos esforços e sacrifícios.

r) **Custa**-nos muito aceitar os sofrimentos.

s) Seus passos pesados **pareciam** torturar a terra.

t) Seus passos pesados **parecia** que torturavam a terra.

u) Seus passos pesados **parecia** torturarem a terra.

v) **Parecia** que seus passos pesados torturavam a terra.

w) Não lhe **interessam** fatos passados?

x) Não lhe **interessa** conhecer fatos passados?

16. Copie as duas únicas frases que podem ter o verbo auxiliar no plural:

a) Com esses troncos pode-se fazer belos móveis.

b) Tentou-se reduzir os gastos.

c) Não pode haver rasuras neste documento.

d) Deve haver outras razões.

e) Não se deve perder tão boas oportunidades.

17. Transcreva a alternativa certa relativamente à concordância do verbo **bastar**.

"– Minha senhora, sua doença não tem nenhuma gravidade. Nem precisa tomar remédio. **Basta** uma alimentação adequada e um pouco de descanso.

– Mas, doutor, veja minha língua...

– Também precisa de descanso". (REALIDADE, junho de 1974)

SINTAXE

> Está certa, pois se trata de um verbo impessoal.

> Está errada, porque o sujeito é composto.

> Está certa, porque o verbo, estando anteposto a um sujeito composto, pode concordar com o núcleo mais próximo.

18. Transcreva somente as frases cuja concordância está correta:

Nenhum dos presentes se atreveu a falar.

Nenhum dos presentes se atreveram a falar.

Nem eu, nem tu, nem qualquer outra pessoa poderíamos dissuadi-lo.

Jacinta era filha de um casal de velhos que a idolatrava.

Jacinta era filha de um casal de velhos que a idolatravam.

Rogo a Vossa Excelência vos digneis aceitar o meu convite.

Rogo a Vossa Excelência se digne aceitar o meu convite.

Talvez Judite, ou alguma de suas irmãs, casem com o tenente.

Nem o Nilo nem o Amazonas têm as águas claras.

Nem uma nem outra coisa o interessa.

Antigamente deviam haver ali belas matas.

Antigamente deviam existir ali belas matas.

As joias e o dinheiro ficaram na gaveta.

Ficou na gaveta o dinheiro e as joias.

Ficaram na gaveta o dinheiro e as joias.

De repente um e outro desapareceram.

De repente um e outro desapareceu.

Quantos dentre vós percorrestes aquele país?

Quantos dentre vós percorreram aquele país?

Uma grande qualidade ou talento desculpa os pequenos defeitos.

Não fosse os livros, como conheceríamos o passado?

Estas canções, fui eu que as compus.

Estas canções, fui eu que as compôs.

Estas canções, fui eu quem as compus.

Estas canções, fui eu quem as compôs.

Quando as doenças aparecem é por muito tempo.

Aquelas estátuas só faltam falar.

Aquelas estátuas só falta falarem.

Nem a pobreza nem a doença hão de se extinguir.

Um e outro insultou-se grosseiramente.

O ex-ministro e professor foi alvo de homenagens.

Contávamos os dias que ainda faltava.

Haja vista as últimas composições deste autor.

Hajam vista as últimas composições deste autor.

Bem haja os que lutam pela paz.

"Todos os brasileiros aprendemos desde meninos que Pedro Américo foi o maior pintor brasileiro." (Manuel Bandeira)

Do grande castelo medieval não sobrou senão ruínas.

Do velho teatro grego não sobraram senão ruínas.

Tanto ele como eu sentem muito a falta dela.

19. Copie as frases, justificando a concordância dos verbos destacados, antepondo a elas **A** ou **B**:

(A) O verbo concorda regularmente com o sujeito.

(B) O verbo é impessoal, concorda na 3ª pessoa do singular.

"**Deram** dez horas." (Eça de Queirós)

"**Iam dar** seis horas." (Machado de Assis)

"Na igreja, ao lado, **bateram** devagar dez horas." (Eça de Queirós)

"**Faz** hoje precisamente sete anos." (Rui Barbosa)

"Aqui **faz** verões terríveis." (Camilo Castelo Branco)

"**Vai fazer** cinco anos que ele se doutorou." (Antônio Vieira)

"**Havia** muitos anos que não vinha ao Rio." (Aníbal Machado)

Não **pode haver** boas leis se não **houver** bons legisladores.

"Males inevitáveis **iam chover** sobre mim." (Graciliano Ramos)

"**Acabaram de dar** sete horas." (Herberto Sales)

Nas fazendas **haveria** alimentos frescos e baratos.

Talvez ainda **haja** vagas naquela escola.

"Por cima do fogão **devia haver** fósforos." (João Clímaco Bezerra)

20. Justifique a concordância do verbo **ser** nos exemplos seguintes.

a) "Eu **é** que coso." (Machado de Assis)

b) "O que se quer **são** homens." (Tristão da Cunha)

c) "Um cruzado **eram** 400 réis." (Vivaldo Coaraci)

d) "Quarenta contos **era** uma fortuna." (José Condé)

e) "O homem **é** cinzas." (Antônio Vieira)

f) "O meu mundo **eram** os meus coelhos." (Marques Rebelo)

g) "O que eu vejo **são** sete abismos." (Camilo Castelo Branco)

h) "Nas minhas terras, o rei **sou** eu." (Alexandre Herculano)

i) "Seis anos **era** muito." (Camilo Castelo Branco)

j) "'Cenas da Foz' **é** um livro de ouro." (Camilo Castelo Branco)

k) "No fundo, tudo **são** astúcias do raciocínio." (Otto Lara Resende)

l) Em São Paulo **era** onde as massas operárias mais se mostravam insatisfeitas.

m) Daqui à cidade **são** seis quilômetros puxados.

n) **Eram** as pessoas e não as tarefas que o cansavam.

o) "Dize-me o que quiseres, mesmo que **sejam** mentiras." (Fernando Namora)

p) "**Eram** de ver os passistas infernais, e a bateria legalíssima." (Raquel de Queirós)

q) "Mentiras, **era** o que me pediam, sempre mentiras." (Fernando Namora)

r) "Esta família **são** dois jovens / alheios a tirar retrato." (Carlos Drummond de Andrade)

480 SINTAXE

s) "Isso não **são** maneiras, Padilha." (Graciliano Ramos)

t) "O Vasco **é** só contusões e dores musculares." (*Jornal do Brasil*, 28/10/1982)

21. Substitua o ∗ por uma das formas do verbo **ser** propostas entre parênteses, atendendo à concordância preferida pela norma culta:

a) Nem tudo na vida ∗ flores. (*é – são*)

b) A sua meta ∗ os grandes centros da Europa. (*era – eram*)

c) Hildebrando ∗ só problemas. (*era – eram*)

d) Isto ∗ teorias que a prática desmente. (*é – são*)

f) Tudo isso ∗ prazeres que a vida nos proporciona. (*é – são*)

g) Cem mil dólares ∗ muito. (*é – são*)

h) Hoje ∗ vinte e cinco do mês. (*é – são*)

i) Quando voltei da cidade, ∗ uma hora e meia da tarde. (*era – eram*)

j) ∗ cinco horas da manhã quando me chamaram. (*seria – seriam*)

k) Aquilo ∗ caprichos que não durariam muito. (*era – eram*)

l) Os Estados Unidos ∗ um país rico. (*é – são*)

m) ∗ uma vez dois mágicos famosos. (*era – eram*)

n) O responsável ∗ tu. (*é – és*)

o) ∗ tesouros que eles procuram no fundo escuro do mar? (*é – são*)

p) O que mais me agradou no filme ∗ as cenas finais. (*foi – foram*)

q) Bons divertimentos ∗ o que não lhe falta. (*é – são*)

r) Preservemos a natureza: os beneficiados ∗ nós. (*são – somos*)

s) Edifícios só havia dois, o resto ∗ casas modestas. (*era – eram*)

t) "Vândalos" ∗ mais forte que "destruidores". (*é – são*)

22. Passe as palavras destacadas para o plural e efetue a concordância:

a) Vê-se ao longe a alterosa **cordilheira**.

b) Não creio que se possa extirpar esse **abuso**, se **Vossa Excelência** não impuser sua autoridade.

c) Não se podia distinguir bem aquele **sinalzinho** cabalístico.

d) Deve-se procurar outra **solução**.

e) Construir-se-ia o **barco** onde houvesse bom **porto**.

f) O que mais me revoltava era a sua **grosseria**.

23. Corrija os erros de concordância verbal e nominal:

a) Mal se distinguia, através da cerração da manhã, as casas das ruas.

b) Não há latadas de chuchus que se forme e viceje, quando hajam sanhaços na vizinhança.

c) Construir-se-ia as casas onde houvessem operários pobres.

d) Se não haviam braços indígenas para a lavoura, que se fossem buscar outros braços onde houvesse.

e) Fazem já muitos séculos que se escreveu esses livros, mas não falta escritores que comprovem a sua autenticidade.

f) Quando se tratam de casos urgentes, não devem haver tantas exigências e formalidades.

g) Para se avaliar as excelências desta campanha, basta essas poucas considerações.

h) Anexo àquela carta remeteu-se a Vossa Senhoria as notas de crédito n°s 80 e 81, relativo à publicação de seus livros.

i) Ninguém achou que valesse a pena tantos sacrifícios.

j) Não parecia que daquelas terras houvesse saído tantas riquezas.

k) Antecipei o meu regresso por motivos que não interessam expor agora.

l) Talvez não cheguem a trinta o número de candidatos aprovados.

m) Apenas um entre dez filhos de lavradores permanecem no campo.

n) As estrelas brilham também de dia. A luz do Sol é que as tornam invisíveis.

o) O que é palafitas?

24. Faça as necessárias correções onde houver erro de concordância.

a) É necessária a tua presença na assinatura do contrato.

b) Na cidade, haviam poucas atrações turísticas.

c) Segue anexo os documentos pedidos.

d) Hoje sou eu que pago.

e) Vendem-se casas novas.

25. Prestando atenção à concordância do predicativo com o sujeito, flexione corretamente os adjetivos entre parênteses:

a) Como são * esses momentos! (difícil)

b) É * a entrada de pessoas estranhas. (proibido)

c) Os jardins estavam * e as árvores * de passarinhos. (florido, repleto)

d) Paciência e dedicação são * a quem cuida de doentes. (necessária).

e) Seguem * as contas do inquilino anterior. (anexo)

26. Corrija o único erro de concordância nominal:

a) É necessário muita paciência com ele.

b) É necessária a tua volta imediata!

c) É preciso muita sabedoria para lidar com crianças.

d) Deixe bem arrumadas a cozinha e a sala.

e) Encontrei amassados os papéis e as cartas de que me falou.

f) Tomei emprestado algumas cadeiras para a festa.

27. Corrija se houver erro de concordância verbal:

a) Livros, revistas, cadernos, tudo foi destruído pela enchente.

b) Só haviam alguns professores na reunião.

c) Vão fazer quinze dias que não vejo minha namorada.

d) Soou duas horas no relógio da igreja.

e) Fui eu que fiz todas as bandeirinhas da festa.

28. Complete corretamente as frases prestando atenção à concordância verbal:

a) Foi o que * o engenheiro e eu. (constatar)

b) Um grupo de torcedores * no ônibus. (entrar)

SINTAXE

c) Nem um nem outro * com os presentes. (falar)

d) Uma ou outra aluna * terminar a leitura do livro. (conseguir)

e) Cláudia é uma das que mais * na repartição. (trabalha)

f) Somos nós quem * a culpa de tudo. (levar)

g) Os Estados Unidos * o país escolhido pelos premiados. (ser)

29. Responda oralmente às perguntas, baseadas no poema **Os anos são degraus**:

a) Qual é o verbo que se subentende no primeiro verso? E no primeiro verso da segunda estrofe?

b) Na segunda estrofe, está correta a concordância do verbo *ser*: tudo são degraus?

c) Explique o uso do acento grave no verso "à humana condição".

d) Na 3ª estrofe, o que significa *Estrada*? Por que inicial maiúscula?

e) Na 3ª estrofe, se estivesse escrito "as portas fechadas", como concordaria o verbo *encontrar*?

LEITURA

Os anos são degraus

Os anos são degraus; a vida, a escada.
Longa ou curta, só Deus pode medi-la.
E a Porta, a grande Porta desejada,
só Deus pode fechá-la,
pode abri-la.

São vários os degraus: alguns sombrios,
outros ao sol, na plena luz dos astros,
com asas de anjos, harpas celestiais;
alguns, quilhas e mastros
nas mãos dos vendavais.
Mas tudo são degraus; tudo é fugir
à humana condição.
Degrau após degrau,
tudo é lenta ascensão.

Senhor, como é possível a descrença,
imaginar, sequer, que ao fim da Estrada
se encontre, após esta ansiedade imensa,
uma porta fechada
– e nada mais?

(MARIA FERNANDA DE CASTRO, *Asa no Espaço*, p. 73 e 74, Lisboa, 1955)

SINTAXE DE CONCORDÂNCIA
Exercícios de exames e concursos

[Página 687]

SINTAXE DE REGÊNCIA

1 REGÊNCIA

A *sintaxe de regência* ocupa-se das relações de dependência que as palavras mantêm na frase.

Regência é *o modo pelo qual um termo* rege *outro que o complementa*.

2 TIPOS DE REGÊNCIA

A regência pode ser *verbal* ou *nominal,* conforme trate do regime dos verbos ou dos nomes (substantivos e adjetivos). Exemplos:

É homem **propenso** à colera. → O termo regente é um nome (propenso): temos um caso de *regência nominal.*

Assistimos ao desfile. → O termo regente é um verbo: temos um caso de *regência verbal.*

Num período, os termos *regentes* ou subordinantes (substantivos, adjetivos, verbos) reclamam outros (termos *regidos* ou subordinados) que lhes completem ou ampliem o sentido. Exemplos:

Termos regentes	Termos regidos
Amor	**a** Deus. (*complemento nominal*)
Rico	**em** virtudes. (*complemento nominal*)
Comprei	joias. (*objeto direto*)
Gostam	**de** festas. (*objeto indireto*)
Resido	**em** Santos. (adjunto adverbial)
Foram vistos	**por** mim. (*agente da passiva*)
Insisto	**em** que vá. (*oração subordinada objetiva indireta*)
Peixes	**que** voam. (*oração subordinada adjetiva*)

Como se vê dos exemplos acima, os termos regidos, as mais das vezes, prendem-se aos regentes por meio das preposições. Por isso, essas palavras desempenham papel relevante no capítulo da regência.

Todavia, a dependência de um termo, ou de uma oração, é estabelecida também pelos conectivos subordinativos, como no último exemplo.

Às vezes, porém, como no caso do objeto direto, não há nenhum nexo subordinante entre o termo regente e o regido: a subordinação é indicada pela posição do termo dependente (O filho

484 SINTAXE

acompanhava o *pai*), ou pela própria forma objetiva da palavra (O filho *o* acompanhava), ou, mesmo, pelo sentido lógico da frase (Dourava *o monte* o sol agonizante).

- O sujeito nunca é regido de preposição. Entretanto, por eufonia, pode-se contrair a preposição *de* com o sujeito, ou seus adjuntos, em orações reduzidas de infinitivo:

Antes **de o** sacerdote iniciar a missa, os fiéis entoaram cantos. *Ou*:

Antes **do** sacerdote iniciar a missa, os fiéis entoaram cantos.

Já era tempo **de ele** entrar na escola. *Ou*:

Já era tempo **dele** entrar na escola.

"Sabia-o, senhor, antes **do** caso suceder." (ALEXANDRE HERCULANO)

"Uma hora depois **do** cão do Hotel Not ter ladrado…" (FERREIRA DE CASTRO)

"Antes **dela** ir para o colégio, eram tudo travessuras de criança." (MACHADO DE ASSIS)

"Holanda começava a examinar a hipótese **dessa** tristeza [da raça mexicana] vir da geografia." (VIANA MOOG)

"O fato **do** Brasil e **dos** Estados Unidos se acharem no mesmo continente é um acidente geográfico…" (EDUARDO PRADO)

"Leonora irritou-se, além **do** abade puni-la…, pedia-lhe favores." (NÉLIDA PIÑON)

"No momento **do** comboio partir, Carlos correria à portinhola, a balbuciar fugitivamente uma desculpa." (EÇA DE QUEIRÓS)

"Agora chegou a vez **dos** advogados tomarem a dianteira na luta contra as prisões." (EVANDRO LINS E SILVA)

"O modo **dele** falar soou-me agressivo." (RAQUEL DE QUEIRÓS)

"O Dr. Sampaio comprou-me uma boiada, e na hora **da** onça beber água deu-me com os cotovelos, ficou palitando os dentes." (GRACILIANO RAMOS)

"No dia 31 de março foi a vez **do** delegado interino de Macaé responder ao juiz Lima e Castro." (CARLOS MARCHI)

Sendo sujeito o pronome *eu*, não se faz a contração:

"No caso **de eu** morrer, os meus herdeiros assumiriam essa obrigação." (MACHADO DE ASSIS)

Observação:

✔ A contração em foco tem tradição na língua; sempre foi e continua sendo largamente praticada por eminentes escritores brasileiros e portugueses. Tem a vantagem de evitar os artificiais e desagradáveis hiatos de *ele*, de *ela*, *antes de o*, *apesar de os*, etc. Trata-se de um fato fonético, de uma acomodação da escrita à fala, e não de uma alteração sintática, porquanto, ainda que contraída com o sujeito, a preposição *de* rege o infinitivo que se lhe segue (antes *do caso suceder* = antes *de suceder o caso*). Tanto é lícito, portanto, dizer "antes *do* sacerdote iniciar a missa", como "antes *de o* sacerdote iniciar a missa". A primeira construção é mais natural e espontânea. A segunda é um gramaticalismo um tanto afetado, em choque com a língua falada.

✔ Acrescente-se, a favor da contração, que igual fato ocorre em frases como "*Do* que o menino mais gostava era jogar futebol", "*Do* que ninguém desconfiava era que a moça fosse espiã", nas quais, a bem da eufonia, se contrai o *de* com o pronome demonstrativo *o*, sujeito da segunda oração.

O objeto direto prende-se ao verbo sem o auxílio da preposição. Todavia, em determinados casos, como atrás se viu, pode esse termo vir preposicionado:

"O marido era rico, e ela sem escrúpulo arruiná-lo-ia, **a ele** e **ao papá Monforte**."
(EÇA DE QUEIRÓS)

Conforme foi explanado anteriormente, o objeto indireto é sempre regido de preposição, clara ou implícita. A preposição está implícita nos pronomes objetivos indiretos *me*, *te*, *se*, *lhe*, *nos*, *vos*, *lhes*:

Ele obedece-**me**. [= Ele obedece *a mim*.]

Eu obedecia-**lhe**. [= Eu obedecia *a ele*.]

As orações objetivas indiretas normalmente são regidas pela preposição:

Gosto **de** que vivam felizes.

Lembra-te **de** que a vida é breve.

Persuadiu-os **a** que fugissem.

Todavia, frequentemente omitem os escritores o nexo prepositivo:

"Não se dignou **abrir os olhos**." (J. GERALDO VIEIRA) [= *de* abrir os olhos]

"Esqueceu-se **que tenho cinquenta anos**?" (CAMILO CASTELO BRANCO) [= *de* que tenho...]

"Ambos concordaram **que essas ideias não tinham senso comum**." (MACHADO DE ASSIS) [= *em* que essas ideias…]

"Duvido muito **que ninguém fosse mais generoso** do que eu." (MACHADO DE ASSIS) [= Duvido muito *de* que…]

"Não gostaria **que João Brandão se lembrasse** de oferecer-me o cavalo." (CARLOS DRUMMOND DE ANDRADE) [= Não gostaria *de* que…]

Convenhamos **(em) que o preço desses remédios é exorbitante**.

Na língua culta formal, convém não omitir a preposição.

3 OS PRONOMES OBJETIVOS O(S), A(S), LHE(S)

▪ Os pronomes objetivos substituem substantivos da mesma função:

a) Os pronomes *o*, *a*, *os*, *as* usam-se como objetos diretos dos verbos transitivos diretos e dos transitivos diretos e indiretos:

Estimo **aquele colega**. —————————— Estimo-**o**.

Convido **os amigos**. —————————— Convido-**os**.

Deixa **o menino** brincar.—————————— Deixa-**o** brincar.

Obrigou **as filhas** a trabalhar.—————————— Obrigou-**as** a trabalhar.

Considero **Olívia** inteligente. —————————— Considero-**a** inteligente.

b) Os pronomes *lhe*, *lhes* formam o objeto indireto dos verbos transitivos indiretos e dos transitivos diretos e indiretos:

Obedece **a teu superior**. —————————— Obedece-**lhe**.

Não batas **nos animais**. —————————— Não **lhes** batas.

O rei perdoou **ao servo**. ——————— O rei perdoou-**lhe**.
O cliente pagou **ao médico**. ——————— O cliente pagou-**lhe**.
Resistimos **aos invasores**. ——————— Resistimos-**lhes**.
Recomendo prudência **aos jovens**. ——— Recomendo-**lhes** prudência.

c) Certos verbos transitivos indiretos repelem os pronomes *lhe, lhes*, sendo, por isso, construídos com as formas retas preposicionadas:

Aspiro **ao título**. ——————————— Aspiro **a ele**.
Assistimos **à festa**. ——————————— Assistimos **a ela**.
Refiro-me **a João**. ——————————— Refiro-me **a ele**.
Aludiram **a teus irmãos**. ———————— Aludiram **a eles**.
Recorri **ao ministro**. —————————— Recorri **a ele**.
Dependo **de Deus**. —————————— Dependo **dEle**.
Prescindimos **de armas**. ——————— Prescindimos **delas**.

d) Os verbos *deixar, fazer, mandar* e *ver*, na língua culta, constroem-se com os pronomes oblíquos *me, o, a, os, as*, e não com os retos *eu, ele, ela, eles, elas*:

Deixe-**me** ver.   Faço-**os** andar.
Deixe-**o** sair.   Mande-**as** entrar.
Deixe-**a** levar o cão.   Vejo-**os** sair todos os dias.

- As orações adjetivas são regidas de preposição sempre que esta for reclamada pelo verbo que as constitui.

Aspiro **a** um cargo. ———————— Eis o cargo **a que aspiro**.
Gosto **de** festas. ——————————— Eis as festas **de que mais gosto**.
Entretive-me **com** ele. ——————— Este é o amigo **com quem me entretive**.
Preste atenção **a** isto. ——————— Eis uma coisa **a que deve prestar atenção**.
Assisti **ao** início da festa. ————— A festa **a cujo início** assisti acabou tarde.

"Este é o mundo **a que vim**, de pedra e sonho." (Dante Milano)

"Assim imaginava Anselmo a casa de Rui Vaz, **à qual se dirigia pela primeira vez**." (Coelho Neto)

"Chegados ao quintalejo, abancavam debaixo de uma parreira, **em cujos troncos as matronas penduravam as mantilhas e eles as casacas**." (Camilo Castelo Branco)

- As orações completivas nominais são, normalmente, regidas de preposição. Em certos casos, porém, pode-se omitir o nexo prepositivo:

Tínhamos certeza **de que João era inocente**.

"Tenho medo [de] **que minha mãe me repreenda**." (Mário Barreto)

"Juca estava ansioso [por] **que ela partisse**." (Jorge Amado)

"Não há dúvida [de] **que Luís Dutra exultava de felicidade**." (Machado de Assis)

"Não estou certo **se ele poderia atinar facilmente com um trecho de Tertuliano**." (Machado de Assis)

Na língua culta formal, convém não omitir a preposição.

REGÊNCIA NOMINAL

Certos substantivos e adjetivos admitem mais de uma regência. A escolha desta ou daquela preposição deve, no entanto, obedecer às exigências da clareza e da eufonia e adequar-se aos diferentes matizes do pensamento. Exemplos:

▪ Amor

Tenha amor **a** seus livros.

Os pais incutiram-lhe o amor **do** estudo.

"Com efeito, o amor **do** próximo era um obstáculo grave à nova instituição." (MACHADO DE ASSIS)

"Meu amor **pelos** moços divinizava outrora a mocidade." (RUI BARBOSA)

"Marcela morria de amores **pelo** Xavier." (MACHADO DE ASSIS)

Observação:

✔ Modernamente preferem-se as preposições a e por: amor ao trabalho, amor à patria, amor pelas coisas da natureza, etc.

▪ Ansioso

"Olhos ansiosos **de** novas paisagens." (LUÍS JARDIM)

"Ansioso **de** emoções desusadas." (CAMILO CASTELO BRANCO)

"Estava ansioso **de** se libertar da presença de Amaro." (FERREIRA DE CASTRO)

"Estava ansioso **por** vê-la." (CAMILO CASTELO BRANCO)

"Estou particularmente ansioso **para** ler qualquer história…" (ÉRICO VERÍSSIMO)

"Eu estava ansioso **para** rever a Rua da Fábrica." (POVINA CAVALCÂNTI)

Apresentamos aqui uma pequena relação de substantivos e adjetivos acompanhados de suas preposições mais usuais:

acessível *a*	aliado *a, com*
afável *com, para com*	análogo *a*
afeição *a, por*	antipatia *a, contra, por*
aflito *com, por*	apto *a, para*
alheio *a, de*	atencioso *com, para com*
atentatório *a, de*	imune *a, de*
aversão *a, para, por*	indulgente *com, para com*
avesso *a*	inerente *a*

SINTAXE

coerente *com*
compaixão *de, para com, por*
compatível *com*
conforme *a, com*
constituído *com, de, por*
contente *com, de, em, por*
contíguo *a*
cruel *com, para, para com*
curioso *de, por*
desgostoso *com, de*
desprezo *a, de, por*
devoção *a, para com, por*
devoto *a, de*
dúvida *acerca de, de, em, sobre*
empenho *de, em, por*
fácil *a, de, para*
falho *de, em*
feliz *com, de, em, por*
fértil *de, em*
hostil *a, para com*

junto *a, de*
lento *em*
pasmado *de*
passível *de*
peculiar *a*
pendente *de*
preferível *a*
propício *a*
próximo *a, de*
rente *a*
residente *em*
respeito *a, com, de, para com, por*
simpatia *a, para com, por*
situado *a, em, entre*
solidário *com*
suspeito *a, de*
último *a, de, em*
união *a, com, entre*
versado *em*
vizinho *a, com, de*

Observação:

✔ Alguns advérbios terminados em *-mente* requerem a mesma preposição dos adjetivos de que derivam.
Exemplos:

favorável *a*   favoravelmente *a*

concomitante *com*   concomitantemente *com*

independente *de*   independentemente *de*

EXERCÍCIOS

LISTA 54

1. Escreva as frases substituindo o * pelas preposições adequadas, contraindo-as com o artigo quando for o caso:

a) Meus olhos estavam ansiosos * novas paisagens.

b) Estou solidário * você.

c) Exercia suas funções concomitantemente * às de cônsul.

d) Sentia-se feliz * vê-la assim.

e) O filme foi proibido: tinha cenas atentatórias * bons costumes.

f) Hélio tinha aversão * política, era coerente * seus princípios.

g) Procure divertimentos compatíveis * sua formação moral.

h) Um homem encapuzado passou rente * parede.

i) O amor do indivíduo * si mesmo não deve levar à egolatria.

j) O professor era indulgente * nossos erros.

k) Estávamos pasmados * ouvi-lo falar assim.

l) O velho Moura era pouco afeito * vida social.

m) Tinha mais afeição * uma que * outra.

n) Houve dissidência * os membros do partido.

o) Pendentes * teto, oscilavam as lâmpadas.

p) Aconselho a consulta * dicionários e * enciclopédias.

2. Transcreva as frases em que não há erro de regência nominal:

a) É preferível um inimigo declarado do que um amigo falso.

b) No mundo inteiro houve manifestações de repulsa ao bárbaro crime.

c) Eram conhecidas as pretensões estrangeiras sobre a Amazônia.

d) Havia orquídeas em profusão, algumas em vasos pendentes do teto.

3. Substitua os * como fez no exercício 1, atendendo à regência dos nomes em destaque:

a) Construiremos portos **acessíveis** * qualquer navio.

b) Ela costurava numa saleta **contígua** * cozinha.

c) Esse crime é **passível** * pena de reclusão.

d) Ele exerce atividades **incompatíveis** * o seu cargo.

e) Socorreu-me um senhor **residente** * Av. Atlântica.

f) A arquitetura desse prédio é **análoga** * do nosso.

g) O sentimento de liberdade é **inerente** * ser humano.

h) A **chegada** do cantor * Brasília passou despercebida.

i) É **preferível** sofrer injustiças * cometê-las.

j) Ele é um escritor culto, muito **versado** * Astronomia.

k) A terra e o clima eram **propícios** * cultura da soja.

l) Luís era um homem calmo, **avesso** * discussões.

4. Destaque do exercício 3 os termos regidos [= dependentes] dos nomes:

a) residente   b) chegada   c) avesso

5. Escreva as frases dando complementos adequados aos nomes em destaque:

a) Não temos **antipatia** * .   d) Vítor não foi julgado **apto** * .

b) Ninguém está **imune** * .   e) Ele tinha **aversão** * .

c) Ela estava **ansiosa** * .   f) O guarda era **suspeito** * .

6. Substitua os asteriscos em cada frase pelo conjunto adequado:

a quem – de que – de quem – por quem

a) Trouxe-lhe dessas flores ********* os campos estão cheios.

b) Este é um artista ********* sempre tive admiração.

c) Ela não ouvia bajuladores, ********* tinha profunda aversão.

d) Severino foi à festa de São José, ********* era grande devoto.

REGÊNCIA NOMINAL
Exercícios de exames e concursos
[Página 688]

REGÊNCIA VERBAL

1 REGÊNCIA E SIGNIFICAÇÃO DOS VERBOS

Há verbos que admitem mais de uma regência sem mudar de sentido. Exemplos:

A aurora *antecede* o dia.

A aurora *antecede ao* dia.

José não *tarda a* chegar.

José não *tarda em* chegar.

A ventania *precedeu* a chuva.

A ventania *precedeu* à chuva.

Esforcei-me por não contrariá-lo.

Esforcei-me para não contrariá-lo.

Cumpriremos o nosso dever.

Cumpriremos com o nosso dever.

Desfrutemos os bens da vida.

Desfrutemos dos bens da vida.

Outros verbos, pelo contrário, assumem outra significação, quando se lhes muda a regência:

Aspirei o aroma da flores.

Aspirei ao sacerdócio.

[= sorver, absorver]

[= desejar, pretender]

Bonifácio *assistiu* ao jogo.

O médico *assistiu* o enfermo.

[= presenciar, ver]

[= prestar assistência, ajudar]

Olhe para ele.

Olhe por ele.

[= fixar o olhar]

[= cuidar, interessar-se]

Ele não *precisou* a quantia.

Ele não *precisou* da quantia.

[= informar com exatidão]

[= necessitar]

2 REGÊNCIA DE ALGUNS VERBOS

Consignamos aqui alguns verbos com suas regências e acepções na língua atual. Antes, porém, julgamos oportuno remeter o estudante ao capítulo que trata da predicação verbal. (páginas 336-340)

▪ Abdicar

Significa *renunciar* (ao poder, a um cargo, título, dignidade), *desistir*. Pode ser intransitivo, transitivo direto ou transitivo indireto (preposição *de*):

D. Pedro I *abdicou* em 1831.

"D. Pedro *abdicou* a coroa na pessoa de sua filha D. Maria da Glória." (Viriato Corrêa)

A beldade *abdicou* o seu título de rainha.

Não *abdicarei de* meus direitos.

▪ Agradar

a) No sentido de *causar agrado, contentar, satisfazer, aprazer,* usa-se, hoje, mais frequentemente, com objeto indireto, sendo o sujeito da oração nome de coisa [uma coisa *agrada* a alguém]:

A canção *agradou ao público.*
Minha proposta não *lhe agradou.*
"Vicente desviou o assunto, que não *lhe agradava.*" (RAQUEL DE QUEIRÓS)
"*À velha agradara* sobretudo a sem-cerimônia do jovem capitalista." (MONTEIRO LOBATO)

Escritores modernos usam-no também, nesta acepção, com objeto direto, quando o sujeito é nome de pessoa [*alguém* agrada *alguém*]:

"Sua intenção parecia ser a de *agradar o médico* para obter um melhor resultado favorável." (ANTÔNIO OLAVO PEREIRA)

"Procura *agradá-lo* de toda forma." (CIRO DO ANJOS)

"Tia Quiquinha continuava querendo *agradá-lo.*" (EDY LIMA)

"Anselmo era chefe do departamento pessoal e vários funcionários sentiam prazer em *agradá-lo.*" (JOSÉ FONSECA FERNANDES)

Observação:

✔ No Brasil, "agradar alguém" pode significar, conforme o contexto, "fazer carinhos ou agrados", como nesta frase de Graciliano Ramos, em que ele se refere a sua mãe: "Quando cresci e tentei *agradá-la*, recebeu-me suspeitosa e hostil".

b) Usa-se como verbo intransitivo na acepção de *causar satisfação, ser agradável* ou *atraente.*

A exibição do grupo de balé não *agradou.*

Em certas horas, nada *agrada* tanto quanto uma boa música.

Cuidam muito de sua aparência para *agradar.*

c) Apresenta-se com a forma pronominal, no sentido de *gostar:*

Leila *agradou-se* muito do rapaz.

A virtude *de* que Deus mais *se agrada* é a humildade.

▪ Ajudar

Constrói-se com objeto direto de pessoa:

Antônio *ajudava o pai* na roça.
Nós *os ajudaremos.*
Elas não queriam que *as ajudássemos.*
Eu *ajudava-o* a subir a escada.
"O professor pediu que *o ajudassem* a afastar a pedra." (JOSÉ J. VEIGA)

SINTAXE

- **Aludir**

a) Significa *fazer alusão a, referir-se a,* e se constrói com objeto indireto:

Na conversa, *aludiu-se* brevemente *ao* seu novo projeto.

Nenhum historiador *alude a* esse triste episódio.

A que o senhor *está aludindo?*

O jornal *a* que o ministro *aludiu* lhe fazia duras críticas.

b) Não admite, como complemento, o pronome *lhe*:

Como o caso era melindroso, não *aludi a ele* [e não *lhe aludi*].

Aquela moça o destratara, mas ele nem sequer *aludiu a ela.*

- **Ansiar**

a) Na acepção de *causar mal-estar, angustiar,* é transitivo direto:

"O cansaço *ansiava-o.*" (Camilo Castelo Branco)

b) Significando *desejar ardentemente,* usa-se, em geral, como transitivo indireto (preposição *por*), e às vezes como transitivo direto, com ideia intensiva:

"*Ansiava pelo* novo dia que vinha nascendo." (Fernando Sabino)

"*Ansiava por* me ver fora daquela casa." (Machado de Assis)

"*Ansiou por* ir ao seu encontro." (Garcia de Paiva)

"O seu coração *anseia* um confidente." (Camilo Castelo Branco)

"Viagem longa é para quem *anseia* voltar." (Jorge Amado)

"Minha alma *anseia* o infinito." (Amadeu de Queirós)

> **Observação:**
>
> ✔ A regência correta é "ansiar *por* alguma coisa" e não "ansiar *em* alguma coisa": Ansiava *por* me ver livre daquele sofrimento.

- **Aspirar**

a) Transitivo direto na acepção de *inalar, sorver, tragar* (ar, perfume, pó, gás, etc.):

"Calixto *aspirou* o aroma das flores..." (Camilo Castelo Branco)

"Há máquinas que *aspiram* o pó do assoalho." (J. Mesquita de Carvalho)

"*Aspirou* profundamente o ar cálido." (Vilma Guimarães Rosa)

b) Transitivo indireto (preposição *a*), no sentido de *desejar, pretender*:

Eles *aspiravam a* altos cargos, *a* altas dignidades.

Eu *aspirava a* uma posição mais brilhante.

"O orador *aspirava à* notoriedade..." (Carlos de Laet)

"Nem em sonhos cheguei a *aspirar a* tal emprego." (Ciro dos Anjos)

Jaime *aspirava a* ser médico para atender a população pobre.

"Dizia que era a maior dignidade *a* que podia *aspirar.*" (Machado de Assis)

"A magistratura o seduzia, prometia aquilo *a* que mais *aspirava,* segurança, respeitabilidade." (Ondina Ferreira)

• Neste sentido, o verbo *aspirar* não se constrói com os pronomes *lhe, lhes,* mas sim com as formas retas regidas de preposição [*a ele(s), a ela(s)*]:

Não invejo essas honrarias nem *aspiro a elas.*

"Na academia teria um lugar de direito, se *aspirasse a ele,* o historiador ora desaparecido." (Hélio Damante)

▪ Assistir

a) Transitivo direto, quando significa *prestar assistência, confortar, ajudar,* de acordo com a prática moderna:

O médico *assiste o* doente.

"O médico já não *o assistia.*" (Amadeu de Queirós)

"Quem *assistia a paciente* eram mulheres do povo." (Povina Cavalcânti)

"Ele sofreu sozinho, não *o assisti.*" (Carlos Drummond de Andrade)

"E felizes foram, retorquiu-lhe o castelhano, porque tiveram V. Rev. para *assisti-los* nos seus últimos momentos." (Alphonsus de Guimaraens)

"Moças de minissaia *assistiam os fregueses* numerosos." (Maria José de Queirós)

Observação:

✔ Nesta acepção, pode ser usado na voz passiva: "O doente *é assistido* pelo médico."; "Os missionários *são assistidos* por Deus."; "Faleiros morria *assistido* por velhos amigos." (Amadeu de Queirós)

b) Transitivo indireto (com a preposição *a*), no sentido de *presenciar, estar presente a:*

"Algumas famílias, de longe, na calçada, *assistiam ao* espetáculo." (Aníbal Machado)

"Populares *assistiam à* cena aparentemente apáticos e neutros." (Érico Veríssimo)

"Ataxerxes *assistia a tudo.*" (Aníbal Machado)

"O gari *a tudo assistia* com os olhos esbugalhados." (Assis Brasil)

"Nas missas *a que assisto* não há sermão." (J. Mesquita de Carvalho)

"Há um comício feminino, *a que* alguns homens *assistem.*" (Ricardo Ramos)

"*A quanto espanto assisti* e ainda *assisto!*" (Rosamaria Castelo Branco)

"Eu desejava *assistir à* extinção daquelas aves amaldiçoadas." (Graciliano Ramos)

Por que não *assistes às* aulas?

• Se o objeto for pronome pessoal, não se usam as formas *lhe, lhes,* mas *a ele(s), a ela(s):*

"Não é propósito nosso descrevermos uma corrida de touros. Todos têm *assistido a elas...*" (Rebelo da Silva)

"Lá vão os frades celebrar um auto! Não serei eu que *assista a ele*." (ALEXANDRE HERCULANO)

"O vencedor nestes jogos guerreiros tinha de receber um prêmio das mãos do principal personagem que *assistia a eles*." (ALEXANDRE HERCULANO)

"Enfim, mais uma corrida de obstáculos. Vamos *assistir a ela*, curiosos e em dieta de legumes." (CARLOS DRUMMOND DE ANDRADE)

Observação:

✔ Nesta acepção, o verbo *assistir* não admite a voz passiva. Em vez de: "A festa *foi assistida* por altas autoridades", prefira-se dizer: "*À festa assistiram* altas autoridades."

✔ Não obstante, são comuns, na imprensa, frases como esta: "A solenidade de posse *foi assistida* por 89 delegações estrangeiras".

✔ Os próprios escritores condescendem com essa construção: "Uma partida de futebol na Inglaterra *é assistida* por 150 mil pessoas". (PAULO MENDES CAMPOS)

---

c) Como transitivo indireto, usa-se também no sentido de *caber, pertencer* (direito ou razão):

Assiste ao réu o direito de se defender.

Não *lhe assiste* o direito de oprimir os outros.

Evidentemente não *lhe assistia* razão para reclamar.

d) Constrói-se, mas raramente, com a preposição *em*, no sentido de *morar, residir*:

"Sou obrigado por esta desgraçada posição de deputado a *assistir* mais algum tempo *na capital*." (CAMILO CASTELO BRANCO)

- **Atender**

  a) Usa-se, modernamente, com objeto direto, no sentido de:
  - acolher ou receber alguém com atenção, responder a alguém que se dirige a nós:

    O diretor *atendeu os alunos*.

    O médico sempre *os atende* bem e lhes dá remédios.

    A professora não *o atendeu*.

    A tenista não *atendeu o repórter*. Ela não quis *atendê-lo*.

    "A Dona Emília tinha de *o atender*." (FERNANDO NAMORA)

  - ouvir, conceder, deferir um pedido:

    Deus *atendeu a súplica* de seu servo.

  b) Constrói-se com objeto indireto, na acepção de:
  - dar atenção a alguém, ouvir-lhe os conselhos, levar em consideração o que alguém nos diz:

    "Não *atendera aos* amigos, fora entregar-se a impostores." (GRACILIANO RAMOS)

- considerar, atentar, prestar atenção a, levar em consideração, satisfazer:

Atenda bem *ao* [ou *para o*] que lhe digo.

Atenderemos ao apelo [ou *ao* chamado, *aos* conselhos, *aos* interesses, *às* exigências, *às* reivindicações] de fulano.

"O Corpo de Bombeiros *atendeu a* doze pedidos de socorro." (*Jornal do Brasil*, 28/9/1982)

O novo método *atende* perfeitamente *às* exigências do moderno ensino.

"Se tivesses *atendido ao* meu apelo, tinhas poupado este desgosto e este remorso." (Machado de Assis)

"Vou *atender ao* que me pede…" (Carlos Drummond de Andrade)

▪ Bater

a) Na acepção de *dar pancadas* (em alguém), exige objeto indireto:

Os colegas mais fortes *batiam nele* (ou *batiam-lhe*) à toa.

Por que batiam *no menino*. Por que *lhe batiam*?

b) Conforme o sentido, diz e escreve-se:

- *Bater a porta*. Fechá-la com força: Furioso, entrou no quarto e *bateu a porta*.

- *Bater à porta*. Bater junto à porta, para que abram ou atendam: "De noite *bateram à porta*, e foi dona Manuela que atendeu". (Marques Rebelo)

- *Bater na porta*. Dar pancadas na porta ou esbarrar nela: Para acordá-lo, era preciso *bater na porta* do quarto dele.

▪ Chamar

a) Transitivo direto (construído com objeto direto):

O rei *o chamou* à sua presença.

Ninguém *o chamou* aqui, moço. (certo)

Ninguém *lhe chamou* aqui, moço. (errado)

O objeto direto pode vir regido da preposição de realce *por*:

Chamei por você com insistência, não me ouviu?

A menina teve medo e *chamou pela* mãe.

"*Chamou por* um escravo." (Machado de Assis)

b) Construído com objeto seguido do predicativo, admite as seguintes regências:

Chamaram-no charlatão.

Chamaram-lhe charlatão.

Chamaram-no de charlatão.

Chamaram-lhe de charlatão.

"Os gregos *chamavam*, desprezivelmente, *metecos* os que não eram de Atenas." (Afrânio Peixoto)

"Nós o *chamávamos tiozinho* e brincávamos com ele como um boneco." (Raquel de Queirós)

"O povo *chamava-o maluco.*" (José Lins do Rego)

"Os naturais do lugar *chamam taperás às avezinhas* singulares que ali vão dormir."
(Salvador de Mendonça)

"*A nenhuma chamarás Aldebarã.*" (Rubem Braga)

"Há umas granadas de mão, redondas e pequenas, *a que chamam laranjas.*"
(Antônio Gedeão)

"Justino *chamava-a de mãezinha.*" (Herman Lima)

"Um sujeito barbudo, dirigindo um fusca, *chamou-o de molenga.*" (Lourenço Diaféria)

"Você *chama de espevitada uma pessoa* a quem não conhece."
(Carlos Drummond de Andrade)

"No norte do Brasil *chamam ao diabo de cão*, o cão do inferno." (João Ribeiro)

"*Aos nativos* Colombo *chamou de índios.*" (Millôr Fernandes)

▪ Chegar

Na língua culta, o adjunto adverbial de lugar do verbo *chegar* é regido da preposição *a*:

Chegamos a [e não *em*] São Paulo pela manhã.

A noiva *chegou à* [e não *na*] igreja às 18 horas.

O lugarejo *a* que *chegamos* fica entre morros.

Vejam *a* que ponto *chegou* a audácia desses criminosos!

"Ao alvorecer devemos *chegar às* portas de Jerusalém." (Eça de Queirós)

Na linguagem coloquial, admite-se a preposição *em*:

Chegamos *em* São Paulo no dia seguinte.

Ele chegou *na* cidade ao meio-dia.

As crianças chegaram *em* casa exaustas.

Os verbos *ir* e *vir* têm a regência de *chegar*. Fomos *a* Belém. Fui *à* feira. Não sei *a* que reunião eles foram. *A* que loja o senhor foi? Vieram *à* cidade fazer compras.

É oportuno lembrar que o verbo *chegar* concorda normalmente com o sujeito:

Chegaram [e não *chegou*] visitas à casa do vizinho.

Chegam a Brasília os novos embaixadores.

Talvez *cheguem* a vinte mil reais as despesas da família.

Que mais ele quer? Não *chegam* [= bastam] os bens que possui?

▪ Contentar-se

Constrói-se com objeto indireto (ou oração objetiva indireta) regido das preposições *com*, *de* ou *em*:

"*Contentam-se com* despedi-los." (Carlos de Laet)

"*Contento-me com* os raios desse ocaso." (Visconde de Taunay)

"Contentei-me de responder que não era tarde." (MACHADO DE ASSIS)

"Contentava-se em bater palmas de longe." (ANÍBAL MACHADO)

"Não dá aula, *contenta-se em* ir de uma à outra sala." (J. GERALDO VIEIRA)

- **Custar**

  a) No sentido de *ser custoso, difícil,* emprega-se na 3ª pessoa do singular, tendo como sujeito uma oração reduzida de infinitivo, a qual pode vir precedida da preposição expletiva *a:*

  "Custa-me dizer que acendeu um cigarro." (MACHADO DE ASSIS)

  "Custa muito corrigir um erro." (ANTÔNIO HOUAISS)

  "Custa-lhe reconhecer um rosto que se aproxima sorrindo." (ANÍBAL MACHADO)

  "Custou-me muito a brigar com Sabina." (MACHADO DE ASSIS)

  "Custa a crer que uma centena de homens…" (RUI BARBOSA)

  > **Observações:**
  >
  > ✔ A construção lógica é a sem preposição. *Custa* [= é custoso] crer que...
  >
  > ✔ Popularmente, usa-se este verbo em todas as pessoas, com as acepções de *ter dificuldade, demorar: custo a crer, custas a entender, ele custou a chegar, custamos a acreditar, custais a aceitar, custam a vir, custei a entender,* etc., formas estas ainda não sancionadas pelos gramáticos, embora já apadrinhadas pelos escritores modernos:
  >
  > *"Custei* a acreditar que fosse goiana." (ORÍGENES LESSA)
  >
  > "A árvore *custara* a cair." (COELHO NETO)
  >
  > *"Custas* a vir e, quando vens, não te demoras." (CECÍLIA MEIRELES)
  >
  > "Como *custaram* a passar os últimos três meses!" (JOSUÉ MONTELO)
  >
  > "A menina *custou* a aparecer." (JOSÉ GERALDO VIEIRA)

  b) Na acepção de *acarretar trabalhos, causar incômodos, sofrimentos, prejuízos,* etc., é transitivo direto e indireto:

  A conquista do pão *custa ao pobre* muitos sacrifícios.

  A imprudência *custou-lhe lágrimas amargas* e três anos de prisão.

  "Custar-te-emos contudo *dura guerra."* (LUÍS DE CAMÕES) [custar-te-emos = custaremos a *ti*]

- **Deparar**

  Apresenta as seguintes regências:

  a) Transitivo direto, significando *dar com, encontrar:*

  Nas aflições é tão bom *deparar* alguém que nos ajude!

  "Em *deparando* um colega leal, abro-me, ofereço-me até as últimas consequências." (FERNANDO NAMORA)

b) Transitivo indireto (preposição *com*), com a mesma significação:

"O marquês de Luso não *deparou* nunca *com* o inimigo." (Camilo Castelo Branco)

c) Transitivo direto e indireto, no sentido de *fazer aparecer, apresentar*:

"E pedia ao padre Santo Antônio que *lhe deparasse a cabra perdida*." (Camilo Castelo Branco)

"A ciência do naturalista não *deparou a solução ao problema*." (Carlos de Laet)

d) Transitivo indireto (preposição *a*) e pronominal no sentido de *apresentar-se, oferecer-se, surgir,* tendo como sujeito a coisa ou a pessoa que se apresenta, que aparece.

Deparou-se enfim *ao rapaz* uma boa oportunidade.

"*Depara-se-lhe* na esquina um velho amigo." (Celso Luft)

"*Depararam-se-me* coisas estranhas." (Vitório Bergo)

"As multiplicadas ocasiões que se *lhe deparam* de estudar." (Carlos de Laet)

Em resumo, pode-se dizer:

Deparei alguém ou alguma coisa.

Deparei com alguém ou com alguma coisa.

Deparou-se-me alguém ou alguma coisa.

O destino (ou a sorte, o acaso, etc.) *me deparou* alguém ou alguma coisa.

▪ Dignar-se

Seu complemento é regido da preposição *de*, a qual pode ser omitida, sem alteração do sentido da frase:

"Ele azeitava uma espingarda, sem *dignar-se de* levantar os olhos para mim."
(Oto Lara Resende)

"Rogo a Vossa Excelência *se digne de* expedir suas respeitáveis ordens para que o cadáver seja transportado ao necrotério e se proceda ao corpo de delito." (Machado de Assis)

"Quando o cirurgião-chefe *se dignava* terminar seu jantar…" (Fernando Namora)

"Não *se dignou* abrir os olhos." (José Geraldo Vieira)

Digne-se Vossa Excelência ouvir as razões de minha renúncia.

▪ Ensinar

Admite, entre outras, as duas seguintes regências:

a) *Ensino* a dança *a* João. *Ensino-lhe* a dança.

"Mande *ensinar-lhe* Medicina." (Machado de Assis)

"Vou *ensinar-lhe* o caminho." (Antônio Houaiss)

b) *Ensino* João *a* dançar. *Ensino-o a* dançar.

"*Ensinou o primeiro rei português a* ser honrado." (Camilo Castelo Branco)

"… para *ensiná-lo a* respeitar o 5º mandamento." (Valentim Magalhães)

"*Ensina-o a* converter cada espinho em flor." (Camilo Castelo Branco)

"*Ensinei-a a* libertar-se das amarras…" (Carlos Drummond de Andrade)

"Gomes Carneiro o *ensinará a* amar o índio." (Edilberto Coutinho)

SINTAXE 499

▪ **Entreter-se** (= divertir-se, ocupar-se)

Seu complemento é regido das preposições *a*, *com* ou *em*:

De noite *entretinha-se a* ouvir música.

As crianças *entretiveram-se com* seus brinquedos.

Às vezes *nos entretínhamos em* recordar o passado.

▪ **Esquecer** e **lembrar**

a) Estes verbos admitem as seguintes construções:

Esqueci o nome dele.	*Lembro* um caso antigo.
Esqueci-me do nome dele.	*Lembro-me de* um caso antigo.
Esqueceu-me o nome dele.	*Lembra-me* um caso antigo.

O que nas duas primeiras construções é objeto, passa a sujeito na terceira: "O nome dele esqueceu-me", isto é, "apagou-se da memória", "saiu da lembrança".

Essa última construção, corrente entre portugueses, é menos conhecida no Brasil, onde a usaram os nossos escritores clássicos:

"*Esqueceu-me* o teu nome." (CÂNDIDO DE FIGUEIREDO)

"Nunca *me esqueceu* esse fenômeno." (MACHADO DE ASSIS)

"*Lembra-me* que não chorei." (MACHADO DE ASSIS)

"Ainda *me lembram* as palavras dele." (MÁRIO BARRETO)

"*Esqueceu-me* comunicar-lhe que…" (CIRO DOS ANJOS)

"*Esqueceram-lhe* os dias felizes." (*Aurélio*)

Observação:

✔ Esse último tipo de construção ocorre com outros verbos, como *admirar*, *alegrar*, etc:

Admira-me que Aurélio não tenha vencido a luta.

"Não admira que ela me preferisse." (MACHADO DE ASSIS)

Alegra-me saber que sua empresa vai de vento em popa.

É corrente em Portugal e raro no Brasil o emprego de *esquecer* como verbo intransitivo, na acepção de "apagar-se da memória", "cair no esquecimento":

Os fatos acontecem, passam e *esquecem*.

"As particularidades da guerra *esqueceram* com o decurso dos anos." (ALEXANDRE HERCULANO)

b) Na língua culta são consideradas errôneas as construções "esquecer de alguém", "esquecer de alguma coisa", "lembrar de alguém", "lembrar de alguma coisa", com os verbos despronominados, como nas frases:

Esqueci de meu compromisso [ou do livro, ou de minha promessa].

Você *esqueceu de* nós?

Meu pai *esqueceu de* ir à reunião.

Eles *esqueceram de* que era feriado.

Ele não *lembrou de* seu amigo [ou de sua promessa].

Não *lembrei de* que era feriado [ou de pagar a conta].

Construções corretas, na língua culta:

Esqueci-me de meu compromisso [ou do livro, da promessa].

Meu pai *esqueceu-se de* ir à reunião.

Ele não *se lembrou de* seu amigo [ou do livro, da promessa].

Não *me lembrei de* que era feriado [ou de pagar a conta].

Em síntese, na língua culta, os verbos *esquecer* e *lembrar*, quando usados com a preposição *de*, são pronominais:

"*Esquecia-me*, porém, *de* que ignorava a sua real medida." (Nélida Piñon)

"*Lembra-te*, Belmiro, *de* que essas bodas são impossíveis." (Ciro dos Anjos)

"*Esquecia-me de* dizer que, à noite passada, ouvimos novamente esturros de onça." (Gastão Cruls)

c) Usados como transitivos diretos, eis como se devem construir esses verbos:

Esqueça essa mulher. *Esqueça-a.*

Não *esqueçamos que* [e não *de que*] a saúde tem seu preço.

Ele *esqueceu como* [e não *de como*] se abre o cofre.

O professor *lembrou a* [e não *da*] importância do voto.

Ele *lembrou que* [e não *de que*] é importante votar.

A casa, os móveis, o jardim, tudo *lembrava* nossa mãe.

Tudo *a lembrava*, a casa, os móveis, o jardim...

▪ Implicar

a) No sentido de *trazer como consequência, acarretar*, é verbo transitivo direto, isto é, constrói-se com objeto direto:

A assinatura de um contrato *implica* a aceitação de todas as suas cláusulas.

O desrespeito às leis *implica* sérias consequências.

O Congresso rejeitará medidas que *impliquem* aumento de impostos.

"Não há máquina que não *implique* aplicação maior ou menor de ferro." (Monteiro Lobato)

Nesta acepção, é censurada a regência indireta (preposição *em*), como na frase:

A quebra de um compromisso *implica em* descrédito.

b) Constrói-se com dois complementos, no sentido de *envolver, enredar, comprometer*:

Negócios ilícitos o *implicariam em* vários crimes.

Falsos amigos *implicaram* o jornalista na conspiração.

c) Na acepção de *promover rixas, mostrar má disposição para com alguém*, é transitivo indireto:

Ele era uma criatura que *implicava com* todo o mundo.

▪ Informar

Apresenta as seguintes regências:

a) Infelizmente não posso *informá-lo* agora.

b) O ministro *informou o povo sobre* a (ou *a respeito da*) situação financeira do país.

"*Informou-me sobre* o caminho para Andorra." (FERREIRA DE CASTRO)

c) *Informei-me do* preço das mercadorias.

"Informe-se com o ascensorista." (*Dicionário Mirador*)

d) O general *informou-se* minuciosamente *sobre* a posição das tropas inimigas.

e) "Em todas as povoações *o informavam de* que o duque passara duas horas antes." (CAMILO CASTELO BRANCO)

Informamos os interessados de que as inscrições estão abertas.

f) "Apenas *lhe informaram* que os bens de Domingos Leite haviam sido confiscados." (CAMILO CASTELO BRANCO)

Não *lhe* posso *informar* se este imóvel está à venda.

"Seu emissário *lhe informara* que a busca da bomba..." (ÉRICO VERÍSSIMO)

g) "Este é um jornal que *informa*." (*Aurélio*)

h) O cidadão nem sempre *é informado sobre* os seus direitos.

Observação:

✔ Muitos gramáticos tacham de incorreta a construção **f** (informou-lhe que...), só admitindo a **e** (informo-o de que...). Assim também para o verbo avisar: "Aviso-o de que desisti", preferível a "Aviso-lhe que desisti".

▪ Investir

a) No sentido de *dar posse* ou *investidura, empossar*:

O governo *o investiu no* cargo de presidente da empresa.

Ele *foi investido nas* funções de ministro.

"O barbeiro declarou que *estava investido de* um mandato público." (MACHADO DE ASSIS)

b) Na acepção de *fazer investimentos, empregar dinheiro*:

A empresa *investiu* ali enormes capitais.

Ele *investe* parte dos lucros *em* pesquisas científicas.

Investir em tecnologia, *na* compra de ações, *em* imóveis, etc.

c) No sentido de *atacar, acometer, arremeter,* pode ser:

- transitivo direto:

  "Quando a onda *investe* a praia." (Machado de Assis)

- transitivo indireto (preposição *com* ou *contra*):

  "Sancíon, seguido de seus nove companheiros, *investiu* com os árabes."
  (Alexandre Herculano)

  "*Investia* como um cego *contra* as paredes." (Camilo Castelo Branco)

  O touro, enfurecido, *investiu contra* (ou *com*) o toureiro.

▪ Lembrar

Veja *esquecer.*

▪ Morar

a) Antes do substantivo *rua* e de outros que designam logradouros públicos, usa-se morar com a preposição *em*, devendo-se evitar a preposição *a*:

João *mora na* Rua Itu (e não à Rua Itu).

"Eu *morava na* Rua do Bispo, numa casa de azulejo de quatro andares."
(Camilo Castelo Branco)

Morávamos na Av. Brasil.

Meus tios *moram na* Praça Tiradentes.

A rua *em* que *moramos* fica na periferia da cidade.

Em que rua você *mora*? – *Moro na* antiga Rua Montenegro, em Ipanema.

b) A preposição *a* tem cabimento em construções do tipo:

Moro a cem metros da estrada.

Morávamos a pouca distância da praia.

▪ Namorar

a) A regência correta é *namorar alguém* e não *namorar com alguém*:

Joaquim *namorava* a filha do patrão.

Ela *namora* um oficial da Marinha.

Trabalha com a atriz, mas não *a namora*.

"Nem sei mesmo explicar por que ele *namora* a filha do chefe de Seção, que é de condição modesta." (Ciro dos Anjos)

"Ele também *namorou-a* publicamente, defronte do palacete dos Vargas." (Eça de Queirós)

"O capitão Nonato *namorava* a mulher de quem queria." (Raquel de Queirós)

"… como se quisessem *namorar* todas as moças da vizinhança." (Machado de Assis)

Observação:

✔ Embora defendida por alguns dicionaristas, não se recomenda a regência indireta *namorar com alguém*.

b) Usa-se *namorar* também nas formas intransitiva e pronominal:

Aos doze anos ele já *namorava*.

O conde *namorou-se (ou, mais usual, enamorou-se)* da princesa.

Na festa, vimos meninas e rapazes *namorando-se*.

"*Namorei-me da* filha dele, D. Rufina, moça de dezenove anos." (Machado de Assis)

▪ Obedecer

Constrói-se, modernamente, com objeto indireto:

Os filhos *obedecem aos* pais.

O filho *obedece-lhes* em tudo.

Os corpos *obedecem* à lei da gravidade.

"Os passeios sempre *obedeciam a* horários." (Maria de Lourdes Teixeira)

"Os coqueiros eram senhores a que os trabalhadores *obedeciam*." (Lêdo Ivo)

Observações:

✔ Embora transitivo indireto, admite a forma passiva:

Os pais *são obedecidos* pelos filhos.

✔ O antônimo *desobedecer* tem o mesmo regime.

✔ Autores modernos constroem o verbo *obedecer* também como objeto direto:

"Eu devia *obedecer minha mãe* em tudo." (José J. Veiga)

▪ Pagar

Admite as seguintes regências:

a) Pagar alguma coisa:

Ele *pagou* a conta e saiu.

Sabe que tem débitos, mas não *os paga*.

"O suborno envilece tanto a mão que o *paga* como a que recebe." (Rui Barbosa)

b) Pagar a alguém:

Ela ainda não *pagou ao* médico. Vai *pagar-lhe* hoje.

"*Pagava* com pontualidade exemplar *ao* alfaiate e *ao* merceeiro." (Alexandre Herculano)

"Corria o risco de se arruinar e não poder *pagar aos* credores." (Ciro dos Anjos)

"A mulher do seleiro *pagou-lhe* e ele arrumou-se para sair." (José Lins do Rego)

"Mas Rosinha não precisava saber que o jornal *lhe pagara*." (Orígenes Lessa)

Na linguagem informal, neste caso, usa-se geralmente objeto direto: *pagar o médico, pagar os empregados, pagar o colégio.*

c) Pagar alguma coisa a alguém:

Paguei a consulta diretamente ao médico.

Paguei-lhe a consulta com um cheque.

d) Pagar por alguma coisa:

Pagou caro pelos seus crimes.

Quanto *pagou* pela hospedagem?

e) Pagar (sem complemento):

Muitos assistem aos jogos sem *pagar.*

▪ **Perdoar**

Apresenta as seguintes regências:

a) Transitivo direto, com objeto direto de coisa:

Deus *perdoe* nossos pecados.

Não é fácil *perdoar* ofensas.

Nos clássicos e em escritores modernos aparece, frequentemente, com objeto direto de pessoa:

"O ilustre Persa levemente *o perdoa.*" (Luís de Camões)

"Ajoelhou-se ao pé do oratório, os olhos na Virgem do Carmo, para pedir à santa, mais uma vez, que *a perdoasse.*" (Josué Montello)

"Sentia-se forçado a *perdoá-la.*" (Amando Fontes)

"Nunca mais *a perdoaria.*" (Antônio Olavo Pereira)

"Queria perdoá-lo, embora com dúvidas, pois sabia que esse homem era um enigma." (José Geraldo Vieira)

"Deus *o perdoe* e o tenha." (Ricardo Ramos)

"Ela é Maria e Deus *a perdoe* por não odiar o mar." (Adonias Filho)

"Bruna não *a perdoaria* nunca, se a visse assim." (Lígia Fagundes Telles)

b) Transitivo indireto, com objeto indireto de pessoa:

"... *perdoava aos* meus devedores." (Machado de Assis)

"Dizei-lhe que *lhe perdoei.*" (Camilo Castelo Branco)

"A potranquinha bravia ainda não *lhe perdoara.*" (Ciro dos Anjos)

"Se quisessem, elas *lhes perdoariam.*" (Geraldo França de Lima)

Observação:

✔ Como o verbo *obedecer*, admite a forma passiva:

Ambos *foram perdoados* pelo rei.

Perdoai, para *serdes perdoados.*

"Muita coisa *se perdoa* aos automóveis e aos tufões." (Cecília Meireles)

c) Transitivo direto e indireto, com objeto direto de coisa e indireto de pessoa:

Perdoei a dívida ao pobre homem.

Ela não *lhes perdoará* o desprezo com que a tratam.

"*Perdoava-lhe* a ingratidão." (MÁRIO BARRETO)

d) Intransitivo:

Quem não *perdoa* não merece perdão.

- **Permitir**

a) Exige objeto indireto de pessoa:

A empregada *permitiu ao repórter* que entrasse.

O telescópio *permite ao homem* devassar o universo.

b) Constrói-se com o pronome *lhe* e não *o*:

A empregada *permitiu-lhe* que entrasse.

c) Não se usa a preposição *de* antes de oração infinitiva:

O pai lhe *permite sair* sozinha (e não *de sair sozinha*).

Não nos *permitiram permanecer* no local.

Não posso *permitir-me*, sem justo motivo, *infringir* as leis.

- **Precisar**

a) No sentido de *ter necessidade, necessitar*, constrói-se, indiferentemente, com objeto direto ou indireto, mas a língua hodierna tem preferência por este último complemento:

O país *precisa de* agrônomos. Quem não *precisa deles*?

"*Precisava* fazenda macia, pulseiras de ouro." (GRACILIANO RAMOS)

"Mas não há órfã que tanto amparo *precise*." (CAMILO CASTELO BRANCO)

"Um poeta *precisa* apenas *de* lápis e uma folha de papel…" (MANUEL BANDEIRA)

Nas construções em que *precisar* vem acompanhado de infinitivo, pode-se usar a preposição (de); a língua moderna, porém, tende a dispensá-la:

"*Precisava de* amar ardentemente…" (RAQUEL DE QUEIRÓS)

"*Precisavam* ser duros, virar tatus." (GRACILIANO RAMOS)

"Estava esgotado, *precisava* refazer as forças." (ANÍBAL MACHADO)

"*Precisava* ter a cabeça fria." (ANÍBAL MACHADO)

"Essas terríveis pequenas não *precisam de* falar para se entenderem." (CIRO DOS ANJOS)

Eles são ricos, não *precisam* trabalhar tanto.

b) Às vezes usa-se na voz passiva, outras, com sujeito indeterminado:

Precisa-se de bons médicos. [sujeito indeterminado]

Precisa-se de muitos conhecimentos para ser bom professor.

"*Precisam-se* mais conhecimentos para o ler que para o escrever." (CAMILO CASTELO BRANCO)

"Hoje o que mais *se precisa* é *de* silêncios que interrompam o barulho." (MÁRIO QUINTANA)

c) Emprega-se também, na fala popular, como intransitivo, na acepção de *ser necessário*:

Não *precisa* vocês virem tão cedo.

Eram insetos nocivos. *Precisava* que alguém os exterminasse.

d) É transitivo direto no sentido de *indicar com exatidão*:

Ele diz que perdeu muito dinheiro, não sabe *precisar* a quantia.

▪ **Preferir**

Como transitivo direto e indireto, exige a preposição *a*:

O prisioneiro *preferiu* a morte à escravidão.

Prefiro um inimigo declarado *a* um falso amigo.

"*Prefere* ser escravo *a* combater." (Mário Barreto)

"É o que eu faria, se ela me *preferisse a* você." (Antônio Olavo Pereira)

"Tive uma suspeita e *preferi* dizê-la *a* guardá-la." (Machado de Assis)

"*A* se apresentar malvestida *prefere* não ir." (Ciro dos Anjos)

"*Prefere* rezar na mais humilde das igrejas *a* ir rezar na Acrópole." (Agripino Grieco)

Observação:

✔ Esse verbo não se constrói com a locução conjuntiva *do que* nem com o advérbio *mais*:

Prefiro trabalhar *a* passar fome. (certo)
Prefiro trabalhar *do que* passar fome (errado)

Não quero café, *prefiro a* limonada. (certo)
Não quero café, *prefiro mais a* limonada. (errado)

▪ **Presidir**

Pode ser construído, indiferentemente, com objeto direto ou objeto indireto (preposição *a*):

Presidir ao congresso (ou o congresso).

"Oh, tu, Diana, que *presides ao* destino das nuvens errantes…" (Rubem Braga)

"A bela infanta viera *presidir ao* banquete de seus ricos-homens." (Alexandre Herculano)

"… nalgum tribunal superior, *a* que *presidisse* com beca romana e frases latinas." (Aníbal Machado)

"Dir-se-ia que *presidiam a* uma inquirição." (Fernando Namora)

"O promotor Espínola *preside* a cerimônia." (Ciro dos Anjos)

"Não se sabe ainda quem *presidirá* o país." (Aurélio Buarque de Holanda)

"… os que fizeram o sacrifício de *presidi-la*." (Carlos Drummond de Andrade)

"O banquete *era presidido* pelo Simpatia…" (José J. Veiga)

SINTAXE 507

Observação:

✔ São, portanto, igualmente aceitáveis as construções *presidir a sessão, presidi-la, presidir à sessão, presidir a ela, a sessão foi presidida por fulano.*

- **Prevenir**

Admite as seguintes construções:

A prudência *previne as desgraças.*

Preveni meu irmão.

Devo *preveni-lo.*

Quero *preveni-los do* perigo.

"A sua intuição *preveniu-a* de uma ameaça." (FERNANDO NAMORA)

Preveniu o dono contra o ataque dos indígenas.

Previno-a de que você encontrará dificuldades.

"Devo *prevenir-te* que não venho disposto para fazer via-sacra." (CAMILO CASTELO BRANCO)

Preveniu-se para a luta.

"Eles *se preveniram contra* o inimigo." (J. MESQUITA DE CARVALHO)

- **Proceder**

a) É intransitivo no sentido de *ter fundamento*:

O depoimento da testemunha *procedia.*

"Como a queixa não *procedia*, ela foi arquivada." (CELSO LUFT)

"Esse argumento não *procede.*" (CALDAS AULETE)

Não *procedem* as acusações que lhe fazem.

Também é intransitivo na acepção de *comportar-se, agir*:

A senhora *procedeu* bem.

Procedi de acordo com a lei.

O menino *procedia* mal na escola.

Proceda de maneira que não levante suspeitas.

b) Constrói-se com preposição *de*, na acepção de *originar-se, provir, derivar, descender*:

Da ambição humana *procedem* muitos males.

"A língua portuguesa *procede do* latim." (J. MESQUITA DE CARVALHO)

"O Espírito Santo *procede do* Pai e *do* Filho." (*Dicionário Mirador*)

c) Usa-se como transitivo indireto, com a preposição *a*, no sentido de *dar início, levar a efeito, realizar*:

"Entretanto, *procedeu-se ao* inventário dos objetos." (MACHADO DE ASSIS)

Aberta a sessão pelo presidente, o secretário *procedeu* à leitura da ata.

"Depois convidou-os a *procederem* à nomeação do secretário." (J. Felício dos Santos)

O inquérito *a* que se *procedeu* nada apurou.

▪ Querer

a) Significando *desejar*, pede objeto direto:

Ele não *a quis* para esposa.

"Eu *o quero* obediente e aplicado!" (J. Mesquita de Carvalho)

b) Com a significação de *amar* ou *ter afeto a alguém* ou *alguma coisa*, usa-se como objeto indireto da pessoa ou coisa a que se quer bem:

Do filho que muito *lhe quer*. (nas cartas)

"Jurou que *lhe queria* muito." (Machado de Assis)

"Os jesuítas *queriam* muito *ao* noviço." (Adolfo Caminha)

▪ Residir

Como o seu sinônimo *morar*, constrói-se *residir* com a preposição *em* e não *a*, tanto no sentido próprio como no figurado:

O médico *residia na* [e não à] Rua Santana.

Residíamos em Copacabana, *na* Av. Atlântica.

A força de uma nação *reside na* capacidade de seus homens.

Observação:

✔ *Residente* e *residência* têm a mesma regência de *residir*:

Vítor Silva, *residente na* Rua Estrela, nº 20, não foi encontrado em casa.

O cantor fixou *residência na* Rua Castro Alves.

▪ Responder

Registramos apenas as construções que merecem atenção.

a) Responder alguma coisa a alguém:

O senador *respondeu ao* jornalista que o projeto do governo sofreria emendas.

Respondeu-lhe que o projeto sofreria emendas.

b) Responder a uma carta, a uma pergunta, a um questionário, etc.:

Ele desconversou, não *respondeu à* pergunta que lhe fiz.

Na prova, ela *respondeu a* todas as questões.

"Não *respondo a* tais cartas." (Camilo Castelo Branco)

"Natural é que o leitor faça tais perguntas, *às* quais temos obrigação de *responder*." (Alexandre Herculano)

"O silêncio *respondeu* sempre *às* sátiras petulantes." (Rebelo da Silva)

"Ao cabo de alguns meses, Capitu começara a escrever-me cartas, *a* que eu *respondi* com brevidade e sequidão." (Machado de Assis)

"Quem *responderá a* essa póstuma chamada?" (CECÍLIA MEIRELES)

"O jornaleiro, já se vê, não é obrigado a *responder a* perguntas desta natureza."
(CARLOS DRUMMOND DE ANDRADE)

"Sangue e rios de tinta ainda não *responderam a* essa pergunta." (ROBERTO CAMPOS)

Observação:

✔ Não tem tradição na língua e deve ser evitada a regência direta: responder uma carta; responder uma pergunta; responder as dúvidas dos leitores, etc.

✔ Desaconselhado é também usar *responder* na voz passiva:

As cartas *eram respondidas* pela secretária.

Essas cartas ainda não *foram respondidas?*

Diga-se: Era a secretária que *respondia às* cartas.

Não *se respondeu* ainda a essas cartas?

c) Responder por alguma coisa:

Cada um *responde pelos* seus atos.

▪ Reverter

Eis os significados e as regências deste verbo:

a) Voltar ao primitivo estado ou ao que foi antes, regressar:

O homem *reverterá ao* pó.

João, funcionário aposentado, *reverteu* à ativa.

"... *revertendo ao* modo de viver de seus antepassados." (VIANA MOOG)

b) Voltar para a posse de alguém:

O imóvel *reverterá ao* legítimo dono.

c) Redundar em, destinar-se, converter-se:

A renda do espetáculo *reverterá em* benefício dos desabrigados.

Observação:

✔ É incorreto o uso deste verbo no sentido de *mudar, inverter*: reverter uma situação ruim; *reverter* uma expectativa má. Monteiro Lobato escreveu corretamente: "E a coisa se perpetuará assim, se o Presidente da República não *inverter* a situação". (*O Escândalo do Petróleo e do Ferro*, p. 178)

▪ Simpatizar

Pede objeto indireto regido da preposição *com*:

Não *simpatizei com* ele nem *com* as suas ideias.

Há pessoas *com* quem não *simpatizamos.*

"O país inteiro *simpatizou com* este princípio." (Rui Barbosa)

> **Observações:**
>
> ✔ Este verbo não é pronominal. Não se dirá, portanto, simpatizei-me com ele, mas simpatizei com ele.
>
> ✔ Tem o mesmo regime o antônimo *antipatizar:* "Quando fomos apresentados, não antipatizei com ele".
> (Olavo Bilac)

▪ Subir

Atente-se para as seguintes construções:

Sobem ao céu rolos de fumaça.

"*Sobe* [o apóstolo] *ao* púlpito das igrejas do sertão." (Euclides da Cunha)

"Às vezes *sobe aos* ramos da árvore." (José de Alencar)

"Chegou a sua vez de *subir ao* lotação." (Raquel de Queirós)

"Chegou até *subir no* banco..." (José Condé)

"*Sobe* à pressa *nas* aspas do monte." (Gonçalves Dias)

"*Subira pela* escada de Jacó até o céu." (Machado de Assis)

"Foi *subindo a* Rua de São José." (Machado de Assis)

"Luís Garcia punha-a no chão, tornava a *subi-la aos* joelhos." (Machado de Assis)

Pode-se dizer, portanto, *subir a* ou *subir em* alguma coisa.

A preposição *a* é de rigor nas expressões "subir ao céu", "subir à cabeça", "subir ao trono", "subir ao poder", consagradas pelo uso.

▪ Suceder

No sentido de *vir depois, substituir, ser sucessor,* emprega-se, modernamente, com objeto indireto regido da preposição *a:*

"A República *sucedeu* à Monarquia." (Cândido de Figueiredo)

A noite *sucede ao* dia, o descanso *ao* trabalho.

À tempestade *sucedeu* a bonança.

Tibério *sucedeu* a César.

Morto Nero, *sucedeu-lhe* Galba, senador da velha nobreza.

"Outro alagoano, o briosíssimo marechal Floriano Peixoto, *sucedeu a* Deodoro da Fonseca." (Ledo Ivo)

"Abul-Hassan-Ali *sucedera a* seu pai no vasto império da Mauritânia." (Alexandre Herculano)

"Luís II morreu em 1949, *sucedendo-lhe* seu neto Rainier III." (Ferreira de Castro)

"*À* longa apatia de tantos meses *sucedia* uma inesperada atividade." (Almeida Garrett)

SINTAXE 511

Observação:

✔ Nota-se, na língua hodierna, tendência para dar a *suceder* objeto direto: "Nem o menino nem o homem, que *o sucedeu*, nunca puderam odiar." (Povina Cavalcânti)

"O Presidente Médici anunciará, finalmente, quem é que está apontado para *sucedê-lo*..." (*Jornal do Brasil*, 18/6/1973)

✔ O antônimo *preceder* usa-se, indiferentemente, com objeto direto ou indireto: Um vento forte *precedeu* o (ou *ao*) temporal. O ministro que o (ou *lhe*) *precedeu* no cargo era apolítico. "Pode-se dizer que o negro *precede* ao índio no trabalho agrícola organizado pelo branco." (Oliveira Viana)

▪ Tocar

a) Na acepção de *pôr a mão em, ter contato com,* diz-se, indiferentemente, *tocar alguém* ou *tocar em alguém, tocar uma coisa* ou *tocar em uma coisa*:

A mãe não deixava a criança *tocar o* (ou *no*) gato.

Acreditavam que, se *tocassem o* (ou *no*) santo, ficariam curadas.

Acreditavam que, se o (ou *lhe*) *tocassem*, ficariam curadas.

Acreditavam que, se *tocassem nele*, ficariam curadas.

"Soltou um gemido agudo e pronto, com se *lhe houvessem tocado* com um ferro em brasa." (Alexandre Herculano)

b) No sentido de *comover, sensibilizar,* usa-se com objeto direto:

A notícia da morte do amigo *o tocou* profundamente.

Meus gestos de solidariedade sempre *a tocavam* muito.

c) Constrói-se com objeto indireto nas acepções de:

• *caber por sorte* ou *partilha*:

Não é fácil a tarefa que *lhe tocou*.

Tocaram-lhe, de herança, um terreno e uma casa.

• *Ser da competência de, caber, competir*:

Toca ao Presidente da República nomear os seus ministros.

A ele é que *toca* aprovar ou vetar os projetos do Legislativo.

Foi o jogador que causou o acidente: *toca-lhe* agora indenizar as vítimas.

▪ Visar

▪ É transitivo direto no sentido de:

a) *dirigir a pontaria, apontar arma de fogo contra*:

"Se *visaram* este alvo..." (Mário Barreto)

"Filipe dos Santos ficou imobilizado por dezenas de bacamartes que *visavam* o seu peito." (Viriato Correia)

"De dentro, alguém atirava, procurando *visar* Horácio no meio dos capangas." (Jorge Amado)

b) *pôr o visto em*:

As autoridades *visaram* o passaporte.

O banco *visou* o cheque.

"*Visar* um passaporte para lá é difícil, numa emergência dessas." (José Geraldo Vieira)

- Na acepção de *ter em vista, ter como objetivo, pretender, objetivar,* rege objeto indireto (preposição *a*):

As medidas *visavam ao* restabelecimento da ordem pública.

A que *visariam* eles com tanto alarde?

Não devemos *visar* apenas *ao* progresso material.

"Quem sabe se aquele homem não *havia* particularmente *visado* à sua [= dela] fortuna, *aos* bens que lhe constituíam quantioso dote?" (Visconde de Taunay)

"… os conspiradores presos *visavam* provavelmente *a* estabelecer a internacional socialista." (Camilo Castelo Branco)

Entretanto, nessa última acepção, não é sintaxe condenável dar ao verbo *visar* objeto direto. Dicionaristas modernos acolhem e bons escritores abonam essa regência. Exemplos:

"Oito dias depois, *visando* o meu completo restabelecimento, decidi seguir para o extremo norte." (Gastão Cruls)

"Estas páginas *visam* mostrar os perigos que ameaçam a concepção natural e cristã da família." (Alceu Amoroso Lima)

"Muitos movimentos populares registrados em Mônaco *visavam* combater certa preferência…" (Ferreira de Castro)

"Todos os seus atos, todos, *visavam* um interesse pecuniário." (Aluísio Azevedo)

3 CASOS ESPECIAIS DE REGÊNCIA VERBAL

- **Complementos de termos de regências diferentes**

Examinemos o seguinte exemplo:

"Não há mais que uma só verdadeira justiça, que *em* Deus reside, e *de* Deus emana." (Antônio de Castilho)

Esse período também pode ser construído assim:

Não há mais que uma só verdadeira justiça, que *em* Deus reside e *Dele* emana.

Mas não seria correto dizer:

Não há mais que uma só verdadeira justiça, que *em Deus reside e emana*.

É que o verbo *residir* pede a preposição *em*, e *emanar*, a preposição *de*.

Todavia, por concisão, pode-se, em certos casos, dar um complemento comum a verbos de regência diferente:

"Na companhia desta sua tia ficara Rosa, enquanto o cônego *ia* e *vinha de Lisboa*." (Camilo Castelo Branco)

[Em vez de: enquanto o cônego *ia a Lisboa e vinha de Lisboa.*]

Os devotos *entravam e saíam da igreja.*

[Em vez de: Os devotos *entravam na igreja e saíam dela.*]

"Semanalmente *entram e saem* navios *dos portos aliados.*" (RUI BARBOSA)

"Todos esses letrados não *sabiam* ou não *tinham a coragem de ser humanos.*"
(FERNANDO NAMORA)

"Fui o príncipe *contra o qual armaste exércitos e destronaste.*" (COELHO NETO)

"Não *se recorda* ou não *sabe que perdeu uma carta?*" (MACHADO DE ASSIS)

Semelhantemente (isto é, dando o mesmo complemento a termos de regências diferentes), podemos dizer, por concisão:

Você é a *favor* ou *contra esta lei?* [Você é a favor *desta* lei ou *contra* ela?]

Choveu *antes, durante* e *depois da festa.*

Ela fala o inglês *tão bem* ou *melhor que* o marido.

São muito inteligentes; *tanto* ou *mais do que* o pai.

▪ Deslocamento de preposições

Em vez de dizer:

O *de* que ela mais gostava era (de) passear a cavalo.

"O *de* que nós nos devemos convencer é que possuir uma língua não significa gerá-la."
(SÍLVIO ELIA)

prefere-se, em geral, construir:

Do que ela mais gostava era (de) passear a cavalo.

Do que nós nos devemos convencer...

"*Do* que ele principalmente se convencera era da inutilidade de todo o esforço."
(EÇA DE QUEIRÓS)

Do que os países não podem prescindir é de petróleo.

"*Do* que eu tenho medo é que as hemoptises voltem." (FERNANDO NAMORA)

"*Do* que ele menos se lembrava era da perfídia que os inspirou." (MACHADO DE ASSIS)

"*Do* que não desconfiavam era de sua estranha e espantosa capacidade de trabalho."
(ÁLVARO LINS)

"Os outros sabiam muito bem *com* o que poderiam contar." (FERNANDO NAMORA)

A anteposição da preposição (que rege uma oração adjetiva) ao pronome demonstrativo *o*, de que resulta, geralmente, uma contração, tem a vantagem de tornar a frase mais leve e eufônica. É opcional repetir a preposição *de* após o verbo *ser*.

Outros exemplos:

Não sei *no* que está pensando. [Não sei o *em* que está pensando.]

Alguém o ameaçou de matá-lo, *ao* que ele calmamente respondeu que era cedo para morrer.
[*ao* que = o *a* que]

"Ordena-lhes que deponham as armas, *no* que é prontamente obedecido."
(J. Felício dos Santos)

"Só os seus conhecidos antigos o chamavam de Olímpio, *do* que ele não gostava, me confessou Alfredo." (Autran Dourado)

▪ Dar-se ao trabalho ou dar-se o trabalho?

Ambas as construções são aceitáveis. A primeira é a original e a que sempre mereceu a preferência dos bons escritores:

"Sabia-se que ele escrevia, mas pouca gente *se dava ao trabalho* de ver o que era."
(José J. Veiga) [*dar-se a* = entregar-se a]

"Quem *se der ao trabalho* de consultar esse capítulo verá que..." (Ciro dos Anjos)

"Algumas dessas pessoas – todas de nível intelectual elevado – *se deram ao trabalho* de vir de Lisboa e de Ontário..." (Carlos Drummond de Andrade)

"O homem *dera-se ao trabalho* de contar..." (Cecília Meireles)

"Os outros bichos não *se davam mais o trabalho* de aproximar-se da caverna."
(Vivaldo Coaraci) [*dar-se* o trabalho = *dar a si* o trabalho]

"Eu quis perguntar por que ele *se tinha dado o trabalho* de fazer aquilo tudo..." (Ricardo Ramos)

Ela nem *se dá o trabalho* de responder à pergunta." (Érico Veríssimo)

Variantes: *dar-se ao incômodo* ou *dar-se o incômodo*; *poupar-se ao trabalho* (ou *ao incômodo*) ou *poupar-se o trabalho* (ou *o incômodo*). Há exemplos de ambas as construções nos escritores modernos. O mesmo ocorre com *dar-se ao luxo*.

Ela *dava-se ao luxo* (ou *o luxo*) de ter dama de companhia.

▪ Propor-se alguma coisa ou propor-se a alguma coisa?

O verbo *propor-se*, no sentido de *ter em vista, dispor-se a*, pode ser construído com ou sem a preposição *a*, indiferentemente:

Eu *me propus* livrá-lo de uma situação difícil.
Eu *me propus a* livrá-lo de uma situação difícil.

Este foi o objetivo *que* o Governo *se propôs*.
Este foi o objetivo *a que* o Governo *se propôs*.

"Não *me proponho a* ajudá-lo, porque sou seu irmão em falta de jeito." (Rubem Braga)

"Tratava-se de uma indústria que *se propunha a* substituir o azeite de oliva importado."
(Povina Cavalcânti)

"É esse desafio que o novo plano de saúde *se propõe* vencer." (*Manchete,* Brasil 73, pág. 208)

"... um ativista que *se propõe* lutar pelas reformas da sociedade." (Moacir Werneck de Castro)

"O PBJ é um partido nacionalista que *se propõe* converter a Índia numa nação hindu."
(Olga Savary, *Vislumbres da Índia,* p. 107, trad.)

▪ Passar revista a ou passar em revista?

Ambas as construções aparecem nos escritos de bons autores, sendo que a segunda, com mais frequência:

"O certo é que ali com efeito *passara* o imperador D. Pedro *a sua última revista ao* exército liberal." (Almeida Garrett)

"*Passava revista a* tudo aquilo que havia anos sonhava possuir." (Antônio Olavo Pereira)

"Para designar o seu sucessor, o leão *passou em revista* as qualidades, os requisitos, as prerrogativas de todos os animais." (Vivaldo Coaraci)

O general *passou* a tropa *em revista*.

> **Observação:**
> ✔ *Passar em revista* é cópia do francês *passer en revue*. Em português clássico se diz: *passar revista a* uma casa, *a* um depósito, *a* uma tropa.

- **Em que pese a**

   Expressão concessiva que significa *ainda que custe a, apesar de, não obstante*:

   "*Em que pese aos* inimigos do paraense, sinceramente confesso que o admiro." (Graciliano Ramos)

   "*Em que pese aos* seus oito batalhões, magnificamente armados, a luta era desigual." (Euclides da Cunha)

   "Parece que todos os cachorrinhos são iguais, *em que pese* à vaidade ou à ternura cega dos donos." (Carlos Drummond de Andrade)

   Há quem condene converter o objeto indireto em sujeito e construir:

   Todos os cachorrinhos são iguais, *em que pese a* opinião *dos donos*.

   A máquina estatal mostra-se ineficiente, *em que pesem* as afirmações do governo.

Trata-se de uma locução evoluída, abonada por bons escritores, mas admissível apenas quando o sujeito é nome de coisa: em que pese sua *capacidade*, em que pesem seus *esforços*. Havendo referência a nome de pessoa, deve-se usar a construção original *em que pese a,* como no exemplo inicial de Graciliano Ramos.

EXERCÍCIOS

1. Escreva as frases abaixo e classifique os verbos:

(1) transitivos diretos
(2) transitivos indiretos
(3) transitivos diretos e indiretos

Assisti à luta.
Assisti a vítima.
Eu o convidei.
Demos pão ao pobre.
Demos-lhes comida.

Nós a prevenimos.
A neta lhe obedece.
Perdoei-lhe a dívida.
Ela os advertiu.
Todos gostam dela.

2. Escreva as frases abaixo, sublinhe os complementos dos verbos em destaque e numere-as de acordo com o tipo de complemento indicado:

(1) substantivos   (2) pronomes   (3) orações

Morto Nero, **sucedeu**-lhe o senador Galba.

O gerente do banco **visou** o cheque.

A que **visariam** eles com aquelas manobras?

O inquérito a que **se procedeu** nada apurou.

Não **se esqueça** de que todos somos falíveis.

Custa-lhe obedecer ao regulamento do colégio?

Na entrada, **deparei** com um homem estranho.

Ele nem **se dignou** de levantar os olhos para mim.

O patrão não gostou do atraso deles, mas não os **repreendeu**.

3. Transcreva o único período em que não há erro de regência verbal:

a) Prefiro ser prejudicado do que prejudicar os outros.

b) Prefiro a companhia de Paulo que a de Joaquim.

c) Prefiro mais viver no campo do que na cidade.

d) Prefiro uma crítica sincera a elogios exagerados.

e) A elogios exagerados prefiro antes uma crítica sincera.

4. Copie as frases em que a regência do verbo **proceder** não contraria a norma culta:

a) Ninguém ignora as causas donde procede a atual crise econômica.

b) Procedeu-se à entrega dos prêmios aos vencedores.

c) Aberta a sessão, o secretário procedeu a chamada dos condôminos.

d) Segundo a Bíblia, o homem procede de Adão e Eva.

e) Proceda de acordo com a sua consciência.

5. Escreva os períodos em que o verbo **aspirar** não apresenta erro de regência:

a) Neide inclinou-se e aspirou fundo o aroma das rosas.

b) Se aspiras ao poder, prepara-te para o pior.

c) Títulos e honrarias são coisas que não aspiro.

d) Bom seria inventar uns robôs que aspirassem o lixo e a poeira das ruas.

6. Copie as frases em que a regência do verbo **assistir** não contraria a norma culta:

a) Não saí de casa só para assistir a transmissão do jogo pela TV.

b) Aos domingos havia brigas de galos, mas eu não assistia a elas.

c) Em Nova Jerusalém, assistimos à representação da Paixão de Cristo.

d) Durante sua longa enfermidade, a esposa o assistiu dia e noite.

e) Perdeu o emprego por indisciplina, não lhe assiste o direito de reclamar.

SINTAXE 517

7. Substitua os verbos destacados pelos propostos + preposição adequada, como no exemplo:

Ele **ambiciona** o título. (**aspira**)　　Ele **aspira ao** título.

a) Eu **desejo** a felicidade. (**aspiro**)

b) Eu **presenciei** a briga. (**assisti**)

c) **Dispenso** sua ajuda. (**prescindo**)

d) Ele **segue** as leis. (**obedece**)

e) **Visitem** a Bahia. (**vão**)

f) **Confie** nele. (**recorra**)

g) **Alcançou** a estrada. (**chegou**)

8. Transcreva os períodos nos quais não ocorrem erros de regência verbal:

a) Na mesa a que nos sentamos, só havia um talher.

b) Artur voltou para suceder ao pai na administração da empresa.

c) Papa compara cristãos de hoje aos mártires da Roma antiga.

d) A coisa que ela mais gosta é cultivar samambaias.

e) O uso dos meios de comunicação implica uma enorme responsabilidade.

f) Chegamos a uma praia a que pouca gente vai.

g) "Era um índio; chamavam-lhe em casa José Tapuio." (ARARIPE JÚNIOR)

9. Escreva os períodos em que há erros de regência, corrigindo-os:

a) Seu nome não constava da lista de passageiros a que tive acesso.

b) Seu nome não constava na lista de passageiros que tive acesso.

c) A que fim visariam esses grupos de criminosos?

d) Às chuvas copiosas do verão sucederam os belos dias de outono.

e) Se a ordem é justa, não o assiste o direito de desobedecer o pai.

10. Substitua os asteriscos pela única alternativa que preenche corretamente o período:

O médico *** informou *** o paciente não resistiu *** operação *** fora submetido.

a) a – que – à – a que

b) a – de que – à – a que

c) lhe – de que – a – que

d) lhe – que – a – que

11. Substitua * por preposições adequadas, contraindo-as com os artigos quando necessário (Consulte as preposições essenciais na pág. 269):

a) Nada obsta * que sejas objeto de tal distinção.

b) Apressei-me * antecipar-lhe a resposta.

c) Contentavam-se * bater palmas de longe.

d) Afinal eu só visava * minha felicidade.

e) Quando lhe fui apresentado, não antipatizei * ele.

f) Ninguém atinava * tão súbita mudança.

g) Hesitava * a voz da consciência e os acenos das paixões.

SINTAXE

h) Ansiava * me ver fora daquela casa.

i) Entrei * desconfiar de que me estavam enganando.

j) Deleitamo-nos * ouvir palavras de apreço.

k) Dissuadiram-me * semelhante resolução.

l) Os cães investiam furiosos * os dois estranhos.

m) De há muito ele se desinteressou * minha companhia.

n) Procurei persuadi-lo * que aceitasse o cargo.

o) Fugia * tudo o que cheirasse * modernismo.

p) Não se referiu * cena do outro dia, quando ele os correu de casa * pontapés.

q) O homem sente-se pequenino * a imensidade do universo.

r) Insisti * querer saber a causa * que me castigavam.

s) * o gesto daquele estranho, fiquei * envaidecido e indignado.

t) Não podia atinar * o nervosismo de meu pai e fiquei ansioso * que tudo se esclarecesse.

u) * alto teto pendia uma corrente de ferro, * que estava preso um grande lampião belga.

v) Os passantes não suspeitam * perigo * que estão expostos.

12. Substitua o * por pronomes relativos adequados precedidos de preposição (Consulte os pronomes relativos na pág. 185):

a) A cerimônia da posse foi das mais pomposas * tenho assistido.

b) O respeito humano é uma fraqueza * bem poucos se eximem.

c) Dizia que era a maior dignidade * podia aspirar.

d) A felicidade * tanto anseias talvez nunca chegue.

e) Estive em Petrópolis dez dias, * passeei e me diverti.

f) Quero saber o preço * o vendeu.

g) A cartomante foi à cômoda, * estava um prato com passas.

h) A vida era um jogo de engrenagens de aço * dentes ele sentia-se esmagar.

i) A riqueza é uma árvore fatal * sombra muitos adormecem e morrem.

j) Os amigos * expôs sua situação não lhe deram ouvido.

k) A disciplina * dureza vos revoltais enrijece vosso caráter.

l) A autópsia * se precedeu revelou a natureza do crime.

m) O lugarejo * chegamos estava em festa.

n) A conclusão * cheguei é que o incêndio foi criminoso.

13. Mude a regência dos verbos em destaque sem alterar-lhes o sentido:

a) Ninguém **atira** pedras numa árvore sem frutos. (provérbio)

b) Há tempo que eu **anseio** falar com você.

c) A fera enraivecida **investiu** com a matilha.

d) Ele **contenta-se** de ser escutado por alguns discípulos.

e) O líder **subiu** na mesa para falar aos circunstantes.

f) "A incompreensão de Glicério **atingiu** a esse limite." (Ciro dos Anjos)

g) Nós a **chamávamos** de tia Leila.

h) **Deparou-se-me** ali um espetáculo bem triste.

i) "Essas terríveis pequenas não **precisam** de falar para se entenderem." (Ciro dos Anjos)

j) O major Vaz, à cabeceira, **presidia** a refeição do clã.

k) **Dei-me ao trabalho** de examinar livro por livro.

l) O Governo **se propõe** expandir o comércio exterior.

14. Informe as preposições elípticas:

a) "Não me lembrei que estava diante de um cavalheiro." (Camilo Castelo Branco)

b) "Concordava que a sobrinha fosse leviana." (Machado de Assis)

c) "Não há dúvida que Luís Dutra exultava de felicidade." (Machado de Assis)

d) "Juca estava ansioso que ela partisse." (Jorge Amado)

e) "Nunca me esquecerei que no meio do caminho tinha uma pedra." (Carlos Drummond de Andrade)

f) "Não é preciso dizer que também eu ficara em brasas, ansioso que a aula acabasse." (Machado de Assis)

g) "Desconfio que o barão não gosta que lhe fales em Antônio José." (Camilo Castelo Branco)

h) "Algum tempo hesitei se devia abrir estas memórias pelo princípio ou pelo fim." (Machado de Assis)

i) "Vossa Excelência dá licença que lhe faça uma pergunta?" (Rebelo da Silva)

j) "Estou certo que ele me estima." (Mário Barreto)

k) "Teresa fez-me sinal que a seguisse." (Camilo Castelo Branco)

l) "Vossa Excelência se dignará ouvir as razões." (Camilo Castelo Branco)

m) "Tinha medo que eles se acabassem de todo." (Manuel Bandeira)

n) "Por isso fizéramos questão que ela fosse conosco." (Carlos Drummond de Andrade)

o) Você há de convir comigo que o pintor carregou nas tintas.

p) "Serena não gostaria que ele percebesse o seu embaraço." (Vilma Guimarães Rosa)

15. Escreva as frases, substituindo * pelos pronomes **o** ou **lhe**, conforme convenha:

a) Quem * convidou a ir jantar com eles?

b) Nunca * vi conversar com empregadas.

c) Eu fugi ao espetáculo, tinha-* repugnância.

d) Lembra-* ainda com que solicitude ela * atendia?

e) Encolerizava-se quando o filho * desobedecia.

f) O cunhado dissuadiu-* da viagem.

g) As dificuldades não * fizeram recuar.

h) Informo-* de que a excursão foi adiada.

i) O padrinho queria-* como a seu próprio filho.

j) Ela não * quis para esposo.

16. Troque os substantivos destacados pelos pronomes pessoais adequados, usando os oblíquos sempre que possível e colocando-os corretamente:

a) Obedeça **ao mestre**.

b) Avisei **o rapaz** de que havia perigo.

SINTAXE

c) Não vi **a professora** entrar.

d) Foi uma grande olimpíada. Assistimos **à olimpíada** pela TV.

e) Eu informava **o chefe** acerca de tudo.

f) Aludiram **ao candidato**?

g) O filho sucedera **ao pai** no trono.

h) Quem presidirá **ao banquete**?

i) Por que não simpatizas com **o diretor**?

j) Hilário ajudava **o pai** no escritório.

17. Substitua os termos em destaque pelos pronomes pessoais oblíquos adequados:

a) Presentearam **a rainha** com um colar de pedras preciosas.

b) Deus conserve e proteja **minha mãe**!

c) Deviam ter comunicado o fato **ao diretor**.

d) Não será permitido **aos presos** sair de suas celas.

e) O juiz intimou **João** a comparecer perante o júri.

f) Cumpre cientificar **Vossa Senhoria** de que os preços dos produtos em pauta são majorados.

g) Não assiste esse direito **ao patrão**.

h) Ensina **os filhos** a serem honrados.

i) A nossa conversa parece que não está agradando **a você**.

j) Felicito **você** pela sua vitória.

k) Foi difícil convencer **meu pai** a ficar em casa.

18. Substitua o * por um dos pronomes propostos, conforme convenha:

a) Tânia voltou o rosto para ver quem * chamava. (a – lhe)

b) Estes olhos * perseguirão aonde quer que você for. (o – lhe)

c) Ela acenou-* do alto da escada. (o – lhe)

d) Riam e cantavam, como se nada * ameaçasse. (os – lhes)

e) Riam e cantavam, como se nada * ameaçasse a vida. (os – lhes)

f) Elas são gordas: alguns passos * deixam cansadas. (as – lhes)

g) Pague-* o que você lhe deve. (o – lhe)

h) O funcionário * atendeu muito mal. (o – lhe)

19. Escolha no quadro abaixo os conjuntos adequados e substitua os asteriscos das orações adjetivas:

a que – com quem – de que – em que – em cujo – por quem

a) A mesa *** nos sentamos mal comportava quatro pessoas.

b) O barco *** estávamos comportava poucas pessoas.

c) Ele ofendeu a secretária, *** não simpatizava.

d) Às vezes temos de executar tarefas *** não gostamos.

e) O grau de segurança *** chegou a navegação aérea ainda não satisfaz.

f) O preso *** intercedi junto ao ministro fora condenado injustamente.

g) São insuficientes os dados *** dispomos.

h) Não havia feira de amostras *** ele não fosse.

i) Como vocês tratam as pessoas *** lidam?

j) Percorremos o grande parque, *** centro se ergue o museu.

20. Troque o verbo em destaque pelos propostos, atendendo à regência de cada um desses verbos:

É aquela a jovem **de** quem você **falou**?

passeou – se referiu – se apaixonou – se enamorou – gosta – recorreu – simpatiza – confia – se interessou

21. Siga o exemplo, substituindo as orações coordenadas em destaque por orações subordinadas adjetivas:

Exemplo: A canoa virou **e estávamos nela**.

A canoa **em que estávamos** virou. Ou:

Virou a canoa **em que estávamos**.

a) Afundaram as tábuas **e estávamos agarrados a elas**.

b) Acabou-se a vida de conforto **e estávamos habituados a ela**.

c) As plantas sugam do solo a água **e anseiam por ela**.

d) No pátio fez-se uma pequena fogueira **e sentamo-nos em torno dela**.

e) Dirigiu-se à mesa **e sobre ela havia duas raquetes**.

f) Encontrou-se um velho colete **e no bolso dele havia moedas de ouro**.

g) Gutenberg nasceu em Mogúncia **e deve-se a ele a invenção da imprensa**.

h) A ponte era muito alta **e as embarcações passavam por baixo dela**.

i) O índio recuperou as terras, **o branco se apoderara delas**.

22. Use os verbos abaixo em orações adjetivas precedidas de preposição e intercaladas nas orações principais:

Exemplo: A profissão [a que você aspira] exige muita dedicação.

a) aspirar

b) ansiar

c) entreter-se

d) confiar

e) insurgir-se

f) assistir

g) simpatizar

h) gostar

i) aludir

j) referir-se

k) pender

l) sacrificar-se

23. Recorde o que foi exposto acerca dos verbos **esquecer-se**, **lembrar-se** e **admirar**. Em seguida, escreva corretamente as frases em que há erro de regência:

a) Os maus políticos se esquecem de suas promessas.

b) Eles esquecem facilmente de suas promessas.

c) Esqueceu-me acrescentar esse pormenor.

d) Não esqueçam de que essa doença é contagiosa.

e) Ele disse ainda muitas outras coisas que não me lembro.

f) Ele disse ainda muitas outras coisas de que não me lembro.

g) Não me lembrei de o avisar a tempo.

h) Ela não lembra de mais nada.

i) Admiro-me de o ver tão entusiasmado com a política.

j) Admira-me vê-lo tão entusiasmado com a política.

k) Admiro-me vê-lo tão entusiasmado com a política.

l) Não me admiro de que seu entusiasmo tenha esfriado.

24. A mudança de regência de um verbo altera-lhe, em geral, a significação. Registre as variações de regência e de sentido que se observam nos exemplos seguintes:

	Significação	**Regência**
Assisti o doente.	dar assistência	transitivo direto

a) Assisti ao jogo.

b) Aspiro ao cargo.

c) Aspiro o aroma.

d) Visamos o alvo.

e) Visamos ao bem comum.

f) Declinei do convite.

g) O Sol declinava.

h) O cão investiu contra mim.

i) Vão investi-lo no cargo.

j) Investi milhões nesta obra.

k) Corri a cidade.

l) Corri à cidade.

m) Não precisou a quantia.

n) Preciso de dinheiro.

25. Corrija as frases seguintes:

a) Entreteram-se no clube até altas horas, eis o motivo porque faltaram a reunião que deviam comparecer hoje.

b) A fase da vida que estão passando é a mais decisiva, pois deixa marcas que mais tarde sentireis os efeitos.

c) O tema que o conferencista discorreu despertou grande interesse.

d) As plantas que nos detemos diante delas eram caládios.

e) Um casal francês sentou-se na mesa vizinha aquela que nós estávamos.

f) No tempo que me refiro ainda não haviam ônibus.

g) Como o casarão estava deserto, ninguém ouviu ela gritar.

h) Levaram-no para um hospital que não me lembro o nome dele.

i) É lamentável o estado de abandono que se acham aquelas famílias.

j) Isso leva à situações que nos deparamos com frequência em nosso dia a dia.

SINTAXE 523

26. Escreva apenas a frase correta:

a) Ainda me lembro da casa que morávamos.

b) Ainda lembro da casa em que morávamos.

c) Ainda me lembro da casa em que morávamos.

27. Substitua os asteriscos nas frases de acordo com o indicado, completando-as adequadamente com os femininos:

AO (masculino)   **À (feminino)**   **A (masculino)**   **A (feminino)**

a) Refiro-me ao **tio** e *** de Rosângela.

b) Fizeram elogios aos **irmãos** e *** de Filipe.

c) São divertimentos que interessam tanto a **homens** como ***.

d) Ao **senhor** chamavam os escravos "sinhô" e ***, "sinhá".

28. Reveja os exercícios sobre a crase e, em seguida, coloque o acento grave nos casos em que ela ocorrer:

a) Dirce tem amor a natureza, as plantas, as aves, aos animais.

b) "Queixe-se a mim e não a ela", disse Romão, referindo-se a esposa.

c) Ainda não respondi as cartas de Mauro e Dino; não sei a qual delas deva responder primeiro.

d) As atletas entusiasmaram a torcida que assistiu a partida de voleibol.

e) Tudo pode acontecer aquele que não obedece as normas do trânsito.

f) A que terra teria a nau aportado? Talvez a uma ilhazinha perdida no mar.

g) A televisão estende a sua influência a todas as regiões, mesmo as que ficam mais distantes dos grandes centros urbanos.

h) O Zoológico está aberto a visitas de terça-feira a domingo, das 8h as 16h 30min.

i) Entreguei a lembrança a Danilo, que a mostrou a noiva e a irmã.

j) Na casa comercial a que me refiro, vende-se a vista e a crédito.

k) Em São Luís, cuja população não chegava a dez mil pessoas, a situação piorava dia a dia.

l) "Agora, se eu não voltar a casa a hora normal, haverá alarme, virá gente a minha procura."
   (GUIMARÃES ROSA)

29. Escreva os períodos, colocando o acento grave onde for adequado; sublinhe os dois casos de crase opcional e explique-os:

a) Os índios chamavam a borracha de *cautchu*, isto é, "lágrimas da madeira".

b) A agitação da cidade muitos preferem a paz do campo.

c) José convida-me a acompanhá-lo na sua visita a zona rural.

d) O diretor da escola presidiu a cerimônia de encerramento as aulas.

30. Varie as frases de acordo com o exemplo:

As naves espaciais **chegam a** distâncias fantásticas.

A que distância **chegam** as naves espaciais?

As distâncias **a que chegam** as naves espaciais são fantásticas.

São fantásticas as distâncias **a que chegam** as naves espaciais.

a) As caravelas portuguesas chegaram a terras muito distantes.

b) Chegamos a uma situação crítica.

SINTAXE

31. Damos quatro construções com o verbo **gostar**, todas corretas. Varie a frase abaixo, seguindo o exemplo:

Cinema e futebol são as diversões de que mais gosto.

As diversões de que mais gosto são cinema e futebol.

Do que mais gosto é de cinema e futebol.

Do que mais gosto é cinema e futebol.

Natação e ciclismo são os esportes de que mais gosto.

32. Transcreva a única alternativa em que não há erro de regência:

a) Em casa éramos seis. Morávamos na Praça Verde. Ainda lembro das brincadeiras que eu ali participava com extrema alegria.

b) Em casa éramos em seis. Morávamos à Praça Verde. Ainda me lembro das brincadeiras que eu ali participava com extrema alegria.

c) Em casa éramos seis. Morávamos na Praça Verde. Ainda me lembro das brincadeiras de que eu ali participava com extrema alegria.

33. Responda afirmativamente às perguntas, como nos exemplos:

São muitos os filmes **de que** o senhor **gostou**?

Sim, os filmes **de que gostei** são muitos.

a) São muitos os recursos de que o senhor dispõe?

b) São muitas as coisas de que o senhor depende?

c) São muitas as histórias de que o senhor se lembra?

São muitas as cartas **a que** o senhor **responde**?

Sim, as cartas **a que respondo** são muitas.

d) São muitas as cidades a que o senhor já foi?

e) São muitos os acidentes a que o senhor assistiu?

f) São muitas as pessoas a quem expôs seu plano?

34. Escreva a frase trocando o verbo **buscar** pelo verbo **aspirar**, atendendo à regência deste último:

É natural que toda criatura humana busque a felicidade.

35. Escreva as frases substituindo o * pelas opções corretas:

a) Estas são as conclusões * o investigador chegou. (que – a que)

b) Este é o mundo * vim sem ser consultado. (que – a que)

c) Ele afirmou aos jornalistas * não haverá demissões. (que – de que)

d) Os jornais noticiaram o escândalo * ele se envolveu. (que – em que)

e) A jovem * ele namorava era de boa família. (que – com quem)

36. Escreva a frase, substituindo o verbo **gostar** pelo verbo **preferir**, atendendo a regência adequada deste último.

Eles gostam mais de assistir a um jogo do que de visitar um museu.

37. Escreva corretamente a alternativa em que a regência do verbo **proceder** está incorreta:

a) Terminada a votação, procedeu-se a apuração dos votos.

b) Como nenhuma das acusações procedia, o juiz liberou o réu.

c) Procedi de acordo com a minha consciência.

d) Terminada a sessão, o secretário procedeu à leitura da ata.

e) O inquérito a que se procedeu nada apurou.

38. Qual o tipo de erro que a incorreta acentuação gráfica na frase "Ele está se referindo a namorada de Lúcio e não a tua." ocasiona? (concordância – regência nominal – regência verbal)

39. As afirmações abaixo são absurdas, devido à falta de acentuação gráfica adequada. Corrija-as sem alterar a ordem das palavras:

a) A adolescência precede a infância.

b) No Brasil, a República antecedeu a Monarquia.

40. Escreva apenas a frase abaixo que apresenta erro de regência, corrigindo-a:

a) Manifestações de protesto precederam a posse do governador.

b) Manifestações de protesto precederam à posse do governador.

c) Todos os moradores anuíram à proposta do síndico.

d) Assistiram a missa campal mais de cem mil pessoas.

e) Como custa aos vencidos aceitar a derrota!

f) Vi um tronco boiando e abracei-me a ele.

41. Responda às perguntas usando os verbos em destaque e obedecendo às normas da língua culta:

a) Ele já **pagou** ao médico?

b) Marta **namora** esse moço?

c) Ele **aspira** ao sacerdócio?

d) **Lembraram-se** de você?

e) Ela **assiste** a novelas?

f) De quem você **se esqueceu**?

g) Você **assistiu** os doentes?

h) Com quem **deparou** na esquina?

i) Você a **viu** no cinema?

j) **Obedeces** a teus pais?

k) **Moras** na Rua Anchieta?

l) Por que **desobedecem** aos pais?

m) O filme **agradou** ao público?

n) Em que rua você **reside**?

SINTAXE

42. Forme frases usando corretamente as expressões:

a) **ir ao encontro de**

b) **ir de encontro a**

43. Troque o pronome **lhe** por outro, de modo que a regência fique correta:

a) Quem foi que **lhe** mandou entrar?

b) Informo-**lhe** de que seu bilhete foi premiado.

c) O pai **lhe** proibiu de soltar balões.

d) Nunca **lhe** vi tão abatido, Jacinto.

e) Ninguém **lhe** conhece melhor que eu, Rodrigo.

f) O cheiro forte da tinta **lhe** fez espirrar.

g) Encantavam-**lhe** os acrobatas do circo.

44. Orientado pelo que foi dito na página 484 sobre a contração da preposição *de* com o sujeito ou seus adjuntos, escreva as frases abaixo restabelecendo a contração da preposição **de**. Em seguida, copie apenas as afirmações verdadeiras.

a) Sabia-o, senhor, antes **de o** caso suceder.

b) O modo **de ele** falar soou-me agressivo.

c) Agora chegou a vez **de os** advogados tomarem a dianteira...

d) Apesar **de o** voto ser secreto, voto pela dissolução.

e) Leonor irritou-se, além **de o** abade puni-la, pedia-lhe favores.

As contrações que os escritores usaram nas frases acima:

➤ têm tradição na língua; portanto, são lícitas.

➤ são erros grosseiros de autores modernistas.

➤ são descuidos de um ou outro escritor brasileiro.

➤ têm a vantagem de tornar a expressão mais natural e agradável ao ouvido.

➤ são encontros de duas palavras que, por tradição e eufonia, se pronunciam juntamente.

45. Depois de reler a matéria sobre deslocamento de preposições, escreva as frases abaixo antepondo a preposição em destaque ao pronome demonstrativo **o**, em benefício da eufonia:

a) O **de** que ela mais gostava era visitar museus.

b) O **de** que o Brasil não pode prescindir é de uma boa rede viária.

c) O **de** que nossas crianças precisam é de um bom ensino.

d) O **com** que não posso concordar é com a subversão da ordem pública.

e) Ordenei-lhe que entregasse a arma, o **em** que fui prontamente obedecido.

f) No fim, o **de** que ele se convenceu foi da inutilidade de seus esforços.

SINTAXE 527

46. Nas expressões em destaque, usou-se corretamente a preposição **em**. Escreva as frases trocando-a pela preposição **a**, acentuando-a quando for necessário:

a) **Na época** das colheitas, havia grande movimento na fazenda.

b) **Na saída**, os forasteiros agradeceram muito a hospedagem.

c) **Na falta** de professores, as crianças aprendiam a ler em casa.

d) Encostei-me **no tronco** da árvore e esperei o amigo.

e) Ela foi ao quarto e olhou-se minuciosamente **no espelho**.

f) A criança, com medo de mim, abraçou-se **na mãe**.

g) As mulheres iam buscar água **na fonte**.

h) Os bens do retirante resumiam-se **em duas cabras** e um casebre.

47. Transcreva as frases colocando o acento indicativo de crase, se necessário:

a) "A refrigeração artificial prefere a brisa da praia." (CIRO DOS ANJOS)

b) "Vilaça Júnior aspirava a ser vereador da câmara." (EÇA DE QUEIRÓS)

c) "Egas recusou-se a atender as reclamações da matrona." (EÇA DE QUEIRÓS)

d) "Parece-me que todos os cachorrinhos são iguais, em que pese a vaidade ou a ternura dos donos." (CARLOS DRUMMOND DE ANDRADE)

e) "O emprego de *o que* em orações interrogativas é corretíssimo, em que pese a certos gramáticos." (AURÉLIO BUARQUE DE HOLANDA)

f) "Ignoro a que pessoas se referia o Dr. Magalhães." (GRACILIANO RAMOS)

g) "Contou então que na seca tinha ganho muito dinheiro a custa dos cofres públicos." (ADOLFO CAMINHA)

h) "E assim, não se esquecesse Polidoro de que estava a engordar uma adversária incapaz de conceder-lhe a mínima trégua." (NÉLIDA PIÑON)

i) "Maria do Carmo já respondia as perguntas sem ser sacudindo apenas a cabeça." (MÁRIO PALMÉRIO)

j) "A antiga Vila Rica começou o povo de então, por escárnio, a chamar de *Vila Pobre*." (JOÃO RIBEIRO)

48. Identifique os erros de regência e, depois, faça a correção necessária:

a) Obedeça o regulamento!

b) Sempre lhe estimei muito.

c) Prefiro morrer do que trair meus ideais.

d) Não me simpatizo com sua prima.

e) Nem se dignou em levantar os olhos para mim.

49. Complete as orações com a preposição pedida pelo verbo. Combine-se com artigo, se necessário:

a) Depende apenas * ti a solução do problema.

b) Vocês gostam * que os outros os tratem mal?

c) Compete * pais a educação dos filhos.

d) Você assistiu * filme desde o início?

e) Você se contenta * tão pouco!

SINTAXE

50. Faça o mesmo em relação às preposições pedidas pelos nomes:

a) Ele vivia alheio * tudo.

b) Tinham aversão * todas as criações de vanguarda.

c) Sou avessa * badalações.

d) Aquele homem é suspeito * um crime.

e) Paulo é atencioso * todos que o procuram.

51. Os pronomes relativos também são regidos de preposição sempre que esta for reclamada pelo verbo. Veja para quais das frases abaixo vale essa explicação.

a) Era a função * que eu mais aspirava!

b) A festa * que assistimos foi muito movimentada.

c) O teatro * que estávamos quase pegou fogo.

d) O rapaz * que me refiro é estudante de Medicina.

e) As flores * que mais gosto são as orquídeas.

f) As pessoas * que visitei ontem foram muito gentis.

52. As orações completivas nominais também são, normalmente, regidas de preposição. Complete cada período com a preposição adequada:

a) Você tem medo * que eu o abandone?

b) Estamos ansiosos * que venhas logo.

c) Estava decidido * abandonar o emprego.

d) Continuou fiel * quem o amou durante a vida toda.

e) Todos tinham receio * que eles nos atacassem.

REGÊNCIA VERBAL

Exercícios de exames e concursos

[Página 688]

SINTAXE DE COLOCAÇÃO

A *sintaxe de colocação* trata da ordem ou disposição dos termos na oração e das orações no período.

Embora não seja arbitrária, a colocação das palavras na frase, em português, é muitas vezes livre, podendo variar de acordo com o tipo e o objetivo da mensagem falada ou escrita e com as circunstâncias que envolvem o ato da comunicação. No arranjo dos termos na frase intervêm poderosamente a cultura, o estilo e a sensibilidade do escritor.

Em muitos casos, o mesmo período pode ser organizado de diferentes maneiras, sem alteração do sentido. Vejam, por exemplo, a flexibilidade desta frase de José de Alencar:

"Já brilha na cabana de Araquém o fogo, companheiro da noite."

Na cabana de Araquém já brilha o fogo, companheiro da noite.
O fogo, companheiro da noite, já brilha na cabana de Araquém.
Companheiro da noite, o fogo já brilha na cabana de Araquém.
Na cabana de Araquém, o fogo, companheiro da noite, já brilha.

1 A ORDEM DIRETA E A INVERSA

Duas são as ordens que podem presidir à construção da frase: a *direta* e a *inversa*.

- Na *ordem direta*, os termos regentes precedem os termos regidos: sujeito + verbo + complementos ou adjuntos. Exemplos:

  "Uma saudade indizível atraía-me para o mar." (Alexandre Herculano)

  "Os maus e viciosos são algozes de si próprios." (Marquês de Maricá)

- Na construção de *ordem inversa* alteramos a sequência normal dos termos, dispondo o verbo antes do sujeito, os complementos ou adjuntos antes do verbo, enfim, o termo regido antes do termo regente. Exemplos:

  "E que terríveis negócios planejava esse meu amigo de sempre!" (Rubem Braga)

  "Belos e veneráveis eram os dois plátanos." (Alexandre Herculano)

Observação:

✔ A ordem inversa é mais frequente na poesia e na linguagem afetiva e obedece antes ao ritmo caprichoso do sentimento e ao fluxo da emoção. Referindo-se à construção inversa, observa muito bem Said Ali:

  "A deslocação é anomalia, e a anomalia aguça a atenção do ouvinte."

São as seguintes as causas que condicionam a colocação das palavras na frase, exigindo ora uma, ora outra ordem:

- a ênfase, a afetividade e a emoção;
- a clareza da expressão;
- a eufonia;
- o ritmo e o equilíbrio da frase.

Os adjetivos, normalmente, vêm pospostos aos substantivos (terras *férteis*, frutas *maduras*), mas, em atenção às exigências acima, são frequentemente antepostos. Exemplos:

"Nessas *aflitas* paragens, não mais se ouve o piar da *esquiva* perdiz, tão frequente antes do incêndio." (VISCONDE DE TAUNAY)

"Os meninos ouviam contar os casos com *frio* desinteresse." (POVINA CAVALCÂNTI)

Certos adjetivos se imobilizam ora antes, ora depois dos substantivos: *mero* acaso, a mão *direita*, a verdade *nua*, senso *comum*. Outros assumem acepções diversas, conforme a posição: homem *pobre* (sem recursos), *pobre* homem (infeliz); chefe *grande* (alto), *grande* chefe (notável); mestre *simples* (sem afetação, afável), *simples* mestre (mero, comum).

Assim também: contas *certas* (exatas), *certas* contas (algumas); *qualquer* pessoa (toda, indeterminada), uma pessoa *qualquer* (insignificante); *algum* homem (um, indeterminado), homem *algum* (nenhum).

Consoante a índole de nossa língua, antepomos ordinariamente os possessivos aos substantivos: *minha* vida, *nosso* pai, *tua* lembrança. Todavia, na linguagem afetiva ou enfática, são intencionalmente pospostos. Exemplos:

Quanto valor tem uma lembrança *tua*!

Pai *nosso*, que estais no céu... (oração dominical)

"O meu destino errante, ó vida *minha*,

é o destino dos barcos e das velas." (OLEGÁRIO MARIANO)

A conjunção *porém* usa-se, de preferência, intercalada na oração:

"A verdade, *porém*, é que Coimbra era sincero." (MACHADO DE ASSIS)

Entretanto, não é prática reprovável colocar-se essa adversativa no início ou no fim da oração a que pertence, uma vez que a isso não se oponham a harmonia e o ritmo da frase. Exemplos:

Eu chamava-te, *porém* não me ouvias.

"Não inventamos nada, *porém*." (MÁRIO BARRETO)

"As represálias não tardaram, *porém*." (CIRO DOS ANJOS)

"Tu não crês na ventura; ela existe, *porém*." (CLEÓMENES CAMPOS)

Observação:

✔ O mesmo se dá com a conjunção sinônima *entretanto*:

"A fuga repetia-se, *entretanto*." (MACHADO DE ASSIS)

SINTAXE 531

2 POSPOSIÇÃO DO SUJEITO

Pospõe-se, habitualmente, o sujeito ao verbo nos seguintes casos:

■ em orações adverbiais reduzidas de particípio ou de gerúndio:

"De manhã, acabado o *almoço*, a cólera estourou." (Machado de Assis)

"Caindo o *sol*, a costureira dobrou a costura para o dia seguinte." (Machado de Assis)

> **Observação:**
>
> ✔ O sujeito pode anteceder o gerúndio quando este vier precedido da preposição *em*:
>
> "Em ela sabendo que saíste de Lisboa, abençoa tua resolução." (Camilo Castelo Branco)

■ nas orações interrogativas iniciadas pelos advérbios interrogativos ou por um pronome interrogativo que não seja sujeito:

"Como é *isso* possível?" (Alexandre Herculano)

"Onde vai *o guerreiro branco*?" (José de Alencar)

"Donde vinham *aqueles cavalos*?" (Graciliano Ramos)

"Por que virá *o conde* quase de luto à festa?" (Rebelo da Silva)

"Que deixara *ele* na terra do exílio?" (José de Alencar)

"Quem sou *eu* para ser digno da vida?" (Dante Milano)

"Como sabem *eles* distinguir a fruta nutritiva da venenosa?" (Carlos de Sá Moreira)

No entanto, antepõe-se o sujeito ao verbo:

a) quando se interpõe a locução enfática *é que*:

"Onde *é que este homem* vai parar?" (Machado de Assis)

b) se iniciarmos a frase com o sujeito:

Teu irmão, por que não veio?

c) quando a palavra interrogativa encerra a frase:

Você viu isso *onde*?

Eles se retiraram *por quê*?

■ nas orações optativas e imprecativas:

"E queira *Deus* que te não enganes, menino!" (Carlos de Laet)

"Possa *o sangue do mártir* remir o crime do presbítero!" (Alexandre Herculano)

"Pudera *eu* dilatar-lhe a vida!" (Alexandre Herculano)

"Morra *o alienista*! Bradavam vozes mais perto." (Machado de Assis)

Todavia, às vezes prefere-se a anteposição:

"*Bons ventos* o levem!" (Machado de Assis)

"*O Senhor* te ouça!" (Machado de Assis)

"*Deus* vos leve, defenda e traga!" (D. Francisco Manuel de Melo)

SINTAXE

- em certas frases exclamativas:

  "Como são belas *aquelas palmeiras*!" (Visconde de Taunay)

- nas orações imperativas:

  Acompanha-o *tu*, guerreiro ilustre!

  "Ouçam *todos* o mal que toca a todos." (Luís de Camões)

- nas orações interferentes:

  "É falso, interrompeu *o presidente*." (Machado de Assis)

  "Rico, muito rico – pensava *Caúla* – quem possuía um barco como aquele!" (Adonias Filho)

- na voz passiva pronominal:

  "Contavam-se dele *coisas muito bonitas*." (Machado de Assis)

  "Nas lanchas, ouvem-se *gritos, choros, pedidos de socorro*." (Jorge Amado)

Contudo, a necessidade de pôr o sujeito em relevo leva-o, ocasionalmente, para o início da frase:

  Os louvores recebem-se com agrado.

  "*As consciências* esclarecem-se e não se forçam." (Alexandre Herculano)

  "*Vozes* não se escutam quase, só aquele murmúrio abafado." (Raquel de Queirós)

  "*Muitas coisas* se dizem, que não deviam ser ditas." (Carlos Drummond de Andrade)

- em orações como as seguintes, em que se realça a ideia expressa pelo predicativo, colocando-se este no início da frase ou depois do verbo:

  "Sábio era *ele*, mas faltava-lhe a prática do mundo." (Camilo Castelo Branco)

  "Eram sólidos e bons *os móveis*." (Machado de Assis)

Observação:

✔ A posição do sujeito pode influenciar a concordância do verbo. Assim, por exemplo, vindo o sujeito composto depois do verbo, este poderá concordar com o núcleo mais próximo:

"Acuso-vos disso *eu e todo o povo de Santarém*." (Almeida Garrett)

"De pouco lhe *valeu a astúcia e a coragem*." (Rodrigues Lapa)

---

3 ANTECIPAÇÃO DE TERMOS DA ORAÇÃO

Não poucas vezes antecipamos, na frase, um termo que desejamos pôr em evidência. Eis alguns casos mais frequentes:

- antecipação do sujeito na oração subordinada:

  Meu pai, sabes que não quer. [= Sabes que *meu pai* não quer.]

  O mal parece que se agravou. [= Parece que *o mal* se agravou.]

  "*O rio*, nem sei se tem nome." (Vivaldo Coaraci)

  "*Aqueles Cavaleiros* vê-se que nos esperam." (Alexandre Herculano)

  "*Os filhos* parece que envelhecem a gente." (Mário Barreto)

"Eu sei bem *o plantão dele* como é!" (Marques Rebelo)

"*Eles* parece que são muitos." (Aníbal Machado)

"*Esses anos de Juiz de Fora* parece mesmo que foram marcados de glória, para Luisinho." (Raquel de Queirós)

"*Os homens* é assim que fazem." (Camilo Castelo Branco)

"*A mocidade*, dizem que não cria ferrugem." (Mário Quintana)

- antecipação do objeto direto:

  Verdades há que não se dizem.

  "*Os exemplos* achou-os na História e em Itaguaí." (Machado de Assis)

  "*Animal mais inútil* nunca vossos olhos viram." (Raquel de Queirós)

- antecipação do objeto indireto:

  De música todo o mundo gosta.

  "*A esta pergunta* ninguém respondeu." (Alexandre Herculano)

  "*A Caribe* não faltavam astúcia e experiência." (Jorge Amado)

  "*A mim* o que me deu foi pena." (Ribeiro Couto)

  "*Da limpeza pública* se encarregam uns elefantes artificiais, que aspiram tudo." (Paulo Mendes Campos)

- antecipação do predicativo do sujeito ou do objeto:

  Impossível seria permanecer parado.

  "*Mal-educado* eu sou, mas ingrato não." (Paulo Mendes Campos)

  "*Perigoso* é se o velho deixar se influenciar pelo filho." (Ciro dos Anjos)

  "*Bonitos* são (os quadros), mas estão manchados." (Machado de Assis)

  "*Doente*, todo mundo fica, João." (Marques Rebelo)

  "*Arquiteto do Mosteiro de Santa Maria*, já o não sou." (Alexandre Herculano)

  "Respirava com ruído e tinha *roxas* as orelhas grandes." (Graciliano Ramos)

  "Jorge soltou uma risada, tão *feliz* ficou." (Raquel de Queirós)

- antecipação do adjunto adverbial:

  Naquele país, ladrão não tem vez.

- antecipação do verbo da oração subordinada:

  "Lembrava-se bem das notas, *eram* parece que verdes, grandes e frescas." (Machado de Assis) [= parece que eram verdes...]

4 COLOCAÇÃO DAS ORAÇÕES SUBORDINADAS

As orações subordinadas substantivas, de acordo com a índole de nossa língua, pospõem-se, em geral, às principais.

Mas na linguagem enfática ou emotiva, é frequente antepor tais orações às principais, a fim de lhes dar realce. Exemplos:

SINTAXE

"De cumprir meu voto ninguém poderá mover-me." (ALEXANDRE HERCULANO)

"Se o mundo tinha razão, não o diremos nós." (CAMILO CASTELO BRANCO)

"Vicência, se estava comovida pelo que acabava de ouvir, não demonstrava." (LUÍS JARDIM)

"Por que brigavam no meu interior esses entes de sonho não sei." (GRACILIANO RAMOS)

"Que passavam aperturas, via-se claramente na pobreza da casa." (ANTÔNIO OLAVO PEREIRA)

As orações adjetivas pospõem-se ao substantivo ou pronome a que se referem, podendo vir intercaladas na oração principal, como vimos no estudo destas orações.

As subordinadas adverbiais são as orações que gozam de maior mobilidade dentro do período, podendo, conforme o caso, vir antes, no meio ou depois da oração subordinante.

Exemplos:

"Onde me espetam, fico." (MACHADO DE ASSIS)

"Dali via, sem ser visto, a sala de visitas." (LÚCIO DE MENDONÇA)

"Iracema, depois que ofereceu aos chefes o licor de Tupã, saiu do bosque." (JOSÉ DE ALENCAR)

"Eram quatro horas da manhã, quando emergi do meu letargo." (CAMILO CASTELO BRANCO)

"Quando dei por mim, já passava de uma da madrugada." (FERREIRA GULLAR)

Escrevendo, cumpre fugir à monotonia da ordem direta e assegurar à frase harmonia e variedade de ritmo, usando, com equilíbrio e bom gosto, ora uma, ora outra ordem.

Evitar-se-ão, sobretudo, construções malsoantes e cacofônicas, inversões violentas e transposições forçadas, que comprometem a clareza da expressão, dando margem a falsos sentidos.

EXERCÍCIOS

LISTA 56

1. Transcreva as frases, numerando-as de acordo com os tipos de construção:

(1) **ordem direta**   (2) **ordem inversa**

a) Após um mês de férias, reabre sua academia de dança a bailarina Casanova.

b) O vaga-lume voou mais alto e comparou-se às estrelas.

c) Sua fábrica de laticínios, instalada no ano passado, vai de vento em popa.

d) Na árvore próxima à casa estavam pousadas duas rolinhas.

2. Relacione as frases aos termos antecipados que nelas ocorrem:

(1) antecipação do sujeito da oração subordinada

(2) antecipação do objeto direto

(3) antecipação do objeto indireto

(4) antecipação do predicativo

(5) antecipação do adjunto adverbial

(6) antecipação do verbo da oração subordinada

(7) anteposição da oração subordinada à oração principal

- Em canoa furada eu não embarco.
- "Aos nativos Colombo chamou de índios." (MILLÔR FERNANDES)
- "O homem parece que teve pena." (RAQUEL DE QUEIRÓS)
- "Esse segredo eu guardaria só para mim." (POVINA CAVALCÂNTI)
- "Animal mais inútil nunca vossos olhos viram." (RAQUEL DE QUEIRÓS)
- "Equilibrava-me não sei como." (GRACILIANO RAMOS)
- "Bonita, atraente, isto era ela, de verdade." (POVINA CAVALCÂNTI)
- "Com as árvores e os bichos ele se entende." (CARLOS DRUMMOND DE ANDRADE)
- "Surpresa maior eu não podia ter." (RUBEM FONSECA)
- "Que passavam aperturas, via-se claramente na pobreza da casa." (ANTÔNIO OLAVO PEREIRA)

3. Leia o seguinte caso e informe se a oração subordinada adjetiva em destaque está construída na ordem direta ou inversa:

Aviso aos caçadores

Um pecuarista de Alegrete, no Rio Grande do Sul, não suportando mais os problemas **que lhe causavam os caçadores da região**, mandou colocar na porteira de sua fazenda uma placa de madeira com este aviso: "É expressamente proibido atirar em qualquer coisa que se mexa neste campo. Poderiam acertar no capataz."

(Realidade, junho de 1974)

4. Coloque os termos dos períodos abaixo na ordem direta:

a) "Mais depressa que seu marido perdera Rosália as esperanças." (ANÍBAL MACHADO)

b) "O rio, nem sei se tem nome." (VIVALDO COARACI)

c) Louco és tu, disse-me ele, se a tanto aspiras.

d) "Estreito era o círculo das suas ideias." (MACHADO DE ASSIS)

e) "Ótimo negócio fizera incontestavelmente o velho tio." (VISCONDE DE TAUNAY)

f) "Não tem azul nem estrelas a noite que enlutam os ventos." (JOSÉ DE ALENCAR)

g) "Por que foram os persas, logo que se deram às delícias do luxo, vencidos pelos lacedemônios?" (CAMILO CASTELO BRANCO)

5. Melhore a redação das frases, usando criteriosamente a ordem inversa:

a) Ele tentou convencer-me em vão.

b) Um pequeno incidente deu-se na família cinco meses depois.

c) Porém casa de confiança onde se ocultasse, faltava-lhe.

d) O navio sulcava garbosamente as águas da baía, dias depois, numa radiante manhã de domingo.

e) A tempestade passada, o arco-íris aparece no céu, símbolo da bonança e da união.

f) Suas palavras perturbam-me não tanto como o seu olhar e sorriso.

SINTAXE

g) O velho caminhão estava parado, ficou parado.

h) Nunca sentira inveja de ninguém, mas ele sentia de mestre Vitorino, o dono do barco.

i) O espetáculo de um desfile de escolas de samba no Rio de Janeiro é também único no mundo.

6. Escreva as frases abaixo, colocando convenientemente os sujeitos que figuram entre parênteses:

a) Do fundo da mata subiam. (**vozes misteriosas**)

b) Quando poderemos estar livres disso tudo? (**nós**)

c) Pouco tardou a espalhar-se pelo povoado. (**a notícia fatal**)

d) Mas aos ouvidos do chefe não podia chegar. (**a voz do mensageiro**)

e) Onde pretendem encontrar os recursos necessários? (**eles**)

f) Que importa ao escravo? (**a vida**)

g) Senti quanto era justa. (**aquela queixa**)

h) Como se portaram durante a excursão? (**os alunos**)

i) Por que teria saído de casa tão cedo? (**a vizinha**)

j) Para onde se dirige a essas horas? (**você**)

k) Possam despertar as consciências adormecidas. (**tuas palavras**)

l) Feliz serás se desta te livrares. (**tu**)

m) Pelo alto dos muros estendem-se. (**as trepadeiras floridas**)

n) Não vindo, saíram a buscá-lo. (**ele**)

o) Que teria percebido nas minhas palavras? (**o homem**)

p) Pareciam de prata, assim contra a luz, pintados de branco. (**os pequenos barcos**)

7. Disponha o termo das frases abaixo de outras maneiras aceitáveis:

a) A Química presta grande auxílio à Medicina.

b) O céu se arqueia como um teto de bronze infindo e quente, sobre o deserto adormecido.

c) "Entre os troncos da brenha hirsuta, o Bandeirante jaz por terra, à feição de um tronco derribado." (OLAVO BILAC)

d) "Mil coisas imprevistas nos esperam nos muitos meandros da existência." (VISCONDE DE TAUNAY)

e) "À entrada do prédio reunira-se, de um minuto para outro, um mundo de gente." (FERNANDO NAMORA)

f) "Passeiam, à tarde, as belas na Avenida." (CARLOS DRUMMOND DE ANDRADE)

g) Saltaram do moderníssimo carro esporte uma garota e um rapaz.

h) "Passava pela calçada o fotógrafo João Lopes carregando a sua máquina a tiracolo." (JOSUÉ GUIMARÃES)

SINTAXE 537

8. Ordene os termos dos períodos seguintes de tal maneira que se desfaça a ambiguidade, isto é, o duplo sentido. Use as vírgulas necessárias:

a) Os terroristas obrigaram o pessoal da redação e da oficina do jornal a retirar-se antes do empastelamento do prédio.

b) Descia um perfume do alto da montanha que embriagava os sentidos.

c) Mando-te uma cadelinha pela minha empregada que tem as orelhas cortadas.

d) A guerra nada conserta: nada mais é que uma efusão de sangue inútil.

e) Marisa retira a chave nervosa da bolsa que introduz na fechadura com medo.

9. Neste pequeno relato jornalístico nota-se um erro de colocação que ocasiona duplo sentido. Qual é o erro e como se pode corrigi-lo?

"Numa de suas viagens à Amazônia, pelo Projeto Radam, o sertanista Peret conseguiu ajudar os índios nos seus dias de caça, trazendo os animais abatidos de helicóptero para uma picada próxima das palhoças.

Agora, uma nova equipe chegou à mesma tribo. Quando planejaram a primeira caçada, ouviram de um caiapó:

– Eu mato o veado. Você arranja o cavalo voador. (Diarã katon uati. Kaí rarére birreotú.)"

(Jornal do Brasil, 26/4/1974)

10. Escreva os períodos, iniciando-os com os termos indicados entre parênteses e dispondo os demais de modo ideal:

a) Um homem gordo pode ser muito fino? (**verbo auxiliar**)

b) A água do coco por onde entra? (**predicado**)

c) Muito mais que um chute na canela dói um bom drible. (**sujeito**)

d) No meio da catarata ninguém pode beber água. (**objeto direto**)

e) Seu grito foi tão alto que o morcego saiu feito uma bala, pela janela. (**predicativo do sujeito**)

f) Era mais do que visível que Simplício ficara com um nó na garganta. (**oração subordinada substantiva**)

g) Foi infeliz o Virgulino, que, não tendo cavalo, deu com os burros n'água. (**predicativo do sujeito**)

h) Só o capim interessava aos animais. (**objeto indireto**)

i) Criaturas ingratas! Não têm boca para agradecer. (**adjunto adnominal**)

j) As declarações do ministro não podiam agradar ao presidente. (**objeto indireto**)

11. Dê ênfase ao predicativo colocando-o no início da frase:

O que estavam fazendo com aquela gente era sumamente injusto.

5 COLOCAÇÃO DOS PRONOMES OBLÍQUOS ÁTONOS

Neste exemplo de José Fonseca Fernandes:

"Despediu-*se* aborrecido do especialista, que, amável, estendia-*lhe* a mão com simpatia."

podemos observar que os pronomes pessoais átonos *se* e *lhe* se incorporam foneticamente ao verbo, formando com este como que uma só palavra.

Conforme sua posição junto ao verbo, os pronomes oblíquos átonos podem ser:

- **proclíticos** (antepostos ao verbo)

  Isso não **se** faz.

- **mesoclíticos** (intercalados no verbo)

  Chamar-**me**-iam de louco.

- **enclíticos** (pospostos ao verbo)

  Quero-**lhe** muito bem.

Essas três colocações dos pronomes átonos denominam-se, respectivamente, *próclise, mesóclise* e *ênclise.*

Observação:

✔ As normas que vamos dar acerca da colocação pronominal aplicam-se também ao pronome demonstrativo

o, que pode incorporar-se ao verbo à maneira de um pronome pessoal átono, como no exemplo:

Ia dizer-lhe uma palavra áspera, mas não *o* fiz.

6 PRÓCLISE

A próclise será de rigor:

- quando antes do verbo houver, na oração, palavras que possam atrair o pronome átono[1]. Tais palavras são principalmente:

a) as de sentido negativo:

Não *o maltratei.*

Nunca *se queixa* nem *se aborrece.*

Ninguém *lhe resiste.*

Nada *a perturba.*

Nenhum lugar *nos agradou.*

Jamais *te importunei.*

Observação:

✔ Se a palavra negativa preceder um infinitivo não flexionado, é possível a ênclise: Calei-me para não *magoá-lo.*

---

(1) Não se trata, é claro, de uma atração de natureza física, mas sim da influência fonética que certas palavras exercem sobre as vizinhas para atender ao ritmo e à entoação da frase.

b) os pronomes relativos:

Há pessoas que *nos querem* bem. Nenhuma que *nos odeie*.

Conheces o homem por quem *te apaixonaste*?

"Só então Luísa adivinhou o que *se teria passado*." (FERNANDO NAMORA)

c) as conjunções subordinativas:

Quando *nos viu*, afastou-se.

Se *me ensinares* o caminho, chegarei lá.

Ela não quis os brincos, embora *lhe servissem*.

Ele é teu pai: é justo que *o ampares*.

Disse-me que não iria à festa, ainda que *a convidassem*.

Não sei como *se justificaram* perante a diretora.

Reagimos porque *nos agrediram*.

Observação:

✔ A elipse da conjunção não dispensa a próclise:

Peço a Vossa Excelência *me dispense* dessas formalidades.

Quando passo e *te vejo*, exulto. [e te vejo = e *quando* te vejo]

d) certos advérbios:

Sempre *me lembro* dele.

Já *se abrem* as portas das lojas e dos bancos.

Bem *se vê* que não entendes do riscado.

Aqui *se trabalha*, lá *se fala* da vida alheia.

Deixe a pasta onde *a encontrou*.

Mais *se aprende* vendo do que ouvindo.

O avô talvez *o ajude* a comprar a casa.

Ainda *se lembra* de mim?

Por que o pai *lhe bate*?

Indaguei como *se chega* lá.

Observação:

✔ Se houver pausa depois do advérbio, prevalecerá a ênclise:

"Depois, encaminhei-me para ele." (SAID ALI)

"Aqui uma nuvem escura envolveu-lhe o espírito." (ANÍBAL MACHADO)

e) os pronomes indefinidos *tudo, nada, pouco, muito, quem, todos, alguém, algo, nenhum, ninguém, quanto:*

Tudo *se acaba*.

Nada *lhe agradava* ali.

Ignoro de quem *se trata*.

Pouco *se sabe* a respeito desse artista.

Algo *o incomoda?*

f) a palavra *só*, no sentido de *apenas, somente,* e as conjunções coordenativas alternativas *ou... ou, ora... ora, quer... quer:*

Só *me ofereceram* um copo d'água.

Só *se lembram* de nós quando estão doentes.

Ou ele *se corrige* ou *lhe voltarão* as costas.

O rio, ora *se estreita*, ora *se alarga* caprichosamente.

Quer *nos atacasse*, quer *se escondesse*, a onça era sempre um perigo.

- nas orações optativas cujo sujeito estiver anteposto ao verbo:

Deus *o guarde!*

Os céus *te favoreçam!*

A terra *lhe seja* leve!

- nas orações exclamativas iniciadas por palavras ou expressões exclamativas:

Como *te iludes!*

Quanto *nos custa* dizer a verdade!

"Que de coisas *me disse* a propósito da Vênus de Milo!" (MACHADO DE ASSIS)

- nas orações interrogativas iniciadas por advérbio ou pronome interrogativos:

Quando *me visitas?*

Quem *se apresenta?*

Por que *vos entristeceis?*

Acaso *lhe faltam* recursos?

Na pronúncia do Brasil, as formas pronominais oblíquas não são completamente átonas; são, antes, semitônicas. Assim se explica por que entre nós é predominante a tendência para a próclise:

Ele terá de *se explicar*.

É o que eu queria *lhe dizer*.

As pessoas foram *se retirando*.

Me empreste o livro.

"Calado, *me diga* se devo ir-me embora." (CECÍLIA MEIRELES)

"Nosso sonho vai *se realizar*." (ANTÔNIO OLAVO PEREIRA)

"*Te agarra* com aquele pretinho do céu, Amparo!" (JOSUÉ MONTELLO)

"Percebi que estavam *me chamando*." (VIVALDO COARACI)

"*Me penteio, me lavo, me embelezo*." (MARINA COLASANTI)

"Como teria *se comportado* aquela alma de passarinho...?" (RAQUEL DE QUEIRÓS)

SINTAXE 541

7 MESÓCLISE

A intercalação das variações pronominais átonas ocorre somente no futuro do presente e no futuro do pretérito, desde que antes do verbo não haja palavra que exija a próclise. Exemplos:

Realizar-se-á, em maio, uma reunião de prefeitos.

Falar-lhe-ei a teu respeito, na primeira oportunidade.

Por este processo, *ter-se-iam* obtido melhores resultados.

"*Dir-me-á* o leitor que a beleza vive de si mesma." (Machado de Assis)

"Eu derrocarei o templo de Jeová e *edificá-lo-ei* em três dias!" (Eça de Queirós)

"*Dar-me-iam* água para lavar as mãos?" (Graciliano Ramos)

"Gildete *manter-se-ia* atenta para o que desse e viesse." (Jorge Amado)

"Sua atitude é serena, *poder-se-ia* dizer hierática, quase ritual." (Raquel de Queirós)

"Viesse a música de onde viesse, *conduzi-lo-ia* à terra." (José Fonseca Fernandes)

"*Contentar-nos-emos* agora com sambas velhos..." (Graciliano Ramos)

Havendo palavra atrativa, impõe-se a próclise:

Não *lhe pedirei* nada.   Ninguém *se importaria*.

Observações:

✔ Em caso algum se haverá de pospor o pronome átono ao futuro do indicativo: dir-se-ia, dir-lhe-ei, dir-lhe-ia, far-se-ia, vender-lhe-ei, chamá-lo-ia, e nunca: diria-se, direi-lhe, diria-lhe, faria-se, venderei-lhe, chamaria-o.

✔ A mesóclise é colocação exclusiva da língua culta e da modalidade literária. Na fala corrente, emprega-se a próclise: Eu *lhe* direi a verdade. Eles *se* arrependerão (ou *vão se arrepender*). Ela *o* chamaria de louco. Ao meio-dia, *nos* sentaríamos à mesa.

8 ÊNCLISE

Os pronomes átonos estarão em ênclise:

- nos períodos iniciados pelo verbo (que não seja o futuro), pois, na língua culta, não se abre frase com o pronome oblíquo:

"*Vai-se* a primeira pomba despertada!" (Raimundo Correia)

"*Diga-me* isto só, murmurou ele." (Machado de Assis)

"*Vendo-a* entrar, Araquém partiu." (José de Alencar)

Observação:

✔ Iniciar a frase com pronome átono só é lícito na conversação familiar, despreocupada, ou na língua escrita, quando se deseja reproduzir a fala dos personagens:

Me ponho a correr na praia.

"*Me* larga! Eu quero ir embora." (Fernando Sabino)

"*Nos* atirarmos à água pode nos ser fatal." (Millôr Fernandes)

SINTAXE

- nas orações reduzidas de gerúndio, quando nelas não houver palavras atrativas:

  "O anão chegara-se a Inocência, *tomando-lhe* uma das mãos." (Visconde de Taunay)

Se o gerúndio vier antecedido da preposição expletiva *em*, ou modificado por um advérbio, usar-se-á a próclise:

Em *se tratando* de um caso urgente, nada o retinha em casa.

Não *o achando* em casa, voltei desanimado.

Custódio era dado ao luxo, pouco *se importando* com despesas.

- nas orações imperativas afirmativas:

  Procure suas colegas e *convide-as*.

  "Romano, *escuta-me*!" (Olavo Bilac)

Observação:

✔ A próclise com o imperativo afirmativo não era estranha ao português clássico:

"Agora tu, Calíope, *me ensina*..." (Luís de Camões)

O pão nosso de cada dia *nos dai*, hoje. (oração dominical)

- junto ao infinitivo não flexionado, precedido da preposição *a*, em se tratando dos pronomes *o, a, os, as*:

  Todos corriam *a ouvi-lo*.

  Começou *a maltratá-la*.

  "Sabe ele se tornará *a vê-los* algum dia?" (José de Alencar)

Junto a infinitivo flexionado, regido de preposição, é de rigor a próclise:

Repreendi-os por *se queixarem* sem razão.

- Vindo o infinitivo impessoal regido da preposição *para*, quase sempre é indiferente a colocação do pronome oblíquo antes ou depois do verbo, mesmo com a presença do advérbio *não*:

  Corri para *defendê-lo*.

  Corri para *o defender*.

  Calei-me para não *contrariá-lo*.

  Calei-me para não *o contrariar*.

Observação:

✔ Escritores clássicos costumavam intercalar o advérbio *não* entre o verbo e o pronome proclítico:

"E queira Deus que *te não enganes*, menino!" (Carlos de Laet)

"Há coisas que *se não descrevem*." (Gastão Cruls)

"Já *me não lembravam* os três primeiros nomes." (Machado de Assis)

Tal colocação é obsoleta.

SINTAXE 543

9 ÊNCLISE EUFÔNICA E ENFÁTICA

Em certos casos, a ênclise é justificada por exigências da eufonia ou da ênfase, embora com sacrifício das regras expostas no estudo da próclise.

"Era verdade que Dom Augustin *excedera-se* um pouco." (Viana Moog)

Acontecia às vezes que uma das éguas xucras *arrumava-lhe* um coice." (Vivaldo Coaraci)

10 COLOCAÇÃO DOS PRONOMES ÁTONOS NOS TEMPOS COMPOSTOS

▪ Nos tempos compostos os pronomes átonos, na língua culta de tradição lusitana, se juntam ao verbo auxiliar e jamais ao particípio, podendo ocorrer, de acordo com as regras já estudadas, a próclise, a ênclise ou a mesóclise:

Os amigos *o tinham prevenido*.

Os presos *tinham-se revoltado*.

Nunca *a tínhamos visto*.

Haviam-no já declarado vencedor.

Até lá muitos já *se terão arrependido*.

"Você *tem-se governado* com virtude e fina sabedoria." (Amadeu de Queirós)

"Muitas infelicidades *me haviam perseguido*." (Graciliano Ramos)

"*Ter-lhe-ia sido* nociva alguma de minhas prescrições?" (Gastão Cruls)

"Não devíeis *tê-los libertado*." (Ana Miranda)

"Eu *tinha-me escondido* atrás de uma mangueira muito alta." (Aurélio Buarque de Holanda)

▪ A colocação do pronome átono junto ao particípio, censurada pela Gramática tradicional, é peculiar à língua portuguesa do Brasil, em todos os níveis de fala, e encontra acolhida entre os melhores escritores modernos. Exemplos:

"Tinha *se esquecido* de conferir o bilhete." (Vivaldo Coaraci)

"A conversa na mesa teria *lhe dado* suficiente prestígio para isso?" (Jorge Amado)

"A terra devia ter *se contorcido*, fervendo em lama." (Adonias Filho)

"Era como se tivesse ido muito longe, ou *se escondido* atrás de uma parede muito grossa." (Raquel de Queirós)

"A situação agora havia *se invertido*." (José J. Veiga)

"O general Bagnuoli está plantado na sua colina de espera, depois de haver *se recusado* a enfrentar Nassau…" (Assis Brasil)

"Melhor destino, nem ele próprio teria *se concedido*." (Nélida Piñon)

11 COLOCAÇÃO DOS PRONOMES ÁTONOS NAS LOCUÇÕES VERBAIS

Nas locuções verbais podem os pronomes átonos, conforme as circunstâncias, estar em próclise ou ênclise ora ao verbo auxiliar, ora à forma nominal:

▪ Verbo auxiliar + infinitivo:

Devo calar-me, ou *devo-me calar*, ou *devo me calar*.

Não devo calar-me, ou *não me devo calar,* ou *não devo me calar.*

Mandei-os entrar. Não os mandei entrar.

Podes ajudá-lo. Não o podes ajudar, ou *não podes ajudá-lo.*

Queriam enganar-me, ou *queriam-me enganar,* ou *queriam me enganar.*

Não queriam enganar-me, ou *não me queriam enganar.*

"Mas agora já *sabemos nos defender.*" (GUIMARÃES ROSA)

"Não *posso me confessar* autor dessas barbaridades." (CARLOS DRUMMOND DE ANDRADE)

"Se Vossa Senhoria quer, *posso lhe mandar* algumas." (MARTINS PENA)

Observação:

✔ Na fala brasileira, como atestam os três últimos exemplos, os pronomes átonos acostam-se, em geral, ao infinitivo.

▪ Verbo auxiliar + preposição + infinitivo:

Há de acostumar-se, ou *há de se acostumar.*

Não se há de acostumar, ou *não há de acostumar-se.*

Deixou de visitá-lo, ou *deixou de o visitar.*

Não o deixou de visitar, ou *não deixou de visitá-lo,* ou *não deixou de o visitar.*

▪ Verbo auxiliar + gerúndio:

Vou-me arrastando, ou *vou me arrastando,* ou *vou arrastando-me.*

Não me vou arrastando, ou *não vou me arrastando.*

As sombras foram-se dissipando, ou *as sombras se foram dissipando,* ou *as sombras foram se dissipando,* ou ainda *as sombras foram dissipando-se.*

V.Sª me está insultando, ou *V.Sª está me insultando,* ou *V.Sª está insultando-me.*

Não o estou criticando, ou *não estou criticando-o.*

Eu o estava lendo há pouco, ou *estava-o lendo há pouco,* ou *estava lendo-o há pouco.*

As forças *iam-se-lhe sumindo* de dia para dia.

"Que relógio parado *me estava governando?*" (CECÍLIA MEIRELES)

"A tarde *ia-se tornando* lindíssima." (CECÍLIA MEIRELES)

"Cada vez mais ela *se ia transformando.*" (JOSÉ LINS DO REGO)

"Meus olhos *iam se enchendo* de água." (RAQUEL DE QUEIRÓS)

"Você *está me machucando.*" (FERNANDO SABINO)

"Mas aos poucos foi *se adaptando.*" (VIVALDO COARACI)

"Atualmente a justiça *está se tornando* inviável até para os ricos." (EVANDRO LINS E SILVA)

Observações:

✔ A colocação que se vê nos quatro últimos exemplos, com o pronome átono proclítico ao verbo principal, espelha um fato inequívoco da língua falada e escrita do Brasil. A Gramática não pode senão sancioná-la.

✔ A maneira de colocar os pronomes átonos, no falar brasileiro, nem sempre coincide com a dos portugueses, devido à entoação diferente e ao ritmo peculiar de nossa fala.

✔ As normas que acabamos de traçar acerca da topologia pronominal não devem ser vistas como preceitos intocáveis, ficando, em muitos casos, subordinadas às exigências da ênfase, da harmonia e espontaneidade da expressão.

EXERCÍCIOS

LISTA 57

1. Nos exemplos abaixo aparecem todos os pronomes pessoais átonos. Escreva as frases, numerando-as de acordo com a colocação dos pronomes junto ao verbo. Em seguida sublinhe os pronomes:

(1) **proclítico** (2) **mesoclítico** (3) **enclítico**

Autorizaram-me a entrar.
Não te metas nisso.
Amai-vos uns aos outros.
Organizar-se-á uma equipe.
Todos o admiram.
Sustive-a na palma da mão.

Quem os ajudara?
Trato-as com muito respeito.
Comprar-lhe-ia roupa nova.
Não lhes acho graça.
Aprontamo-nos rapidamente.
É um prazer ouvi-lo falar.

2. Justifique a próclise, escrevendo e numerando as frases adequadamente, conforme as palavras que apareçam antes do verbo:

(1) **palavras de sentido negativo**
(2) **pronomes relativos**
(3) **conjunções subordinativas**

Ninguém **lhe** resiste.
Pedi que **se** afastassem.
Quando **me** lembrei, já era tarde.
Não **se** nega um copo d'água.
Preciso de alguém que **me** oriente.
São pessoas com quem **nos** identificamos.

3. Justifique a colocação dos pronomes oblíquos nestes períodos:

Deus **o** acompanhe!
Por que **se** preocupa tanto com essas coisas?
Não **a** vejo há muito tempo.

Ficar-**lhe**-ei grato por esse favor.

Distraímo-**nos** ouvindo música.

Tornei a visitá-**los** três meses depois.

Fiquei olhando o carteiro, que **se** aproximava.

Pedi licença para **me** retirar (ou retirar-**me**).

Como a gente **se** engana!

A mãe correu para as filhas, beijando-**as** muito.

Pedi que **os** guardasse em lugar seguro.

Procure seu irmão e peça-**lhe** desculpas.

Várias pessoas já **me** disseram isso.

Rugas precoces instalaram-**se** no rosto dele.

Tudo **nos** leva a crer que João é inocente.

4. Varie os verbos em todas as pessoas, com os pronomes mesoclíticos:

a) **Estabelecer-me-ei** nesta cidade.   c) **Jogá-lo-ei** ao mar.

b) **Retirar-me-ia** da reunião.   d) **Conceder-lhe-ia** licença.

5. Escreva corretamente o único período em que há erro de colocação pronominal; justifique:

a) Enquanto se absteve de beber e fumar, sua saúde melhorou.

b) Plantações de cana-de-açúcar estendiam-se até a linha do horizonte.

c) Ele não é um bom escritor, embora reconheça-lhe algumas qualidades.

d) Quando a patroa limpa a louça, ela o faz com extremo cuidado.

6. Copie o período no qual a mesóclise é inadequada, corrigindo a má colocação:

a) Sentir-me-ia mais aliviado, se conseguisse chorar um pouco.

b) Se mergulhares um pano vermelho neste rio, retirá-lo-ás cheio de piranhas.

c) Dir-se-ia que pairava sobre nós uma divindade funesta.

d) Nada contentá-lo-á enquanto não tiver a paz interior.

7. Reescreva de maneira correta as duas frases em que a colocação pronominal não está de acordo com o padrão culto. Justifique:

a) Caberia-lhe então mostrar patriotismo e competência.

b) Será preciso refazer a estrada, modificando-lhe o traçado.

c) Me disseram que a cachoeira de Sete Quedas sumiu rio abaixo, levada pelo progresso.

8. Coloque corretamente junto aos verbos em destaque os pronomes entre parênteses:

a) **Detive** para ouvir melhor. (*me*)

b) Nenhum obstáculo **fará** recuar. (*nos*)

c) Jacinto não entendeu o que Sônia **disse**. (*lhe*)

d) Quando ele **enfurece**, não há nada que **detenha**. (*se – o*)

e) Bem **vê** que não **preocupas** com essas coisas. (*se – te*)

f) Como **custa** perdoar uma ofensa! (*nos*)

SINTAXE   547

g) Viesse donde viesse, **receberíamos** com a alegria de sempre. (*o*)

h) **Lembra** de nós – disse o padrinho, **despedindo**. (*te – se*)

i) **Retirarei**, se **recusais** a ouvir-me. (*me – vos*)

j) Talvez dali por diante agisse de outro modo, **acautelasse** contra pessoas inescrupulosas. (*se*)

k) Mais depressa **apanha** um mentiroso do que um coxo. (*se*)

l) Tudo **encantava** e **dizia** que a vida é bela. (*a – lhe*)

m) **Acenderam** fogueiras, onde **assaram** batatas-doces. (*se – se*)

n) Só **direi** isto: Ivone, jamais **esquecerei** de você! (*lhe – me*)

o) A avó gosta dos netos, **trata** com carinho, **alegra** quando **vê**. (*os – se – os*)

p) **Trataria** de objetos voadores não identificados? (*se*)

9. Dê outra colocação aos pronomes átonos, mas só quando for lícita:

a) Ergueram o homem e **o** carregaram até a farmácia mais próxima.

b) Quem **a** visse ao lado dos escravos **a** julgaria também cativa.

c) A brava nação tupi **se** erguerá novamente para expulsar o invasor.

d) Nada **a** satisfaria, enquanto não **os** tivesse consigo.

e) João **se** levantou para agredir-**me**, mas Luís deteve-**o**, segurando-**lhe** o braço.

f) A agricultura não **os** havia ainda fixado à terra.

10. Incorpore corretamente os pronomes aos tempos compostos e às locuções verbais:

a) **Teriam falado** a meu respeito? (*lhe*)

b) E se eu **houvesse enganado**? (*me*)

c) Era um vidrinho de perfume cuja essência já **tinha evaporado**. (*se*)

d) **Haviam procurado** em toda parte. (*o*)

e) **Tendo** o menino **distraído** na rua, não assistiu à primeira aula. (*se*)

f) **Teria mordido** algum cachorro? (*o*)

g) Várias pessoas já **tinham ido ver**. (*o*)

h) Era como se tivesse ido muito longe, ou **escondido** atrás de uma parede muito grossa. (*se*)

i) Ela aplaudia a transformação que **ia operando** em mim. (*se*)

j) O marido **está aconselhando** a desistir da viagem. (*a*)

k) Cada vez mais eles **foram distanciando** de nós. (*se*)

l) Eu **deveria reunir** a eles para a escalada do morro. (*me*)

11. Há mais de uma alternativa lícita para a colocação dos pronomes nos tempos compostos e nas locuções verbais. Assinale, em cada grupo, a que representa uma peculiaridade da fala brasileira:

Os presos tinham-se revoltado contra os carcereiros.

Os presos tinham se revoltado contra os carcereiros.

Os presos se tinham revoltado contra os carcereiros.

Você lhe devia ter cedido o lugar.

Você devia ter-lhe cedido o lugar.

Você devia ter lhe cedido o lugar.

O navio se foi afastando lentamente.

O navio foi se afastando lentamente.

O navio foi-se afastando lentamente.

O navio foi afastando-se lentamente.

12. Assinale a única frase em que a colocação do pronome átono espelha uma característica da língua portuguesa do Brasil:

"Que relógio parado **me estava governando**?" (Cecília Meireles)

"Don'Ana pressente que alguma coisa de muito sério **se está processando**." (Jorge Amado)

"**Dar-me-iam** algum monte de feno onde dormir..." (Rubem Braga)

"Não faz mal que a plantação **se vá estendendo** por toda a área." (Carlos Drummond de Andrade)

"**Poderia ter se encontrado** com a raposa..." (Lêdo Ivo)

"Aquela bonequinha de muita conversa e forte maquilagem **o estava enfeitiçando**." (Vilma Guimarães Rosa)

13. Nos exemplos seguintes há outras opções para a colocação dos pronomes átonos. Dê todas as colocações lícitas:

a) Soube que estavam sozinhos: vim para os ajudar.

b) Eu aproximava-me deles com certo receio.

c) Os ingressos para o jogo podem-se comprar aqui.

d) Os homens devem-se amar uns aos outros.

e) "Não pode permitir-se o fabrico ou a importação de produtos que tais, alheios à demanda nacional mais urgente." (Carlos Drummond de Andrade)

f) "Ainda que voltasse a vista para mim, ele não poderia me ver." (Rubem Braga)

g) "A tarde ia-se tornando lindíssima." (Cecília Meireles)

h) Depois de amarrá-lo ao pé da árvore, eu dava-lhe de comer.

i) "Não me quis dizer o que era." (Machado de Assis)

j) "Aquele freguês estava se dirigindo ao Chefe da Nação." (Aníbal Machado)

k) "Naquele tempo a escuridão se ia dissipando, vagarosa." (Graciliano Ramos)

l) "Eu quis experimentar-te." (Alexandre Herculano)

m) "Daqui a poucas horas me hás de conhecer." (Alexandre Herculano)

n) "A mãe contava um caso qualquer que tinha se passado em casa." (Autran Dourado)

o) Eu devia esperar no colégio até que papai viesse buscar-me de carro.

p) Viúva acusa investigador de ter se apoderado de sua fortuna.

q) "O povo se comprimia cada vez mais ao pé do altar." (Bernardo Élis)

r) "Uma saudade funda lhe aperta o coração." (José Condé)

s) "Se Viana não saísse das Minas, o guarda-mor ver-se-ia obrigado a usar suas forças militares." (Ana Miranda)

SINTAXE 549

14. Orientando-se pelo exemplo, redija os períodos abaixo na forma B:

A) Eu reconheci **algumas delas**.

B) **Algumas delas**, eu **as** reconheci.

a) Levava à boca as migalhas que lhe ficavam entre os dedos.

b) Os passarinhos conseguem frutas e insetos pelo seu próprio esforço.

c) Tu ensinaste a caridade, o perdão e o sacrifício durante toda a tua vida.

d) Ela fez os doces e as empadas bem gostosos.

e) Quem não admira o mar e seus encantos?

15. Corrija os erros de colocação pronominal:

a) Quero que encontre-o imediatamente.

b) Não quero-lhe mal por isso.

c) Há pessoas que estimam-no demais.

d) Me diga onde poderei encontrar produtos aromatizantes.

e) Nunca levei-o a sério.

16. Escreva na ordem direta:

a) Remédios, os indígenas encontravam nas plantas.

b) Os avarentos, é certo que não aproveitam a vida.

c) De médico e de louco todos temos um pouco.

d) Durante aqueles breves momentos, rememorei toda a minha vida.

e) Considero valiosíssima a colaboração dos alunos.

17. Você acha que algo se modificou na segunda redação do exercício 16? Na ordem direta algo se perdeu? Justifique, depois de reler a página 530.

18. Coloque o pronome oblíquo antes ou depois do verbo, obedecendo às regras que orientam a colocação pronominal na norma culta.

a) Não levarei comigo! (a)

b) Espero que tenha dito a verdade. (lhe)

c) Ninguém assusta. (os)

d) Há muitos problemas que apavoram. (nos)

e) Sempre lembro daqueles dias maravilhosos. (me)

19. Faça como no exercício anterior.

a) Embora estime, está sempre repreendendo. (me, me)

b) Todos maltrataram, segundo diz. (o)

c) Já fizeram muitas perguntas sobre esse assunto. (nos)

d) Bem vê que você não conhece. (se, as)

e) Quando entregarão os resultados dos exames? (nos)

f) Diga só uma coisa: os amigos nunca haviam avisado do perigo? (me, o)

LEITURA
O inquérito

No dia seguinte foi o inquérito.

João Miguel ainda estava atordoado, meio tonto, quando Salu o escoltou até a pequena sala caiada, onde o delegado assistia, com a ordenança guardando a porta.

O escrivão, malvestido, magro, de cara vermelha grossa de espinhas, fazia a pena zumbir, monotonamente, como um inseto que fosse deixando a marca das patas em tinta roxa sobre a alvura das páginas do grande livro preto.

E foi um longo suplício esse inquérito, em que o delegado, defendido pelas figuras imóveis dos soldados de guarda, acastelado atrás da sua mesa carregada de papéis, o crivava de mil perguntas e ditava as respostas para o escrivão, de uma em uma, lançando devagar as palavras, como se, escorropichando cada sílaba da sombria história, mais aumentasse, mais enegrecesse o gesto do criminoso.

De repente, levantou os papéis, e de sob eles tirou uma faca de grossa bainha castanha.

O preso sentiu um baque no coração. Lentamente, o homem sacou fora da bainha a lâmina, que fulgurou à luz do dia, com um relâmpago branco de espelho.

Manchas escuras se espalhavam pela folha, cortando o brilho do aço. E, junto ao cabo, sob os dedos do delegado, que o seguravam indiferentes, uma crosta de sangue se agarrava ainda, teimosa, como o selo do crime.

O preso quase cambaleou ante aquela exibição que o cegava, enquanto o delegado, furando a madeira da mesa com a ponta da faca, continuava a perguntar:

— Reconhece como sua esta arma com que foi cometido o assassinato?

Ele apenas pôde baixar a cabeça. O homem insistiu na pergunta, até que o preso, afinal, conseguiu murmurar:

— Reconheço...

O delegado virou-se para o outro, que suspendera a pena, e machucava lentamente uma espinha inchada da cara:

— Senhor escrivão, lance a confissão do acusado.

Muito tempo depois, por fim satisfeito, o delegado o despediu com um conselho:

— Isto é para vocês se acostumarem a ter medida em cachaça... Veja você, um rapaz tão quieto, que nunca tinha dado uma entrada no xadrez...

O preso viu-se, afinal, a caminho da cela.

(Raquel de Queirós, *João Miguel*, in *Três Romances*, p. 134, José Olympio, Rio de Janeiro, 1957)

SINTAXE DE COLOCAÇÃO
Exercícios de exames e concursos

[Página 689]

EMPREGO DE ALGUMAS CLASSES DE PALAVRAS

1 ARTIGO

De modo geral, o artigo definido se aplica a seres conhecidos ou já mencionados e o indefinido a seres desconhecidos, indeterminados ou de que não se fez menção. Exemplo:

"*Um* dia, olhando para *o* quintal do vizinho, vi *um* rapaz que sorria para mim." (RIBEIRO COUTO)

▪ Artigo definido

▪ Dentre os nomes próprios geográficos, a língua atual distingue:

a) os que repelem o artigo:

Portugal, Roma, Atenas, Curitiba, Minas Gerais, Copacabana, etc.

b) os que exigem o artigo:

a Bahia, o Rio de Janeiro, o Porto, o Cairo, o Havre, a Argentina, as Canárias, os Açores, a Sicília, etc.

Diz-se, de preferência, *o Recife*.

> **Observação:**
>
> ✔ Os locativos do primeiro grupo usam-se com o artigo sempre que vierem caracterizados por adjetivo, locução adjetiva, ou oração adjetiva: *o velho Portugal, a Roma dos Césares, a Atenas de Péricles, a soberba Catargo.*
>
> "E passou a explicar como era *a Corumbá* em que nascera." (VIANA MOOG)

▪ Nomes próprios personativos são determinados pelo artigo quando usados no plural. Exemplos:

os Homeros, os Caxias, os Maias.

Anteposto a nomes de pessoas, o artigo denota intimidade e confere-lhes uma conotação familiar:

A Helena estuda à noite.

"E *o Costa* sempre lhano, risonho." (MACHADO DE ASSIS)

SINTAXE

- O uso do artigo antes dos pronomes possessivos é, geralmente, livre:

Foi rápida *a sua passagem* (ou *sua passagem*) pelo Rio.

Seus planos (ou *os seus planos*) foram descobertos.

- Diz-se, sem o artigo:

Foram presos *todos três*.

"Era belo de verem-se *todos cinco* em redor da criança." (Camilo Castelo Branco)

"... opinião desfavorável sobre *todas três*." (Lima Barreto)

"*Todas duas* eram bonitas e parecidas." (Ariano Suassuna)

Mas com o artigo:

Foram presos *todos os três assaltantes*.

"... ficou *todos os três dias* no jornal." (Lima Barreto)

- Embora censurada por alguns gramáticos, é frequente, na língua atual, a anteposição do artigo *o* (como partícula de realce) ao advérbio *quanto* e ao pronome interrogativo *que*:

"Só agora via *o quanto* se enganara." (Lígia Fagundes Telles)

"*O que* diria Deus daquilo tudo?" (José Lins do Rego, *apud* Luís Carlos Lessa)

- O artigo e o numeral, antes dos substantivos *milhão, milhar* e *bilhão*, devem concordar no masculino:

Os dois milhões [e não *as dois*, nem *as duas milhões*] de árvores plantadas cresceram bem.

Os milhares de crianças que vivem nas ruas clamam por ajuda.

Haverá emprego para *os dois bilhões* de pessoas que podem trabalhar?

Observação:

✔ São viciosas construções como "*os* 1,1 milhão de servidores da União", "*os* 1,5 milhão de vítimas da guerra", "*os* 1,2 bilhão de chineses", etc., porque o numeral *um* não admite artigo. Com efeito, não se diz que alguém recusou *o* (ou *os*) *um* milhão de dólares pela sua casa, mas sim que recusou *um milhão* de dólares.

Omissão do artigo definido

Omite-se o artigo definido:

- antes de nomes de parentesco precedidos de possessivo:

"Vendeu Mariana as terras e deixou a casa *a sua tia*, que nascera nela e onde *seu pai* casara." (Camilo Castelo Branco)

Observação:

Às vezes a ênfase justifica a presença do artigo: "Viemos ver *o meu pobre irmão*." (Camilo Castelo Branco)

- antes das formas de tratamento, antes dos títulos honoríficos *dom* e *monsenhor*, bem como antes de *frei*:

"Engana-se *Vossa Senhoria*, disse o barbeiro." (MACHADO DE ASSIS)

"Travou-se acesa polêmica entre *Dom* Antônio de Macedo Costa e o Barão de Penedo." (HÉLIO VIANA)

Após a missa, *monsenhor* Gonçalves visitou um orfanato.

Para as crianças, *frei* Lucas era um pai.

- entre o pronome *cujo* e o substantivo imediato:

  Há animais *cujo pelo* é liso. [E não: *cujo o pelo* é liso]

  Afinal encontrei o livro *cuja capa* me havia fascinado.

- diante dos superlativos relativos, em frases como estas:

  Ouvi *os mestres mais competentes*. [E não: *os mestres os mais competentes*]

  Não lhe bastavam *as glórias mais embriagadoras*.

Observações:

✔ A repetição do artigo [*os* mestres *os* mais competentes, *as* glórias *as* mais embriagadoras] constitui, neste caso, um galicismo.

✔ Todavia, são de bom cunho as seguintes construções: *mestres os mais competentes, os mais competentes mestres, os mestres ainda os mais competentes:*

"Trinta milhões vivendo em níveis históricos *os mais contrastantes*." (VIANA MOOG)

"Neste fenômeno se patenteia a nobilitação que a singela prática do trabalho mais obscuro imprime nos caracteres *ainda os mais antipáticos*." (RAMALHO ORTIGÃO)

- frequentemente nos provérbios e máximas:

  Pobreza não é vileza.   *Tempo é dinheiro.*

- antes de substantivos usados em sentido geral ou indeterminado:

  "Pra *queda* e *susto água fria* é remédio." (LUÍS JARDIM)

  "Lera numa revista que *mulher* fica mais gripada que *homem*." (RICARDO RAMOS)

- em certas expressões como: *ouvir missa, declarar guerra, dar esmola, pedir perdão, pedir esmola, fazer penitência, a meu ver*, etc.

- diante da palavra *casa*, quando designa a residência, o lar da pessoa que fala ou de quem se trata:

  Voltei *a casa*.   Fui *para casa*.   Venho *de casa*.

  Saiu *de casa*.   Foi *para casa*.   Ficou *em casa*.

Observação:

✔ Todavia, se a palavra *casa* vier acompanhada de adjetivo ou locução adjetiva, antepõe-se-lhe, ordinariamente, o artigo:

João deixou *a casa paterna* ainda criança.

"... a costureira chegou *à casa da baronesa*." (MACHADO DE ASSIS)

"De tarde, arrastei-me até *a casa da preta velha*." (GASTÃO CRULS)

- antes de *terra* (em oposição a *bordo, mar*):

  Alguns marinheiros ainda estavam em *terra*.

  "Ele será o comandante das tropas holandesas quando em *terra*." (ASSIS BRASIL)

• O artigo e a crase

Convém recordar que a crase, resultante da contração da preposição *a* com os artigos *a, as,* só é possível diante das palavras femininas que admitem esses artigos.

• Artigo indefinido

Não obstante sua imprecisão, o artigo indefinido transmite ao substantivo grande força expressiva. Exemplos:

"... (o tigre) atirou-se como *um* estilhaço de rocha cortada pelo raio." (JOSÉ DE ALENCAR)

"Foi *uma* alegria, quando viu os pais." (RODRIGUES LAPA)

"Recomeçou a falar com *uma* calma que não sabia bem de onde vinha." (ANÍBAL MACHADO)

"Estou com *uma* fome..." (FERREIRA DE CASTRO)

Antepõe-se aos numerais para exprimir cálculo aproximado:

Fiquei esperando *uma* boa meia hora.

"Eu devia ter, por esse tempo, *uns* dezesseis anos." (RIBEIRO COUTO)

2 ADJETIVO

- O adjetivo aparece na frase como:

a) adjunto adnominal:

"O pranto orvalhou seu *lindo* semblante." (JOSÉ DE ALENCAR)

b) predicativo do sujeito:

"A repulsa de Bolívar foi *enérgica*." (MOACIR WERNECK DE CASTRO)

"Eram *sólidos* e *bons* os móveis." (MACHADO DE ASSIS)

c) predicativo do objeto:

"Achou a mãe *lépida, bem-disposta*." (CARLOS DRUMMOND DE ANDRADE)

- Usa-se amiúde o adjetivo com valor de substantivo (adjetivo substantivado). Neste caso, antepõe-se-lhe o artigo. Exemplos:

O grito ecoou *no profundo* da mata. [*no profundo* = na profundeza]

"Tem nas faces *o branco* das areias que bordam o mar, nos olhos *o azul* triste das águas profundas." (JOSÉ DE ALENCAR)

"A paisagem, *num roxo* doloroso, se desdobra num pálio de ametista." (OLEGÁRIO MARIANO)

"Camilo achou-se diante de um longo véu opaco... pensou rapidamente *no inexplicável* de tantas coisas." (MACHADO DE ASSIS)

"... comia pouco, mas estimava *o fino* e *o raro*." (MACHADO DE ASSIS)

"Pessegueiros em flor tingem de opala *o verde* dos laranjais." (VIANA MOOG)

Inversamente, substantivos são às vezes usados como adjetivos:

O satélite *espião* detectou queimadas na Amazônia.

Após a explosão da bomba atômica, Hiroxima era uma cidade *fantasma*.

"Aí está o homem *anjo*." (CAMILO CASTELO BRANCO)

"O coração aqui no peito de Irapuã ficou *tigre*." (JOSÉ DE ALENCAR)

- Magnífico recurso estilístico é referir qualidades a substantivos abstratos em vez de a concretos. Exemplos:

Era angustiante a *monotonia cinzenta* da paisagem. [= paisagem *cinzenta* e *monótona*]

"Cesário teve medo da *tranquilidade* azul daqueles olhos." [= daqueles olhos *azuis* e *tranquilos*] (JOSÉ GERALDO VIEIRA)

"Uma comoção profunda a pungiu, ante aquela *calma sofredora, suave...*" (RAQUEL DE QUEIRÓS)

"Eduardo olhava por cima a *curiosidade agitada* de outros meninos." (FERNANDO SABINO)

Observe que, desse modo, se atribuem duas características a um ser. No último exemplo, *curiosidade agitada* dos meninos [= meninos *curiosos* e *agitados*].

- Comum é também usar-se o adjetivo no masculino singular, como advérbio:

Falemos *sério*. [= seriamente]

São pessoas *demasiado* crédulas.

"Matias sorriu *manso* e *discreto*." (MACHADO DE ASSIS)

"Ela fugia com os olhos, ou falava *áspero*." (MACHADO DE ASSIS)

"Os animais querem andar mais *ligeiro*." (GUIMARÃES ROSA)

"Quando estavam *próximo* a um porto..." (JORGE AMADO)

"A morte de Sílvia golpeou-a *fundo*." (ANTÔNIO OLAVO PEREIRA)

"Os negociantes aguentavam *firme* no balcão até meia-noite." (HERBERTO SALES)

Outros exemplos de adjetivos adverbializados:

Falavam *alto*.

A porta estava *meio* aberta.

Tossia *forte*.

Compra *barato* e vende *caro*.

Raro a vemos.

Breve estarei lá.

O adjetivo adverbiado, geralmente invariável, às vezes concorda, por atração, com a palavra a que se refere:

"... finalmente paguei *cara* a curiosidade." (Camilo Castelo Branco)

"Estes homens rudes combatiam *meios* nus." (Alexandre Herculano)

"Dona Eusébia entrou inesperadamente, mas não tão *súbita*, que nos apanhasse ao pé um do outro." (Machado de Assis)

"Os cavaleiros galopam *rápidos* pela trilha estreita." (Assis Brasil)

- As formas sintéticas dos superlativos são mais enfáticas que as analíticas e imprimem à ideia maior intensidade. Considerem-se estes exemplos:

"Naquele muro *aspérrimo* brotou uma flor descorada e sem cheiro." (Machado de Assis)

"Pois assim sou esbulhado de um *sacratíssimo* direito?" (Camilo Castelo Branco)

"Rio Branco morreu *pobríssimo*." (Carlos de Laet)

As formas diminutivas de certos adjetivos têm a força intensiva dos superlativos:

"Fui andando, sorrateiramente, *encostadinho* à parede." (Machado de Assis)

Demos, anteriormente, outras opções que a língua nos oferece para superlativar a ideia expressa pelo adjetivo. Convém recordá-las. Veja pág. 171, § 15.

3 NUMERAL

- Para designar os números entre cem e duzentos, emprega-se a forma *cento*: *cento* e um reais, *cento* e vinte alunos.

Cem, forma contracta de *cento*, e como esta invariável, designa o número sucessivo a 99: *cem* anos, *cem* escolas.

- *Ambos*, feminino *ambas*, é número dual e significa *os dois, um e outro*:

Ambas as mãos estavam feridas.

"E como em *ambos* os reinos havia pecado, castigava-os Deus a *ambos*." (Antônio Vieira)

- Na designação dos séculos, reis e papas, usam-se os ordinais de um a dez e os cardinais de onze em diante. Exemplos:

Século V (*quinto*) Século XX (*vinte*)

Pedro II (*segundo*) Luís XV (*quinze*)

Pio X (*décimo*) Pio XII (*doze*)

- Com referência ao primeiro dia do mês, usa-se o numeral ordinal:

"Outra missa foi celebrada no dia *1º de maio*, em terra firme." (João Ribeiro)

Na designação dos outros dias do mês, emprega-se o cardinal:

D. João VI chegou ao Brasil *a* (ou *em*) *24* de janeiro de 1808.

"A *2* de maio aprestaram-se para a partida." (João Ribeiro)

"Aos *21* de abril teve indícios de terra próxima." (João Ribeiro)

- Na referência às páginas de um livro e nos endereços de apartamentos e casas de uma vila, usam-se os numerais cardinais:

Abri o livro na página *22*. [vinte e dois]

Apartamento *504*. Casa *2*. [dois]

- Diz-se corretamente:

Era *meio-dia e meia* (isto é, 12 *horas e meia*), e não *meio-dia e meio*.

- Não se usa o numeral *um* antes de *mil*.

Mil reais (e não *um mil reais*) é pouco.

Emprestei-lhe *mil* e seiscentos reais.

- Quando o sujeito da oração é *milhões*, seguido do substantivo feminino no plural, o particípio ou o adjetivo podem concordar, no masculino, com *milhões*, ou, por atração, no feminino, com o substantivo feminino:

Dois *milhões* de sacas de cereais estão ali *armazenados*. (ou *armazenadas*)

Foram *vacinados* cinco *milhões* de pessoas.

Os dois *milhões* de moedas serão *cunhados* (ou *cunhadas*) ainda neste ano.

- Os numerais multiplicativos *quíntuplo, sêxtuplo, sétuplo e óctuplo* usam-se também como substantivos para designar os indivíduos nascidos do mesmo parto. Exemplo:

Os quíntuplos ainda estão no berçário.

- Na linguagem afetiva e hiperbólica, usam-se certos numerais esvaziados do seu sentido próprio para exprimir número indeterminado, infinidade:

Durante a visita falou-se de *mil e uma* coisas.

"Na guerra os meus dedos disparam *mil* mortes." (JUNQUEIRA FREIRE)

"A vida tem uma só entrada: a saída é por *cem* portas." (MARQUÊS DE MARICÁ)

"Vá para os *seiscentos* diabos, inglês, que em negócio de amor lógica não entra!" (LUÍS JARDIM)

4 PRONOMES PESSOAIS

Via de regra, os pronomes pessoais retos empregam-se como sujeitos, e os oblíquos como objetos ou complementos. Exemplo:

Ele   me   defende.

sujeito   *objeto direto*   *verbo*

- Contudo, as formas retas *ele(s), ela(s), nós, vós* também se usam com função objetiva, mas regidas sempre de preposição. Exemplos:

Pagarei *a ele mesmo*.

Lutei *contra ele*.

Atiraram *contra nós*.

Confio *em vós*.

Foi uma cena inédita; os que *a ela* assistiram ficaram impressionados.

"As suas palavras perderam-se no ar, ninguém deu atenção *a elas*." (VIRIATO CORREIA)

- Na linguagem coloquial informal, podem-se usar as formas pronominais retas como objetos diretos quando precedidas de *todos* ou *todas* ou acompanhadas de numeral:

Eu trouxe *todos eles* comigo.

Vi *todas elas* entrando na água.

"Quando crescêssemos mais ele ia pôr *nós dois* para amansar burro bravo." (José J. Veiga)

Na língua culta se dirá:

Eu *os trouxe* (ou *trouxe-os*) *todos* comigo. Eu *as vi todas* entrando na água.

Ele *nos iria* pôr *aos dois* para amansar burro bravo.

- As formas *o, a, os, as* empregam-se como objetos diretos:

Ninguém *o* agrediu.   As crianças *os* seguiam.

Se *a* vejo triste, consolo-*a*.   Os homens *as* admiram.

Observação:

✔ Eventualmente, podem esses pronomes funcionar como sujeito de uma oração infinitiva, como no exemplo:

Mande-o entrar.

[*Mande:* oração principal; *o entrar:* subordinada objetiva direta; *o:* sujeito]

- As formas átonas *lhe, lhes* usam-se como objetos indiretos:

Cedo-*lhe* a vez.   Não *lhe* pagou a dívida.

Obedece-*lhes* com alegria.   Ensinei-*lhes* o caminho.

- Os pronomes *me, te, se, nos, vos* são objetos diretos ou indiretos, conforme o verbo for transitivo direto ou transitivo indireto:

Objeto direto	**Objeto indireto**
Ele *me* estima.	Ele *me* obedece.
Todos *te* esperam.	Cedo-*te* o lugar.
A criança feriu-*se*.	Dá-*se* ares de importante.
Ele *nos* convidou.	Perdoe-*nos*.
Eu *vos* louvo.	Pergunto-*vos*: o que diz a lei?

- As formas tônicas *mim, ti* e *si* são sempre regidas de preposição:

Ela sentou-se *entre mim* e Lúcio.

Ele estava *entre* Nair e *mim*.

Podes viver *sem mim*, não posso viver *sem ti*.

Ele venceu *por si* mesmo.

Eles discutiam *entre si*, mas não brigavam.

O estrondo chegou *até mim*.

"... *entre mim* e *ti* está a cruz ensanguentada do Calvário." (Alexandre Herculano)

SINTAXE 559

5 EU OU MIM?

▪ Observe o uso correto destes pronomes:

Ele deu o livro *para mim*.

Ele dera o livro *para eu* guardar. [E não: *para mim* guardar]

Não é difícil, *para mim*, ir lá. [*Para mim*, não é difícil ir lá.]

Fizeram tudo *para eu* ir lá. [*para eu ir lá* = para que eu fosse lá]

Ela chegou até *mim*.

Não vá *sem mim*.

Não vá *sem eu* mandar. [*sem eu mandar* = sem que eu mande]

"Não vá *sem eu* lhe ensinar a minha filosofia da miséria." (MACHADO DE ASSIS)

Note bem: emprega-se *eu* quando for sujeito de um verbo no infinitivo, e *mim* quando complemento, ou adjunto adverbial.

▪ Os pronomes reflexivos *si* e *consigo*, para serem usados de acordo com a norma culta da língua, devem referir-se ao sujeito da oração. Exemplos:

O *egoísta* só pensa em *si*. [*si* refere-se ao sujeito *egoísta*]

Marcos levou a filha *consigo*. [*consigo* refere-se ao sujeito *Marcos*]

Os chefes reservaram os melhores lugares para *si*.

É óbvio que o *réu* não vai depor contra *si* próprio.

Você deve é cuidar de *si* e deixar os outros em paz.

O *criminoso* prejudica os outros e a *si* próprio.

O *senhor* guarde o recibo *consigo*.

O *vento* traz *consigo* a tempestade.

Lúcia gostava de usar o vestido que a *mãe* fizera para *si* mesma.

Inácio queria aquele importuno bem longe de *si*.

Passaram os *vândalos*, deixando após *si* destruição e lágrimas.

"... quantos não vale a [casa] que *você* deseja para *si*? (MACHADO DE ASSIS)

"*Ele* tem diante de *si* um velho inimigo." (ASSIS BRASIL)

▪ Em frases como as citadas no parágrafo anterior, não se deve usar *ele*, *ela*, em vez de *si*:

Marcos levou a filha *com ele*. (errado)

Marcos levou a filha *consigo*. (certo)

Ele tem *diante dele* um velho inimigo. (errado)

Ele tem *diante de si* um velho inimigo. (certo)

▪ São consideradas incorretas frases em que *si* e *consigo* não se referem ao sujeito da oração, como estas:

Eu tenho um recado para *si*, Regina.

[*eu*: 1ª pessoa; *si*: 2ª pessoa]

Mestre, nós queremos falar *consigo*.

[*nós*: 1ª pessoa; *consigo*: 2ª pessoa]

Segundo o padrão culto, as construções corretas são:

Eu tenho um recado para *você*, Regina.

Mestre, nós queremos falar com o *senhor*.

- Todavia, não nos parece condenável, na linguagem coloquial, o emprego de *si* e *consigo* sem caráter reflexivo, desde que tais pronomes não comprometam a clareza da frase. Entre outras razões, por serem mais cômodos, e às vezes mais adequados que os tratamentos *você* e o *senhor*. Exemplos:

"Se com a roleta empenada ainda der o 17 – e o senhor bem sabe que é impossível dar –, eu concordarei *consigo*." (JORGE AMADO)

"Ora, isto é que eu não esperava de *si*, senhor Eduardo." (CAMILO CASTELO BRANCO)

"O caso é mesmo delicado para *si,* dada sua situação anterior." (AMANDO FONTES)

- Em vez de *conosco, convosco*, diz-se *com nós, com vós*, sempre que esses pronomes vierem acompanhados de palavra determinativa, como *próprios, mesmos, outros, todos*, etc.

Com nós outros isso não acontece.

Falei *com vós mesmos*.

O barco virou *com nós três*.

- As sequências pronominais *se o, se a, se os, se as* sempre foram condenadas pelos gramáticos e repelidas pelos bons escritores. Não se deve dizer, portanto:

Teu livro é bom, mas não *se o* encontra em parte alguma.

Os erros não *se os* cometem impunemente.

Roupa fica mais limpa quando *se a lava* com sabão.

As aves são livres, não *se as deve prender*.

As construções corretas são:

Teu livro é bom, mas não *se encontra* (ou *não é encontrado*) em parte alguma.

Os erros não *se cometem* impunemente.

Roupa fica mais limpa quando *se lava* (ou *quando lavada*) com sabão.

As aves são livres, não *se deve prendê-las*.

- Os pronomes oblíquos substituem muito elegantemente os possessivos em frases como as seguintes:

O barulho perturba-*me* as ideias. [O barulho perturba *as minhas ideias*.]

Ninguém *lhe* ouvia as queixas. [Ninguém ouvia as *suas queixas*.]

O vento *nos* despenteava os cabelos. [O vento despenteava os *nossos cabelos*.]

"A borboleta pousou-*me* na testa." (MACHADO DE ASSIS)

"Laura acariciou-*lhe* o queixo num gesto vacilante." (LÍGIA FAGUNDES TELLES)

"O lábio crispou-se-*lhe* num riso de maldade." (OLAVO BILAC)

"Senti os olhos encherem-se-*me* de lágrimas." (HERBERTO SALES)

"O terror *lhes* contorce subitamente as faces." (ÉRICO VERÍSSIMO)

6 CONTRAÇÃO DOS PRONOMES OBLÍQUOS

Os pronomes oblíquos *me, te, lhe, nos, vos, lhes* contraem-se com os pronomes átonos *o*[1], *a, os, as*, da seguinte maneira:

me	+	o: *mo*	te	+	o: *to*	lhe	+	o: *lho*
me	+	a: *ma*	te	+	a: *ta*	lhe	+	a: *lha*
me	+	os: *mos*	te	+	os: *tos*	lhe	+	os: *lhos*
me	+	as: *mas*	te	+	as: *tas*	lhe	+	as: *lhas*
nos	+	o: *no-lo*	vos	+	o: *vo-lo*	lhes	+	o: *lho*
nos	+	a: *no-la*	vos	+	a: *vo-la*	lhes	+	a: *lha*
nos	+	os: *no-los*	vos	+	os: *vo-los*	lhes	+	os: *lhos*
nos	+	as: *no-las*	vos	+	as: *vo-las*	lhes	+	as: *lhas*

Exemplos:

Recebi os livros e gratifiquei o rapaz que *mos* entregou.

Se ele pedir a moto, eu *lha* emprestarei.

"Meu pai, que *mas* impôs inexoravelmente, considerava-as maravilhas." (VIVALDO COARACI)

"Punha a cereja, e a rir *ma* ofertava sem pejo." (RAIMUNDO CORREIA)

"O coração humano tem seus abismos e às vezes *no-los* mostra com crueza." (CIRO DOS ANJOS)

"Comeríamos à mesa, se *no-lo* ordenassem as escrituras." (CARLOS DRUMMOND DE ANDRADE)

O que os santos têm de mais sagrado são os pés. Por isso os antigos fiéis *lhos* beijavam." (MÁRIO QUINTANA)

Observação:

✔ O emprego desses conglomerados pronominais restringe-se à língua escrita, nas modalidades literária e científica. Em geral, os autores brasileiros de hoje os evitam, dado o artificialismo de tais contrações.

■ Registrem-se alguns casos curiosos de emprego expressivo dos pronomes oblíquos:

Não *me* toque nessa pasta.

Leve-*me* esse homem para fora.

Não *me* venhas com desculpas.

"No dia seguinte, entra-*me* em casa o Cotrim." (MACHADO DE ASSIS)

"Como eu tivera bons começos de música, os papéis *me* eram fáceis." (RIBEIRO COUTO)

As coisas não *lhe* saíram como esperava.

Observação:

✔ Nos três primeiros exemplos, o pronome *me* denota interesse e é expletivo: portanto, sem função sintática.

---

(1) Pronome pessoal ou pronome demonstrativo.

7 O PRONOME *SE*

O pronome *se* aparece na frase como:

▪ pronome reflexivo, com a função sintática de objeto direto de verbos reflexivos:
Se você está doente, *trate-se*.
"A verdade é que o marinheiro não *se matou*." (MACHADO DE ASSIS)
"Os monges budistas *se imolam* em praça pública." (JOSÉ CARLOS OLIVEIRA)
"Tibério fez um rápido exame de consciência e *achou-se* culpado." (ÉRICO VERÍSSIMO)

▪ pronome reflexivo, com a função de objeto indireto de verbos reflexivos:
Ele *arroga-se* o direito de intervir. [se = *a si*]
Ela *impôs-se* uma dieta severíssima.
O rapaz *dá-se* muita importância.
Eles *atribuem-se* qualidades que não têm.

▪ pronome reflexivo, com a função de objeto direto de verbos reflexivos recíprocos:
Os dois *amam-se* como irmãos. [um ama *o outro*]
"Os repórteres *entreolharam-se* em silêncio." (ÉRICO VERÍSSIMO)
"Os dois homens *cumprimentaram-se* friamente." (MACHADO DE ASSIS)
"Os elegantes *acotovelam-se* nos corredores." (FRANÇA JÚNIOR)

▪ pronome reflexivo e objeto indireto de verbos reflexivos recíprocos:
Os dois jovens *deram-se* provas de profunda amizade.
Avó e neta *queriam-se* muito. [uma queria muito à *outra*]
Os dois escritores *se corresponderam* durante 40 anos.

▪ pronome reflexivo, sujeito de um infinitivo:
O cego deixa-*se* levar pelo guia." [*se*: sujeito de *levar*]
"Sofia deixou-*se* estar à janela." (MACHADO DE ASSIS)
"Deixou-*se* estar alguns meses em Curaçau, amadurecendo o projeto."
(MOACIR WERNECK DE CASTRO)

▪ pronome apassivador. Forma a voz passiva pronominal, juntando-se a verbos transitivos:
"Ainda *se viam* ali carros carregados de madeira." (HERBERTO SALES)
"Justo é que *se deem* todas as honras a um personagem tão desprezado." (MACHADO DE ASSIS)
[*se deem* = sejam dadas]
Sabe-se que as línguas evoluem.
"Jabuticaba *chupa-se* no pé." (CARLOS DRUMMOND DE ANDRADE)
"Antes de *se batizarem* os gentios, *batizou-se* a terra encontrada." (MANUELA CARNEIRO DA CUNHA)
Devolveram-se as terras aos legítimos donos.

▪ índice de indeterminação do sujeito:
Aqui *se vive* em paz. *Pode-se* andar, sem medo, pela cidade.
Ali *trabalhava-se* com prazer.

Detesta-se aos aduladores.

Responde-se às cartas dos leitores.

Para que a obra fique pronta, é preciso que *se espere* ainda dois anos.

Trata-se de indivíduos aproveitadores.

Acabe-se com esses abusos!

Precisa-se de operários especializados.

Raro é o dia em que não *se assiste* a essas tristes cenas.

A vida é tão leve quando *se está* contente!

Nesse caso, o verbo concorda obrigatoriamente na 3ª pessoa do singular.

Na língua culta, não se usa o popular *você* em lugar de *se*, para indeterminar o sujeito. Diga-se, portanto:

Antigamente *podia-se* (e não *você podia*) andar sem medo pela cidade.

Quando *se está* (e não quando *você está*) feliz, a vida fica mais leve.

"Quando *se é* o homem mais rico das redondezas, mais vale se prevenir." (NÉLIDA PIÑON)

- Palavra expletiva ou de realce. Neste caso o pronome *se*, sem ser rigorosamente necessário, transmite à ação verbal mais vigor, ênfase, ou certa espontaneidade:

As moças *sorriam-se*, agradecidas. [As moças sorriam, agradecidas.]

"*Vai-se* a primeira pomba despertada…" (RAIMUNDO CORREIA)

"O auditório *riu-se* ao ouvir tantas afirmações tolas." (AURÉLIO)

No caso em apreço, o pronome *se*, não tendo valor gramatical, mas apenas estilístico, não exerce função sintática.

- Parte integrante de verbos que exprimem sentimentos, mudança de estado, movimento, etc., como *queixar-se, arrepender-se, alegrar-se, converter-se, afastar-se* e outros verbos pronominais.

O *se* que se associa a esses verbos não tem função sintática.

8 PRONOMES POSSESSIVOS

- Os possessivos *seu(s), sua(s)* tanto podem referir-se à 3ª pessoa [*seu* pai = o pai *dele*], como à 2ª pessoa do discurso [*seu* pai = o pai *de você*].

Por isso, toda vez que os ditos possessivos derem margem a ambiguidade, devem ser substituídos pelas expressões *dele(s), dela(s)*:

Você bem sabe que eu não sigo a opinião *dele*.

"A opinião *dela* era que Camilo devia tornar à casa *deles*." (MACHADO DE ASSIS)

"Eles batizaram com o nome *delas* as águas deste rio…" (TIAGO DE MELO)

- Os possessivos devem ser usados com critério. Substituí-los pelos pronomes oblíquos comunica à frase desenvoltura e elegância:

"Crispim Soares beijou-*lhe* as mãos agradecido." (MACHADO DE ASSIS) [Em vez de: beijou as *suas* mãos]

"Não *me* respeitava a adolescência…" (MACHADO DE ASSIS)

"A repulsa estampava-se-*lhe* nos músculos da face." (FERNANDO NAMORA)

"O vento vindo do mar acariciava-*lhe* os cabelos." (JOSÉ MAURO DE VASCONCELOS)

- Além da ideia de posse, podem ainda os possessivos exprimir:

a) cálculo aproximado, estimativa:

Ele poderá ter *seus* quarenta e cinco anos.

b) familiaridade ou ironia, aludindo-se à personagem de uma história:

O *nosso* homem não se deu por vencido.

"Chama-se Falcão o *meu* homem." (MACHADO DE ASSIS)

c) o mesmo que os indefinidos *certo, algum*:

Será ele um homem íntegro? Eu tenho cá *minhas* dúvidas.

Cornélio, como sabemos, teve *suas* horas amargas.

d) afetividade, cortesia:

Como vai, *meu* menino?

"Não os culpo, *minha* boa senhora, não os culpo." (JOÃO CARLOS MARINHO)

- No plural se usam os possessivos substantivados no sentido de *parentes, família*:

"É assim que um moço deve zelar o nome dos *seus*?" (MACHADO DE ASSIS)

- Podem os possessivos ser modificados por um advérbio de intensidade:

"Levaria a mão ao colar de pérolas, com aquele gesto *tão seu*, quando não sabia o que dizer." (LÍGIA FAGUNDES TELES)

- Quando desnecessários, omitem-se os pronomes possessivos, principalmente antes de nomes de partes do corpo:

Estendi *o braço* para apanhar a flor.

Enxugou com *a mão* uma lágrima indiscreta.

9 PRONOMES DEMONSTRATIVOS

- De modo geral, os demonstrativos *este(s), esta(s), isto* se aplicam às pessoas ou coisas que se acham perto da pessoa que fala ou lhe dizem respeito; ao passo que *esse(s), essa(s), isso* aludem a coisas que ficam próximas da pessoa com quem se fala ou a ela se referem. Exemplos:

Leve *este* livro para você.

Esta é a minha opinião.

Não sei onde andas com *essa* cabeça!

"Praxinoa, *esse* teu vestido de pregas te vai muito bem." (CECÍLIA MEIRELES)

Isto (que eu tenho) é o que há de melhor.

Isso (que dizes) não me parece certo.

"Campanhas de vacinação sempre provocaram resistência, mas *isso* era antigamente." (JOÃO UBALDO RIBEIRO)

- Usa-se *nisto* adverbialmente, como sinônimo de *nesse momento, nesse entretempo*:

"*Nisto* deu o vento e uma folha caiu." (Monteiro Lobato)

- Não raro, os demonstrativos aparecem na frase, em construções redundantes, com finalidade expressiva, para salientar algum termo anterior:

"Bernardina, *essa* é que dera em cheio casando com o Manuel da Ventosa." (Alexandre Herculano)

"A estrada do mar, larga e oscilante, *essa*, sim, o tentava." (Jorge Amado)

"Ora o povo, *esse* o que precisa é saber que existe Deus." (Camilo Castelo Branco)

Subindo pelo vale do Itajaí, alcançamos Brusque e, depois, Blumenau, cidades *essas* que nos impressionaram pela sua avançada indústria fabril.

Ter sede e não poder beber, *isso* é que é atroz!

- O pronome demonstrativo neutro *o* pode representar um termo ou o conteúdo de uma oração inteira, caso em que aparece, geralmente, como objeto direto, predicativo ou aposto. Exemplos:

Ia dizer-lhe umas palavras duras, mas não *o* fiz.

Quiseram gratificar-me, o que me deixou constrangido.

"*Ninguém teve coragem de falar* antes que ela *o* fizesse." (José Condé)

"*Era uma bela ponte,* ele próprio *o* reconhecia." (Aníbal Machado)

"*Era meu* o universo; mas, ai triste! Não *o* era de graça." (Machado de Assis)

"*Se lagoa existiu,* pouca coisa *o* indica." (Povina Cavalcânti)

"Dirás que sou *ambicioso*? Sou-*o* deveras, mas…" (Machado de Assis)

"*O jantar ia ser um desastre.* Todos *o* pressentiam." (Fernando Namora)

- Para evitar a repetição de um verbo anteriormente expresso, é comum empregar-se, em tais casos, o verbo *fazer*, chamado, então, verbo *vicário* (= que substitui, que faz as vezes de). Exemplos:

Ia dizer-lhe umas palavras duras, mas não *o* fiz.

Ele ajudava os pobres e *o fazia* sem alarde.

"O jornal informa e *o faz* corretamente, afirmava, vitorioso, o editorial." (Jorge Amado)

- Vimos que as preposições *a, de* e *em* podem contrair-se com o pronome demonstrativo *o*. Veja mais estas abonações:

"*Do* que gostamos é de vinhaça e viola." (Eça de Queirós)

Sabemos *no* que resultam essas campanhas.

"Cada qual nutre a esperança de trazê-lo pelo cabresto. *No* que se enganam redondamente." (Ciro dos Anjos)

- Diz-se corretamente:

Não sei *que* fazer. Ou: Não sei *o que* fazer.

Mas, se se empregar um dos pronomes *mais, muito, pouco, nada*, antes do *que*, não terá cabimento o pronome *o*:

Tenho *muito* (ou *mais*) *que* fazer. [E não: Tenho *muito o que* fazer.]

"Bolívar ainda tinha *muito que fazer* em terras americanas." (MOACIR WERNECK DE CASTRO)

Havia *pouco que* acrescentar.

Não havia *nada que* comer.

- Em frases como a seguinte, *este* refere-se à pessoa mencionada em último lugar, *aquele* à mencionada em primeiro lugar:

"O referido advogado e o Dr. Tancredo Lopes eram amigos íntimos: *aquele* casado, solteiro *este*." (VALENTIM MAGALHÃES) [ou então: *este* solteiro, *aquele* casado]

- O pronome demonstrativo *tal* pode ter conotação irônica:

"A senhora foi *a tal* que usou minha cozinha?" (EDY LIMA)

- *Desses* e *dessas* equivalem a *desse gênero, tais,* em frases como:

Hoje, não se fazem mais *desses* aparelhos.

"A vida opressiva do mato exige *dessas* compensações." (CASSIANO RICARDO)

10 PRONOMES RELATIVOS

- O antecedente do pronome relativo *que* pode ser nome de coisa ou de pessoa, ou o demonstrativo *o*, ou outro pronome. Exemplos:

Há *coisas que* aprendemos tarde.

"Vi-a falar com desdém, e um pouco de indignação, da *mulher* de *que* se tratava, aliás sua amiga." (MACHADO DE ASSIS)

"Bendito *o que*, na terra, o fogo fez, e o teto." (OLAVO BILAC)

O relativo *que* às vezes equivale a *o que, coisa que,* e se refere a uma oração:

"Não chegou a ser padre, mas não deixou de *ser poeta, que* era a sua vocação natural." (MACHADO DE ASSIS)

- Conforme vimos, numa série de orações objetivas coordenadas, pode ocorrer a elipse do relativo *que*:

"A sala estava cheia de gente que conversava, *ria, fumava*." (LÚCIO DE MENDONÇA)

- O relativo *quem* é sempre regido de preposição e, na língua moderna, se refere exclusivamente a pessoas ou coisas personificadas:

Não há pessoa estranha *diante de quem* ela não fique inibida.

O funcionário *por quem* fui atendido mostrou-se gentil.

"São amiguinhas *a quem* quero bem." (VIVALDO COARACI)

Ao encontro malsoante *sem quem* deve-se preferir *sem o qual*:

Estávamos esperando Otávio, *sem o qual* não podíamos sair.

- *Cujo* (e suas flexões) é pronome adjetivo e equivale a *do qual, da qual, dos quais, das quais*:

O cavalo é um animal *cujo* pelo é liso. [= o pelo *do qual* é liso]

As abelhas, *cuja* operosidade é proverbial, vivem em colmeias.

Há na selva milhares de plantas *cuja* seiva é benéfica à vida humana.

No colégio tive muitos amigos, de *cujos* nomes nem me lembro mais.

Incentivemos a agricultura, de *cujos* produtos não podemos prescindir.

Podemos conviver com pessoas de *cujas* ideias discordamos.

O substantivo determinado por este pronome não virá precedido do artigo: *cujo pelo* (e não *cujo o pelo*), *cuja operosidade* (e não *cuja a operosidade*), *cujos nomes* (e não *cujos os nomes*).

- Erro grosseiro é usar *cujo* em vez de *que* ou *o qual*, como na frase:

Saía da caverna um ruído estranho, *cujo* me assustou. (errado)

Saía da caverna um ruído estranho, *que* me assustou. (certo)

- Não menos grosseiro é o erro inverso, que consiste em substituir *cujo* por *de quem* ou *do qual*:

No colégio tive muitos amigos *de quem* nem me lembro mais dos nomes.

Incentivamos a agricultura, *da qual* não podemos prescindir dos produtos.

Podemos conviver com pessoas *de quem* discordamos das ideias.

- O relativo *o qual* (e suas flexões), principalmente quando regido da preposição, pode substituir o pronome *que*:

É um passado extinto e *de que* (ou *do qual*) ninguém se lembra.

Eis o magno problema *por que* (ou *pelo qual*) me bato.

"Fizeram-lhe graves acusações, *das quais* ele se defendeu com hombridade e energia." (Carlos de Laet)

- Por clareza usa-se *o qual* em vez de *que*, quando este vier distanciado de seu antecedente, ensejando falsos sentidos:

Regressando de Ouro Preto, visitei o sítio de minha tia, *o qual* me deixou encantado.

"Numa quinta para lá da encosta, houve uma reunião de famílias de Lisboa, à *qual* fui convidado." (Camilo Castelo Branco)

"Fora ele, enfim, que negociara a trégua dos doze anos, *a qual* deu à Holanda a época da sua maior prosperidade, da sua maior riqueza." (Ramalho Ortigão)

"À esquerda acham-se as prateleiras forradas de linho alvejante, *sobre as quais* se ostentam os queijos ainda frescos, retirados das formas." (Ramalho Ortigão)

Como se vê dos exemplos precedentes, o pronome relativo *o qual* aparece, geralmente, em orações adjetivas explicativas, e, por ser palavra tônica, é reclamado para imprimir à frase ritmo e harmonia.

- As preposições *ante, após, até, desde, durante, entre, perante, mediante, segundo* (vale dizer, preposições com duas ou mais sílabas), bem como as monossilábicas *sem* e *sob* e todas as locuções prepositivas, constroem-se com o pronome *o qual* e nunca com o pronome relativo *que*. As preposições *contra, para* e *sobre* usam-se, de preferência, com o pronome *o qual*. Exemplos:

Perguntei-lhe quantos eram os temas *sobre os quais* ele devia falar.

"Teve então início um breve cerimonial contábil, *durante o qual* só se ouvia o ruído da pena arranhando o papel." (Herberto Sales)

"E havia a grande mangueira *sob a qual* um grupo de crianças tranquilamente ouvia as histórias que uma mulher contava." (Cecília Meireles)

"Observava a presença de pequeníssimos corpúsculos, *sem os quais* a água perdia aquelas propriedades fosforescentes." (Cecília Meireles)

"Dizia Napoleão que sempre há algum artigo de lei *em virtude do qual* se pode mandar enforcar um cidadão, sendo necessário." (Ciro dos Anjos)

"Glória e Gabriela ficaram, pois, com as damas, *entre as quais* se achava uma bela e jovem senhora que se chama Berta..." (Ciro dos Anjos)

"Tinha a ciência da economia doméstica, *mediante a qual* sabia despender utilmente, sem faltas nem sobras." (Machado de Assis)

"E Luísa estaria presente – a última testemunha *perante a qual* ele seria insensível ao vexame." (Fernando Namora)

"Havia também um tanque, *em torno do qual* a empregada se agitava." (Leandro Tocantins)

"Esta é uma cidade *sobre a qual* se perdeu todo o controle." (Ignácio de Loyola Brandão)

- As preposições monossilábicas *a, com, de, em* e *por*, quando iniciam orações adjetivas restritivas, empregam-se, de preferência, com o pronome *que*:

A moça [*a que* me refiro] não é desta cidade.

Não encontrei os livros [*de que* precisava].

O atalho [*por que* passamos] atravessava a mata.

- Como já vimos anteriormente, os pronomes relativos vêm precedidos de preposição (ou locução prepositiva) quando o verbo da oração adjetiva a reclamar. Exemplos:

Ainda me lembro dos passeios *a que* ele me levava. [*levar a* um lugar]

São muitas as pessoas *de quem* dependemos. [*depender de* alguém]

O processo terapêutico caiu em desuso, motivo *por que* hoje poucos o conhecem.

"Vou hoje saber o preço *por que* o vendeu." (Machado de Assis)

"... árvore fatal *a cuja* sombra adormecemos indolentes." (Carlos de Laet)

"A vista é o sentido *através do qual* mais ofendidas são as nossas ideias estéticas." (Vivaldo Coaraci)

"... parecia uma múmia viva, *no fundo de cujas* órbitas se houvessem enxertado os olhos lustrosos e limpos dum homem de trinta anos." (Érico Veríssimo)

Observações:

✔ Como vimos, *onde*, como pronome relativo, refere-se a um antecedente, equivale a *em que, no qual*, e pode vir regido de preposição:

O rio *onde* pescam está poluído.

O caminho por *onde* passamos é muito perigoso.

✔ Distinga-se *por que* [= pelo qual] de *porque* [conjunção] e de *por que* [advérbio]:

Foi amarga a experiência *por que* passei. Não fui *porque* chovia. *Por que* chora?

SINTAXE 569

11 PRONOMES INDEFINIDOS

Eis o que convém saber acerca do emprego de certos pronomes indefinidos:

▪ **algum**

Anteposto ao substantivo, tem significação positiva; posposto apresenta valor negativo:

Algum amigo os traiu. [= um amigo]

Amigo *algum* os traiu. [= nenhum amigo]

Em hipótese *alguma* admitirei isto. [*alguma* = nenhuma]

"Você, afinal, é que não mudou em coisa *alguma*." (Fernando Namora)

"O homem não é integralmente feliz em parte *alguma* do mundo." (Ferreira de Castro)

▪ **cada**

Pode apresentar-se na frase com valor:

a) distributivo:

Cada livro custou dez dólares!

Lúcia visita os pais *cada* três meses.

b) intensivo:

Lá na cidade tem *cada* moça bonita!

"Dentão grande, pezão grande, *cada* unha!" (Graciliano Ramos)

De modo geral, não é necessário empregar a preposição *a* antes de *cada*, em adjuntos adverbiais de tempo. Exemplos:

É preciso adubar a terra *cada* ano.　　Ana compra roupas *cada* seis meses.

Os preços aumentavam *cada* dia.　　Esse risco nos ameaça a *cada* instante.

A forma correta é *cada um(a)*, e não simplesmente *cada*, em frases como:

Os livros custaram dez reais *cada um*.

As máquinas custaram dois mil reais *cada uma*.

▪ **demais**

Significa *os outros, os restantes*:

Dos quadros que fiz só tenho dois; os *demais* eu vendi.

Observação:

✔ Não confundir o pronome indefinido *demais* com o advérbio de intensidade *demais* (Comeu *demais*), nem com a locução adverbial *de mais* (Não fez nada *de mais*), ou com a palavra continuativa *demais* (além disso): João relutou em saldar o débito; *demais* (ou *demais disso*), ele pagou fora do prazo.

▪ **menos, mais**

a) *Menos* é invariável:

É preciso gastar *menos* água. [e não: *menas água*]

Na roseira, há menos rosas do que espinhos. [e não: *há menas rosas*]

b) *Mais* significa *muitos, uma infinidade,* em frases como:

Os índios avançavam, atirando flechas e *mais* flechas.

▪ nenhum

Posposto ao substantivo, aviva a negação:

"Seu Ivo não mora em parte *nenhuma*". (GRACILIANO RAMOS)

Cumpre distinguir *nenhum* de *nem um*:

Não recebeste *nenhum* elogio? [= elogio algum]

Não recebi *nem um* elogio. [*sequer um elogio*]

▪ certo

Antepõe-se a um substantivo, podendo, em alguns casos, vir precedido do artigo *um*:

Tinha *certo* ar de superioridade.

Chegamos ao sítio de *um certo* Eufrásio.

▪ qual

Como pronome indefinido, tem o sentido de *cada qual*:

"Em seguida desceram, e já não eram dois, mas sim dez meninos, *qual* mais fagueiro, e todos diziam que iam acabar com a ratazana." (LUÍS HENRIQUE TAVARES)

▪ qualquer

O plural deste pronome é *quaisquer*:

Executamos *quaisquer* serviços.

• Pode apresentar-se com sentido depreciativo:

"A intenção dele é mostrar que não é criado de *qualquer*." (MACHADO DE ASSIS)

▪ todo

Modernamente, costuma-se distinguir *todo* [= cada, qualquer] e *todo o* [= inteiro, completo]:

Li *todo o* livro. [= o livro *todo* ou *inteiro*]

Lia *todo* livro que encontrasse. [= *cada* ou *qualquer* livro]

• Usa-se como advérbio, no sentido de *completamente*, mas geralmente flexionando-se em gênero e número:

Os ipês estavam *todos* floridos.

A roupa estava *toda* molhada.

As alunas iam *todas* alegres.

• Todavia, também é lícita a forma invariável:

As ruas ficaram *todo* alagadas.

Os picos estavam *todo* cobertos de neve.

▪ Tudo

Pode-se dizer, indiferentemente, *tudo que* ou *tudo o que*:

Esqueça *tudo que* ficou atrás.   Nem *tudo que* brilha é ouro.

Esqueça *tudo o que* ficou atrás.   Nem *tudo o que* brilha é ouro.

12 ADVÉRBIO

▪ Os advérbios modificam o verbo, o adjetivo ou outro advérbio, conforme já vimos.

São anômalos e raríssimos os casos em que advérbios de intensidade se referem a um substantivo ou pronome, desempenhando a função de reforço enfático. Exemplos:

Aquele gesto *tão seu* encantava-me.

"Você ignora que quem os cose sou eu, e *muito eu*?" (Machado de Assis)

"O vento era *todo malícia*." (Aníbal Machado)

▪ Os advérbios são, na sua generalidade, invariáveis. Alguns, porém, recebem as flexões de grau:

"Deveria ser *muitíssimo* longe." (Machado de Assis)

"Foi vítima dum animalzinho *muitíssimo* menor." (Monteiro Lobato)

Na linguagem afetiva usam-se as formas diminutivas dos advérbios com a ideia de intensidade, à maneira de superlativos:

"Amanhã espero você para brincar, *de tardinha*." (Helena Silveira)

"Há um amigo ali *pertinho*..." (Aníbal Machado)

"Tinha a impressão de que Zito estava dirigindo o país *direitinho*." (Aníbal Machado)

"Assis é *assinzinha*, do tamanho de uma concha." (José Geraldo Vieira)

▪ Numa série de advérbios terminados em *-mente*, em geral só o último toma esse sufixo:

"Por que são fortes *econômica* e *militarmente*?" (Érico Veríssimo)

"Abalado *física, moral* e *espiritualmente*." (Otto Lara Resende)

"*Velada* ou *abertamente*, falavam-me então dos tais fabulosos tratamentos."
(Fernando Namora)

• Por ênfase, repete-se às vezes o sufixo:

"E [os tesouros] apareceram *fabulosamente, opulentamente, deslumbrantemente*..."
(Viriato Correia)

▪ Comum é também usar o adjetivo em vez do advérbio terminado em *-mente*:

"Tancredo ergueu-se *rápido* do divã." (Valentim Magalhães)

"As lanças eram *demasiado* leves." (Machado de Assis)

"*Súbito* um sorriso iluminou-lhe a face." (José Mauro de Vasconcelos)

▪ Os comparativos sintéticos *melhor* (mais bem) e *pior* (mais mal), *maior (mais grande)* e *menor* (mais pequeno), é óbvio, são invariáveis:

Vamos indo *melhor*.

As coisas andam *pior* do que antes.

"No próximo caderno vou escrever *menor* e mais depressa." (OTTO LARA RESENDE)

- Antes de particípio, diz-se, indiferentemente, *mais bem* ou *melhor*, *mais mal* ou *pior*:

Dali em diante, fomos *mais bem* (ou *melhor*) *tratados*.

Nunca recebi carta *mais mal* (ou *pior*) *redigida*.

Casa *mais mal* (ou *pior*) *construída* jamais vossos olhos verão.

"Tenho empregados que nunca estudaram e são *mais bem pagos*." (GRACILIANO RAMOS)

"Coisas mal ouvidas e *pior entendidas*." (ROCHA LIMA)

"E foi à estante e tirou um dos relatórios para ser *melhor visto*." (MACHADO DE ASSIS)

"Saí *melhor informado* de tudo e... mais tranquilo." (HERBERTO SALES)

"Gioconda às vezes reconhecia que Diana estava *melhor credenciada* para enfrentar a realidade." (NÉLIDA PIÑON)

"Temos terra, que pode ser mais e *melhor cultivada*, devemos cultivá-la."
(ANTÔNIO FELICIANO DE CASTILHO)

"... para que as mulheres ficassem *melhor acomodadas* no interior e os homens fora."
(CASSIANO RICARDO)

- Depois do particípio, usam-se exclusivamente as formas sintéticas:

A estátua foi *esculpida melhor* do que esperávamos.

Agora estamos sendo *atendidos pior* que antes.

- Uma coisa pode ser *melhor do que a outra*, e não *melhor a outra*. Portanto:

É *melhor* sacrificar a rês doente *do que* pôr em risco [e não *a pôr em risco*] a vida do rebanho inteiro.

Ele achou que era *melhor* morrer como herói *do que* viver como escravo.

- Não se confundam *menos mau* e *menos mal*. Recorde-se que *mau* (adjetivo) se opõe a *bom*, e *mal* (advérbio), a *bem*:

O *mau* humor de Gil me deixou *mal* impressionada.

"Creiam-me, o *menos mau* é recordar." (MACHADO DE ASSIS)

"Eu, porém, que sou médico e sei *menos mal* o meu Cláudio Bernard, encaro a questão por outra face." (VALENTIM MAGALHÃES)

- Ensinou-se, anteriormente, como se exprime o limite da possibilidade. Outros exemplos:

Cobri o rosto *o mais que pude* com o meu capuz.

"Guma fazia as viagens *o mais rápido que podia*." (JORGE AMADO)

"Conseguir uma linguagem literária que se aproxime *o mais possível* da linguagem oral."
(RAQUEL DE QUEIRÓS)

- O advérbio *aqui* assume, por vezes, nas narrativas, sentido temporal (= *neste momento, neste ponto*). Exemplo:

"*Aqui* uma nuvem escura envolveu-lhe o espírito." (ANÍBAL MACHADO)

SINTAXE 573

- O advérbio *não* aparece, sobretudo em frases exclamativas, despojado de sua significação, como simples expletivo. Exemplos:

"Que doce a vida *não* era nessa risonha manhã! (CASIMIRO DE ABREU)

"Quantas angústias *não* passaram os manos...!" (RUBEM BRAGA)

- Em frases negativas o advérbio *já* indica cessação de um fato e vale o mesmo que *mais*. Exemplos:

"Agora *já* não se fazem destes aparelhos." (CARLOS DE LAET) [= Agora não se fazem *mais* destes aparelhos.]

"Arquiteto do mosteiro de Santa Maria *já* o não sou." (ALEXANDRE HERCULANO) [= não o sou *mais*]

A ênfase justifica o emprego simultâneo e redundante de *já* e *mais*:

"*Já* não há *mais* razão para a revolta." (ANÍBAL MACHADO)

"*Já* não se fazem *mais* frases como antigamente." (MOACIR WERNECK DE CASTRO)

- Na locução adverbial *a olhos vistos* (= claramente, visivelmente), o particípio permanece invariável, no masculino plural. Exemplos:

"Muitas, à força de jejuns, desmedravam *a olhos vistos*." (CAMILO CASTELO BRANCO)

"O Brasil então medrava *a olhos vistos*, mantendo acima do par o valor da sua moeda." (CARLOS DE LAET)

- *Bastante*, antes de adjetivo, é advérbio, portanto, invariável:

Saíamos do encontro *bastante* satisfeitos.

As candidatas estavam *bastante* nervosas.

- É variável quando adjetivo ou pronome indefinido:

Tens recursos *bastantes* para a obra? [*bastantes* = suficientes]

Há provas *bastantes* para condenar o réu.

"Em torno de nós jaziam riquezas incontáveis, *bastantes* para pagar as dívidas de muitos Estados." (EÇA DE QUEIRÓS)

Isto aconteceu há *bastantes* anos. [*bastantes* = muitos]

Pode-se contestar o uso de *bastante(s)* no sentido de *muito(s)*, mas não faltam abonações de eminentes escritores brasileiros e portugueses.

- Normalmente, se diz:

Sabemos *quanto* custa perdoar uma injúria.

"Só então é que pude avaliar melhor *quanto* a adorava." (LUÍS JARDIM)

Todavia, é tendência generalizada antepor ao advérbio *quanto* a partícula expletiva *o*:

Eu mesmo não poderia negar *o quanto* queria a Dulce." (LUÍS JARDIM)

"Só agora via *o quanto* se enganara." (LÍGIA FAGUNDES TELLES)

- A tendência, hoje, é fazer distinção entre *onde* e *aonde*, combinação da preposição *a* com *onde*.

a) Usa-se *aonde* com verbos de movimento que se constroem com a preposição *a*, como *ir, chegar, levar*.

574 **SINTAXE**

Não sei *aonde* foram. [*ir a* um lugar]

Aonde me levas? [*levar a* um lugar]

"Barqueiro do Douro, *aonde* chegaremos?" (CECÍLIA MEIRELES)

b) *Onde* é adequado a verbos que indicam permanência e que se constroem com a preposição *em*, como *estar, morar, ficar*.

Fique *onde* está. [*estar em* um lugar]

Onde mora a jovem? [*morar em* um lugar]

• *Onde* é de rigor quando precedido de preposição:

Até *onde* vou não sei.   Para *onde* ir?

De *onde* vem essa gente?   Siga *por onde* lhe indiquei.

Observações:

✔ De acordo com o *Vocabulário Ortográfico*, escreve-se o advérbio interrogativo *por que* em duas palavras: "*Por que* não vens?" "Queria saber *por que* não vens."

✔ Contudo, a grafia *porque*, numa só palavra, é mais acertada e coerente e a que melhor se harmoniza com o nosso sistema ortográfico simplificado.

EXERCÍCIOS

LISTA **58**

1. Anteponha o artigo definido às expressões que o admitem:

meu pai	Recife	moderna Lisboa
Vossa Excelência	minha casa	Nossa Senhora
Sua Majestade	casa paterna	Bahia
Cairo	Lisboa	Açores

2. Anteponha às palavras em destaque o artigo definido, quando necessário:

a) Como pode o pássaro voar, se tem ambas **asas** feridas?

b) Não é todo **país** que possui florestas como o nosso.

c) Percorri todo **país**, de norte a sul.

d) Afinal, dei com uma caverna, cuja **entrada** mal se percebia.

e) São artistas que provieram de classes sociais **mais** contrastantes.

f) São muito importantes esses rios, pois todos **três** são navegáveis.

g) Você bem sabe **quanto** lutei para conseguir este emprego.

h) Eles navegaram meses sem ver **terra**.

3. Numere de acordo com o valor dos adjetivos:

(1) substantivo

(2) advérbio

(3) superlativo

A morte de Sílvia golpeou-a **fundo**.

Era tão **fragilzinha** a minha amiga!

Não deixe o **certo** pelo **duvidoso**.

Breve estarei contigo.

Ele compra **barato** e vende **caro**.

Deu-se então o **inevitável**.

4. Identifique a que sentido (olfato, audição, paladar, tato, visão) se referem os adjetivos abaixo e junte-os a substantivos a que se possam aplicar:

Exemplo: fruta **doce** (paladar)

acre, ofuscante, tépido, sibilante, macio, lívido, insípido, grave, cáustico, adstringente, aromático, álgido, picante, estridente, fétido, delicioso, veludoso

5. No emprego dos adjetivos das expressões abaixo, houve transferência de sensação de um sentido para outro. Indique essa transferência, de acordo com o exemplo:

Exemplo: doce voz (paladar → audição)

tom macio   amargas palavras

olhar frio   sorriso quente

cores cruas   claras e perfumadas vozes

som áspero

6. Siga o primeiro exemplo, trocando o adjetivo destacado pelo substantivo abstrato:

Era desoladora a paisagem cinzenta e **monótona**.

Era desoladora **a monotonia** cinzenta da paisagem.

a) Na planície verde e **monótona** só os umbus se destacavam.

b) Fiquei impressionado com aqueles homens **polidos** e frios.

7. Escreva os numerais por extenso:

o século X   o Papa Pio IX

o rei Luís XVI   o século XI

8. Substitua as palavras destacadas pelos correspondentes pronomes oblíquos, devidamente colocados:

a) Teria sido nocivo **ao doente** o medicamento?

b) Havia **cajueiros** de várias qualidades.

c) A presença do guarda fez retroceder o **larápio**.

d) Teria esquecido **o cheque** no táxi? Talvez deixara **o cheque** no escritório.

e) Direi **ao empresário** o que penso a respeito de sua determinação.

f) Libertemos do erro **as nossas consciências**.

g) Cristo perdoou **a seus algozes**. Você perdoaria **a seus algozes**?

h) Presentearam **a princesa** com um colar de águas-marinhas.

i) Defendestes **a pátria** com bravura.

j) Infligimos pesada derrota **aos invasores**.

k) Livrarei **esses rapazes** dos sentimentos que infelicitam **esses rapazes**.

l) Posso garantir **à senhora** que seu filho é inocente.

m) Quem valerá **às órfãs**?

9. Use a passiva sintética no lugar da analítica, substituindo ao mesmo tempo os destaques pelos pronomes oblíquos:

Exemplo: Foi notada no gesto **dele** qualquer coisa de estranho.

Notou-se-lhe no gesto qualquer coisa de estranho.

a) Era vista no rosto **dele** a palidez da morte.

b) São vistas no corpo **dele** as marcas das balas.

c) Era notada no olhar **dele** uma expressão feliz.

10. Substitua os destaques pelos pronomes átonos da mesma função, contraindo-os corretamente:

Exemplo: Quem vos garantirá **o sustento**? Quem **vo-lo** garantirá?

a) A glória é nossa e ninguém nos arrebatará **esta glória**.

b) Quem vos dará **as razões**?

c) Pedi que me devolvesse **os livros** com urgência.

d) Quem me explicava **a lição** era meu pai.

e) Alguém entregou **o cheque a Vossa Senhoria**?

f) Quem nos desvendará **tantos mistérios**?

11. Transcreva o período abaixo, sublinhando os pronomes oblíquos com valor de pronomes possessivos:

"Os sapatos enterram-se na areia; o reflexo do sol cega-lhe os olhos; agudo fio de navalha, o vento corta-lhe a pele." (Jorge Amado)

12. Escreva os períodos abaixo substituindo os possessivos pelos pronomes oblíquos correspondentes, colocando-os corretamente:

a) Eu retive o **seu** braço fortemente.

b) Não pude ver o **seu** rosto.

c) O vento não mais fareja a **minha** face como um cão amigo.

d) Esses monstros querem esmagar os **nossos** corpos?

e) Ataram as **suas** mãos às costas e levaram-no preso.

f) Dir-se-ia que uma sombra funesta envolve a **tua** alma.

g) Uma expressão nova desenhou-se no **seu** rosto.

h) Dançavam na **minha** cabeça imagens aterradoras.

i) Era como se um grande peso oprimisse o **meu** corpo e a **minha** alma.

j) O lenhador derrubou a árvore e cortou os **seus** galhos.

13. Substitua em cada frase os asteriscos pela alternativa correta:

a) Não ***** censurando, Marlene. (*estou lhe – a estou*)

b) Ajude sua mãe, não ***** sozinha. (*deixe ela – a deixe*)

c) De todas as partes chegam casais trazendo presentes para os noivos, depositam-***** em sua volta e, dando-se as mãos, fazem uma roda alegre. (*os – nos*)

d) As feras viram o índio, seguiram-***** até a orla da mata e desapareceram. (*no – lhe*)

e) A mãe precipita-se para o menino e arrebata-***** a arma. (*o – lhe*)

14. Passe o pronome oblíquo para a terceira pessoa do singular:

a) Roque **me** abraçou emocionado, agradeceu-**me** e felicitou-**me** pelo gesto.

b) "Este lugar **me** deprime e **me** inspira pensamentos tristes." (Vilma Guimarães Rosa)

SINTAXE 577

15. Empregue corretamente os pronomes pessoais **eu** e **mim**, no lugar do *:

a) O professor apresentou-me uma folha para * traçar um polígono.

b) Para *, traçar um polígono era quase um divertimento.

c) O dinheiro que meu pai mandou era exclusivamente para *.

d) Esse dinheiro era para * comprar roupas e calçados.

e) Leila sentou-se entre * e Alexandre.

f) "Sem *, nada podeis fazer", disse Cristo.

g) A secretária enviou a carta sem * assinar.

h) Os gritos da criança chegaram até *.

i) Não havia motivo para * ficar triste.

j) Afastei-me rápido, para que a pedra não caísse sobre *.

16. Orientado pelo que se ensinou sobre *pronomes pessoais*, substitua o * pelos pronomes **si** ou **ele(s)**, **ela(s)**, conforme convenha:

a) Os herdeiros repartiram os bens entre *, sem desavenças.

b) Rômulo conseguiu o cargo por * mesmo, por seu mérito.

c) José foi preso injustamente e não há quem se interesse por *.

d) Artur era bom pai, vivia para * e sua família.

e) Via-se que João estava bêbedo, pois falava contra * mesmo.

f) A moça percebeu que minha pergunta se dirigia a * e a seu companheiro.

g) A guerra só deixa sangue e cinzas após *.

h) Alípio se aborreceu: pensou que eu estava me referindo a *.

17. Substitua o * da frase pela alternativa que está de acordo com a norma culta:

a) Rui perdeu a partida porque confiou demais * . (*nele – em si*)

b) Respeite o adversário, mas tenha confiança em *. (*você – si*)

c) Para impedir que Joel incomodasse a irmã, o pai mandou-o sentar longe *. (*dela – de si*)

d) O senhor Oliveira estava em paz com a vida e * mesmo. (*com ele – consigo*)

e) Júlio não quis comer, afastou * o prato vazio. (*dele – de si*)

f) Cada um reclamava para * a glória de ter prendido o famigerado terrorista. (*ele – si*)

g) Os retirantes carregaram * o que puderam levar. (*com eles – consigo*)

h) Ênio é ainda criança: não cabe a * decidir sobre o caso, mas aos pais. (*ele – si*)

i) Tuas riquezas, bem sabes, não as levarás * para a sepultura. (*com você – contigo*)

j) O patinador para no centro da pista e roda sobre *, num giro velocíssimo. (*ele – si*)

18. Substitua os asteriscos pelos pronomes **lhe**, **lhes**, ou **a**, **o**, **os**, conforme a regência dos verbos:

a) Os dois moços ajudaram-*** a sair do barco. Ela *** agradeceu.

b) Se eu não *** conhecesse, não *** deixaria entrar, tão estranho me pareceu.

c) Fortes eles eram, mas nós *** resistimos e *** vencemos.

d) André e Lúcio não *** temiam, mas *** respeitavam, quando ele falava.

e) Se *** convier, posso servir-*** de cicerone. Aceita a sugestão?

f) Convido-*** para um passeio, espero-*** ansioso, mas ela não vem.

19. Escreva as frases em seu caderno informando a função do pronome **se**, de acordo com a teoria estudada no parágrafo 7, pág. 562:

a) Os dois amigos abraçaram-se emocionados.

b) Os detentos queixavam-se de maus-tratos.

c) O Estado reservou-se o direito de desapropriar o imóvel.

d) Não há no mundo duas pessoas que se queiram tanto.

e) Os rapazes descem das árvores e também se vão. (Érico Veríssimo)

f) Nas noites quentes dormia-se nas redes.

g) Marciano trancou-se no quarto e descansou.

h) Trancaram-se as portas por medida de segurança.

i) Jesus deixou-se prender e levar à presença do Sumo Sacerdote.

20. Classifique o pronome **se** dos seguintes exemplos, como fez no exercício anterior.

a) Deram-se as mãos e saíram em direção à praça.

b) Sofia deixou-se estar à janela.

c) As pazes fizeram-se como a guerra, depressa.

d) "Bajula-se hoje para atacar amanhã." (Carlos de Laet)

e) Os galãs vestem-se com apuro.

f) Entreolharam-se com desprezo.

g) Assim se vai aos astros.

h) Certas classes sociais arrogam-se muitos privilégios.

i) Acreditava-se que a Terra fosse imóvel.

j) Vão-se os anéis e fiquem os dedos.

k) Cumprimentaram-se friamente.

l) O menino sorria-se feliz.

m) "Muito se lucra quando se é honrado." (Camilo Castelo Branco)

n) "Os cacaueiros em frente se balançavam ao sabor da brisa." (Jorge Amado)

o) "Dizia-se do Norte, filho do Ceará." (José Lins do Rego)

p) "Saía-se do coração da brenha só para se ver o barco." (Ferreira de Castro)

q) Ela impôs-se uma dieta severíssima.

r) Os dois irmãos reconciliaram-se algum tempo depois.

21. Transcreva a oração em que o pronome **me** é expletivo:

Não me atendeu.   Ferveu-me o sangue, de raiva.

Pediu-me desculpas.   Não me ponha mais os pés nesta casa, ouviu?

22. Qual a ideia expressa pelo pronome possessivo, na frase abaixo? (posse, idade, estimativa)

Era um homem de *seus* 29 anos, forte e moreno.

23. Troque em cada frase o * por um dos pronomes demonstrativos propostos adequado ao contexto:

a) Na traseira do caminhão lia-se * frase: "Tristeza não paga dívidas". (*essa – esta*)

b) Aviso-o de que chegarei a * cidade no dia 2 de maio. (*essa – esta*)

c) O chefe da rebelião, * tratou de fugir. (*esse – este*)

d) Mas você vai ao colégio com * unhas imundas! (*essas – estas*)

e) O Brasil é rico e imenso: um país como * só pode progredir. (*esse – este*)

f) Era uma linda samambaia, * que chamam de "choronas". (*dessas – destas*)

SINTAXE 579

g) Um dia * eu estava em casa sozinho. (*desses – destes*)

h) Grave * na memória: o mal se combate com o bem. (*isso – isto*)

i) Ver um amigo afogar-se e não poder salvá-lo, * é que é horrível. (*isso – isto*)

j) Cuidado, mergulhador, * animais são venenosos: a arraia-mijona, o peixe-escorpião, a medusa, o mangangá. (*esses – estes*)

24. Evite as repetições por meio do verbo vicário **fazer** precedido do pronome demonstrativo **o**:

a) Ia dizer-lhe palavras ásperas, mas não **lhe disse palavras ásperas**.

b) É certo que te ofendi, mas não **te ofendi** por maldade.

c) Não conseguiu humilhar-me, embora procurasse **humilhar-me**.

d) Telefonava-lhe quase diariamente e, quando não **lhe telefonava**, mandava-lhe recado.

e) Que diria a mulher se ele confessasse que não lhe socorreu o marido, embora pudesse ter **socorrido o marido**?

f) Procurava chamá-lo o menos possível, e se **o chamava**, era só em casos extremos e pedindo-lhe desculpas.

g) Ele resolveu publicar suas memórias, porém não pretende **publicar suas memórias** já.

25. Substitua os destaques pelos pronomes demonstrativos adequados:

a) Bem diversa é a sorte do livro e do jornal: **o jornal** é torrente que desliza e passa, **o livro** é lago que colige e guarda.

b) O perdão enobrece, a vingança rebaixa: **a vingança** é própria dos escravos, **o perdão** é a virtude dos nobres.

c) O jardim de Paulo era belo, mas **o jardim** de Mário não era menos **belo**.

d) O jogo nos rouba tempo e dinheiro: **o dinheiro**, talvez o possamos recuperar, **o tempo**, nunca.

e) O que na França é desonra, talvez não seja **desonra** na Mongólia.

f) Sou independente, e devo admitir que os outros também sejam **independentes**.

26. Escreva corretamente o período em que é considerado erro o emprego do pronome demonstrativo **o**:

a) Não sabemos o que aconteceu depois que o navio afundou.

b) A criança guarda tudo o que ouve.

c) Esse jogador tem muito o que fazer para atingir a forma ideal.

d) "Se a casa das Marcondes era alegre, a nossa não o era menos." (Pedro Nava)

27. Escreva os períodos utilizando a opção que substitui corretamente os asteriscos:

a) Na carta menciono o nome e o endereço do amigo **** poder se encontra a fita magnética **** me referi há pouco.

b) Estes são alguns dos acontecimentos **** Félix se envolvera e **** se vangloriava.

       a) a cujo – a que – nos quais – de que

       b) em cujo – à que – nos quais – de que

       c) em cujo – a que – em que – dos quais

28. Em três dos seguintes períodos não é lícito empregar o pronome relativo **que** em lugar de **o qual**. Indique-os e diga a razão:

a) Sentamo-nos num lindo quiosque, perto **do qual** crianças brincavam e riam.

b) Difícil tarefa recuperar um navio **do qual** o mar se apoderou.

c) Que outro astro é tão importante como o Sol, **o qual** nos dá luz, calor e energia?

d) Esses nevoeiros no alto das serras, **os quais** são os pesadelos dos motoristas, ficam mais densos nos dias chuvosos.

e) O que a tornou famosa foi a beleza de seu rosto, **a qual** ninguém lhe disputava.

29. Siga o exemplo, trocando **do qual** ou **de que** pelo equivalente **cujo(a)**:

Ao atravessar a mata, vimos um lindo pássaro azul, **do qual** nenhum de nós sabia o nome.

Ao atravessar a mata, vimos um lindo pássaro azul, **cujo** nome nenhum de nós sabia.

a) "Balbuciou algumas palavras confusas, **de que** ele mesmo ignorava a significação." (GRACILIANO RAMOS)

b) "Dirigiram-se ao bar e sentaram-se diante da mesinha, no centro **da qual** brilhava a chama de uma vela." (VILMA GUIMARÃES ROSA)

c) "Deve ser assim o fim do mundo, o extremo de todas as coisas: um longo caminho, no topo **do qual** existe um simples portão." (SANTOS FERNANDO)

30. Crie períodos cujas orações adjetivas iniciem pelos conjuntos:

a que	a qual	durante a qual	após o qual
à que	à qual	dentro do qual	com quem
de que	sobre a qual	sem os quais	de cujo

Exemplo: "A casa é uma prisão **à qual** você se acostuma como os animais do Jardim Zoológico se acostumam com as suas jaulas." (RUBEM FONSECA)

31. Substitua nos períodos o * por pronomes relativos adequados, precedidos da preposição exigida pelo verbo:

a) Conheço a pessoa * te referes.

b) É pelo saber que conquistareis o posto * aspirais.

c) A regata internacional, * início assisti, revelou novos valores do remo.

d) A vida ensinou-me a respeitar as pessoas * eu lido.

e) Cada experiência * passamos é favor da vida.

f) O outeiro, * se ergue a igreja, fica defronte do mar.

g) Sois réus dos mesmos crimes * vos insurgis.

h) Nosso Rei, * poderio vos rendeis, saberá ser magnânimo.

i) Baltasar sofreu o castigo * o profeta Daniel o tinha ameaçado.

j) Não escolhas um ofício * não tenhas aptidão.

k) No livro * me refiro o autor fala sobre a Antártida.

l) Não foram poucos os obstáculos e perigos * nos defrontamos.

m) Se a praça * estávamos era grande, esta * chegamos é bem maior.

n) A casa era cercada por um muro alto, * fora erguida uma tela de arame grosso.

o) Brito não simpatizava com o irmão, *, aliás, pouco se parecia.

32. Escolha os conjuntos adequados e escreva os períodos, substituindo os asteriscos nas orações adjetivas:

atrás do qual – diante da qual – durante o qual – em virtude da qual – graças ao qual – sem as quais – sobre o qual

a) É importante cultivar boas amizades, ****** a vida se tornaria triste e monótona.

b) O cronista já escolhera o tema ****** devia escrever.

c) Foi muito proveitoso o encontro de jovens, ****** houve palestras e debates interessantes.

d) O país construíra uma nova capital no planalto, ****** o mundo começava a pasmar.

e) Ao homem foi concedido o dom da palavra, ****** ele pode comunicar-se com seus semelhantes.

f) Fui galgando um pequeno morro, ****** se escondia a casa do caboclo.

g) Queria saber qual é a lei ****** se pode matar uma pessoa inocente.

33. Resolva as questões seguintes:

a) Forme a voz passiva com o pronome apassivador **se**:

Esforço-me por que os erros sejam conhecidos e remediados.

b) Analise a palavra grifada: Não sei *no* que pensas.

c) Transcreva o período e sublinhe os adjetivos substantivados:

"O azul e o verde das piscinas contrastando com o negro da lava é de grande efeito."
(Viana Moog)

d) Copie os períodos colocando o acento da crase onde necessário:

1) Fui a Copacabana para assistir a festa de fim de ano.

2) O navio chegou a Fortaleza as cinco horas da tarde.

3) Minha viagem a Bahia, devido a um temporal, teve de ser adiada.

e) Substitua corretamente o * por **bastante** e **bastantes** e numere as frases de acordo com a classe gramatical dessas palavras:

(1) **advérbio**   (2) **pronome indefinido**   (3) **adjetivo**

Já temos provas * para inocentar o réu.

Houve * cartões premiados.

Eles são rapazes * fortes.

Eles foram * compreensivos.

Precisamos de * alimentos.

Tens forças * para tão dura missão?

34. Substitua nas frases os asteriscos pelos adequados pronomes indefinidos constantes da relação: algumas – nenhuma – outras – outrem – outros – quaisquer – menos – poucas – tantas – uns

a) Não é lícito invadir a casa ou a propriedade de ******.

b) Para certos serviços especializados não servem ****** profissionais.

c) Vinte casas, se ******, formavam a rua principal do povoado.

d) Cada qual contava suas histórias: ****** tristes, ****** alegres e jocosas.

e) No choque entre manifestantes e policiais houve pancadaria e ferimentos, leves ******, graves ******; morte, porém, ******.

f) No canavial, homens e mulheres trabalhavam sem parar: ****** cortavam a cana com afiadas foices, ****** a despontavam e limpavam com facões, ****** ainda a carregavam para os caminhões estacionados à margem do canavial.

g) "Estas e ****** mais foram as palavras do presbítero." (Camilo Castelo Branco)

h) Na escola havia ****** meninas do que meninos.

35. Copie apenas a frase na qual o pronome **tal** tem conotação depreciativa:

a) Alguém que lesse tal notícia não a levaria a sério.

b) Tal não aconteceria, se os motoristas fossem mais prudentes.

c) Você já leu algum livro desse tal de Freud?

36. Escreva os períodos substituindo os asteriscos por **porque** ou **por que**, conforme o caso, e anteponha a cada frase a respectiva letra, de acordo com o esquema seguinte:

• Grafa-se **por que**, em duas palavras, quando:

a) significa **pelo(a) qual, pelo(s) quais, pela(s) quais**, caso em que a palavra **que** é pronome relativo: Era escuro o atalho **por que** passei;

b) significa **por qual, por quais**, sendo o **que** pronome indefinido: Ele quis saber **por que** motivo eu estava chorando;

c) é possível subentender a palavra **motivo** (ou **razão**, **causa**), sendo **por que** advérbio interrogativo: **Por que** está chorando?

d) o **que** é conjunção integrante: Anseiam **por que** isso termine logo.

• Escreve-se **porque**, em uma só palavra, quando:

e) é conjunção causal: Bebo **porque** tenho sede.

f) é conjunção explicativa: Devia estar sofrendo, **porque** tremia.

g) a pergunta propõe uma causa possível, limitando a resposta a **sim** ou **não**: Seu rosto sangra **porque** você brigou? Poucos foram à praia. Será **porque** ventava?

Ela estava triste, dominada não sei ****** recônditos pensamentos.

João devia estar com muita pressa, ****** nem se sentou.

Estavam ansiosos ****** o dia amanhecesse.

****** o arco-íris é colorido?

A criança queria saber ****** razão as estrelas cintilam.

Grandes são as transformações ****** vêm passando as cidades.

Chegou atrasado ao colégio ****** houve um engarrafamento.

****** meios os índios se comunicavam a distância?

Não revelou o motivo ****** não compareceu à reunião.

"Instou ****** a deixassem ir viver de seu trabalho." (Camilo Castelo Branco)

"******processo maléfico teria ocorrido a mudança?" (José J. Veiga)

O preso fugiu ****** subornou o guarda?

37. Transcreva apenas as frases corretas, que atendem à norma culta da língua:

a) Se aqui não existe árvores é porque não se as plantam.

b) Se aqui não existem árvores é porque não se plantam.

c) A vida se transfigura através do prisma da ilusão.

d) A vida se transfigura através o prisma da ilusão.

e) Gostamos que as coisas venham de encontro a nossos desejos.

f) Gostamos que as coisas venham ao encontro de nossos desejos.

g) Fiquei feliz em rever a ponte que eu presenciara a construção, em criança.

h) Fiquei feliz em rever a ponte cuja construção eu presenciara, em criança.

i) Alice definhava a olhos vistos.

j) Alice definhava a olhos vista.

k) O professor não deixa eu falar, eu não vou deixar ele em paz.

l) O professor não me deixa falar, eu não vou deixá-lo em paz.

m) Doutor Plínio, há um cliente que quer falar consigo.

n) Doutor Plínio, há um cliente que quer falar com o senhor.

o) Que tais as matas? Nelas agora há mais ou menos aves?

p) Que tal as matas? Nelas agora há mais ou menas aves?

38. Releia o estudado sobre o pronome adjetivo *cujo*, e, em seguida, transcreva a única frase correta:

a) Não tome remédio que o prazo de validade está vencido.

b) Não tome remédio cujo o prazo de validade está vencido.

c) Não tome remédio cujo prazo de validade está vencido.

d) Comprava remédios caríssimos, cujos remédios às vezes ele nem tomava.

e) Comprava remédios caríssimos, cujos às vezes ele nem tomava.

39. Forme duas frases com o pronome indefinido **menos** referente a **gente** e a **casas**.

40. Justifique o emprego da preposição **a** nos versos 7 e 12 do poema abaixo.

LEITURA

Sombra no ar

Um resto azul de sono ainda me ilude.
Mais visível se torna o meu fantasma
Turvo, entre a névoa da metamorfose.

Respiro o ar leve que sustenta o mundo.

A vida, nada mais que esse respiro.
Meu olhar, nada mais que essa procura.
Este o mundo a que vim, de pedra e sonho.

Penso: Por que me cerca este cenário?
Quem sou eu para ser digno da vida?
Que farei neste mundo, que direi?

Prefiro à minha voz o som das águas,
E a um pensamento, por maior, prefiro
Que por minha cabeça passe o vento.

Arde a nuvem na luz que além se acende.

Ao longe, o fundo da existência. Sempre
O céu presente, do alto presidindo.

(Dante Milano, *Poesias*, p. 107, Editora Sabiá, Rio de Janeiro, 1971)

EMPREGO DOS MODOS E TEMPOS

Compare os verbos destes exemplos:

João **leu** o livro.   **leu** → fato certo

Se João **lesse** o livro, aprenderia.   **lesse** → fato incerto

Leia, João, o livro.   **leia** → fato ordenado ou pedido

A essas diversas modalidades de um fato se realizar dá-se o nome de *modos*.

Como já vimos, os modos verbais são três: o *indicativo*, o *subjuntivo* e o *imperativo*.

Observação:

✔ Incluímos neste capítulo o estudo do particípio e do gerúndio, que são formas nominais do verbo.

1 MODO INDICATIVO

Exprime um fato certo, real, positivo. Excepcionalmente, pode traduzir incerteza, possibilidade. Aparece com mais frequência em orações independentes (absolutas, coordenadas e principais).

Vamos estudar o emprego dos tempos do indicativo:

▪ Presente

a) Indica um fato atual (simultâneo ao ato da fala), ou habitual:

Neste momento *penso* em você, leitor.

Mal clareia o dia, os homens *partem* para o trabalho.

b) Indica um fato permanente, uma verdade científica, religiosa ou filosófica:

A Terra *gira* no espaço, em torno do Sol.

O fim não *justifica* os meios.

c) Emprega-se nas narrações, em lugar do pretérito, para tornar mais viva, e como que atual, a representação de um fato. É o chamado *presente histórico*:

"Rumor suspeito *quebra* [= quebrou] a doce harmonia da sesta. *Ergue* [= ergueu] a virgem os olhos...; sua vista *perturba-se* [= perturbou-se]. Diante dela *está* [= estava] um guerreiro estranho." (JOSÉ DE ALENCAR)

d) Emprega-se pelo futuro do presente, para exprimir um fato que ocorrerá em breve:

Amanhã *vou* a Petrópolis. [*vou* = irei]

Príncipe inglês *chega* amanhã ao Rio. (estilo jornalístico)

"Amália *embarca* amanhã de volta para o Rio." (WALMIR AYALA)

e) Usa-se na linguagem viva e pitoresca, em lugar do pretérito imperfeito ou mais-que-perfeito do subjuntivo:

"Se o jumento *corre* por ali fora, contundia-me deveras." (MACHADO DE ASSIS)

[*corre* = tivesse corrido *ou* corresse]

"Se teu pai não *morre* e o seu partido *vinga*, podia acabar general." (CAMILO CASTELO BRANCO)
[*morre* = tivesse morrido *ou* morresse] [*vinga* = tivesse vingado *ou* vingasse]

"Se D. Maria Cristina não *tira* [do berço] o bebê depressa, seria uma tragédia."
(*JORNAL DO BRASIL*, 6/4/1973) [*tira* = tivesse tirado *ou* tirasse]

f) Pode substituir o futuro do subjuntivo, principalmente na linguagem emotiva, quando os sentimentos nos levam a romper com a disciplina gramatical:

Se te *afastas* daqui, serás punido.

g) Pode também ser usado, em lugar do imperativo, para se dar uma ordem atenuada, menos impositiva:

"Ninguém *desce* das redes, fora da hora de acampar para refeições." (EDY LIMA)

[*desce* = desça]

- **Pretérito imperfeito**

a) Enuncia um fato passado, porém não concluído, um fato que se prolongou:

Enquanto *subia* o morro, ia admirando a paisagem.

"O coronel fez um gesto que *traía* o seu agastamento." (ÉRICO VERÍSSIMO)

b) Traduz um fato habitual, durativo, no passado:

Aurélio *vivia* sempre quieto.

Adelaide *gostava* de festas.

"Madalena *possuía* um excelente coração." (GRACILIANO RAMOS)

c) Usa-se pelo presente para exprimir, com modéstia e polidez, um desejo, um pedido:

Gostava de saber se você vem.

Eu *queria* ter apenas a metade da fortuna dele.

d) Pode substituir o futuro do pretérito, principalmente na linguagem informal:

Se cultivasses estas terras, em pouco tempo *estavas* rico. [*estavas* = estarias]

"A carinha de Neuma *podia* ser de chinesa, fossem os olhos mais enviesados."
(RAQUEL DE QUEIRÓS) [*podia* = poderia]

"Deixassem-no com ele e haviam de ver o bicho que dali *saía*." (COELHO NETO) [*saía* = sairia]

"Se ela me preferisse ao marido, não *fazia* mau negócio." (GRACILIANO RAMOS) [*fazia* = faria]

Observações:

✔ Na linguagem culta formal, deve-se respeitar a correspondência temporal, combinando o pretérito imperfeito do subjuntivo com o futuro do pretérito do indicativo:

Se Pedro *fosse* competente, a empresa o *contrataria*. (certo)

Se Pedro *fosse* competente, a empresa o *contratava*. (errado)

✔ Embora não faltem exemplos em contrário, até mesmo em bons escritores, deve-se usar *havia* [= fazia] e não *há*, em frases do tipo:

A quadrilha *roubava* carros *havia* muitos anos.

O casal *se mudara* para Curitiba *havia* pouco tempo.

"*Havia* perto de oito anos que ela *vivia* naquela situação." (GASTÃO CRULS)

▪ Pretérito perfeito

a) Indica um fato completamente realizado, uma ação concluída:

"A América *reagiu* e *combateu*." (LATINO COELHO)

"*Assinei* as cartas e *meti*-as nos envelopes." (GRACILIANO RAMOS)

b) O pretérito perfeito composto traduz um fato passado repetido, ou que se prolonga até o presente:

Tenho-lhe *dado* sempre bons conselhos.

"Meu trato com Marcoré *tem decorrido* sem problemas, num entendimento completo." (ANTÔNIO OLAVO PEREIRA)

"Creio que *tenho dado* provas de não ser nenhum ignorante." (ARTUR AZEVEDO)

▪ Pretérito mais-que-perfeito

a) Exprime um fato passado, anterior a outro igualmente passado:

"Paranhos seguia as mesmas ruas que anos antes, voltando do Sul, *pisara* sozinho e condenado." (MACHADO DE ASSIS)

[O fato expresso pelo verbo *pisar* foi anterior ao de *seguir* as ruas.]

"Lembrava-se da última carretinha que o pai *fizera* no Engenho e de como *se divertira* com ela dias seguidos." (GARCIA DE PAIVA)

b) Emprega-se, na linguagem literária, pelo futuro do pretérito:

Fora injustiça destituí-lo do cargo. [*fora* = seria]

"Ninguém *devera* casar sem muito ler..." [*devera* = deveria] (CAMILO CASTELO BRANCO)

c) Emprega-se, na língua culta, pelo pretérito imperfeito do subjuntivo:

"Levantou-me ao ar como se *fora* uma pluma." (ANÍBAL MACHADO) [*fora* = fosse]

"Se não *fora* a subvenção dele, eu não teria podido manter o colégio." (HERBERTO SALES)

"Teria sido uma temporada de ouro, não *fora* a intromissão de minha mãe." (ANTÔNIO OLAVO PEREIRA)

d) Traduz desejo, em frases optativas:

Prouvera a Deus que meu filho não sofresse!

Quisera eu ter a vida que levas!

"*Tomara* que assim fosse!" (CÂNDIDO DE FIGUEIREDO)

Em geral, prefere-se o pretérito mais-que-perfeito composto ao simples:

Naquela manhã eu *tinha acordado* mais cedo. [tinha acordado = *acordara*]

Quantas vezes *havíamos brincado* juntos, quando crianças!

▪ Futuro do presente

a) Enuncia um fato que se há de realizar:

Amanhã *viajarei* para a Europa.

Se cultivadas, essas terras *darão* bons frutos.

b) Pode exprimir dúvida, incerteza, possibilidade:

"*Terá* realmente *piado* a coruja? *Será* a mesma que piava há dois anos?" (GRACILIANO RAMOS)

Ele *terá*, quando muito, vinte e sete anos.

Você não *estará* equivocado?

"De sua casinha à Faculdade *serão* dois quilômetros, se tanto." (CIRO DOS ANJOS)

c) É usado com força de imperativo:

Não *furtarás*. [= Não furtes.]

Você *irá* com ele agora. [= Vá com ele agora.]

d) Pode ser substituído, sobretudo na linguagem coloquial, por locuções constituídas pelo presente do indicativo dos verbos *ir, ter* ou *haver* + *infinitivo* do verbo principal:

Olga *vai casar* no mês que vem. [vai casar = casará]

"Eu *vou dizer* tudo, tudo o que vi." (AUTRAN DOURADO) [vou dizer = direi]

Daqui por diante *hei de ter* mais cuidado. [intenção, promessa]

Tenho de atender um doente. [obrigação]

e) O futuro do presente composto usa-se para expressar:

• um fato futuro que se consumará antes de outro:

Antes que o caçador chegue lá, a onça já *terá fugido*.

• dúvida, incerteza, relativamente à efetivação de um fato no passado:

Terá chegado às mãos de Vera a minha carta?

▪ Futuro do pretérito

a) Exprime um fato futuro condicionado a outro:

Eu *iria* à festa, se não chovesse.

"*Faria* melhor negócio criando galinhas." (GRACILIANO RAMOS)

b) Exprime um fato futuro situado no passado:

Afirmei, naquela ocasião, que não o *apoiaria*.

Prometeste-me que não me *desobedecerias* mais.

A família decidiu: *viajariam* todos no mês seguinte.

c) Emprega-se pelo presente nas fórmulas de polidez:

Desejaria falar a Vossa Excelência. [*desejaria* = desejo]

Poderia dar-me uma informação, senhorita? [*poderia* = pode]

"*Gostaria* de saber como conseguiu retirar do hotel os dois cartões de registro."
(JOSÉ FONSECA FERNANDES)

d) Pode exprimir dúvida, incerteza, probabilidade, ideia aproximada:

Seria verdade o que dizem dele?

Você não *estaria* exagerando?

"A minha reação era tão intensa e caótica que *poderia* supor-se que..." (FERNANDO NAMORA)

"Mas quem me *iria* emprestar vinte mil-réis, àquela hora?" (GRACILIANO RAMOS)

Os pais *teriam* realmente *batido* na criança?

Venera-se, naquela cidade, uma imagem da Virgem que *teria pertencido* a Anchieta.

Ele *teria*, quando muito, trinta e cinco anos.

e) Pode ser substituído, sobretudo na linguagem coloquial, por locuções formadas com o pretérito imperfeito do indicativo do verbo *ir* + *infinitivo* do verbo principal:

Informaram que *ia faltar* luz. [*ia faltar* = faltaria]

"Uma conquista como a que a bandeira *ia realizar* não se faria em branca nuvem."
(CASSIANO RICARDO) [*ia realizar* = realizaria]

2 MODO SUBJUNTIVO

Emprega-se o modo subjuntivo para exprimir um fato possível, incerto, hipotético, irreal ou dependente de outro.

O subjuntivo aparece:

a) em orações absolutas, isto é, únicas no período:

Deus o *acompanhe*!

Eles que *se avenham*!

"Os passageiros que *chacoalhassem* lá dentro de qualquer jeito!" (VIVALDO COARACI)

"Que *se trouxessem*, com presteza, esses braços para o Brasil! (VIRIATO CORRÊA)

b) em orações coordenadas:

Talvez ela *compreendesse* [e lhe *perdoasse*.]

"Os vossos conselheiros julgaram-me incapaz disto: [agora eles que a *alevantem*!"]
(ALEXANDRE HERCULANO)

c) em orações principais:

[Que lhe *dessem* o] que ele queria, porque senão haveria briga na certa.

["Que também esses... *se ergam*] para pelejarem batalhas tremendas." (Alexandre Herculano)

["Talvez não *mereçamos*] imaginar que haverá outros verões." (Rubem Braga)

d) mais frequentemente, em orações subordinadas:

Espera-se que o aproveitamento da energia solar *aumente*.

"Quero ser o primeiro que te *chame* duquesa." (Machado de Assis)

"Por muito que *descessem* as águas, a sonda encontrava sempre liberdade para qualquer quilha." (Ferreira de Castro)

"Ainda assim, não andei tão depressa que *amarrotasse* as calças." (Machado de Assis)

"*Erguesse* o corpo e, pela janela aberta, veria a jindiba com o vento nas folhas." (Adonias Filho)

- **Presente**

a) Exprime dúvida, hipótese, possibilidade:

Talvez *seja* esse o plano dele.

É possível que me *engane*.

Suponhamos que teu plano não *dê* certo.

"*Falte* eu a esse juramento, e deixarei de viver!" (Visconde de Taunay)

"A senhora acredita que eles *salvem* a gente?" (Graciliano Ramos)

"Não! vos digo eu: não serei quem *torne* a erguer essa derrocada abóbada!" (Alexandre Herculano)

"*Corra*, daí a instantes, qualquer aragem, por débil que seja, e levanta-se a língua de fogo esguia e trêmula..." (Visconde de Taunay)

b) Emprega-se em orações optativas e imprecativas:

"Oxalá *cesse* um dia a miséria do mundo!" (Aurélio Buarque de Holanda)

"Que elas *envolvam* no seu aroma a vossa memória." (Rui Barbosa)

"Que as luas *se sucedam* em todos os céus do mundo..." (Lêdo Ivo)

"A terra lhes *seja* leve." (Machado de Assis)

"Não *encontres* amor nas mulheres." (Gonçalves Dias)

"Malditas *sejam* as mãos que te profanarem, Santarém!" (Almeida Garrett)

- **Pretérito imperfeito**

a) Emprega-se em frases optativas e imprecativas:

Oxalá *fosse* eterna esta ventura!

"Assim ela *quisesse!*" (Camilo Castelo Branco)

"Não *sucedesse* a morte à vida.

Parasse o tempo, que nos foge!" (Cabral do Nascimento)

"Se *pudesse* retirar-me dali..." (Graciliano Ramos)

SINTAXE

b) Usa-se em orações adverbiais condicionais, causais e outras:

Se *soubesse*, não perguntaria.

Como *fosse* acanhado, não interrogava a ninguém.

Por mais que *insistisse*, não foi atendido.

c) Forma orações substantivas e adjetivas:

As chamas impediam que os bombeiros *se aproximassem*.

"Não fui nunca um menino que *morresse* em cima dos livros." (Povina Cavalcânti)

d) Traduz uma condição, um meio para se conseguir determinado fim ou efeito, para que algo acontecesse ou deixasse de acontecer:

Se estes eram os seus ideais, *trabalhasse* com mais constância.

"Não *fosse* tolo, e *confessasse* francamente que não sabia o que é plebiscito." (Artur Azevedo)

"Se caí aos teus olhos, não foi minha culpa: não me *elevasses* tanto." (Camilo Castelo Branco)

"*Deixassem*-no com ele e haviam de ver o bicho que dali saía." (Coelho Neto)

e) Exprime um fato hipotético, irreal:

"Talvez o *poupassem* por ele ter uma irmã do Sigma." (Graciliano Ramos)

"*Aparecesse* o Imperador à frente dos amotinados... e, num segundo, tudo acabaria." (Viriato Correia)

"Não seria o silêncio com o seu negror que me *viesse* assustar." (Antônio Olavo Pereira)

▪ Pretérito perfeito

Enuncia um fato passado, real ou incerto, provável:

Foi bom que ele *tenha saído* daqui.

Talvez *tenham seguido* por outro caminho.

▪ Pretérito mais-que-perfeito

Traduz um fato hipotético, ou irreal, anterior a outro igualmente irreal, ou hipotético:

Se *tivessem vindo* ontem, teriam sido atendidos.

Tivessem-no *aconselhado*, e ele hoje seria outro.

Supunha que *tivesses ficado* em casa.

Antes a *houvesse esquecido*!

Se Cristo não *tivesse resgatado* a humanidade, quem se salvaria?

"Se não *tivesse tido* a ideia de beber, não lhe haveria sucedido aquele desastre." (Graciliano Ramos)

▪ Futuro simples

a) Emprega-se em orações adverbiais condicionais, temporais, proporcionais e outras:

Se *transpuserem* a fronteira, serão capturados.

Caso *persistirem* as chuvas, os rios transbordarão.

Enquanto não a *vir*, não descansarei.

Quanto maior *for* a altura, maior será o tombo.

b) Aparece em orações subordinadas adjetivas:

Só poderão entrar os que *tiverem* ingresso.

▪ Futuro composto

Usa-se em orações subordinadas e enuncia um fato futuro relacionado a outro também futuro, ou um fato passado, mas hipotético:

Depois que *tiver visto* o filme, darei minha opinião.

Se *tiver acertado* na loteria, comprarei uma fazenda.

3 MODO IMPERATIVO

Emprega-se para exprimir ordem, proibição, pedido, convite, conselho, exortação, licença, que emanam da 1ª pessoa e se dirigem à 2ª pessoa do discurso:

"*Emende* a língua, ordenei." (GRACILIANO RAMOS)

"*Lançai* os cavalos para as brenhas, *atravessemos* o Sália!" (ALEXANDRE HERCULANO)

"*Descansa, dorme* em paz, Aldebarã é tua amiga." (RUBEM BRAGA)

"Não *vá*, não *vá* mais! – pedia, insistindo." (ADONIAS FILHO)

"*Trazei* sempre bem vivo nos vossos corações o amor ao próximo." (LATINO COELHO)

"Pois *vá*, menino!" (AFONSO ARINOS)

Sente-se e *conversemos*.

4 PARTICÍPIO

O particípio, como o infinitivo e o gerúndio, é, por si, vago, impreciso, impessoal. Só no contexto é que se despoja de sua imprecisão, para enunciar, geralmente, fato concluído, ação relacionada com o passado.

Emprega-se o particípio:

▪ para formar a voz passiva e os tempos compostos da ativa:

Tínhamos ido ao cinema.	Leila *foi avisada* pelo irmão.
Talvez João já *tenha chegado*.	*Fui ouvido* com simpatia.
Tenho visto por ali muitas misérias.	Elas *eram aplaudidas* pelos fãs.

▪ para construir orações reduzidas adverbiais temporais, causais e outras, já estudadas no capítulo sobre *orações reduzidas*:

Feitos os preparativos, partiu para uma longa viagem.

O artista, *animado* pelo êxito, promete novas exibições.

Chegados que fomos ao local, levantamos um abarracamento.

▪ em orações reduzidas adjetivas:

"Os galhos dos oitizeiros fremiam, *tocados* pela aragem *vinda* do mar." (LÊDO IVO)

- como simples adjetivo:

Isto aconteceu no mês *passado*, quando elas chegaram à aula *atrasadas*.

O moço estendeu a mão *ferida*, os dedos *ensanguentados*.

5 GERÚNDIO

Vimos que o gerúndio possui a forma simples (*amando, batendo, saindo*) e a composta (*tendo* ou *havendo amado, batido, saído*).

Emprega-se o gerúndio:

- nas conjugações perifrásticas, formando locuções verbais com os verbos *andar, estar, ficar, viver, ir, vir*, etc.:

Andavam caçando.	Está chovendo.
Ficou chorando.	Vive rindo.
Vamos indo devagar.	Vem vindo de mansinho.

Nesse caso, pode o gerúndio ser substituído pelo infinitivo regido da preposição *a*:

Os dois não se entendiam, andavam *a brigar*. [*a brigar* = brigando]

"Sentava no chão e ficava *a ler* o livro que ia sempre comigo." (ELSIE LESSA)

"Não havia por que ficar ali *a recriminar-se*." (ÉRICO VERÍSSIMO)

"Vivia *a elogiar* incendiários e assassinos." (GRACILIANO RAMOS)

"Quantas madrugadas fico eu *a esperar* por alguém que não chega?" (JOSUÉ GUIMARÃES)

- em orações reduzidas adverbiais, sob a forma simples ou composta:

Cessando a chuva, todos saíram.

Calando-me, atrairei suspeitas.

Tendo ferido o pé durante uma caçada, o príncipe teve de cancelar a viagem.

"A espada do cristão, *batendo* na clava do selvagem, fez-se em pedaços." (JOSÉ DE ALENCAR)

"Passava o dia *esperando* meia-noite, e, *em chegando* esta, interrogava o futuro próximo." (CARLOS DRUMMOND DE ANDRADE)

Nesta terra, *em se plantando*, tudo dá.

Observação:

✔ Em orações adverbiais, o gerúndio pode, em certos casos, ser reforçado pela preposição expletiva *em*, como vemos nos dois últimos exemplos citados.

- em orações reduzidas adjetivas, sob a forma simples:

Eram as alunas *saindo* para o recreio. [*saindo* = que saíam]

"Tomei a figura de um barbeiro chinês *escanhoando* um mandarim." (MACHADO DE ASSIS)

"Eram quatro bandidos *disparando* por todo o lado." (SANTOS FERNANDO)

- em descrições breves, para sugerir movimentação:

"Ao longo dos campos verdes, tropeiros *tocando* o gado... O vento e as nuvens *correndo* por cima dos montes claros." (CECÍLIA MEIRELES)

SINTAXE 593

EXERCÍCIOS

LISTA 59

1. Substitua adequadamente os asteriscos pelos verbos conjugados no indicativo ou no subjuntivo:

a) Essa gente quer que nos ***** à poluição! (*acostumamos – acostumemos*)

b) Eu pensava que eles ***** para casa. (*iam – fossem*)

c) Não sei se Telmo ***** de esquiar. (*gosta – goste*)

d) Talvez a ponte ***** de podre. (*caiu – tenha caído*)

e) Preferia um guia que ***** inglês. (*falava – falasse*)

f) Preferi o Vitório, que ***** inglês. (*falava – falasse*)

2. Substitua o * nas frases pelas formas corretas dos verbos entre parênteses:

a) Qualquer pessoa que * tal notícia não a levaria a sério. (**ler**)

b) Se eu * anos fora de São Paulo e voltasse agora, acho que não acertaria nem com a minha rua. (**passar**)

c) Não * aquelas garrafas de cerveja que iriam tornar-me mais feliz. (**ser**)

d) Naquele encontro, Lúcio me falou da nova casa que ele * dias antes. (**comprar**)

e) Não * testemunhas que provassem a minha inocência. (**faltar**)

f) Embora nunca * à Sibéria, sei que lá é frio. (**ir**)

g) Talvez haja até quem * esses espertalhões. (**aplaudir**)

3. Em lugar de que tempo estão usados os verbos em destaque?

a) Amanhã **vou** a Petrópolis.

b) Não **matarás**.

c) "Anchieta **parte** em um navio..." (CARLOS DE LAET)

d) Se tivéssemos estudado, **estávamos** aprovados.

e) Agora ninguém **fala**, ordenou o professor.

f) Se não me **avisas** a tempo, **surpreendiam**-me em casa.

g) **Honrar** pai e mãe.

h) Trataram-no como se ele **fora** o mais vil dos escravos.

i) "A única coisa que **devêramos** fazer seria bater nos peitos." (RAQUEL DE QUEIRÓS)

j) Firmino, eu **precisava** de um favor seu.

k) "Mas se ele vivesse... não **existias** tu agora." (ALMEIDA GARRETT)

4. Transcreva as frases, numerando-as de acordo com o valor do pretérito mais-que-perfeito do indicativo:

(1) **futuro do pretérito**   (2) **pretérito imperfeito do subjuntivo**

➤ "A pele estava tão lisa como se **fora** de louça." (DINÁ SILVEIRA DE QUEIRÓS)

➤ "Ninguém **devera** casar sem muito ler..." (CAMILO CASTELO BRANCO)

➤ Sem a ajuda dos sertanistas, **fora** impossível pacificar a tribo.

➤ "Não teria havido nada grave, não **fora** a gasolina que imediatamente se esparramou pelo asfalto." (JOSÉ FONSECA FERNANDES)

➤ Não podes entender isso. **Fora** o mesmo que falar das cores do prisma a um cego de nascença.

➤ "Quando mais nada **devêramos** aos portugueses, nós estas duas coisas lhes deveríamos, a religião e a língua." (CARLOS DE LAET)

➤ "Há um costume, na Índia, que eu **quisera** ver adotado no resto do mundo." (MACHADO DE ASSIS)

SINTAXE

5. Desenvolva as orações reduzidas de gerúndio.

a) "Santos apareciam no sertão, **prometendo a terra para todos.**" (Lêdo Ivo)

b) "A estrela-d'alva, no céu escuro, parecia uma garça **lavando-se na lagoa.**" (Afonso Arinos)

c) "Não serão, portanto, demais algumas palavras **explicando** quem era esse teólogo." (Carlos de Laet)

d) **Estourando nas mãos**, a bomba poderá matá-lo.

e) "**Tornando-se tão fácil** possuir um bicho de rodas, difícil ficou sendo não possuí-lo, João que o diga." (Carlos Drummond de Andrade)

6. Copie os períodos, antepondo a eles as letras **I** ou **S**, conforme ocorrer imperativo ou subjuntivo:

➢ "Montemos nós quatro na vaca e voemos para casa." (Edy Lima)

➢ "Que se rendam ao morto as mesmas homenagens." (Josué Guimarães)

➢ Bons ventos o levem!

➢ Levem seus livros para casa, disse-lhes o professor.

➢ Deus o acompanhe!

➢ "Descanse, mãe, você contará depois – luta pedia." (Adonias Filho)

7. Reorganize as colunas, relacionando-as adequadamente:

Deus o **ouça**!	(1) fato futuro
Tenho de ir hoje.	(2) dúvida, incerteza
Hei de ir hoje!	(3) ordem, mandamento
Visitá-lo-ei amanhã.	(4) promessa, intenção
O senhor **poderia** dar-me uma informação?	(5) obrigação
João **saía** sempre cedo.	(6) fato condicionado
Já **dei** o recado.	(7) pedido delicado
Tenho trabalhado muito.	(8) desejo
Não **matarás**!	(9) fato futuro situado no passado
Prometi que **iria** cedo.	(10) fato hipotético
Batem. **Será** gente?	(11) ação habitual
Iríamos, se não chovesse.	(12) fato passado repetido
Aparecesse o guarda, e tudo se acalmaria.	(13) fato completamente realizado

8. Flexione corretamente os verbos destacados num tempo adequado do indicativo ou do subjuntivo, conforme convenha:

a) Tu, talvez, **descrer** do bem e da virtude.

b) Fale sobre coisas que **entreter** o interesse dos ouvintes.

c) Conquanto todos **supor** e **afirmar** que a empresa **ser** fácil, eu não me convencia.

d) Calei-me, não porque ele **intervir**, mas simplesmente porque achei ridícula aquela discussão.

e) Nosso chefe não era homem que **se abster** completamente de beber.

f) Adelaide **tocar** piano quando Mário entrou sem que ela o **ver**.

g) Não consta que **haver** prisões.

h) **Prazer** a Deus que isto não tivesse acontecido.

i) **Prazer** a Deus que isto não aconteça.

j) Ele ainda não me **pagar** as joias que eu lhe havia vendido.

k) Se ele tivesse partido hoje, nós ainda o **alcançar**.

l) Egoístas e maus **ser** vós, se não o tivésseis amparado.

m) Eu já **reaver** o meu dinheiro quando o detetive chegou.

n) E entravas ali sem que ninguém **ousar** impedir-te?

o) Se eu **escrever** maus versos, ninguém os teria lido.

p) "Pedrinho pagava na cadeia um crime que não **cometer**." (João Clímaco Bezerra)

9. Faça como no exercício anterior:

a) Você acha que nossos antepassados **ser** melhores, se tivessem conhecido os nossos maravilhosos inventos?

b) **Faltar**-lhe os amigos quando mais precisasse deles.

c) Não havia pessoa com quem ele não **se desavir**.

d) **Procurá**-lo, e tê-lo-iam descoberto.

e) Parecia incrível que **chegar** ao termo da nossa viagem tão depressa.

f) **Dizer-se** que aquela criatura tinha vindo ao mundo para sofrer.

g) Eu corria a segurar a canoa, não **ir** as ondas levá-la para longe.

h) Não seríamos nós que **ir** arcar com as consequências!

i) Sei que ela não descansará enquanto não me **ver** trabalhando.

j) **Seguir** os meus conselhos, e hoje não seríeis o que sois.

k) Devemos tratar as crianças de tal modo que não nos **faltar** ao respeito.

l) "De nada aproveitam leis, bem se sabe, não existindo quem as **amparar** contra os abusos."
(Rui Barbosa)

10. Substitua os asteriscos pelo item que completa corretamente as frases:

➢ ***** supercivilizações ou seres inteligentes extraterrestres?

➢ Não ***** os dois valentes cães, os ladrões ***** na casa.

➢ Descansa e ***** em paz, as estrelas velarão o teu sono.

➢ Se não ***** a represa, o rio agora não inundaria as minhas terras.

➢ Com a chuva e os ventos ***** do sul, baixou sensivelmente a temperatura.

a) existiria – fossem – entrariam – durma – tinham construído – vindos

b) existiriam – fosse – teriam entrado – durma – têm construído – vindo

c) existirá – fossem – tinham entrado – dorme – construíssem – vindo

d) existiriam – fossem – teriam entrado – dorme – tivessem construído – vindos

11. Na frase "Ficamos ali sozinhos **a esperar** nossos colegas.", o infinitivo preposicionado pode ser substituído por que tempo?
(particípio – gerúndio – pretérito imperfeito do indicativo)

12. Responda às perguntas acerca da frase:
Arnaldo vendeu a moto que comprara de um amigo.

a) Em que tempo está o verbo **comprara**?

b) Qual a forma composta correspondente a **comprara**?

c) Como se justifica o emprego desse tempo verbal?

EMPREGO DOS MODOS E TEMPOS
Exercícios de exames e concursos
[Página 672]

EMPREGO DO INFINITIVO

Veja estes exemplos:

Não é um milagre o fato de **estarmos** vivos?

[**estarmos** → infinitivo pessoal flexionado]

Não é um milagre o fato de você **estar** vivo?

[**estar** → infinitivo pessoal não flexionado]

Estar vivo é um milagre.

[**estar** → infinitivo impessoal]

Os exemplos acima evidenciam que:

- O infinitivo pode ser *pessoal* (quando tem sujeito próprio) ou *impessoal* (quando não se refere a nenhum sujeito).

- O infinitivo pessoal ora se flexiona (isso ocorre na 2ª pessoa do singular e nas três pessoas do plural), ora não se flexiona (o que se dá na 1ª e na 3ª pessoas do singular). Todavia, mesmo no primeiro caso, nem sempre tem cabimento a forma flexionada.

1 INFINITIVO NÃO FLEXIONADO

Usa-se o infinitivo não flexionado nos seguintes casos:

- Quando é impessoal, isto é, quando exprime um fato de modo geral, sem referi-lo a um sujeito:

  Morrer pela pátria é glorioso.

  Importa a todos *colaborar* pela causa do bem.

  "*Morrer*, se necessário for; *matar*, nunca." (CÂNDIDO RONDON)

- Se equivaler a um imperativo:

  "*Caminhar! caminhar!*... O deserto primeiro,

  o mar depois..." (OLAVO BILAC)

- Em geral, quando o infinitivo forma oração que complementa substantivos e adjetivos:

  Temos a obrigação de *ajudar* nossos pais.

  Eles sentiam prazer em *prestar* estes serviços.

  Não fomos capazes de *erradicar* a corrupção.

Estão dispostos a *tentar* a vida em outro país.

Estão propensos a *concordar*.

"Eles estavam fartos de *ver* aviões cruzar o céu." (EDI LIMA)

"Nós estamos imundamente morrendo do mal de não *ser* portugueses." (EÇA DE QUEIRÓS)

Flexiona-se, no entanto, o infinitivo da voz reflexiva:

Jogador e técnico estão dispostos a *se reconciliarem*.

Eles são incapazes de *se ajudarem*.

As duas meninas estavam ansiosas de *se conhecerem*.

Na voz passiva, a flexão, neste caso, é opcional:

Não falam ao telefone, com medo de *ser* (ou *serem*) ouvidos.

- Quando o infinitivo forma locução verbal, ou, em regra, quando tem o mesmo sujeito que o verbo da oração principal:

Costumamos levantar cedo desde crianças.

Devemos pelas nossas obras *dar* glória a Deus.

Podemos, depois disso, *convidar* amigos e *festejar*.

Evita prometer o que não *podes cumprir*.

Não *ousaste* sequer *encarar* teu ofensor!

Tomaram a resolução de *resistir* até o fim.

Pretendemos, se tudo correr bem, *chegar* lá ainda hoje.

"*Queremos*, em nossos reveses, *passar* por infelizes e não por inábeis." (ANÍBAL MACHADO)

"Vidas que *têm* forçosamente de *se entrechocar*." (FERNANDO NAMORA)

- Quando o infinitivo, regido das preposições *a* ou *de*, forma locução com os verbos *estar, começar, entrar, continuar, acabar, tornar, ficar* e outros análogos:

Continuas a *levantar* cedo?

Elas começaram a *rir* de nós.

Eles acabam de *sair*.

Estavam a *preparar* o banquete.

Tornastes a *errar*.

Ficamos os dois a *olhar* o mar.

Observação:

✔ O infinitivo sendo reflexivo e vindo distante do verbo auxiliar, é possível a forma flexionada: "Talvez por isso *entraram* os objetos a *trocarem-se*." (MACHADO DE ASSIS)

- Se o infinitivo tiver como sujeito um pronome oblíquo com o qual constitua o objeto direto dos verbos *deixar, fazer, mandar, ver, ouvir* e *sentir*:

Não nos deixeis *cair* em tentação.

Faça-os *entrar*.

Mande-as *esperar* um pouco.

Vejo-os *sair* de casa.

Ouço-as *falar* e *discutir*.

Senti-os *aproximar-se*.

Observações:

✔ O infinitivo, sendo reflexivo, revestirá, de preferência, a forma flexionada:

"Vi-os *alongarem-se* para mim, cheios de contrição." (Machado de Assis)

✔ O sujeito do infinitivo sendo um substantivo, é facultativa a flexão para verbos ativos e obrigatória ou pelo menos recomendável, segundo os casos, com os verbos reflexivos:

Impostos elevados fazem os preços *subirem*.

"O vento fazia *ramalhar* as árvores do jardim." (Alexandre Herculano)

"Viu *desfilarem* uma a uma todas as mulheres fatais." (Camilo Castelo Branco)

"E eu vi, assombrado, *aparecerem* soldados romanos..." (Eça de Queirós)

"Apetece deixar as ervas *crescerem* à nossa volta." (Fernando Namora)

"Vilares via os anos *passarem* inalteráveis." (Amadeu de Queirós)

"As damas antigamente mandavam os cavaleiros *correr* aventuras." (Rebelo da Silva)

"Faziam, num átimo, os grãos *saltarem* da espiga." (Ciro dos Anjos)

"Chuchu enterrado de manhã bem cedo faz *caírem* verrugas." (Clarice Lispector)

"Vi os bustos *inclinarem-se* ainda mais." (Machado de Assis)

"Sentia os torrões *se esfarelarem* sob as solas dos sapatos." (Graciliano Ramos)

2 INFINITIVO PESSOAL FLEXIONADO

Ocorre o **infinitivo pessoal flexionado** nos seguintes casos:

▪ Quando o infinitivo tem sujeito próprio, diverso do sujeito da oração principal:

Eu alugaria uma casa para eles *morarem* sozinhos.

As autoridades deram ordens para *serem* presos todos os agitadores.

Permaneci calado, ouvindo os outros *discutirem* os seus problemas.

"Não era raro *sentarem-se* à mesa dezoito ou vinte convivas." (Vivaldo Coaraci)

"Às vezes acontecia *acharem-se* ali duas pessoas inimigas." (Machado de Assis)

"Convidava eu amigos a *jantarem* comigo aos domingos." (Camilo Castelo Branco)

"O bom cavaleiro sentiu as asas da morte *roçarem*-lhe frias pela fronte." (Alexandre Herculano)

"Aquela porta se abre para *entrarem* carros de lenha." (Camilo Castelo Branco)

"Afirma não *existirem* tais plantas no país." (Said Ali)

"Achei notável *usarem* os dois uma prosa fofa." (Graciliano Ramos)

"Tio Maxêncio não te perdoou não *teres descido* para a missa do sétimo dia."
(José Geraldo Vieira)

"*Serem* comidas é o destino final delas, como aliás o de todo ser vivo." (José J. Veiga)

- Quando vier regido de preposição, sobretudo se preceder ao verbo da oração principal:

Para não *teres* más surpresas, não votes em maus candidatos.

"Ficaram todos pasmados *ao verem*-no caminhar." (Said Ali)

Ao saberem que o sítio estava à venda, resolveram comprá-lo.

Até o *encontrarem*, muito terão de andar.

"Alguns o tinham visto meses atrás, *sem* lhe *guardarem* bem a fisionomia." (Aníbal Machado)

"A realidade, *ao aproximarmo-nos* dela, faz diminuir o próprio interesse das coisas verdadeiramente belas." (Ferreira de Castro)

"*Ao nos sentarmos* à mesa, havia sempre a louca esperança de que algum acontecimento viesse a cancelar a malsinada leitura." (Ciro dos Anjos)

"As pessoas mais delicadas haviam desde a véspera abandonado a cidade *para* não *testemunharem* a execução." (João Ribeiro) [a execução de Tiradentes]

- Sendo verbo passivo, reflexivo ou pronominal:

Viviam juntos sem *se conhecerem*.

"Despediu-se de Filipe dizendo que não convinha *serem vistos* juntos." (Clarice Lispector)

"Confesso que senti as carnes *arrepiarem-se*." (Coelho Neto)

"Bem antes de *se tingirem* de rosa e laranja as bandas do céu..." (Ciro dos Anjos)

"A tentativa de *se aferirem* pesos e medidas." (Ciro dos Anjos)

"Roderico viu *enovelarem-se* nos ares os rolos de pó." (Alexandre Herculano)

"O pobre-diabo sentiu *enterrarem-se*-lhe no corpo os milhões de agulhas."
(Machado de Assis)

"Essas terríveis pequenas não precisam de falar para *se entenderem*." (Ciro dos Anjos)

- Sempre que for necessário deixar bem claro o agente ou sujeito, ou se quiser pô-lo em evidência, enfatizando-o:

"Estás louco, rapaz! Não *comeres*, tu que estalavas de fome?" (Monteiro Lobato)

"Confessam *deverem*-vos a vida que vivem." (Said Ali)

"Não era tão fácil *asseverarem* que estavam cortando mandacaru nos cestos?"
(Graciliano Ramos)

"E assim vão se criando, sem jamais *terem* escutado uma palavra de catecismo."
(Raquel de Queirós)

Era melhor *teres feito* isto ontem.

Penso *seres* o mais indicado para o cargo.

Ele nos acompanhará para não *atrairmos* suspeitas.

"Não havia risco de *sermos* prejudicados." (Povina Calvancânti)

"Em vez de *aborrecerem* o mal, aborrecem a luz." (Antônio Vieira)

"É preciso *aprendermos* a nos esquecer de nós mesmos." (Ciro dos Anjos)

- Quando vier um tanto afastado do verbo auxiliar ou do seu sujeito:

"Mas a selva já começa a rarear, e os ginetes a *resfolegarem* com mais violência." (Alexandre Herculano)

"Quem quisesse poderia ver as filhas de Maria Amélia, com seus vestidinhos de luto, *brincarem* no jardim." (José Geraldo Vieira)

- Como recurso de expressão, já para assegurar à frase harmonia e equilíbrio, já para transmitir à ação verbal mais vigor e dinamismo:

"Em pouco, os vi *saírem* juntos, a cavalo." (José Geraldo Vieira)

"Eu vi as ondas *engolirem*-no." (Aníbal Machado)

"... como as cegonhas que um ilustre viajante viu *desferirem* o voo desde o Ilisso às ribas africanas." (Machado de Assis)

"Venho com os olhos a *faiscarem* de cores." (José Geraldo Vieira)

"Chamam-nos pelo medo de *terem* suas moradias queimadas." (Cecília Meireles)

"Vira muitos dos seus companheiros *caírem* mortos ao seu lado." (João Felício dos Santos)

"Cifras, cifras, sempre cifras a lhe *ferverem* na cabeça..." (Ciro dos Anjos)

"Vi vários deles *tombarem* de seus cavalos e *serem* arrastados pelo campo." (José J. Veiga)

"Vivemos, Dora, na certeza / de *sermos* amanhã / o que ontem não fomos." (José Paulo Paes)

- Com os verbos *ver* e *parecer*, conforme vimos no capítulo da *Concordância verbal*, são lícitos dois tipos de construção, podendo-se flexionar no plural ora o verbo auxiliar, ora o infinitivo:

Viam-se reluzir as armas. [ou: *Via-se reluzirem* as armas.]

As montanhas *pareciam fugir* à nossa aproximação. [ou: As montanhas *parecia fugirem* à nossa aproximação.]

"*Via-se* as ervas *crescerem* nos pátios e eirados." (Rebelo da Silva)

"Nessas tétricas paragens, os bichos do mato *pareciam confraternizar-se* com o homem." (Ciro dos Anjos)

"Os longínquos contornos das coisas esmaecem como num banho, e *parece diluírem-se* no éter, esbatidos na polvilhação aquosa." (Ramalho Ortigão)

O emprego do infinitivo na língua portuguesa é matéria complexa e, em alguns casos, polêmica. Por isso, nos limitamos a traçar as normas que julgamos essenciais para habilitar o estudante a usar com acerto essa forma verbal. Como vimos, há situações em que é livre a escolha da forma flexionada ou da não flexionada do infinitivo.

Nesta, como em todas as questões de linguagem, deve-se atender, antes e acima de tudo, às exigências do bom gosto literário, à harmonia da frase e à clareza da expressão.

SINTAXE

EXERCÍCIOS

LISTA 60

1. Escreva as frases, substituindo os asteriscos de forma adequada e numerando-as corretamente, conforme o indicado:

Não é maravilhoso **enxergar** as cores?

Não é maravilhoso o fato de (tu) ***** as cores?
Não é maravilhoso o fato de você ***** as cores?
Não é maravilhoso o fato de nós ***** as cores?
Não é maravilhoso o fato de vós ***** as cores?
Não é maravilhoso o fato de vocês ***** as cores?

(1) infinitivo pessoal flexionado

(2) infinitivo pessoal não flexionado

(3) infinitivo impessoal

2. Transcreva os exemplos, descrevendo as regras do emprego do infinitivo estudadas neste capítulo:

a) Os motoristas, impacientes, começaram a buzinar.

b) Adianta vocês fazerem bonitos planos, se não têm dinheiro?

c) Andar a pé é um excelente exercício físico.

d) "Andar com isso, bradou Mascarenhas." (ARNALDO GAMA)

e) Vejo-os atravessar a praça todos os dias.

f) "Eles estão acostumados a se combaterem desde antes do Cabral." (EDI LIMA)

g) Não podíamos, é verdade, sair de casa sem o consentimento dos pais.

h) Ao receberem a notícia, ficaram muito tristes.

i) As duas velhinhas, coitadas, pareciam cansadas de viver.

j) Acredito seres o mais indicado para essa tarefa.

k) Aqueles túmulos régios parece falarem da fragilidade do poderio humano.

l) "Continuaram a enfiar a mão na lata e, depois, a lamberem a calda dos dedos." (EDI LIMA)

m) "Eu vi as ondas engolirem-no." (ANÍBAL MACHADO)

n) "O vento fazia ramalhar as árvores do Jardim." (ALEXANDRE HERCULANO)

3. Justifique o emprego do infinitivo nestas frases:

a) "Ele já andava meio desconfiado vendo as fontes minguarem." (GRACILIANO RAMOS)

b) "Podíamos ver aqueles véus finos da água oscilarem, flutuarem, esgarçarem-se, mostrando e escondendo a paisagem." (CECÍLIA MEIRELES)

c) "Viu saírem e entrarem mulheres." (MACHADO DE ASSIS)

SINTAXE

d) "Vejo erguerem-se no horizonte algumas velas." (João Ribeiro)

e) "Não adianta nada estarem hospedados longe da cidade, num sanatório." (Maria de Lourdes Teixeira)

f) "Revoltava-me o recurso infantil de se xingarem, arrancarem os cabelos." (Graciliano Ramos)

g) "Via as paredes afastarem-se, as telhas subirem e descerem." (Graciliano Ramos)

h) "Eram incapazes de exercer um cargo de confiança." (Raquel de Queirós)

i) "A uma acautelada distância, viu saírem os alunos do Grupo." (Garcia de Paiva)

j) "Cansei-me de ouvir os mais velhos elogiarem a minha educação." (Povina Cavalcânti)

k) Para não teres surpresas desagradáveis, guarda minhas recomendações.

4. Copie as frases, prestando atenção ao emprego do infinitivo; em seguida, escreva a frase f), mudando a forma reduzida do verbo *discutir* na forma desenvolvida. Veja a pág. 408.

a) "Ensinava as índias a prepararem quitutes." (Edy Lima)

b) "Poiranga adiantou-se e fez sinal para ficarmos onde estávamos." (Edy Lima)

c) "E, aos brigões, incapazes de se moverem, basta-lhes xingarem-se à distância." (Dalton Trevisan)

d) "Alertados pela imprensa, os cautelosos preferem não se arriscar a duas eventualidades: serem furtados ou serem suspeitados como afanadores." (Carlos Drummond de Andrade)

e) "O fato de um milhão de pessoas participarem dos mesmos vícios não os transforma em virtudes." (Gustavo Corção)

f) "Um dos professores sugeriu, ao se discutirem os programas, a ideia do ensino integral da Zoologia." (Carlos Laet)

g) "Afirmam estarem impossibilitados de prosseguir viagem." (Said Ali)

h) "Outros, muito silenciosos, mordiam os lábios e dir-se-ia quererem fuzilar a brenha com os olhos sinistramente fixos." (Ferreira de Castro)

i) "Faziam, num átimo, os grãos saltarem da espiga." (Ciro dos Anjos)

j) "Vi muitos meninos grandes serem batizados." (Povina Cavalcânti)

5. Escreva os períodos, substituindo o ∗ pela forma adequada do infinitivo dos verbos entre parênteses:

a) Era a revolução e a democracia a ∗ em toda a parte. (**infiltrar-se**)

b) Fizeram-nas ∗ desde a infância. (**trabalhar)**

c) Amiúde vemos pessoas ∗ bem e ∗ mal. (**falar**, **agir**)

d) É necessário não ∗ tão graves erros. (**repetir-se**)

e) Não quisestes, por causa de vossa modéstia, ∗ homenageados. (**ser**)

f) Ficava horas à janela, vendo os transeuntes ∗. (**passar**)

g) Não podemos ∗ a nossos compromissos. (**faltar**)

h) Os exemplos não se fizeram senão para ∗ citados. (**ser**)

i) Não percebes ∗ teus planos descobertos? (**estar**)

j) O vento fazia ∗ as hastes das antenas. (**oscilar**)

k) Viam-se já ∗ as primeiras estrelas. (**brilhar**)

l) Via-se, no infinito espaço, ∗ solitários astros. (**brilhar**)

SINTAXE 603

6. Copie apenas os exemplos em que também seria lícita a forma flexionada do infinitivo:

a) Não devemos **preocupar-nos** exclusivamente com a vida material.

b) "Por que deixara as coisas **chegar** àquele ponto?" (CIRO DOS ANJOS)

c) "Foram feitos para **ser** vistos apenas uma vez." (CIRO DOS ANJOS)

d) "Roberval, a princípio, deixava-os **lutar**." (DINÁ SILVEIRA DE QUEIRÓS)

e) "E para **comemorar** o achado executavam no ar grandes rondas festivas." (RAQUEL DE QUEIRÓS)

7. Escreva as frases substituindo o * pelo infinitivo dos verbos entre parênteses, flexionado ou não flexionado, conforme convenha:

a) Sentindo-me enregelado, com os pés a *, ergui-me para um exercício violento. (**doer**)

b) Os fazendeiros haveriam, dali por diante, de * as geadas. (**temer**)

c) Para não se * no meio da multidão, amarraram um lenço vermelho na cabeça. (**perder**)

d) Os jovens gostam muito de * com seus amigos. (**conversar**)

e) Os alunos devem, durante o ano, * ao estudo. (**aplicar-se**)

f) *, no mundo, crimes e injustiças, eis um fato entristecedor. (**existir**)

g) Todos aprenderiam, com um pouco de esforço, a * algum ofício útil. (**exercer**)

h) Ficarei aqui esperando-te, até * dar-me uma resposta definitiva. (**resolver**)

i) Chamei as duas pobrezinhas e dei-lhes um brinquedo, para não * na frente de outras mais felizes. (**chorar**)

j) Mandou-os * imediatamente. (**sair**)

k) Convidei-os a * na sala. (**entrar**)

l) Os perigos nos forçam a * unidos. (**permanecer**)

m) Difícil explicar como as duas crianças chegaram ali sem * vistas. (**ser**)

n) O fato de * a verdade não me dá o direito de vos espancar. (**negar**)

o) Ela via que era perigoso * (nós) sozinhos pelas ruas. (**andar**)

p) Sentia como que bicos de abutre a lhe * as entranhas. (**espicaçar**)

q) Os olhos de Marta! Dir-se-ia * a cor do mar. (**copiar**)

r) Depois de se * as obras, o bairro ganhará fisionomia nova. (**concluir**)

8. Faça como no exercício anterior:

a) É muito comum * detentos das penitenciárias. (**fugir**)

b) Alguns conseguiram, a muito custo, * até a praia. (**nadar**)

c) Íamos aos terreiros ver * as fogueiras. (**acender-se**)

d) Habitavam a terra muito antes de * os portugueses. (**chegar**)

e) Sem se * com a chuva, os meninos continuavam jogando. (**importar**)

f) Aos domingos, vinham muitos amigos * com ele. (**falar**)

SINTAXE

g) O pior que pode acontecer é os pneus * na viagem. (**estourar**)

h) Assim, venho ao senhor para * a um acordo de cavalheiros. (**chegar**)

i) Os dois homenzarrões pareciam * da nossa fraqueza. (**zombar**)

j) Os dois homenzarrões parecia * da nossa fraqueza. (**zombar**)

k) Os bilhões de reais que o governo arrecada não são para se *. (**desperdiçar**)

9. Escreva de forma correta a única frase em que há erro no emprego do infinitivo:

a) Esse rio é perigoso por **existirem** piranhas em suas águas.

b) Esse rio é perigoso por **haverem** piranhas em suas águas.

c) As emissoras de rádio informavam não **haver** dados exatos sobre a catástrofe.

d) Os sacos pareciam **conter** frutas volumosas.

e) Todas as coisas em volta parecia **aplaudirem** meu nobre gesto.

10. Copie os períodos abaixo, com exceção daquele em que o infinitivo flexionado não é cabível por formar locução verbal:

a) Não concordo com os que afirmam **serem** esses índios violentos e agressivos.

b) Antes de **partirem**, a mãe lhes acenou da varanda várias vezes.

c) Os pais mandaram seus filhos **alistarem-se** como voluntários.

d) Via-se que aquelas crianças deviam **terem** recebido boa educação.

e) Acho uma temeridade **viveres** num lugar desses.

11. Corrija os infinitivos cuja forma for inadequada:

a) Depende de nós todos **aumentarmos** nossa produção agrícola.

b) É muito comum **aparecer** baleias nesta praia.

c) Não é raro **faltarem** folhas em livros novos.

d) Os bons candidatos evitam **prometerem** o que não podem cumprir.

e) Muitos países estão empenhados em **descobrir** ou **aperfeiçoar** novos processos para a produção de energia.

f) Os defensores dos ufos acreditam **serem** os discos naves espaciais de origem extraterrena.

g) Ao **cruzarmos** a rua, Armando veio ao nosso encontro.

h) Há pouca esperança de os dois países beligerantes **chegar** a um acordo.

i) O perigo era uma daquelas feras **sentirem** nossa presença e nos **atacarem**.

12. Substitua as orações destacadas por orações reduzidas de infinitivo:

a) Parecia **que tinha a alma nos olhos**, tão vivos e lindos eram.

b) A natureza parece **que concentrou toda a sua pujança na catadupa tremenda**.

c) Os inimigos parecia **que esperavam firmes o combate**.

d) Ela ainda não te perdoou **que não tenhas comparecido à festa**.

e) Noticia-se **que foram vistos discos voadores perto de Baturité**.

f) Asseguram **que encontraram uma solução para o cessar-fogo**.

g) As ilhas parece **que atraem magneticamente esses aventureiros**.

h) Espero-te aqui **até que resolvas** dar-me uma resposta definitiva.

i) Continua a difícil cruzada para convencer os índios **a que deixem de ser índios** e **adiram à sociedade de consumo**.

13. Melhore a redação dos períodos abaixo, substituindo as orações destacadas pelas reduzidas correspondentes:

a) Mas há um fato elementar que você parece **que não percebeu claramente**.

b) No Largo da Carioca acercou-se de mim um homem que, pelos modos e atitudes, se via **que era do interior** e **que precisava de ajuda**.

c) Dizes-me que não há possibilidades **de que se remedeiem os males** que nos afligem?

d) Li nos jornais umas notícias que depois averiguei **que não eram verdadeiras**.

e) Dizem as crônicas que algumas pessoas afirmavam **que tinham visto cascavéis** dançando no peito do vereador.

14. Justifique o infinitivo flexionado **despencarem** neste diálogo, à porta de uma quitanda:

— Não haverá perigo desses cachos de banana despencarem sobre nossas cabeças, Manuel?

— Tu queres dizer perigo para nós ou pros cachos?

LEITURA

Viagens

Olímpio tinha negócios em Belém. Pelo menos uma vez por semana ia a Belém. As viagens eram longas e cansativas, sobretudo para ele, que não conseguia dormir no avião. Ficava inteiramente insone, prestava atenção nos outros passageiros dormindo, e tinha inveja daquela segurança, daquele destemor que os fazia dormir. Conscientemente não sentia medo, só que não conseguia dormir. Encostava a cabeça no vidro frio da janela e olhava a escuridão da noite lá fora. O barulho dos motores varando o mundo fechado e sem fim da noite.

Às vezes havia lua e estrelas, mas a solidão pesava fundo. Ficava horas olhando a luz de navegação na asa, o fogo do motor que a luz do dia não deixa ver. Uma casquinha de noz boiando entregue a forças invisíveis. Não tinha medo, no bojo do avião ia anotando friamente as sensações. Não conseguia dormir, só isso. Porque não conseguia dormir e às vezes não suportava a solidão, quando esgotava todas as lembranças e o poço era vazio, levantava-se e ia conversar com a aeromoça. Muitas vezes a aeromoça também dormia. Foi assim que conheceu o comandante. Este, como ele, não dormia. Foi assim que conheceu o comandante, que fazia aquela linha há três anos.

(Autran Dourado, *Solidão Solitude*, Rocco, Rio de Janeiro, 2004)

EMPREGO DO INFINITIVO

Exercícios de exames e concursos

[Página 672]

EMPREGO DO VERBO HAVER

O verbo *haver* pode ser empregado como pessoal ou impessoal.

A) Emprega-se pessoalmente:

- como verbo auxiliar de verbo pessoal:

  Os criminosos *haviam fugido* da prisão. [*haviam* = tinham]

  Isso não *há de acontecer*.

  Hei de viajar muito.

  Haveremos de ter saudades desta casa.

  "Podê-lo-ás depois quando as condições da vida *houverem mudado*." (Machado de Assis)

- no sentido de *ter*:

  "Pedia ao Senhor que lhe visse as lágrimas, e *houvesse* piedade delas." (Camilo Castelo Branco) [*houvesse* = tivesse]

- como sinônimo de *obter, conseguir, alcançar*:

  "Os sentenciados *houveram* do poder público a comutação da pena." (Carlos Góis)

  "Donde *houveste*, ó pélago revolto, esse rugido teu?" (Gonçalves Dias)

- na acepção de *pensar, julgar, entender*:

  "Muitos *hão* que é fantasia." (Bernardim Ribeiro)

  "Se *houverdes* que é fraqueza morrer em tão penoso e triste estado." (Luís de Camões)

  "Os ingleses *houveram por* mais acertado voltar com um cão de menos." (Lúcio de Mendonça)

  "*Haviam*-no *por* sábio." (Celso Luft)

  Alguns *haviam*-no *por* morto.

- como verbo pronominal, no sentido de *proceder, portar-se, lidar, desincumbir-se, sair-se*:

  Todos *se houveram* com perfeita dignidade.

  O soldado *houve-se* como herói.

  Os alunos não *se houveram* bem nas provas do mês.

  "Sei viver modestamente e sei também como *haver-me* na abundância." (São Paulo, Filipenses 4, 11)

  "Foi com esta escória da população que *se teve de haver* o frade recém-chegado." (Carlos de Laet)

  "Ele, porém, *houve-se* com a maior delicadeza e habilidade." (Machado de Assis)

  "Não sabia como *haver-se* com seus empregados." (Garcia de Paiva)

- ainda como pronominal, na acepção de *entender-se, avir-se, acertar conta, enfrentar*, caso em que se constrói com a preposição *com:*

  Agora o criminoso terá de *haver-se com* a justiça.

  Quem o maltratar *comigo se haverá.*

  "... se o estudante se não pudesse *haver com* o inimigo." (Camilo Castelo Branco)

  "Comportem-se como homens de bem, ou *vão se haver comigo.*" (Nélida Piñon)

O verbo *haver* é também pessoal nas seguintes locuções:

- *haver mister (de)* = precisar, necessitar:

  "Muitos dos enfermos bem *haviam mister* um hospital." (Antônio Vieira)

  "Mas o seu amor da ciência e da pátria não *havia mister de* outros incentivos." (Rui Barbosa)

  (Esta locução é obsoleta.)

- *haver por bem* = dignar-se, resolver, considerar bom:

  O presidente *houve por bem* reconsiderar sua decisão.

  Os dirigentes dos sindicatos *houveram por bem* suspender a greve.

  "Mandei pedir à pessoa que requerera a minha captura, *houvesse por bem* explicá-la." (Camilo Castelo Branco)

  "O Doutor Juiz *houve por bem* decretar o fechamento do Asilo." (Otto Lara Resende)

- *bem haja* = seja feliz, seja abençoado, tenha bom êxito:

  Bem hajam os que lutam pela liberdade.

  "*Bem haja* Sua Majestade!" (Camilo Castelo Branco)

  "*Bem hajas*, meu querido!" (Camilo Castelo Branco)

  • Nessas frases optativas o verbo *haver* deve concordar com o sujeito.

- *mal haja* (frase imprecativa):

  "*Mal haja* a hora em que saíste desta casa." (Camilo Castelo Branco)

  "*Mal hajam* as desgraças da minha vida..." (Camilo Castelo Branco)

  • O verbo *haver* concorda com o sujeito (*hora, desgraças*).

B) O verbo *haver* é impessoal — sendo, portanto, usado invariavelmente na 3ª pessoa do singular — quando significa:

- *existir:*

  Há pessoas que se dedicam a obras sociais.

  Criaturas infalíveis nunca *houve* nem *haverá.*

  Brigavam à toa, sem que *houvesse* motivos sérios.

  Se *tivesse havido* mais recursos, a obra já estaria concluída.

  Na ilha *havia* charretes puxadas a cavalos.

  Livros, *havia-os* de sobra; o que faltava eram leitores.

  • O substantivo que acompanha o verbo *haver*, neste caso, é objeto direto.

  Na primeira frase, por exemplo, *pessoas* é objeto direto de *há.*

- *acontecer, suceder:*

  Houve casos difíceis na minha profissão de médico.

  Não *haja* desavenças entre vocês.

  Naquela cidade *havia* frequentes rebeliões de presos.

- *decorrer, fazer*, com referência ao tempo passado:

  Há meses que não o vejo.

  Haverá nove dias que ele nos visitou.

  Havia já duas semanas que Marcos não trabalhava.

  O fato aconteceu *há* cerca de oito meses.

- Quando pode ser substituído por *fazia*, o verbo *haver* concorda no pretérito imperfeito, e não no presente:

  Havia (e não *há*) meses que a escola estava fechada.

  Morávamos ali *havia* (e não *há*) cinco anos.

  Ela conseguira emprego *havia* (e não *há*) pouco tempo.

  Havia (e não *há*) muito tempo que a polícia o procurava.

  "O garoto renovava, incansável em novo combate, as façanhas que, *havia* pouco, praticara no sempre memorando repique." (ALEXANDRE HERCULANO)

- *realizar-se:*

  Houve festas e jogos.

  Se não chovesse, *teria havido* outros espetáculos.

  Todas as noites *havia* ensaios das escolas de samba.

- *ser possível, existir possibilidade ou motivo* (em frases negativas e seguido de infinitivo):

  "Em pontos de ciência *não há transigir.*" (CARLOS DE LAET)

  "Não *há contê-lo*, então, no ímpeto." (EUCLIDES DA CUNHA)

  "*Não havia descrer* da sinceridade de ambos." (MACHADO DE ASSIS)

  "Mas olha, Tomásia, que *não há fiar* nestas afeiçõezinhas." (CAMILO CASTELO BRANCO)

  "E *não houve convencê-lo* do contrário." (VIANA MOOG)

  "*Não havia* por que *ficar* ali a recriminar-se." (ÉRICO VERÍSSIMO)

- *ser necessário*, nas locuções *haver que* e *haver de*, seguidas de infinitivo:

  "*Há que* recuperar o tempo perdido." (ELSIE LESSA)

  "*Havia que* desmascarar o professor." (NÉLIDA PIÑON)

  "Em nosso caso, *há de* se levar em conta o baixo nível de credibilidade da classe política." (MARCO MACIEL)

Como impessoal o verbo *haver* forma ainda a locução adverbial *de há muito* [= desde muito tempo, há muito tempo]:

  De há muito que esta árvore não dá frutos.

  De há muito a imprensa vem alertando o País contra o desmatamento.

  "*De há muito* sonho esta ilha, se é que não a sonhei sempre." (CARLOS DRUMMOND DE ANDRADE)

O verbo *haver* transmite sua impessoalidade aos verbos que com ele formam locução, os quais, por isso, permanecem invariáveis na 3ª pessoa do singular:

Vai haver eleições, em novembro.

Começou a haver reclamações.

Não *pode haver* umas sem as outras.

Parecia haver mais curiosos do que interessados.

"Mas haveria outros defeitos, *devia haver* outros." (Machado de Assis)

"*Há de haver* seis meses que ele me mandou chamar a Viseu." (Camilo Castelo Branco)

EXERCÍCIOS — LISTA 61

1. Substitua o ∗ por formas adequadas do verbo **haver**:
   a) Se ∗ estudado, teriam sido aprovados.
   b) Os sertanistas voltaram satisfeitos: ∗ encontrado as tão cobiçadas pedras.
   c) ∗ coisas que se aprendem tarde.
   d) Pessoas ∗ que não sabem organizar sua vida.
   e) No lugar onde é hoje Copacabana, ∗, no século XIX, apenas ranchos de pescadores.
   f) Desde que o mundo é mundo, sempre ∗ rivalidades entre os homens.
   g) As casas eram novas e nas janelas ∗ vasos com flores.
   h) Se não ∗ prêmios, ninguém se interessará pelo certame.
   i) É justo que ∗ as mesmas oportunidades para todos.
   j) ∗ três anos que não nos víamos.
   k) Seria preferível que ∗ menos exigências burocráticas.
   l) Os pais, quando souberem isto, ∗ de ficar muito contentes.
   m) Se não ∗ ódios e violências, o mundo seria mais feliz.
   n) Se os ricos não fugissem da caridade, não ∗ tantos pobres e indigentes.
   o) Nesta difícil missão os dois médicos ∗-se com rara habilidade.
   p) "E ele andava sossegado, como se ali ∗ guardas-civis." (Érico Veríssimo)
   q) Em que língua pensas tu ∗ sido escritos aqueles magníficos poemas?

2. Ponha os verbos destacados no presente e no pretérito imperfeito do indicativo, sucessivamente:
   a) **Fazer** dois meses que não **chover**.
   b) **Ir** fazer dez dias que eu não **sair** de casa.
   c) **Começar** a haver sinais de descontentamento.
   d) Não **poder** haver rasuras neste documento.
   e) Não **dever** haver desavenças entre vós.
   f) **Haver** de haver leis justas e sábias.
   g) Aqui **fazer** calores intensos.
   h) Entre nós não **costumar** haver dissensões.
   i) Em muitos países **precisar** haver mais estradas.
   j) **Haver** crianças brincando na praça.

3. Dê os diferentes significados do verbo **haver**:

a) Falam como se **houvessem** presenciado o fato.

b) Aquele que ousar difamar-te vai **se haver** comigo.

c) Muitos **hão** que a empresa é irrealizável e temerária.

d) Os soldados **houveram-se** com bravura.

e) Rogava a seu credor que **houvesse** mais um pouco de paciência.

f) Os sentenciados **houveram** da rainha a comutação da pena.

g) "E lá se vão [os bois]: não **há** mais contê-los ou alcançá-los." (EUCLIDES DA CUNHA)

h) O prefeito **houve** por bem aceitar a minha proposta.

i) Nossos carros têm melhorado muito. **Haja** vista os últimos modelos.

j) Bem **hajam** os que lutam pela redenção dos cativos!

k) Como **se houveram** vocês na última prova?

l) "Mal **hajam** os vícios, mal **hajam** as paixões!" (CAMILO CASTELO BRANCO)

m) "Mas não **havia** negá-lo, era o próprio nome do Diogo Vilares." (MACHADO DE ASSIS)

n) "**Havia** muitos anos que não vinha ao Rio." (ANÍBAL MACHADO)

o) "É de fé que Deus **se houve** entre os dois partidos com uma honrada imparcialidade." (CAMILO CASTELO BRANCO)

p) "Sua majestade **houve** por bem admitir a Vossa Mercê à sua real presença." (CAMILO CASTELO BRANCO)

q) "Se acontecer achá-lo colérico, **haja-se** com discreta paciência." (CAMILO CASTELO BRANCO)

r) "Provavelmente ali ainda **haveria** assentos." (VIANA MOOG)

s) "Tanto um como o outro **se houveram** admiravelmente." (ALUÍSIO AZEVEDO)

t) "Quem sabe lá o que não seria se **nos** tivéssemos de **haver**, nos dias de hoje, com um *tiger-sapiens*!" (MÁRIO QUINTANA)

u) Mas como **se haviam** os países que não possuíam riquezas minerais?

4. Reescreva as frases substituindo adequadamente o * por **a**, **à** e **há**:

a) O barco saiu * pouco, em direção * ilha.

b) Daqui * pouco talvez os ônibus voltem * circular.

c) Este médico se devota * pesquisas científicas * dez anos.

d) De mais * mais, * possibilidade de o navio ir * pique.

e) Interessa * você saber quantos quilômetros * daqui * Lua?

f) * meses que estou * espera de notícias suas.

g) Estamos * vinte dias das eleições.

5. Reescreva a frase trocando **viver** pelos verbos **haver** e **existir**, sucessivamente.

No zoo da cidade **viviam** animais raros.

6. Reescreva as frases trocando o * por **há** ou **havia**, conforme for adequado:

a) * dois anos que a obra tinha sido iniciada.

b) * dois anos que a obra fora iniciada.

c) * dois anos que a obra foi iniciada.

d) O DER liberou a estrada que estava interditada * um mês.

e) A estrada está interditada * um mês.

LEITURA
Domingo na praça

Em três altas ondas a fonte desata
na negra bacia
suas longas madeixas de prata.

Entre o lago e as flores, desliza alegria
nas areias quietas:
cantos de ciranda, sapatinhos brancos,
aros velozes de bicicletas.

Depois dos canteiros, dois a dois sentados,
falando em sonho, sonhando acordados,
os namorados enamorados
dizem loucuras, pelos bancos.

Ah, Deus, – e a grande Lua antiga,
que volta de viagens, saindo do oceano,
ouve a alegria, ouve a cantiga,
ouve a linguagem de puro engano,
ouve a fonte que desata
na negra bacia
novas madeixas de prata...

As águas não eram estas,
há um ano, há um mês, há um dia...
Nem as crianças, nem as flores,
nem o rosto dos amores...

Onde estão águas e festas
anteriores?

E a imagem da praça, agora,
que será, daqui a um ano,
a um mês, a um dia, a uma hora?...

(CECÍLIA MEIRELES, *Mar Absoluto*, in *Poesia Completa*, Nova Aguilar,
Rio de Janeiro, 1993)

EMPREGO DO VERBO HAVER
Exercícios de exames e concursos
[Página 672]

ESTILÍSTICA

trata do estilo, dos recursos expressivos da língua

Cidade sem rio

O rio Amazonas é o maior do mundo,
mas o rio do Tanque é o menor,
(Deslizava na fazenda de meu irmão)
O rio Doce banha terras amargas
de maleita, ferro e melancolia.
O córrego da Penha, esse, coitado,
mal fazia um poço raso
onde a gente, fugindo, se banhava.
Talvez porque me faltasse água corrente,
hoje a tenho represada nos olhos
e neste vago verso fluvial.

(CARLOS DRUMMOND DE ANDRADE, *Poesia*,
Nova Aguilar, Rio de Janeiro, 2002)

FIGURAS DE LINGUAGEM

Figuras de linguagem, também chamadas *figuras de estilo*, são recursos especiais de que se vale quem fala ou escreve, para comunicar à expressão mais força e colorido, intensidade e beleza.

Podemos classificá-las em três tipos:

a) Figuras de palavras (ou tropos)

b) Figuras de construção (ou de sintaxe)

c) Figuras de pensamento

O estudo das figuras de linguagem faz parte da *estilística*.

1 FIGURAS DE PALAVRAS

Compare estes exemplos:

A) O tigre é uma **fera**.　　[*fera* = animal feroz: sentido próprio, literal, usual]

B)　Pedro era uma **fera**.　　[*fera* = pessoa muito brava: sentido figurado, ocasional]

No exemplo B, a palavra *fera* sofreu um desvio na sua significação própria e diz muito mais do que a expressão vulgar "pessoa brava". Semelhantes desvios de significação a que são submetidas as palavras, quando se deseja atingir um efeito expressivo, denominam-se *figuras de palavras* ou *tropos* (do grego *trópos*, desvio, giro).

São as seguintes as figuras de palavras:

- **Metáfora**. É o desvio da significação própria de uma palavra, nascido de uma comparação mental ou característica comum entre dois seres ou fatos.

  O seguinte exemplo, colhido em *Crônicas Escolhidas* de Rubem Braga, esclarece a definição:

  "O pavão é um *arco-íris* de plumas."

  Isto é, o pavão, com sua cauda armada em forma de leque multicolorido, é como um arco-íris de plumas.

  Entre os termos *pavão* e *arco-íris* existe uma relação de semelhança, uma característica comum: um semicírculo ou arco multicor.

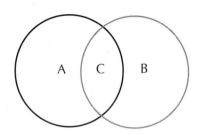

A – pavão
B – arco-íris
C – semicírculo multicor

Outros exemplos de metáforas:

Toda profissão tem seus *espinhos*.

As derrotas e as desilusões são *amargas*.

Murcharam-lhe os entusiasmos da mocidade.

"Adélia se via enclausurada numa *teia* de dúvidas." (Sérgio Gallo)

"Lá fora, a noite é um *pulmão ofegante*." (Fernando Namora)

"Mas o empregado não *se dobrou* a esses sofismas." (Carlos Drummond de Andrade)

"Cai a *tinta* da treva sobre o mundo." (Dante Milano)

"Que *negro* segredo guardava no *porão* da alma?" (Autran Dourado)

Dado o seu caráter enfático, incisivo, direto, a metáfora produz impacto em nossa sensibilidade: daí sua grande força evocativa e emotiva. É a mais importante e frequente figura de estilo e, frequentemente, encontra-se aliada a outras figuras, como a hipérbole e a personificação.

Observações:

✔ Não confundir a metáfora com a comparação. Nesta, os dois termos vêm expressos e unidos por nexos comparativos (como, tal, qual, assim como, etc.):
Nero foi cruel *como um monstro*. (comparação)
Nero foi um *monstro*. (metáfora)

✔ Por não ter colorido nem força expressiva especial, não é figura de estilo a *catacrese*, palavra ou expressão usada com seu significado original transposto ou adulterado: *embarcar* num trem, ficar a *cavalo* sobre um muro, *enterrar-se* um espinho no pé, tapar a *boca* dos poços, mesa de *pés* torneados, afiar os *dentes* da serra, etc.

- **Comparação.** Consiste em pôr em confronto pessoas ou coisas, a fim de lhes destacar semelhanças, características, traços comuns, visando a um efeito expressivo:

Eles não têm ideal: são *como folhas* levadas pelo vento.

A *criança é tal qual* uma *plantinha* delicada: precisa de amor e proteção.

"*Como* uma informe *nódoa*, avulta e cresce / a *sombra* à proporção que a luz recua." (Raimundo Correia)

- **Metonímia.** Consiste em usar uma palavra por outra, com a qual se acha relacionada. Essa troca se faz não porque as palavras são sinônimas, mas porque uma evoca a outra. Há metonímia quando se emprega:

ESTILÍSTICA

a) o *efeito* pela *causa*:

Os aviões semeavam a *morte*. [= bombas mortíferas]

[*as bombas* = a causa; *a morte* = o efeito]

b) o *autor* pela *obra*:

Nas horas de folga lia *Camões*. [*Camões* = a obra de Camões]
Traduzir *Homero* para o português não é fácil.

Um *Picasso* vale uma fortuna. [*Picasso* = o quadro de Picasso]

c) O *continente* pelo *conteúdo*:

Tomou uma *taça* de vinho. [= o vinho contido na taça]

A *terra* inteira chorou a morte do santo pontífice. [= os habitantes da terra]

d) o *instrumento* pela *pessoa* que *o* utiliza:

Ele é um bom *garfo*. [= comedor, comilão, glutão]

As *penas* mais brilhantes do país reverenciaram a memória do grande morto. [= os escritores]

e) o *sinal* pela *coisa significada*:

Que as *armas* cedam à *toga*. [isto é, *que a força militar acate o direito*]

O *trono* estava abalado. [isto é, *o império*]

Os partidários da *Coroa* eram poucos. [= governo monárquico]

f) o *lugar* pelos seus *habitantes* ou *produtos*:

"A *América* reagiu e combateu." (Latino Coelho)

Aprecio o *madeira*. [= o vinho fabricado na ilha da Madeira]

g) o *abstrato* pelo *concreto*:

A *mocidade* é entusiasta. [*mocidade* = moços]

"Difícil conduzir aquela *bondade* trôpega ao cárcere, onde curtiam pena os malfeitores." [bondade = o bom velho] (Graciliano Ramos)

h) a *parte* pelo *todo*:

Ele não tinha *teto* onde se abrigasse. [*teto* = casa]

Márcia completou ontem vinte *primaveras*. [*primaveras* = anos]

João trabalha dobrado para alimentar oito *bocas*. [*bocas* = pessoas]

i) o *singular* pelo *plural*:

O *homem* é mortal. [*o homem* = os homens]

"Foi onde o *paulista* fundou o país da Esperança." (Cassiano Ricardo)

j) a *espécie* ou a *classe* pelo *indivíduo*:

"Andai como filhos da luz", recomenda-nos o *Apóstolo* (para dizer *São Paulo*). [São Paulo (indivíduo) foi um dos *apóstolos* (espécie)]

k) o *indivíduo* pela *espécie* ou *classe*:

Os *mecenas* das artes	Os *átilas* das instituições	O *judas* da classe
(protetores)	(destruidores)	(traidor)

ESTILÍSTICA 617

"Não é paternalismo de nenhum *mecenas* arquimilionário." (Raquel de Queirós)
[*Mecenas:* amigo do imperador romano Augusto e incentivador das letras e das artes]

"Conseguirão os ladinos sherloques soteropolitanos desvendar a trama...?" (Jorge Amado)
[*Sherlock Holmes:* famoso detetive, personagem dos romances policiais de Conan Doyle]

l) a *qualidade* pela *espécie*:

Os *mortais* [em vez de *os homens*]   Os *irracionais* [= os animais]

m) a *matéria* pelo *objeto*:

Tanger o *bronze*. [= sino]

Ouvia-se o tinir dos *cristais*. [= copos]

Estava sem um *níquel* no bolso. [= moeda]

"O Cristianismo inventou o órgão e fez suspirar o *bronze*." (Chateaubriand) [*bronze* = sino]

"O *aço* de Zé Grande espelha reflexos dos cristais..." (Haroldo Bruno) [*aço* = faca]

- **Perífrase**. É uma expressão que designa os seres por meio de algum de seus atributos ou de um fato que os celebrizou:

Das entranhas da terra jorra o *ouro negro*. [= petróleo]

O *rei dos animais* foi generoso. [= leão]

O *Poeta dos Escravos* morreu moço. [= Castro Alves]

Os urbanistas tornarão ainda mais bela a *Cidade Maravilhosa*. [= o Rio de Janeiro]

"... parlamenteia-se hoje com o *monstro de mil cabeças*." (Carlos de Laet) [= a imprensa]

Observação:

✔ À estilística só interessam perífrases com valor expressivo.

- **Sinestesia**. É a transferência de percepções da esfera de um sentido para a de outro, do que resulta uma fusão de impressões sensoriais de grande poder sugestivo. Exemplos:

Sua *voz doce* e *aveludada* era uma *carícia* em meus ouvidos.

[*voz:* sensação auditiva; *doce:* sensação gustativa; *aveludada:* sensação tátil]

Em seu *olhar gelado* percebi uma ponta de desprezo.

"O *grito friorento* das marrecas povoava de terror o ronco medonho da cheia." (Bernardo Élis)

EXERCÍCIOS

LISTA 62

1. Transcreva apenas as frases em que há metáfora:

a) Luzia olhou-se no espelho.

b) O rosto é o espelho da alma.

c) Um grito agudo cortou o silêncio.

d) "No céu desenha-se um pálido sorriso." (Mário Quintana)

e) Muitos mancham a sua reputação e mordem na dos outros.

f) "As flores da terceira árvore eram rosadas como carne." (MARINA COLASANTI)

g) "O esquilo pincelava os troncos com a cauda." (MARINA COLASANTI)

h) "O luar amacia o mato sonolento." (RAUL BOPP)

i) "Uma nuvem de tristeza empana os olhos de amaro." (ÉRICO VERÍSSIMO)

j) Da nuvem cai a água que refresca e o raio que mata.

k) "No jardim as flores flamejam." (ÉRICO VERÍSSIMO)

l) Do alto via-se a teia imensa das ruas e avenidas cortando a floresta de edifícios.

2. Copie os períodos, numerando-os de acordo com as figuras de palavras que neles ocorrem:

(1) **metáfora** (2) **metonímia** (3) **perífrase** (4) **sinestesia**

a) Joguei duas pratas no chapéu do mendigo e fui andando.

b) O Pai da Aviação, com seu invento, encurtou as distâncias e aproximou os povos.

c) Via-me perdido num labirinto de dificuldades.

d) Ele, o Bom Pastor, deu a sua vida para nos salvar.

e) Um pássaro solitário riscou o céu, banhado em luz.

f) As planícies verdes alimentavam um rebanho de dez mil cabeças.

g) "Ó sonora audição colorida do aroma!" (ALPHONSUS DE GUIMARAENS)

h) Há muita luta e sofrimento neste vale de lágrimas.

3. Transcreva os períodos sublinhando as palavras que constituem metáfora:

a) Pesa sobre aquela nação uma sombria ameaça.

b) Ela sentou-se no banco, o olhar distante, o pensamento submerso no passado.

c) Uma a uma as badaladas se dissolvem na noite." (JOSÉ CONDÉ)

d) "Deitado na areia, meu pensamento vadio era uma borboleta serena que não pousava em nada." (BERNARDO ÉLIS)

4. Transforme as comparações em metáforas:

a) Os morcegos eram como loucos chicotes negros zurzindo as trevas.

b) A aeronave era como um grande pássaro metálico devorando a distância.

c) Faminto como ele estava, um pedaço de pão seria delicioso como um maná.

d) Cuidado com esse tal de Abelardo! Ele é astucioso como uma raposa.

5. Explique as metonímias, procedendo como no exemplo inicial:

Não podem viver debaixo do mesmo **teto**. [teto = casa: *a parte pelo todo*]

a) "Por que não te sentas? Eu vou descansar estes **ossos**." (ÉRICO VERÍSSIMO)

b) "**Nosso tempo** abomina flores, amigo." (CARLOS DRUMMOND DE ANDRADE)

c) Sobre a cidade indefesa os aviões semeavam a **morte**.

d) **São Paulo** parou para receber e ovacionar os campeões.

e) "O **aço** de Zé Grande espelha reflexos dos cristais." (HAROLDO BRUNO)

ESTILÍSTICA 619

f) "O garçom trouxera a bandeja com os copos festivos, perfilando num sorriso a brancura de seus dentes." (VILMA GUIMARÃES ROSA)

g) "Todos ao mar! — o Comandante ordena e é obedecido. Calções, maiôs, biquínis desfilam diante da reduzida população de Mangue Seco." (JORGE AMADO)

6. Qual é o tipo de figura de linguagem das palavras em destaque no período abaixo? (perífrase, metáfora, metonímia, comparação)

"E na curva da estrada, que era um talho sangrento no verde bruto da paisagem, sumiu-se a cavalgada." (BERNARDO ÉLIS)

7. Explique as perífrases:

a) E o **ouro** negro jorrou em vários pontos do **continente de Colombo**.

b) **Bípede implume**, não sujes o **precioso líquido** que te mata a sede e te purifica o corpo.

c) O **Poeta dos Escravos** verberou, em versos candentes, os navios negreiros.

8. Reconheça e classifique as figuras de palavras:

a) "Na guerra os meus dedos disparam mil mortes." (JUNQUEIRA FREIRE)

b) Firmou-se-lhe a reputação de mecenas das artes.

c) "O Major trazia sobre si o peso de 60 janeiros." (MONTEIRO LOBATO)

d) "Vendo em torno de mim mãos que davam esmolas." (OLEGÁRIO MARIANO)

e) "Volta aos humildes mas felizes tetos." (RONALD DE CARVALHO)

f) Os meninos ouviam contar os casos com frio desinteresse." (POVINA CAVALCÂNTI)

g) "O uniforme era lembrança viva do perigo permanente, da ceifadora implacável." (ORÍGENES LESSA)

h) "Um operário passou balançando uma lanterna vermelha, sumiu no oco da escuridão." (AUTRAN DOURADO)

i) "Os seminaristas que trocaram o turíbulo pelo rifle do guerrilheiro..." (VIANA MOOG)

j) "Altar e Trono, uni-vos!" (RAIMUNDO CORREIA)

k) Lisonjeavam-se outrora as cabeças coroadas; parlamenteia-se [= entra-se em negociação] hoje com o monstro de mil cabeças." (CARLOS DE LAET)

9. Forme frases com as palavras abaixo, usando-as no sentido metafórico.

Exemplo: Ele se libertou das **trevas** da ignorância.

sombra, tesouro, freio, manto, mar, brilhante, duro, acesso, frio, seco, sondar, alimentar, tecer, sacrificar

10. No diálogo, assinale a palavra empregada em sentido figurado:

"— Ainda bem que o inverno carioca é doce.

— É, mas aqui as folhas caem das árvores com tronco e tudo... (*Jornal do Brasil*, 21/6/1974)

11. Identifique as frases em que ocorrem *metonímias*.

a) Felizmente você tem um teto onde morar.

b) Precisamos de estradas bem construídas.

ESTILÍSTICA

c) O ser humano é realmente insondável!

d) Ninguém segura a juventude deste país.

12. *Minha vida era um palco iluminado*

Eu vivia vestido de dourado

Palhaço das perdidas ilusões...

No trecho da música de Sílvio Caldas e Orestes Barbosa, acima reproduzido:

a) Qual a figura predominante?

b) Como ficaria esse mesmo trecho se fossem utilizadas comparações em lugar da figura que você apontou? Sugestão: Minha vida se passava como se eu, vestido de dourado, tal qual um palhaço, vivesse num palco, rindo e chorando minhas perdidas ilusões.

2 FIGURAS DE CONSTRUÇÃO

Compare as duas maneiras de construir esta frase:

Os homens pararam, o medo no coração.

Os homens pararam, com o medo no coração.

Nota-se que a primeira construção é mais concisa e elegante. Desvia-se da norma estritamente gramatical para atingir um fim expressivo ou estilístico. Foi com esse intuito que assim a redigiu Jorge Amado.

A essas construções que se afastam das estruturas regulares ou comuns e que visam transmitir à frase mais concisão, expressividade ou elegância dá-se o nome de *figuras de construção* ou *de sintaxe*.

São as mais importantes figuras de construção:

- **Elipse**. É a omissão de um termo ou oração que facilmente podemos subentender no contexto. É uma espécie de economia de palavras. Aqui só interessa a elipse como figura de estilo. Exemplos:

  As mãos eram pequenas e os dedos, finos e delicados. [elipse do verbo *eram*]

  "As quaresmas abriam a flor depois do carnaval, os ipês em junho." (RAQUEL DE QUEIRÓS) [Isto é: os ipês *abriam a flor* em junho.]

  Nossa professora estava satisfeita, como, aliás, todas as suas colegas.
  [Isto é: como, aliás, *estavam satisfeitas* todas as suas colegas.]

  "Parece que, quando menor, Sereia era bonita." (RAQUEL DE QUEIRÓS)
  [Elipse do verbo *era*: quando *era* menor]

  "Eles tremiam por si; eu pela sorte da Espanha." (ALEXANDRE HERCULANO) [isto é: *eu tremia...*]

  "Por que foi que a criatura se imolou? Um ato de protesto contra o governo?" (ÉRICO VERÍSSIMO) [Isto é: *Teria sido* um ato de protesto contra o governo?]

Nos exemplos supracitados, omitiram-se termos anteriormente expressos na frase. Essa modalidade de elipse tem o nome de *zeugma*.

- A elipse das conjunções e preposições assegura à frase concisão, leveza e desenvoltura:

  "E espero tenha sido a última." (VIANA MOOG) [elipse da conjunção *que*]

"Só aí que me inteirei de que ela havia sofrido e era boa." (GRACILIANO RAMOS)
[Ou seja: e *de que* era boa.]

"A carinha de Neuma podia ser de chinesa, fossem os olhos mais enviesados."
(RAQUEL DE QUEIRÓS) [Isto é: *se* os olhos fossem...]

"Veio sem pintura, um vestido leve, sandálias coloridas." (RUBEM BRAGA)

"Entraram em casa, as armas na mão, os olhos atentos, procurando." (JORGE AMADO)

• Pode ocorrer a elipse total ou parcial de uma oração:

Perguntei-lhe quando voltava. Ele disse que não sabia.
[Isto é: Ele disse que não sabia *quando voltava.*]

"Os corpos se entendem, mas as almas não." (MANUEL BANDEIRA)
[Isto é: mas as almas não *se entendem.*]

• Podem ser consideradas casos de elipse as chamadas *frases nominais,* organizadas sem verbo. Exemplos:

"Bom rapaz, o verdureiro, cheio de atenções para com os fregueses."
(CARLOS DRUMMOND DE ANDRADE)

"Céu baixo, ondas mansas, vento leve." (ADONIAS FILHO)

"Àquela hora, quase deserta a Praia de Botafogo." (OLAVO BILAC)

"Em redor, tudo parado. Estático. No silêncio da madrugada, nem o piar de um pássaro, nem o farfalhar de uma folha." (LÍGIA FAGUNDES TELLES)

Observação:

✔ As frases nominais, de largo uso na literatura atual, são particularmente adequadas para a descrição de cenas estáticas, de ambientes de quietude, sem vida, sem movimento.

▪ **Pleonasmo**. É o emprego de palavras redundantes, com o fim de reforçar ou enfatizar a expressão. Exemplos:

"Foi o que *vi com os meus próprios olhos.*" (ANTÔNIO CALADO)

"*Sorriu* para Holanda um *sorriso* ainda marcado de pavor." (VIANA MOOG)

"Tenha pena de sua filha, perdoe-lhe pelo *divino* amor *de Deus.*" (CAMILO CASTELO BRANCO)

O seu leito era a *pedra fria,* a *pedra dura.*

"*Os impostos* é necessário pagá-*los.*" (CAMILO CASTELO BRANCO)

"*A mim* resta-*me* a independência para chorar." (CAMILO CASTELO BRANCO)

"... *secá-las* bem *secas* no jirau." (FERREIRA DE CASTRO)

Observação:

✔ O pleonasmo, como figura de linguagem, visa a um efeito expressivo e deve obedecer ao bom gosto. São condenáveis, por viciosos, pleonasmos como: *descer para baixo, entrar para dentro, subir para cima,* a ilha *fluvial do rio* Araguaia, a *monocultura exclusiva de uma* planta, escrever a *sua autobiografia, produzir* bons produtos, etc.

- **Polissíndeto**. É a repetição intencional do conectivo coordenativo (geralmente a conjunção *e*). É particularmente eficaz para sugerir movimentos contínuos ou séries de ações que se sucedem rapidamente:

"Trejeita, *e* canta, *e* ri nervosamente." (ANTÔNIO TOMÁS)

"Por que é a beleza vaga *e* tênue,

falaz *e* vã *e* incauta *e* inquieta?" (CABRAL DO NASCIMENTO)

"Vão chegando as burguesinhas pobres,

e as criadas das burguesinhas ricas,

e as mulheres do povo, *e* as lavadeiras da redondeza." (MANUEL BANDEIRA)

"Mão gentil, *mas* cruel, *mas* traiçoeira." (ALBERTO DE OLIVEIRA)

Nossas matas têm milhares de espécies de árvores, *mas* o cedro, *mas* o mogno, *mas* o ipê quase não se encontram mais.

- **Inversão**. Consiste em alterar a ordem normal dos termos ou orações com o fim de lhes dar destaque:

"*Passarinho*, desisti de ter." (RUBEM BRAGA)

"*Justo* ela diz que é, mas eu não acho não." (CARLOS DRUMMOND DE ANDRADE)

"*Por que brigavam no meu interior esses entes de sonho* não sei." (GRACILIANO RAMOS)

"*Tão leve* estou que já nem *sombra* tenho." (MÁRIO QUINTANA)

Observação:

✔ O termo que desejamos realçar é colocado, em geral, no início da frase.

- **Anacoluto**. É a quebra ou interrupção do fio da frase, ficando termos sintaticamente desligados do resto do período, sem função. O termo sem nexo sintático coloca-se, em geral, no início da frase para se lhe dar realce. Exemplos:

Pobre, quando come frango, um dos dois está doente. (DITO POPULAR)

"*Eu* não me importa a desonra do mundo." (CAMILO CASTELO BRANCO)

"*Essas criadas de hoje* não se pode confiar nelas." (ANÍBAL MACHADO)

"*Esses colonos* que se viram desalojados do Congo, não digo propriamente nada contra eles, mas não servem para nós." (RAQUEL DE QUEIRÓS)

A rua onde moras, nela é que desejo morar.

Urubu, quando é caipora, o de baixo suja o de cima. (PROVÉRBIO)

O anacoluto, fato bastante comum na língua oral, deve ser usado, na expressão escrita, com sobriedade e consciência.

- **Silepse**. Ocorre esta figura quando efetuamos a concordância não com os termos expressos, mas com a ideia a eles associada em nossa mente.

A silepse, ou concordância ideológica, pode ser:

a) de **gênero**:

Vossa Majestade será *informado* acerca de tudo. [*Vossa Majestade* = o rei]

"Sobre a triste *Ouro Preto* o ouro dos astros chove." (OLAVO BILAC)

"Nuvens baixas e grossas ocultavam *Ilhéus*, *vista* dali em mar grande e livre." (ADONIAS FILHO)

"A certa altura, *a gente* tem que estar *cansado*." (FERNANDO PESSOA)

"Quando *a gente* é *novo*, gosta de fazer bonito." (GUIMARÃES ROSA)

"Se acha *Ana Maria comprido*, trate-me por Naná." (CIRO DOS ANJOS)

b) de **número**:

"Corria *gente* de todos os lados, e *gritavam*." (MÁRIO BARRETO)

"O *casal* de patos nada disse, pois a voz das ipecas é só um sopro. Mas *espadanaram, ruflaram* e *voaram* embora." (GUIMARÃES ROSA)

"Está cheio de gente aqui. Tire esse *povaréu* da minha casa. Que é que *eles querem*?" (DALTON TREVISAN)

"Minha amiga, *flor* tem vida muito curta, logo *murcham, secam, viram* húmus." (JOSÉ J. VEIGA)

c) de **pessoa**:

Ele e eu temos a mesma opinião. [*ele e eu* = nós]

"Aliás *todos os sertanejos* somos assim." (RAQUEL DE QUEIRÓS)

"*Os que adoramos* esse ideal, nela vamos buscar a chama incorruptível." (RUI BARBOSA)

"*Os amigos nos revezávamos* à sua cabeceira." (AMADEU DE QUEIRÓS)

"Mas haverá para qualquer de nós, *os que lutamos*, alguma alternativa?" (FERNANDO NAMORA)

"*Os que a procuram* são inúmeros, pois *todos sofremos* de alguma coisa; esta 'água insípida' tem uma vastíssima órbita de ação." (CECÍLIA MEIRELES)

"*Ficamos* por aqui, insatisfeitos, *os seus amigos*." (CARLOS DRUMMOND DE ANDRADE)

"Dizem que *os cariocas somos* pouco dados aos jardins públicos." (MACHADO DE ASSIS) [= Dizem que *nós*, os cariocas, somos...]

- **Onomatopeia**. Consiste no aproveitamento de palavras cuja pronúncia imita o som ou a voz natural dos seres. É um recurso fonêmico ou melódico que a língua proporciona ao escritor.

"Pedrinho, sem mais palavras, deu rédea e, *lept! lept!* arrancou estrada afora." (MONTEIRO LOBATO)

"O som, mais longe, *retumba*, morre." (GONÇALVES DIAS)

"O longo vestido longo da velhíssima senhora *frufrulha* no alto da escada." (CARLOS DRUMMOND DE ANDRADE)

"*Tíbios flautins finíssimos gritavam*." (OLAVO BILAC)

"*Troe* e *retroe* a *trompa*." (RAIMUNDO CORREIA)

"*Vozes veladas, veludosas vozes,*

volúpias dos violões, vozes veladas

vagam nos *velhos vórtices velozes,*

dos *ventos, vivas, vãs, vulcanizadas*." (CRUZ E SOUSA)

Observação:

✔ As onomatopeias, como nos três últimos exemplos, podem resultar da aliteração (repetição de fonemas nas palavras de uma frase ou de um verso). Pronuncia-se *onomatopéia*.

- **Repetição**. Consiste em reiterar (repetir) palavras ou orações para enfatizar a afirmação ou sugerir insistência, progressão:

    "O surdo pede *que repitam, que repitam* a última frase." (Cecília Meireles)

    "*Tudo, tudo parado: parado* e morto." (Mário Palmério)

    "Ia-se pelos perfumistas, *escolhia, escolhia*, saía toda perfumada." (José Geraldo Vieira)

    "E o ronco das águas *crescia, crescia*, vinha para dentro da casona." (Bernardo Élis)

    "O mar foi ficando *escuro, escuro*, até que a última lâmpada se apagou." (Inácio de Loyola Brandão)

EXERCÍCIOS — LISTA 63

1. Reconheça os termos e as orações elípticos:

a) Ela o atraía irresistivelmente, como o ímã ao ferro.

b) "Mas o sal está no Norte, o peixe, no Sul." (Paulo Moreira da Silva)

c) Eles se orgulham de suas misérias como Antístenes de seus andrajos.

d) "A cidade parecia mais alegre: o povo mais contente." (Povina Cavalcânti)

e) "Quando adolescente, estudante em Salvador, participei dos festejos da noite de São João." (Povina Cavalcânti)

f) "Ia aos poucos conquistando o seu terreno, que, por muito extenso, ele tinha medo de olhar." (Autran Dourado)

g) "Fabricava, antes, cachaça e rapadura, e agora tamancos." (Garcia de Paiva)

h) "Vamos jogar, só nós dois? Você chuta para mim e eu para você." (Antônio Olinto)

i) "Vamos ver o busto de Jorge numa pracinha sossegada, como convinha que fosse." (Povina Cavalcânti)

j) "Carteia está deserta, como as demais povoações vizinhas." (Alexandre Herculano)

k) "Foi saqueada a vila, e assassinados os partidários dos Filipes." (Camilo Castelo Branco)

l) "Holanda afastou de si a ideia, por extravagante." (Viana Moog)

m) O senador propôs fossem reformulados alguns artigos da lei.

n) "O pensamento, não tenho certeza se estava no livro, se em outra parte." (Machado de Assis)

o) Nunca fales mais do que convém.

p) Você talvez ache que a vida é uma ilusão, mas eu não acho.

2. Reconheça as preposições e conjunções elípticas:

a) "Pouco importa me batas pelo dobro." (Carlos Drummond de Andrade)

b) "Observava como ele torneava ou esculpia a madeira." (Érico Veríssimo)

c) "Marta tinha medo de que Paulo viesse destruir os seus planos, se metesse a modificar o que era seu." (José Lins do Rego)

d) "Veio sem pintura, um vestido leve, sandálias coloridas." (Rubem Braga)

3. Transcreva as frases, colocando entre parênteses o nome das figuras de construção estudadas neste capítulo:

a) "Passeiam, à tarde, as belas na Avenida." (CARLOS DRUMMOND DE ANDRADE)

b) "Agora seus olhos quase cegos viam perfeitamente vista a mata em todo o seu esplendor." (JORGE AMADO)

c) "O céu, à tarde, cada vez se tornava mais vermelho, os ventos mais quentes, mais forte a claridade." (ADONIAS FILHO)

d) "Táxi aqui não é fácil de conseguir. Passam lotados." (JOSÉ FONSECA FERNANDES)

e) "E rola e tomba e se espedaça e morre." (AURÉLIO BUARQUE DE HOLANDA)

f) "Você não volta nunca nunca nunca." (CARLOS DRUMMOND DE ANDRADE)

g) "Essas criadas de hoje não se pode confiar nelas." (ANÍBAL MACHADO)

h) "Cricrila o grilo. Que frio!" (MÁRIO QUINTANA)

4. Classifique as figuras de construção, como fez no exercício anterior:

a) "E treme, e cresce, e brilha, e afia o ouvido, e escuta." (OLAVO BILAC)

b) "A gente, quando vai ensurdecendo, também vai ficando isolado." (GRACILIANO RAMOS)

c) "A mim é que não me enganam!" (MONTEIRO LOBATO)

d) "Não estou preparado. Quem está, para morrer?" (CARLOS DRUMMOND DE ANDRADE)

e) "Entravam matas adentro para o ventre das selvas, ou saíam mar afora para os portos do mundo." (ADONIAS FILHO)

f) "Os teus grilhões estrídulos estalam." (RAIMUNDO CORREIA)

g) "Coisa curiosa é gente velha. Como comem!" (ANÍBAL MACHADO)

h) "Sentei-me na cama, uma dor aguda no peito, o coração desordenado." (ANTÔNIO OLAVO PEREIRA)

i) "Homens e mais homens surgiram nas vertentes do Mogadouro." (JOSÉ GERALDO VIEIRA)

j) "Tão bom se ela estivesse viva para me ver assim!" (ANTÔNIO OLAVO PEREIRA)

k) "Indispensável os meninos entrarem no bom caminho." (GRACILIANO RAMOS)

l) "Atrás, muito atrás, e com as gaivotas, ficaram a barra e o farol no morro do Pontal." (ADONIAS FILHO)

m) "Aliás todos os sertanejos somos assim." (RAQUEL DE QUEIRÓS)

n) "A gente é obrigado a varrer até cair morto." (JOSUÉ GUIMARÃES)

o) "É tudo certo e prescrito

em nebuloso estatuto.

O homem, chamar-lhe mito

não passa de anacoluto." (CARLOS DRUMMOND DE ANDRADE)

626 ESTILÍSTICA

5. Transcreva as frases abaixo, antepondo a cada uma a letra correspondente à figura de construção que nela ocorre:

(a) **elipse**   (b) **polissíndeto**   (c) **anacoluto**   (d) **silepse**

a) "Só a dor enobrece e é grande e é pura." (Manuel Bandeira)

b) "O público vaiou demoradamente. E só não quebraram o circo porque o palhaço Gregório era engraçado." (José Condé)

c) "A cidade, quando davam as oito horas, todo mundo já estava de luz apagada, metido na cama." (Bernardo Élis)

d) "De que você me acusa? De não atendê-lo ao telefone?" (Carlos Drummond de Andrade)

3 FIGURAS DE PENSAMENTO

Figuras de pensamento são processos estilísticos que se realizam na esfera do pensamento, no âmbito da frase. Nelas intervêm fortemente a emoção, o sentimento, a paixão.

Eis as principais figuras de pensamento:

▪ **Antítese**. Consiste na aproximação de palavras ou expressões de sentido oposto. É um poderoso recurso de estilo. Exemplos:

"Última flor do Lácio, inculta e bela,

és, a um tempo, *esplendor* e *sepultura*." (Olavo Bilac)

"A areia, *alva*, está agora *preta*, de pés que a pisam." (Jorge Amado)

"Como eram possível *beleza* e *horror*, *vida* e *morte* harmonizarem-se assim no mesmo quadro?" (Érico Veríssimo)

"Quando a bola *saía*, *entravam* os comentários dos torcedores." (Carlos Eduardo Novais)

"As *sempre-vivas morreram*." (Dora Ferreira da Silva)

▪ **Apóstrofe**. É a interrupção que faz o orador ou escritor para se dirigir a pessoas ou coisas presentes ou ausentes, reais ou fictícias. Exemplos:

"Abre-se a imensidade dos mares, e a borrasca enverga, como o condor, as foscas asas sobre o abismo.

Deus te leve a salvo, brioso e altivo barco, por entre as vagas revoltas…" (José de Alencar)

Pode a apóstrofe ser também uma interpelação veemente, inflamada, como a destes versos de Castro Alves, que iniciam o poema *Vozes d'África*:

"Deus! Ó Deus! Onde estás que não respondes?

Em que mundo, em que estrela tu te escondes

embuçado nos céus?"

▪ **Eufemismo**. Consiste em suavizar a expressão de uma ideia triste, molesta ou desagradável, substituindo o termo contundente por palavras ou circunlocuções amenas ou polidas. Exemplos:

Fulano *foi desta para melhor*. [= morreu]

"A senhora é moça, é normal, e se estiver *em estado interessante*, o seu filho pode correr um perigo terrível." (Luís Jardim) [= grávida]

Na cidade há escolas para crianças *excepcionais*. [= retardadas, anormais]

- **Gradação**. É uma sequência de ideias dispostas em sentido ascendente ou descendente. Exemplos:

"O primeiro milhão possuído *excita, acirra, assanha* a gula do milionário." (Olavo Bilac)

Ele foi um *tímido*, um *frouxo*, um *covarde*.

Um ser *limitado*, uma *ínfima criatura*, um *grão de pó* perdido no cosmo, eis o que o homem é.

Uma *palavra*, um *gesto*, um *olhar* bastava para despertar suspeita.

A gradação ascendente denomina-se também *clímax*, e a descendente, *anticlímax*.

- **Hipérbole**. É uma afirmação exagerada. É uma deformação da verdade que visa a um efeito expressivo. Exemplos:

Chorou *rios* de lágrimas.

Estava *morto* de sede.

Os cavaleiros não corriam, *voavam*.

Estou um *século* à sua espera.

Tinha um *mundo* de planos na cabeça.

"A geada é um *eterno* pesadelo." (Monteiro Lobato)

"Astrônomos famosos, como Pickering, *inundavam* os jornais de notícias." (Ronaldo de Freitas Mourão)

- **Ironia**. É a figura pela qual dizemos o contrário do que pensamos, quase sempre com intenção sarcástica. Exemplos:

Fizeste um *excelente serviço*! [para dizer: um serviço péssimo]

Vejam os *altos feitos* destes senhores: dilapidar os bens do país e fomentar a corrupção!

"Um carro começa a buzinar… Talvez seja algum amigo que venha me desejar Feliz Natal. Levanto-me, olho a rua e sorrio: é um caminhão de lixo. *Bonito presente de Natal*!" (Rubem Braga)

"Há recessão, há desemprego, há miséria, mas *tudo está sob controle de geniais economistas*." (Evandro Lins e Silva)

- **Paradoxo**. Consiste esta figura, também chamada *oxímoro*, em usar, intencionalmente, um contrassenso:

"*Feliz culpa*, que nos valeu tão grande Redentor!" (Santo Agostinho)

Valentia covarde assaltar e matar pessoas indefesas!

"O doutor falava *bobagens conspícuas*." (Manoel de Barros)

"*O que não tenho* e desejo é que melhor *me enriquece*." (Manuel Bandeira)

- **Personificação**. É a figura pela qual fazemos os seres inanimados ou irracionais agirem e sentirem como pessoas humanas. É um precioso recurso da expressão poética. Por meio desta figura, também chamada *prosopopeia* e *animização*, empresta-se vida e ação a seres inanimados. Exemplos:

"Lá fora, no jardim que o *luar acaricia, um repuxo apunhala* a alma da solidão." (Olegário Mariano)

"*Os sinos chamam* para o amor." (Mário Quintana)

"*O rio tinha entrado em agonia*, após anos de devastação em suas margens."
(Ignácio de Loyola Brandão)

Comum é a personificação de conceitos abstratos:

A Morte roubou-lhe o filho mais querido.

Vi *a Ciência desertar* do Egito..." (Castro Alves)

- **Reticência**. Consiste em suspender o pensamento, deixando-o meio velado. Exemplos:

    "De todas, porém, a que me cativou logo foi uma... uma... não sei se digo." (Machado de Assis)

    "Quem sabe se o gigante Piaimã, comedor de gente..." (Mário de Andrade)

- **Retificação**. Como a palavra diz, consiste em retificar uma afirmação anterior. Exemplos:

    É uma joia, *ou melhor, uma preciosidade*, esse quadro.

    O síndico, *aliás uma síndica* muito gentil, não sabia como resolver o caso.

    "O país andava numa situação política tão complicada quanto a de agora. *Não, minto. Tanto não.*" (Raquel de Queirós)

    "Tirou, *ou antes, foi-lhe tirado* o lenço da mão." (Machado de Assis)

    "Ronaldo tem as maiores notas da classe. *Da classe? Do ginásio!*" (Geraldo França de Lima)

EXERCÍCIOS

LISTA 64

1. Escreva e classifique as frases de acordo com as figuras de pensamento estudadas neste capítulo:

    a) "A excelente Dona Inácia era mestra na arte de judiar de crianças." (Monteiro Lobato)

    b) O infeliz poeta pôs termo à vida tragicamente.

    c) "Toda vida se tece de mil mortes." (Carlos de Laet)

    d) "Pupu está escrevendo – disse ela por fim. Não sei se ele..." (José J. Veiga)

    e) Os tanques, abrasados, avançavam, a morte despejando dos seus bojos, mais frios do que as pedras que esmagavam.

    f) "Acordei cansado, Solange. Ou melhor: não dormi." (José Fonseca Fernandes)

    g) "No almoço e no jantar, tio Aníbal se levantava da cama para comer. Comia montanhas." (Raquel Jardim)

    h) "O sol belisca a pele azul do lago." (Raul Bopp)

    i) "Ande, corra, voe aonde a honra o chama." (Boileau)

    j) " O coqueiro Ananias

    está ali desde antes de nascerem os viajantes.

    Estará ali depois que todos morrerem.

    Salve, Ananias, os que vão findar te saúdam!" (Carlos Drummond de Andrade)

ESTILÍSTICA 629

2. Reconheça e classifique as figuras de pensamento, como fez no exercício anterior:

a) "Outro dia, João Brandão ia pela calçada. Minto. Evidentemente, não ia pela calçada, lugar por onde não se vai nem se vem, a menos que se possua carro." (CARLOS DRUMMOND DE ANDRADE)

b) "A Rua Nova, no Recife, é velha à beça. A do Sossego é ruidosa e a Direita não pode ser mais torta." (MÁRIO SOUTO MAIOR)

c) "O povo estourava de riso." (MONTEIRO LOBATO)

d) "Onde estão os meus verdes? Os meus azuis?

O Arranha-Céu comeu!" (MÁRIO QUINTANA)

e) "O meu quarto, no primeiro andar, era um inferno de calor!" (GRACILIANO RAMOS)

f) "Quem sabe se o gigante Piaimã, comedor de gente…" (MÁRIO DE ANDRADE)

g) Que belo espetáculo cívico a pichação dos muros da cidade, em época de eleições!

h) Uma palavra, um gesto, um olhar bastava para despertar suspeitas.

i) "A luz do Sol – aliás, a luz em geral – só é vista quando se choca com a matéria." (RONALDO DE FREITAS MOURÃO)

j) O homem tem-se revelado grande amigo da natureza: onde se instala, abate as árvores, mata os animais, destrói cachoeiras, polui as águas dos rios e dos mares…

k) "Ela dará à luz um filho e tu o chamarás pelo nome de Jesus." (MATEUS 1, 21)

l) "As águas do rio gemiam alto, soluçando entre seixos." (VILMA GUIMARÃES ROSA)

m) "O ouro é tão claro! E turva tudo:

honra, amor e pensamento." (CECÍLIA MEIRELES)

n) "Bateu Amor à porta da Loucura.

'Deixa-me entrar – pediu – sou teu irmão.'" (CARLOS DRUMMOND DE ANDRADE)

o) "Na minha varanda já apareceu canário, até beija-flor, até uma deusa, oh, tu, Diana, caçadora de brisas, que presides ao destino das nuvens errantes e das espumas do mar." (RUBEM BRAGA)

3. Em cada uma das frases seguintes há duas figuras de estilo. Aponte-as:

a) "Ciprestes austeros velavam a paz dos encantados." (VILMA GUIMARÃES ROSA)

1) pleonasmo e elipse

2) personificação e eufemismo

3) antítese e hipérbole

b) Já é madrugada alta e a Lua vela o sono da cidade.

1) personificação e metonímia

2) antítese e silepse

3) metáfora e hipérbole

c) "Palavra que tem berço aqui, aqui tem sua sepultura." (JOSUÉ GUIMARÃES)

1) antítese e ironia

2) perífrase e ironia

3) antítese e metáfora

d) "Muda e sem trégua, galopa a névoa, galopa a névoa." (Manuel Guimarães)

1) repetição e personificação

2) antítese e elipse

3) pleonasmo e elipse

e) "Eu, que era branca e linda, eis-me medonha e escura." (Manuel Bandeira)

1) retificação e eufemismo

2) antítese e anacoluto

3) ironia e hipérbole

f) Homens de vida amarga fazem o branco e doce açúcar.

1) metáfora e antítese

2) antítese e ironia

3) elipse e ironia

4. Assinale a figura de estilo que ocorre nos exemplos seguintes:

a) As viagens espaciais desprestigiaram o astro dos namorados.

1) metáfora

2) perífrase

3) hipérbole

4) elipse

b) Os pinheiros, de braços abertos, vigiavam a paisagem.

1) metonímia

2) apóstrofe

3) personificação

4) inversão

c) "Enfim o Rio de Janeiro pode orgulhar-se de um recorde mundial: é a cidade mais barulhenta do mundo." (*Jornal do Brasil*, 21/12/1981)

1) metáfora

2) onomatopeia

3) antítese

4) ironia

d) "Eu cá ninguém me tira da cabeça que foram os ministros militares que forçaram o homem a renunciar." (Érico Veríssimo)

1) anacoluto

2) elipse

ESTILÍSTICA   631

   3) eufemismo

   4) ironia

e) Interesse ou não, seja barato ou caro, o produto tem de ser comprado.

   1) polissíndeto

   2) elipse

   3) pleonasmo

   4) silepse

5. Identifique as figuras de linguagem que ocorrem nos exemplos seguintes:

a) "Essas criadas de hoje não se pode confiar nelas." (ANÍBAL MACHADO)

b) "Vossa Reverendíssima está constipado?" (MARTINS PENA)

c) "Marcela juntava-as todas dentro de uma caixinha de ferro, cuja chave ninguém nunca jamais soube onde ficava." (MACHADO DE ASSIS)

d) "Misericórdia! – bradou toda aquela multidão, ao passar por el-rei: e caíram de bruços sobre as lájeas do pavimento." (ALEXANDRE HERCULANO)

e) "Mas estas coisas subentendem-se e não se dizem por ociosas." (MACHADO DE ASSIS)

f) "Porque afinal este mundo, tal como está, se eu gosto dele um bocadinho, é no momento mesmo em que penso em largá-lo." (ANÍBAL MACHADO)

g) "Achei a bordo do navio uma senhora que me procurava, quando os passageiros subimos ao convés." (CAMILO CASTELO BRANCO)

h) "Um velho como ele, que a qualquer momento pode juntar os pés, não tem como mentir." (ADONIAS FILHO)

i) "Vossa Excelência não tem filho que lhe vingue as cãs." (CAMILO CASTELO BRANCO)

j) "Seus muitos desertos são atravessados pelas serpentes dos oleodutos." (RENATO KLOSS)

k) "As rodas rangem na curva dos trilhos inexoravelmente." (MANUEL BANDEIRA)

l) "Um evento desse porte [a ECO-92] não poderia prescindir de cabeças coroadas." (*Jornal do Brasil*, 14/6/1992)

m) "Há recessão, há desemprego, há miséria, mas tudo está sob controle de geniais economistas." (EVANDRO LINS)

n) "Agora estão as montanhas estendidas

   como cavalos azuis adormecidos." (JORGE DE LIMA)

o) "Se tu chegas, amanhece,

   fica noite se te vais." (VICENTE DE CARVALHO)

p) "Leves véus velam, nuvens vãs, a Lua." (FERNANDO PESSOA)

q) "Entre Emília e a viúva Miranda há distâncias interplanetárias." (CIRO DOS ANJOS)

r) "O inclemente, o terrível, o tenebroso, o trágico mar do Norte, encapelado em ondas alterosas como montanhas, esbarra na estreita ponta setentrional da Holanda." (RAMALHO ORTIGÃO)

6. Na 4ª e 5ª estrofes do poema "Domingo na praça", página 611, ocorrem as figuras de linguagem:

➢ antítese – hipérbole – ironia – metáfora

➢ personificação – repetição – metáfora – gradação

➢ metáfora – hipérbole – anacoluto – eufemismo

7. Transcreva apenas a frase em que há ironia:

➢ O narcotráfico é um vírus que ataca o organismo social.

➢ A ventania era uma loba faminta a uivar.

➢ "O monstro é ele (Inácio) e não o pobre que está atrás das grades." (João Clímaco Bezerra)

➢ "O fim justifica os meios, já ensinavam com proveito Hitler e outros pais da pátria, guias geniais dos povos." (Jorge Amado)

8. Assinale a figura de estilo que o autor usou no texto abaixo:

➢ antítese

➢ silepse

➢ ironia

➢ hipérbole

"A nossa floresta tem ao redor de um milhão de diferentes espécies de seres vivos. Da sucuriju de 15 metros à minhoquinha que serve de isca para puxar um pacu; do jacaré temível ao calango brincalhão; da sumaumeira de 60 metros de altura ao capim peremembeca rasteirinho; da vitória-régia de metro e meio de diâmetro ao protozoário invisível."

(Tiago de Melo, *Amazônia, A Menina dos Olhos do Mundo*, p. 43)

9. Nos enunciados abaixo há mais de uma figura de linguagem. Identifique-as:

a) "A imaginação açula a matilha das dúvidas." (Gastão Cruls)

b) "Essa gente já terá vindo? Parece que não. Saíram há um bom pedaço." (Machado de Assis)

c) "A inocência é transparente, a malícia opaca e tenebrosa." (Marquês de Maricá)

d) "O 13 de Maio tirou-lhe das mãos o azorrague." (Monteiro Lobato)

e) "Calisto Elói romperia no parlamento os vesúvios da sua eloquente indignação." (Camilo Castelo Branco)

f) "O Viegas – um cangalho de setenta invernos – era um hospital concentrado." (Machado de Assis)

g) "Sei que as pessoas não levam flores, mas pedras." (Rubem Braga)

h) "Dele descende Noé, e de Noé nós todos. (Mário Barreto)

i) "A nau do Estado já começou a singrar o mar traiçoeiro da inflação." (Lêdo Ivo)

j) "E o vaga-lume voava e voava e brilhava e brilhava e pensava e pensava: – Haverá, em toda mata, outro como eu?" (Millôr Fernandes)

k) "Teu pé, como o de um deus, fecundava o deserto." (Olavo Bilac)

l) "Escuta o galope certeiro dos dias

saltando as roxas barreiras da aurora." (CECÍLIA MEIRELES)

m) "Que vento, que cavalo, que bravia

saudade me arrastava a esse deserto?" (CECÍLIA MEIRELES)

n) "Quando a indesejada das gentes chegar

(Não sei se dura ou caroável),

talvez eu tenha medo,

talvez sorria ou diga:

– Alô, iniludível!" (MANUEL BANDEIRA)

Observação

✔ Nesses versos MB se refere à sua morte.

10. Aponte as principais figuras de linguagem que ocorrem no texto abaixo.

LEITURA
Janelas sobre o Saara

Redemoinhos

erigem rosas

rosas fugidias

em vórtices que não se cumprem

pois tudo em ti, deserto,

é a longa espera do horizonte.

Fulva tua cor, fulvos teus camelos,

lentos barcos da longa travessia.

Nas dunas nasce o sol,

rugindo.

A sede acorda, alongam-se as caravanas.

O céu é uma pupila imensa, dilatada,

e a sombra dos corpos, o repouso adiado,

além, na imensidão.

(Dora Ferreira da Silva, *Poesia Reunida*, p. 69, Topbooks Editora, Rio de Janeiro, 1999)

11. Identifique as figuras de linguagem que aparecem nos versos transcritos a seguir:

a) "Fez-se de triste o que se fez de amante."

E de sozinho o que se fez contente

Fez-se de amigo próximo o distante" (VINICIUS DE MORAES)

b) "A felicidade é como a bruma que o vento vai levando pelo ar" (VINICIUS DE MORAES)

c) "Meu verso é sangue. Volúpia ardente." (MANUEL BANDEIRA)

634 ESTILÍSTICA

d) "O som, mais longe, retumba, morre." (Gonçalves Dias)

e) "Se às vezes digo que as flores sorriem

E se eu disser que os rios cantam…" (Fernando Pessoa)

12. Copie o verso que aparece na frase **b** do exercício anterior, de forma que passe a apresentar metáfora.

13. Identifique as frases em que haja *ironia*.

a) Que lindo esse seu chapéu verde e amarelo, repleto de rosas e de cravos vermelhos!

b) Vejam as grandes realizações daquele governo: aumento da pobreza e diminuição do número de hospitais!

c) As sementes despertam dando um abraço na mãe-terra.

d) Dois copos quebrados, o aspirador danificado e o ferro queimado… Realmente trabalhaste bem hoje!

> **FIGURAS DE LINGUAGEM**
> **Exercícios de exames e concursos**
> [Página 690]

4 VÍCIOS DE LINGUAGEM

Vícios de linguagem são incorreções e defeitos no uso da língua falada ou escrita. Originam-se do descaso ou do despreparo linguístico de quem se expressa. São os principais vícios de linguagem:

- **Ambiguidade**. Defeito da frase que apresenta duplo sentido. Exemplos:
Vencem os romanos os cartagineses. [quem vence?]
Convence, enfim, o pai o filho amado. [quem convence?]
Jacinto, vi a Célia passeando com *sua* irmã. [*sua*: de quem?]
Em cidade pequena, a qualquer hora *podem encontrar*-se pessoas conhecidas. [pessoas se encontram ou podem ser encontradas?]

- **Barbarismo**. Emprego de palavras erradas relativamente à pronúncia, forma ou significação. Exemplos:
pégada, em vez de *pegada*; *carramanchão*, em vez de *caramanchão*; *ância*, em vez de *ânsia*; *cidadões* por *cidadãos*; *proporam*, em lugar de *propuseram*; *bizarro* no sentido de *esquisito* (galicismo).

- **Cacofonia** ou **cacófato**. Som desagradável ou palavra de sentido ridículo ou torpe, resultantes da contiguidade de certos vocábulos na frase. Exemplos:
cinco *cada* um; a bo*ca dela*; mande-*me já* isso; *por cada* mil habitantes; nun*ca Brito* vinha aqui; não vi nun*ca Juca* aqui.

- **Estrangeirismo**. Uso de palavras, expressões ou construções próprias de línguas estrangeiras. Conforme a proveniência, o estrangeirismo se denomina: *galicismo* ou *francesismo* (do francês), *anglicismo* (do inglês), *germanismo* (do alemão), *castelhanismo* (do espanhol), *italianismo* (do italiano).
O emprego de estrangeirismos deve-se limitar aos que são necessários, por não haver, em português, termos equivalentes. Por que usar, por exemplo, o galicismo *débâcle*, se temos *ruína, derrota, derrocada*, ou o anglicismo *performance*, se possuímos *desempenho, atuação*? O abuso de estrangeirismo torna o texto pedante e obscuro.

ESTILÍSTICA 635

Eis alguns galicismos e anglicismos que devem ser evitados:

Galicismos	Formas corretas	Anglicismos	Formas corretas
através obstáculos	através de obstáculos	apartheid	segregação racial
molho ao tomate	molho de tomate	corner	escanteio
os sábios os mais renomados	os sábios mais renomados	hall	vestíbulo
estátua em bronze	estátua de bronze	outdoor	cartaz, painel
blague	pilhéria, gracejo	performance	desempenho
chofer	motorista	office-boy	contínuo, moço de recados
comandante-em-chefe	comandante-chefe		
complô	conspiração, conluio	mídia	meios de comunicação
costume	traje, vestido	grogue	tonto
démarche	tentativa, diligência	blefar	iludir, enganar
frisson	arrepio, frêmito	week-end	fim de semana
gauche	acanhado, inepto, desajeitado	videogame	videojogo
		gentleman	cavalheiro
menu	cardápio	lady	senhora
mise-en-scéne	encenação	glamour	fascínio, encanto
trupe	grupo teatral, elenco		

Estrangeirismos incorporados à nossa língua devem revestir, na medida do possível, a forma vernácula. Assim, por exemplo, *recorde, xorte, xampu* e *imbrólio* são grafias preferíveis a *record, short, shampoo* e *imbroglio*.

- **Hiato**. Sequência antieufônica de vogais:

  Andreia irá ainda hoje ao oculista.

- **Colisão**. Sucessão desagradável de consoantes iguais ou idênticas:

  O rato roeu a roupa; o que se sabe sobre o sabre; viaja já; aqui caem cacos.

- **Eco**. Concorrência de palavras que têm a mesma terminação (rima na prosa):

  A flor tem odor e frescor.

  Com medo, Alfredo ocultou-se no arvoredo.

- **Obscuridade**. Sentido obscuro ou duvidoso decorrente do emaranhado da frase, da má colocação das palavras, da impropriedade dos termos, da pontuação defeituosa ou do estilo empolado.

ESTILÍSTICA

- **Pleonasmo**. Redundância, presença de palavras supérfluas na frase:

  Entrar para *dentro*; *sair* para *fora*; a brisa *matinal da manhã*.

> **Observação:**
>
> ✔ Trata-se aqui, é claro, do pleonasmo vicioso, não do que se usa como recurso intencional de estilo.

- **Solecismo**. Erro de sintaxe (concordância, regência, colocação):

  Falta cinco alunos; eu *lhe* estimo; revoltarão-*se*.

- **Preciosismo, rebuscamento**. Linguagem afetada, artificial, cheia de sutilezas e vazia de ideias, fuga ao natural, maneirismo.

- **Plebeísmo**. Uso de palavras e expressões vulgares. Exemplos:

  cara (indivíduo), *troço* (objeto, coisa), *cuca* (cabeça), *coroa* (pessoa idosa), *abacaxi* (coisa difícil ou desagradável), *grana* (dinheiro), *goleirão* (bom goleiro), *mixar* (malograr, fracassar), *mixuruca* (à toa, de má qualidade), *pra burro* (muito), *entrar pelo cano* (sair-se mal), etc.

Os plebeísmos são vetados na linguagem culta, em situações formais e na conversação cerimoniosa.

EXERCÍCIOS

LISTA 65

1. Escreva as frases e coloque ao lado delas o nome dos vícios de linguagem que apresentam:

a) É verdade, poeta, só nos sonhos a gente agarra a fada pelos cabelos.

b) Muitos cidadões ou não votam ou votam mau.

c) Ah fatalidade! As rugas da idade se instalam em minha face sem piedade e apagam o frescor da mocidade.

d) Fábio quis conhecer o sítio de um tio de que o pai falava muito.

e) Embora doente, Tito teima em tomar café a todo instante.

f) O Rio está incluído na tournée organizada pela nova empresa de turismo.

g) Eu ia eufórico pela rua, ouvindo vozes que não me eram estranhas.

2. Relacione as frases aos vícios de linguagem que nelas ocorrem:

(**a**) estrangeirismo   (**b**) pleonasmo   (**c**) solecismo   (**d**) preciosismo

Desde então ele passou a nutrir uma inexplicável xenofobia aos estrangeiros.

Evolou-se aos páramos etéreos a alma imácula da donzela.

Foi impecável a performance do piloto durante a dura competição.

Amanhã começa as aulas nas escolas e há muitas salas onde falta carteiras.

5 QUALIDADES DA BOA LINGUAGEM

- **Correção**. É a obediência à disciplina gramatical, o respeito das normas linguísticas que vigoram na língua-padrão. Linguagem correta, portanto, é a que está livre dos vícios a que atrás nos referimos.

  Todavia, a correção gramatical não deve ser considerada como um tabu. O purismo, ou a excessiva preocupação com "o que se não deve dizer", garroteia a ideia e abafa a espontaneidade.

- **Concisão**. Consiste em dizer muito em poucas palavras. A expressão concisa e sóbria se desenvolve no sentido retilíneo, evitando as digressões inúteis, as palavras supérfluas, a desmedida adjetivação e os períodos extensos e emaranhados.

  O vício contrário a essa qualidade do estilo é a prolixidade.

- **Clareza**. Juntamente com a correção, é qualidade primordial da expressão escrita ou falada. Reflete a limpidez do pensamento e facilita-lhe a pronta percepção. A clareza é coadjuvada pela concisão e a simplicidade da forma. Opõe-se-lhe a anfibologia e a obscuridade.

- **Precisão**. Resulta da escolha acertada do termo próprio, da palavra exata para a ideia que se quer exprimir. A impropriedade dos termos torna a linguagem imprecisa e obscura.

- **Naturalidade**. Sem deixar de ser correta e até mesmo original e colorida, a linguagem revestirá, no entanto, uma forma simples e espontânea, de tal maneira que não se note o esforço da arte e a preocupação do estilo.

  Ferem a naturalidade o uso sistemático dos termos difíceis, a frase rebuscada, a expressão empolada e pedante, enfim, tudo o que denota artificialismo e afetação.

- **Originalidade**. É uma qualidade inata ao falante ou escritor, um dom natural, que a arte não dá, mas pode estimular e aprimorar. Nasce de uma visão pessoal do mundo e das coisas.

  Contrapõem-se-lhe a imitação servil, o estilo postiço e a vulgaridade.

- **Harmonia**. É o elemento musical da frase. Seu segredo está na boa escolha e na correta disposição das palavras, de tal maneira que o período se imponha pelo ritmo, equilíbrio e harmonia.

- **Colorido e elegância**. São virtudes que dão à obra literária o acabamento ideal e o toque da perfeição. Decorrem do uso criterioso das figuras e dos ornatos de estilo, e exigem imaginação fértil e brilhante e o perfeito domínio da técnica literária.

LEITURA
Bendengó

Bendengó é um meteorito que foi encontrado no sertão baiano, em 1784, junto a um rio, afluente do Vaza-Barris e que passou a se chamar rio Bendengó.

O peso desse meteorito é de 5 toneladas e seu nome, de origem indígena, significa, entre os índios quiriris da Bahia, *vindo do céu*.

No local da queda do Bendengó existem até hoje escombros e estilhaços da pedra vinda do céu. E o acontecimento ficou na lembrança de todos os habitantes da região, em parte graças à literatura de cordel, que contou toda a história.

(RONALDO DE FREITAS MOURÃO, *Astronomia e Poesia*, p. 87, Difel, Rio de Janeiro, 1977)

Nunca

Aprendi que, depois do horizonte,
há mais horizonte.
Aprendi que não existe limite,
a não ser o nosso próprio limite.
Aprendi que não existem mortes,
mas vida que sai de dentro da vida.
Apesar de todo o esforço do homem,
ele nunca encontrará a morte absoluta.

(BIAFRA, *Antologia da Nova Poesia Brasileira*, p. 45,
Editora Hipocampo, Rio de Janeiro, 1992)

VÍCIOS DE LINGUAGEM
Exercícios de exames e concursos
[Página 692]

LÍNGUA E ARTE LITERÁRIA

1 A LÍNGUA E SUAS MODALIDADES

A língua de uma nação civilizada apresenta várias modalidades, que podem coexistir sem quebra de sua estrutura comum, de sua unidade. Assim, cumpre distinguir:

- a língua geral ou comum
- a língua popular
- a língua culta
- a língua literária
- a língua falada
- a língua escrita

A **língua geral** é a língua oficial de um país, vivificada pelo uso comum e aceita pela comunidade. Sobrepõe-se aos falares regionais, sempre existentes, sobretudo em países de grande extensão geográfica. Para nós, brasileiros, é a língua portuguesa, vista em seu conjunto.

A língua geral tende a carregar-se de tonalidades regionais, na fonética e no vocabulário, resultando dali os falares regionais, que chegam a tingir fortemente a expressão cultural e literária em certas áreas geográficas de um país. Quando características muito acentuadas vincam um falar muito regional, temos um *dialeto*. No Brasil, temos um caso típico desse fato, é o *dialeto caipira*, condenado a desaparecer ante a ação da escola e dos meios de comunicação.

Dentre os falares regionais do Brasil, destacam-se o amazônico, o nordestino, o fluminense, o carioca, o gaúcho, o mineiro e o sulista, cada qual marcado por sensíveis diferenças léxicas (vocabulário) e fonéticas (sotaque).

O linguajar de uma região, com seus modismos e peculiaridades, é frequentemente retratado pelos escritores regionalistas em suas obras literárias.

A **língua popular** é a fala espontânea e fluente do povo. Mostra-se quase sempre rebelde à disciplina gramatical e está eivada de plebeísmos, isto é, de palavras vulgares e expressões da gíria. É tanto mais incorreta quanto mais incultas as camadas sociais que a falam. Diz-se, com mais propriedade, *linguagem* popular. Nela se insere a modalidade familiar ou coloquial, em que a preocupação com a correção gramatical é mais ou menos sentida, dependendo do grau de escolaridade do falante.

A **língua culta** é usada pelas pessoas instruídas das diferentes profissões e classes sociais. Pauta-se pelos preceitos vigentes da gramática normativa e caracteriza-se pelo apuro da forma e pela riqueza lexical. Seu vocabulário é mais amplo, mais preciso, e a frase, mais elaborada que a da língua popular. É ensinada nas escolas e serve de veículo às ciências, nas quais se apresenta com terminologias típicas. Em língua culta é que se elaboram obras científicas, obras didáticas, artigos de fundo em jornais e revistas, documentos oficiais, etc. Mais artificial do que espontânea, dela se servem os poetas e escritores em suas obras artísticas, sendo então chamada *linguagem literária*.

Uma língua pode ser **falada** ou **escrita**, conforme se utilizem signos vocais (expressão oral) ou sinais gráficos (expressão escrita). A primeira é viva e atual, ao passo que a segunda é a representação ou a imagem daquela. A língua falada é mais comunicativa e insinuante, porque as palavras são fortemente subsidiadas pela sonoridade e inflexões da voz, pelo ritmo da frase, pelo jogo fisionômico e a gesticulação (mímica), recursos estes que a língua escrita desconhece. O discurso de um orador inflamado é muito mais belo e empolgante ouvido do que lido. Por outro lado, a expressão oral é prolixa e evanescente, ao passo que a escrita é sóbria e duradoura.

A comunicação oral ou escrita se efetua em diferentes *níveis de expressão*. Dependendo das circunstâncias que envolvem o ato da comunicação, o indivíduo utiliza um tipo de linguagem adequado à situação: formal ou informal, culta ou coloquial, corrente ou científica, etc. Na conversação familiar, o modo de falar é um, em ambiente cerimonioso é outro. Ao escrever um livro, o autor diversifica a linguagem, conforme a obra se destine a adultos ou a crianças.

O grau de instrução do usuário da língua portuguesa, sua profissão, o meio em que vive e a camada social a que pertence são fatores que atuam fortemente no fenômeno da variação do idioma.

2 ELEMENTOS DA OBRA LITERÁRIA

Dois são os elementos fundamentais da obra literária: o *conteúdo* e a *forma*.

- **Conteúdo** ou **fundo**. São as ideias, os conceitos, os sentimentos, os apelos e as imagens imateriais que as palavras transmitem da mente do escritor à do leitor.

- **Forma**. É a expressão linguística, a linguagem escrita ou falada, veículo das ideias e dos sentimentos.

A forma de uma obra literária pode apresentar-se sob dois aspectos diferentes: a *prosa* e a *poesia* ou *verso*.

Prosa é a linguagem objetiva, direta, usual; é o veículo comum do pensamento. Ainda que vazada em prosa, uma obra literária pode estar permeada de pensamentos poéticos.

Poesia é a linguagem subjetiva, carregada de emoção e sentimento, com ritmo melódico constante, bela e indefinível como o mundo interior do poeta. Visa a um efeito estético.

"O objeto da poesia, como o de todas as belas-artes, é o de produzir um encanto emotivo, um puro e elevado prazer." (Butcher, *apud* Alceu Amoroso Lima, *Estética Literária*, p. 38)

Vazada em linhas descontínuas ou *versos*, que podem ser *metrificados* ou *livres*, a linguagem poética, sob o aspecto auditivo ou melódico, se caracteriza pelo *ritmo*, bem mais acentuado que na prosa, e pela eventual utilização da *rima*.

Considera-se obra literária somente o escrito que se distingue pela beleza da forma e a excelência do conteúdo. Será tanto mais apreciada quanto maior o seu poder de sugerir, de tocar a nossa sensibilidade, de empolgar o nosso espírito. As obras literárias de alcance universal têm, geralmente, mais valor que as de caráter estritamente nacional ou regional.

3 ESTILO

Estilo é a maneira típica de cada um exprimir seus pensamentos, seus sentimentos e emoções, por meio da linguagem.

Todo escritor tem seu estilo próprio, pessoal, isto é, sua expressão reveste uma forma característica, pela qual se manifestam seus impulsos emotivos, sua sensibilidade e a feição peculiar de seu espírito. Podemos, pois, afirmar que o estilo é o espelho em que se reflete a alma do escritor, a tela em que se projeta a personalidade do artista.

Mas, além dessas características individuais que diferenciam os autores uns dos outros, o estilo revela também os traços psicológicos e culturais da raça e as tendências dominantes das diversas escolas e correntes literárias que marcaram época através dos tempos. Neste sentido é que dizemos que há um estilo clássico, um estilo barroco, um estilo romântico, um estilo modernista, etc.

É pelo seu estilo primoroso e brilhante que os grandes artistas da palavra conseguem criar obras de imarcescível beleza.

No estilo cumpre distinguir o aspecto material ou linguístico (que são as possibilidades de expressão que a língua oferece ao escritor e que este seleciona a seu gosto e até mesmo recria) e o aspecto psíquico, mental, subjetivo, ou seja, os traços que expressam a dimensão psicológica do artista, suas tendências, seu modo de ver e julgar a vida e o mundo em que vive. Da fusão desses dois elementos, um externo, outro interno, é que resulta o estilo.

4 GÊNEROS LITERÁRIOS

- **Em prosa**

a) **Gênero narrativo:**

romance histórico

romance psicológico

romance policial

romance de costumes

romance de aventuras

conto, novela, história, fábula

apólogo, crônica, memórias

b) **Gênero oratório:**

oratória acadêmica (discurso)

oratória sagrada (sermão)

oratória forense

oratória política

c) **Gênero dramático:**

drama

comédia

ESTILÍSTICA

d) **Gênero didático:**
crítica
ensaio
tratado

e) **Gênero epistolar:**
carta

f) **Gênero polêmico:**
polêmica

- **Em verso**

a) **Gênero lírico:**
poema, soneto, canção, hino, ode, elegia, balada, bucólica

b) **Gênero épico:**
epopeia
poema

c) **Gênero dramático:**
drama
comédia
tragédia

d) **Gênero satírico:**
sátira
epigrama

e) **Gênero narrativo:**
fábula

Observação:

✔ Certos gêneros literários, como a epopeia e a tragédia, florescentes em outras épocas, são hoje obsoletos.

---

5 FICÇÃO

Em literatura, *ficção* (do latim *fictionem*, de *fingere* = modelar, criar, inventar, imaginar) é uma história inventada, uma criação da fantasia, uma obra do talento inventivo do escritor.

A literatura de ficção pertence ao gênero narrativo e abrange o romance, o conto, a novela, a fábula, o apólogo, a lenda e a história.

- **Novela**, como obra literária, é uma narração mais extensa do que o conto, porém menos longa que o romance. Não se confunda com novela de televisão.

ESTILÍSTICA 643

Dentre essas formas de ficcionismo, destaca-se, pela sua extensão, complexidade e importância, o *romance*, gênero literário para o qual sempre se voltaram as preferências do público leitor.

Num romance cumpre distinguir:

a) o **tema** ou **assunto**: é a ideia central da história.

b) as **personagens**: são as pessoas que figuram na história e tomam parte na ação, nos acontecimentos. A figura central do romance é o *protagonista*.

c) o **narrador**: é o que narra os fatos e descreve o ambiente. O narrador é onisciente e onipresente e pode ser, ao mesmo tempo, personagem, participante da ação. Nesse caso, a narrativa é feita em 1ª pessoa, como se dá, por exemplo, no romance *São Bernardo*, de Graciliano Ramos.

d) o **enredo**: é a trama ou urdidura dos acontecimentos e das ações das personagens. Abrange as seguintes fases: *apresentação, complicação* ou *conflito, clímax* e *desenlace* ou *epílogo*. Esta é a sequência narrativa mais comum. Para que o enredo tenha unidade, os fatos devem estar inter-relacionados, de tal modo que uns sejam a consequência dos outros.

e) o **ambiente**: é o espaço físico, o lugar onde se desenrolam os acontecimentos, e também o meio social, a situação, a atmosfera mental e moral que envolve as personagens e atua sobre as suas ações.

f) o **tempo**: é o espaço de tempo mais ou menos longo, a hora do dia e a época em que transcorrem os fatos narrados. Pela movimentação das personagens e a sucessão dos eventos e incidentes, o autor faz com que sintamos a marcha do tempo e a duração dos acontecimentos.

g) o **discurso**: a transmissão ou referência que o narrador faz da fala ou do pensamento das personagens. O discurso pode ser *direto* ou *indireto,* como a seguir se verá.

▪ O discurso direto e o indireto

▪ O discurso é **direto** quando são as personagens que falam. O narrador, interrompendo a narrativa, põe-nas em cena e cede-lhes a palavra. Exemplo:

" – Por que veio tão tarde? perguntou-lhe Sofia, logo que ele apareceu à porta do jardim, em Santa Teresa.

– Depois do almoço, que acabou às duas horas, estive arranjando uns papéis. Mas não é tão tarde assim, continuou Rubião, vendo o relógio; são quatro horas e meia.

– Sempre é tarde para os amigos, replicou Sofia, em ar de censura."

(MACHADO DE ASSIS, *Quincas Borba*, cap. XXXIV)

No discurso direto, indica-se o interlocutor e caracteriza-se-lhe a fala por meio dos *verbos de elocução*, tais como: *dizer, exclamar, suspirar, segredar, explicar, perguntar, responder, replicar, protestar, pedir, prometer, prosseguir, concluir, acrescentar, propor, aconselhar, atalhar, ameaçar, gritar, vociferar, murmurar, desabafar, explodir, lamentar, gemer,* etc. Alguns desses verbos traduzem os sentimentos, as emoções e as reações psicológicas das personagens. Os autores modernos usam os verbos de elocução com muita parcimônia. Nas falas breves, convém omiti-los, bastando, para a clareza do diálogo, a abertura de parágrafo e o uso de travessão. Veja-se, como exemplo, o capítulo CXIV do romance *Memórias Póstumas de Brás Cubas*, de Machado de Assis.

- No discurso **indireto** não há diálogo, o narrador não põe as personagens a falar diretamente, mas faz-se o intérprete delas, transmitindo ao leitor o que disseram ou pensaram. Exemplo:

"A certo ponto da conversação, Glória me disse que desejava muito conhecer Carlota e perguntou por que não a levei comigo." (CIRO DOS ANJOS, *Abdias*, 4ª ed., p. 52)

Expresso em discurso direto, o período acima apresentaria a seguinte forma:

– Desejo muito conhecer Carlota – disse-me Glória, a certo ponto da conversação. – Por que não a trouxe consigo?

Resultante da mistura dos discursos direto e indireto, existe uma terceira modalidade de técnica narrativa, o chamado **discurso indireto livre**, o processo mais difícil e menos comum, porém de grande efeito estilístico. É uma espécie de monólogo interior das personagens, mas expresso pelo narrador. Este interrompe a narrativa para registrar e inserir reflexões ou pensamentos das personagens, com as quais passa a confundir-se. Exemplos:

a) "Quando Eduardo ia para o Grupo, deixava-a debaixo da bacia. Um dia o pai lhe disse que aquilo era maldade: 'Gostaria que fizessem o mesmo com você? As galinhas também sofrem'. Um domingo, encontrou Eduarda na mesa do almoço, pernas para o ar, assada. Eduarda foi comida entre lágrimas. *É, sofrem, mas todo o mundo come e ainda acha bom.*"

(FERNANDO SABINO, *O Encontro Marcado*, 5ª ed., p. 9)

A última frase (por nós grifada), embora expressa pelo autor, representa uma reflexão do personagem, o menino Eduardo: está em discurso indireto livre.

b) "Fabiano ouviu o falatório desconexo do bêbado, caiu numa indecisão dolorosa. Ele também dizia palavras sem sentido, conversava à toa. Mas irou-se com a comparação, deu marradas na parede. Era bruto, sim senhor, nunca havia aprendido, não sabia explicar-se. Estava preso por isso? Como era? Então mete-se um homem na cadeia porque ele não sabe falar direito?"

(GRACILIANO RAMOS, *Vidas Secas*, 18ª ed., p. 40)

Os quatro períodos finais estão em discurso indireto livre: não podem ser atribuídos ao narrador, mas ao personagem Fabiano, que, preso injustamente, rumina e extravasa a própria revolta interior.

No discurso indireto puro, as orações que traduzem a fala das personagens dependem dos verbos de elocução:

Omar queixou-se ao pai, dizendo *que não era preciso tanta severidade,* e perguntou-lhe *por que não tratava os outros filhos com o mesmo rigor.*

No discurso indireto livre, não se usam verbos de elocução:

Omar queixou-se ao pai. *Não era preciso tanta severidade. Por que não tratava os outros filhos com o mesmo rigor?*

EXERCÍCIOS

ESTILÍSTICA 645

LISTA 66

1. Assinale as frases em que se fez o uso da linguagem popular:

a) Assisti a uma discussão do açougueiro com o vizinho.

b) Na casa não tinha fogão pra eu preparar o almoço.

c) Um e outro descendiam de velhas famílias do Norte.

d) A maioria dos escritores sobrevivia à custa de algum emprego público.

e) Quando viu que a coisa estava ficando preta, pegou o embrulho e se mandou.

f) A crise se agravou e muito empresário deu com os burros n'água.

2. Mude o discurso direto no indireto:

a) Nunca veio ao Rio? Perguntou-me o repórter.

b) Foi mesmo um descuido imperdoável, respondemos.

c) Não dê importância a essas notícias, pediu-me.

d) Eu os acompanharei até o fim, prometeu-lhes ele.

e) Minha avó conheceu-o ainda menino, lembrei-lhe.

f) Por que a minha proposta não lhe interessa? Quis saber Leandro.

g) Conta-me o que há, minha filha; não me escondas nada, pedia-lhe o pai, na carta.

h) Se eu puder, irei visitá-lo amanhã, disse-lhe.

i) Se alguma coisa lhe disse que a tenha magoado, perdoe-me, suplicou-lhe o moço, humildemente.

j) Isso não pode continuar assim, respondeu ela; é preciso que façamos as pazes definitivamente.

k) É interessante apreciar temporais, mas quando estamos abrigados, costumava dizer meu avô.

3. Mude o discurso indireto no direto:

a) Rodrigo, ao despedir-se, pediu-me que, se algum dia ainda nos víssemos, o apresentasse a minha família.

b) Dona Ema chamava o menino a si, dizendo que a única pessoa que a entendia naquela casa era seu neto.

c) Uma semana depois, Virgília perguntou ao Lobo Neves, a sorrir, quando seria ele ministro. Ele respondeu que, pela vontade dele, naquele instante mesmo; pela dos outros, dali a um ano.

d) "Daí a pouco chegou João Carlos e, após ligeiro exame, receitou alguma coisa, dizendo que nada havia de anormal; entretanto, parecia-lhe conveniente Carlota voltar ao consultório do Dr. Sinésio, que é especialista." (CIRO DOS ANJOS)

4. Sublinhe as frases que estão em discurso indireto livre:

a) – Como é que você trata meu filho?

– Ah, Dona Sílvia! Desculpe, mas encurtei o nome dele [Marco Aurélio]. Era muito comprido. Para mim ele se chama *Marcoré*.

Sílvia sorriu e examinou mentalmente a corruptela. *Marcoré*. Não ficava mal, soava até como um diminutivo carinhoso.

(Antônio Olavo Pereira, *Marcoré*, 4ª edição, p. 109)

b) Viam maldade numa indagação lógica e natural, e pretendiam atirar-me a culpa. Velhas idiotas, que se danassem. Tranquilizei Sílvia, que receara pelo pior com o meu protesto, e mandei Marcoré passear de velocípede na calçada.

(Idem, *ib.*, p. 124)

c) Antonieta lhe comunicou inesperadamente que iria embora:

– Papai chega amanhã. Vai com o governador a uma exposição pecuária em Uberaba, quer que eu vá com ele. De lá seguimos direto para o Rio. Logo agora que tinham tanto a conversar! No dia seguinte, de volta do quartel, era ele (Eduardo) que lhe contava pelo telefone: – A visita de seu pai é oficial. Fomos escalados para a escolta do ministro logo mais, da estação ao palácio.

(Fernando Sabino, *O Encontro Marcado*, 5ª ed., p. 122)

d) Ariosto Ribas já estava em Caruaru há cinco dias, não saíra de casa uma só vez. Para que sair? Para aquelas caras que odeia tanto? O importante é que saibam de uma coisa: Ariosto Ribas se acha novamente na terra. O que não lhes será nada agradável.

(José Condé, *Terra de Caruaru*, 2ª ed., p. 285)

6 VERSIFICAÇÃO

Versificação é a técnica ou arte de fazer versos.

Verso é uma linha poética, com número determinado de sílabas e agradável movimento rítmico.

No verso tradicional devemos distinguir: o *metro*, o *ritmo* e a *rima*.

▪ Metro

Metro é a medida ou extensão da linha poética.

Os poetas da língua portuguesa têm usado, dentro da poética tradicional, doze espécies de versos: de uma até doze sílabas. São relativamente raros os exemplos de versos metrificados que ultrapassam esta medida.

Segundo o número de sílabas, os verbos se dizem *monossílabos, dissílabos, trissílabos, tetrassílabos, pentassílabos, hexassílabos, heptassílabos, octossílabos, eneassílabos, decassílabos, hendecassílabos* e *dodecassílabos*.

Alguns verbos possuem ainda denominações especiais: *redondilha menor* (o de cinco sílabas), *redondilha maior* (o de sete sílabas), *heróico* (o de dez sílabas), *alexandrino* (o de doze sílabas).

As *sílabas métricas*, isto é, as sílabas dos versos, nem sempre coincidem com as sílabas gramaticais. A contagem das sílabas métricas faz-se auditivamente e subordina-se aos seguintes princípios:

a) Quando duas ou mais vogais se encontram no fim de uma palavra e começo de outra, e podem ser pronunciadas numa só emissão de voz, unem-se numa única sílaba métrica.

Exemplos:

1 2   3   4   5   6   7   8   9 10

"A i|da|de aus|te|ra e | no|bre a | que | che|ga|mos." (ALBERTO DE OLIVEIRA)

1   2   3 4   5   6   7   8   9   10

"A|cha em | lu|gar | da | gló|ria o | lo|do im|pu|ro." (OLAVO BILAC)

Observações:

✔ Para que tais uniões vocálicas não sejam duras e malsoantes, as vogais (pelo menos a primeira delas) devem ser átonas e não passar de três.

✔ Não se unem vogais tônicas: *sen* | *ti* | *ó* | *dio; es* | *tá* | *ú* | *mi* | *do,* etc. Nem é aconselhável juntar tônicas com átonas: *a* | *li* | *o* | *ve* | *jo; se* | *rá* | *es* | *po* | *sa,* etc.

b) Ditongos crescentes valem, geralmente, uma só sílaba métrica (de-lí-*cia*, *pie*-do-so, tê--nue, per-pé-*tuo*, sá-*bio*, *quie*-to, i-ní-*quo*):

1 2 3 4   5   6   7 8 9   10

"O|pe|rá|*rio* | mo|des|to, a|be|lha | po|bre." (OLAVO BILAC)

Observação:

✔ Às vezes, porém, poetas dissolvem ditongos crescentes em hiatos. Esta dissolução denomina-se *diérese*:

1   2   3 4 5   6 7 8

"Nem | fez | cas|te|los | gran|*di*|o|sos

1   2   3 4 5 6 7 8

so|bre as | a|rei|as | mo|ve|di|ças?"   (CABRAL DO NASCIMENTO)

c) Não se conta(m) a(s) sílaba(s) que se segue(m) ao último acento tônico do verso. Exemplo:

1   2   3   4   5   6 7 8   9   10

"Quan|do | no | poen|te o | sol | des|do|bra as | *clâ*|mides

1 2   3   4   5   6   7   8   9   10

de | san|gue e | de oi|ro | que | nos | om|bros | *le*|va," (CABRAL DO NASCIMENTO)

ESTILÍSTICA

Essa regra só atinge versos *graves* (os que terminam por palavra paroxítona) e *esdrúxulos* (os que terminam por palavra proparoxítona). Nos versos *agudos* (os que terminam por palavra oxítona), contam-se, é óbvio, todas as sílabas, como neste verso:

1   2   3   4   5   6   7   8 9 10

"Dei|xa | cor|rer | a | fon|te | da i|lu|são!" (Cabral do Nascimento)

7 PROCESSOS PARA A REDUÇÃO DO NÚMERO DE SÍLABAS MÉTRICAS

Para atender às exigências da métrica, os poetas recorrem à:

a) **crase** – fusão de duas vogais iguais numa só:

a alma [*al-ma*]; o ódio [*ó-dio*]; foge e grita [*fo-ge-gri-ta*]

b) **elisão** – supressão da vogal átona final de um vocábulo, quando o seguinte começa por vogal:

Ela estava só [*e-les-ta-va-só*]; duma (por *de uma*); como um bravo [*co-mum-bra-vo*]

c) **ditongação** – fusão de uma vogal átona final com a seguinte, formando ditongo:

este amor [*es-tia-mor*], sobre o mar [*so-briu-mar*], aquela imagem [*a-que-lei-ma-gem*], moço infeliz [*mo-çuin-fe-liz*]

d) **sinérese** – transformação de um hiato em ditongo, na mesma palavra:

crueldade [*cruel-da-de*], luar, fiel, magoado [*ma-gua-do*]

e) **diérese** – o inverso da sinérese, ou seja, a dissolução de um ditongo em hiato:

saudade [*sa-u-da-de*], piedoso, [*pi-e-do-so*]

f) **ectlipse** – supressão de um fonema nasal final, para possibilitar a crase ou ditongação:

co, cos, coa, coas (por *com o, com os, com a, com as*)

g) **aférese** – supressão de sílaba ou fonema inicial:

té (por *até*), *inda* (por *ainda*), *'stamos* (por *estamos*)

8 RITMO

O *ritmo* resulta da regular sucessão de sílabas átonas ou fracas e de sílabas tônicas ou fortes. É o elemento melódico do verso, tão essencial e indispensável à poesia quanto à música. Juntamente com a rima e as imagens poéticas, transmite aos versos um misterioso poder de emoção e encantamento.

Os acentos tônicos ou as sílabas tônicas devem repetir-se com intervalos regulares, de modo a cadenciar o verso e torná-lo melodioso. Não se distribuem arbitrariamente, mas devem, segundo a espécie do verso, recair em determinadas sílabas, de acordo com os critérios seguintes:

a) Os versos **monossílabos**, muito raros, têm um só acento tônico ou predominante:

"Pingo   "Quem   Ou
d'água,   não   vem
pinga,   tem   mas
bate   seu
tua   em
mágoa!"   bem   vão?
   (D. P. C.)   que   Quem?"
         não
         vem?   (CASSIANO RICARDO)

b) Os versos **dissílabos**, pouco frequentes, têm o acento tônico na 2ª sílaba:

"Um **rai**o   "Ao **tro**te
Ful**gu**ra   Do **bai**o,

No es**pa**ço   Que **do**ce
Es**par**so   Lem**bran**ça
De **luz**"   (Gonçalves Dias)   O **ros**to
                                   Da **mo**ça
                                   Que **mo**ra
                                   Na **ser**ra
                                   No **ran**cho
                                   De **pa**lha!"   (RIBEIRO COUTO)

c) Os versos **trissílabos** requerem o acento predominante na 3ª sílaba, podendo, no entanto, apresentar um acento secundário na 1ª sílaba:

"Vem a au**ro**ra
Pressu**ro**sa,
Cor-de-**ro**sa,
Que se **co**ra
De car**mim**."   (GONÇALVES DIAS)

d) Os versos **tetrassílabos** têm, mais frequentemente, os acentos tônicos na 2ª e 4ª sílabas e, menos vezes, na 1ª e 4ª sílabas ou apenas na 4ª sílaba:

"O **sol** des**pon**ta
Lá no ho**ri**zonte,
Dou**ran**do a **fon**te,
E o **pra**do e o **mon**te,
E o **céu** e o **mar**."   (GONÇALVES DIAS)

e) Os versos **pentassílabos** podem apresentar as seguintes cadências:

"**Já** dormiram **to**dos. (1ª, 3ª e 5ª sílabas)

Pássaros ce**les**tes (1ª e 5ª)

me vi**rão** can**tar** (3ª e 5ª)

do **la**do do **mar**. (2ª e 5ª)   (Cecília Meireles)

f) Os versos **hexassílabos** podem ter os acentos obrigatórios na 6ª sílaba juntamente com uma ou duas das quatro primeiras sílabas:

"**I**de-vos! Na ver**da**de
Não **que**ro ser as**sim**.
A **mi**nha liber**da**de
Vive **den**tro de **mim**."   (Cabral do Nascimento)

g) Os **heptassílabos** admitem as seguintes modalidades rítmicas:

"**Sur**gem **ve**las **mui**to a**lém**." (1ª, 3ª, 5ª e 7ª)

"**To**do o **tem**po me so**be**ja." (1ª, 3ª e 7ª)

"Vive**ri**a **sem**pre **lá**." (3ª, 5ª e 7ª)

"De que **tu**do aconte**ces**se." (3ª e 7ª)

"**Tu**do o que es**tá** para **trás**." (1ª, 4ª e 7ª)

"O **tem**po **tu**do me**lho**ra." (2ª, 4ª e 7ª)

"Ou **foi** ou ja**mais** co**me**ça." (2ª, 5ª e 7ª)

"Que se pro**lon**ga sem **pres**sa."[1] (4ª e 7ª) [1]

h) Os **octassílabos** admitem várias combinações rítmicas, com acentuação na 8ª sílaba e em duas ou três das seis primeiras sílabas:

"**Quan**tas grinal**das** pelo **céu**!
Al**guém** de**cer**to **vai** ca**sar**."   (Alphonsus de Guimaraens)

"A **lua vem**, entre as rama**gens**
Do jar**dim** que **dor**me na **som**bra."   (Ribeiro Couto)

i) Os **eneassílabos** podem apresentar os acentos tônicos na 3ª, 6ª e 9ª sílabas ou na 4ª e 9ª, com a possibilidade de acento secundário na 1ª sílaba.

"Falam **deu**ses nos **can**tos do **pia**ga,
Ó guer**rei**ros, meus **can**tos ou**vi**." (Gonçalves Dias)

"Na tênue **cas**ca de verde ar**bus**to
Gravei teu **no**me, depois par**ti**.
Foram-se os **a**nos, foram-se os **me**ses,
Foram-se os **di**as, acho-me a**qui**." (Fagundes Varela)

j) Os **decassílabos** admitem duas modalidades rítmicas: 6ª e 10ª sílabas (verso heróico) e 4ª, 8ª e 10ª sílabas (verso sáfico):

"Estavas, **lin**da **I**nês, posta em sos**se**go,
de teus anos col**hen**do o doce **fru**to." (Luís de Camões)

"Longe do es**té**ril turbi**lhão** da **ru**a."   (Olavo Bilac)

---

[1] Os oito versos heptassílabos acima foram colhidos no livro *Cancioneiro*, de Cabral do Nascimento, poeta português.

k) Os **hendecassílabos** têm acentuação fixa na 2ª, 5ª, 8ª e 11ª sílabas ou na 5ª e 11ª ou, ainda, na 3ª, 7ª e 11ª:

"Seus **o**lhos tão **ne**gros, tão **be**los, tão **pu**ros." (Gonçalves Dias)

"Nascem as es**tre**las, vivas, em car**du**me." (Guerra Junqueiro)

"Alvas **pé**talas do **lí**rio de tua **al**ma." (Hermes Fontes)

l) Os **dodecassílabos** ou **alexandrinos** admitem três ritmos diferentes:

- *alexandrino clássico*, com os acentos principais na 6ª e 12ª sílabas:

  "Paira, grassa em re**dor**, toda a melanco**li**a

  de uma paisagem **mor**ta, igual, deserta, i**men**sa."   (Vicente de Carvalho)

- *alexandrino moderno*, com duas variantes:

  – ritmo quaternário (acentos na 4ª, 8ª e 12ª sílabas):

  "É o choro **sur**do, entrecor**ta**do, do ba**tu**que,

  no bate-**pé** que enche de as**som**bro o próprio **chão**." (Cassiano Ricardo)

  – ritmo ternário (acentos na 3ª, 6ª, 9ª e 12ª sílabas):

  "Não me **dei**xas dor**mir**, não me **dei**xas so**nhar**." (Cabral do Nascimento)

O alexandrino clássico é constituído de dois *hemistíquios* [*hemistíquio* = meio verso], ou seja, de dois versos de seis sílabas. Obedece às seguintes regras:

- A última palavra do 1º hemistíquio só pode ser oxítona ou paroxítona, nunca proparoxítona:

  "E Cipango **verás**, fabulosa e opulenta." (Olavo Bilac)

  "Em tudo a fina **seta** aguda de aflições!" (Cruz e Sousa)

- Se a última palavra do 1º hemistíquio for paroxítona, deve terminar em vogal e embeber-se na primeira sílaba da palavra seguinte, que, para isso, começará por *vogal* ou *h*:

  "Palpite a nature**za in**teira, bela e amante." (Vicente de Carvalho)

  "Mergulhada na som**bra, a** montanha mais cresce." (Tasso da Silveira)

9 ENCADEAMENTO (*ENJAMBEMENT*)

Quando a pausa final do verso não coincide com a pausa respiratória ou, por outras palavras, quando o verso não finaliza juntamente com um segmento sintático, tem-se o que se chama de **encadeamento** ou **transbordamento**, mais conhecido pelo nome francês de *enjambement*. Em geral, aconselha-se não fazer pausa no fim de tais versos. Todavia, pode-se fazer uma leve pausa, mas conservando a voz suspensa. Exemplo:

"Andam boiando, à superfície

da minha alma, restos

de coisas que eu não sei se, juntas, bastariam

para formar a vida… ou se eram só pretextos."   (Cabral do Nascimento)

652 ESTILÍSTICA

10 RIMA

Rima é a identidade ou semelhança de som do fim (ou do meio) dos versos. Embora seja elemento secundário e até mesmo dispensável, a rima é aproveitada pelos poetas para comunicar aos versos mais harmonia e encantamento. É um recurso musical que agrada aos ouvidos.

Foneticamente, as rimas podem ser:

a) **perfeitas**: se*reno* e mo*reno*, ne*ve* e le*ve*, au*daz* e *paz*, ron*co* e tron*co*, ni*nho* e espi*nho*, etc.

b) **imperfeitas**: D*eus* e c*éus*, estre*la* e ve*la*, espir*ais* e Satan*ás*, etc.

c) **toantes** (idênticas somente na vogal tônica): c*a*sa e v*a*le, m*u*do e *ú*ltimo, l*í*rio e l*i*vro, *é*poca e *é*tala, h*o*ra e b*o*la, etc.

Conforme a posição do acento tônico das palavras que as formam, as rimas denominam-se:

a) **agudas** ou **masculinas**: feroz e atroz, amor e clamor, etc.

b) **graves** ou **femininas**: festa e manifesta, flores e cores, etc.

c) **esdrúxulas**: mágico e trágico, lírico e onírico, etc.

Segundo o seu valor, são as rimas classificadas em *pobres, ricas, raras* e *preciosas*.

a) **Pobres** – são as rimas vulgares e as formadas com palavras da mesma classe gramatical: *coração* e *oração, amor* e *temor, amado* e *desejado*, etc.

b) **Ricas** – as que são formadas com palavras de classe gramatical diferente: *prece* e *adormece, penas* e *apenas, arde* e *covarde*, etc.

c) **Raras** – as que são obtidas entre palavras de muito poucas rimas possíveis: *cisne* e *tisne, bosque* e *enrosque*, etc.

d) **Preciosas** – são rimas artificiais do tipo de *vê-la* e *estrela, tranquilo* e *ouvi-lo, dá-lhe* e *falhe*.

De várias maneiras podem as rimas ser dispostas nas estrofes. Conforme sua colocação, se dizem *emparelhadas* (aabb), *alternadas* (abab), *interpoladas* (abba) e *misturadas* (dispostas livremente).

As rimas, quase sempre, são *externas*. Um ou outro poeta cultivou as rimas *internas*:

"Na areia do *Douro*, orvalhada de *ouro*,

menina Ondina,

era lindo brincar."   (CECÍLIA MEIRELES)

"Salve! Bandeira do Brasil **querida**!

Toda **tecida** de esperança e luz!

Pálio sagrado sob o qual **palpita**

A alma **bendita** do País da Cruz!"   (DOM AQUINO CORREIA)

ESTILÍSTICA 653

11 VERSOS BRANCOS

Chamam-se *brancos* ou *soltos* os versos sem rima. Entre os poemas compostos em versos brancos, citam-se o *Cântico do Calvário*, de Fagundes Varela, e *Palavras ao Mar*, de Vicente de Carvalho.

12 ESTROFE

Estrofe ou *estância* é um grupo de versos de um poema. As estrofes podem ser formadas de versos de medida igual ou diferente. Tem denominações especiais, conforme o número de versos:

dístico: estrofe de dois versos

terceto: estrofe de três versos

quadra ou *quarteto*: estrofe de quatro versos

quintilha: estrofe de cinco versos

sextilha: estrofe de seis versos

oitava: estrofe de oito versos

décima: estrofe de dez versos

Estribilho é um verso que se repete no fim das estrofes de certas poesias, como o *rondó*, a *balada*, etc. Chama-se também *refrão*.

13 SONETO

Soneto é um pequeno poema de forma fixa. Compõe-se de catorze versos, agrupados em duas quadras e dois tercetos. O decassílabo (o verso consagrado do soneto clássico) e o alexandrino são os metros preferidos dos sonetistas. Para a colocação das rimas, há diversas variantes.

"A tradição quer que o último verso do soneto seja sempre uma *chave de ouro*, encerrando a essência do pensamento geral da composição." (OLAVO BILAC, *Tratado de Versificação*, p. 168)

Tem-se definido o soneto como "um pensamento de ouro num cárcere de aço".

O soneto presta-se principalmente para a expressão dos sentimentos líricos. Teve e continua tendo grande vitalidade em várias literaturas.

Eis um modelo de soneto:

Pra que partir?

Estou sentado sobre a minha mala
no velho bergantim desmantelado...
Quanto tempo, meu Deus, malbaratado
em tanto inútil, misteriosa escala!

Joguei a minha bússola quebrada
às águas fundas... E afinal, sem norte,
como o velho Simbá de alma cansada,
eu nada mais desejo, nem a morte...

Delícia de ficar deitado ao fundo
do barco, a vos olhar, velas paradas!
Se em toda parte é sempre o Fim do Mundo,

Pra que partir? Sempre se chega, enfim...
Pra que seguir empós das alvoradas,
se, por si mesmas, elas vêm a mim?

(MÁRIO QUINTANA, *A Rua dos Cata-ventos*,
Editora Globo, São Paulo, 2005)

Há mais de uma opção para dispor e combinar as rimas do soneto. No soneto acima, o autor adotou o seguinte esquema: *abba* (1ª estrofe), *cdcd* (2ª estrofe), *efe* (3ª estrofe), *gfg* (4ª estrofe).

14 VERSO LIVRE

Verso livre é o que não obedece aos preceitos da versificação tradicional, mormente no que tange à métrica e ao ritmo. Não se subordina ao número fixo de sílabas nem à regular distribuição dos acentos tônicos. Seu movimento rítmico é, por isso, menos perceptível que o do verso metrificado. Em compensação, por ser mais espontâneo e livre de artifícios, o verso moderno não freia tanto a imaginação criadora do poeta.

O verso livre foi introduzido em nossa literatura pelos poetas modernistas, tendo sido cultivado mais intensamente após a Semana de Arte Moderna (1922).

O seguinte poema de Mário Quintana nos poderá dar uma ideia do que seja verso livre:

Cântico

O vento verga as árvores, o vento clamoroso da aurora...
Tu vens precedida pelos voos altos,
Pela marcha lenta das nuvens.
Tu vens do mar, comandando as frotas do Descobrimento!

Minh'alma é trêmula da revoada dos Arcanjos.
Eu escancaro amplamente as janelas.
Tu vens montada no claro touro da aurora.
Os clarins de ouro dos teus cabelos cantam na luz!

(MÁRIO QUINTANA, *Poesias*, p. 166, Editora Globo, 1972)

ESTILÍSTICA 655

LISTA 67

EXERCÍCIOS

1. Faça quadrinhos para escrever as sílabas métricas destes versos octossílabos, de Ribeiro Couto. Indique as junções vocálicas com o sinal (⌢) e sublinhe as sílabas tônicas:

"Vi o luar do céu deserto.

Enquanto em roda a noite avança."

2. Divida e numere as sílabas métricas dos versos:

"É uma história espantosa." (JOAQUIM CARDOSO)

"Ao longe, a mancha esguia de um cipestre." (ROSAMARIA CASTELO BRANCO)

"Teu pé, como o de um deus, fecundava o deserto." (OLAVO BILAC)

"Sou apenas constante e humilhado leitor." (CARLOS DRUMMOND DE ANDRADE)

"E os moços inquietos, que a festa enamora." (GONÇALVES DIAS)

"O Coronel estava ausente." (CARLOS DRUMMOND DE ANDRADE)

"Como é triste esta sala assim vazia!" (ROSAMARIA CASTELO BRANCO)

"Abri meus braços para alcançar-te." (CECÍLIA MEIRELES)

3. Diga quantas sílabas métricas tem cada verso desta estrofe:

"Sofrimento ou Prazer, Tristeza ou Alegria,

ó tiranos cruéis, deuses de alto valor!

Eu vos porei em verso, dia-a-dia,

e ficarei melhor."   (CABRAL DO NASCIMENTO)

4. Identifique o único verso alexandrino entre os seguintes, de Cecília Meireles:

"Teu rosto passava, teu nome corria…"

"Eis o cavalo pela verde encosta."

"Sobre um passo de luz outro passo de sombra."

5. Identifique a redondilha maior:

"Ó flor que sorriste ao passante…" (RIBEIRO COUTO)

"Como um príncipe encantado." (DANTE MILANO)

"Um peso enorme para carregar." (MÁRIO QUINTANA)

6. Relacione as palavras da direita com as da esquerda, atendendo aos processos de redução ou ampliação das sílabas métricas:

(1) aférese   ela encontra [e-len-con-tra]

(2) sinérese   piedade [pi-e-da-de]

(3) diérese   inda [por *ainda*]

(4) crase   coa [por *com a*]

(5) ditongação   magoado [ma-gua-do]

(6) ectlipse   sobre o mar [so-briu-mar]

(7) elisão   o ódio [ó-dio]

ESTILÍSTICA

7. Reduza este verso alexandrino a decassílabo:

"Como a casa é deserta! E como a tarde é fria!" (MANUEL BANDEIRA)

8. O poema *Janelas sobre o Saara*, na página 633, está composto em versos livres ou metrificados, sem rimas e sem estrofes?

LEITURA
Amada

Céleres, as estrelas caem do céu.
Tu as recolhes, uma a uma,
– ó segadora de luzes!

Ilumina com elas a noite
de tua cabeleira longa.
E fica assim, imóvel, risonha,
diante de mim deslumbrado
– mito cintilante do amor.

(MÁRIO DA SILVA BRITO, *Jogral do Frágil e do Efêmero*,
p. 31, Civilização Brasileira, 1979)

LÍNGUA E ARTE LITERÁRIA
Exercícios de exames e concursos
[Página 693]

BIBLIOGRAFIA

Adalberto Prado e Silva – *Gramática Simplificada*, Melhoramentos, s/d. *Dicionário Mirador*, Melhoramentos, 1975.

Adolfo Caminha – *A Normalista*, Ática, 1998.

Adonias Filho – *Léguas da Promissão*, Rio de Janeiro, Civ. Brasileira, 1968. *Luanda Beira Bahia*, Bertrand Brasil, 2005. *As Velhas*, Bertrand Brasil, 2004. *Corpo Vivo*, Bertrand Brasil, 2001.

Adriano da Gama Kury – *Pequena Gramática*, 5ª ed., Rio de Janeiro, Agir, 1960. *Lições de Análise Sintática*, 1ª ed., Rio de Janeiro, Fundo de Cultura, 1961.

Afonso Arinos de Melo Franco – *Pelo Sertão*, Villa Rica Editora, 1981.

Afrânio Coutinho – *Antologia Brasileira de Literatura*, v. 1, Rio de Janeiro, 1965.

Afrânio Peixoto – *Clima e Saúde*, Editora Nacional, 1935. *Uma Mulher como as Outras*, Editora Nacional, 1933.

Agripino Grieco – *Gralhas e Pavões*, Record, 1988.

Alexandre Herculano – *Eurico, o Presbítero*, Ática. *Lendas e Narrativas*, Pradense, 2008. *O Bobo*, Ática, 1998.

Almeida Garrett – *Viagens na Minha Terra*, Lisboa, s/d.

Alphonsus de Guimaraens – *Poesia Completa*, Rio de Janeiro, Nova Aguilar, 2001.

Alphonsus de Guimaraens Filho – *Água do Tempo*, 1976.

Aluísio Azevedo – *Casa de Pensão*, Ática, 1998. *O Cortiço*, Moderna, 2007.

Álvaro Lins – *Rio Branco*, 3ª ed., Alfa-Ômega, 1996.

Amadeu de Queirós – *Histórias Quase Simples*, São Paulo, Cultrix, 1963.

Ana Miranda – *O Retrato do Rei*, Cia. das Letras, São Paulo, 1991.

André Martinet – *Elementos de Linguística Geral*, Gredos, 1991.

Aníbal Machado – *Histórias Reunidas*, 1ª ed., Rio de Janeiro, J. Olympio, 1959. *Cadernos de João*, J. Olympio, 2004.

Antenor Nascentes – *Tesouro da Fraseologia Brasileira*, 2ª ed., Rio de Janeiro, 1966. *O Idioma Nacional*, 5ª ed., 1965.

Antônio Callado – *Assunção de Salviano*, Agir, 2005. *Quarup*, Nova Fronteira, Rio de Janeiro, 2005. *A Madona de Cedro*, Nova Fronteira, Rio de Janeiro, 2007.

Antônio Carlos Villaça – *Os Saltibancos da Porciúncula*, Record, 1996.

Antônio F. de Castilho – *Felicidade pela Agricultura*, Dois Mundos, Rio de Janeiro, s/d.

Antônio Gedeão – *Obra Completa*, Relógio D'água, 2004.

Antônio Houaiss – *Pequeno Dicionário Enciclopédico*, Rio de Janeiro, Larousse do Brasil, 1980.

BIBLIOGRAFIA

Antônio Olavo Pereira – *Marcoré*, Rio de Janeiro, J. Olympio, 1991. *Fio de Prumo*, J. Olympio, 1965.

Ariano Suassuna – *O Rei Degolado ao Sol da Onça Caetana*, Rio de Janeiro, J. Olympio, 1977.

Artur Azevedo – *Contos Fora da Moda*, Alhambra, Rio de Janeiro, 1982.

Assis Brasil – *Nassau*, Rio Fundo Editora, 1990.

Aurélio Buarque de Holanda Ferreira – *Novo Dicionário da Língua Portuguesa*, 2ª ed., Nova Fronteira, Rio de Janeiro, 1986; 3ª ed., Nova Fronteira, 1999. *Seleta*, J. Olympio, 1979. *Dois Mundos*, Edições O Cruzeiro, 2ª ed., 1956.

Austregésilo de Ataíde – *Vana Verba*, Edições O Cruzeiro, 1971.

Autran Dourado – *O Risco do Bordado*, Rio de Janeiro, Rocco, 1999. *Solidão Solitude*, Rio de Janeiro, Rocco, 2004. *Monte da Alegria*, Rocco, 2003.

Bernardo Élis – *Caminhos dos Gerais*, Rio de Janeiro, Civ. Brasileira, 1975.

Bernard Pottier – *Estruturas Linguísticas do Português*, 2ª ed., São Paulo, Difusão Europeia do Livro, 1973.

Cabral do Nascimento – *Cancioneiro*, Portugalia, Lisboa, 1963.

Caldas Aulete – *Dicionário Contemporâneo da Língua Portuguesa*, 3ª ed., Editora Delta, 1974.

Camilo Castelo Branco – *A Queda dum Anjo*, Ática, 1997. *Coração, Cabeça, Estômago*, Martins Fontes, 2003. *Amor de Perdição*, São Paulo, FTD, 1999. *Maria da Fonte*, Porto, 1885. *Aventuras de Basílio Fernandes Enxertado*, Lisboa, 1863. *O Visconde de Ouguela*, Rio de Janeiro, Org. Simões, 1954. *Os Brilhantes do Brasileiro*, 8ª ed., Lisboa, 1965. *O Retrato de Ricardina*, 1977. *O Bem e o Mal*, Rio de Janeiro, Org. Simões, 1955. *Vulcões de Lama*, Lisboa, 1886. *A Brasileira de Prazins*, Nova Fronteira, 1995.

Carlos Augusto Corrêa – *Pontuar É Preciso*, Dissonarte, Rio de Janeiro, 2007.

Carlos de Laet – *O Frade Estrangeiro e Outros Escritos*, Rio de Janeiro, Academia Brasileira de Letras, 1953.

Carlos de Sá Moreira – *Brasil*, Lés Éditions du Pacifique, 1978.

Carlos Drummond de Andrade – *Caminhos de João Brandão*, Record, 2002. *Boitempo*, Sabiá, 1968. *Menino Antigo*, Record, 2006. *Os Dias Lindos*, Record, 2003. *Esquecer para Lembrar*, Record, 2006. *A Paixão Medida*, Record, 2002. *Poesia Completa*, Nova Aguilar, 2002.

Carlos H. da Rocha Lima – *Gramática Normativa da Língua Portuguesa*, Rio de Janeiro, Briguiet, 1957, J. Olympio, 2002.

Carlos Marchi – *Fera de Macabu*, Best Bolso, 2008.

Carlos Povina Cavalcânti – *Volta à Infância*, Rio de Janeiro, J. Olympio, 1972.

Cassiano Ricardo – *Marcha para Oeste*, 4ª. ed., J. Olympio, 1970.

Cecília Meireles – *Poesia Completa*, Rio de Janeiro, Nova Aguilar, 1993. *Inéditos*, Rio de Janeiro, Bloch, 1967. *Escolha o Seu Sonho*, Record, Rio de Janeiro, 1996.

Celso Cunha – *Gramática do Português Contemporâneo*, Belo Horizonte, Bernardo Álvares, 1970. *Nova Gramática do Português Contemporâneo*, Lexikon, 2008.

Celso Pedro Luft – *Gramática Resumida*, Globo, 1960. *Novo Guia Ortográfico*, Globo, 2003. *Dicionário Prático de Regência Verbal*, Ática, 1996.

Cyro dos Anjos – *O Amanuense Belmiro*, Globo, 2006. *Explorações no Tempo*, J. Olympio, 1963. *Abdias*, Globo, 2008. *Montanha*, Rio de Janeiro, J. Olympio, 1956.

Clarice Lispector – *Felicidade Clandestina*, Rocco, Rio de Janeiro, 1998.

Dalton Trevisan – *Cemitério de Elefantes*, Rio de Janeiro, Record, 1998.

BIBLIOGRAFIA **659**

Dante Milano – *Poesias*, Sabiá, 1971.

Dicionário Brasileiro da Língua Portuguesa, Mirador, Melhoramentos, 1975.

Dora Ferreira da Silva – *Poesia Reunida*, Topbooks, 1999.

Eça de Queirós – *A Relíquia*, Ateliê, 2004. *O Primo Basílio*, São Paulo, Saraiva, 2006. *Os Maias*, Landy, 2001.

Edy Lima – *A Vaca na Selva*, Global, 2003.

Eduardo Bueno – *Capitães do Brasil*, Objetiva, 2006.

Eduardo Prado – *A Ilusão Americana*, 3ª ed., Brasiliense, 1961.

Elsie Lessa – *A Dama da Noite*, J. Olympio, 1963. *Canta, que a Vida é um Dia*, Razão Cultural, Rio de Janeiro, 1998.

Érico Veríssimo – *O Prisioneiro*, Cia. das Letras, 2008. *Incidente em Antares*, Cia das Letras, 2006.

Evandro Lins e Silva – *Arca de Guardados*, Civ. Brasileira, Rio de Janeiro, 1995.

Evanildo Bechara – *Lições de Português pela Análise Sintática*, Lucerna, 2006. *Moderna Gramática Portuguesa*, Lucerna, 2001.

Fernando Namora – *Domingo à Tarde*, Europa-America, 1989. *O Homem Disfarçado*, Porto Alegre, Globo, 1966.

Fernando Pessoa – *Obra Poética*, Rio de Janeiro, Nova Aguilar, 2005.

Fernando Sabino – *O Encontro das Águas*, Rio de Janeiro, 1977. *A Falta que Ela me Faz*, Rio de Janeiro, 1980.

Ferreira de Castro – *A Selva*, Guimarães Editores, 2006. *Livros de Viagens*, Rio de Janeiro, J. Aguilar, 1961. *O Instinto Supremo*, Rio de Janeiro, Civ. Brasileira, 1968.

Ferreira Gullar – *Rabo de Foguete,* Revan, 1998.

Gastão Cruls – *A Amazônia Misteriosa*, 6ª ed., Rio de Janeiro, Org. Simões, 1953.

Geraldo França de Lima – *Rio da Vida*, J. Olympio, 1991.

Gilberto Freyre – *Casa-Grande e Senzala*, Global, 2006.

Graça Aranha – *Canaã,* Ática, 1998.

Graciliano Ramos – *São Bernardo*, Record, 2003. *Infância*, Record, 2006. *Angústia*, Record, 2003. *Insônia*, Record, 2003. *Caetés*, Record, 2006. *Linhas Tortas*, Record, 2005. *Vidas Secas*, Record, 2006.

Guedes de Amorim – *Jesus Passou por Aqui*, Lisboa, 1967.

Guilherme de Figueiredo – *Maria da Praia*, Civ. Brasileira, 1994. *A Bala Perdida*, Rio de Janeiro, Topbooks, 1998.

Guimarães Rosa – *Sagarana*, Nova Fronteira, 2006.

Gustavo Barroso – *Terra de Sol,* 5ª ed., 1956.

Gustavo Corção – *Claro Escuro*, Agir, 1960.

Haroldo Bruno – *O Misterioso Rapto de Flor-do-Sereno*, Rio de Janeiro, 1979.

Helena Jobim – *Trilogia do Assombro*, Rio de Janeiro, Nova Fronteira, 1998.

Herberto Sales – *Cascalho*, Livros do Brasil,1966. *Dados Biográficos do Finado Marcelino*, 1965. *Além dos Marimbus*, 2ª ed., Rio de Janeiro, 1965. *Rio dos Morcegos*, Civilização Brasileira, 1993.

Herman Lima – *Garimpos*, Rio de Janeiro, Edições de Ouro, 1967.

Hildebrando A. de André – *Gramática Ilustrada*, São Paulo, Moderna, 1997.

660 BIBLIOGRAFIA

Ignácio de Loyola Brandão – *Não Verás País Nenhum*, Global, 2008.

Ismael de Lima Coutinho – *Gramática Histórica*, Ao Livro Técnico, 1976. *Pontos de Gramática Histórica*, Ao Livro Técnico, 1976.

Jean Dubois – *Dicionário de Linguística*, São Paulo, Cultrix, 1997.

J. Mattoso Câmara Jr. – *Dicionário de Fatos Gramaticais*, Rio de Janeiro, MEC, Casa de Rui Barbosa, 1956. *Manual de Expressão Oral e Escrita*, Vozes, 2001.

João Clímaco Bezerra – *A Vinha dos Esquecidos*, J. Olympio, 1980.

João Domingues Maia – *Gramática*, São Paulo, Ática, 1982.

João Ribeiro – *Gramática Portuguesa*, c/s, 11ª ed., Francisco Alves, 1904. *História do Brasil*, Itatiaia Editora, 2001. *Autores Contemporâneos*, Francisco Alves, 1937.

Joaquim Felício dos Santos – *Memórias do Distrito Diamantino*, Itatiaia Editora.

Jônatas Serrano – *Filosofia do Direito*, 3ª ed., Briguiet.

Jorge Amado – *Seara Vermelha*, Record, 1999. *Mar Morto*, Cia das Letras, 2008. *Terras do Sem- -Fim*, Cia das Letras, 2008. *Tieta do Agreste*, Rio de Janeiro, Record, 1997.

José Américo – *A Bagaceira*, 9ª ed., J. Olympio, 2008.

José de Alencar – *Iracema*, Ateliê, 2007.

José Fonseca Fernandes – *Um por Semana*, J. Olympio, 1972.

José Geraldo Vieira – *A Mulher que Fugiu de Sodoma*, Leitura, 2008. *A Ladeira da Memória*, Planeta, 2003. *A Quadragésima Porta*, 3ª ed., 1968.

José Gualda Dantas – *Testes de Português para Vestibular*, 3ª ed., Rio de Janeiro, 1970.

José J. Veiga – *Os Cavalinhos de Platiplanto*, Bertrand Brasil. *Aquele Mundo de Vasabarros*, Bertrand Brasil, 1997.

José Lins do Rego – *Fogo Morto*, J. Olympio, 1996.

José Louzeiro – *Aracelli, Meu Amor*, 5ª ed., Record, 1981.

José Luís de Oliveira – *Nomenclatura Gramatical Brasileira*, Rio de Janeiro, 1965.

José Murilo de Carvalho – *A Construção da Ordem*, Relume-Dumará, 1996.

Josué de Castro – *Geografia da fome*, Civilização Brasileira, 2005.

Josué Guimarães – *Os Ladrões*, Rio de Janeiro, Fórum, 1966. *Os Tambores Silenciosos*, L&PM, 1997. *É Tarde para Saber*, L&PM, 1997.

Josué Montello – *Os Degraus do Paraíso*, Nova Fronteira, 1986.

Lêdo Ivo – *Ninho de Cobras*, Topbooks, 1997. *O Caminho sem Aventura*, Rio de Janeiro, Record, 1983.

Lygia Fagundes Telles – *Histórias Escolhidas*, 1961. *Ciranda de Pedra*, Rocco, 1998. *As Meninas*, Livros do Brasil, 1983. *Filhos Pródigos*, 1978.

Lourenço Diaféria – *Um Gato na Terra do Tamborim*, Ática, São Paulo, 1982.

Luís Carlos Lessa – *O Modernismo Brasileiro e a Língua Portuguesa*, Rio de Janeiro, FGV, 1966.

Luís Carlos Lisboa – *Olhos de Ver, Ouvidos de Ouvir*, Difel, 1977.

Luís Henrique Tavares – *Homem Deitado na Rede*, Rio de Janeiro, Org. Simões, 1969.

Luís Jardim – *As Confissões do Meu Tio Gonzaga*, 2ª ed., Rio de Janeiro, J. Olympio, 1966.

Machado de Assis – *Memórias Póstumas de Brás Cubas*, Ática, 2006. *Machado de Assis, Seus 30 Melhores Contos*, Rio de Janeiro, J. Aguilar, 1961. *Dom Casmurro*, Ateliê, 2008. *Obra Completa*, Nova Aguilar, 2008.

BIBLIOGRAFIA 661

Manuela Carneiro da Cunha – *História dos Índios no Brasil*, Cia. das Letras, 1992.

Manuel Bandeira – *Poesia Completa e Prosa*, 2ª ed., Rio de Janeiro, Nova Aguilar, 1967.

Maria de Lourdes Teixeira – *O Pátio das Donzelas*, Martins, 1969.

Maria José de Queirós – *Invenção a Duas Vozes*, Rio de Janeiro, Civ. Brasileira, 1978. *A Literatura e o Gozo Impuro da Comida*, Topbooks, 1997.

Marina Colasanti – *Nada na Manga*, Nova Fronteira, 1973.

Mário Barreto – *Novíssimos Estudos da Língua Portuguesa*, Rio de Janeiro, Francisco Alves, 1914. *Novos Estudos da Língua Portuguesa*, Francisco Alves, 1921. *Fatos da Língua Portuguesa*, Francisco Alves, 1916. *Através do Dicionário e da Gramática*, Rio de Janeiro, Quaresma, 1927. *De Gramática e de Linguagem*, 2ª ed., Rio de Janeiro, Org. Simões, 1955.

Mário Palmério – *O Chapadão do Bugre*, José Olympio, 2003.

Mário da Silva Brito – *Jogral do Frágil e do Efêmero*, Rio de Janeiro, Civ. Brasileira, 1979.

Mário Quintana – *Antologia Poética*, Rio de Janeiro, Ed. do Autor, 1966. *A Vaca e o Hipogrifo*, Global, 2006. *Poesias*, Globo, 1972.

Marquês de Maricá – *Máximas, Pensamentos e Reflexões*, Rio de Janeiro, MEC, Casa de Rui Barbosa, 1958.

Manuel Rodrigues Lapa – *Estilística da Língua Portuguesa*, Martins Fontes, 1998.

Martins de Aguiar – *Notas e Estudos de Português*, FGV, Rio de Janeiro, 1971.

M. Said Ali – *Gramática Secundária da Língua Portuguesa*, São Paulo, Melhoramentos, s/d. *Dificuldades da Língua Portuguesa*, 5ª ed., Rio de Janeiro, Acadêmica, 1957.

Millôr Fernandes – *Novas Fábulas Fabulosas*, Desiderata, 2007.

Moacir Werneck de Castro – *O Libertador*, Rocco, Rio de Janeiro, 1989. *A Máscara do Tempo*, Civ. Brasileira, 1996.

Moacyr Scliar – *A Paixão Transformada*, Cia. das Letras, 2008.

Monteiro Lobato – *Urupês*, Globo, 2007. *O Escândalo do Petróleo e do Ferro*. Editora Brasiliense, 1956.

Murilo Melo Filho – *O Milagre Brasileiro*, Bloch, 1972.

Murilo Rubião – *O Pirotécnico Zacarias e Outros Contos*, Cia das Letras, 2006.

Nélida Piñon – *A Força do Destino*, Record, 1998. *A Doce Voz de Caetana*, Record, 1987.

Novir Sebastião dos Santos Barbosa – *Interpretação da N.G.B.*, Rio de Janeiro, 1962.

Olavo Bilac – *Poesias*, 25ª ed., Rio de Janeiro, Francisco Alves, 1954.

Olegário Mariano – *Toda uma Vida de Poesia*, 2v., Rio de Janeiro, J. Olympio, 1957.

Oliveira Viana – *Evolução do Povo Brasileiro*, 4ª ed., J. Olympio, 1956.

Ondina Ferreira – *Inquietação*, São Paulo, Saraiva, 1958. *Acordar, Renascer, Soma*, São Paulo, 1983.

Orígenes Lessa – *O Feijão e o Sonho*, Ática, 1998.

Othon M. Garcia – *Comunicação em Prosa Moderna*, Rio de Janeiro, FGV, 2006.

Otto Lara Resende – *O Braço Direito*, Cia. das Letras, 1993.

Paulo Mendes Campos – *Os Bares Morrem numa Quarta-Feira*, Ática, 1980.

Pedro Nava – *Chão de Ferro*, Ateliê, 2001.

Ramalho Ortigão – *A Holanda*, 2ª ed., Lisboa, 1894.

BIBLIOGRAFIA

Rachel de Queiroz – *O Caçador de Tatu*, Siciliano, 1994. *Quatro Romances*, Rio de Janeiro, J. Olympio, 1960. *O Menino Mágico*, Caramelo, 2004.

Raquel Jardim – *Os anos 40*, Caramelo, 2004.

Rebelo da Silva – *Contos e Lendas*, Lisboa, 1873.

Renato Inácio da Silva – *Amazônia, Paraíso e Inferno*, São Paulo, 1970.

Ribeiro Couto – *Poesias Reunidas*, J. Olympio, 1960.

Ricardo Ramos – *Memória de Setembro*, J. Olympio, 1968.

Ronald Langacher – *A Linguagem e Sua Estrutura*, Vozes, 1972.

Ronaldo R. de Freitas Mourão – *Alô, Galáxia*, Rio de Janeiro, Imago, 1978. *Astronomia e Poesias*, Difel, 1977.

Rosamaria Verney Castelo Branco – *Canção do Cotidiano*, Rio de Janeiro, 1973.

Rubem Braga – *A Traição das Elegantes*, Record, 1998. *Duzentas Crônicas Escolhidas*, Record, 2002.

Rubem Fonseca – *Os Prisioneiros,* Cia. das Letras, 1989.

Rui Barbosa – *Escritos e Discursos Seletos*, Rio de Janeiro, Nova Aguilar, 1997. *Cartas de Inglaterra*, São Paulo, Iracema, 1968.

Sérgio Buarque de Hollanda – *Caminhos e Fronteiras*, Cia. das Letras, 2001.

Sérgio Faraco – *Hombre,* Civ. Brasileira, 1978.

Sérgio Gallo – *Ironias da Existência Humana,* Relume-Dumará, 1999.

Silvio Elia – *O Problema da Língua Brasileira*, INL, 1961.

Sousa da Silveira – *Lições de Português*, 5ª ed., Coimbra, 1952.

Stella Leonardos – *Estátua de Sal*, Rio de Janeiro, Agir, 1961.

Tiago de Melo – *Amazônia, a Menina dos Olhos do Mundo*, Rio de Janeiro, Civ. Brasileira, 1991.

Viana Moog – *Toia*, Rio de Janeiro, Civ. Brasileira, 1963. *Bandeirantes e Pioneiros*, Graphia, 2006.

Vicente de Carvalho – *Poemas e Canções,* 16ª ed., São Paulo, Saraiva, 1962.

Vilma Guimarães Rosa – *Carisma*, J. Olympio, 1978.

Vinicius de Moraes – *Poesia Completa e Prosa*, Nova Aguilar, 2004. *Para uma Menina com uma Flor*, Cia. das Letras, 1992.

Vivaldo Coaraci – *Todos Contam sua Vida*, J. Olympio, 1959. *Cata-vento*, J. Olympio, 1956.

Walmir Ayala – *A Selva Escura*, Rio de Janeiro, Atheneu Cultura, 1990.

Yone Rodrigues – *A Razão do Pássaro*, Melhoramentos, 1984.

EXERCÍCIOS DE EXAMES E CONCURSOS

FONÉTICA

FONEMAS

1. (CPCAR) A medicina agora está **estudando** a importância do bom **humor** e dos **sentimentos** positivos na **prevenção** e no tratamento de moléstias.

Nas palavras destacadas, constata-se, respectivamente, a seguinte sequência de letras e fonemas:
a) 9 – 9 / 5 – 3 / 11 – 10 / 9 – 9
b) 9 – 7 / 5 – 5 / 10 – 9 / 8 – 8
c) 9 – 9 / 4 – 4 / 10 – 10 / 8 – 7
d) 9 – 8 / 5 – 4 / 11 – 9 / 9 – 8

2. (Unifesp) Na língua portuguesa escrita, quando duas letras são empregadas para representar um único fonema (ou som, na fala), tem-se um **dígrafo**. O dígrafo só está presente em todos os vocábulos de:
a) pai, minha, tua, esse, tragar.
b) afasta, vinho, dessa, dor, seria.
c) queres, vinho, sangue, dessa, filho.
d) esse, amarga, silêncio, escuta, filho.
e) queres, feita, tinto, melhor, bruta.

3. (UFSM-RS) Assinale a alternativa em que apenas uma das palavras apresenta dígrafo.
a) Alexandra – lhe
b) Esquecia – mesinha
c) Guardava – enterro
d) Assistir – que
e) Senhora – então

4. (Ufal) As palavras bloco, vidro e refrão têm em comum a presença de um:
a) ditongo crescente
b) encontro consonantal
c) ditongo crescente
d) dígrafo
e) hiato

5. (PUC-PR) Observe as palavras que seguem:
1. Choque   4. Desce
2. Hotel   5. Passa
3. Varre   6. Molha

Das palavras acima, são pronunciadas com 4 fonemas:
a) todas elas.
b) todas, menos a primeira.
c) todas, menos a segunda.
d) a segunda, a quarta e a quinta.
e) somente a quarta e a quinta.

6. (PUC-RJ) Um mesmo fonema pode ser grafado de diferentes maneiras. Qual a lista de palavras que exemplifica essa afirmação?
a) Paciente, centro, existência
b) existência, meses, batizaram
c) projeto, prejudicando, propõe
d) quem, quando, psiquiatra
e) coisa, incomoda, continuidade

SÍLABA

1. (BNB) Assinale a opção que apresenta ERRO quanto à **divisão silábica**:
a) ins-ti-tu-i-ção, co-me-ça-ram, pres-tí-gio
b) res-sur-gi-men-to, pres-ti-gi-o, ad-mi-rar
c) su-pers-ti-ção, ex-pe-ri-en-te, pers-pec-ti-va
d) ex-e-cu-ti-vo, a-brup-to, re-i-vin-di-car
e) ca-a-tin-ga, rit-mo, réus

2. (CPCAR) Observe a **divisão silábica** dos vocábulos abaixo.

I - ar-te-ri-al, ex-ces-so, su-bs-tân-cia

II - guer-ras, di-lú-vio, pi-a-da

III - res-pal-do, ob-je-to, pres-são

Está(ão) correta(s) apenas:
a) I e II.
b) I e III.
c) I, II, III.
d) II e III.

3. (UFCE) Assinale as alternativas em que a separação silábica está correta:
a) go-ia-na   e) con-ti-nu-a
b) cor-ru-pção   f) ir-mãos
c) sor-ri-so   g) De-us
d) ma-is

4. (Unip-SP) Assinale o grupo de palavras em que não há erro na separação de sílabas:
a) in-a-pto, tran-se-pto, des-or-dem
b) né-ctar, fi-a-do, crian-ça

c) des-u-nhar, ad-je-ti-va, ve-e-mên-cia

d) gi-ras-sóis, mag-nó-lia, a-dá-lia

e) ins-cien-te, ân-si-a, né-sci-o

5. (Acafe-SC) Assinale a alternativa em que há erro na partição de sílabas:

a) en-trar, es-con-der, bis-a-vô, bis-ne-to

b) i-da-de, co-o-pe-rar, es-tô-ma-go

c) des-cen-der, car-ra-da, pos-so, a-tra-vés

d) des-to-ar, tran-sa-ma-zô-ni-co, ra-pé, on-tem

e) pre-des-ti-nar, ex-tra, e-xer-cí-cio, dan-çar

ORTOGRAFIA

1. (Cesgranrio) Assinale o item em que ocorre erro ortográfico:

a) ele mantém / eles mantêm

b) ele dê / eles deem

c) ele contém / eles contêm

d) ele vê / eles veem

e) ele contém / eles conteem

2. (PUC-Camp) Assinale a alternativa correta:

a) Não se deve infligir as leis.

b) Não se devem infringir as leis.

c) Não se devem infligir as leis.

d) Não se devem inflingir as leis.

3. (UPF-RS) A palavra "porque" deveria ter sido grafada separadamente na alternativa:

a) Não se preocupe com o futuro, porque os jovens têm energia para resolver problemas.

b) O Brasil será enriquecido no próximo século, porque terá o maior contingente de jovens de sua história.

c) Alguns questionam porque o futuro é encarado com pessimismo por muitos.

d) Acredite nos jovens, porque eles contribuirão para o progresso do Brasil.

e) Muitos problemas serão resolvidos, porque os jovens estarão preparados para isso.

4. (CPCAR) Assinale a alternativa em que **NÃO** há erro de grafia.

a) Poucos sabem por que você está pensativo.

b) Assinar o documento não trás dificuldade nenhuma ao povo.

c) Não sei porque tanto riso.

d) A atitude púdica de certas mulheres me surpreende.

5. Assinale a alternativa em que **não** haja nenhum erro de ortografia.

a) A ascenção do candidato nas pesquizas suprendeu a todos.

b) A ascenção do candidato nas pesquisas surpreendeu a todos.

c) A ascensão do candidato nas pesquisas surpreendeu a todos.

d) A ascenção do candidato nas pesquisas surprendeu a todos.

e) A assenção do candidato nas pesquizas surprendeu a todos.

6. Faça o mesmo:

a) A morte do paciente nada tem a ver com a paralisia dos órgãos.

b) A morte do paciente nada tem a haver com a paralizia dos órgãos.

c) A morte do pasciente nada tem haver com a paralizia dos órgãos.

d) A morte do pasciente nada tem a haver com a paralisia dos órgãos.

e) A morte do paciente nada tem a ver com a paralizia dos órgãos.

7. (BNB) Assinale a alternativa em que todas as palavras estão escritas de forma **ERRADA**:

a) ojeriza, riqueza, pegajento

b) veneziana, coalizão, assaz

c) asfixia, repuxo, coxia

d) flecha, broche, cocheira

e) despeza, degladiar, distemção

8. (BNB) Marque a alternativa em que todas as palavras são escritas, CORRETAMENTE, com a letra indicada entre parêntese:

a) a___ensorista, ca__ar , cre ___cer (s)

b) tra__e, rabu__ice, re__eição (j)

c) au__liar, asfi__ia, aflu__o (x)

d) deten__ão, conten__ão, preten___ão (ç)

e) nobre__a, avi___ar, coloni___ar (z)

9. (FGV-SP) Assinale a alternativa em que **não** haja erro de grafia.

a) Não tinha feito a prova no dia regular nem tão pouco a substitutiva.

b) Afim de que as soluções pudessem ser adotadas por todos, José de Arimateia havia distribuído cópias do relatório no dia anterior.

c) Porventura, meu Deus, estarei louco?

666 FONÉTICA

d) Assinalou com um asterístico a necessidade de notas informativas adicionais.

e) Com frequência, os médicos falam de AVC, Acidente Vascular Celebral. Porisso, os próprios pacientes já estão familiarizados com esse termo.

10. (FGV) Assinale a alternativa em que a grafia de todas as palavras seja prestigiada pela norma culta.

a) Auto-falante, bandeija, degladiar, eletrecista.

b) Advogado, frustado, estrupo, desinteria.

c) Embigo, mendingo, meretíssimo, salchicha.

d) Estouro, cataclismo, prazeiroso, privilégio.

e) Aterrissagem, babadouro, lagarto, manteigueira.

ACENTUAÇÃO GRÁFICA

1. (Fuvest-SP) Assinale a alternativa em que todas as palavras estejam corretamente acentuadas.

a) caíra, enjoo, bárbaro, velóz.

b) jurití, automóvel, samambáia, jiló.

c) algoz, cauím, lençol, fácil.

d) pernalta, Tatuí, armazém, geleia.

e) conténs, heroico, chapéuzinho, Tietê.

2. (Ufla-MG)

"Meu lenço, meu **relógio**, meu chaveiro..."

A regra que justifica o acento na palavra acima destacada é a mesma que justifica o acento em:

a) tênis

b) hábito

c) glória

d) convém

e) invencível

3. (Mackenzie-SP) As palavras *aí, Ceará* e *vá* são acentuadas por serem, respectivamente:

a) monossílabo, trissílabo e monossílabo.

b) ditongo tônico, trissílabo tônico e monossílabo tônico.

c) ditongo tônico, oxítona terminada em *a* e monossílabo tônico terminado em *a*.

d) hiato, oxítona terminada em *a* e monossílabo tônico terminado em *a*.

e) oxítona terminada em *i*, oxítona terminada em *a* e monossílabo tônico terminado em *a*.

4. (UCDB-MT) São acentuadas pela mesma razão as palavras da alternativa:

a) ciúme – egoísta – saída

b) hífen – armazém – herói

c) dominó – avô – tênis

5. (CPCAR) Assinale a alternativa cujas palavras devem ser graficamente acentuadas, respectivamente, pelas mesmas normas de **glória**, **fácil**, **está**, **imunológico**.

a) Ruídos, límpida, verás, ínterim.

b) Incêndio, caráter, refém, protótipo.

c) Juízes, revólver, têm, temática.

6. (FGV-SP) Assinale a palavra que está graficamente acentuada pela mesma regra que determina o acento em **inadimplência**.

a) Mágoa.   d) Heróico.

b) Há.   e) Baú.

c) Sabiá.

7. (FGV-SP) Assinale a alternativa em que as palavras sejam, respectivamente: oxítona, oxítona, paroxítona, proparoxítona, proparoxítona e oxítona.

a) Papel, sagu, andrajo, xenófobo, redondo, saci.

b) Sabia, interessar, anjo, borrego, íntimo, saúde.

c) Canavial, superar, novel, cádmio, contíguo, interesseiro.

d) Saci, sagu, indelevelmente, pródigo, bígamo, sinal.

e) Tizio, anéis, móvel, esperançoso, código, colher.

8. (PUC-RJ) Indique a opção que apresenta palavras acentuadas segundo as mesmas regras das palavras abaixo, respeitada a sua ordem de aparecimento:

há – incrédulo – história – frágil – bebê – alguém

a) já – Júpiter – telescópio – fácil – até – parabéns

b) pôr – óbvio – herói – até – parabéns – está

c) já – plateia – óbvio – fácil – fazê-la – além

FONÉTICA 667

9. (FGV-SP) Assinale a alternativa em que a palavra deveria ter recebido **acento gráfico**:
a) Paiçandu.   b) Taxi.   c) Gratuito.
d) Rubrica.   e) Entorno.

10. (PUC-Camp) A frase em que as palavras estão acentuadas corretamente é:
a) A providencia que foi tomada tem relação com o grupo de que ele é partidário.
b) A saúde pública deve ser um dos assuntos centrais dessa reunião.
c) Há muita polemica em relação a esse assunto, por isso devemos ter cautela.
d) Pouco tempo atrás, todos diziam que eles estavam em situação bastante confortavel.
e) Há quem avalie que aquela foi a solução mais inocua de todas as apresentadas.

MORFOLOGIA

ESTRUTURA DAS PALAVRAS

1. (Unirio) Identifique a série em que os prefixos têm o mesmo significado:
a) contradizer, antídoto
b) desfolhar, epiderme
c) decapitar, hemiciclo
d) supercílio, acéfalo
e) semimorto, perianto

2. (PUC-SP) Das afirmações abaixo:
I – as palavras *deselegância*, *realidade* e *baianos* são formadas pelo processo de derivação;
II – as palavras *afasto*, *chamei* e *surgir* estão flexionadas, respectivamente, pelas desinências **-o**, **-ei**, **-ir**;
III – as palavras *és* e *baianos* apresentam a desinência **-s**, que indica plural.
Apenas:
a) I está correta.
b) III está correta.
c) I e III estão corretas.
d) I e II estão corretas.
e) II está correta.

3. (UFSM-RS) Assinale a única alternativa em que a primeira palavra apresenta prefixo e a segunda, sufixo.
a) desgraças – pimenta
b) incômoda – realmente
c) tristeza – realmente
d) refresco – ninguém
e) ridículo – carnaval

4. (UniFEI-SP) Assinale a alternativa em que o significado do radical esteja errado:

a) hidro: água (exemplo: hidráulico)
b) pisci: peixe (exemplo: piscicultura)
c) bio: vida (exemplo biologia)
d) agri: campo (exemplo: agricultura)
e) antropo: antigo (exemplo: antropologia)

5. (FGV-SP) Assinale a alternativa em que sejam usados radicais ou prefixos – gregos ou latinos – correspondentes, respectivamente, aos seguintes sentidos:

dentro, duplicidade, em torno de, contra, metade, movimento para dentro, livro, vida.
a) Endoscópio, anfíbio, circunlóquio, antibiótico, hemiciclo, introspecção, bibliografia, biografia.
b) Intramuscular, anfibologia, circum-navegação, contraprova, semicírculo, internato, biblioteca, biosfera.
c) Endoscópio, cosmopolita, circundar, anti-higiênico, semidespido, introspecção, bibliografia, biografia.
d) Interface, ambidestro, circundar, antônimo, semiólogo, biblioteca, biografia.
e) Endoscópio, ambivalente, circum-navegar, antepasto, seminal, introspecção, bibliografia, biografia.

FORMAÇÃO DAS PALAVRAS

1. (UniFEI-SP) Assinale a alternativa em que as palavras não sejam cognatas:
a) tristeza – entristecido
b) previsão – imprevisto
c) maresia – maremoto
d) internacional – intercâmbio
e) ilusionista – desilusão

2. (FGV-SP) Modelo: nobre – enobrecer

Observe que o termo *enobrecer* formou-se a partir de *nobre* com o auxílio de um prefixo e de um sufixo.

Abaixo, apresentamos pares de palavras. Em apenas um caso não se seguiu o modelo apresentado. Assinale a alternativa correspondente.
a) triste – entristecer
b) escuro – escurecer
c) gordo – engordar
d) duro – endurecer
e) rico – enriquecer

3. (CPCAR-MG) Leia atentamente as afirmativas abaixo.
I – No vocábulo **surradíssimo**, observa-se a derivação sufixal.
II – Os vocábulos **sorriso**, **arterial** e **ironizar** são formados por sufixos nominais.
III – **Patologia** é formado por hibridismo.
Está(ão) correta(s) apenas a(s) afirmativa(s):
a) I e II.   c) I.
b) II.   d) I, II e III.

4. (CPCAR-MG) Assinale a alternativa cujos vocábulos são, respectivamente, formados pelo mesmo processo: **vitimadas**, **amoral**, **arterial**.
a) Patologista, diariamente, televisiva.
b) Grandeza, imortal, positividade.
c) *Stress*, imunológico, risonho.
d) Prevenção, interferência, recorrência.

5. (Fuvest-SP) O prefixo assinalado em "desvario" expressa:
a) negação.
b) cessação.
c) ação contrária.
d) separação.
e) intensificação.

6. (Mackenzie-SP) A palavra **economiopia** segue o mesmo modelo de formação lexical presente em:
a) "aguardente".
b) "pé de moleque".
c) "passatempo".
d) "minissaia".
e) "antidemocrático".

7. (Unifesp) *Pneumotórax*, palavra que dá título ao famoso poema de Manuel Bandeira, é vocábulo constituído de dois radicais gregos (pneum[o]- + -tórax). Significa o procedimento médico que consiste na introdução de ar na cavidade pleural, como forma de tratamento de moléstias pulmonares, particularmente a tuberculose. Tal enfermidade é referida no diálogo entre médico e paciente, quando o primeiro explica a seu cliente que ele tem "uma escavação no pulmão esquerdo e o pulmão direito infiltrado". Esta última palavra é formada com base em um radical: filtro. Quanto à formação vocabular, o título do poema e o vocábulo *infiltrado* são constituídos, respectivamente, por:
a) composição, e derivação prefixal e sufixal.
b) derivação prefixal e sufixal, e composição.
c) composição por hibridismo, e composição prefixal e sufixal.
d) simples flexão, e derivação prefixal e sufixal.
e) simples derivação, e composição sufixal e prefixal.

8. (Unifesp) Tomando como referência **os processos de formação de palavras**, dada a relação com o som produzido pelos equinos quando em movimento, a palavra *Pocotó* é formada a partir de uma:
a) prefixação.
b) sufixação.
c) onomatopeia.
d) justaposição.
e) aglutinação.

SUBSTANTIVO

1. (Vunesp) O gênero dos substantivos está correto em:
a) É comum que as eclipses da lua coincidam com as piores tormentas e cataclismos.
b) A guia dos turistas não falava japonês e teve de usar uma estratagema para comunicar-se com eles.
c) Vamos dar um ênfase todo especial ao trabalho de prevenção do diabetes.
d) Não obteve, até agora, a alvará de funcionamento e deve enviar à prefeitura uma xerox da inscrição da firma.
e) A personagem vivida por ele tem um comportamento que é um verdadeiro modelo da moral vitoriana.

MORFOLOGIA 669

2. (Fuvest-SP) A enumeração de **substantivos** expressa gradação ascendente em:
a) "menino mais gracioso, inventivo e travesso".
b) "trazia-o amimado, asseado, enfeitado".
c) "gazear a escola, ir caçar ninhos de pássaros, ou perseguir lagartixas".
d) "papel de rei, ministro, general".
e) "tinha garbo (…), e gravidade, certa magnificência".

3. (UFSM-RS) Passando para o plural os substantivos compostos "mesinha-de-cabeceira" e "quarta-feira", a alternativa correta é a seguinte:
a) mesinhas-de-cabeceira, quartas-feiras.
b) mesinha-de-cabeceiras, quarta-feiras.
c) mesinha-de-cabeceira , quartas-feira.
d) mesinhas-de-cabeceiras, quartas-feiras.
e) mesinha-de-cabeceiras, quartas-feiras.

4. (Unifor-CE) Assinale a alternativa correspondente a um **substantivo feminino**:
a) telefonema
b) eclipse
c) cal
d) clã
e) grama (unidade de medida)

5. (FGV-SP) Das alternativas abaixo, assinale aquela em que ao menos um plural NÃO está correto:
a) Mão, mãos; demão, demãos.
b) Capitão, capitães; ladrão, ladrões.
c) Pistão, pistões; encontrão, encontrões.
d) Portão, portões; cidadão, cidadães.
e) Capelão, capelães; escrivão, escrivães.

6. (BNB) Relacione os substantivos comuns ao seu substantivo coletivo e marque a alternativa que apresente a sequência CORRETA:

A. ( ) correição   1 - formiga
B. ( ) cordilheira   2 - alho
C. ( ) réstia   3 - montes
D. ( ) turba   4 - heróis
E. ( ) claque   5 - espectadores
F. ( ) falange   6 - ladrões

a) 6, 5, 4, 3, 2, 1   d) 4, 1, 6, 3, 2, 5
b) 1, 3, 2, 6, 5, 4   e) 5, 1, 3, 6, 4, 2
c) 2, 3, 4, 5, 1, 6

ARTIGO

1. (UFU-MG) Em uma das frases o artigo definido está empregado erradamente. Em qual?
a) A velha Roma está sendo modernizada.
b) A "Paraíba" é uma bela fragata.
c) Não reconheço agora a Lisboa do meu tempo.
d) O gato escaldado tem medo de água fria.
e) O Havre é um porto de muito movimento.

2. (Fatec-SP) Identifique em qual alternativa é errado colocar, após a palavra destacada, o artigo definido:
a) Afundou na lama **ambos** os pés.
b) **Todos** os dias passava por lá sem vê-la.
c) A **todo** passante perguntei, nenhum me informou.
d) **Toda** noite gotejou a torneira, não pude dormir.
e) N.d.a.

3. (UFSM-RS) Em "Vencer esse suposto paradoxo alfabetizando a população e incentivando-a a ler cada vez mais", as palavras sublinhadas classificam-se, respectivamente, como:
a) preposição, pronome oblíquo, artigo
b) pronome oblíquo, preposição, artigo
c) artigo, pronome oblíquo, preposição
d) preposição, artigo, pronome oblíquo
e) artigo, artigo, preposição

4. (USU-RJ) Assinale a opção em que a palavra **a** tem valor gramatical diferente de todas as outras:
a) Eu sou **a** indiferença.
b) Sou eu quem te sepulta **a** ideia imensa.
c) Marquei-te **a** fronte, mísero profeta!
d) Hoje veio **a** falar comigo.
e) Beijara **a** fronte sonhadora do poeta.

ADJETIVO

1. (UFV-MG) Assinale a alternativa em que não aparece adjetivo substantivado funcionando como sujeito:
a) Chorarão os religiosos.
b) Chorarão os velhos.
c) Chorarão os nobres.
d) Chorarão as mulheres.
e) Chorarão os inocentes.

2. (FGV-SP) Assinale a alternativa em que a palavra sublinhada NÃO tem valor de **adjetivo**.
a) A malha azul estava molhada.
b) O sol desbotou o verde da bandeira.
c) Tinha os cabelos branco-amarelados.
d) As nuvens tornavam-se cinzentas.
e) O mendigo carregava um fardo amarelado.

3. (ITA-SP) Durante a Copa do Mundo deste ano, foi veiculada, em programa esportivo de uma emissora de TV, a notícia de que um apostador inglês acertou o resultado de uma partida, porque seguiu os prognósticos de seu burro de estimação. Um dos comentaristas fez, então, a seguinte observação: "Já vi muito comentarista burro, mas burro comentarista é a primeira vez." Percebe-se que a classe gramatical das palavras se altera em função da ordem que elas assumem na expressão.

Assinale a alternativa em que isso **NÃO** ocorre:
a) obra grandiosa
b) jovem estudante
c) brasileiro trabalhador
d) velho chinês
e) fanático religioso

4. (FGV-SP) Observe a seguinte frase: Recorrendo a elas, arrisco-me a usar expressões técnicas, desconhecidas do público, e a ser tido por **pedante**. Das alternativas abaixo, assinale aquela em que a palavra sublinhada exerça a mesma função sintática de pedante, dessa frase.
a) As estações tinham passado **rápido**, sem que tivesse sido possível vê-las direito.
b) Fui julgado **culpado**, embora não houvesse provas decisivas a respeito do crime.
c) Ele era difícil de convencer, mas concordou quando a quantia foi **oferecida**.
d) Caminhou **depressa** por entre os coqueiros.
e) Ele passeou **demasiado** ontem; hoje, doem-lhe as pernas. Vai ser obrigado a deitar-se mais cedo.

5. (CPCAR-MG) Assinale a alternativa **incorreta** quanto à **morfologia**.
a) Em "Eu canto porque o instante existe / E a minha vida está completa", há conjunção coordenativa.

b) Os versos "Pensava em ti nas horas de tristeza, / Quando estes versos pálidos compus" apresentam interjeição, adjetivo e substantivo.
c) Nos versos "Embora o sopro ardente da calúnia crestasse os sonhos meus, / Nunca descri do bem da justiça, nunca descri de Deus", há três verbos.
d) O verso "Eras na vida a pomba predileta" apresenta verbo de ligação e substantivo.

6. (CPCAR-MG) A expressão assinalada tem valor adjetivo em todas as alternativas abaixo, **exceto** em:
a) espaço de tempo
b) missa das oito
c) toque de sineta
d) um dia de sol
e) não deverão de modo algum

NUMERAL

1. (FMU/FIAM/FAAM-SP) Gastei *trinta dias...*

A palavra em destaque é um numeral:
a) cardinal
b) ordinal
c) multiplicativo
d) fracionário
e) indefinido

2. (Unitau-SP) Observe:

I – "Essa atitude de certo modo religiosa de 'um' homem engajado no trabalho..."

II – "Pedro comprou 'um' jornal."

III – "Maria mora no apartamento 'um'."

IV – "Quantos namorados você tem? 'Um'."

A palavra "um" nas frases acima é, no plano morfológico, respectivamente:
a) artigo indefinido em I e numeral em II, III e IV.
b) artigo indefinido em I e II e numeral em III e IV.
c) artigo indefinido em I e III, e numeral em II e IV.
d) artigo indefinido em I, II, III e IV.
e) artigo indefinido em III e IV e numeral em I e II.

MORFOLOGIA 671

3. (Puc-Camp) Os ordinais referentes aos números 80, 300, 700 e 90 são, respectivamente:
a) octagésimo – trecentésimo – septigentésimo – nongentésimo
b) octogésimo – trecentésimo – septigentésimo – nonagésimo
c) octingentésimo – tricentésimo – septuagésimo – nonagésimo
d) octogésimo – tricentésimo – septuagésimo – nongentésimo
e) nenhuma das respostas anteriores.

4. (UFJF-MG) Marque o emprego incorreto do numeral:
a) século III (três)
b) página 102 (cento e dois)
c) 80º (octogésimo)
d) capítulo XI (onze)
e) X torno (décimo)

PRONOME

1. (ITA-SP) Assinale a incorreta:
a) Não se vá sem eu.
b) Ele é contra eu estar aqui.
c) Ele é contra mim, estar aqui é crime.
d) Como eu estava doente, não houve palestra.
e) Não haveria entre mim e ti entendimento possível.

2. (BNB) Na oração "Banco *algum* estava preocupado em agradar clientes.", a palavra em itálico corresponde a:
a) um entre dois
b) qualquer
c) um certo
d) determinado
e) nenhum

3. (BNB) Assinale a opção em que existe erro, quanto à classificação morfológica das palavras em itálico:
a) grandes instituições *estrangeiras* – adjetivo
b) tentando tomá-*las* – pronome pessoal do caso reto
c) *Otávio Castello Branco* – substantivo próprio
d) *uma* nova geração – artigo indefinido
e) Formar *pessoal* – substantivo coletivo

4. (FGV-SP) Observe: "O diretor perguntou: –

Onde estão os estagiários? Mandaram-nos sair? Estão no andar de cima?". O **pronome** sublinhado pertence:
a) À terceira pessoa do plural.
b) À segunda pessoa do singular.
c) À terceira pessoa do singular.
d) À primeira pessoa do plural.
e) À segunda pessoa do plural.

5. (Mackenzie-SP) Assinale a alternativa correta.
a) De acordo com a gramática normativa, as palavras **espécie** e **três** são acentuadas por apresentarem vogal "e" na sílaba tônica.
b) O uso do pronome **ela** em *achou mais saboroso comer* ela *limpa*, embora comum na linguagem coloquial, não é apropriado a textos formais.
c) Em *Há quase 50 anos, na pequena ilha de Koshima, no Japão*, as vírgulas separam aposto explicativo.
d) Em *...o hábito se espalhou* pelos irmãos mais velhos..., a sequência em itálico tem função de agente da passiva.
e) No trecho *Ninguém sabe ao certo* se *ele percebeu...*, a conjunção em negrito introduz ideia de condição.

6. (ITA-SP) Assinale a opção em que o uso do pronome **NÃO** está de acordo com a norma padrão escrita. (Excertos extraídos e adaptados de *Folha de S.Paulo*, 1/11/1993.)
a) [O cineasta sofreu] um derrame, do qual não iria se recuperar mais.
b) [O rosto e a voz do cineasta] são aqueles os quais estamos acostumados, talvez um pouco mais cansados.
c) [Estar doente era] uma realidade sobre a qual [o cineasta] não sabia nada, sobre a qual jamais havia pensado.
d) [Com ele, o cinema] não é mais um meio; torna-se um fim, no qual o autor é a principal referência.
e) Depois de três cirurgias às quais se submetera, teve um ataque cardíaco.

7. (CPCAR) Assinale a alternativa onde o *pronome relativo*, em destaque, está corretamente interpretado e classificado quanto à sua função sintática.

MORFOLOGIA

a) "A equipe do doutor Berk acompanhou durante um ano 100 homens *que* já haviam enfartado (...)"

[que = 100 homens/objeto direto]

b) "Eles foram divididos em dois grupos, *dos quais* um era obrigado a assistir meia hora por dia a uma comédia televisiva."

[dos quais = dos dois grupos/adjunto adverbial]

c) "(...) são medidas *que* fazem viver mais e melhor."

[que = medidas/sujeito]

d) "O resultado foi surpreendente: os *que* foram submetidos às sessões de risadas (...)"

[que = os/aposto]

8. (Mackenzie-SP) Mosquitos são elos fundamentais da cadeia alimentar **da qual você também faz parte**.

O trecho destacado pode ser corretamente substituído por:

a) na qual você também faz parte.

b) a qual você também faz parte.

c) onde você também faz parte.

d) que você também faz parte.

e) de que você também faz parte.

9. (TCU) Assinale a alternativa em que **o pronome oblíquo** foi empregado segundo o que recomenda a norma culta. Observe também a **flexão** dos verbos.

a) Quando nos vermos de novo, eu te cumprimentarei.

b) Quando nos vermos de novo, eu cumprimentar-te-ei.

c) Quando virmo-nos de novo, eu te cumprimentarei.

d) Quando nos virmos de novo, eu te cumprimentarei.

e) Eu te cumprimentarei quando nos vermos de novo.

10. (TCU) Assinale a forma mais adequada, levando em consideração a flexão verbal e o emprego do **pronome de tratamento** e do sinal indicador de crase.

a) Vossa Excelência, o Presidente, vem com os ministros a reunião?

b) Sua Excelência, o Presidente, vem com os ministros à reunião?

c) Vossa Excelência, o Presidente, vêm com os ministros para a reunião?

d) Vossa Excelência, o Presidente, vem com os ministros na reunião?

e) Sua Excelência, o Presidente, vêm com os ministros para a reunião?

VERBO

1. (CPCAR) Assinale a alternativa em que os **verbos** foram empregados de acordo com a norma culta.

a) Ele havia entreaberto a porta e viu sua prima chegando.

b) Vós odiaste a candidata eleita?

c) Ele jamais foi aceitado pelos colegas de turma.

d) Todo recurso disponível já foi gastado pelo governo.

2. (CPCAR) Escreva **(V)** para as afirmativas verdadeiras e **(F)** para as falsas e, em seguida, assinale a alternativa com a sequência correta.

( ) No modo indicativo, o pretérito imperfeito expressa ação passada que se prolonga, o pretérito mais-que-perfeito expressa fato passado anterior a outro que também já é passado, e o pretérito perfeito expressa ação já concluída em época passada.

( ) No período: "Não deixeis para amanhã o que podeis fazer hoje.", os verbos estão, respectivamente, nos modos imperativo e indicativo.

( ) Na frase: "O diretor aborrecia-se sem razão.", o verbo está na voz passiva.

( ) Em "Precisa-se de candidatos aplicados.", tem-se voz ativa.

( ) Em "Não te destruas com álcool, fumo e demais drogas.", constata-se voz reflexiva.

a) V – F – F – V – V

b) V – V – F – V – V

c) F – V – V – F – F

d) F – F – V – F – F

3. (BNB) Em "E há sempre a possibilidade real de crescer no banco e vir a se tornar um sócio.", existe a presença do verbo **vir.**

Assinale a alternativa em que este verbo se encontra no futuro do pretérito.

a) O jovem talentoso vem chegando.

b) O lucro virá no fim do ano.

c) O investimento viera mas perdera-se na burocracia.

d) O cliente será bem atendido se vier negociar com o banco.

e) O sucesso viria se ele se esforçasse um pouco mais.

4. (FGV-SP) Assinale a alternativa que completa corretamente a frase:

_____os documentos que encaminharemos à Prefeitura.
a) Terá de serem formalizados.
b) Terão de ser formalizado.
c) Terá de ser formalizado.
d) Terão de serem formalizados.
e) Terão de ser formalizados.

5. (Fuvest-SP) Dos **verbos** assinalados, só está corretamente empregado o que aparece na frase:
a) A atual administração quer **crescer** a arrecadação do IPTU em 40%.
b) A economia latino-americana se modernizou sem que a estrutura de renda da região **acompanhou** as transformações.
c) Se **fazer** previsões sobre a situação econômica já era difícil antes das eleições, agora ficou ainda mais complicado.
d) A indústria ficará satisfeita só quando vender metade do estoque e **transpor** o obstáculo dos juros.
e) Por mais que os leitores se **apropriam** de um livro, no final, livro e leitor tornam-se uma só coisa.

6. (FGV-SP) Assinale a alternativa que contenha, corretamente, os verbos das orações abaixo no futuro do subjuntivo.
a) Se o menino se entretiver com o cão que passear na rua...
Se não couber na bolsa o frasco que você me emprestar...
b) Se o menino se entreter com o cão que passear na rua...
Se não caber na bolsa o frasco que você me emprestar...
c) Se o menino se entretiver com o cão que passear na rua...

Se não caber na bolsa o frasco que você me emprestar...
d) Se o menino se entreter com o cão que passear na rua...
Se não couber na bolsa o frasco que você me emprestar...
e) Se o menino se entretesse com o cão que passeava na rua...
Se não cabesse na bolsa o frasco que você me emprestasse...

7. (FGV-SP) Assinale a alternativa em que o particípio sublinhado está corretamente utilizado.
a) O diretor tinha <u>suspenso</u> a edição do jornal antes da publicação da notícia.
b) Lourival tinha <u>chego</u> ao mercado. Marli o esperava próxima da barraca de frutas.
c) O coroinha havia já <u>disperso</u> a multidão que estava em volta da Matriz.
d) A correspondência não foi <u>entregue</u> no escritório.
e) Diogo tinha <u>expulso</u> os índios que cercavam o povoado.

8. (FGV-SP) Na língua portuguesa, às vezes, verbos diferentes assumem a mesma forma verbal. Isso NÃO OCORRE em:
a) Fui, pretérito perfeito do indicativo de ir e de ser.
b) Viemos, pretérito perfeito do indicativo de vir e presente do indicativo de ver.
c) Vimos, pretérito perfeito do indicativo de ver e presente do indicativo de vir.
d) For, futuro do subjuntivo de ir e de ser.
e) Fora, pretérito mais-que-perfeito do indicativo de ir e de ser.

9. (FGV-SP) Examine o termo sublinhado nos períodos abaixo.
• O frasco maior *contém* mais líquido, é evidente.
• O relato da testemunha não *condiz* com os fatos apontados pelos peritos.
• Ele não *intervirá* na questão entre o árbitro e o atleta.

Assinale a alternativa correta a respeito desses verbos, colocados no pretérito perfeito, mas mantida a pessoa gramatical.
a) Conteve, condiria, inerveio.
b) Conteu, condizia, interveio.

MORFOLOGIA

c) Conteve, condisse, interveio.

d) Conteu, condisse, interviu.

e) Continha, condizeu, interviu.

10. (FGV-SP) Em uma das alternativas abaixo, o verbo está em **desacordo** com a norma culta. Assinale-a.

a) Lastimo que você seja parente dele: não há como evitar a pena e, pior, ela deve ser longa.

b) Caso ele for fazer o trabalho escolar na minha casa, vamos precisar encomendar algo para comer.

c) De qualquer jeito, o professor quer que eu vá à reunião. Diz que minha presença é necessária, não sei por quê.

d) Se ele supuser que os frades estejam na Capela de Santa Filomena, vai perder um tempo imenso.

e) Como Juca permaneceu muito tempo em cada time em que jogou, fazia meses que ele não estreava.

11. (FGV-SP) Em qual das alternativas não há a necessária correlação temporal das formas verbais?

a) A festa aconteceu no mesmo edifício em que transcorrera o passamento de José Mateus, vinte anos antes.

b) Quando Estela descer da carruagem, poderia acontecer-lhe uma desgraça se o cocheiro não dispuser adequadamente o estribo.

c) Tendo visto o pasto verde, o cavalo pôs-se a correr sem que alguém pudesse controlá-lo.

d) Pelo porte, pelo garbo, todos perceberam que Antônio Sé fora militar de alta patente.

e) Se o policial não tivesse intervindo a tempo, teria ocorrido a queda do canhão.

12. (FGV-SP) Assinale a alternativa em que todos os verbos estejam empregados de acordo com a norma culta.

a) Você quer, depois de tudo o que me fez, que eu vou ao jantar com sua amiga?

b) Não faz isso, que os meninos estão para chegar e eu ainda não preparei o almoço.

c) Tende dó, meus filhos! Todos nós, pecadores, estamos sujeitos a essas tentações. Tende dó!

d) Quem haveria de dizer que ele pode vim fazer esse conserto sem nenhuma dificuldade?

e) Sai, que esse dinheiro é meu. Não me venha dizer que o viu primeiro.

13. (Fuvest-SP) Entre as mensagens abaixo, a única que está de acordo com a norma escrita culta é:

a) Confira as receitas incríveis preparadas para você. Clica aqui!

b) Mostra que você tem bom coração. Contribua para a campanha do agasalho!

c) Cura-te a ti mesmo e seja feliz!

d) Não subestime o consumidor. Venda produtos de boa procedência.

e) Em caso de acidente, não siga viagem. Pede o apoio de um policial.

14. (Unifesp) Há certos <u>verbos</u> cujas flexões se desviam do paradigma de sua conjugação. São considerados, por isso, irregulares. Alguns deles são: dar, estar, fazer, ser e ir. Na estrofe de "O menino da porteira", ocorrem verbos dessa natureza. A alternativa que os contém é:

a) "Toda vez que eu viajava" e "De longe eu avistava".

b) "De longe eu avistava" e "Que corria abri[r] a porteira".

c) "Que corria abri[r] a porteira" e "— Toque o berrante, seu moço,".

d) "Que corria abri[r] a porteira" e "Que é p'ra mim ficá[r] ouvindo".

e) "Depois vinha me pedindo:" e "Que é p'ra mim ficá[r] ouvindo".

15. (Fuvest-SP) Transpondo-se corretamente para a voz **ativa** a oração "para serem instruídos por um astrônomo (...)", obtém-se:

a) para que sejam instruídos por um astrônomo (…).

b) para um astrônomo os instruírem (…).

c) para que um astrônomo lhes instruíssem (…).

d) para um astrônomo instruí-los (…).

e) para que fossem instruídos por um astrônomo (…).

ADVÉRBIO

1. (Fuvest-SP) Na frase "O Sol ainda produzirá energia (...)", o advérbio <u>ainda</u> tem o mesmo sentido que em:

a) Ainda lutando, nada conseguirá.

b) Há ainda outras pessoas envolvidas no caso.

c) Ainda há cinco minutos ela estava aqui.

d) Um dia ele voltará, e ela estará ainda à sua espera.

e) Sei que ainda serás rico.

2. (ITA-SP - adaptado) Geralmente a negação é expressa por meio de advérbios ou locuções adverbiais (não, tampouco, absolutamente, de modo algum, de jeito nenhum). Porém, existem outras maneiras de negar. Aponte a opção em que, no enunciado, **NÃO** há ideia de negação.

a) Em 76 dos 96 distritos da cidade [de São Paulo], a falta de planejamento adequado aprofundou as desigualdades que eram enormes. (Pesquisa Fapesp, janeiro/2003, n. 83, p. 7.)

b) Metade das pacientes consome o Evista e a outra metade, um placebo. Nenhum dos dois grupos abandonou seus medicamentos habituais para doenças cardiovasculares. (Idem, p. 22.)

c) O que nós temos recomendado, agora, é que o pesquisador não só participe da execução da pesquisa, mas também da sua concepção. (Idem, p. 24.)

d) Esses dados preliminares mostram que dificilmente será possível aumentar de forma significativa – e não predatória – a quantidade de pescado marinho capturado pelo Brasil em sua Zona Econômica Exclusiva (ZEE). (Idem, p. 34)

e) Pesquisadores da Universidade de Oxford, no Reino Unido, constataram que roedores contaminados com o parasita (...) deixam de exibir a aversão natural aos gatos e, em alguns casos, passam a se sentir atraídos pelo odor dos bichanos.

3. (FAAP-SP) Em "... o queixo fugia-lhe pelo rosto, **infinitamente**, ...", o advérbio revela uma figura de linguagem:

a) polissíndeto

b) hipérbole

c) anacoluto

d) prosopopeia

e) silepse

4. (UFCE) Empregando o sufixo **-mente**, substitua as expressões grifadas por um advérbio, cujo sentido seja equivalente ao da expressão substituída.

a) <u>Pouco a pouco</u>, o poeta aprenderia a partir sem medo.

b) <u>Sem dúvida alguma</u>, a lua nova é mais alegre que a cheia.

c) Ele ganhou um novo quarto e a aurora, <u>ao mesmo tempo</u>.

d) Passou dez anos, <u>sem interrupção</u>, com a janela virada para o pátio.

e) O poeta, <u>por exceção</u>, prefere a lua nova.

5. (PUC-Camp) A alternativa em que o advérbio exprime ideia de intensidade é:

a) A sociedade parece ser pouco sensível.

b) Usuários fazem sempre um pequeno comércio.

c) ... atitude essa centrada, evidentemente, em aspectos repressivos.

d) ... somente penalizando traficantes e usuários.

e) ... duplamente penalizados.

PREPOSIÇÃO

1. (UCDB-MT) Assinale a alternativa que preenche corretamente as lacunas.

Um dos candidatos ___ prefeito de São Paulo informou ___ assessores ___ não receberá os jornalistas.

a) à – os – de que

b) à – os – que

c) a – aos – de que

d) à – os – que

e) a – aos – que

2. (FGV-SP) Observe os termos sublinhados nas seguintes frases:

• Chegou a hora do público se manifestar contra a publicação desse impostor.

• As palmas do público ecoavam pelo teatro, em apoio à proposta de Nabuco.

• Vista do público, a cantora parecia bonita; da coxia, percebia-se que era feia.

Sobre eles, é correto afirmar:

a) Para o segundo exemplo, vários gramáticos recomendam a forma **de o** em lugar de **do**, porque a preposição está regendo o sujeito.

b) Para o terceiro exemplo, vários gramáticos recomendam a forma **de o** em lugar de **do**, porque a preposição está regendo o sujeito.

c) Nos três exemplos, os termos sublinhados exercem a mesma função sintática de adjunto adverbial.

d) No primeiro e no segundo exemplos, os termos sublinhados exercem a mesma função sintática de adjunto adnominal.

e) Para o primeiro exemplo, vários gramáticos recomendam a forma **de o** em lugar de **do**, porque *o público* é sujeito, que não deve ser iniciado por preposição.

3. (Mackenzie-SP) Poder pagar faz parte do projeto, **ao devolver a auto-estima e a dignidade**.

Respeitado o sentido original, assinale a construção que poderia substituir o trecho em destaque.

a) por devolver a auto-estima e a dignidade.

b) se devolver a auto-estima e a dignidade.

c) assim que devolve a auto-estima e a dignidade.

d) apenas se devolver a auto-estima e a dignidade.

e) quando devolvidas a auto-estima e a dignidade.

4. (CEETPS)

"Apesar das conjunturas negativas, superamos obstáculos."

Analise as afirmações a seguir sobre o enunciado em destaque:

I. A expressão "apesar de" presta-se a fazer uma comparação de igualdade, em que os elementos comparados têm igual relevância.

II. A expressão "apesar de" estabelece uma relação de importância relativa do elemento *conjunturas negativas*, em relação a outro, mais importante, *superamos obstáculos*.

III. O texto em destaque poderia ser assim enunciado: Mesmo considerando conjunturas negativas, superamos obstáculos.

A alternativa com todas as afirmações válidas é:

a) apenas I

b) apenas II

c) apenas III

d) apenas I e II

e) apenas II e III

5. (Unifesp) A alternativa em que o uso da preposição em destaque tem função mais estilística do que gramatical é:

a) ... quando estava <u>com</u> ela...

b) <u>Do</u> fruto das árvores do jardim podemos comer.

c) ... e fizeram para si coberturas <u>para</u> os lombos.

d) ... ela começou dizer <u>à</u> mulher...

e) Depois deu também dele <u>a</u> seu esposo...

CRASE

1. (FGV-SP) Assinale a alternativa correta quanto à ocorrência ou não da **crase**.

a) Juliana enviou os papéis **à** Secretaria, que os encaminhou **à** Gerência.

b) Devido **a** morte do pai, deixou de comparecer **à** solenidade.

c) Passaram-se três meses até que Lucas atendesse **à** qualquer cliente.

d) O médico costumava atender de segunda **à** sexta-feira, das 14 **as** 18h.

e) Trouxera **a** mão várias armas, que lançou **as** costas dos inimigos.

2. (PUC-PR) Assinale a alternativa em que o elemento colocado entre parênteses **não** preenche corretamente os pontilhados.

a) Por favor, entrem e fiquem .... vontade. (à)

b) Ele voltará daqui ..... meia hora. (a)

c) Sentou-se ...... mesa, mas não comeu nada. (à)

d) Dirigiu-se ao quadro-negro e começou ..... escrever. (a)

e) O velho matou o gato .... pauladas. (à)

3. (UCDB-MT) Assinale a alternativa em que o a deve obrigatoriamente receber o acento grave, indicador de crase.

a) O progresso finalmente chegou **a** essa cidade.

b) A menina perguntou **a** sua mãe se ela gosta de viajar.

c) Pediram **a** Maria que ficasse calma.

d) O professor referia-se **a** aluna que estava ausente.

e) A renda destinava-se **a** associações de caridade.

4. (UCDB-MT) Assinale a alternativa que preenche corretamente as lacunas.

Como ___ anos, sentaram-se todos ___ mesa e começaram ___ conversar animadamente.
a) a – a – à
b) à – à – a
c) à – à – à
d) há – a – a
e) há – à – a

5. (UCDB-MT) Assinale a alternativa em que o uso da crase é facultativo.
a) A vontade dele era ir à Itália.
b) Comprou móveis à Luís XV.
c) Dei um presente à minha irmã.
d) Assistiram àquela sessão de cinema.
e) Fumar é prejudicial à saúde.

6. (MPO) Indique o item em que, de acordo com as regras gramaticais, o **a** deve receber o acento indicativo de crase.

A visão destes anos 80 mostra uma sociedade cindida de ponta **a** (A) ponta e em cada detalhe da vida social por conflitos heterogêneos, fragmentados, violentos, mobilizantes. Cada movimento destes se faz por conflitos distintos e reconhece **a** (B) si mesmo em espaço político próprio. E o Estado, em cujo espaço institucional se traduzem os efeitos de uma sociedade plural e desigual, formaliza suas reações **a** (C) mobilização social. Nestes tempos turbulentos os governantes imaginaram uma forma de exercício de poder que conciliasse **a** (D) emergência dos novos direitos com os limites autoritários de sua gerência. O Executivo se lança, então, **a** (E) experiências várias de contenção social.
a) A   b) B   c) C   d) D   e) E

7. (TTN) Indique a letra em que os termos preenchem corretamente, pela ordem, as lacunas do trecho dado.

Assustada _____ família com os versos em que o via sempre ocupado, foi reclamar ao grande mestre que não o via estudar em casa, ao que lhe foi respondido que _____ sua assiduidade e aplicação ___ aulas nada deixavam ___ desejar. Era o que bastava e daí por diante continuou tranquilo a ler e fazer versos. (*Francisco Venâncio Filho*).
a) a – à – às – a
b) a – a – às – a
c) à – a – as – à
d) à – à – às – a
e) à – a – as – à

CONJUNÇÃO

1. (UFCE) Observe a forma grifada nos períodos abaixo:
I. Havia bichos domésticos, <u>como</u> o Padilha.
II. <u>Como</u> lhes disse, fui guia de cego.

A relação de sentido estabelecida por esta forma é de:
a) comparação nas duas frases.
b) conformidade nas duas frases.
c) comparação apenas em II.
d) conformidade apenas em II.
e) exemplificação nas duas frases.

2. (PUC-PR) Assinale a alternativa em que o termo colocado entre parênteses não substitui com o mesmo sentido o termo sublinhado da frase.
a) Não merecemos nenhum castigo, <u>dado que</u> nada fizemos. (pois que)
b) Ele chegará cedo ao trabalho, <u>salvo</u> se o trânsito o impedir. (a não ser que)
c) Eu não quis ofendê-lo; <u>depois</u>, nem o conhecia direito. (ademais)
d) Resolvemos partir, <u>conquanto</u> tivesse chovido muito à noite. (embora)
e) Você participou da festa; diga-me, <u>pois</u>, o que aconteceu. (contudo)

3. (Puc-Camp) "Talvez o dinheiro pago hoje aos fotógrafos leve-os a cometerem excessos", sugeriu o fotógrafo que inspirou o personagem do filme de Fellini. "<u>Mas</u> não existem justificativas para culpá-los." Fotos de Diana valiam muito porque ela era sucesso de público, e suas aparições eram virtuosas performances <u>para que</u> se tirassem fotos e se tivesse uma história.
As conjunções grifadas expressam ideia, respectivamente, de:
a) conclusão e explicação
b) adição e causa
c) alternância e tempo
d) concessão e consequência
e) contraste e finalidade

4. (AFR-Vunesp) *Os provedores argumentam que não têm de pagar o imposto porque não são, por lei, considerados empresas de telecomunicação,* mas *apenas prestadores de serviço.* (*Veja*, 08/01/97, p. 17)
A conjunção **mas** destacada no texto estabele-

MORFOLOGIA

ce entre as orações uma relação de:
a) tempo
b) adição
c) consequência
d) causa
e) oposição

5. (AFR-Vunesp) A alternativa que substitui, correta e respectivamente, as conjunções ou locuções grifadas nos períodos abaixo é:
I. <u>Visto que</u> pretende deixar-nos, preparamos uma festa de despedida.
II. Terá sucesso, <u>contanto que</u> tenha amigos influentes.
III. Casaram-se e viveram felizes, tudo <u>como</u> estava escrito nas estrelas.
IV. Foi transferido, <u>portanto</u> não nos veremos com muita frequência.

a) porque	mesmo que	segundo
ainda que		
b) como	desde que	conforme
logo		
c) quando	caso	segundo
tão logo		
d) salvo se	a menos que	conforme
pois		
e) pois	mesmo que	segundo
entretanto		

6. (CPCAR) Assinale a alternativa correta do ponto de vista **morfológico**.
a) Em "Vê-se que o mundo agora é outro", há conjunção subordinativa causal.
b) Em "Este é o poema de que lhe falei outro dia", há conjunção integrante com valor de pronome relativo.
c) Em "João viu-se em perigo", o "se" é partícula de realce.
d) Em "Penso que a paz deve reger a humanidade", há conjunção integrante.

7. (TCU) Escreva, diante de cada texto, o número do item que preenche corretamente a lacuna:
( ) Deve-se entender como 'prestação de serviço', _____ definição insculpida no texto da Lei de Licitações e Contratos (art. 6º, II), a atividade contratada pela Administração com a finalidade de alcançar determinada utilidade de seu interesse.
( ) O dimensionamento da duração dos contratos, previsto no inciso II, do art. 57, da

Lei nº 8.666/93, pode e deve ser feito pela Administração sempre com a finalidade de obter maior economicidade, respeitado, __ _____, o limite máximo de duração em lei fixado (60 meses).
( ) Não possuindo o contrato de transporte aéreo, exigência eventual para a Administração, deve ele observar a regra de duração dos prazos prevista no art. 57, inciso II, da Lei 8.666/93, não estando, _____, a sua duração adstrita à vigência dos respectivos créditos orçamentários.
( ) A contratação de transporte aéreo e a prestação de fornecimento de passagens não possuem a condição de fornecimento, _____ não se pode, nesse negócio, visualizar, como elemento de identificação, o simples ato de emissão do bilhete de passagem, que constitui mera autorização para o uso do meio de transporte.
( ) Para que dúvidas não viessem a subsistir, a título de exemplo, pode-se afirmar que, _____ regido por normas do extinto Decreto-lei nº 2.300/86, o contrato poderia ter a sua duração dimensionada com vistas à obtenção de preços e condições mais vantajosos para a Administração.
( ) Inadimplindo o contratado suas obrigações, a sanção administrativa pertinente lhe deverá ser aplicada, apenas necessitando a Administração _____ disponha o instrumento contratual de previsão do percentual relativo à multa aplicável no caso concreto.
( ) A Lei nº 8.666/93, ao dispor sobre a duração dos contratos, o fez de tal modo que, _____ não haja específica previsão, se o prazo máximo não foi alcançado, terá a Administração a possibilidade legal de realizar o dimensionamento dessa duração, até o limite estabelecido.

(Leon Frejda Szlarowsky, com adaptações)

(1) que	(5) ainda que
(2) já que	(6) embora
(3) consoante	(7) portanto
(4) no entanto	

A sequência numérica correta é:
a) 4, 1, 3, 6, 7, 2, 5
b) 3, 4, 7, 2, 6, 1, 5

c) 5, 3, 1, 6, 7, 2, 4
d) 3, 1, 5, 7, 2, 4, 6
e) 5, 6, 1, 3, 2, 7, 4

8. (Fuvest-SP) Em "Era a flor, e não já da escola, senão de toda a cidade.", a palavra assinalada pode ser substituída, sem que haja alteração de sentido, por:

a) mas sim.

b) de outro modo.

c) exceto.

d) portanto.

e) ou.

9. (Mackenzie-SP) Assinale a alternativa em que a palavra "como" assume a mesma função que exerce em <u>como fosse trazido à sua presença um pirata</u>.

a) Como você conseguiu chegar até aqui?

b) Como todos podem ver, a situação não é das melhores.

c) Não só leu os livros indicados, como também outros de interesse pessoal.

d) Como não telefonou, resolvi procurá-lo pessoalmente.

e) O arquiteto projetou o jardim exatamente como lhe pediram.

SEMÂNTICA

SIGNIFICAÇÃO DAS PALAVRAS

1. (CEETPS) "Um dos motivos pelos quais a teoria da sustentabilidade não chega, muitas vezes, à prática é que as atitudes predatórias são muito **arraigadas** nas elites política e empresarial."

Assinale a alternativa que contém **sinônimo** para a palavra destacada no texto:

a) essas atitudes estão **fixadas** nas elites

b) essas atitudes são **deixadas de lado** pelas elites

c) essas atitudes são **rejeitadas** pelas elites

d) essas atitudes são **desaprovadas** pelas elites

e) essas atitudes são **repelidas** pelas elites

2. (AFR-Vunesp) Assinale a alternativa que preenche, correta e respectivamente, as lacunas nos enunciados abaixo.

Aguarda-se a _____ do terreno para a construção do prédio.
Para dar conta da tarefa, a equipe precisou _____ a camisa.
Trata-se de quantia _____, que poderá levá-lo à falência.

a) cessão   suar   vultosa

b) sessão   soar   vultuosa

c) seção   suar   vultuosa

d) cessão   soar   vultosa

e) secção   soar   vultuosa

3. (BNB) Assinale a alternativa que apresenta pares de palavras homófonas, homógrafas e parônimas de acordo com a sequência:

a) sela/cela, sede (ê)/sede, lustro/lustre

b) acidente/incidente, conserto/concerto, olho (ô)/olho

c) manga/manga, inapto/inepto, russo/ruço

d) paço/passo, lactante/lactente, caçar/cassar

e) diferir/deferir, cheque/xeque, canto/canto

MORFOLOGIA

4. (IME-RJ) Indique a alternativa que completa corretamente a frase abaixo:
"Foram _____ as quantias _____ para a realização da festa, a que compareceram personalidades _____ da cidade."
a) vultosas – dispendidas – iminentes.
b) vultosas – despendidas – eminentes.
c) vultuosas – dispendidas – eminentes.
d) vultuosas – despendidas – iminentes.
e) vultuosas – dispendidas – iminentes.

5. (UCDB-MT) Assinale a alternativa incorreta.
a) absolver = perdoar / absorver = sorver
b) coser = costurar / cozer = cozinhar
c) cerrar = fechar / serrar = cortar
d) cela = arreio / sela = pequeno quarto
e) comprimento = extensão / cumprimento = saudação

6. (BNB) Assinale a alternativa que apresenta o sinônimo da palavra em itálico na oração: "A mudança de diretrizes dos bancos de investimento é digna de *encômios*".
a) alegrias   d) cuidados
b) elogios   e) críticas
c) tristezas

7. (FGV-SP) Assinale a alternativa correta quanto à relação grafia/significado.
a) Para sonhar, basta serrar os olhos.
b) Receba meus comprimentos por seu aniversário.
c) A secretária agiu com muita discrição.
d) Seus gastos foram vultuosos.
e) Tinha ainda conhecimentos insipientes de Matemática.

8. (FGV-SP) Assinale a alternativa em que, pelo sentido, o vocábulo sublinhado esteja mal utilizado:

a) A classificação era sempre <u>dicotômica</u>: homens e mulheres, adultos e crianças, vertebrados e invertebrados.
b) Uma parcela da população – o <u>seguimento</u> das pessoas idosas – será explorada nos próximos anos.
c) A inflação continuava, mas seu <u>incremento</u> era cada vez menor.
d) Na <u>orla</u> marítima, as residências de verão seguiam cada vez mais caras.
e) O termo refere-se à relação entre um estado <u>subjacente</u> de uma pessoa e seu comportamento manifesto.

9. (Fuvest-SP)

CONTRA A MARÉ

A tribo dos que preferem ficar à margem da corrida dos bits e bytes não é minguada. Mas são os renitentes que fazem a tecnologia ficar mais fácil.

Nesta nota jornalística, a expressão "contra a maré" liga-se, quanto ao sentido que ela aí assume, à palavra:
a) tribo.   d) tecnologia.
b) minguada.   e) fácil.
c) renitentes.

10. (CPCAR) Assinale a alternativa que preenche corretamente as lacunas abaixo.

O motorista_____ ultrapassou o sinal vermelho, atrapalhando o _____ da avenida. O guarda de trânsito lhe _____ uma rigorosa multa.
a) despercebido – tráfico – infringiu
b) desapercebido – tráfico – infligiu
c) desapercebido – tráfego – infringiu
d) despercebido – tráfego – infligiu

SINTAXE

PREDICAÇÃO VERBAL

1. (CPCAR) Leia as frases abaixo
I – "O ser que é ser transforma tudo em flores."
II – "Fica sereno, num sorriso justo."

III – "Enquanto tudo em derredor oscila."
IV – "Quando rimos, rimos com o corpo todo."
Quanto à regência dos verbos acima, pode-se dizer que

SEMÂNTICA 681

a) *transformar* e *ficar* são transitivos.

b) *ser*, *ficar* e *rir* são de ligação.

c) *oscilar* e *rir* são intransitivos.

d) *transformar* e *rir* são transitivos diretos e indiretos.

2. (PUC-SP) Na relação entre termos regentes e termos regidos, há verbos transitivos que necessitam de uma preposição para estabelecer um nexo de dependência sintético-semântica entre as palavras. Assinale a alternativa que apresenta verbo transitivo indireto.

a) "... difundindo-se por todas as camadas sociais e irradiando-se do privado para o público."

b) "... voltada para o mercado interno..."

c) "Apenas no domínio público encontrava alguma rivalidade do português."

d) "São Paulo colonial esteve, até certo ponto, à margem da economia de exportação."

e) "... como Luíza Esteves, que em 1636 precisou de um intérprete para dialogar com o juiz de órfãos..."

3. (FGV-SP) Assinale a alternativa em que, pelo menos, um verbo esteja sendo usado como transitivo direto.

a) Dependeu o coveiro de alguém que rezasse.

b) Oremos, irmãos!

c) Chega o primeiro raio da manhã.

d) Loureiro escolheu-nos como padrinhos.

e) Contava com o auxílio de Marina para cuidar do evento.

4. (UFPI) Em qual das alternativas **não** há verbo de ligação?

a) "O que está em jogo..."

b) "... mas os resultados não foram equivalentes."

c) "... o ministro está convicto..."

d) "... o líder tucano estava mal-informado"

e) "As declarações parecem viáveis."

5. (UFRJ) A alternativa em que está correta a classificação do verbo *dar* quanto à predicação é:

a) Dei com os dois velhos sentados. (transitivo direto)

b) Os jornais não deram a notícia. (transitivo indireto)

c) O relógio deu onze horas. (transitivo direto e indireto)

d) Quem dá aos pobres empresta a Deus. (intransitivo)

e) Esse dinheiro não dá. (intransitivo.)

TERMOS ESSENCIAIS DA ORAÇÃO

1. (UFU-MG) Assinale a única alternativa em que a palavra em destaque não está determinando o **sujeito**.

a) "Achei-o um pouco **abatido**. Mais magro". (G. Rosa)

b) "E a enchente crescia. O caudal, **barrento**, oscilava aos golpes..." (G. Rosa)

c) "João do Quintiliano saiu **furioso**." (G. Rosa)

d) "... fitou-me com um olhar novo, quase prometedor. Fiquei **sério**." (G. Rosa)

e) "O caixeiro-viajante sairá **assombrado**. (J. Amado)

2. (UCDB-MT) "A frequência com que se desmontam boas comissões técnicas em função das meras preferências pessoais do treinador é assustadora." (Juca Kfouri)

O sujeito do verbo **desmontar** é:

a) boas comissões técnicas

b) a frequência

c) preferências profissionais

d) indeterminado

e) inexistente

3. (FGV-SP) Assinale a alternativa em que o pronome você exerça a função de sujeito do verbo sublinhado.

a) Cabe a você alcançar aquela peça do maleiro.

b) Não enchas o balão de ar, pois ele pode ser levado pelo vento.

c) Ao chegar, vi você perambulando pelo shopping center da Mooca.

d) Ei, você, posso entrar por esta rua?

e) Na Estação Trianon-Masp desceu a Angelina; na Consolação, desceu você.

4. (UFRN) Considerando a oração *que se destaquem também as desigualdades étnicas*, marque a opção correta:

a) O verbo está no plural para concordar com a expressão *as desigualdades étnicas*.

b) O verbo encontra-se na 3ª pessoa do plural porque o sujeito é indeterminado.

682 SINTAXE

c) A expressão *as desigualdades étnicas* exerce função sintática de objeto direto.

d) O vocábulo *étnicas* exerce função sintática de complemento nominal.

TERMOS INTEGRANTES DA ORAÇÃO

1. (UCDB-MT) Assinale a alternativa em que o pronome <u>nos</u> tem a função de objeto direto.
a) Os diretores escutaram-nos atentamente.

b) Custou-nos aceitar a proposta.

c) Escreveram-nos uma longa carta.

d) O estagiário obedeceu-nos sem reclamar.

e) Deram-nos uma boa notícia.

2. (UEPA) Assinale a alternativa em que o pronome **lhe** não foi empregado na função de objeto indireto.
a) "Trago-lhe o grande homem que há de ser, disse ele ao reitor."

b) "Ela manda chamar meu padrinho, diz-lhe que quer que eu saia do seminário..."

c) "Já lhe digo, não pratiquei nenhum crime, isso juro."

d) "Afinal Damião contou tudo, o desgosto que lhe dava o seminário."

e) "Damião viu-se perdido... beijou-lhe as mãos, desesperado."

3. (CPCAR) Analisando o período "O senhor já pensou em usar lentes de contato, senhor Van Gogh?", é correto afirmar que
a) a oração "*em usar lentes de contato*" funciona como objeto indireto do verbo *pensar*.

b) ele é constituído de uma oração absoluta, portanto, pode ser considerado uma frase.

c) o núcleo do objeto direto do verbo *usar* é o vocábulo *lentes*, cujo complemento nominal é a expressão *de contato*.

d) a expressão *senhor Van Gogh* tem função de aposto; pode, por isso, ser eliminada da frase sem prejuízo ao sentido.

4. (UFRN) Assinale a opção na qual a parte destacada equivale, sintaticamente, ao pronome LHE:
a) O analfabetismo entre os brancos desceu <u>à taxa bastante acentuada</u>, segundo dados do IBGE.

b) O censo forneceu <u>à pesquisadora do IBGE</u> subsídios para desmistificar a democracia racial.

c) O convívio pouco hostil entre brancos e negros mascara a <u>discrepância socioeconômica</u> entre os dois grupos.

d) O cruzamento dos dados do último censo do IBGE mostra <u>a suposta divisão igualitária</u> entre brancos e negros.

5. (FGV-SP) Em cada uma das alternativas abaixo, está sublinhado um termo iniciado por preposição. Assinale a alternativa em que esse termo **não é objeto indireto**.
a) O rapaz aludiu *às histórias passadas*, quando nossa bela Eugênia ainda era praticamente uma criança.

b) Quando voltei da Romênia, o Brasil todo assistia *à novela* da Globo, todos os dias.

c) Quem disse *a Joaquina* que as batatas deveriam cozer-se devagar?

d) Com a aterrissagem, o aviador logo transmitiu *ao público* a melhor das impressões.

e) Foi fiel *à lei* durante todos os anos que passou nos Açores.

6. (PUC-PR) Observe a frase que segue:

"Não posso lhe garantir que todos estarão presentes à sua festa de formatura."

Do enunciado acima, pode-se afirmar que a parte sublinhada desempenha a função de:
a) sujeito de **posso**

b) objeto direto de **posso**

c) objeto indireto de **posso**

d) objeto direto de **garantir**

e) objeto indireto de **garantir**

7. (BNB) Em "A dedicação ao trabalho *te* enche de glória e *te* faz *vencedor*", as palavras em itálico são respectivamente:
a) objeto direto, objeto indireto, objeto direto

b) objeto indireto, objeto indireto, predicativo do sujeito

c) adjunto adnominal, adjunto adnominal, objeto direto

d) objeto direto, objeto direto, predicativo do objeto

e) predicativo do sujeito, predicativo do sujeito, objeto direto

SINTAXE 683

TERMOS ACESSÓRIOS DA ORAÇÃO

1. (Unirio-RJ) Em "Passamos então nós dois, <u>privilegiadas criaturas</u>, a regalar-nos com a mesa...", a função sintática do termo sublinhado é:
a) sujeito
b) objeto direto
c) aposto
d) adjunto adverbial
e) vocativo

2. (Unifor-CE) Ela fugiu durante a invasão das tropas <u>alemãs</u>.

A função sintática do termo sublinhado na frase acima é a mesma do que vem sublinhado em:
a) A menina voltou <u>feliz</u> do internato.
b) Um galo sozinho não tece <u>uma</u> manhã.
c) Fiquei <u>contrariada</u> com a sua resposta.
d) Sua mãe não me parece <u>bem</u>.
e) Os <u>ingleses</u> desocuparam a vila.

3. (CETEF-MG) Em: "Em pequena, Virgínia vira uma sala repleta de móveis onde havia uma estante com livros encadernados de dourado e preto.", os termos destacados têm a função sintática de:
a) complemento nominal e objeto indireto
b) adjunto adverbial e adjunto adnominal
c) adjunto adverbial e complemento nominal
d) adjunto adnominal e complemento nominal
e) complemento nominal e adjunto adnominal

4. (UniFEI-SP) Resolva as questões a seguir conforme o código que segue:
a) adjunto adverbial de lugar
b) adjunto adverbial de tempo
c) adjunto adverbial de modo
d) adjunto adverbial de causa
I – **Segunda-feira** haverá um jogo importante.
II – **Com o mau tempo** não podemos trabalhar ao relento.
III – O livro foi acolhido **com entusiasmo** pelos leitores.
IV – O automóvel parou **perto do rio**.

5. (UECE) Ocorre vocativo em:
a) "Então, senhora linha, ainda teima..."

b) "Entre os dedos dele, unidinha a eles, furando abaixo e acima..."
c) "A senhora não é alfinete, é agulha."
d) "Mas você é orgulhosa."

PERÍODO COMPOSTO

1. (FGV-SP) Observe os períodos abaixo, diferentes quanto **à pontuação**.

• Adoeci logo; não me tratei.

• Adoeci; logo não me tratei.

A observação atenta desses períodos permite dizer que:
a) No primeiro, **logo** é um advérbio de tempo; no segundo, uma conjunção causal.
b) No primeiro, **logo** é uma palavra invariável; no segundo, uma palavra variável.
c) No primeiro, as orações estão coordenadas sem a presença de conjunção; na segunda, com a presença de uma conjunção conclusiva.
d) No primeiro, as orações estão coordenadas com a presença de conjunção; na segunda, sem conjunção alguma.
e) No primeiro, a segunda oração indica alternância; no segundo, a segunda oração indica a consequência.

2. (Unifesp) A frase "<u>Contudo, não a minha vontade, mas a tua seja feita!</u>" contém dois conectivos adversativos. O conectivo <u>mas</u> estabelece coesão entre a oração "<u>a tua [vontade] seja feita</u>" e a oração "<u>não [seja feita] a minha vontade.</u>" O conectivo <u>contudo</u> estabelece coesão entre:
a) a oração implícita *[se não queres]* e a oração *não [seja feita] a minha vontade*.
b) a oração *se queres* e a oração *não [seja feita] a minha vontade*.
c) a oração *afasta de mim este cálice!* e a oração *a tua [vontade] seja feita*.
d) a oração implícita *[se não queres]* e a oração *a tua [vontade] seja feita*.
e) a oração *a tua [vontade] seja feita* e a oração *não [seja feita] a minha vontade*.

3. (AFR-VUNESP) Assinale a alternativa em que as orações grifadas nos períodos I e II desempenham a mesma função sintática. (Trechos de *A hora da estrela*, de Clarice Lispector.)

684 SINTAXE

a) I - Não sei <u>se estava tuberculosa</u>, acho que não.

II - <u>Se é pobre</u>, não estará me lendo porque ler-me é supérfluo...

b) I - A moça um dia viu num botequim um homem tão, tão, tão bonito que – <u>que queria tê-lo em casa</u>.

II - Encontra-se comigo próprio era um bem <u>que ela até então não conhecia</u>.

c) I - E minha vida (...) responde que devo lutar com quem se agora, <u>mesmo que eu morra depois</u>.

II - Cristo tinha sido além de santo um homem como ele, <u>embora sem dente de ouro</u>.

d) I - Nunca se perguntara <u>por que colocava a barra embaixo</u>.

II - Eu só não digo palavrões grossos <u>porque você é moça donzela</u>.

e) I - Sei que há moças <u>que vendem</u> o corpo, única posse real, em troca de um bom jantar em vez de um sanduíche de mortadela.

II - Depois que Olímpico a despediu, <u>já que ela não era uma pessoa triste</u>, procurou continuar.

4. (CPCAR) As orações destacadas dos versos de Bocage podem ter a função de substantivo **(1)** ou adjetivo **(2)**. Assinale a alternativa que apresenta a correlação **incorreta**.

a) "Envergonha-te ao menos

De seres só feliz quando o permite **(1)**

O teu rival soberbo "Que doçura! Que encanto!

Este som faz *que em êxtase me sinta*!... **(1)**

É verdade, é verdade: os anjos ouço..."

b) "À cândida Filena estar unido

Julgastes *que um pastor não merecia*: **(2)**

A mais doce prisão de Amor partistes."

c) "Na mente vos observo: ei-lo a teu lado

implorando ao Senhor, *que os maus flagela*, **(2)**

Perdão para o seu povo alucinado"

5. (FGV-SP) Assinale a alternativa em que a oração sublinhada funciona como sujeito do verbo da oração principal.

a) Não queria <u>que José fizesse nenhum mal ao garoto</u>.

b) Não interessa <u>se o trem solta fumaça ou não</u>.

c) As principais ações dependiam <u>de que os componentes do grupo tomassem a iniciativa</u>.

d) Era uma vez um sapo <u>que não comia moscas</u>.

e) Nossas esperanças eram <u>que a viatura pudesse voltar a tempo de sair atrás do bandido</u>.

6. (UCDB-MT) Em "Eu esperava <u>que me apoiasses</u>", a oração em destaque pode ser substituída por:

a) o seu apoio

b) apoio deles

c) o vosso apoio

d) o apoio de vocês

e) o teu apoio

ORAÇÕES SUBORDINADAS ADVERBIAIS

1. (PUC-PR) Observe a parte em destaque de cada período:

1- <u>Bem marcado</u>, Ronaldinho não tem uma boa atuação.

2- <u>Como chegou atrasado</u>, não conseguiu acompanhar a discussão.

3- Tem um domínio de bola <u>como ninguém</u>.

4- <u>Se bem que quisesse a verdade</u>, ninguém acreditou.

5- Choveu tanto, <u>que não foi possível realizar o jogo</u>.

A parte em destaque de cada período mantém com a outra parte, na ordem, uma relação significativa de:

a) Condição, causa, comparação, concessão, consequência.

b) Causa, causa, comparação, causa, consequência.

c) Causa, causa, comparação, causa, consequência.

d) Causa, causa, conformação, concessão, consequência.

e) Causa, causa, causa, causa, causa.

2. (UCDB-MT) No período "<u>Embora</u> fosse bom jogador, não ganharia o prêmio.", a conjunção destacada dá ideia de:

a) temporalidade

b) proporção

c) concessão

d) fim

e) causa

3. (PUC-Camp) Há uma oração subordinada adverbial causal em:

a) Mas não existem justificativas para culpá-los.

b) Fotos de Diana valiam muito porque ela era sucesso de público, e suas aparições eram virtuosas performances para que se tirassem fotos e se tivesse uma história.

c) Há poucos meses, alguns paparazzi se tornaram objeto das lentes dos colegas, quando o foco das investigações sobre a causa do acidente que matou a princesa de Gales virou contra eles.

d) Se o motorista tivesse respeitado o limite de velocidade, a tragédia teria sido evitada.

e) Mas não serve para fazer justiça quando se sabe que ao volante havia um motorista embriagado e irresponsável.

ORAÇÕES REDUZIDAS

1. (UCDB-MT) "Não se trata aqui de imputar tais práticas a este ou àquele treinador." A oração em destaque é classificada como:

a) subordinada substantiva objetiva indireta reduzida de particípio

b) subordinada substantiva completiva nominal reduzida de infinitivo

c) subordinada substantiva objetiva indireta reduzida de infinitivo

d) subordinada adverbial concessiva reduzida de infinitivo

e) subordinada adverbial condicional reduzida de gerúndio

2. (Unifor-CE) Se fizermos uma comparação com os índios, poderemos dizer que os civilizados são uma sociedade sofrida.

Assinale a alternativa em que as orações do texto, grifadas na frase acima, estão corretamente transformadas em orações reduzidas.

a) Caso fizermos uma comparação ... serem os civilizados...

b) Quando se faz uma comparação ... sejam os civilizados...

c) Feita uma comparação ... sejam os civilizados...

d) Fazendo uma comparação ... sejam os civilizados...

e) Fazendo uma comparação ... serem os civilizados...

3. (FGV-SP) Observe, nos seguintes períodos, as orações que contêm verbo no gerúndio:

• Estando as meninas em Araxá, foi Ronaldo ter com elas.

• Sendo o aluno um jovem estudioso, deverá facilmente obter aprovação.

• Sendo brasileiro o advogado, poderei atendê-lo; caso contrário, não.

Essas orações são subordinadas adverbiais. Assinale a alternativa que indique respectivamente a circunstância de cada uma.

Leve em conta que a oração pode indicar mais de uma circunstância.

a) Causa, causa, consequência.

b) Tempo, causa, finalidade.

c) Consequência, concessão, finalidade.

d) Tempo, causa, condição.

e) Condição, finalidade, tempo.

4. (Fatec) Há orações reduzidas que podem ser desenvolvidas em oração adjetiva. Aponte a alternativa em que isto ocorre.

a) Eram cadáveres a se erguerem nos túmulos.

b) Volte aqui, chegando a hora.

c) A solução era esperarmos.

d) Estaríamos prontos, chegada a hora.

e) n.d.a.

SINAIS DE PONTUAÇÃO

1. (FGV-SP) Assinale a alternativa em que a **pontuação** da frase seja a mais adequada.

a) Longe, além da função adverbial de lugar tem a de adjetivo com significação de distante, afastado: é então geralmente usado no plural.

b) Longe além da função adverbial de lugar, tem a de adjetivo com significação de distante afastado, é então geralmente usado no plural.

c) Longe, além da função adverbial de lugar, tem a de adjetivo, com significação de distante, afastado; é então, geralmente, usado no plural.

SINTAXE

d) Longe, além da função adverbial de lugar tem a de adjetivo, com significação de distante, afastado: é então geralmente usado no plural.

e) Longe além da função adverbial de lugar tem, a de adjetivo, com significação de distante, afastado; é então geralmente usado no plural.

2. (MPO) Assinale a opção em que o texto apresenta **pontuação** correta.

a) Há no mundo regiões que agora enfrentam problemas generalizados, infinitamente mais graves que, aqueles com que nos confrontamos em nossos piores momentos do passado.

b) Mas parece reinar, em toda parte a certeza de que hoje faz sentido lançar ideias à mesa e trabalhar sobre elas.

c) Tantas passagens – remotas ou recentes – da história, foram marcadas pela esterilidade, pela convicção coletiva de que nada do que se pensasse, dissesse, fizesse, tentasse, ousasse adiantaria alguma coisa, tão bloqueadas eram as perspectivas.

d) Hoje vivemos o contrário disso. Sabemos que ideias, palavras e gestos têm o poder de fecundar o terreno do século que termina, do século que começa e que, vale a pena, por isso viver esse momento.

e) Se aproveitamos com integridade, inteligência, trabalho e sentido de criação, não há limite para o que nos pode vir em troca. Se perdermos essa oportunidade, se nos perdermos em banalidades neste ponto da história que reclama grandeza, sobrará depois um profundo remorso.

(Trechos adaptados de Francisco Rezek)

3. (FGV-SP) Observe a seguinte frase:

– Quem quer ir, perguntou o chefe.

A respeito dela, pode-se dizer que:

a) Deveria ter sido colocado um ponto de interrogação após a palavra ir.

b) Deveria ter sido colocado um ponto de interrogação após a palavra chefe.

c) Deveria ter sido colocado um ponto de exclamação após a palavra chefe.

d) Bastaria colocar entre aspas a oração "– Quem quer ir".

e) A frase está correta.

4. (Cesgranrio) Assinale a opção em que a vírgula está empregada para separar dois termos que possuem a mesma função na frase:

a) "Minhas senhoras, seu Mendonça pintou o diabo enquanto viveu."

b) "Respeitei o engenho do Dr. Magalhães, juiz."

c) "E fui mostrar ao ilustre hóspede a serraria, o descaroçador e o estábulo."

d) "Depois da morte do Mendonça, derrubei a cerca..."

e) "Não obstante essa propaganda, as dificuldades surgiram."

5. (Mackenzie-SP) Assinale o par de frases em que as vírgulas foram empregadas de acordo com a mesma regra.

a) E se baratas, ratos, moscas e mosquitos fossem exterminados?
Por mais estranha que a ideia possa parecer, sua vida depende dos pernilongos.

b) Baratas, ratos, moscas e mosquitos são elos fundamentais da cadeia alimentar...
Sem essas larvas, muita matéria orgânica se acumularia nos rios.

c) Por mais estranha que a ideia possa parecer, sua vida depende dos pernilongos.
Sem essas larvas, muita matéria orgânica se acumularia nos rios.

d) Baratas, ratos, moscas e mosquitos são elos fundamentais da cadeia alimentar...
Por mais estranha que a ideia possa parecer, sua vida depende dos pernilongos.

e) E se baratas, ratos, moscas e mosquitos fossem exterminados?
Sem essas larvas, muita matéria orgânica se acumularia nos rios.

6. (PUC-SP) Assinale a alternativa que justifica corretamente o emprego da **vírgula**.

a) Usa-se a vírgula entre o sujeito e o predicado como em: "Os escravos, em sua maioria de origem indígena, reforçavam o uso da 'língua geral' no âmbito do privado."

b) Usa-se a vírgula em casos de inversão e intercalação como em: "Por isso, foram recorrentes, até os inícios dos Setecentos, os pedidos das autoridades para que se enviassem à capitania somente vigários versados na língua dos índios."

c) Usa-se a vírgula em casos de intercalação como em: "... precisava-se falar em tupi, sem o que parte da população nada compreendia."

d) Usa-se a vírgula entre o verbo e seu complemento como em: "Havia mulheres, ademais, que com certeza só sabiam a 'língua geral'..."

e) Usa-se a vírgula entre o nome e seu complemento como em: "No domínio público, contudo, precisava-se falar em tupi..."

7. (PUC-PR) Observe o seguinte enunciado:

Velhas casas abandonadas ( ) todas em ruínas ( ) apodreciam ao tempo sem atrair a atenção de ninguém ( ) a não ser de gatos arredios, que ( ) ao ver alguém ( ) desapareciam embrenhando-se nas macegas que tomavam conta dos jardins ( ) outrora orgulho de seus donos e motivo de admiração dos moradores da região.

Os parênteses presentes no enunciado acima ficam corretamente preenchidos pelos seguintes **sinais de pontuação**:

a) dois-pontos, ponto e vígula, ponto, vírgula, vírgula, ponto.

b) vírgula, ponto e vírgula, ponto e vírgula, vírgula, ponto e vírgula, vírgula.

c) vírgula, vírgula, vírgula, vírgula, vírgula, vírgula.

d) dois-pontos, vírgula, ponto e vírgula, vírgula, ponto e vírgula, ponto e vírgula.

e) vírgula, vírgula, dois-pontos, dois-pontos, ponto e vírgula, dois-pontos.

8. (PUC-PR) Observe o enunciado e preencha os parênteses com os **sinais de pontuação adequados**: "A partir daquele dia ( ) o filho assumia várias responsabilidades familiares ( ) a de levar o irmão à escola ( ) a de buscar a mãe na loja ( ) a de fazer todas as compras do dia."

O espaços foram preenchidos, na sequência, com:

a) ponto e vírgula / vírgula / vírgula / vírgula

b) vírgula / dois-pontos / dois-pontos / vírgula

c) ponto e vírgula / ponto e vírgula / ponto e vírgula / ponto e vírgula

d) vírgula / dois-pontos / ponto e vírgula / ponto e vírgula

e) dois-pontos / ponto e vírgula / vírgula / vírgula

9. (CEETPS-SP) Assinale a alternativa válida relativamente ao uso dos sinais de **pontuação**.

a) O fracasso social brasileiro, não difere do restante dos países emergentes, sobretudo na educação.

b) O IDH – Índice de Desenvolvimento Humano retrata que o país apresenta alguns avanços em relação às últimas décadas.

c) Além de políticas educacionais de incentivo à permanência de brasileiros na escola, é preciso melhorar a qualidade da educação.

d) Pode-se defender que, é possível se desenvolver sem crescer economicamente.

e) O Brasil melhorou, mas ainda se registram práticas, insuportáveis de trabalho, escravo, trabalho, infantil e de salários, desiguais para homens, e mulheres que ocupam funções similares.

SINTAXE DE CONCORDÂNCIA

1. (UCDB-MT) Das frases abaixo, a única inteiramente de acordo com as normas gramaticais é:

a) Devem haver outra razões para ele ter desistido.

b) A apuração dos votos vai continuar até a madrugada.

c) Pode existir muitos problemas na diretoria da empresa.

d) Vão fazer três meses que ela não o procura.

e) Houveram surpresas na reunião de ontem.

2. (Carlos Chagas-SP) Assinale a alternativa que preenche corretamente os espaços:

Talvez _____ ainda peças sem lubrificação, mas não _____ existir mais defeitos mecânicos, pois o carro está rodando sem problemas já _____ três dias.

a) hajam – devem – fazem

b) hajam – devem – faz

c) haja – deve – faz

d) haja – deve – fazem

e) haja – devem – faz

3. (IME-RJ) Aponte a alternativa correta:
a) É preciso coragem.

b) Antônio ou João será o presidente.

c) E isso eram trevas da noite.

d) Hoje são trinta de julho.

e) Todas estão corretas.

4. (IME-RJ) Complete os espaços em branco com a opção correta:

Ainda _____ furiosa, mas com _____ violência, proferia injúrias _____ para escandalizar os mais arrojados.
a) meia – menas – bastantes
b) meia – menos – bastante
c) meio – menos – bastante
d) meio – menos – bastantes
e) meio – menas – bastantes

5. (CPCAR) Quanto à **concordância verbal**, analise as frases:
I – A maioria dos doentes melhoram quando riem.

II – Devem haver boas comédias.

III – Fazem algumas semanas, *Veja* presenciou o trabalho de dois médicos.

IV – Afasta-se doenças com humor.

V – Apenas 8% dos risonhos tiveram recorrência de infarto.

Estão corretas somente:
a) I e V.

b) I e II.

c) II e III.

d) III, IV e V.

6. (PUC-SP) O trecho "... os dois permanecemos trancados durante toda a viagem que realizamos juntos,..." apresenta, quanto à concordância verbal:
a) respectivamente, silepse ou concordância ideológica e indicação do sujeito pela flexão verbal.

b) em ambos os casos, indicação do sujeito apenas pela flexão verbal.

c) em ambos os casos, concordância ideológica ou silepse.

d) respectivamente, concordância ideológica e silepse.

e) respectivamente, indicação do sujeito pela flexão verbal e silepse ou concordância ideológica.

SINTAXE DE REGÊNCIA

1. (IME-RJ) Assinale a frase correta:
a) Nem todas visavam aquele diploma.

b) Não lhe julgava capaz de tal coisa.

c) Beberás de nosso leite, comerás de nosso pão e partirás quando te aprouver.

d) Quando lhe ver, peça-lhe dinheiro.

e) Não nos foi possível assistir o desfile militar.

2. (IME-RJ) Marque com um X a opção cuja regência verbal está incorreta:
a) No século XVI, muitos negros preferiram mais a morte do que a escravidão.

b) Informem-no de que não venha.

c) A garotada prefere à ginástica o jogo livre.

d) Informe-lhe de que não venha.

e) O jogador visou o ângulo esquerdo da meta.

3. (UCDB-MT) Desobedeceu ao pai e assistiu ao filme. Substituindo os termos em negrito por pronomes, tem-se:
a) Desobedeceu-lhe e assistiu a ele.

b) Desobedeceu-lhe e assistiu-lhe.

c) Desobedeceu-o e assistiu-o.

d) Desobedeceu-o e assistiu-lhe.

e) Desobedeceu-o e assistiu a ele.

4. (CPCAR) Assinale a alternativa em que a oração foi redigida de acordo com a norma culta.
a) A abstinência é um sacrifício a que não dou a menor importância.

b) Sofreu um incidente numa de suas viagens diárias à Petrópolis e correu sério risco de morte. Quando entrou no hospital, seu estado de saúde era mal.

c) Eu sou de menor, respondeu a menina assustada ao policial.

d) Ontem à noite, fui ao teatro.

e) Esse é o programa que eu mais gosto.

5. (CPCAR) Leia com atenção esta frase: "Eles foram divididos em dois grupos, dos quais um era obrigado a assistir meia hora por dia a uma comédia televisiva..."

Assinale a alternativa em que o verbo *assistir* foi empregado com a mesma relação semântica do trech o acima.

a) Assisti o aluno atentamente.

b) Não lhe assiste esse direito.

c) Quem assistirá o presidente?

d) Assistimos ao jogo impacientemente.

6. (CPCAR) Complete as lacunas de acordo com as normas de **regência.**

"Vais encontrar o mundo, disse-me meu pai, _____ porta do Ateneu. Coragem para a luta.

O menino, inocente, acostumado _____ ____ afagos domésticos, vai a partir daí conviver com uma realidade incompatível _____ _____ sua."

A sequência correta é

a) à – aos – com a

b) a – com os – da

c) na – nos – à

d) diante da – dos – a

7. (UCDB-MT) Assinale a alternativa gramaticalmente correta.

a) Ele chegou atrasado na reunião.

b) Ele entrou e saiu da sala em segundos.

c) Ele mandou eu ir embora de casa.

d) Ele prefere mais cinema do que teatro.

e) Ele visou o alvo e atirou.

8. (FGV-SP) Assinale a alternativa que NÃO OBEDECE à norma culta em relação à REGÊNCIA.

a) Constava que o maestro, nos momentos em que mais dependia dos violinos, tinha um tique nervoso que denunciava sua preocupação.

b) As normas a que todos obedeciam chamavam-se Gerais. As Especiais eram aquelas a que poucos obedeciam.

c) Na história da cantora, desde criança, várias vezes apareciam referências a ela ser a menina que ninguém na escola gostava.

d) O salário que eles recebiam num mês mal dava para cobrir as despesas básicas da família. Costumava-se dizer que sobrava mês no final do salário.

e) Tinha esperanças de que o mensageiro trouxesse brevemente as notícias de que mais precisava.

SINTAXE DE COLOCAÇÃO

1. (PUC-MG) De acordo com o padrão culto escrito, assinale a opção em que o pronome destacado pode colocar-se depois do verbo grifado:

a) "(...) e, bem ordinária, **me** <u>traz</u> um estremecimento de colegial."

b) "Nessa altura, as minhas pernas tinham **me** <u>levado</u> pro mundo da lua."

c) "(...) aposentado é quem **se** <u>recolhe</u> aos aposentos."

d) "Há de ver que ali estavam lado a lado duas almas que **se** <u>procuram</u>."

e) "(...) e, distraídas, disso não **se** <u>deram</u> conta."

2. (PUC-MG) Assinale a opção em que, segundo as regras da norma culta escrita, é possível outra colocação para o pronome em destaque.

a) "Qualquer carta de amor, não importa o que **se** encontre nela escrito, só fala (...)".

b) "Se há outras pessoas na casa, ela **as** deixou."

c) "Falta-**lhe** o ingrediente essencial da palavra que é dita sem esperar resposta."

d) "Que **lhe** importa a cadeira?"

e) "Num telefonema a gente nunca diz aquilo que **se** diria numa carta."

3. (UCDB-MT) Assinale a alternativa em que os pronomes oblíquos átonos estão colocados na oração de acordo com a norma culta.

a) Disseram-me para que chegasse na hora marcada.

b) Me empresta um pouco o seu livro?

c) Tinha iniciado-se a apuração dos fatos.

d) A reunião que realizar-se-á amanhã será muito importante.

e) Não diga-lhes nada por enquanto.

4. (Puc-Camp) A frase em que a colocação pronominal está adequada à norma culta é:

a) Guardarei-lhe o lugar até que ele chegue.

b) Tentei o avisar do perigo, mas ele nem considerou-me as palavras.

c) Me empresta o seu lápis?

690 ESTILÍSTICA

d) Seu livro está aqui, eu não coloquei-o na estante porque não sei seu lugar.

e) Eu lhe recomendaria esse livro se você gostasse de contos fantásticos.

5. (FGV-SP) Observe a ocorrência da mesóclise nos seguintes exemplos:

– veremos + o = vê-lo-emos;

– faríamos + os = fá-los-íamos;

– veríamos + a = vê-la-íamos.

Assinale abaixo a alternativa em que a mesóclise ocorre de acordo com a norma culta.
a) Fa-los-ei.
b) Entende-los-ás.
c) Partí-las-ás.
d) Integrá-las-eis.
e) Intui-las-emos.

6. (UFPI) Assinale a alternativa que avalia corretamente a regra "Nunca inicie frase com o pronome oblíquo".
a) Está correta, mas os escritores não a obedecem nunca.

b) É uma regra ultrapassada, que ninguém mais adota.

c) É uma regra que só se aplica à linguagem escrita.

d) No uso coloquial, é comum dispensar-se essa regra.

e) Aplica-se somente em situações da fala muito informais.

ESTILÍSTICA

FIGURAS DE LINGUAGEM

1. (CPCAR) Assinale a alternativa em que predomina a **linguagem metafórica**.
a) "Fica sereno, num sorriso justo,
   Enquanto tudo em derredor oscila."
b) "A medicina agora está estudando a importância do bom humor e dos sentimentos positivos na prevenção e no tratamento de moléstias."
c) "O resultado foi surpreendente: os que foram submetidos às sessões de risadas sofreram menos episódios de arritmia..."
d) "A equipe do doutor Berk acompanhou durante um ano 100 homens que já haviam enfartado..."

2. (UFPA) O trecho em que a decadência do jogo do bicho está expressa por metáfora é:
a) "Corria o carnaval de 1993, o último ano de ouro vivido por esse bicheiro elegante."
b) "Passados dois meses de sua morte, o jogo do bicho enfrenta uma crise sem precedentes."
c) "Seus líderes perdem dinheiro sem parar."
d) "Os sorrisos fenecem nos lábios dos contraventores. Eles sabem, mais do que ninguém, que o bicho está anêmico."
e) "Já vai longe o tempo em que a contravenção empregava tanta gente quanto a indústria naval no Rio de Janeiro."

3. (UCDB-MT) Em "Minha vida era um palco iluminado", encontra-se a seguinte figura de linguagem:
a) polissíndeto
b) metonímia
c) catacrese
d) metáfora
e) antonomásia

4. (UCDB-MT) Em *"Esperando, parada, pregada na pedra do porto"*, nota-se a repetição dos mesmos sons consonantais. Essa figura de construção é conhecida como:

a) aliteração

b) polissíndeto

c) metonímia

d) onomatopeia

e) eufemismo

ESTILÍSTICA 691

5. (UFV-MG) *Viae Sion lugent, eo quod non sint venant ad solemnitatem,* isto é, "os caminhos de Sião choram porque não há quem venha às suas festas". Existe aí uma figura de linguagem que consiste em atribuir a um ser inanimado característica de ser humano, chamada *personificação.* Assinale a opção em que ocorre o uso dessa figura.

a) "... despojados assim os templos, derrubados os altares, acabar-se-á no Brasil a cristandade católica..."

b) "... acabar-se-á o culto divino..."

c) "Chorarão as pedras das ruas, como diz Jeremias que choravam as de Jerusalém destruída."

d) "... passará a Quaresma e a Semana Santa, e não se celebrarão os mistérios da vossa Paixão."

e) "Passará um dia de Natal, e não haverá memória do vosso nascimento..."

6. (Fuvest-SP) Na frase "(...) data da nossa independência política, e do meu primeiro cativeiro pessoal", ocorre o mesmo recurso expressivo de natureza semântica que em:

a) Meu coração/ Não sei por que/ Bate feliz, quando te vê.

b) Há tanta vida lá fora,/ Aqui dentro, sempre,/ Como uma onda no mar.

c) Brasil, meu Brasil brasileiro,/ Meu mulato inzoneiro,/ Vou cantar-te nos meus versos.

d) Se lembra da fogueira,/ Se lembra dos balões,/ Se lembra dos luares, dos sertões?

e) Meu bem querer/ É segredo, é sagrado,/ Está sacramentado/ Em meu coração.

7. (Unifesp) Entre as <u>figuras de sintaxe</u>, como recursos que um autor emprega para obter maior expressividade, existe a zeugma. Uma das formas de elipse, a zeugma consiste na supressão de um vocábulo, já enunciado em frase anterior, por estar subentendido.

No poema de Gonçalves Dias, ocorre zeugma apenas em:

a) Sem qu'inda aviste as palmeiras.

b) Em cismar, sozinho, à noite.

c) As aves, que aqui gorjeiam.

d) Nossa vida mais amores.

e) Nosso céu tem mais estrelas.

8. (ITA-SP) Relacione as colunas e, a seguir, assinale a opção correspondente.

(1) Aliteração   (5) Hipérbato

(2) Anacoluto   (6) Metáfora

(3) Sinestesia   (7) Hipérbole

(4) Metonímia   (8) Prosopopeia

I. Esses políticos de hoje a gente não deve confiar na maioria deles.

II. Ao longe, avistava-se o grito ruidoso dos retirantes.

III. "E flui, fluente, frouxa claridade/ flutua como as brumas de um letargo..."

a) I- 5, II- 4, III- 2

b) I- 7, II- 6, III- 5

c) I- 7, II- 8, III- 3

d) I- 2, II- 3, III- 1

e) I- 5, II- 2, III- 4

9. (Casper Líbero-SP) Leia o fragmento de texto abaixo:

"O livro, localizei-o pela internet num antiquário orientalístico de Leyden, na Holanda. Uma demonstração assim de que as lições do império mongol acerca da centralidade das redes de comunicação foram, se bem que com atraso, devidamente assimiladas". (Nelson Ascher, *Folha de S.Paulo,* 23/11/2002)

Assinale a alternativa que corresponda à figura de construção (ou de sintaxe) empregada na frase "O livro, localizei-o pela internet":

a) silepse.

b) anáfora.

c) elipse.

d) polissíndeto.

e) anacoluto.

10. (Ufal) Está incorreta a classificação de figura de linguagem da frase:

a) Choravam as águas do rio, a caminho do mar. PERSONIFICAÇÃO

b) Ele entregou a alma ao Criador. EUFEMISMO

c) Já li esse poema inteirinho. METÁFORA

d) Suas lágrimas inundaram o quarto. HIPÉRBOLE

e) – Venho pedir-lhe a mão de sua filha. METONÍMIA.

VÍCIOS DE LINGUAGEM

1. (Fuvest-SP) Assinale a correta:
a) "Este é o problema para mim resolver."
b) "Vou por ele ao par dos problemas que me referi em nossa conversa de ontem."
c) "O aluno convenceu-se de que as questões do exame estavam no nível dos seus conhecimentos."
d) "Todos aguardavam anciosamente o resultado."
e) "Certo de que nada de grave ouve entre eu e ele, resolvi telefonar-lhe hoje."

2. (ITA-2004) Assinale a opção em que a ambiguidade ou o efeito cômico **NÃO** decorre da ordem dos termos.
a) O estudo analisou, por 16 anos, hábitos como caminhar e subir escadas de homens com idade média de 58 anos. (Equilíbrio. *Folha de S.Paulo*, 19/10/2000)
b) Andando pela zona rural do litoral norte, facilmente se encontram casas de veraneio e moradores de alto padrão. (*Folha de S. Paulo*, 26/01/2003)
c) Atendimento preferencial para: idosos, gestantes, deficientes, crianças de colo (Placa sobre um dos caixas de um banco.)
d) Temos vaga para rapaz com refeição (Placa em frente a uma casa em Campinas, SP.)
e) Detido acusado de furtos de processos (*Folha de S. Paulo*, 8/7/2000).

3. (UFSC) Assinale a(s) proposição(ões) em que a frase "B" elimina os desvios da norma culta apresentados pela frase "A":
01. a) *Durmas* bem com os anjos, mas sonhe comigo.
   b)*Durma* bem com os anjos, mas sonhe comigo.
02. a) Minha querida, estava mesmo precisando falar *consigo*.
   b) Minha querida, estava mesmo precisando falar *com você*.
03. a) Em setembro houve a primeira chuva do ano *onde* pudemos iniciar o plantio de feijão.
   b) Em setembro houve a primeira chuva do ano *na qual* pudemos iniciar o plantio de feijão.

04. a) Convém dormir *afim* de recuperar energias.
   b) Convém dormir bem *a fim* de recuperar as energias.
05. a) Ficou irritado porque *lhe* impediram de entrar na secretaria.
   b) Ficou irritado porque *o* impediram de entrar na secretaria.

4. (UFSC) Assinale a(s) frase(s) ambígua(s), isto é, as que têm duplo sentido.
01. Num tribunal, a testemunha afirmou: "Eu vi o desmoronamento do barracão."
02. Veja seu filho na televisão revelando fotos na BellaFoto.
04. Peguei o ônibus correndo.
08. O policial deteve o ladrão em sua casa.
16. Os políticos falam da reunião no Canal 2.
32. Aconteceu o que parecia improvável há três anos.

5. (AFR-Vunesp) Não há impropriedade vocabular ou erro de grafia apenas na alternativa:
a) O equipamento que <u>por ventura</u> não estiver <u>condicionado</u> em embalagens resistentes deverá ser <u>reembalado</u>.
b) Há um <u>subitem</u> da norma que não está sendo considerado, e <u>tampouco</u> é conhecido.
c) Um bom profissional não deve <u>exitar</u> em usar seus conhecimentos para solucionar os problemas de <u>sessão</u> em que trabalha na empresa.
d) Ninguém está autorizado a <u>distratar</u> um colega ou cliente; deve-se <u>grangrear</u>-lhes a confiança.
e) Os casos de <u>usocapião</u> estão sendo tratados diretamente pelo <u>sub-diretor</u> da assessoria jurídica, que é um <u>proeminente</u> jurista.

6. (AFR-Vunesp) Em cada um dos enunciados abaixo transcritos há uma impropriedade linguística, que vem nomeada ao final deles, em negrito.
I. *A Sopave está oferecendo mais de setenta ofertas de veículos.* (Comercial veiculado por rádio.) **Redundância.**
II. *Sócrates é invendável e imprestável.* (Frase atribuída a Vicente Mateus.) **Inadequação vocabular.**

III. *Acontenceu então, há três anos atrás, de falecer um vizinho nosso, o sr. Vitalin.* **Redundância.**

IV. *Tendo em vista que nosso trabalho foi muito bem recebido, precisamos, no entanto, aprimorar mais ainda nossas técnicas.* **Incoerência sintática.**

Estão corretamente nomeadas as impropriedades dos enunciados.

a) I e II apenas.

b) III e IV apenas.

c) I, II e III apenas.

d) I, II, III e IV.

e) II, III e IV apenas.

LÍNGUA E ARTE LITERÁRIA

1. (Unifesp) Os versos da "Canção do exílio" são construídos nos moldes da redondilha maior, com predominância dos acentos de intensidade nas terceiras e sétimas sílabas métricas. Um verso que não segue esse padrão de tonicidade é:

a) Minha terra tem palmeiras

b) As aves, que aqui gorjeiam

c) Nosso céu tem mais estrelas

d) Em cismar, sozinho, à noite

e) Onde canta o Sabiá

2. (Mack-SP) *Sempre que me vou embora é com silêncio maior.*

As solidões deste mundo
Conheço-as todas de cor.

(Cecília Meireles, *Vaga Música*)

Assinale a alternativa incorreta sobre a estrofe acima.

a) Toda a estrofe está centrada no *eu* que fala, o que ratifica o lirismo.

b) Em redondilha menor, marca-se o ritmo regular, pelo qual a solidão é expressa.

c) Partidas e ausências constroem a coerência semântica.

d) O pronome *me*, do verso 1, tem emprego enfático.

3. (Unifor-CE) *A maior pena que eu tenho,*

punhal de prata,

não é de me ver morrendo,

mas de saber quem me mata.

Na quadra acima, de Cecília Meireles,

a) os versos ímpares rimam entre si e têm diferentes número de sílabas.

b) os versos pares rimam entre si e têm o mesmo número de sílabas.

c) predominam os versos de sete sílabas.

d) predominam os versos de cinco sílabas.

e) alternam-se versos de cinco e de sete sílabas.

GABARITO DOS EXERCÍCIOS DE EXAMES E CONCURSOS

Fonética

Fonemas
1. d
2. c
3. c
4. b
5. a
6. b

Sílaba
1. d
2. d
3. c, e, f
4. d
5. a

Ortografia
1. e
2. b
3. c
4. a
5. c
6. a
7. e
8. c
9. c
10. e

Acentuação gráfica
1. d
2. c
3. d
4. a
5. b
6. a
7. d
8. a
9. b
10. b

Sinais de pontuação
1. c
2. e
3. a
4. c
5. c
6. b
7. c
8. d
9. c

Morfologia

Estrutura das palavras
1. a
2. a
3. b
4. e
5. a

Formação de palavras
1. d
2. b
3. c
4. b
5. e
6. a
7. a
8. c

Substantivo
1. e
2. b
3. a
4. c
5. d
6. b

Artigo
1. d

2. c
3. c
4. d

Adjetivo
1. d
2. b
3. a
4. b
5. b
6. e

Numeral
1. a
2. b
3. b
4. a

Pronome
1. a
2. e
3. b
4. a
5. b
6. b
7. c
8. e
9. d
10. b

Verbo
1. a
2. b
3. e
4. e
5. c
6. a
7. d
8. b
9. c
10. b
11. b
12. c
13. d
14. e
15. d

Advérbio
1. d
2. c
3. b
4.
a. paulatinamente
b. indubitavelmente
c. simultaneamente
d. ininterruptamente
e. excepcionalmente
5. a

Preposição
1. e
2. e
3. a
4. e
5. b

Crase
1. a
2. e
3. d
4. e
5. c
6. c
7. b

Conjunção
1. d
2. e
3. e
4. e
5. b
6. d
7. b
8. a
9. d

Semântica

Significação das palavras
1. a
2. a
3. a
4. b
5. d
6. b
7. c
8. b
9. c
10. d

Sintaxe

Predicação verbal
1. c
2. e
3. d
4. a
5. e

Termos essenciais da oração
1. a
2. a
3. e
4. a

Termos integrantes da oração
1. a
2. e
3. a
4. b
5. e

6. d
7. d

Termos acessórios da oração
1. c
2. b
3. b
4. I – b; II – d; III – c; IV – a
5. a

Período composto
1. c
2. a
3. c
4. b
5. b
6. e

Orações subordinadas adverbiais
1. a
2. c
3. b

Orações reduzidas
1. c
2. e
3. d
4. a

Sintaxe de concordância
1. b
2. e
3. e
4. d
5. a
6. a

Sintaxe de regência
1. c
2. a
3. a
4. a
5. d
6. a
7. e
8. c

Sintaxe de colocação
1. a
2. b
3. a
4. e
5. d
6. d

Estilística

Figuras de linguagem
1. a
2. d
3. d
4. a
5. c
6. b
7. d
8. d
9. e
10. c

Vícios de linguagem
1. c
2. c
3. 01, 02, 04, 05
4. 02, 04, 08, 16, 32
5. b
6. d

Versificação
1. b
2. b
3. c

RESPOSTAS DAS LISTAS DE EXERCÍCIOS

FONÉTICA

FONEMAS

LISTA 01

1. a) um fonema representado por um grupo de duas letras (dígrafo)
   b) a mesma letra representa fonemas diferentes
   c) letras que não representam fonemas (notações léxicas)
   d) a letra x representa dois fonemas diferentes
   e) o mesmo fonema figurado por letras diferentes
   f) fonemas que não são representados graficamente
   g) letras decorativas, mantiveram-se em razão da etimologia

2. a) Na língua portuguesa, a vogal é o elemento básico, suficiente e indispensável para a formação de sílabas.
   b) Todas as vogais nasais são fechadas.
   d) Na produção das vogais orais, a úvula se levanta impedindo que a corrente de ar chegue às fossas nasais.

3. Orais:
   1 - i (vi)
   2 - ê (lê)
   3 - é (pé)
   4 - a (pá)
   5 - u (tu)
   6 - ô (dor)
   7 - ó (só)

   Nasais:
   1 – ĩ (sim)
   2 – ã (lã)
   3 – õ (onda)
   4 – ũ (um)
   5 – ẽ (vento)

4. a) sofÁ: média, aberta, oral, tônica
   b) cÂntico: média, fechada, nasal, tônica
   c) pOços: posterior, aberta, oral, tônica
   d) Unicamente: posterior, reduzida, oral, tônica
   e) cEdo: anterior, reduzida, oral, tônica

5. Porque é formado de vogal + semivogal.

6. (1) ouro   (3) cãibra   (1) doido
   (4) pão   (1) mau   (4) araquã
   (3) frequente (4) tênue   (2) múmia
   (4) muito   (3) refém   (4) quando
   (1) viu   (3) estavam   (2) exíguo

7. DITONGOS   TRITONGOS   HIATOS
   equestre   radiouvinte   ciúme
   mínguam   quaisquer   poético
   fortuito   guaicuru   reagir
   aquático   averiguou   pessoa

8. Paraguai: tritongo oral
   aguentar: ditongo nasal crescente
   saguão: tritongo nasal
   reeleito: ditongo oral decrescente
   circuito: ditongo oral decrescente
   caótico: hiato
   artéria: ditongo oral crescente
   apazigueu: tritongo oral
   quieto: ditongo oral crescente
   triunfo: ditongo nasal crescente
   sagões: tritongo nasal
   gratuito: ditongo oral decrescente
   iguaizinhos: ditongo oral decrescente
   propõe: ditongo nasal decrescente
   orquídea: hiato
   uruguaianense: tritongo oral
   pinguim: ditongo nasal crescente
   sequoia: tritongo oral

9. cantavam

10. estav*am*   est*ão*   s*ão*   seri*am*   der*am*

11. viúva – coeso – sueco – ruína – ruíra – caí – lagoa – beato – saíra – preencher – pajeú – rua – ruim – país

12. c) ditongo decrescente – hiato – ditongo decrescente – ditongo crescente – tritongo

13. alívio – desânimo – mágoas – hábito – auxílio – secretária – penitência – fotógrafo – pronúncia – renúncia – óbvia – autêntica – séria – negócio – cálculo – ânimo – incômodo

14. realização alveolar, nítida

15. D – consoante oral, oclusiva sonora, linguodental
R – consoante oral, constritiva vibrante sonora, alveolar
N – consoante nasal, sonora, alveolar

16. remo – <u>campo</u> – <u>lembrança</u> – maduro – <u>ontem</u>
– honesto – <u>lindo</u> – hífen – <u>algum</u> – amor – <u>cólon</u>
– <u>simples</u> – camada – hino – fundo

17. <u>equestre</u> – <u>pneumático</u> – guita**rr**a – oc**c**ipital – <u>digno</u>
– <u>obter</u> – <u>nascer</u> – <u>recepção</u> – <u>repleto</u> – <u>psicologia</u>
– cacique – te**lh**a – fa**ch**o – <u>exceder</u> – sessão – sonho
– <u>czar</u> – <u>mnemônico</u> – <u>admitir</u> – tambor – canto – <u>apto</u>
– <u>nafta</u> – gente – <u>fúcsia</u> – bilíngue – <u>sucção</u>

18. a) sublocar   b) coucha

19. Porque o m e o n em final de sílaba são letras nasalizadoras que têm a função de til.

20. elixir (ch)   sintaxe (cs)   maxilar (cs)
exalar (z)   vexame (ch)   prolixo (cs)
fluxo (cs)   exorbitar (z)   axila (cs)
texto (s)   clímax (cs)   excêntrico (-)
coxa (ch)   exímio (z)   máximo (ss ou cs)
êxodo (z)   léxico (cs)   cóccix (s)
tóxico (cs)   nexo (cs)   exíguo (z)
exonerar (z)   trouxe (ss)   profilaxia (cs)
exceção (-)   excitar (-)   oxítono (cs)
ortodoxo (cs) hexágono (cs) hexacampeão (cz)

21. "Flui a água, flébil, flexuosa," "Fluida flecha frágil". O som do "fl" sugere o barulho da água deslizando.

22. - Vou danado pra Catende,
vou danado pra Catende,
vou danado pra Catende
com vontade de chegar...
Sugerem o barulho do trem.

Sino de Belém bate bem-bem-bem.
Sino da Paixão, bate bão-bão-bão.
Sugerem o badalar dos sinos.

23. mundo: 5 letras, 4 fonemas
caduco: 6 letras, 5 fonemas
também: 6 letras, 4 fonemas
preso: 5 letras, 5 fonemas
olho: 4 letras, 3 fonemas
companheiros: 12 letras, 10 fonemas

24. a) olho, companheiros   c) preso
b) mundo, cantarei   d) também

25. horrível – sílaba – piscina – chuvinha

26. a) fixo (ks)   c) caixa (ch)   e) fênix (s)
b) próximo (ss) d) exato (z)

27. queijo – (D), (DI)   linguiça – (D)
blocos – (EC)   quais – (T)
mágoa – (DI)   guitarra – (D)
frequência – (DI), EC   quilômetro – (D), (EC)
conflito – (EC)   aguentei – (D)
magoa – (H)   traído – (EC), (H)

SÍLABA – TONICIDADE

LISTA 02

1. A vogal.

2. a) lou-vor – pre-cau-ção – rá-dio – his-tó-ria – tê-nue – a-guar-den-te – quais-quer – de-si-guais – a-ve-ri-guou
b) sa-ú-va – sa-in-do – bo-a-to – re-e-di-ção – co-or-te – ca-a-tin-ga – fre-a-da – je-su-í-ta – po-ei-ra – sa-í-a-mos – tri-un-fo
c) ab-so-lu-to – ad-vo-ga-do – drac-ma – naf-ta – rit-mo – ig-no-rar – de-cep-ção – hip-no-se – ap-to – téc-ni-ca – é-ti-co – pers-pec-ti-va
d) de-sa-ten-ci-o-so – di-sen-te-ri-a – bi-sa-vô – tran-sa-ma-zô-ni-ca – in-te-rur-ba-no – su-bes-ti-mar – hi-dre-lé-tri-ca – e-xor-bi-tar

3. ca-cho-ei-ra – cons-ci-ên-cia – ex-ces-si-vo – des-cen-dên-cia – cor-re-ria
co-a-lha-da – res-sur-rei-ção – dis-tin-guiu – de-sen-ca-lhei – quer-mes-se

4. fei-ís-si-mo – subs-tân-cia – pers-pi-cá-cia – i-guai-zi-nhos – de-lin-quên-cia – fe-é-ri-co – des-cês-seis – im-preg-na-ri-am – cir-cuns-pec-to – fri-ção – le-ais – des-pau-té-rio – ti-ziu – obs-tá-cu-lo – clep-si-dra – abs-tê-mio – subs-ti-tu-ir – ad-mis-são – e-gíp-cio – quin-quê-nio

5. dis-pep-si-a – sub-sis-tên-cia – sub-lo-car – pa-ra-do-xais – in-ter-rup-tor – gnais-se – gip-si-ta – es-fínc-ter – zeug-ma – quart-zo – tungs-tê-nio – abs-tra-ir – felds-pa-to – pai-zi-nho – pa-i-si-nho – a-rac-ní-de-o – de-sig-nar – ab-di-car – pa-ra-i-ba-no – núp-cias – Qué-ops

6. ola-ria – inex-ce-dí-vel – ilu-só-rio – sus-su-rro – ig-no-mí-nia – oxi-gê-nio – au-xí-lio – sa-biá

7. a) de-cep-ção, ex-ce-ção, as-cen-são, va-ri-e-da-de
b) dis-cus-são, fer-rei-ro, de-so-nes-to, me-mó-ria
c) ca-ço-a-da, in-te-res-ta-du-al, pé-ro-la, coc-ção

d) o-pi-nar, ad-qui-rir, se-quên-cia, obs-tru-ir
e) psi-co-lo-gi-a, go-ia-bei-ra, en-xa-guei, ex-ces-so

8. leiteiro – trissílabo   zombaria – polissílabo
   véus – monossílabo   cauim – dissílabo

9. sôfrego – sofregamente – cafezinho – paraense – ruim – ruidoso

10. de-sobs-tru-**iu**   pers-pec-**ti**-va   ca-**ó**-ti-co

11. | oxítonos | paroxítonos | proparoxítonos |
    |----------|-------------|----------------|
    | horizontal | rapidamente | obstáculo |
    | timidez | precioso | esperávamos |
    | lavrador | epidemia | atlético |
    | enlouqueceu | taubateense | madrepérola |
    | vice-diretor | neocomungante | fenômenos |

12. dificilmente – instantaneamente – cristãmente – otimamente – tunelzinho – chapeuzinho – mãozinhas - papelzinho

13. Por (átono) certo que (átono) foi (tônico) esse céu (tônico) luminoso
    o (átono) brilho primeiro do (átono) "– Faça-se (átono) a (átono) luz (tônico)!"

14. a) Senna foi um **ás**...
       Lave **as** mãos...
    b) Cão **que** ladra...
       Você quer o carro para **quê**?
    c) Errei **por** distração.
       Começou a **pôr** defeitos em mim.

d) **Dá** o que podes.
   Preciso **da** chave.
e) Chegou **de** noite.
   Não **dê** gritos.
f) Que pessoas **más**!
   Sofre, **mas** não chora.

15. A viagem foi maaaravilhosa!

16. a) êxodo – apóstata – rubrica – anátema – óbolo
    b) aríete – incólume – munícipe – trôpego – ibero
    c) zênite – década – abóbada – avaro – silvícola

17. A série c).

18. quais-**quer** – en-fro-**nha**-do – psi-**có**-lo-go – ad-vo-**ga**-do – **fôs**-se-mos – ex-ce-**ção** – co-or-de-na-**do**-ra – pis-**ci**-na

19. oxítona – paroxítona – proparoxítona – paroxítona – proparoxítona – oxítona – paroxítona – paroxítona

20. es-cri-**tor** (oxítona), **Mé**-xi-co (proparoxítona), pi-**or** (oxítona), ru-**im** (oxítona), mor-**reu** (oxítona), **há** (monossílabo tônico), ad-mi-**rar** (oxítona), cha-**mas**-sem (paroxítona)

21. Tonico, analise, sabia, fotografo, numero

22. Átonos: o, do, lhe, a, de, e, o, a, que, a, um, de, os, de, e, a, de, a, que, sem, nem, em, as
    Tônicos: trem, ser, dá, põe, grau, luz, pé, dó

23. Nenhum monossílabo átono deve ser acentuado. Os monossílabos tônicos podem ou não receber acentuação gráfica.

ORTOÉPIA – PROSÓDIA

LISTA 03

1. Erro de ortoépia

2. Silabada

3. Resposta pessoal.

4. Resposta pessoal.

5. | aberto | fechado | |
   |--------|---------|---|
   | poços | algoz | planeja |
   | reforços | algozes | espelha |
   | destroços | poço | assemelha |
   | fornos | almoços | dolo |
   | badejo | bandeja | bodas |
   | | pelejo | |

6. **pouso** – ato ou efeito de pousar
   poso – presente do indicativo do verbo posar (1ª pessoa)
   pousa – presente do indicativo do verbo pousar (3ª pessoa)
   posa – presente do indicativo do verbo posar (3ª pessoa)
   pouse – presente do subjuntivo do verbo pousar (1ª e 3ª pessoas)
   pose (ô) – postura, atitude do corpo
   pose (ó) – presente do subjuntivo do verbo posar (1ª e 3ª pessoas)
   couro – pele espessa de certos animais
   coro (ô) – canto executado por muitas vozes
   coro (ó) – presente do indicativo do verbo corar (1ª pessoa)

7. privilégio – empecilho – desperdiçar – desperdício – frontispício – escárnio – acriano – lajiano – destilar – soa (transpira) – pirulito – bússola – chover – engolir – mocambo – focinho – cutia (animal) – jabuti – goela – tábua

FONÉTICA

8. b) Eu inteiro a quantia.
c) Eu me espelho no escuro.
d) Eu me assemelho a Sólon.
e) Eu almejo a paz.
f) Eu calejo as mãos.
g) Eu despejo a água.
h) Eu estouro a bomba.

9. a) superstição   d) frustrado
b) privilégio   e) companhia
c) salsicha

10. Resposta pessoal.

11. alcoólatra (proparoxítono) reféns (oxítono)
recém (oxítono) plêiade (proparoxítono)
refém (oxítono) invólucro (proparoxítono)
aríete (proparoxítono) êxodo (proparoxítono)
vermífugo (proparoxítono) bímano (proparoxítono)

12. Resposta pessoal.

13. a) gratuito – recorde – rubrica – **Cérbero**
d) férula – estalido – celtíberos – Nobel

14. a) No coração nascem **vívidos** desejos.
b) A **próvida** formiga abasteceu o seu celeiro.
c) O café foi **fervido** sem açúcar.
d) João era um **férvido** partidário do governo.
e) O duque, **valido** do rei, vivia na corte.
f) O juiz considerou **válido** o gol.
g) A menina, **gárrula** e vivaz, era só alegria.
h) E a menina **garrula** e salta e ri.

15. fluxo – exortar – tóxico – intoxicar – máximo – extirpar – paradoxo – léxico – exótico – profilaxia – maxila – maxilar

16. a) V   d) V
b) F   e) F (ru-**im**)
c) V   f) V
          g) V

ORTOGRAFIA

LISTA 04

1. ontem – **h**esitar – **h**ulha – **ú**mido – iate – **h**erbívoro

2. contribu**i** – perdo**e** – habitu**e** – continu**e** – pontu**e** – tumultu**e** – influ**i** – constitu**i** – abenço**e** – atribu**i**

3. quase – pátio – **e**mpecilho – privilégio – arrepiado – ante**c**ipar – fronti**s**pício – ante**o**ntem – antitérmico – **des**perdiçar – sil**v**ícola – requisito – se**nã**o – criar – recreativo – lacrimogê**n**eo

4. bú**ss**ola – engolir – b**u**lir – ch**o**ver – chuvisco – jabuti – **má**go**a** – conco**rr**ência – camundongo – **ó**bolo – cobiçar – c**u**rtume – go**e**la

5. 1) O calor **dilata** o ferro.
2) Falava-se num ataque **iminente** do inimigo.
3) Pessoa prudente fala com **discrição**.
4) A sucuri tinha oito metros de **comprimento**.

6. pajem – lojista – monge – tigela – gorjeio - jibóia – trajeto – majestoso – sujeira – **g**inete – pajé – jiló – jeito – herege – projeção – sugestão – traje – ojeriza – sarjeta – rejeitar – garagem – faringite – ferrugem – selvageria – rabugento – ultraje – viagem (substantivo) – viajem (verbo)

7. dan**ça** – ânsia – maci**ço** – discu**ss**ão – diversão – ma**ç**arico – pretensioso – **s**ebo – carro**ss**el – ascensão – pêssego – descansar – suí**ç**o – paçoca – hortênsia – sossego – remorso – mi**ç**angas – escasso – farsa – muçulmano – Iguaçu – obsessão

8. ma**ss**agista – pan**ça** – profi**ss**ão – ace**ss**o – ressurreição – fraca**ss**o – a**ç**afrão – ex**ce**ção – mu**ç**urana – Suí**ça** – alma**ç**o – proci**ss**ão – ma**ç**aroca – ave**ss**o – necessário – a**ss**olar

9. a) abstenção   e) demissão
    contenção   emissão
    detenção   omissão
    obtenção   permissão
    retenção   remissão
b) inversão   f) depressão
    reversão   expressão
    subversão   impressão
c) concessão   opressão
    intercessão   repressão
d) progressão   supressão
    regressão   g) impulsão
               repulsão

10. ascensão – exceção – oscilar – auxílio – consciência – disciplina – essência – excesso – fascinante – seiscentos – trouxer – excêntrico – sucessivo – suscitar – florescer

11. (3) catequese, poetisa, metamorfose
(5) quis, pôs, quiser, puser, puseram
(1) generoso, generosa, jeitoso, jeitosa
(4) analisar, extasiar, atrasar, apresar
(2) genovês, genovesa, português, portuguesa

12. Isabel – através – buzinar – colisão – civilização – cortesia – bazar – freguesia – gasômetro – fusível

– meses – obséquio – paisagem – prezado – paraíso
– veneziana – proeza – querosene – tesouro – usina
– visita – vazio – vazamento – dose (porção) – doze (numeral)

13. atrasar – freguês – rapidez – fertilizante – gases – camponês – quiser – improvisar – cozinha – burguês – compôs – esvaziar – países – fregueses – avezinha – requisito – vizinho – camponeses – Teresinha – teimosia

14. clareza – redondeza – portuguesa – milanesa – surpresa – represa – delicadeza – empresa – firmeza – baronesa – camponesa – limpeza – japonesa – francesa – framboesa – marquesa – duquesa – freguesa – esperteza – princesa – pobreza – gentileza – turquesa – defesa – chinesa – Teresa – despesa – magreza

15. 1) **acidez** e **aridez**
    2) **chinês** e **cortês**

16. pesquisar   analisar   paralisar
    canalizar   deslizar   simpatizar
    simbolizar amenizar   cicatrizar
    escravizar civilizar improvisar

17. Sugestões:
    a) caixa, ameixa, rouxinol
    b) enxada, enxofre, enxugar
    c) abacaxi, xavante, xará

18. Sugestões:
    ch – xarope, vexame   z – exame, exílio
    cs – sexo, tóxico   ss – auxílio, máximo

19. faixa – fachada – enxame – enxofre – puxar – **ch**u**ch**u – enxugar – en**ch**arcar – **ch**arque – lixa – fle**ch**a –
coaxar – mexer – rixa – coxa – trouxa – bu**ch**a – bruxa – faxina – bexiga – xarope

20. espontâneo – estender – extensão – esplendor – esplêndido – esgotar – expansão

21. apressar   seção   cheque   intercessão
    apreçar   sela   xeque   interseção
    cessão   cela   expiar   taxa
    sessão   sela   espiar   tacha

22. b,c

23. a) continue   d) possui
    b) cemitério   e) indígena
    c) quase

24. a) tribo   d) tabuada
    b) engolir   e) costume
    c) jabuticaba

25. a) comprido   d) Não há erro
    b) cumprimento e) suava
    c) descrição   f) emigrantes

26. gostoso, guloso, medroso, teimoso, nervoso, esperançoso, choroso, caloroso, amoroso, doloroso, carinhoso

27. a) pôs   d) quisesse
    b) puseram   e) quiser
    c) quiseram   f) puser

28. a) francês, inglês, escocês, português
    b) japonesa, chinesa, portuguesa

29. beleza – moleza – franqueza – fraqueza – maciez – leveza – nobreza – esperteza – honradez – limpeza – rapidez – estupidez

ACENTUAÇÃO GRÁFICA

LISTA 05

1. (2) papéis – mundéu – herói
   (5) público – astrônomo – déssemos
   (6) pôde – pôr – fôrma
   (3) cajá – cipó – pajé – você
   (1) heroína – feiura – atribuía – baía
   (4) dólar – túnel – bênção – táxi

2. saúva – país – sanduíche – heroína

3. (3) sofás – jaó – vintém – parabéns
   (6) uísque – Piauí – saúde – baú
   (1) ônibus – tática – ótico – úmido

   (5) mês – más – há – nós – pôs (verbo)
   (2) órfã – órgãos – vômer – úteis
   (7) tábua – gênio – tênue – óleo
   (4) herói – troféu – coronéis

4. saúva: hiato
   atribuí: *i* precedido de vogal átona com a qual forma hiato
   país: hiato
   proíbe: hiato
   miúdo: hiato
   raízes: hiato

704 FONÉTICA

5. moído – ruído – ciúme – esplêndido – bússola – êxito – órfãos – mágoa – hérnia – crânio – miríade – lótus – fusível – têxtil – através – freguês – aguarrás – suíço – paraíso – mundéu – alcoólatra – rês (quadrúpede) – répteis – elétrons – álbuns – ônix – ímãs – concluía – cútis

6. espécime – cedo – refém – apazigúe – pessoa – maquinaria – espelho – saíram – almoço – fênix – ânsia – bênção – urutu – austero – rubrica – juriti – aríete – obus – deságuam – flores – dispor

7. zênite – lagoa – perdoa – erudito – desdém – reféns – espeto – comboio (subst.) – gaúcho – influiu – argui – apoio (subst.) – desapoio (verbo) – inaudito – girassóis – bebíamos – aparelho – pólen – circuito – tramoia – êxodo – abençoe – sossego – vendê-lo – aleija – peneiro – ímpar – urubu – corrêssemos – moinho – caíram – juízes – Grajaú – tórax – ruim – Mooca – chapeuzinho – comodamente – pegadas – álcool – Criciúma – repor

8. Porque são vocábulos paroxítonos terminados em ditongo crescente.

9. hábito – trânsito – desânimo – veículo – náufrago – telégrafo – datilógrafa – anúncio – providência – alívio – calúnia – vanglória

10. a) vêm   b) detêm   c) preveem
       mantêm   creem
       obtêm   leem
       retêm   releem

11. coroa – caíque – destrói – tamoio – refém – egoísmo

12. a) Quando voltava à colmeia, a abelha não pôde colher o néctar das flores.
    b) Referindo-se às viagens de seu avô Cristóvão, Emília dizia que ele era um nômade.
    c) Elói não para de pôr objetos à venda: ninguém sabe por quê.

13. Porque no caso de *pôr* (verbo) é um acento diferencial para distingui-lo do seu homógrafo *por* (preposição). Compor: palavra oxítona terminada em – **or** não se acentua.

14. Ministério, céu, dá, Açúcar, crítico, crítica, Diários, alguém

15. Todas as paroxítonas são acentuadas graficamente.

16. b

17. a) imóvel   d) silêncio
    b) ímãs   e) lábios
    c) irremediável, insensível, inefável

18. a) igapós, jacaré
    b) ninguém
    c) além
    d) você, porquê (somente o primeiro, que significa motivo, causa)

19. a) Eles sempre vêm à minha casa aos sábados.
    b) Vocês veem maldade em tudo!
    c) Meus irmãos não creem em nada que vocês lhes dizem.
    d) Espero que os garotos deem o recado ao professor.
    e) Os governadores não têm mais nenhuma credibilidade.

20. a) véu
    b) há, lá
    c) prós
    d) –
    e) pés – só

21. a) (...) mas ontem não pôde (...)
    b) –
    c) pôr
    d) –
    e) –

22. a) juízes   c) saída
    b) –   d) egoísta

NOTAÇÕES LÉXICAS

LISTA 06

1. Resposta pessoal.

2. vitória-régia   busca-pé
   sem-vergonha   homem-rã
   azul-marinho   além-túmulo
   jiboiaçu   semimorto
   autoescola   recém-nascido
   grã-fino   neolatina
   protomártir   extraterreno
   ex-ministro   pós-guerra

3. ultrarrápido   antevéspera
   contrassenso   super-homem
   contrapeso   subchefe
   quebra-cabeça   subsolo
   antirrábico   antitóxico
   antiaéreo   circumpolar
   mal-educado   coexistência
   eletroímã   tetracampeão
   termoelétrica   socioeconômico
   multissecular   bioquímica

gastrointestinal
bem-vindo
girassol

teleobjetiva
bem-estar
rodapé
microempresa

4. bem-amado – pan-americano – mal-educado – bem-estar – sub-raça

5. a) **meio-dia**: às 12 horas
b) **pele-vermelha**: índio
c) **copo-de-leite**: flor
d) **sem-vergonha** (adjetivo): que é desavergonhado

6. a) recurso de estilo
b) recurso expressivo

7. malcriado, mal-educado, malfeito, mal-humorado, mal-estar, bem-amado, bem-aventurado, bem-educado, bem-estar, bem-visto, bendizer

8. Resposta pessoal.

9. mal-educado, bem-vindo, vice-diretor, sem-cerimônia, bem-te-vi, sempre-viva

ABREVIATURAS, SIGLAS E SÍMBOLOS

LISTA 07

1. a) MAM
b) BANERJ
c) PIB
d) USP
e) CUT

2. m – m² – m³ – cm – mm – km – l – kg – g

3. Rondônia (estado de)
Viação Aérea São Paulo
Serviço Nacional de Aprendizagem Industrial

4. a.C. – prof. – séc. – Cia. – profª. *ou* profa. – tel. – Dr. – pág. *ou* p. – ed.

5. a) 16h30
b) 9h 10min 20s

6. 8h

7. 23h56

MORFOLOGIA

ESTRUTURA DAS PALAVRAS — LISTA 08

1. insanável: in (prefixo) + san (radical) + ável (sufixo)
   deslealdade: des (prefixo) + leal (radical) + dade (sufixo)
   operoso: oper (radical) + oso (sufixo)
   louvavas: louv (radical) + a (vogal temática) + va (desinência de modo e tempo) + s (desinência de número e pessoa)
   antimilitarismo: anti (prefixo) + militar (radical) + -ismo (sufixo)
   cafeteira: café (radical) + t (consoante de ligação) + -eira (sufixo)
   cacauicultor: cacau (radical) + i (vogal de ligação) + cultor (sufixo)

2. cruz: cruzeiro, cruzado, cruzar
   jeito: jeitoso, ajeitar
   maduro: amadurecer, madurar, amadurecer, madureza
   amigo: amistoso, amizade, amigar, amigável, amigavelmente
   corpo: corporação, corpóreo, incorporar, corporativo, corporativamente
   pedra: pedreiro, pedreira, pedrada, pedregulho, apedrejar, petróleo
   comum: comuna, comunal, comumente, comunizar

3. O radical é *onr*.
   O prefixo é *des-*.
   O *a* final é desinência de gênero.

4. raiz, radical, tema: elementos básicos e significativos
   prefixo, sufixo, desinência: elementos modificadores
   vogal e consoante de ligação: elementos de ligação

5. des<u>anim</u>ador – <u>real</u>izar – a<u>noite</u>cer – ex<u>porta</u>ção – in<u>ativo</u> – <u>anal</u>isar

6. arte (P) – artista (D) – pesquisador (D) – pesquisa (P) – atleta (P) – atletismo (D) – concretizar (D) – concreto (P)

7. -mos: desinência número-pessoal

8. Simples: desemprego, modernismo, laranjal, engarrafamento
   Compostas: erva-doce, carro-pipa, pontiagudo

9. a) terr-   b) camp-   c) cardi-   d) velh-

10. a) radical: trist- sufixo: -onho
    b) radical: cert- sufixo: -eza
    c) radical: receb- sufixo: -er
    d) radical: gost- sufixo: -oso

11. a) empoeirado, empoeirar, poeirento
    b) cinza, acinzentado, cinzeiro
    c) impresso, impressionar, impressionante
    d) pureza, purificar, purista
    e) doente, adoentado, doença

12. Alternativa b): "relíquia" não é cognata das demais.

13. a) bibliotecário – imundice – orfanato
    b) obediência – paradisíaco – legível

FORMAÇÃO DAS PALAVRAS — LISTA 09

1. vaivém (3) – pernalta (4) – leiteiro (1) – repatriar (5) – infeliz (2)

2. motorista: sufixação ou derivação sufixal
   aeroplano – hibridismo
   internacional – prefixação ou derivação prefixal
   embora – aglutinação
   véu-de-noiva – justaposição
   envernizar – parassíntese
   canalizar – sufixação

MORFOLOGIA 707

aguardente – aglutinação
girassol – justaposição
comumente – sufixação
quinta-feira – justaposição
enlutar – parassíntese
malmequer – justaposição
vivalma – aglutinação

3. terra: aterrar, enterrar
caixa: encaixar, encaixotado
sócio: associar, associado, associação
pedaço: despedaçar
coice: escoicear, escoiceado
podre: apodrecer, apodrecido, apodrecimento
pedra: empedrar, empedrado
grande: engrandecer, engrandecido, engrandecimento
tímido: intimidar, intimidado
velho: envelhecido, envelhecer, envelhecimento
pálido: empalidecer, empalidecimento
parede: emparedar, emparedado
papel: empapelar, empapelado, empapelamento

4. É um hibridismo, formado por prefixação
O verbo derivado é *televisionar*.
Abrevia-se: TV

5. regougar: voz da raposa
tinir: som de copos, cristais, metais
grunhir: voz do porco
bimbalhar: som de sino
blaterar: voz do camelo
crocitar: vozes de patos, grous, corvos
chirriar: voz de coruja
ulular: vozes de cães, lobos

6. moto (3) – envergonhar (1) – monocultura (2) – ciciar (5) – Funai (4)

7. O primeiro trecho do **metrô** carioca foi inaugurado no dia 5 de março de 1979.

8. "Diferença entre o açougueiro e o ator: o ator encarna os papéis, o açougueiro empapela as carnes." (Millôr Fernandes)

9. Prefixação: inconsciente, desonesto, reaver, bimensal
Sufixação: interesseiro, gorduroso, surfista, redondeza
Parassíntese: amadurecer, emplacar, enfileirar, anoitecer

10. **verde**: o adjetivo **verde** passa a substantivo.
estrondar: o infinitivo **estrondar** passa a substantivo.
quê: a palavra invariável **que** passa a substantivo.

11. guloso

12. dormente

13. a) verdadeiro – sufixo: -eiro
b) arbóreo – sufixo: -eo
c) forçado – sufixo: -ado
d) risonho – sufixo: -onho
e) sedento – sufixo: -ento

14. a) envergonhar
b) entardecer
c) enraizar
d) esfarelar
e) emagrecer

15. a) **andar**: o infinitivo **andar** passa a substantivo.
b) **quê**: a palavra invariável **quê** passa a substantivo.
c) **não**: o advérbio **não** passa a substantivo.
d) **útil**, **agradável**: os adjetivos **útil** e **agradável** passam a substantivos.

SUFIXOS

1. barbe*aria*, sobranc*eria*, bronqu*ite*, cic*lista*, escorrega*dio*, opús*culo*, civil*izar*, paral*isar*, férr*eo*, vidrac*eiro*, comod*amente*, marqu*esa*, mes*inha*, paz*inha*, matar*éu*

2. anelado, circular, cônico, esférico, oval, facial, cíclico, montanhês, barbado, guerreiro, colérico, enferrujado, risonho, primaveril, repulsivo, genovês, dantesco, burguês

3. centralizar, fortificar, analisar, pregar, abraçar, florescer, amenizar, saltar, voar, irmanar, fertilizar, manusear, pesquisar, amarelar

4. frond*oso* (2) – homi*cídio* (4) – apendi*cite* (5) – social*ismo* (6) – peru*ano* (1) – flaut*im* (3)

5. corpo, corpóreo; ouro: áureo; mármore, marmóreo; sangue, sanguíneo; osso, ósseo; neve, níveo; enxofre, sulfúrico; chumbo, plúmbeo; prata, argênteo; fogo, ígneo; rosa, róseo; cinza, cinéreo; leite, lácteo

6. a) arenoso   b) faraônica   c) lacrimogêneo

7. -*ar*, chuviscar; -*ense*, paranaense; -*iço*, noviço; -*eza*, beleza; -*ite*, apendicite; -*ose*, neurose; -*oide*, antropoide, -*ula*, flâmula; -*vel*, amável

8. China, chin*ês* – escasso, escass*ez* – duque, duqu*esa* – limpo, limp*eza* – surdo, surd*ez* – monte, mont*ês* – altivo, altiv*ez* – empreender, empr*esa* – defender, def*esa* – corte, cort*ês*

MORFOLOGIA

9. -ense (paranaense), -ês (chinês), -ino (florentino), -ano (curitibano), -ista (paulista)

10. portugu<u>esa</u>   cert<u>eza</u>   holand<u>esa</u>
    firm<u>eza</u>   fregu<u>esa</u>   espert<u>eza</u>
    avar<u>eza</u>   framb<u>oesa</u>   surpr<u>esa</u>
    repr<u>esa</u>   delicad<u>eza</u> profund<u>eza</u>

11. -ecer: amadurecer, amanhecer, empobrecer, endurecer
    -escer: florescer, rejuvenescer, crescer

12. a) cafezal, laranjal   e) catarinense, forense
    b) lugarejo, vilarejo   f) artrose, psicose
    c) coveiro, padeiro
    d) escritório, lavatório

PREFIXOS — LISTA 11

1. <u>ante</u>datar: predatar
   <u>cis</u>platino: localizado aquém do rio da Prata (América do Sul)
   <u>co</u>operar: trabalhar simultaneamente para o mesmo fim
   <u>dis</u>sociar: separar
   <u>i</u>mberbe: sem barba
   <u>i</u>mergir: mergulhar, afundar
   <u>e</u>mergir: vir à tona, subir
   <u>in</u>alar: aspirar, fazer penetrar nas vias respiratórias
   <u>dis</u>sabor: desgosto, aborrecimento
   <u>entre</u>ver: ver indistintamente
   <u>circum</u>polar: que está em volta do pólo
   <u>e</u>jetável: que produz movimento para fora
   <u>retró</u>grado: que se recusa a acompanhar as novas manifestações culturais
   <u>semi</u>círculo: metade do círculo
   <u>i</u>legal: que não é legal

2. <u>a</u>bulia: incapacidade de tomar decisão
   <u>an</u>ônimo: sem o nome ou a assinatura do autor
   <u>antí</u>poda: contrário, oposto
   <u>a</u>trofia: definhamento por falta de alimentação ou exercício
   <u>hiper</u>trofia: aumento ou desenvolvimento excessivo
   <u>cata</u>dupa: cachoeira
   <u>perí</u>metro: linha que contorna uma figura, contorno
   <u>diá</u>fano: translúcido, transparente
   <u>dis</u>pepsia: má digestão
   <u>êx</u>odo: saída ou abandono em massa
   <u>epi</u>táfio: inscrição sobre um túmulo
   <u>para</u>digma: modelo, exemplo, padrão
   <u>eu</u>femismo: expressão atenuadora ou indireta de idéia desagradável
   <u>sín</u>tese: resumo
   <u>epí</u>logo: fecho ou parte final de uma história, etc.
   <u>anti</u>patia: aversão instintiva
   <u>metá</u>fora: emprego de palavra em sentido figurado
   <u>sim</u>patia: inclinação que atrai duas pessoas reciprocamente
   <u>ex</u>orcismo: ritual para esconjurar os maus espíritos
   <u>dí</u>pode: bípede
   <u>dia</u>gnóstico: conhecimento da moléstia pela observação dos respectivos sintomas

3. prólogo   anterioridade
   dispnéia   dificuldade
   diagonal   através
   anfíbio   duplicidade
   hipérbole   excesso
   antípoda   oposição
   arquipélago   superioridade
   afonia   privação
   sincronizar   simultaneidade
   metempsicose   mudança
   cisplatino   aquém
   perífrase   em torno de, ao redor de
   vice-presidente substituição
   sintaxe   conjunto

4. ab   apo   afastamento
   ambi   anfi   duplicidade, dos dois lados
   bene   eu   bondade
   bi   di   dualidade, duas vezes
   circum   peri   em redor de
   contra   anti   oposição
   in   a   negação
   semi   hemi   metade
   sub   hipo   debaixo de
   super   hiper   excesso
   trans   dia   através de

5. a) circumpolar   e) dispepsia
   b) antirracistas   f) impune
   c) ejetável   g) retropropulsão
   d) pré-colombiana   h) epigrafia

6. antitérmico – anticristo – antevéspera – anteontem – antitóxico – antiaéreo – antimíssil – antebraço – antidemocrata

7. a) antebraço, anteontem
   b) bisavô, bissexual
   c) descuido, desunido
   d) inatingível, inculto
   e) superdotado, supersensível

8. a) oposição   f) antes
   b) afastamento   g) além de
   c) para dentro   h) depois
   d) negação   i) para trás
   e) movimento para dentro

RADICAIS GREGOS

LISTA 12

1. antropófago: vem de *ánthropos*, homem, e *fago*, que come: aquele que come carne humana.

anarquia: vem de *an*, negação, e *arquia*, governo: falta de governo ou de autoridade.

autônomo: vem de *autós*, próprio, mesmo e *nómos*, lei, norma: que se governa por leis próprias.

bibliófilo: vem de *biblión*, livro, e *filo*, amigo: amigo dos livros.

democracia: vem de *démos*, povo, e *cracia*, poder, força: poder do povo, governo eleito pelo povo.

gastrônomo: vem de *gastrós*, estômago, e *nómos*, lei, norma: lei do estômago; aquele que faz da boa mesa a sua lei.

hematófago: vem de *hema*, sangue, e *fago*, comer: que se alimenta de sangue.

hipnotismo: vem *hypos*, sono, e *ismo*, maneira de proceder de acordo com determinada doutrina: processo que se emprega para causar sono.

decálogo: vem de *déka*, dez, e *lógos*, palavra, estudo: os dez mandamentos de Deus.

cosmopolita: vem de *cosmo*, mundo, e *polis*, cidade: que é de todos os países, universal.

ornitologia: vem de *órnis*, ave, e *logia*, estudo: estudo das aves.

2. monólogo: vem de *mónos*, um só, e *lógos*, palavra: peça teatral em que um só ator fala, ato de falar sozinho.

periscópio: vem de *peri*, em torno, acima, e *skopéo*, ver, olhar: instrumento óptico, usado em submarinos para ver objetos na superfície do mar.

odontologia: vem de *odontós*, dente, e *lógos*, palavra, estudo: parte da medicina que trata das afecções e higiene dos dentes.

arqueologia: vem de *arqueo*, antigo, e *lógos*, palavra, estudo: estudo de civilizações pré-históricas.

filantropia: vem de *phílos*, amigo, e *ánthropos*, homem: caridade, altruísmo.

psicologia: vem de psiché, alma, e *lógos*, palavra, estudo: ciência que se ocupa dos fenômenos psíquicos.

megalomania: vem de *mégas*, grande, e *manía*, loucura, inclinação: mania de grandeza.

helioscópio: vem de *hélios*, sol, e *skopéo*, ver, olhar: instrumento astronômico destinado à observação visual do sol.

macróbio: vem de *makrós*, longo, grande, e *bíos*, vida: aquele que vive muito tempo, que tem idade avançada.

epígrafe: vem de *epi*, posição superior, e *grápho*, escrevo: palavras escritas em monumentos, medalhas; inscrição.

poliglota: vem de *polys*, muito, numeroso, e *glótta*, língua: pessoa que fala muitas línguas.

hemeroteca: vem de *heméra*, dia, e *théke*, caixa: conjunto de jornais, revistas para estudo ou consulta.

pentágono: vem de *penta*, cinco, e *gonía*, ângulo: polígono de cinco ângulos e cinco lados.

datiloscopia: vem de *dáktylos*, dedo, e *skopéo*, ver, olhar: sistema de identificação pelas impressões digitais.

telegrama: vem de *téle*, longe, e *grámma*, letra, escrito: comunicação telegráfica.

zoonose: vem de *zóon*, animal, e *nósos*, doença, moléstia: doença que se manifesta em animais.

3. -algia: dor; -fobia: medo, aversão; -latria: adoração; -logia: ciência;
-mancia: adivinhação; -patia: doença; -terapia: tratamento.

4. enterite: intestino
estomatite: boca
gastrite: estômago
hepatite: fígado
nefrite: rim
rinite: nariz

5. anemômetro: o vento
barômetro: a pressão
batímetro: o coração
hidrômetro: a água
higrômetro: a umidade
dinamômetro: a potência, a força
hodômetro: distância percorrida
pluviômetro: a chuva

6. alopatia/ homeopatia; homogêneo/ heterogêneo; eufonia/ cacofonia;
higrófito/ xerófito; arcaísmo/ neologismo; macrocéfalo/ microcéfalo;
monocultura/ policultura; xenofobia/ xenofilia.

7. a) olhar, examinar
b) nome
c) domínio

8. voro (que come): fago (que come): ictiófago

9. bromatologia: alimento
farmacologia: medicamentos

10. a) ácros – acrópole
b) álgos – analgésico
c) chronos – anacrônico
d) icon – iconoclasta
e) polýs – poliglota
f) hýpnos – hipnose, hipnotizar, hipnotismo

MORFOLOGIA

g) ídios – idiotismo
h) mónos – monoteísta
i) néos – neologismo
j) phóbos – xenofobia
k) tópos – topônimo

11. Repetição mecânica de palavras ou frases, sem lhes entender o sentido.

12. a) abalo sísmico
b) sentido etimológico

c) povo autônomo
d) nação acéfala
e) dor nevrálgica
f) soro antiofídico
g) reação psíquica
h) frase cacofônica
i) nervo óptico
j) imagem onírica
k) grupo étnico
l) estar afônico
m) artifício mnemônico

RADICAIS LATINOS — LISTA 13

1. argentum, prata: argênteo, argentino
capillus, cabelo: capilar, capilaridade
ignis, fogo: ígneo, ignição
lac, lactis, leite: laticínio, lactação
herba, erva: herbáceo, herbívoro
pecus, gado: pecuária, pecuarista
pluvia, chuva: pluvial, pluviômetro
fluvius, rio: fluvial, fluviômetro
stella, estrela: estelar, constelação
silva, selva: silvícola, silvicultura
genu, joelho: genuflexão, genuflexório
arbor, arboris, árvore: arborizar, arboricultura
fulmen, fulminis, raio: fulminante, fulminar
capra, cabra: caprino
os, oris, boca: ósculo, oral, orar, oráculo
cinis, cineris, cinza: incinerar, incineração
pauper, pobre: pauperismo, depauperar
pulvis, pulveris, pó: pulverizar, pulverizador
volare, voar: volátil, noctívolo
nocere, fazer mal, prejudicar: nocivo, inocente, inócuo

2. vive sobre árvores

3. caput, capitis, cabeça: capital, capitoso
lex, legis, lei: legislador, legislar
bellum, belli, guerra: bélico, beligerante, belicoso

piscis, peixe: piscicultura, pisciforme
lapis, lapidis, pedra: lápide, lapidação

4. a) triticultura
b) oricicultura ou rizicultura
c) apicultura
d) piscicultura
e) viticultura

5. a) incinerar   c) pulverizar
b) erradicar   d) vociferar

6. a) A seiva das plantas chega às folhas pelos vasos **capilares**.
b) Só Deus é todo-poderoso e **onisciente**.
c) Presenteou a noiva com uma medalha de ouro **cordiforme**.
d) O gado **lanígero**, além da carne, nos dá a lã.
e) Ele se considera o centro do universo: é um **egocêntrico**.
f) É preciso incentivar a navegação **fluvial**.

7. a) leite/indústria
b) sono/andar
c) longa/idade
d) ouro/conter

ORIGEM DAS PALAVRAS DA LÍNGUA PORTUGUESA — LISTA 14

1. areia (P); arena (E); auscultar (E); escutar (P); coalhar (P); coagular (E); chama (P); flama (E); cálido (E); caldo (P); íntegro (E); inteiro (P); lacuna (E); laguna (P); macho (P); másculo (E); mancha (P); mácula (E); sigilo (E); selo (P).

2. futebol – clube – jipe – uísque (3)
algodão – alfaiate – algema – oxalá (4)
via – peixe – chave – lágrima – ônibus (1)
detalhe – buquê – abajur – crochê (5)
tatu – jiboia – Iguaçu – graúna (6)
bíblia – anjo – trauma – teatro (2)

MORFOLOGIA

SUBSTANTIVO — LISTA 15

1. "Os <u>índios</u> foram muitas <u>vezes</u> considerados cruéis <u>guerreiros</u>, e as suas <u>atitudes</u> não raro causam <u>pânico</u> e <u>revolta</u>. O seu <u>conhecimento</u> mais profundo, entretanto, revela o <u>heroísmo</u> de um <u>povo</u> que, de <u>arcos</u> e <u>flechas</u>, se opõe tenazmente às <u>máquinas</u> que invadem seu <u>território</u>."

2. tirania – realeza – mendicância – catequese – viuvez – infração – sacerdócio – heresia

3. a) A estrada rasgava o <u>verde</u> bruto da paisagem.
   b) Nas palavras amáveis de Venâncio percebi um <u>quê</u> de falsidade.
   c) Súbito, ouvimos um leve <u>ruflar</u> de asas.

4. homem-rã
   obra-prima
   busca-pé
   papel-moeda
   baixo-relevo
   aguardente
   viravolta
   pernalta

5. a) A **caravana** foi atacada por uma **alcateia** de lobos famintos.
   b) No **século** V, a Europa foi invadida por **hordas** de bárbaros.
   c) Entre os **renques** de árvores floridas revoavam **miríades** de insetos zumbidores.
   d) A égua-madrinha guia a **tropilha** pelos descampados.
   e) A **baixela** era de fino lavor.
   f) Na **tríade** do Egito, Osíris é o pai, Ísis é a mãe e Hórus, o filho.
   g) Os caçadores açulam a **matilha** contra a onça.
   h) O filme promete ser bom: no **elenco** só há artistas famosos.
   i) "A noite no espaço vinha a negra **legião** das sombras espargindo." (Olavo Bilac)

6. arvoredo – canavial – boiada – vinhedo – cafezal – cabeleira – cainçalha – coqueiral – ramada – teclado – hinário – tripulação – parentela – cordame – vasilhame – criadagem – mulherio – jabuticabal – carnaubal

7. a) a pobreza do homem
   b) a recordação da cena
   c) a atualização dos conhecimentos
   d) a concessão de privilégios
   e) a matança dos filhotes

SUBSTANTIVO – GÊNERO — LISTA 16

1. campeã – profetisa – guardiã – atriz – marquesa – freguesa – juíza - anfitriã – viscondessa – matrona – espiã – ladra – hebreia – baronesa – ré

2. flexão do substantivo masculino: gato, gata
   acréscimo da desinência –a ao masculino: cantor, cantora
   acréscimo de um sufixo feminino ao masculino: cônsul, consulesa
   heteronímia: cavalo, égua

3. **o** ágape – **a** fleuma – **a** cal – **o** champanha (e) – **a** derme – **o** dó – **o** eclipse – **a** dinamite – **a** fênix – **a** filoxera – **o** aneurisma – **o** herpes – **o** grama (peso) – **o** axioma – **o** guaraná – **o** fel – **a** coral (cobra) – **o** clã – **o** tapa – **o** espécime – **o** telefonema – **a** trama – **o** estigma – **o** primata

4. a) plebeia   d) duquesa   f) felaínas
   b) condessa e) nora   g) poetisa
   c) cidadã

5. ciclista: comum de dois gêneros
   cidadão: biforme
   cônjuge: sobrecomum
   peru: biforme
   vítima: sobrecomum
   fã: comum de dois gêneros
   capivara: epiceno
   cúmplice: sobrecomum
   pavão: epiceno

6. gênese – sóror – omoplata – bílis – cútis – rês

7. **o** nascente – oriente, ponto do horizonte onde nasce o sol.

a nascente – ponto onde nasce um curso d´água, cabeceira, fonte
o grama – unidade de peso
a grama – designação comum a diversas ervas da família das gramíneas
o cura – pároco, vigário de freguesia, povoação, aldeia
a cura – restabelecimento da saúde
o coral – canto em coro, grupo de cantores
a coral – espécie de cobra
o cisma – dissidência religiosa, política ou literária
a cisma – pensamento fixo em alguma ideia ou assunto
o cinza – a cor cinza
a cinza – resíduo mineral que resta após a queima completa de substâncias combustíveis
o cabeça – líder
a cabeça – parte correspondente, superior, do corpo dos animais bípedes, e a anterior dos outros vertebrados, da maioria dos artrópodes, moluscos e vermes
o lente – professor ou professora de escola superior ou de escola secundária

a lente – corpo de vidro ou outra substância análoga, convexo ou côncavo, usado em instrumentos ópticos, óculos, etc., de maneira a alterar a direção dos raios luminosos, aumentando ou diminuindo aparentemente as dimensões dos objetos através dela observados
o moral: estado de espírito
a moral – conjunto de princípios relativos à moralidade, aos bons costumes
o rádio – aparelho que recebe sinais de radiofonia
a rádio – emissora

8. a) o   f) os   k) A   p) A
b) Os   g) o   l) O   q) A
c) Os   h) as   m) a
d) o   i) A   n) a
e) a   j) o   o) o

9. a) parte do corpo/chefe
b) aparelho/estação, emissora
c) unidade de peso/relva
d) cor/resíduos da combustão

SUBSTANTIVO – NÚMERO

LISTA 17

1. meses – reses – répteis – projéteis – túneis – canis – espécimes – sóis – sais – males – caracteres – hífens – álbuns – ases – procônsules – próceres – nenúfares – fãs – obuses – liquens – ímãs – totens – cânones – reféns – parênteses – reveses – galãs – fósseis – fuzis – fusíveis – ureteres – hambúrgueres

2. cais – ourives – tórax – íbis – fênix – ônus – bíceps – íris – xerox

3. cidadãos – charlatães – tabeliães – tecelões – anciãos – foliões – capelães – aldeões – guardiães – corrimãos – bênçãos – órfãos – órgãos – capitães – escrivães – cirurgiões – pagãos – anãos ou anões – afegãos

4. cidadãs, atrizes, consulesas, marquesas, rés, cortesãs, grã-duquesas

5. a) vanglórias, bombons, lobisomens, autolotações, malmequeres, vaivéns;
b) guardas-civis, cartões-postais, terças-feiras, tenentes-coronéis, capitães-mores, más-línguas, baixos-relevos, cirurgiões-dentistas, criados-mudos, capitães-aviadores, redatores-chefe, veras-efígies, meios-termos, pães-duros, táxis-aéreos, ferros-velhos, curtas-metragens, altos-relevos, bóias-frias, carros-fortes;
c) guarda-chuvas, padre-nossos, terras-novas, alto-falantes, abaixo-assinados, papa-méis, salvo-condutos, grão-vizires, busca-pés, tico-ticos, bem-te-vis, auto-retratos, pisca-piscas, vice-reis;

d) pombo-correios, mapas-múndi, mangas-espada, joões-ninguém, guardas-marinhas, porcos-espinhos, bananas-maçãs, caminhões-pipa, navios-escola, anos-luz, carros-bomba;
e) flores-de-maio, águas-de-colônia, pães-de-ló, orelhas-de-pau, amas-de-leite, limões-de-cheiro, paus-d'água, estrelas-do-mar, joões-de-barro.

6. Só se usam no plural: núpcias, pêsames.
Não variam: os bota-fora, os pisa-mansinho, os troca-tintas, os saca-rolhas.

7. a) Fizeram belas evoluções as porta-estandartes das escolas de samba.
b) Não se viam peixes-voadores fora das águas.
c) Os terras-novas mostraram-se eficientes no patrulhamento das cidades.
d) Os beija-flores são pequenas obras-primas da natureza.
e) Os projéteis dos foliões atingiram os guardas-marinhas.
f) Os homens-rãs estavam junto aos navios-tanques.
g) Os artesãos fizeram as mesinhas-de-cabeceira.
h) Os homens-moscas encontraram-se na rua com os homens-sanduíches.
i) Eles fabricam salsichas e detestam cachorros-quentes.
j) Os olhos-de-boi são selos raríssimos.
k) Os hambúrgueres me tentavam, mas os reais faltavam.

8. bolsos.

MORFOLOGIA 713

9. Porque o plural correto seria *gois* ou *goles*, se seguíssemos a fonética da língua portuguesa.

10. Resposta pessoal (*os* óculos).

11. a) Quero dois cachorros-quentes.
    b) Sempre faço pães-de-ló e pés-de-moleque para as festas.
    c) Rasgarei quaisquer abaixo-assinados que receber.

d) Você, como Van Gogh, aprecia girassóis?
e) Os beija-flores estão novamente no quintal.

12. a) ouro/ ouros: (metal/ naipe de cartas)
    b) vencimento/ vencimentos (término de um prazo/ salário)
    c) copa/ copas: (cômodo junto da cozinha/ ramagem de árvore/ naipe)
    d) féria/ férias: (salário, renda de um dia/ tempo de descanso)

SUBSTANTIVO – GRAU

1. bocarra – chapelão – espadão (ou espadagão) – festança – balaço – homenzarrão – narigão – rapagão – manzorra – mocetão – pezão – vagalhão – carão - vozeirão

2. lugarejo – portinhola – glóbulo – riacho – casebre – ruela – serrote – engenhoca – espadim – jornaleco – beicinho – saleta – papelejo – chuvisco – grupelho – namorico – aranhiço – ilhéu

3. corpúsculo – animúsculo – grânulo – gotícula – notícula – óvulo – obrícula – fascículo – homúnculo – radícula – questiúncula – montículo – versículo – flósculo – película – campânula – flâmula – pedículo – casulo – célula – régulo – lóbulo – nódulo

4. nuvenzinhas – cãezinhos – canaizinhos – papeizinhos – chapeuzinhos – tuneizinhos – paisinhos – paizinhos – automoveizinhos – funizinhos – florezinhas – cafezinhos – irmãozinhos – princesinhas – leitõezinhos – ideiazinhas – bauzinhos – animaizinhos – pastorezinhos – colherezinhas – mulherezinhas – praiazinhas ou prainhas - radiozinhos ou radinhos

5. rua – pobre – prato – vilão – via – casa – raiz – alegre – chapéu – sítio – mão – povo – pecado – nó – canção – sino – galé – verão – câmara – bastão – terra – vara – pata – hotel – febre – osso – festa – rapaz – sela – rico – carroça – rapaz

6. Coloquei os **peixinhos** no aquário.
   diminutivo sintético
   Vagalhões batiam no cais deserto.
   aumentativo sintético
   Seus **olhos** miúdos fitavam-me surpresos.
   diminutivo analítico
   Vi desabar a **estátua** colossal.
   aumentativo analítico

7. a) O forte da ilha não resistiu ao ataque do inimigo.
   b) O rei chegou àquela aldeia à boca da noite.
   c) O fidalgo aborreceu-se por uma questão.
   d) Eu teria que voltar ao homem de metro e quarenta e cinco.
   e) Homens sujos de pó empurravam vagões de lenha.

8. a) "Examinei os <u>olhões</u> amarelos, os <u>dentes enormes</u> e as <u>patorras</u> do bicho."
   b) "O dono da fazenda virou-se para ver que <u>barulhão</u> era aquele. Vendo o boi que <u>não tinha mais tamanho</u>, ele gritou: 'Que <u>boi grandão</u> é esse, minha gente, que eu nunca vi?'"

9. João arrumou um **empreguinho** no escritório de uma fábrica. – desprezo

10. a) pãezinhos   d) pazinhas
    b) chapeuzinhos   e) cartõezinhos
    c) pasteizinhos   f) mãozinhas

11. a) desprezo
    b) desprezo
    c) carinho
    d) troça

ARTIGO

1. e) O personagem Capitu é um dos mais conhecidos da literatura brasileira.

2. a) Conversei com o médico. (um médico específico)
   Conversei com um médico. (um médico qualquer)

b) O ônibus passou lotado. (aquele ônibus específico)
Passou um ônibus lotado. (um ônibus qualquer)

c) Esse lápis não é meu. (não pertence a mim)
Esse lápis não é o meu. (não é aquele meu lápis)

MORFOLOGIA

3. a) Você não imagina o dó que o garoto me dá!
   b) Estou em um grande dilema. Não sei como agir.
   c) A apendicite do paciente recebeu tratamento adequado?
   d) Não se usa mais o trema em palavras portuguesas.
   e) É muito grave a pane que seu carro sofreu?

4. a) O verde das matas o maravilhava.
   b) O cantar dos pássaros sempre espantou minha tristeza.
   c) O saber não ocupa lugar.
   d) É um absurdo o que você me pede, Mário!
   e) O amanhecer do sertão é tema de muitas modas de viola.

5. "A partir deste ano, a arrecadação será menor. Além disso, o aumento do salário mínimo obrigará o governo a arcar com mais despesas... Os cortes, embora difíceis para os autores e penosos para os que serão privados dos serviços estatais, têm um aspecto positivo por mostrar que o compromisso do Brasil com a transparência é inarredável. A estabilidade é a garantia de que o Brasil permanecerá no mapa a economia mundial..."

LISTA 20 — ADJETIVO

1. a) No salão, jovens dançavam ao ritmo alucinante de músicas modernas.
   b) Os jovens artesãos trabalhavam numa oficina pequena e escura.
   c) Pessoas supersticiosas viram no estranho fenômeno um sinal de desgraça iminente.
   d) "Não há um lugar calmo nas cidades do homem branco", disse o chefe indígena.

2. a) caóticas
   b) lacônica
   c) ferinos
   d) fleumático
   e) daninhas
   f) valiosos
   g) expressiva

3. a) angelical
   b) leonina
   c) leporino
   d) asinino
   e) taurino
   f) bélico
   g) romântica
   h) inapto
   i) palustre
   j) lacustres
   k) filatélica
   l) insípido
   m) inodoro
   n) desenfreadas
   o) ribeirinhas
   p) malares

4. aquilino — águia
   letal — morte
   ígneo — fogo
   jurídico — direito
   hepático — fígado
   insular — ilha
   capilar — cabelo
   cefálico — cabeça
   cervical — pescoço
   braquial — braço
   inguinal — virilha
   magistral — mestre
   cutâneo — pele
   têxtil — tecido
   umblical — umbigo
   onírico — sonho
   senil — velho
   eólico, eólio — vento
   ictiológico — peixe
   acético — vinagre

5. marajoara – recifense – belo-horizontino – portenho – madrileno – napolitano – cairota – etíope – indiano – panamenho – bizantino – tunisino – lapão – cipriota – argelino – equatoriano – libanês – veneziano – cartaginês – latino – pequinês

6. a) pássaro **insetívoro**
   b) ave **piscívora**
   c) cirurgia **indolor**
   d) árvores **seculares**
   e) animal **rastejante e peçonhento**
   f) comida **insossa**
   g) água **potável**
   h) coisa **prazerosa**
   i) obelisco **monolítico**

7. a) infanta portuguesa
   b) cidadã cortês
   c) espiã andaluza
   d) estudante plebeia
   e) moça folgazã, mas trabalhadora
   f) princesa cristã

8. hebreia — alemã
   inglesa — motora
   judia — superior

9. a) surda-muda
   b) luso-brasileira
   c) recém-fundada
   d) castanho-escuras
   e) indo-europeias
   f) azul-turquesa

10. a) pés gráceis
b) feijões crus
c) ações más
d) raízes úteis
e) caracteres inflexíveis
f) cãezinhos ferozes
g) túnicas inconsúteis
h) gestos hostis
i) rapagões loquazes
j) veneráveis anciãos
k) gases letais
l) raios ultravioleta
m) cães fiéis
n) maus cidadãos
o) raios infravermelhos
p) placas cinza

11. a) cerimônias cívico-religiosas
b) saias azul-pavão
c) ternos azul-marinho
d) conflitos sino-russo-japoneses
e) vestidos cor-de-rosa
f) tecidos malva
g) rapazinhos mal-educados
h) reis todo-poderosos
i) olhos verde-claros
j) países autossuficientes
k) pessoas mal-agradecidas
l) "Onde andarão os sem-vergonhas desses papagaios?"

12. acordos nipo-brasileiros
empresas franco-italianas
indivíduos germano-argentinos
costumes afro-brasileiros
povos hispano-americanos
convenções luso-brasileiras
comemorações ibero-americanas
tropas anglo-francesas

13. a) linear/linha – bélico/guerra – ígneo/fogo – renal/rim

14. a) cardíaca
b) ilimitada
c) é indefensável
d) inconsistentes
e) inábil
f) inabitada, desabitada

15. a) castanho-escuros/verde-esmeralda
b) azul-marinho/azul-celeste
d) cor-de-rosa

16. a) confiável
b) discutível
c) desejável
d) admissível
e) substituível

17. a) ouvido
b) ervas
c) fígado
d) estômago
e) lágrima
f) olhos

18. a) dificílimo
b) amicíssima
c) ótimo
d) facílimo
e) simpaticíssimos

GRAU DO ADJETIVO

LISTA 21

1. a) grau comparativo de inferioridade
b) grau comparativo de igualdade
c) grau comparativo absoluto sintético
d) grau comparativo de superioridade e de inferioridade
e) grau comparativo sintético
f) grau superlativo absoluto analítico e grau comparativo sintético de superioridade

2. a) sacratíssimo
b) velocíssimas
c) felicíssima
d) simpaticíssima
e) paupérrima, nobilíssima
f) eficacíssimo
g) notabilíssimos, humílimos

3. a) Fragílimas criaturas, aceitai o dulcíssimo jugo das leis sapientíssimas do Criador.
b) Jandira deve ter seríssimos motivos para adiar seu casamento.
c) A mesma iguaria pode ser ótima para uns e péssima para outros.

4. elegantíssimo

5. Grau comparativo de superioridade.

6. a) superelegante, ultra-leve, hiperdelicado
b) magro, magro; feio, feio
c) magro como um palito, amargo como fel
d) levinho, docinho, magrinho

MORFOLOGIA

7. chiquérrima e **chatérrimo**: na linguagem coloquial, para enfatizar os qualificativos;
magérrimo: forma anormal, pois deveria ser "macérrimo" (macer, cris), em latim;
grandessíssimo: forma depreciativa ou insultuosa.

8. ilustríssima: tratamento cerimonioso dado a pessoas de respeito;
eminentíssima: tratamento dado a cardeal;
sacratíssima: muito sagrada.
Obs. – No texto, esses superlativos têm conotação irônica.

NUMERAL — LISTA 22

1. 112: cento e doze
660: seiscentos e sessenta
7.663.251: sete milhões seiscentos e sessenta e três mil duzentos e cinquenta e um
3.012.005: três milhões doze mil e cinco
14.612.063: quatorze milhões seiscentos e doze mil e sessenta e três
216.153.374.001: duzentos e dezesseis bilhões cento e cinquenta e três milhões trezentos e setenta e quatro mil e um

2. 12: décimo segundo
20: vigésimo
50: quinquagésimo
60: sexagésimo
70: septuagésimo
80: octogésimo
90: nonagésimo
200: ducentésimo
300: trecentésimo
400: quadringentésimo
500: quingentésimo
600: sexcentésimo
700: setingentésimo
800: octingentésimo
900: nongentésimo
258: ducentésimo quinquagésimo oitavo
10.000: décimo milésimo
100.000: centésimo milésimo
1.000.000: milionésimo

3. 3 (pãozinho): três pãezinhos
12 (leitãozinho): doze leitõezinhos
14 (papelzinho): quatorze papeizinhos
1.222 (laranja): mil duzentas e vinte e duas laranjas
660 (grama): seiscentos e sessenta gramas
1.001(razão): mil e uma razões

4. década: dez anos
lustro: cinco anos
milênio: mil anos
quadriênio: quatro anos
século: cem anos
quinquênio: cinco anos
bicentenário: duzentos anos
sesquicentenário: cento e cinquenta anos

5. século V: século quinto
século XIX: século dezenove
capítulo III: capítulo terceiro
capítulo XI: capítulo onze
Paulo VI: Paulo Sexto
Leão XIII: Leão Treze
D. Pedro II: D. Pedro Segundo
Luís XV: Luís Quinze

6. uma (artigo); **um** (artigo); **um** (numeral); **uma** (numeral).

7. a) Pelo serviço, deram-lhe mil reais.
b) Era o octogésimo carro sorteado.
c) Elói mora na Rua Sete de Setembro.
d) Havia mais de 1,5 milhão de desempregados.
e) Abri o livro na página 15.
f) Nasceu no dia 1º de maio de 1990.

8. a) quadringentésimo quinquagésimo
b) um milhão duzentas e cinquenta e cinco mil trezentas e cinquenta e duas pessoas
c) quadragésimo quinto
d) nono/onze
e) octogésimo

9. a) nono/primeira
b) oitos, noves, setes
c) duzentas e quarenta páginas
d) noves

10. a) As segundas colocadas também serão premiadas.
b) As primeiras a entrar deram um grito e saíram correndo.

11. a) segundo
b) vinte e três
c) sexto
d) terceiro ao oitavo/nono ao quinze/vinte e dois
e) oitavo

12. Vinte e um milhões duzentos e dezesseis mil oitocentos e dezessete reais

MORFOLOGIA 717

PRONOME

LISTA 23

1. Você (segunda do singular); comigo (primeira do singular); os (terceira do plural).

2. (A) Aquilo não era bom sinal.
(A) O mascate conhecia bem aquelas paragens.
(A) Havia muita gente.
(S) Quem avisa amigo é.

3. (3) **Isto** é muito importante.
(1) Todos **a** olhavam curiosos.
(4) Veja **quem** é.
(5) São amiguinhas a **quem** quero muito bem.
(6) **Que** lhe diria você?
(2) Guardei o que é **vosso.**

4. a) Que lhe teria acontecido?
b) Aqui ninguém os incomodará.
c) Ele falava alto para eu ouvi-lo.
d) Após ligeiro desmaio, ela voltou a si.
e) Meus amigos imploravam para eu atravessar o rio.
f) O que resta agora entre mim e você?
g) Os gritos dele chegaram até mim.

5. a) chamá-lo
b) conhecê-la
c) levem-no
d) indispõe-na
e) convidam-no
f) seguimo-los
g) vimo-las
h) fê-los

6. (A) Não **nos** apressemos.
(T) Elói era um rapaz cheio de **si**.
(T) Não vá sem **mim**.
(A) Ele atirou-**se** ao mar.

7. O macaco pendura-**se** num galho de árvore.

8. Vossa Alteza

9. a) **Sua** Excelência estava bem-humorado.
b) **Vossa** Excelência pretende viajar para a Europa?

10. a) "Qualquer **(indefinido)** pessoa que **(relativo)** lesse tal **(demonstrativo)** coisa não a **(pessoal oblíquo)** levaria a sério."
b) "Ninguém **(indefinido)** teve coragem de falar antes que ela **(pessoal reto)** o **(pessoal oblíquo)** fizesse."
c) "Tudo isso **(demonstrativo)** são prazeres que **(relativo)** um intelectual modesto pode usufruir."
d) "Olhe, se esta **(demonstrativo)**[casa] vale os cinquenta contos, quantos **(interrogativo)** não vale a **(demonstrativo)** que você deseja para si **(oblíquo reflexivo)**, a **(demonstrativo)** do Campos?"

e) "O alumínio era algo **(indefinido)** que as **(pessoal oblíquo)** fascinava."
f) "Quem **(interrogativo)** pode adivinhar o **(demonstrativo)** que se passa na mente de outrem **(indefinido)**?"
g) "E depois todos **(indefinido)** entravam numa jaula cuja **(relativo)** chave se **(átono oblíquo)** perdia."
h) "Iam pela ilharga da montanha, sobre lajes que **(relativo)** tornavam cavos quaisquer **(indefinido)** ruídos."

11. a) O artista vendeu todos os quadros que pintou.
b) Já houve muitas espécies de elefantes, das quais só restam duas.
c) Queria ir para uma cidade onde houvesse mais conforto.
d) O diretor recebeu os ex-alunos, com quem manteve longa conversa.
e) Abri um grande álbum, cujas páginas estavam amarelecidas.

12. a) Tio Onofre contava histórias que me apavoravam.
b) Junto à fonte vi uma jovem a quem pedi um pouco d'água.
c) Os planetas são súditos cujo rei é o Sol.
d) Veja o perigo a que (ou ao qual) você se expõe.
e) Antes do jogo houve uma cerimônia cívica, durante a qual o povo se manteve em silêncio.

13. (2) O que **um** faz todos aprovam.
(3) Não lhe sobrou **um** só real.
(1) Lutou como **um** herói.

14. (2) **Quem** procura acha.
(3) **Quem** é perfeito?
(1) Conhece a pessoa a **quem** me refiro?

15. (R) As aulas a **que** assisti foram proveitosas.
(T) "**Que** incógnitos veios de ouro exploram?"
(D) Não sabia **que** responder.
(T) Você o chamou para **quê**?
(R) "Cada experiência por **que** passamos é favor da vida."
(D) "Desanimaram não sei por **quê**."

16. a) Corro até **a** (A) janela e abro-**a** (O).
b) Abri **a** (D) do meio e daí **a** (P) pouco **a** (O) fechei.
c) Amparei **os** (D) que precisavam de amparo.
d) **As** (D) que eu tenho não **as** (O) dou **a** (P) ninguém.
e) Não **o** (O) aconselho **a** (P) ficar aqui.
f) "Era uma bela ponte, ele próprio **o** (D) reconhecia."
g) "**A** (A) modéstia doura **os** (A) talentos, **a** (A) variedade **os** (O) deslustra."
h) Eu não **a** (O) ajudo por interesse: faço-**o** (D) por pura amizade.

MORFOLOGIA

17. a) Quando lhe pedem algum favor, Nélson o faz com prazer.
b) Eles tentam fugir, mas não conseguem: uma estranha força os mantém imóveis.
c) Quando a atriz aparecia, saudavam-na aos gritos, atiravam- lhe flores.
d) A esbelta ginasta rodopiou sobre si mesma, leve, graciosa.

18. a) Ele não respondeu à pergunta que lhe fiz.
b) Aproximei-me da mesa de pingue-pongue, sobre a qual havia duas raquetes.
c) São perigosos os rios em cujas águas vivem sucuris.
d) O moço a quem me dirigi parecia ser o gerente da loja.
e) Elza chamou o filho da vizinha, o qual veio correndo.

19. (2) **Quanto** ouro existe ali!
(1) Tenho tudo **quanto** quero.
(3) Sabes **quanto** te amo.

20. Resposta pessoal. Menos (invariável): menos água

21. a) Percorri todo o país, de norte a sul.
b) Nem todo país é banhado pelo mar.
c) Peço a Vossa Senhoria me envie o seu currículo.
d) Lembra a água corrente essa tua voz.
e) Grave bem isto: É melhor prevenir o mal do que remediá-lo.

22. a) camisa
b) grilos
c) a velha
d) ao pai

23. a) aquela
b) essa
c) Esta

24. a) mim   d) mim
b) mim   e) eu
c) eu   f) eu

25. a) Entreguei-o   d) consultá-lo
b) Entreguei-lhe   e) Fizeram-no
c) Levei-os

26. a) entre mim   d) Receberam-nos
b) com o senhor   e) para eu
c) consigo (certo) f) para você

27. a) isso
b) nisto
c) esse
d) cujos filhos
f) este era agitado e loquaz; aquela era calma e alegre. Ou: aquele era agitado e loquaz; esta, calma e alegre.

28. Pedro levou consigo toda a família.

29. A obra era difícil; ele próprio **o** sabia.

VERBO — LISTA 24

1. Quando **venta**, o tempo esfria.   fenômeno
Atravessei o rio a nado.   ação
Sarita **era** alegre, expansiva.   estado

2. radical: **cort**/ desinência modo-temporal: **sse**
tema: **corta**/ desinência número-pessoal: **emos**

3.

	conjugação	pessoa	número	tempo	modo
a) **invadirão**:	3ª conjugação,	3ª pessoa,	plural,	futuro do presente,	indicativo
b) **moras**:	1ª conjugação,	2ª pessoa,	singular,	presente,	indicativo
c) **disse**:	2ª conjugação,	3ª pessoa,	singular,	pretérito,	indicativo
d) **creio**:	2ª conjugação,	1ª pessoa,	singular,	presente,	indicativo
e) **aconteça**:	2ª conjugação,	3ª pessoa,	singular,	presente,	subjuntivo

4. **Vá** agora, Luís. / imperativo – ordem
O náufrago **salvou**-se. / indicativo – fato certo
Talvez Elói não **venha**. / subjuntivo – fato incerto

5. O vento **soprava** forte. / **pretérito imperfeito** / fato passado não concluído
Fiz o que lhe **prometera**. / **pretérito mais-que-perfeito** / fato passado anterior a outro também passado
Assistirei às Olimpíadas. / **futuro do presente (ou fu-**
turo) / fato a ser realizado
Preciso de um dicionário. / **presente** / fato atual
Prometi que o **ajudaria**. / **futuro do pretérito** / fato futuro situado no passado
Elas **colheram** a uva. / **passado** / fato passado concluído

MORFOLOGIA 719

6

pessoas	presente do indicativo	imperativo afirmativo	presente do subjuntivo	imperativo negativo
tu	falas	**fala**	fales	não **fales**
você	-	**fale**	fale	não **fale**
nós	-	**falemos**	falemos	não **falemos**
vós	falais	**falai**	faleis	não **faleis**
vocês	-	**falem**	falem	não **falem**

7. a) Quando Joel chegou, eu <u>estava abrindo</u> as garrafas.
b) Clóvis <u>terá de trabalhar</u> dobrado e sua vida <u>vai ficar</u> mais dura.

8. a) passiva
b) reflexiva
c) ativa
d) passiva

9. a) fique
b) volte
c) termine
d) telefono/responde
e) Penso/é

10. a) encontrei/perdera
b) disseram (ou diziam)/jogavam ou jogaram
c) cozinhava/acabou

11. a) ficarão
b) deixaria
c) falaria
d) mudariam

12. a) fizer
b) trouxer
c) for
d) vier
e) puser

13. a) As peças de cerâmica foram compradas por um estrangeiro.
b) Vários livros de História foram comprados pela nova bibliotecária.
c) Muitas promessas foram feitas pelos jogadores aos torcedores do clube.
d) A praça Manuel Bandeira será cercada pela polícia.
e) Obras de vanguarda sempre são elogiadas pelos críticos.

14. a) couber
b) fizer, trarei
c) puser, for
d) ouço, peço
e) quiserem, diga-lhes, ponham

CONJUGAÇÃO DE VERBOS AUXILIARES

LISTA **25**

1

Verbo	Pessoa	número	tempo	modo
estarias	2ª	singular	futuro do pretérito	indicativo
contivesse	1ª	singular	pretérito imperfeito	subjuntivo

2. a) Quando **éreis** crianças, não tínheis essas preocupações.
b) É possível que elas **estejam** viajando. **Há** tempo que não são vistas em casa.
c) Talvez **hajam** desabado algumas barreiras.
d) Como não **obteve** resposta, esmurrou a porta com violência.
e) Praticai o bem, **sede** atenciosos, convivei pacificamente com todos.
f) Até ali ele se **mantivera** calado.
g) Veja como as crianças se **entretêm** a observar os peixes no aquário!
h) Se nos **ativermos** ao parecer de um só homem, sem dúvida haveremos de errar.
i) Até agora eles **têm** sido muito bons para mim.
j) O doceiro parava em todas as casas onde **havia** crianças.
k) Se não **fossem** os bombeiros, todos teriam perecido.

l) Eles são **tidos** e **havidos** como pessoas de bem.
m) Se você tem algo a dizer, fale, mas **seja** breve.
n) Fábio avançou contra mim, João o **deteve**: eu não **contive** o riso.
o) **Há** países que **mantêm** no espaço satélites espiões.
p) Enquanto bebíamos, Félix nos **entretinha** com suas brincadeiras.

3. b) É possível que elas **estejam** viajando. Há tempo que não <u>são</u> vistas em casa.
c) Talvez **haja** desabado algumas barreiras.
h) Se nos ativermos ao parecer de um só homem, sem dúvida <u>haveremos</u> de errar.
i) Até agora eles <u>têm</u> sido muito bons para mim.

4. Siga a conjugação do verbo <u>ter</u>.

5. manter — mantende
obter — obtivéramos
deter — detivesse
haver — haja

MORFOLOGIA

VERBOS REGULARES
LISTA 26

1. deixávamos: 1ªpessoa do plural do pretérito imperfeito do indicativo
cessariam: 3ª pessoa do plural do futuro do pretérito do indicativo
dançarão: 3ª pessoa do plural do futuro do presente do indicativo
dançaram: 3ªpessoa do plural do pretérito perfeito do indicativo
achastes: 2ª pessoa do plural do pretérito perfeito do indicativo
assaste: 2ª pessoa do singular do pretérito perfeito do indicativo
considerem: 3ª pessoa do plural do presente do subjuntivo
atáramos: 1ª pessoa do plural do pretérito mais-que-perfeito do indicativo
deixei: 1ª pessoa do singular do pretérito perfeito do indicativo
deixasse: 1ªpessoa do singular do pretérito imperfeito do subjuntivo

2.

Presente	pretérito perfeito	pretérito imperfeito
descanso	descansei	descansava
descansas	descansaste	descansavas
descansa	descansou	descansava
descansamos	descansamos	descansávamos
descansais	descansastes	descansáveis
descansam	descansaram	descansavam

Pretérito mais-que-perfeito	futuro do presente	futuro do pretérito
descansara	descansarei	descansaria
descansaras	descansarás	descansarias
descansara	descansará	descansaria
descansáramos	descansaremos	descansaríamos
descansáreis	descansareis	descansaríeis
descansaram	descansarão	descansariam

3.

Presente	pretérito imperfeito	futuro do presente
alcance	alcançasse	alcançar
alcances	alcançasses	alcançares
alcance	alcançasse	alcançar
alcancemos	alcançássemos	alcançarmos
alcanceis	alcançásseis	alcançardes
alcancem	alcançassem	alcançarem

4.

afirmativo	negativo
despeja (tu)	não despejes (tu)
despeje (você)	não despeje (você)
despejemos (nós)	não despejemos (nós)
despejai (vós)	não despejeis (vós)
despejem (vocês)	não despejem (vocês)

5. suar, suares, suar, suarmos, suardes, suarem

6. deixar – deixando - deixado

7. É melhor que a **conservemos** na água.
presente do subjuntivo
Por que **desanimastes**?
pretérito perfeito do indicativo
Pedi que **examinassem** as contas.
pretérito imperfeito do subjuntivo
Alcançariam o fugitivo?
futuro do pretérito
Ninguém os **autorizara** a entrar.
pretérito mais-que-perfeito do indicativo

8. a) Pedi às crianças que **sossegassem**.
b) Peço ao moço que **deposite** as cartas na caixa.
c) É preciso que nós mesmas **consertemos** a roupa.
d) Pior para eles, se **desprezaram** (ou desprezarem) minhas recomendações.
e) Proponho-vos que **volteis** para vossas casas.
f) Espero que Luís já **tenha avisado** os colegas.
g) Não o verás, por mais que **enxergues** longe.
h) Pode acontecer que o avião **atrase** ou **desça** em outra cidade.

9. Resposta pessoal.

10. a) A História **restaura** o passado.
b) Farei tudo para que os dois se **reconciliem**.
c) Alguns se **gloriam** do que não fizeram.
d) **Estouraram** morteiros e **espocaram** foguetes.
e) Peço-te que não **afrouxes** a marcha.
f) Aconselho-os a que **viajem** amiúde e **ampliem** seus conhecimentos.
g) Ele **gesticulava** e **vociferava** contra os que lhe **impugnavam** as opiniões.
h) Pobre homem! Uns o **caluniam**, outros lhe **roubam** o sossego.
i) A polícia **interceptou** o veículo e **apreendeu** o contrabando.
j) É de esperar que **nasçam** novos gênios da música.
k) É possível que **ocorram** outros terremotos na região.
l) Conversando, talvez nos **entendamos** e nos **tornemos** bons amigos.

11.

presente	pretérito perfeito	pretérito imperfeito
cresço	cresci	crescia
cresces	cresceste	crescias
cresce	cresceu	crescia
crescemos	crescemos	crescíamos
cresceis	crescestes	crescíeis
crescem	cresceram	cresciam

pretérito mais--que-perfeito	futuro do presente	futuro do pretérito
crescera	crescerei	cresceria
cresceras	crescerás	crescerias
crescera	crescerá	cresceria
crescêramos	cresceremos	cresceríamos
crescêreis	crescereis	cresceríeis
cresceram	crescerão	cresceriam

presente simples	pretérito imperfeito simples	futuro
mexa	mexesse	mexer
mexas	mexesses	mexeres
mexa	mexesse	mexer
mexamos	mexêssemos	mexermos
mexais	mexêsseis	mexerdes
mexam	mexessem	mexerem

pretérito perfeito composto	pretérito mais--que-perfeito composto	futuro do presente composto
tenha mexido	tivesse mexido	tiver mexido
tenhas mexido	tivesses mexido	tiveres mexido
tenha mexido	tivesse mexido	tiver mexido
tenhamos mexido	tivéssemos mexido	tivermos mexido
tenhais mexido	tivésseis mexido	tiverdes mexido
tenham mexido	tivessem mexido	tiverem mexido

12.

afirmativo	negativo
desce (tu)	não desças (tu)
desça (você)	não desça (você)
desçamos (nós)	não desçamos (nós)
descei (vós)	não desçais (vós)
desçam (vocês)	não desçam (vocês)

13. (c) Cássio **desaparecera** no mar.
(g) **Existiriam** discos voadores?
(f) Talvez **existam**.
(e) **Dividi** para vencerdes.
(a) Eu **dividi** os lucros.
(b) Se me **morderes**, prendo-te.
(d) Cuidado para não **morderes** a língua!

14. **apoiar** – apoio   **extinguir** – extinguiu
florescer – florescerão   **exercer** – exerçam
telegrafar – telegrafa   **distinguir** – distinguia
proteger – protejamos   **designar** – designes
deliciar – delicia   **proibir** – proíbam
dirigir – não dirijas   **conceder** – concedêssemos
eclipsar – eclipsou   **exigir** – exijamos

15. a) As jovens contavam casos, **gracejavam** e riam alto.
b) A banda **iniciou** à retreta com o hino *Cidade Maravilhosa*.
c) Noêmia não **impressionou bem** o povo da cidade.
d) É preciso que alguma força **impulsione** o veículo.
e) Falta de dinheiro **impossibilita** a muitos **excursionar** durante as férias.
f) **Agradeçamos** a Deus por termos escapado ilesos.

16. a) Dividi e sede vencedor.
b) Não esqueças o passado nem te afeiçoes demais ao presente.
c) Recebei com alegria os amigos que vos visitam.
d) Abre as portas à esperança, não deixes entrar o desânimo.
e) Não magoeis nunca nem entristeçais vossa mãe.
f) Queremos que participes de nossa alegria: entra e come!
g) Frequentai os bons e sereis bons; convivei com os maus, sereis como eles.

17. a) Não vendam a honra nem atraiçoem os amigos.
b) Permitam, prezados ouvintes, que lhes faça uma pergunta.
c) Não se mexam, belas jovens, senão o retrato sai borrado.

18. a) Até então a vida para mim **tinha sido** suave.
b) Onde, na infância, **tínhamos brincado** alegres, ali agora só se viam edifícios tristes.
c) Não a **tinhas deixado** entregue à própria sorte?
d) Confesso que não me **tenho esforçado** tanto quanto poderia.
e) Quem lhe **teria ensinado** o caminho? Quem o **teria protegido**?
f) Voltarás para casa assim que **tiveres concluído** a tarefa.

19. a) Espero que você **tenha incluído** meu nome na lista.
b) Se me **tivessem ouvido**, agora não estariam se lamentando.
c) **Foi** bom **teres voltado** para a tua terra natal.
d) **Foi** uma injustiça não o **terem atendido**.

VOZES DO VERBO E VERBOS PRONOMINAIS — LISTA 27

1. (3) **Demoliram-se** as casas.
(1) As abelhas **colhem** o néctar.
(5) **Cumprimentamo-nos** cordialmente.
(2) A casa **foi reformada**.
(4) Rita **olhou-se** no espelho.

2. a) passiva analítica
b) ativa
c) passiva pronominal
d) reflexiva recíproca
e) ativa / reflexiva
f) ativa / passiva pronominal
g) reflexiva recíproca / reflexiva recíproca
h) passiva analítica
i) passiva / reflexiva
j) ativa / reflexiva

3. a) O pianista e o piano são envolvidos pela luz circular do refletor.
b) O morro foi invadido e conquistado pela civilização.
c) Nas escolas, belas poesias eram recitadas pelos alunos, no Dia da Bandeira.
d) Soldados, fostes elogiados por vossos chefes?
e) A carta foi entregue por mim a ele ontem.
f) A cidade fora fundada por meu bisavô.
g) Nosso fogo não mais seria aceso por tuas mãos.
h) Fomos prontamente atendidos pelo Diretor.
i) Dois anéis foram entregues pela moça para consertar.
j) As caixas de doces eram abertas por mim.
k) Menino, por quem você foi chamado aqui?
l) A esta hora, talvez os resultados dos exames já estejam sendo publicados pela diretora.
m) Ele teria sido ameaçado de morte pelos chefes do partido.
n) Tu foste censurado por eles por causa dos teus desatinos.
o) A licença lhe foi concedida.

4. a) As enchentes do Nilo fertilizam o Egito, país fabuloso.
b) O mato tinha invadido o terreno.
c) Linhas de ônibus percorriam a estrada.
d) Eu mesmo plantei muitas dessas árvores.
e) O diretor as teria elogiado.
f) A imprensa os tem criticado frequentemente.
g) Os guardas mantiveram o povo à distância.
h) Tu sempre o acolheste com carinho.
i) Tu o viste quando os guardas o detiveram?
j) Vós me teríeis aceitado?
k) O senhor o teria readmitido?
l) Se nós a estivéssemos incomodando...

m) Sem dúvida, os adversários políticos o iriam perseguir.
n) Destroços de satélites artificiais poderão atingir a Terra.
o) O céu é árido, sem manchas, como se um vento de maldição o tivesse varrido

5. a) Cortam-se os galhos e serram-se os troncos.
b) Retêm-se os cães e outros animais perigosos.
c) Nem sempre se obtêm bons resultados.
d) Abriram-se vários concursos naquele ano.
e) Nos cantos do salão viam-se grupos de convidados.
f) Cassou-se-lhe a licença, devido a irregularidades.
g) Eis as prerrogativas que se concedem.
h) Nas tardes frescas armava-se a mesa no caramanchão do jardim.
i) Afinal, inaugurou-se a obra dentro do prazo.
j) Era a primeira cerimônia pública que se realizaria ali.
k) Caso se mantenham as comportas fechadas...
l) Escrever-se-ão os títulos com tinta vermelha.
m) Mobilizem-se todas as forças imediatamente.
n) Conceder-se-iam os recursos necessários.
o) Em Grécia e Roma solenizavam-se com espetáculos as festas anuais.

6. Pedro e João deram-se provas de estima.

7

zangar-se	arrepender-se
zango-me	arrependo-me
zangas-te	arrependes-te
zanga-se	arrepende-se
zangamo-nos	arrependemo-nos
zangai-vos	arrependeis-vos
zangam-se	arrependem-se

8. avisar — Eles têm sido avisados
atender — Se nós fôssemos atendidos
iludir — Tu tinhas sido iludido

9. calar-se — calai-vos
esquecer-se — não te esqueças
arrepender-se — arrepender-se-á
divertir-se — divertimo-nos
vestir-se — tinha-me vestido

10. Ainda não **houve confirmação** dos jogos de domingo.
Ainda não **foram confirmados** os jogos de domingo.
Ainda não **se confirmaram** os jogos de domingo.

VERBOS IRREGULARES

LISTA 28

1.
a) As plantas **dão** às aves alimento e abrigo.
b) Quando cheguei, Adriano já **tinha dado** a notícia a meus pais.
c) Precisamos de um livro que nos **dê** a explicação do fenômeno.
d) Deus quis que a roseira **desse** rosas e espinho.
e) Vós, porém, não **deis** espinhos, dai somente rosas!
f) Vocês, porém, não deem espinhos, **deem** somente rosas.
g) Tu, porém, não **dês** espinhos, dá somente rosas!

2. geia – granjeia – hasteiam
nomeio – passeia – semeie

3. odeio – remedeiam – medeia – anseiam – incendeiem

4. **Abstive-me** de bebida.
Saúda os atletas.
Coube no porta-malas?

Crês em mim?
Talvez **caiba** aqui.
Quis humilhar-me.
Trouxe comida.
Não **pôde** vir.
Ceei com tio Luís.
Não **obtive** resposta.
Não **ateies** fogo ao capinzal.
Por mais que **escute**, não **ouço** nada.
Quantos alunos o senhor **argúi** na aula de hoje?
Pus água na fervura.

5. **nomear** – nomeamos **ansiar** – anseiem
deter – detiveram **crer** – cresses
folhear – folheia **passear** – passeemos
obter – obtiver **reaver** – reouve
odiar – odeies **ver** – vir
caber – caibo **prever** – previrem

6.

pessoas	presente do indicativo	imperativo afirmativo	presente do subjuntivo	imperativo negativo
tu	fazes	faze	faças	não faça
você	–	faça	faça	não faças
nós	–	façamos	façamos	não façamos
Vós	fazeis	fazei	façais	não façais
vocês	–	façam	façam	não façam

7.
a) Na haste flexível **desabotoa** a primeira rosa.
b) Os vícios **consomem-lhe** em pouco tempo a saúde e o patrimônio.
c) O coronel **reassume** o comando das tropas.
d) "**Requeiro** minha aposentadoria, não **posso** mais trabalhar", disse o velho.
e) Que lucros **auferes** de tantos esforços?
f) Os comissários **proveem** ao abastecimento dos navios.
g) O manuscrito **jaz** esquecido no fundo de um armário.
h) Quando nos **lembramos** do passado, **receamos** o futuro.
i) Muitos se **abstêm** de bebidas alcoólicas.
j) Eu **cubro** o doente para que ele não **tussa**.
k) A memória **cerze** e **reconstitui** os fatos que se distanciaram no passado.
l) A minha proposta não lhe **apraz**.
m) **Convém** que a viúva **mobilie** logo a casa.
n) Talvez **haja** outro livro que **valha** menos e **seja** melhor.
o) Talvez **haja** alguma coisa que o **impeça** de voltar.

p) Vós **sorrides** incrédulos, **dizeis** que não provimos de Deus, mas do macaco.

8.
a) É bom que você se **previna** contra assaltos.
b) É bom que eu me **acautele**. Essa gente é falsa.
c) Pedi-lhe que se **precavesse** contra o perigo dos tóxicos.
d) Abra os olhos! Acautele-se, **cuide-se**!
e) Felizmente, eu **reouve** tudo o que perdi.
f) Não creio que eles **recuperem** o prestígio perdido.

9. Governante, **serve** o povo e não a ti mesmo.
Governante, **sirva** o povo e não a si mesmo.
Governantes, **sirvamos** o povo e não a nós mesmos.
Governantes, **servi** o povo e não a vós mesmos.
Governantes, **sirvam** o povo e não a si mesmos.

10. Se o senhor a **vir** na fábrica, **diga**-lhe que **aja** com prudência.

11.

entreter	querer	pôr	transpor
entretive	quis	pus	transpus
entreteveste	quiseste	puseste	transpuseste
entreteve	quis	pôs	transpôs
entretivemos	quisemos	pusemos	transpusemos
entretivestes	quisestes	pusestes	transpusestes
entretiveram	quiseram	puseram	transpuseram

ver	prever	vir	convir
vi	previ	vim	convim
viste	previste	vieste	convieste
viu	previu	veio	conveio
vimos	previmos	viemos	conviemos
vistes	previstes	viestes	conviestes
viram	previram	vieram	convieram

12. a) As formigas não desanimam e **reconstroem** o ninho.

b) Os males não se **remediam** lastimando-os.

c) Feliz serás tu se **reouveres** o que perdeste.

d) Nenhum descanso teríamos enquanto não **reouvéssemos** o talismã.

e) O adulador **sói** ser maldizente.

f) **Praza** a Deus que tal não aconteça!

g) O inverno, dentro de poucos dias, afastará o sol e **trará** o frio.

h) Nada o **satisfaria**, enquanto não tivesse certeza do amor de Cláudia.

i) Ela **susteve** o bule no ar e perguntou se queria café.

j) Se **sobrevierem** contratempos, não desanimes.

k) O guarda persegue e **baleia** o assaltante.

l) Cultivai as boas maneiras, que elas vos **farão** simpáticos.

m) Não é justo que (nós) **diminuamos** o número de convivas no banquete da vida.

n) Terroristas atacam embaixada e **incendeiam** carros de diplomatas.

o) Se você **compuser** a melodia, eu farei a letra da canção.

p) Os revolucionários tomaram a cidade e **depuseram** o presidente.

13. a) Nós **supúnhamos** que o rio fosse fundo.

b) Eu não **intervim** na discussão.

c) O motorista parou o carro, **freando** com violência.

d) Sete países do Pacífico **opuseram-se** aos testes nucleares.

e) Ele parecia receoso de que alguém o **contradissesse**.

f) Os dois **desaviram-se** e um **descompunha** o outro.

g) Até então eu não tinha **intervindo** nos debates.

h) Cristo **predissera** a destruição de Jerusalém.

i) Comprarei as roupas que me **convierem**.

j) As pesquisas de opinião pública fazem com que certos candidatos **pressintam** a sua derrota.

k) O Brasil **intermedeia** o litígio entre os dois países.

l) Se o senhor se **desfizer** desses bens, terá vida mais tranquila.

14. a) **Tenho granjeado** a simpatia de todos.

b) **Tenho escrito** muitas cartas a Jane.

c) Ele **tinha** me (ou tinha-me) **descrito** o local.

d) Quem o **tinha descoberto**?

e) Donde **tinha provindo** aquele mostro?

f) João **tinha provido** ao sustento da família.

15. ler – <u>reaver</u> – <u>soer</u> – <u>precaver</u> – rir – <u>abolir</u> – <u>falir</u> – <u>transir</u> – ouvir

16. Averigúe as causas.

Fazei a obra.

Expunhas a vida?

Não **houve** nada.

Vede as aves do céu.

Eu **trarei** o animal.

Refletimos bem nisso.

Ele não **interveio**.

Se **interviéssemos**...

Eles **proveem** tudo.

Donde **proveio** a vida?

17. estreie – 1ª pessoa do singular do presente do subjuntivo do verbo **estrear**

abster-me-ei – 1ª pessoa do singular do futuro do presente do indicativo, voz reflexiva do verbo **abster**

compraz-se – 3ª pessoa do singular do presente do indicativo, voz reflexiva de verbo **comprazer**

pudemos – 1ª pessoa do plural do pretérito perfeito do indicativo do verbo **poder**

predissésseis – 2ª pessoa do plural do pretérito imperfeito do subjuntivo do verbo **predizer**

podermos – 1ª pessoa do plural do infinitivo pessoal do verbo **poder**

creiamos – 1ª pessoa do plural do imperativo afirmativo do verbo **crer**

bendize – 2ª pessoa do singular do imperativo afirmativo do verbo **bendizer**

remoo – 1ª pessoa do singular do presente do indicativo do verbo **remoer**

supúnhamos – 1ª pessoa do plural do pretérito imperfeito do indicativo do verbo **supor**

suponhamos – 1ª pessoa do plural do presente do subjuntivo do verbo **supor**

dispuser – 3ª pessoa do singular do futuro do subjuntivo do verbo **dispor**

veem – 3ª pessoa do plural do presente do indicativo do verbo **ver**

propus – 1ª pessoa do singular do pretérito perfeito do indicativo do verbo **propor**

proponde – 2ª pessoa do plural do imperativo afirmativo do verbo **propor**

prouve – 3ª pessoa do singular do pretérito imperfeito do verbo **prazer**

requeira – 1ª ou 3ª pessoa do singular do presente do subjuntivo do verbo **requerer**

traríeis – 2ª pessoa do plural do futuro do pretérito do indicativo do verbo **trazer**

víramos – 1ª pessoa do plural do pretérito mais-que-perfeito do indicativo do verbo **ver**

cirze – 2ª pessoa do singular do imperativo afirmativo do verbo **cerzir**; ou: 3ª pessoa do singular do indicativo presente

induz – 3ª pessoa do singular do presente do indicativo do verbo **induzir**

dispa – 2ª pessoa do singular (você) do imperativo afirmativo do verbo **despir**

conduze – 2ª pessoa do singular (tu) do imperativo afirmativo do verbo **conduzir**

divirjas – 2ª pessoa do singular do presente do subjuntivo do verbo **divergir**

sobressaia – 1ª pessoa do singular do presente do subjuntivo do verbo **sobressair**

bulas – 2ª pessoa do singular do presente do subjuntivo do verbo **bulir**

ide – 2ª pessoa do plural do imperativo afirmativo do verbo **ir**

impeço – 1ª pessoa do singular do presente do indicativo do verbo **impedir**

rides – 2ª pessoa do plural do presente do indicativo do verbo **rir**

ris – 2ª pessoa do singular do presente do indicativo do verbo **rir**

sorride – 2ª pessoa do plural do imperativo afirmativo do verbo **sorrir**

virdes – 2ª pessoa do plural do infinitivo pessoal do verbo **vir**

provim – 1ª pessoa do singular do pretérito perfeito do indicativo do verbo **provir**

sobresteve – 3ª pessoa do singular do pretérito perfeito do indicativo do verbo **sobrestar**

18. a) As nações frequentemente **infringem** os convênios (acordos).

b) Os chefes **infligem**-lhes castigos cruéis.

c) Os ministros **deferem** nossos requerimentos.

d) As opiniões **diferem**.

e) Os comerciantes **sortiram** seus estabelecimentos.

f) As tentativas não **surtiram** o efeito almejado.

g) Os frutos **provêm** da terra.

h) Os pais **proveem** às necessidades da prole.

19. a) Não empresteis o vosso nem o alheio, não tereis cuidados nem receio.

b) Não lisonjeeis nem maldigais, fazei o bem, fugi do mal e não vos arrependereis.

c) Se aspirais à paz definitiva, sorride ao destino que vos fere.

d) Ouvi, vede e calai, vivereis vida folgada.

e) Bani do espírito o fantasma da dúvida e ponde vossa confiança em Deus.

f) Não desprezeis o pobre, ide antes ao seu encontro e aliviai-lhe o sofrimento.

g) Não reclameis da visita inesperada: recebei-a sempre bem.

20.

presente do indicativo	imperativo afirmativo
previno-me	–
prevines-te	previne-te
previne-se	previna-se (você)
precavemo-nos	previnamo-nos
precaveis-vos	Precavei-vos
previnem-se	previnam-se (vocês)

21. a) **deem, doem, soem**

b) **creem, leem, vêm, doem, soem, têm**

c) **vir, prever, vier, convier**

22. a) **dizê-lo** – digo-o, dize-lo, di-lo, dizemo-lo, dizeis-lo, dizem-no

b) **conduzi-la** – conduzi-la-ei, conduzi-la-ás, conduzi-la-á, conduzi-la-emos, conduzi-la-eis, conduzi-la-ão

c) **enviá-los** – enviá-los-ia, enviá-los-ias, enviá-los-ia, enviá-los-íamos, enviá-los-íeis, enviá-los-iam

d) **adverti-las** – adverte-as, advirta-as, advirtamo-las, adverti-as, advirtam-nas

23. a) O diretor tinha-os suspendido por três dias.

b) Esse dinheiro, tê-lo-ias ganho (ou ganhado) sem trabalho e sacrifício?

c) Se eles o entregassem, nós o teríamos aceitado.

d) Esses fugazes prazeres, vós os tendes pago bem caro.

e) Os revoltosos tê-lo-iam impresso ou imprimido em oficinas gráficas clandestinas. [lo=jornal]

f) O diretor tinha imprimido nova orientação ao jornal.

g) Nunca as tínhamos acendido.

24. a) A polícia havia **dispersado** o grupo de manifestantes.

b) As folhas estavam **dispersas** no chão.

c) A multidão seria **dispersa** a gás lacrimogêneo.

d) As chuvas tinham **extinguido** o fogo.

e) Estava enfim **extinto** o infame cativeiro!

f) A raça humana seria **extinta** pelas explosões nucleares.

MORFOLOGIA

ADVÉRBIO

LISTA 29

1. a) **Muito**: advérbio de intensidade; **calmamente**: advérbio de modo; **devagar**: advérbio de modo; **mais**: advérbio de intensidade; **depressa**: advérbio de modo.

b) **Sempre**: advérbio de tempo; **na frente**: locução adverbial de lugar; **atrás**: advérbio de lugar.

c) **Ontem**: advérbio de tempo; **meio**: advérbio de intensidade; **talvez**: advérbio de dúvida; **não**: advérbio de negação; **aqui**: advérbio de lugar; **tão**: advérbio de intensidade; **cedo**: advérbio de tempo.

d) **Pouco**: advérbio de intensidade; **demais**: advérbio de intensidade.

e) **Amiúde**: advérbio de tempo; **bem**: advérbio de modo; **mal**: advérbio de modo.

f) **Muito**: advérbio de intensidade; **já**: advérbio de tempo; **meio**: advérbio de intensidade; **todo**: advérbio de intensidade.

g) **Como**: advérbio interrogativo; **bem**: advérbio de modo.

h) **portuguesmente**: advérbio de modo.

i) **extraordinariamente**: advérbio de modo.

j) **Hoje**: advérbio de tempo; **bem**: advérbio de modo; **outrora**: advérbio de tempo.

2. a) **Assim**: advérbio de modo; **não**: advérbio de negação; **à toa**: locução adverbial de modo.

b) **Aí**: advérbio de lugar; **à boca pequena**: locução adverbial de modo.

c) **Então**: advérbio de tempo; **a olhos vistos**: locução adverbial de modo.

d) **Realmente**: advérbio de afirmação; **por fora**: locução adverbial de lugar; **por dentro**: locução adverbial de lugar.

e) **De vez em quando**: locução adverbial de tempo; **à socapa**: locução adverbial de modo.

f) **Em carreira**: locução adverbial de modo; **afora**: advérbio de lugar.

g) **Onde**: advérbio de lugar; **mais**: advérbio de intensidade; **com certeza**: locução adverbial de afirmação.

h) **Sempre**: advérbio de tempo; **mais**: advérbio de intensidade.

i) **Num átimo**: locução adverbial de tempo; **de todo**: locução adverbial de intensidade; **à vontade**: locução adverbial de modo; **calma**: advérbio de modo; **decididamente**: advérbio de modo.

j) **À noite**: locução adverbial de tempo; **a jusante**: locução adverbial de lugar; **em massa**: locução adverbial de modo; **mal**: advérbio de modo.

3. a) ininterruptamente
b) asperamente

c) irrefletidamente/precipitadamente
d) friamente/premeditadamente
e) paulatinamente
f) simultaneamente
g) alhures
h) algures
i) pacificamente
j) displicentemente

4. a) comparativo de **bem**
b) comparativo de **mau**
c) comparativo de **bom**
d) comparativo de **mal**
e) comparativo de **bem**; comparativo de **mal**

5. a) **Melhor**: comparativo de superioridade sintético; **muito calmamente**: superlativo absoluto analítico
b) **Corretissimamente**: superlativo absoluto sintético
c) **Mais longe**: superlativo absoluto analítico
d) **Tão bem**: comparativo de igualdade
e) **Muitíssimo longe**: superlativo absoluto analítico
f) **menos mal**: comparativo de inferioridade
g) **nobilissimamente**: superlativo absoluto sintético
h) **bem depressa**: superlativo absoluto analítico
i) **direitinho**: superlativo absoluto sintético

6. a) calorosamente
b) fragorosamente
c) inexoravelmente
d) acertadamente
e) propositadamente
f) acintosamente
g) lentamente/ eficazmente

7. a) **Mais**: advérbio; **muito**: pronome indefinido; **muito**: pronome indefinido.
b) **menos**: advérbio; **mau**: adjetivo
c) **Muito**: advérbio; **pouco**: advérbio
d) **Meio**: substantivo; **mais**: pronome indefinido.
e) **Meio**: advérbio; **meio**: numeral; **demais**: advérbio
f) **Mau**: adjetivo; **mal**: advérbio

8. b) Lerei o livro todo, **ou melhor**, as passagens que me agradarem.

9. a) Mal – advérbio
b) Mal – substantivo
c) Mau – adjetivo
d) Mal – advérbio
e) Mal – advérbio
f) Mau – adjetivo

MORFOLOGIA 727

11. Sugestões:
a) ...não encontraram forte resistência aqui.
b) O secretário nunca entrou calmamente...
c) Ontem você foi muito indelicado.
d) Ali a festa sempre acabava de repente.
e) Certamente as crianças estarão muito sonolentas depois do jantar.

12. a) física e moralmente
b) muito longe
c) menos agitadas
d) meio

13. Não. Como está redigida, tem sentido positivo (adequadamente agasalhada). Se retirarmos o advérbio, o sentido torna-se outro: excessivamente agasalhada.

14. a) Esperei muitas horas por você.
b) Todas falavam muito alto.

c) Alguns estavam muito tristes.
d) Os turistas estavam muito cansados.
e) Quando menores, brincamos muito com seu irmão.
f) O amigo já lhe deu muitos conselhos sensatos.

15. Nas frases **b, c, d, e**, a palavra **muito** permanece invariável, porque é advérbio. Nas frases **a** e **f**, não: ela varia porque é pronome indefinido e flexiona-se para combinar com o *substantivo* que modifica.

16. facilmente, caridosamente, firmemente, levemente, esperançosamente, calmamente, inteiramente, gravemente, agilmente, penosamente, claramente, mansamente
Quando o adjetivo é invariável, apenas se acrescenta o sufixo. Quando é biforme, acrescenta-se o sufixo à forma feminina: calm**a**mente.

PREPOSIÇÃO

LISTA 30

1. Inclinei-me **para** beber. finalidade
A menina chorava **de** dor. causa
Ele dança **conforme** a música. conformidade, modo
Cortou-se **com** a gilete. instrumento
Não fales **de** guerra. assunto
Viajou **sem** passaporte. falta
A janela dava **para** o telhado. direção
É um direito **dos** cidadãos. posse
Saí **de** madrugada. tempo
Viajei **de** ônibus. meio
A pena era **de** ouro. matéria
Nuno formou-se **em** Direito. especialidade
Passeei **com** os colegas. companhia
Sofia descende **de** nobres. origem
Eles opõem-se **a** tudo. oposição
Moro **em** Campinas. lugar

2. a) ao = combinação; à = contração; ante = preposição
b) desde, até, entre = preposições
c) após, sob, de = preposições; pela, num, do = contrações
d) de, para, a, de = preposições; à = contração
e) naquele = contração; por, de, sobre = preposições

3. a) em frente à, a fim de = locuções prepositivas
b) antes de, junto ao = locuções prepositivas; a = preposição
c) a despeito de = locução prepositiva
d) através de = locução prepositiva; de, com, de(a) = preposições
e) a, perante, para = preposições
f) atrás de, a propósito de = locuções prepositivas
g) sobre, sob, de(a) = preposições

4. devido a = por causa de = em virtude de; a respeito de = acerca de = a propósito de; apesar de = não obstante = a despeito de

5. a) sob
b) Ante
c) Mediante
d) a
e) conforme, segundo
f) a/para, por
g) com
h) perante
i) pela, à
j) a
k) para, por
l) contra
m) de/a
n) a/em/contra
o) às/de
p) entre
q) ante
r) sob
s) como
t) em

6. **Longe de** o castigar, ainda o abençoou. negação intensiva
A escola não ficava **longe de** minha casa. distância
O resultado está **longe de** ser o que eu esperava. negação intensiva
Longe dos olhos, **longe do** coração. distância
Não lhe quero mal, **longe disso!** negação intensiva

7. Os ladrões levaram-lhe **até** a roupa do corpo. palavra denotativa de inclusão
O cafezal estendia-se **até** a linha do horizonte. preposição
Esse camelô consegue vender **até** pentes a carecas. palavra denotativa de inclusão

8. a) a fim de
b) afim
c) de encontro a
d) ao encontro de
e) de encontro a
f) ao encontro de

728 MORFOLOGIA

9. a) artigo, artigo,pronome pessoal, preposição
b) artigo, preposição, pronome demonstrativo

10. a) entre
b) dentre
c) dentre

11. Resposta pessoal. sobre = em cima de; sob = debaixo de

12. a) a
b) sem
c) ante
d) por
e) em ou sob
f) contra ou sobre

13. a) causa
b) direção
c) finalidade
d) instrumento
e) matéria
f) à moda
g) meio

14. a) à (a + a)
b) aonde (a + onde)
c) naquela (em aquela)
d) ao (a + o)
e) desta (de + esta)

15. a) locução prepositiva
b) locução prepositiva
c) preposição
d) locução prepositiva
e) preposição

16. Sugestões:
a) Quase morri de fome!
b) Estamos preparados para a batalha.
c) Carlos tem um coração de ouro.
d) Você pode me dar uma medalha de prata?
e) Sempre lutamos contra a desapropriação do terreno.
f) As riquezas do Brasil devem ser aproveitadas.

17. Alternativa c.

CRASE

LISTA 31

1. a) artigo definido, preposição, pronome pessoal oblíquo, contração (à)
b) artigo definido, pronome demonstrativo

2. c) à diretora
d) a mamãe
e) às noivas
f) a meninas
g) a rainhas; a princesas
h) à rainha; à princesa

3. a) à   b) a   c) a   d) à   e) à

4. artigo definido; preposição **a** + artigo definido **as**; preposição; artigo definido **a** + preposição **a**; pronome
pessoal

5. Fui e voltei **a** pé. (2)
Socorreu **a** vítima? (1)
Vendo TV **a** cores. (2)
Estávamos **a** sós. (2)
Não ligue **a** boatos. (2)
O diretor atendeu **as** alunas. (1)
Não atendem **a** reclamações. (2)
O álcool é nocivo **à** saúde. (3)
O carro era movido **a** álcool. (2)
Eu levo o estudo **a** sério. (2)

6. Percorri a rua de ponta **a** ponta.
locução formada com palavra repetida
Não há ninguém igual **a** ela.
pronome pessoal
Amanhã tornarás **a** sorrir.
verbo

Demos graças **a** Deus.
palavra masculina

7. Apenas a preposição **a**.

8. a) a, à
b) a, a, à
c) a, a, à
d) à, a
e) à, a, à, a
f) À, à, às
g) às, a, a, a
h) à, a
i) à, a, a
j) à, à
k) a, à, a, a
l) À, a

9. A exportação deve ser igual ou superior à importação.

10. O Sol nasce a leste.
Chegou os lábios à taça.
Os pneus aderem à pista.
Assistiu às reuniões de ontem?
O futuro pertence a Deus.
Estou às suas ordens.
Nada pôde resistir à força das águas.
Feriram-me as costas os espinhos.
As frutas pertenciam às aves.
O rio corre paralelamente à mata.
Ele só bebe após as refeições.
Ainda não respondi a essa carta.

11. a – às – a – à – às

12. a) àquele = a (preposição) + aquele
b) àquela = a (preposição) + aquela
c) Àquela = a (preposição) + aquela
d) àquilo = a (preposição) + aquilo
e) à = a (preposição) + a (pronome demonstrativo)

MORFOLOGIA 729

13. a) à, a (ou à)   b) à, a, a, a   c) à, à
d) àquela, a, a   e) a, à   f) a, à
g) à   h) à, à (ou a), a, àquela
i) àquele, às, à   j) a, a, a, a   k) à, a
l) à   m) a, à   n) à, à, à
o) a, a   p) À, à   q) àqueles
r) a (ou à)

14. a) a   b) a, a   c) à, a
d) a, a   e) a   f) àquele
g) a, à   h) a, a   i) à
j) a   k) à   l) às, a (ou à)

15. a) A francesa despediu-se (ou foi despedida)
Ele se despediu à maneira francesa, isto é, sem cumprimentar.
b) Sua constância tinha de ser submetida a uma prova mais dura ainda.
Sua constância tinha de ser submetida à mais dura das provas.
c) Ele saciou a fome.
Ele matou por meio da fome.

d) A noite os consolava.
Durante a noite ele os consolava.
e) A filha leva ou tira o dinheiro do pai.
O pai dá o dinheiro à filha.
f) Corri a cidade = Percorri toda a cidade.
Corri à cidade = Fui correndo à cidade.

16. à distância de cinco metros de nós.
à uma e meia da tarde.
à segunda parte do programa.
uma a uma, vestidas à oriental.
à vista de todos.
à hora de sempre, em direção à escola.

17. c) Fechou o cofre **à** chave.
e) Seguiram-no **à** distância.

18. a) à   b) à   d) opcional   e) à

19. a) à   d) àquele   g) à

20. a) à Argentina   b) à medida   c) À medida
d) à lavoura   e) à peça premiada

21. a) àquele   b) àquilo   c) aquela
d) àquela   e) àquela

22. a, b, c, d, f.

CONJUNÇÃO — LISTA 32

1. a) **nem:** conjunção coordenativa aditiva
b) **ou... ou:** conjunção coordenativa alternativa
c) **e:** conjunção coordenativa aditiva; **ou:** conjunção coordenativa alternativa
d) **Nem... nem:** conjunção coordenativa alternativa
e) **Que:** conjunção coordenativa explicativa
f) **Mas:** conjunção coordenativa adversativa
g) **Senão:** conjunção coordenativa adversativa
h) **Quer... quer:** conjunção coordenativa alternativa
i) **Portanto:** conjunção coordenativa conclusiva
j) **mas ainda:** conjunção coordenativa aditiva
k) **pois:** conjunção coordenativa explicativa
l) **logo:** conjunção coordenativa conclusiva
m) **porque:** conjunção coordenativa explicativa

2. Emílio sofre, **contudo** não se queixa.
(2) contraste
Ora trabalha, **ora** se diverte.
(3) alternância, alternativa
Apressa-te, **que** o tempo é pouco.
(5) explicação, motivo
Não **me** escreve **nem** me visita.
(1) acrescentamento
Ele comprara o ingresso, **portanto** podia entrar.
(4) conclusão

3. a) **do que:** conjunção subordinativa comparativa
b) **quando:** conjunção subordinativa temporal/ **que:** conjunção subordinativa integrante

c) **se:** conjunção subordinativa integrante/ **se:** conjunção subordinativa integrante
d) **à proporção que:** conjunção subordinativa proporcional
e) **conquanto:** conjunção subordinativa concessiva
f) **que:** conjunção subordinativa consecutiva
g) **consoante:** conjunção subordinativa conformativa
h) **para que:** conjunção subordinativa final
i) **que:** conjunção subordinativa consecutiva
j) **nem que:** conjunção subordinativa concessiva
k) **como:** conjunção subordinativa comparativa
l) **que nem:** conjunção subordinativa comparativa
m) **se:** conjunção subordinativa condicional
n) **porque:** conjunção subordinativa causal

4. Caso não os encontre, eu lhe telefono.
hipótese, condição
Como estivesse ventando, fechei a janela.
causa
Segure-o com força, **para que** não fuja.
finalidade
Tamanho foi o impacto **que** o carro incendiou-se.
consequência, efeito
A volta não demorou tanto **como** a ida.
comparação
Não falaria **nem que** o matassem.
concessão, admissão
Mal me viu, veio abraçar-me.
tempo
Ele não é, **como** dizem, um criminoso.
conformidade

MORFOLOGIA

Aproximei-me **sem que** ele percebesse.
modo
Quanto mais cresce, **mais** linda fica.
proporção

5. a) **desde que:** conjunção subordinativa condicional
  b) **desde que:** conjunção subordinativa temporal
  c) **desde que:** conjunção subordinativa causal/ **que:** conjunção subordinativa integrante
  d) **que:** conjunção subordinativa integrante/ **tanto quanto:** conjunção subordinativa comparativa/ **se bem que:** conjunção subordinativa concessiva
  e) **enquanto:** conjunção subordinativa temporal
  f) **como:** conjunção subordinativa causal
  g) **contanto que:** conjunção subordinativa condicional
  h) **embora:** conjunção subordinativa concessiva
  i) **conquanto:** conjunção subordinativa concessiva
  j) **visto como:** conjunção subordinativa causal/ **enquanto:** conjunção subordinativa temporal
  k) **mesmo que:** conjunção subordinativa concessiva/
  l) **Tanto... quanto:** conjunção subordinativa comparativa

6. a) **quando:** conjunção subordinativa temporal
  e: conjunção coordenativa aditiva
  porque: subordinativa causal
  pois: coordenativa explicativa (ou sub. causal)
  nem... nem: conjunção coordenativa alternativa
  b) **como:** conjunção subordinativa causal
  mas: conjunção coordenativa adversativa
  nem: conjunção coordenativa aditiva
  c) **e:** conjunção coordenativa aditiva
  conforme: conjunção subordinativa conformativa
  d) **que:** conjunção subordinativa integrante
  mas: conjunção coordenativa adversativa
  e) **como:** conjunção subordinativa conformativa
  contudo: conjunção coordenativa adversativa
  que: conjunção subordinativa integrante
  se: conjunção subordinativa condicional
  que: conjunção subordinativa comparativa
  f) **por mais que:** sub. concessiva; sub. integrante
  que: conjunção subordinativa integrante
  posto que: conjunção subordinativa concessiva
  segundo: conjunção subordinativa conformativa

7. 1) pronome relativo
  2) pronome indefinido
  3) pronome interrogativo
  4) advérbio de intensidade
  5) conjunção coordenativa aditiva
  6) conjunção subordinativa explicativa
  7) conjunção subordinativa causal
  8) conjunção subordinativa integrante
  9) conjunção subordinativa consecutiva
  10) conjunção subordinativa final
  11) conjunção subordinativa consecutiva
  12) conjunção subordinativa concessiva
  13) conjunção subordinativa comparativa
  14) Que (gentil): advérbio de intensidade; que: palavra expletiva
  15) que (os dois): conjunção subordinativa; que (havia): pronome relativo

  16) que (a mulher): conjunção subordinativa; que (inventar): conjunção subordinativa
  17) Interjeição
  18) substantivo
  19) que (ele se referiu): conj. sub. integrante; que (não a mim): conj. coordenativa aditiva
  20) pronome indefinido
  21) preposição (= para)
  22) palavra expletiva ou de realce
  23) conjunção subordinativa causal
  24) palavra denotativa de exclusão
  25) palavra expletiva ou de realce

8. 1) porquanto; 2) se

9. a) **se:** conjunção subordinativa condicional
  b) **tal e qual:** conjunção subordinativa comparativa
  c) **ora:** conjunção coordenativa alternativa
  d) **como:** conjunção subordinativa comparativa
  e) **como:** conjunção subordinativa causal/
  que: conjunção subordinativa integrante
  logo: conjunção subordinativa temporal
  f) **como:** conjunção subordinativa conformativa
  g) **por mais que:** conjunção subordinativa concessiva
  h) **que:** conj. integrante; **tão que:** conjunção subordinativa causal
  i) **a fim de:** conjunção subordinativa final; **segundo:** conj. conformativa
  j) **tal qual:** conjunção subordinativa comparativa

10. Isto é um mau sinal   (3) adjetivo
  O mau é infeliz.   (1) substantivo concreto
  A guerra é um mal.   (2) substantivo abstrato
  Mal me viu, veio correndo. (6) conjunção subordinativa temporal
  Você agiu mal.   (4) advérbio de modo
  Mal ouvi o que ele disse. (5) advérbio de intensidade

11. Os rios se avolumam, **à medida que** avançam para o mar.

12. Resposta pessoal.

13. a) porém   c) nem   e) logo
  b) ou/senão,   d) pois

14. a) Embora você seja muito inteligente, precisa estudar mais.
  b) Embora não se esforcem, querem ter sucesso.
  c) Embora Clara ganhasse pouco, vestia-se com cuidado.

15. a) porque
  b) embora goste
  c) Conto esses fatos conforme os ouvi.
  d) de modo que
  e) a fim de que

16. Alternativa d.

17. a) e   d) que
  b) se   e) porque
  c) como

MORFOLOGIA 731

18. a) conformidade
b) comparação
c) causa

d) conformidade
e) causa

INTERJEIÇÃO

LISTA 33

1. 1) saudação de despedida
2) espanto, lástima
3) surpresa, espanto
4) apelo, aflição
5) afugentamento
6) advertência
7) ruído de coisa que cai no chão
8) alívio
9) animação
10) lástima
11) golpe rápido
12) admiração, surpresa
13) desacordo, negação
14) chamamento
15) desejo
16) reprovação, aborrecimento
17) animação
18) apelo, advertência
19) suspeita
20) saudação
21) chamamento
22) espanto

23) espanto, admiração
24) advertência
25) surpresa; admiração; felicitação
26) lástima
27) advertência
28) aplauso, felicitação

2. a) Oh!
b) Ó
c) Oh!
d) Ó, Ó
e) oh!

3. a) advertência
b) surpresa
c) aborrecimento
d) alívio
e) desapontamento

4. Respostas pessoais.

5. Respostas pessoais.

FORMAS VARIANTES

LISTA 34

1. d) previlégio (erro); forma correta: privilégio
g) **fleuma**: forma correta
h) beneficiente (erro); forma correta: beneficente

i) cociente (variante); forma normal: quociente
j) cincoenta (erro); forma correta: cinquenta
k) cotas

SEMÂNTICA

SIGNIFICAÇÃO DAS PALAVRAS

LISTA 35

1. longínquo — obstáculo — rejeição
   conseguir — gracejo — habituado
   implacável — medrar — frívolo
   infeliz — levantar — desenfreado
   multidão — repelente — sinuosidade

2. transparente — diáfano
   adversário — antagonista
   moral — ética
   solilóquio — monólogo
   colóquio — diálogo
   circunlóquio — perífrase
   modelo — protótipo
   transformação — metamorfose
   contraveneno — antídoto
   suposição — hipótese

3. a) "Os cabelos, dum **singular** louro-esverdeado, **caíam** muito bem com o tom do uniforme."
   b) "De noite a cidade **seduz**, mas, de dia, também **decepciona**."
   c) A **volta** da nave à Terra **efetuou-se** de modo **semelhante** ao das missões Apolo.
   d) A contenção dos gastos do governo **produziu** uma **queda** da inflação.
   e) Sacudi o **entorpecimento** que se **apossou** de mim.

4. a) A grosseria vos torna **antipáticos**.
   b) Considerai a vida **calma** e **fácil** de nossos **antepassados**!
   c) Os **jovens defendem** as modas recentes e **atacam** as antigas.
   d) A **rudeza** do semblante anuncia a **maldade** do coração.
   e) Bruno era um rapaz **mesquinho, avarento, introvertido**.

5. a) ministro
   b) fissão
   c) avião

6. cedo (verbo), cedo (advérbio) — homófonos homográficos
   torre (substantivo), torre (verbo) — homógrafos heterofônicos
   cinto (substantivo), sinto (verbo) — homófonos heterográficos

7. Respostas pessoais. Exemplo: Ao verdes uma flor, pensai no seu autor.

8. abrasar e subir – sinal ortográfico e banco – conjunto de dados e juízo – fechar e cortar – nuca e subservientes – formar poças e dar posse – duvidoso e inserido – iniciante e ignorante – nó e frouxo – macia e grande massa – costurar e cozinhar – ato de acertar e asserção – ato de ceder, divisão de repartição pública e espaço de tempo – grisalho e nascido na Rússia.

9. a) volumoso, inchado
   b) preságio, manicômios
   c) mau acontecimento, fato sem gravidade
   d) suposição, acontecimento
   e) cobrir com estofo, inchar
   f) destemido, puro
   g) desarmado, imóvel
   h) proposição, primeiros frutos
   i) receitar, exilar
   j) trânsito, negócio ilícito
   k) confirmar, corrigir, tornar reto
   l) incontestável, cheiroso
   m) sem defesa, incansável
   n) ação de arrancar, lavagem, oferecimento a Deus

10. a) O secretário não deferiu o meu requerimento.
    b) Não hás de infringir impunemente as leis.
    c) Fiz uma simples conjetura.
    d) Há homens eminentes em ciência e virtude.
    e) Os fatos ratificaram meus prognósticos.
    f) Viu-se na iminência de perder suas terras.

11. Respostas pessoais.

SEMÂNTICA

12. (P) **Quebrei** um galho de árvore.
(F) O Presidente **quebrou** o protocolo.
(F) Não sejas **escravo** da moda.
(P) O **escravo** fugiu para o quilombo.
(F) Tive uma ideia **luminosa**.
(P) Os cometas têm uma longa cauda **luminosa**.
(F) Joel estava **imerso** em profunda tristeza.
(F) **Doces** recordações do passado e **amargas** desilusões.

13. (H) O preso saiu da cela.
(P) Vítor usa cabelo comprido.
(P) O calor dilata o ferro.
(H) O acento é um sinal gráfico.
(P) O cisne imergiu a cabeça na água.
(H) Paguei as taxas de luz e água.
(H) Cerrei os olhos e dormi.
(H) João é um bom seleiro.
(P) Agi com calma e discrição.
(P) Manuel arriou o fardo.
(P) Mandei arrear o cavalo.

(P) Ele tem uma força titânica.
(H) O carro foi para o conserto.
(P) Estávamos há três dias das eleições.

14. imoral – imparcial – irreverente – insatisfeito – desesperar – inativo – irresponsável – desumano – desarmonia

15. Respostas pessoais.

16. Respostas pessoais.

17. a) figurado
b) próprio
c) figurado
d) próprio

18. a) Resposta pessoal (fruta/parte da roupa)
b) Resposta pessoal (dó/ penalidade)
c) Resposta pessoal (rasgar/brigar com)
d) Resposta pessoal (sério/baixo)

SINTAXE

ANÁLISE SINTÁTICA

LISTA 36

1. a) – c) – d)

2. a) Duas orações
b) Duas orações
c) Duas orações/uma oração/duas orações
d) Uma oração
e) Três orações/
f) Três orações/quatro orações

3. a) PC   b) PC   c) PS

4. Sugestões:
a) Perigo!
b) Voltem logo.
c) Você não tem medo?
d) Bons ventos o levem!
e) Como o tempo passa depressa!

TERMOS ESSENCIAIS DA ORAÇÃO - SUJEITO E PREDICADO

LISTA 37

1. Ruído de chave na porta, passos leves no corredor.
Ninguém na rua, nesta noite chuvosa.
Porque elas se apresentam sem verbo.

2. a) declarativa
b) exclamativa
c) interrogativa
d) imperativa
e) optativa
f) imprecativa

3. (C) No calor da tarde, Sultão cerra os olhos e dorme.
(S) Elias jamais levou a mulher a um teatro ou a uma sala de concertos.

4. a) "Nenhum governo é bom para os homens maus."
b) "Tudo passa sobre a terra."
c) Depois da abdicação do Imperador, em 7 de abril de 1831, nosso país entrou em grande agitação.
d) "Poti e seus guerreiros o acompanharam."
e) "De repente, entre os ramos das árvores, seus olhos viram sentada, à porta da cabana, Iracema…"

f) No ano centenário da fundação de nossa cidade, realizaram-se grandes obras.
g) "Nenhum respeito lhes inspiram os cabelos brancos."
h) "Ninguém se fie da felicidade presente."
i) "As virtudes são econômicas, mas os vícios, dispendiosos."
j) "O dia descobre a terra, a noite descortina os céus."
k) "Para onde vai a minha vida, e quem a leva?" (Fernando Pessoa)

5. a) As araras de cores vistosas posavam para os turistas.
b) No inverno as noites são mais longas.
c) Ao longo da praia sucediam-se hotéis, restaurantes, casas luxuosas.
d) As geadas e as secas deixam os lavradores preocupados.
e) À noite, Anselmo voltou para casa exausto.
f) A voz do orador era bonita, mas suas palavras soavam ocas.
g) Furioso, o pasteleiro chinês correu atrás do ladrão.

SINTAXE 735

6.
             P   S

a) "Perfilam-se corretos / seus ilustres batalhadores."
                    P

b) Àquela hora ainda não tinham sido acesas
                           S
                    / as luzes da cidade.
            P   S

c) Ouviu-se por toda a sala / um *oh!* de decepção.
                 S

d) "O patear cadente dos cavalos
                    P
    / fazia um ruído cavo na terra empapada pela chuva."
         P   S

e) "Difundia-se nos ares / o coro da primeira reza."
          S

f) Súbito ruflar de asas
                    P
         / veio quebrar o solene silêncio da mata.
               P

g) "Na esplanada do Museu alongavam-se cada vez mais sobre as lajes
                            S
             / as sombras das estátuas de pedra de mandarins d'antanho."
        P   S

h) "Ouvia-se / o matraquear de máquinas de escrever."
                    P

i) "Saltaram do moderníssimo carro de corrida
                       S
         / uma garota e um rapaz."
               P

j) "Por florestas, por vales, por montanhas, serpenteia espumante
                          S
             / o Paraíba."

7. a) **Tu**: simples, expresso, agente
b) **As doenças e as guerras**: composto, expresso, agente
c) **Tu**: simples, oculto, agente
d) **Os direitos dos cidadãos**: simples, expresso, paciente
e) Indeterminado
f) **muitas coisas**: simples, expresso, paciente
g) Indeterminado
h) **O aqualouco**: simples, expresso, agente

8. a) Aos vitoriosos cabe a generosidade.
b) Sobre a grande mesa já fumegavam pratos saborosos.
c) Pouco a pouco vai diminuindo nas ruas o movimento de pedestres.
d) Ali estavam, como prova do seu esforço, as plantações vastas e belas.
e) Eram impressionantes a rapidez e a agilidade dos esgrimistas.
f) Até quando vai jorrar das entranhas da terra o ouro negro?

9. (2) Júlio, no clube falaram mal de você.
(1) Embaixo da árvore havia pedras espalhadas.
(3) Apertamo-nos as mãos amigavelmente.
(1) Não faz muito tempo, houve ali um motim.
(2) Naquela cidadezinha da Espanha, uma vez por ano, soltam um touro na rua.
(2) Trabalha-se de dia, descansa-se à noite.
(3) No trabalho, use equipamento de proteção.

10. a) "<u>Havia</u> muitos anos que não vinha ao Rio."
b) <u>Fazia</u> frio e <u>ventava</u> muito.
c) <u>Faz</u> duas semanas que cheguei.
d) Aqui, quando <u>chove</u>, não se sai de casa.
e) <u>Houve</u> ataques em que choveram balas e granadas.
f) <u>Era</u> uma bela tarde de maio; as lojas da pequena cidade já haviam cerrado as portas.
g) "Ia fechar a janela próxima, se havia alguma brisa, ou abri-la, se <u>estava</u> calor."
h) "Quando os encontrava na rua, <u>era</u> como se não os conhecesse."
i) "Pois ninguém deixa de bater, se sabe que <u>tem</u> gente do outro lado."
j) "Vislumbrou o despertador de mostrador cintilante: <u>passava</u> das quatro horas da manhã."

11. (2) <u>Soa</u> um toque áspero de trompa.
(3) Os estudantes <u>saem das aulas cansados</u>.
(2) "A distância <u>alimenta o sonho</u>."
(1) "<u>Eram sólidos e bons</u> os móveis."
(3) Toda aquela dedicação <u>deixava-o insensível</u>.
(3) "Um oficial militar <u>caíra ferido</u>."
(3) <u>Assistimos à cena estarrecidos</u>.
(2) <u>No município paulista de Iporanga existem</u> belíssimas grutas.
(1) <u>Devido às fortes chuvas</u>, os rios <u>estavam cheios</u>.

12. Resposta pessoal

13. a) ... alguns [olhavam] com inveja... / ... raros [olhavam] com incredulidade.
b) ... liso [é] o mar, calmo [é] o espaço.
c) ... como Antístenes [se orgulha] de seus andrajos.
d) ... por [estar] enfermo...
e) ... e tu [ensinarás] piano e canto.
f) ... e a casa [amanhecera].
g) ... mas [vigiava] pouco.
h) ... outros não [entenderam].
i) Quando [era] adolescente, [era] estudante...
j) ... os ventos [se tornavam] mais quentes, mais forte [se tornava] a claridade.
k) ... a brasileira [perdeu] muito menos.
l) Disse o amigo que [ia] ao céu.

14. alternativa c.

15. alternativas a, e.

16. Sugestões:
  a) majestoso   c) eufóricos
  b) atrasados   d) adoentada

17. Sugestões:

a) intransitivo
b) Para a festa traremos pastéis e um bolo. (Transitivo direto)
c) Os organizadores do evento oferecem prêmios aos vencedores. (Transitivo direto e indireto)
d) Depois de uma conversa lembrei-me de entregar o dinheiro. (Transitivo direto e indireto)
e) Nossos antepassados sempre acreditaram em monstros. (Transitivo indireto)
f) As suas irmãs andam depressa. (Intransitivo)

18. a) Seus corações eram inundados de amor.
b) O motorista foi dispensado por Carlos.
c) Se não agirmos, as florestas serão destruídas pelas queimadas.

19. a) havia   d) houvesse
    b) Houve   e) Era
    c) faz

20. alternativa a.

TERMOS ESSENCIAIS DA ORAÇÃO - PREDICAÇÃO VERBAL — LISTA 38

1. O animal **obedece** a seus instintos.   transitivo indireto
   Os metais **são** úteis.   de ligação
   As crianças **gritavam**.   intransitivo
   Chamei um técnico.   transitivo direto
   Daremos o prêmio ao vencedor.   transitivo direto e indireto

2. (b) **Abri** a caixa com cuidado.
   (b) O egoísmo **cerra** o coração.
   (a) O paraquedas não **abriu**.
   (a) O eco **repercutiu** ao longe.

3. Poucos **resistem** à pressão da publicidade comercial.

4. (3) As orquídeas **gostam** de ambientes úmidos e quentes.
   (1) Crianças morenas de olhos sonhadores **brincavam** nas calçadas.
   (5) O desfile das escolas de samba **foi** um espetáculo deslumbrante.
   (4) A televisão **deve** às crianças programações mais ricas e educativas.
   (2) No centro da praça um fabuloso baobá **atraiu** nossa atenção.

5. b) intransitivo – de ligação – transitivo indireto

6. Ela participou de uma série de festivais. (transitivo indireto)
   Neide apresentou-me a seus pais. (transitivo direto e indireto)
   Pagou a conta à costureira? (transitivo direto e indireto)
   Estrondavam trovões a cada instante (intransitivo)
   Meus prognósticos estariam certos? (de ligação)
   O pânico apoderou-se de nós. (transitivo indireto)

7. a) Dia a dia encarecem os gêneros alimentícios.
   b) Cresceu muito a produção de cana-de-açúcar?
   c) Ao som da orquestra dançaram artistas e personalidades famosas.
   d) Do lado do mar soprava uma brisa suave.
   e) Cairão por terra como castelos de areia todos os vossos mirabolantes planos.
   Todos os verbos são intransitivos.

8. Respostas pessoais.

9. a) **ficou**: de ligação / **comunicaria**: transitivo direto e indireto
   b) **interessavam**: transitivo indireto / **fossem**: de ligação
   c) **dei**: transitivo direto e indireto / **simpatizava**: transitivo indireto
   d) **aspirávamos**: transitivo indireto / **julgávamos**: transitivo direto
   e) **ofereceu**: transitivo direto e indireto
   f) **estou**: de ligação / **é**: de ligação
   g) **ansiava**: transitivo indireto / **vinha nascendo**: intransitivo
   h) **abriu**: transitivo direto / **aspirou**: transitivo direto
   i) **mencionarei**: transitivo direto / **chamava**: transitivo indireto
   j) **sorriu**: transitivo direto

10. Resposta pessoal.

TERMOS ESSENCIAIS DA ORAÇÃO - PREDICATIVO — LISTA 39

1. a) A noite era serena.
   b) Estavam roxos os olhos da criança.
   c) A atriz permaneceu sentada e parecia abatida.
   d) O gato de porcelana virou um monte de cacos.
   e) A chuva continuava forte e as ruas ficaram alagadas e intransitáveis.
   f) Uns partem tristes, outros chegam alegres.
   g) Meu tio foi nomeado embaixador.

SINTAXE 737

h) Ando <u>desconfiado</u>, esse homem parece <u>um espião</u>.

i) Uns saíram <u>prejudicados</u>, outros acabaram <u>pobres</u>.

j) "Que passassem! <u>Livre</u> estava o trânsito para a direita."

k) A situação foi considerada pelo governador como <u>gravíssima</u>.

l) <u>Afável</u> e <u>comunicativo</u>, o técnico chegou a brincar com os repórteres que o procuraram.

2. a) Belém hoje é <u>um grande porto</u> e <u>centro comercial</u>.

b) A terra é <u>fértil</u>, os rios <u>piscosos</u> e <u>abundante</u> a caça.

c) <u>Sentada</u> estava e <u>sentada</u> ficaria até que o filho retornasse.

d) A chuva refrescou o ar, a noite cai <u>leve</u> e <u>serena</u>.

e) Tudo isso que você me diz é <u>inaudito</u>, <u>absurdo</u>, <u>insensato</u>.

f) Sílvio levantou-se <u>rápido</u>, abriu a porta e estacou <u>surpreso</u>.

g) Devido à sua grande popularidade, a vida do artista tornou-se <u>agitada</u>, <u>cansativa</u>, <u>insuportável</u>.

3. a) Os verdadeiros líderes são **raros**.
São **raros** os verdadeiros líderes.
Raros são os verdadeiros líderes.

b) O sertanejo que tangia as reses era **magro e de rosto duro**.
Era **magro e de rosto duro** o sertanejo que tangia as reses.
Magro e de rosto duro era o sertanejo que tangia as reses.

c) Aquela selva era **tão cerrada e hostil** que ninguém ousava penetrá-la.
Era **tão cerrada e hostil** aquela selva que ninguém ousava penetrá-la.
Tão cerrada e hostil era aquela selva que ninguém ousava penetrá-la.

4. a) Teresa me escutou **atenta**, mas acabou rindo-se de meus conselhos.

b) Os policiais avançaram **cautelosos**, por entre arbustos e pedras.

c) As duas meninas bateram à porta **impacientes**, gritando pela empregada.

d) Vilma olhou **triste** para a mãe e sentiu uma vontade enorme de abraçá-la.

5. a) "Os vencidos julgaram <u>mais decoroso</u> o silêncio".

b) "Olhou para as suas terras e viu-as <u>incultas</u> e <u>maninhas</u>."

c) O juiz deu <u>por terminada</u> a audiência e foi para outra sala.

d) "Meus progressos na escola faziam-me <u>vaidoso</u>."

e) Receava que o tomassem <u>por malfeitor</u>.

f) "Sempre os imaginei <u>como ingênuas crianças</u>."

g) Aquelas barbaridades punham-me <u>fremente de cólera</u>.

h) Acho <u>indiscutíveis</u> os teus direitos.

i) "Deram-me <u>como bastante conhecedora da língua</u>."

j) "A Heródoto chamam <u>o pai da História</u>."

6. a) PO: orgulhoso

b) PS: calmo, lavado

c) PO: por inverídica

d) PO: como inevitável

e) PO: incapaz de exercer o cargo

f) PS: imóvel / PO: doente

g) PO: por filho

h) PO: por seu deus

i) PS: acesa

j) PS: sereno / frio

k) PS: tão dos outros e tão pouco sua

l) PO: alegre outra vez

m) PS: acesas

n) PO: escondidos

o) PS: lindas

7. a) PO: triste

b) PS: imperador

c) PO: desarrumada

d) PS: de dor ou de alegria

e) PO: presentes

f) PO: engraçadíssima

g) PS: desconsolado; PO: pródigo

h) PS: fina e persistente

i) PS: triste

j) PO: escondidas

k) PS: bons ou maus

l) PS: gostosas; PO: verdosas; PS: carnudas

m) PS: enorme e brilhante

n) PO: como suas

o) PO: um homem fascinante

p) PO: de omisso e incompetente

8. a) Vi **ancorados** na baía os navios petrolíferos.

b) A luz jorrou forte e tornou **visíveis** os quadros das paredes.

c) Ele manteve **estendida** sobre a mesa a planta do prédio.

d) O cineasta já tem quase **prontos** seus dois novos filmes.

e) Os invasores retiraram-se, deixando **gravadas** nos muros palavras insultuosas.

LISTA 40 — TERMOS INTEGRANTES DA ORAÇÃO

1. a) Os holandeses invadiram <u>a Bahia</u> em 1624.

b) O trabalho produz <u>a riqueza e a felicidade</u>.

c) <u>Fatos impressionantes</u> relatou esse turista.

d) "O louvor ganha <u>amigos</u>, a maledicência <u>inimigos</u>."

e) <u>Muitos favores</u> já temos recebido desta família.

f) No rio das Mortes houve <u>combates sangrentos</u>.

SINTAXE

g) Devemos unir <u>o útil</u> ao agradável.

h) "Desenhou <u>a casa do engenho, as árvores, os mor-</u><u>ros</u>."

2. a) (2) No Sul do Brasil, o inverno obedece ao **ciclo** das estações.

b) (2) Não devemos recorrer à **violência**.

c) (1) A volta do sol trouxe de novo a **alegria** aos corações.

d) (1) O antiquário possuía até **moedas** da Roma dos Césares.

e) (2) Ao **Exército** compete defender a pátria.

3. a) Assisti <u>a uma cena impressionante</u>.

b) Obedeço <u>a ordens superiores</u>.

c) Não aspiro <u>a esse título</u>.

d) Aludiu ele <u>à minha obra</u>?

e) Cristo perdoou <u>ao bom ladrão</u> e prometeu-<u>lhe</u> o paraíso.

f) Emília não acredita <u>em horóscopos</u>.

g) A polícia interditou a área <u>às pessoas estranhas ao</u> <u>trabalho</u>.

h) Optei <u>pela solução mais segura</u>.

i) Por acaso necessitam <u>de tanto espaço</u>?

j) "Ninguém objetaria <u>à entrada</u> ou <u>à saída de nin-</u><u>guém</u>."

k) "Nesse ponto, desobedecera <u>à mãe</u>."

l) Tal atitude não convém <u>a um juiz</u>.

m) As crianças logo se familiarizaram <u>com os animais</u>.

n) Dulce ainda não respondera <u>à carta de sua amiga</u>.

o) "A terra não pertence <u>ao homem</u>; é o homem que pertence <u>à terra</u>."

4. a) OD: um jantar / OI: ao líder político

b) OI: a Deus / OD: o dom da vida

c) OI: a Vicente / OD: os meus planos

d) OD: a cerveja / OI: ao garçom   OD: as fotos / OI: a Denise

e) OI: ao coronel Lelê / OD: um favor inesquecível

5. a) Nós **o** elogiamos. (OD)

b) Eu **lhe** agradeci muito. (OI)

c) Todos **a** admiram. (OD)

d) João **me** persegue. (OD)

e) João **me** obedece. (OI)

f) Ela **te** ama. (OD)

g) Ela **te** confessará tudo. (OI)

h) Guarde-**os** na caixa. (OD)

i) Vim convidá-**los**. (OD)

j) Ele **nos** estima. (OD)

k) Isto **nos** pertence. (OI)

l) Confie em **mim**. (OI)

m) Confie menos em **si**. (OI)

n) Refiro-me a **ti** mesmo. (OI)

o) Quem **vos** chamou? (OD)

p) Quem **vos** deu a vida? (OI)

q) Beatriz **os** veste e **lhes** dá comida. (OD e OI)

r) Sílvia olhou-**se** no espelho. (OD)

6. a) Estimo-**o** muito.   f) Espero-**o** em casa.

b) Avise-**o** depressa.   g) Conheço-**o** muito bem.

c) Não **lhe** respondas   h) Felicito-**o** pela vitória.

d) Não **o** invejemos.   i) Confesso-**lhe** a verdade.

e) Atribuo-**lhe** a culpa.

7. Resposta pessoal.

8. Não me agradou o filme a **que** assisti.   objeto indireto

Compro os livros **que** me interessam.   sujeito

São ótimos os livros **que** estou lendo.   objeto direto

9.

                                          D   D

a) Meu avô chamava-**me** e eu **o** atendia prontamente.

                            D D I

b) Valmor fez **o que lhe** ordenei.

                       D   D

c) Nas cidades **que** visitei nas férias, achei **tudo** caro.

                               I

d) Há coisas de **que** não gostamos e pessoas com

          I

quem não simpatizamos.

                       D   D

e) "A virtude **nos** diviniza, o vício **nos** embrutece."

                I   D I

f) "Pajé, eu **te** agradeço o agasalho **que me** deste."

                             D   I

g) "Cada qual tem o ar **que** Deus **lhe** deu."

                     I D D

h) Refiro-**lhe o que** ouvi.

                     I   D   D   I

i) Confesso-**vos aquilo que** nunca revelei a **ninguém**.

                    I   D

j) Ele arroga-**se** direitos **que** não possui.

                     D   I

k) "Expliquei **isso** a **ele**."

                     D D   I

l) Não sabemos **o que** o destino **nos** reserva.

10. a) Até a lenha do fogão eu catava no mato.

b) A esses adolescentes faltam disciplina e coragem.

c) A nós interessam, particularmente, técnicas agrícolas mais avançadas.

d) Aos nativos da América Colombo chamou de índios.

e) Que estranhos negócios esse meu amigo estaria planejando?

f) A seus fregueses Najibe ofereceu calendários com belas estampas.

11. "As horas disponíveis eu as ocupava com a coleção de selos."

12. b) Muitos encontram a Deus servindo o próximo.

e) Será que as barbas longas honram mais a quem as cultiva?

13. a) com nome próprio.

b) para assegurar a clareza da frase.

c) com pronome indefinido.

d) para assegurar a clareza da frase.

SINTAXE 739

e) com nome próprio, para realçar o objeto direto.
f) objeto direto é pronome pessoal tônico
g) para evitar ambiguidade.
h) objeto direto é o numeral *ambos.*
i) construção enfática.
j) para assegurar a clareza da frase.

14. a) objeto direto é o pronome relativo **quem**.
b) com pronome indefinido.
c) com nome próprio na expressão de sentimentos.
d) com pronome indefinido.
e) com pronome indefinido.
f) o objeto direto é pronome pessoal tônico e para assegurar a clareza da frase.
g) expressão de reciprocidade.
h) com pronome indefinido e com nome próprio na expressão de sentimento.
i) para assegurar a clareza da frase.
j) objeto direto é pronome pessoal tônico.
k) objeto direto é o pronome relativo **quem**.
l) para assegurar a clareza da frase.

15. a) (3)   b) (1)   c) (2)

16. a) "As flores leva-<u>as</u> a brisa." (objeto direto)
b) "A mim <u>me</u> basta a celebridade que ela veio a ganhar…" (objeto indireto)
c) Que lhe importa a <u>ele</u> a nossa desgraça? (objeto indireto)
d) "Se o mundo tinha razão, não <u>o</u> diremos nós." (objeto direto)
e) "A nós também <u>nos</u> rechearam de angústia." (objeto direto)
f) "Ao Medeiros não <u>o</u> amordaçavam as convenções." (objeto direto)
g) "De tarde, são outros que o admiram a <u>ele</u> e à obra." (objeto direto)
h) "Que me importa a <u>mim</u> a glória." (objeto indireto)
i) "As migalhas que lhe ficavam entre os dedos, leva-va-<u>as</u> a boca." (objeto direto)
j) "A lança, eles <u>a</u> faziam, espécie de arpão." (objeto direto)

17. a) As glórias, ele as reservava para si.
b) Os frutos de tantos esforços, ninguém os viu.
c) As flores, Deus as fez para a nossa alegria.
d) O fatal desenlace, todos o previram.
e) A explicação, vós a encontrareis neste livro.
f) Amigas ela não tem, nunca as teve.

18. a) (3)   b) (1)   c) (2)

19. feras – sujeito
caça – complemento nominal
filhotes – objeto indireto
liberdade – objeto direto

20. a) Teresa tinha medo <u>das trovoadas</u>.
b) Ninguém está contente <u>com a sua sorte</u>.
c) Tem muita disposição <u>para música</u>.

d) Estávamos ansiosos <u>pelos resultados</u>.
e) Tende amor <u>ao próximo</u> e não vos esqueçais da assistência <u>aos desamparados</u>.
f) "Os moleques se atropelavam na disputa <u>dos papéis</u>."
g) "Há silêncio relativamente <u>àquela nobre personagem</u>."
h) "Os pretos sofriam como predestinados <u>à dor</u>."
i) Piscava e mordia os beiços, num tique comum <u>aos que bebem</u>.
j) "Quem me pôs no coração este amor <u>da vida</u>, senão tu?"
k) A ciência deve ser aplicada em benefício <u>do homem</u>.

21. a) "A aliança <u>com os maus</u> é sempre funesta <u>aos governos</u>."
b) "De Portugal passou ao Brasil a devoção <u>à Virgem</u>."
c) "Todo ser humano tem um direito natural <u>à liberdade</u>."
d) "Podes vê-lo e falar-lhe, contanto que imediatamente <u>à operação</u>."
e) "Conta ver-me outra vez dependente <u>de seus cuidados</u>, submisso <u>às suas ordens</u>."
f) "O sapo-boi enche a mata com mugidos semelhantes <u>aos do touro</u>."
g) O telefone tornou-se indispensável <u>ao homem da cidade</u>.
h) Encontrei-o entregue <u>a seu trabalho</u>, a mesa cheia de mapas.
i) Orgulhosa <u>do pai</u>, Lígia não escondia sua admiração <u>por ele</u>.
j) "A convivência <u>com os semelhantes</u> é um apelo muito forte."

22. Respostas pessoais.

23. a) Tais práticas contrariam a boa convivência.
b) Motorista não deve odiar pedestre.
c) Joel interessou-se pela campanha.
d) Não te apegues demais às riquezas.
e) Se amas a vida, não entres nas águas deste mar.
f) Ninguém se referiu ao namoro de Susana.
g) Há plantas que resistem à seca.

24. alternativa c.

25. a) Os homens são atormentados <u>pelas doenças</u>.
b) A cidade estava sitiada <u>pelo exército romano</u>.
c) "O plano de assalto à casa foi traçado <u>por mim</u>."
d) "Passou-lhe na mente a conjetura de que era amado <u>daquela doce criatura</u>."
e) O avô, pela sua simpatia, era muito estimado <u>por todos</u>.
f) O Congresso Nacional é convocado <u>por quem estiver na presidência do Senado</u>.
g) Márcia tinha grande amor à tia, <u>por quem</u> fora educada.
h) "A primeira partida foi ganha <u>por Fidélio</u>, perdida <u>por Seixas</u>."
i) "A terra vai sendo aberta <u>por intermináveis sulcos</u>."

SINTAXE

26. a) Esses manuscritos não serão impressos por nenhuma editora.
b) Ela teria sido denunciada por quem?
c) Luciana, você é admirada por todos.
d) Eles terão sido postos aqui por quem?
e) Seremos julgados por que tribunal?
f) De ano a ano o regime democrático vai sendo consolidado pelas nações livres.
g) As frases eram escritas no quadro pelos alunos.

27. a) Algum pertinaz espeleólogo talvez a tenha descoberto.
b) Os vaqueiros contiveram-na a muito custo.
c) Tive medo que os pais a ouvissem.
d) O rei Dom Manuel a entregou a Cabral, em 9 de março de 1500.

28. objeto indireto.

29. Simón Bolívar – objeto indireto; tarefas – sujeito.

30. a) objeto direto
b) objeto indireto
c) objeto direto, objeto indireto
d) objeto direto, objeto direto, objeto direto
e) complemento nominal, objeto direto

31. a) objeto direto
b) objeto indireto
c) sujeito, objeto direto
d) objeto indireto
e) objeto indireto

32. a) As plantas eram umedecidas **pelo orvalho**.
b) O general rebelde era aclamado **pela multidão**.
c) As provas foram corrigidas **por mim** com o maior cuidado.

33. a) objeto indireto
b) complemento nominal
c) objeto indireto
d) complemento nominal
e) complemento nominal

34. a) Era famoso por respeitar as convenções sociais.
b) Confiava na vitória.
c) Os moradores necessitavam de mais verde.
d) Condenar a violência, sem medidas eficazes, não basta.
e) Sequer cogitaram em perdoar as dívidas.

35. a, d, e: objetos diretos; b, c: objetos indiretos.

TERMOS ACESSÓRIOS DA ORAÇÃO

LISTA 41

1. a) Em muitas cidades do Brasil, as velhas mansões estão deixando o lugar para grandes edifícios modernos.
b) Esta viga de metal será aproveitada para a construção de minha casa.
c) Pela primeira vez, em muitos anos, a campanha conseguiu atingir seus objetivos: foram queimados em praça pública cerca de novecentos balões.

2. a) Ontem: adjunto adverbial de tempo; pela manhã: adjunto adverbial de tempo; na rua: adjunto adverbial de lugar; num jumento: adjunto adverbial de meio; para o rabo do animal: adjunto adverbial de modo.
b) À tarde: adjunto adverbial de tempo; depressa: adjunto adverbial de modo; onde: adjunto adverbial de lugar; profundamente: adjunto adverbial de modo.
c) muito: adjunto adverbial de intensidade; bem: adjunto adverbial de modo; exatamente: adjunto adverbial de modo.

3. ➢ objeto direto – complemento nominal – adjunto adnominal – predicativo do sujeito – complemento nominal.

4. a) O movimento cresce espantosamente aos sábados, por causa da feira.
b) Vivaldino risca vincos paralelos na toalha da mesa com a lâmina da faca.
c) A marina da Glória foi inaugurada no Parque do Flamengo, em março de 1979.

5. a) "Já brilha na cabana de Araquém o fogo, companheiro da noite."
b) "Quando mais nada devêramos aos portugueses, nós estas duas coisas lhes deveríamos, a religião e a língua..."
c) Médico pobre, o Dr. Bento andava sempre a cavalo.
d) "A hoteleira colocou na minha mesa uma jarra de flores, privilégio, segundo me dissera, dos hóspedes recém-chegados."
e) "Os pequenos são dois, um menino e uma menina."
f) O irmão de Álvaro, o Jaime, esse viveu pouco tempo em nossa companhia, uns dois anos.
g) "Tibiriçá, o líder da tribo, vivia na aldeia de Piratininga."
h) "Os meus cães, Rex e Rita, companheiros fiéis de todas as horas, como animais de puro-sangue, estão excluídos da competição."
i) Ente racional e livre, o homem é capaz de distinguir o bem do mal, o justo do injusto.
j) "Os livros deviam passar diretamente para as estantes, o que pouparia tempo e trabalho."

6.
a) O recente clube do bairro dera ao jovem outra alegria: a piscina.
b) A anta, ou tapir, animal pacato, não ataca o homem.
c) "Onde estariam os descendentes de Amaro vaqueiro?"
d) Possuímos, no Brasil, um barco magnífico, o saveiro.
e) "Tudo acabou: as casas, os jardins, as árvores."
f) "De maio a agosto, os meses sem R, ninguém podia tomar banho no rio, dava febre".
g) Só eles, os práticos, conhecem os segredos da baía e sabem orientar os comandantes dos navios.
h) "Era gordo, alto e claro – três coisas que o envaideciam."
i) Pobres e ricos, párias e marajás, todos se banham nas águas sagradas do Ganges.
j) "Mas onde há essas pontes, o mono não ousa passar porque ali enxameiam esses estranhos monos sem cauda, os homens, bichos cruéis que matam outros bichos só pelo prazer de matar."

7.
a) V: D. Evarista A: Lopes A: vigário do lugar
b) V: Ó grande mar A: escola de naufrágios!
c) A: você aí V: ó sardento
d) V: ó Natureza!
e) V: Olá, meu rapaz
f) A: o
g) V: minha alma A: branco veleiro
h) A: Jesus Cristo

8. qualquer: adjunto adnominal
carnaval: objeto direto
ontem: adjunto adverbial de tempo
pessoas: agente da passiva
joias: objeto direto
outros: adjunto adnominal
valor: adjunto adnominal

recurso: aposto
lhes: objeto indireto
compra: complemento nominal
fantasias: complemento nominal
bailes: adjunto adverbial

9.
a) As gaivotas voavam **apressadas** sobre as ondas.
b) Os dois homens avançaram **cautelosos**.
c) A música difundiu-se **suave e deleitosa** pela sala.

10.
a) imenso: adjunto adnominal; azul: adjunto adnominal
b) Naquele instante: adjunto adverbial
c) companheiros: vocativo
d) mais devagar: adjunto adverbial
e) grande escritora moderna: aposto

11. Respostas pessoais.

12.
a) com autorização do diretor: adjunto adnominal de meio
b) quase: adjunto adverbial de intensidade
c) sobre pintura e música: adjunto adverbial de assunto
d) com amigos todas as tardes: adjunto adverbial de companhia
e) para a festa do vizinho: adjunto adverbial de fim

13.
a) **Talvez**
b) **de acordo** com a planta
c) **sem capricho**
d) **muito**
e) **Sempre**

14.
a) Meu amigo: vocativo; o rei do acarajé: aposto
b) coisa lastimável: aposto
c) Professor: vocativo

PERÍODO COMPOSTO

LISTA 42

1. Opções possíveis:
a) Fui à cidade vizinha despedir-me de um irmão que trabalhava num hotel.
b) Plínio recebeu a boa notícia e sentiu-se tão comovido que chegou a chorar.
c) O grupo escolar ficava perto, mas eu ia sempre acompanhado de minha irmã Luciana, que me havia ensinado a ler.
d) Alberto me fez uma pergunta na qual não prestei atenção porque estava pensando em outra coisa.
e) O porteiro do edifício nos informou que o proprietário voltaria mais tarde.
f) Se nem os próprios deuses podem contentar toda a gente, muito menos nós, homens, o podemos fazer.
g) O filho andara tanto tempo afastado deles que agora parecia-lhes um estranho.

2. Opções possíveis:
a) Como Jacinto não sabia como preencher o tempo, aborrecia-se muito com isso.
b) Que ele não era daquela terra, via-se pelo modo de vestir e de falar.
c) Conduziram-me à presença da diretora, numa sala severa de cujas paredes pendiam quadros e um crucifixo.
d) Foi tão violenta a fúria da tromba-d'água que até veículos eram arrastados para o abismo.
e) Enquanto éramos ainda crianças, não podíamos sair sozinhos aos domingos, o que nos deixava humilhados.

f) Entre a minha casa e a do vizinho há um muro, por cima do qual vejo, às vezes, cabecinhas de crianças esperando o momento oportuno para furtarem mangas.
g) Esta dura sentença não me abalou; pelo contrário, até me envaideceu.

3. Opções possíveis:
a) Era noite fechada e todas as luzes estavam acesas. Na estação um apito estridente deu ordem de partida, a locomotiva resfolegou, silvou forte, e o trem começou a deslocar-se em marcha lenta.
b) Um, dois dias de ansiosa espera. Afinal, certa hora em que o sol estava a pino, escureceu de súbito e relâmpagos cortaram o espaço. Dentro de minutos, as águas desabavam fartas, lavando a terra abrasada.

4. Opções possíveis:
a) "O tempo corrige tudo: aumenta o saber e clareia a mente da gente."
b) "A campainha do telefone tocou várias vezes – imperativa, insistente, irritante – e não me mexi."
c) "Trabalhava no algodão, debaixo da poeira e por isso vivia tossindo."
d) Em Belém, pode-se visitar o Paraíso das Tartarugas, onde centenas desses répteis são criados em viveiros.

5. (2) O matuto respondeu que onça só ataca homem nas fitas de cinema.
(3) Eu tinha pressa e precisava de alguém que me ajudasse.
(1) Acolheremos essas crianças ou as deixaremos na rua.
(2) O cão que fica acorrentado salta de alegria, quando é posto em liberdade.
(3) O jornal é torrente que desliza e passa, o livro é lago que recolhe e guarda.
(1) Vão-se os anéis, mas fiquem os dedos.

6. a) **Embora fosse inocente**, condenaram-no.
b) Se **entretiveres as crianças com bons divertimentos**, elas serão dóceis.
c) Como **ele interveio arbitrariamente no caso**, todos ficaram revoltados.
d) Conquanto **as terras estivessem ocupadas por terceiros**, nunca haviam sido alienadas por seus legítimos donos.
e) As fibras do linho eram trançadas umas nas outras para que **assim se obtivessem fios longos**.
f) Os caracteres estavam tão desbotados que **a carta era quase ilegível**.

ORAÇÕES COORDENADAS INDEPENDENTES

LISTA 43

1. alternativa c.

2. (3) Ou galopa **ou sai da estrada**.
(2) A civilização não se mede pelo aperfeiçoamento material, **mas sim pela elevação moral**.
(1) Os operários protestam, reclamam **e exigem explicações**.
(5) Decerto choveu nas cabeceiras do rio, **porque o caudal avolumou-se muito, hoje**.
(1) Os argumentos sobre os malefícios da poluição não os abalam **nem os comovem**.
(4) O homem depende do solo e da flora; **deve, pois, preservá-los**.
(5) O navio deve estar mesmo afundando, **pois os ratos já começaram a abandoná-lo**.
(3) Seremos vencedores **ou iremos provar o amargor da derrota**?
(3) O rio ora se estreitava, **ora se alargava caprichosamente**.
(2) Mônica não era uma beldade, **contudo impunha-se pela sua simpatia**.
(2) Astrônomos já tentaram estabelecer contato com seres extraterrestres; **suas tentativas, porém, resultaram infrutíferas**.

3. Astrônomos já tentaram estabelecer contato com seres extraterrestres; **mas suas tentativas resultaram infrutíferas**.
Astrônomos já tentaram estabelecer contato com seres extraterrestres; **contudo, suas tentativas resultaram infrutíferas**.
Astrônomos já tentaram estabelecer contato com seres extraterrestres; **todavia, suas tentativas resultaram infrutíferas**.

4. a) *Ela falava*: oração coordenada assindética
contava tudo: oração coordenada assindética
b) *Ou o governo gasta menos:* oração coordenada sindética alternativa
ou acabará dando com os burros n'água: oração coordenada sindética alternativa
c) *As grandes árvores nem se mexem*: oração coordenada assindética
pois não dão confiança a essa brisa: oração coordenada sindética explicativa
mas as plantinhas miúdas ficam felizes: oração coordenada sindética adversativa
d) *O major Camilo não ata*: oração coordenada assindética

nem desata: oração coordenada sindética aditiva
e) *A punição foi justa*: oração coordenada assindética
portanto não se queixe: oração coordenada sindética conclusiva
f) *Abra-me estas portas*: oração coordenada assindética
que eu a trarei: oração coordenada sindética explicativa
g) *Não tinha experiência*: oração coordenada assindética
mas boa vontade não lhe faltava: oração coordenada sindética adversativa
h) *Um cachorro talvez rosnasse*: oração coordenada assindética
ou mordesse: oração coordenada sindética alternativa
i) *A árvore provavelmente estava meio podre*: oração coordenada assindética
pois o vento a derrubou: oração coordenada sindética explicativa

5. a) *A mulher tentou passar*: oração coordenada assindética
porém sua passagem foi barrada: oração coordenada sindética adversativa
b) *A ordem era absurda*: oração coordenada assindética
entretanto ninguém protestou: oração coordenada sindética adversativa
c) *As folhas, no inverno, amarelecem*: oração coordenada assindética
e caem: oração coordenada sindética aditiva
ou ficam inativas: oração coordenada sindética alternativa
d) *Netuno é deus do mar*: oração coordenada assindética
mas Baco tem afogado mais gente: oração coordenada sindética adversativa
e) *Não te queixes*: oração coordenada assindética
que há outros mais infelizes: oração coordenada sindética explicativa
f) *O dia é belo*: oração coordenada assindética
esplende ao sol a baía: oração coordenada assindética

os aviões rumorejam: oração coordenada assindética
passam mulheres perfumadas: oração coordenada assindética
g) *Os verdadeiros mestres não só ensinam*: oração coordenada assindética
mas também educam: oração coordenada sindética aditiva
h) *O acusado não é criminoso*: oração coordenada assindética
logo, será absolvido: oração coordenada sindética conclusiva
i) *Ora se esconde*: oração coordenada sindética alternativa
ora ressurge: oração coordenada sindética alternativa
ora se inclina: oração coordenada sindética alternativa
j) *Ela é rica*: oração coordenada assindética
poderia exibir roupas finas: oração coordenada assindética
no entanto veste-se com simplicidade: oração coordenada sindética adversativa
k) *A atmosfera oleosa não arejava o peito*: oração coordenada assindética
antes sufocava: oração coordenada sindética adversativa
l) *O Sol não somente iluminava a Terra*: oração coordenada assindética
mas ainda lhe dá calor e vida: oração coordenada sindética aditiva

6. (4) Deus é amor, **portanto Ele nos ama**.
   (1) A água evapora-se **e forma as nuvens**.
   (5) Ela devia estar triste, **pois não sorriu uma só vez**.
   (3) Ou ele se rende **ou será morto**.
   (2) A vida o arrocha, **mas Tomé não afrouxa**.
   (5) Não reclame de seus pais, **que ninguém no mundo é perfeito**.
   (3) Alguns ora aplaudiam, **ora vaiavam os oradores**.

ORAÇÕES PRINCIPAIS E SUBORDINADAS

LISTA 44

1. a) O meteorologista avisou **(P)** que o ano seria chuvoso **(S)**.
   b) Chegaram as grandes máquinas **(P)** que iam aplainar o terreno **(S)**.
   c) Enquanto o patrão viveu **(S)**, a empresa prosperou **(P)**.

2. a) <u>Respondi-lhe</u> que não era poeta.
   b) Se o Nilo secar amanhã de manhã, <u>o Egito morrerá amanhã à noite</u>.
   c) Conto com vossemecê, e <u>creia</u> que tem em mim um amigo.
   d) <u>Os olhos</u>, que eram travessos, <u>fizeram-se murchos</u>.
   e) <u>Assegurou-me</u> que viajaria, mas <u>não me disse</u> quando ia voltar.

3. b) Há umas plantas [que nascem] [e crescem depressa], outras [são tardias e pecas].
   c) Peça-lhe [que viva], [que se case] [e que me esqueça].
   d) [Quando se trabalha] [e se tem esperança], a felicidade mora em nós.
   e) [Chovesse] [ou fizesse sol], o Major não faltava.
   f) Não haverá ninguém no cais, [porque é tarde] [e faz frio lá fora].

4. (1) Reconheço **que agi mal**.
(3) **Quando me retirei**, já era noite fechada.
(1) É conveniente **que fiques aqui**.
(3) Quero isto **porque é justo**.
(2) Há plantas **que são venenosas**.
(2) Pedra **que rola** não cria limo.

5. a) O senhor necessita **de ajuda**?
b) O homem **estudioso** penetra o mistério das coisas.
c) Pratiquemos ações **enobrecedoras**.
d) É indispensável **a presença e a participação deles nos debates**.
e) Meu pai não se opõe **à minha viagem à Europa**.
f) Alimentas um ideal **inatingível e utópico**.

6. a) Evitemos palavras **que ofendem**.
b) O professor pediu **que os alunos colaborassem**.
c) Ninguém impede **que permaneças** aqui.
d) As aves buscam os ninhos **assim que escurece**.
e) **Quando chegamos**, a multidão se alvoroçou.
f) O comandante exortava os soldados **que lutassem contra os invasores**.
g) Em princípio, sou favorável **ao que pedes tão insistentemente**.
h) **Quando me aproximei**, eles se calaram.
i) Será necessário **que compareçamos** à reunião.
j) É imprescindível **que todos colaborem** nesta campanha.
k) O médico advertiu-a de **que a doença era grave**.
l) Cerca-o uma corte **que adula e explora**.
m) Admitia-se **que existiam seres vivos** na Lua.

ORAÇÕES SUBORDINADAS E SUBSTANTIVAS

LISTA 45

1. a) Parecia impossível **que máquinas tão pesadas voassem**.
b) Interessa a todos **que os preços baixem**.
c) O porteiro impediu **que os retardatários entrassem**.
d) Constatei **que existia em mim forças antagônicas**.
e) Os pais não se opunham a **que a filha se casasse com o pugilista**.
f) O funcionário se queixa **de que o chefe o persegue**.
g) À noite, tive conhecimento **de que meus primos haviam chegado**.
h) Eu estava convicto **de que o acusado era inocente**.

2. Aconteceu que faltou luz.
Sabe-se que o ouro é dúctil.

3. Parece que ele é surdo.

4. a) Sabemos [que o calor dilata os corpos.] **OD**
b) [Acreditava-se] que o homem chegaria à Lua. **S**
c) Convém [que obedeças aos ditames da razão.] **S**
d) Ignoramos [quando ocorreu o acidente.] **OD**
e) É provável [que os egípcios tenham inventado a fabricação do vidro.] **S**
f) É fato inconteste [que a civilização grega influenciou a romana.] **S**
g) Ninguém lhe perguntou [donde vinha.] **OD**
h) Foi decidido [que não haveria discursos durante o banquete.] **S**
i) Seja dito, a bem da verdade, [que Rafael não mentia.] **S**
j) Admitamos [que o mundo acabe amanhã.] **OD**
k) Creio [que a grande paixão de Childe foi o Egito.] **OD**

5. Tenho a certeza [de que Sérvulo irá ajudá-la muito.] **CN**
Joana agarrava-se loucamente à esperança [de que Dedé haveria de voltar.] **CN**
Eles agora se convenceram [de que o estudo é indispensável.] **OI**
Margarida lembrou-se [de que o relógio estava atrasado.] **OI**
Eles agora estão convencidos [de que o estudo é indispensável.] **CN**

6. a) (2) e) (5) h) (7) k) (6)
b) (1) f) (1) i) (6) l) (4)
c) (4) g) (3) j) (5) m) (5)
d) (3)

7. No portão da casa havia o aviso: "Nosso cão não é seu amigo."

8. Resposta pessoal.

9. oração principal – substantiva objetiva direta – substantiva subjetiva

10. *O pescador subaquático está agora estendido na relva*: oração principal
ninguém sabe: oração principal coordenada assindética
se ele dorme: oração subordinada substantiva objetiva direta
ou perdeu os sentidos: oração objetiva direta coordenada alternativa à oração anterior

11. a) Os brancos tinham como dogma <u>que de outra maneira não se levavam pretos</u>.
oração subordinada substantiva objetiva direta

b) Cada vez mais me convenço de que a guerra é uma estupidez.
oração subordinada substantiva objetiva indireta
c) Parecia-nos que um santuário estava sendo profanado.
oração subordinada substantiva subjetiva
d) O rei o persuadiu a que aceitasse o cargo.
oração subordinada substantiva objetiva indireta
e) O público insistiu em que não se retirava.
oração subordinada substantiva objetiva indireta
f) Ninguém pergunta ao retirante [donde vem] [nem para onde vai.]
oração subordinada substantiva objetiva direta/ oração subordinada e coordenada.
g) E nunca se sabia [como], [quando] [e com que armas ia atacar.]
oração subordinada substantiva objetiva direta/ oração subordinada coordenada substantiva objetiva direta/ oração subordinada coordenada substantiva objetiva direta
h) A notícia corria de boca em boca: íamos ter um circo na cidade.
oração subordinada substantiva apositiva
i) Não importa [que só tenha quinze anos] [e se ache feia.]
oração subordinada substantiva subjetiva/ oração subordinada coordenada substantiva subjetiva e coordenada à oração anterior.
j) Rômulo não se opôs [a que o filho vendesse a casa] [e fosse morar no Rio.]
oração subordinada substantiva objetiva indireta/ oração subordinada substantiva objetiva indireta, coordenada à oração anterior.

ORAÇÕES SUBORDINADAS ADJETIVAS

LISTA 46

1. a) Mal podia encobrir a tristeza [que o minava.]
b) Nem tudo [que reluz] é ouro.
c) São amiguinhas [a quem quero bem.]
d) Amo a vida por tudo [quanto ela me dá.]
e) O presente é a bigorna [onde se forja o futuro.]
f) A dor [que se dissimula] dói mais.
g) Há certas aranhas [cujas teias parecem fios de prata.]
h) Não houve labor [a que se eximisse.]
i) A maneira [como a receberam] era um aviso.
j) Neste caminho encontra-se o tesouro [pelo qual tantas almas estremecem.]

2. a) Ela tem um olhar **fascinante**.
b) Mauro tem atitudes **irritantes**.
c) Existem gases **mortíferos**.
d) Há insetos **transmissores de doenças**.

3. (1) Este é um mal **que** tem cura.
(1) Não sabem o **que** querem.
(2) Confesso **que** errei.
(2) Não é justo **que** o magoes.

4. a) A mãe, [que era surda,] estava na sala com ela. **E**
b) Ela reparou nas roupas curiosas [que as crianças usavam.] **R**
c) Ele próprio desculpou a irritação [com que lhe falei.] **R**
d) Ele pôs-se a contar velhos casos, [em que não achei graça.] **E**
e) Tem nas faces o branco das areias [que bordam o mar.] **R**
f) Esse professor [de quem falo] era um homem magro e triste. **R**
g) O instinto moral é a razão em botão, [a qual se desenvolve com o tempo, experiência e reflexão.] **E**

h) O velho pajé, [para quem são estas dádivas], as recebe com desdém. **E**
i) Onde está a vela do saveiro [que o mar engoliu]? **R**
j) Por que estará de implicância comigo, [que nunca lhe pisei nos calos]? **E**
k) Passamos por muitos trechos [onde nem estrada havia.] **R**
l) A máquina mais complicada [que ele conhecia] era o monjolo. **R**
m) O homem pôs-se a olhar as laranjeiras, [cujos galhos sem folhas pareciam arranhar o céu cinzento.] **E**
n) Estavam ainda ali no chão as cascas dos ovos [pelos quais o orador fora atingido.] **R**
o) Enviamos-lhes roupas, alimentos, remédios e outras coisas [de que precisavam.] **R**
p) Apenas um homem, [de quantos assistiam à cena,] soltou uma risada. **E**
q) O vulcão, [que parecia extinto], voltou a dar sinal de vida. **E**

5. b) objeto direto
c) objeto indireto
d) adjunto adverbial
e) sujeito
f) objeto indireto
g) sujeito
h) predicativo do sujeito
i) objeto direto
j) sujeito
k) adjunto adverbial
l) objeto direto
m) adjunto adnominal
n) agente da passiva
o) objeto indireto
p) sujeito
q) sujeito

6. a) *que ela mesma fizera na máquina*: oração subordinada adjetiva restritiva
que costurava tão bem: oração subordinada adjetiva explicativa

SINTAXE

b) *que trabalham demais*: oração subordinada adjetiva restritiva
e não progridem: oração subordinada coordenada adjetiva restritiva

c) *que é Pai de todos*: oração subordinada adjetiva explicativa
que ela tivera: oração subordinada adjetiva restritiva

7. a) Oração subordinada adjetiva restritiva / objeto indireto

b) Oração subordinada adjetiva restritiva / adjunto adverbial de lugar

c) Oração subordinada adjetiva explicativa / objeto indireto

d) Oração subordinada adjetiva restritiva / objeto indireto

8. a) Ainda estavam no chão os cacos de vidro **com os quais o garoto nos alvejara**.

b) Fizeram-lhe graves acusações, **das quais ele se defendeu com veemência e coragem**.

c) Encontrou-se um velho colete, **em cujo bolso havia moedas de ouro**.

d) Havia, no colégio, frequentes reuniões, **a que (ou às quais) apenas alguns pais compareciam**.

e) No jardim havia canteiro floridos, **por entre os quais crianças perseguiam borboletas**.

f) Este é um problema difícil **que exige competência e recursos para resolvê-lo**.

g) O povo fez questão de empurrar a carreta **sobre a qual estava o féretro**.

h) Era um estudante que eu conheci num carnaval **e de quem me tornei amigo**.

i) Entrei numa pequena loja **em cujas prateleiras se enfileiravam objetos de artesanato**.

9. a) A casa **em que moramos** é modesta, mas aconchegante.

b) O festival **a que assistirei hoje à noite** conta com a participação de artistas famosos.

c) As tintas **com que se matizavam os tecidos** eram extraídas dos vegetais.

d) A montanha **de cujo cimo se descortinava o mar** era alta e arborizada.

e) O lago **em cujas margens eu costumava brincar** era grande e límpido.

f) O oficial **com quem Nair simpatizava** foi transferido para Brasília.

g) O local **a que tínhamos chegado** era inóspito, agressivo.

h) As flores **com que mandei tecer uma grinalda** eram de Barbacena.

i) Os animais **a que o professor se referiu** são da ordem dos primatas.

10. a) *Luís Filipe começou a falar sobre alguns casos difíceis*: oração principal

que apareceram no hospital: oração subordinada adjetiva restritiva
mas a verdade é: oração coordenada sindética adversativa
que eu não o ouvia: oração subordinada substantiva predicativa

b) *Não interrompemos*: oração principal; a quem nos louva: subordinada objetiva direta;
mas (interrompemos) aos: oração coordenada adversativa; que nos censuram: oração subordinada adjetiva restritiva
ou (que) nos acusam: oração adjetiva restritiva e coordenada
ou contradizem: oração subord. adjetiva restritiva e coordenada

c) *Você, aconselhe-o*: oração principal
que é íntimo dele: oração subordinada adjetiva explicativa
a que desista de tão arriscado empreendimento: oração subordinada substantiva objetiva indireta

11. a) Os tiranos, **a cujo poder o povo se submetia**, eram soberbos e cruéis.

b) Atravessamos o jardim e dirigimo-nos à piscina, **à beira da qual nos sentamos**.

c) Por fim, desemboquei numa rua larga, com muitas árvores, **através das quais se avistava o mar**.

d) Percebi nas suas palavras uma benevolente ironia **que no fundo escondia, contudo, uma indisfarçável tristeza**.

e) O índio olhou, depois, as flechas cruzadas na parede, **perante as quais duas vezes baixou e ergueu a cabeça**, como para aprovar a presença delas ali.

f) A peça de teatro – **a cujo ensaio assisti** – é da autoria de um aluno desta escola.

g) Volutas de fumaça subiam languidamente das mesas, **em torno das quais pessoas conversavam animadamente**.

12. Agora as ruas estreitas iam ficando para trás, a igreja, também o cemitério, diante de cujo portão, havia o umbuzeiro.

13. a) Pelos equipamentos **de que** dispõe, este hospital é considerado o melhor do país.

b) A estátua da fonte é uma criança nua, **em cuja** cabeça os passarinhos pousam.

c) Os amigos de Lauro eram justamente aqueles **com os quais** as mães não queriam que seus filhos brincassem.

14. ➢ oração principal – oração subordinada adjetiva restritiva – oração subordinada substantiva objetiva direta.

ORAÇÕES SUBORDINADAS ADVERBIAIS

LISTA 47

1. b) Chegamos à fazenda **antes que anoitecesse**.

c) Não lhe telefonei **por ter esquecido**.

d) **Enquanto se retiravam**, os soldados davam tiros para o ar.

2. (6) Minha mão tremia tanto que mal podia escrever.

(3) Joel acompanhou a irmã, embora estivesse cansado.

(11) Onde há fumaça, há fogo.

(8) À medida que subimos, o ar se rarefaz.

(7) Fiz-lhe sinal para que não insistisse.

(1) Os detentos fugiram da penitenciária porque eram maltratados.

(10) Ali vivíamos felizes, sem que ninguém nos perturbasse.

(2) "Envelheçamos como as árvores fortes envelhecem!"

(5) "Por que não foi lá ontem, como me tinha dito?"

(9) "Ia escurecendo quando entrou em casa."

(4) "Se Deus não guarda a cidade, em vão a sentinela vigia."

3. (1) A raposa, como não pudesse alcançar as uvas, desdenhou-as.

(4) "Não venham colheitas fartas e serei mais um vencido pela fatalidade das coisas."

(11) "As tuas saudades ficam onde deixas o coração."

(8) "Quanto mais os arredava, mais eles perseveravam."

(1) "Como o assunto estivesse reduzido a cinzas, calamo-nos."

(4) "Tivesse tua mãe vindo dar-te adeus e talvez tudo se arranjasse."

(3) "Por mais leve que pisasse, seus passos reboavam."

(9) Depois que veio para a cidade, a vida dele mudou.

(5) A geada, como se sabe, é a grande inimiga da lavoura.

(4) Chame o sacerdote, se você quiser, contanto que o doutor também venha.

(10) O ladrão entrou no prédio sem que o porteiro percebesse.

(2) Os políticos prometem mais do que realizam.

(7) Nas estradas há acostamentos, a fim de que os veículos não parem na pista.

(6) Tão violenta foi a tromba-d'água de ontem que arrastou carros e ônibus.

(9) Inquieto estará o nosso coração enquanto não descansar em Deus.

(9) Mal girei a chave da fechadura, senti a respiração de alguém atrás de mim.

(8) À proporção que as plantas crescem, suas raízes se aprofundam.

(2) Joana saiu de casa alegre como quem vai a uma festa.

(3) "O fogo, mesmo que venha chuva grossa, queimará a noite inteira."

(5) Conforme havíamos previsto, as safras este ano foram boas.

(6) Empregados e patrões chegaram a um acordo, de maneira que não houve greve.

(1) Neste rio não existem peixes, pela simples razão que a poluição os matou.

(3) "Ainda que o corpo doa, tenho de me levantar."

(4) "Mas, se iniciou o gesto, não chegou a completá-lo."

(3) "Um pouco que alguém se aproxime e já sente odores."

(2) "Havia seiva em tudo como há sangue em nosso corpo."

4. Como não distinguem as cores, eles não poderão ser bons fotógrafos.

Eles não poderão ser bons fotógrafos, **visto não distinguirem as cores**.

Eles não distinguem as cores, **por isso não poderão ser bons fotógrafos**.

Eles não poderão ser bons fotógrafos **por não distinguirem as cores**.

5. "Em poucos anos o consumo mundial de borracha centuplicou, e como só havia seringueiras na Amazônia, a exportação do látex trouxe a Manaus uma fortuna fabulosa."

6. (3) O retorno da nave espacial à Terra fez-se **como fora previsto**.

(1) **Como a Lua ainda não tinha surgido**, tudo estava imerso na escuridão.

(3) **Como sempre acontece**, o tempo sepultou a memória do grande morto.

(2) Suas palavras soaram no recinto **como chicotadas**.

(3) Se você gosta mesmo dele, **como diz**, por que o ofende?

(2) "Lá saiu o Dr. Rui, apressado **como quem vai apagar fogo**."

(2) O carro andava aos trancos, **como se o motorista estivesse bêbedo**.

(3) O terremoto fora violentíssimo, **como atestavam os escombros de casas destruídas**.

7. Miguel tentará consertar o carro, **mesmo que** não entenda muito de mecânica.

Miguel tentará consertar o carro, **apesar de** não entender muito de mecânica.

Miguel tentará consertar o carro, **ainda que** não entenda muito de mecânica.

SINTAXE

8. (2) **Desde que cheguei aqui**, não houve nenhum progresso.
(3) Poderás fazer sucesso, **desde que saibas falar**.
(1) **Desde que não sabes ler**, eu vou ler em teu lugar.

9. Com "*Poderás fazer sucesso, desde que saibas falar*" porque ambas são orações adverbiais condicionais.

10. condicional – concessiva – causal – consecutiva

11. Na outra pista vinha um caminhão cheio de luzes **como um dragão chamejante**.
Na outra pista vinha um caminhão cheio de luzes **tal qual um dragão chamejante**.

12. a) (se) oração subordinada adverbial condicional
b) (se) oração subordinada adverbial condicional
c) (mesmo que) oração subordinada adverbial concessiva
d) (para que) oração subordinada adverbial final

13. ainda que – mesmo que – nem que. Oração subordinada adverbial concessiva.

14. Algum dia hei de casar com Beatriz, **exceto se** houver onça no caminho.
Algum dia hei de casar com Beatriz, **fora se** houver onça no caminho.
Oração subordinada adverbial condicional hipotética

15. **Por mais que nos esforcemos**, muitas vezes não conseguimos alcançar o nosso objetivo.

16. Respostas pessoais.

17. **Por temerem que o santo os castigasse** os meninos iam brincar longe.

18. Alternativa d.

19. a) A proposta era muito tentadora para que pudéssemos recusá-la.
b) As lembranças são vivas demais para que eu as possa esquecer.

20. Resposta pessoal.

21. Resposta pessoal.

22. a) Não contarei isto a ninguém: oração principal
para que não digam: oração subordinada adverbial final
que eu invento qualidades: oração subordinada substantiva objetiva direta
que não tenho: oração subordinada adjetiva restritiva
b) Ela falou de minha mãe com tanta saudade: oração principal
que me cativou logo: oração subordinada adverbial consecutiva
posto que me entristecesse: oração subordinada adverbial concessiva
c) Observava: oração principal
como ele torneava: oração subordinada substantiva objetiva direta
ou esculpia a madeira: oração subordinada substantiva objetiva direta, coordenada.
d) Por duas vezes senti o cavalo tão próximo: oração principal
que (...) tinha certeza de que poderia tocá-lo: oração subordinada adverbial consecutiva. De que poderia tocá-lo: subordinada completiva nominal.
se estendesse a mão: oração subordinada adverbial condicional

23. a) hipótese
b) causa
c) concessão
d) consequência

24. Ainda haverá quem diga que o comércio enriquece à custa do produtor, como a erva parasita vive a expensas da árvore?

ORAÇÕES REDUZIDAS

LISTA 48

1. a) Seria muito ruim para nós **divulgar falsidades**.
b) Economizei dinheiro para **adquirir um gravador**.
c) A vantagem deles é **conhecer todos os segredos da selva**.

2. (3) Aconselharam-me **a desfazer o noivado**.
(6) Todos conheciam a mania de Laura: **empenhar joias**.
(1) Depende de V. Sa. **libertar esses presos**.
(5) Um de seus passatempos é **colecionar selos**.

(4) Parti com a doce esperança **de encontrar meu amor**.
(2) Lamento **ter perdido essa oportunidade**.

3. Não podia demorar-me, **sob pena de perder o avião**. consecutiva
Retirei-me discretamente, **sem ser percebido**. modal
É difícil curar um mal **sem lhe conhecer as causas**. condicional
Ao clarear o dia, descemos da montanha. temporal

SINTAXE 749

Não pude viajar **por ter perdido o dinheiro**. causal
Tirou o cachimbo da boca **a fim de poder falar**. final
Apesar de ser mais fraco, Davi matou Golias. concessiva

4. (2) **Aumentando-se a produção**, a exportação crescerá.
(1) **Vendo-se perdido**, o toureiro gritou por socorro.
(4) **Chegando ao alto da árvore**, sacudiu-a fortemente.
(3) Matou as formigas **esmagando-as com o calcanhar**.

5. (4) **Terminado o almoço**, comentamos as notícias do dia.
(1) **Ofendido pelo empregado**, o patrão descontrolou-se.
(2) **Mesmo picado por uma jararaca**, o novilho não morreu.
(3) **Instituída a pena de morte**, o crime diminuiria?

6. Incumbiram-me **de apascentar um rebanho de ovelhas**.

7. a) **Assim que o capitão hasteou a bandeira**, cantou-se o Hino Nacional.
b) Hoje cedo, **quando fui ao quintal**, surpreendi a pereira toda florida.
c) **Se precisar**, iremos nós mesmos.
d) **Como previ uma recepção fria**, não fui visitá-lo.
e) À beira da estrada, vimos crianças **que empinavam papagaios**.
f) Os moradores de um edifício em chamas, **se (ou quando) saltassem das janelas**, deveriam cair em redes protetoras.
g) Não os deixei em paz **enquanto eles não se decidiram**.
h) Então você se apaixonou pela moça **antes de a ter conhecido**.
i) Nos eclipses, a Lua escurece **porque entra no cone de sombra da Terra**.
j) Dizem os retirantes **que passaram muitas privações na cidade grande**.

8. a) oração subordinada substantiva subjetiva, reduzida de infinitivo
b) oração subordinada substantiva objetiva, reduzida de infinitivo direta
c) oração subordinada adjetiva, reduzida de gerúndio
d) oração subordinada adverbial temporal, reduzida de gerúndio; sub. completiva nominal
e) oração subordinada subjetiva, reduzida de infinitivo
f) oração subordinada substantiva objetiva indireta, reduzida de infinitivo
g) oração subordinada completiva nominal, reduzida de infinitivo
h) oração subordinada substantiva apositiva, reduzida de infinitivo

i) oração subordinada adverbial causal, reduzida de gerúndio
j) oração subordinada adverbial concessiva, reduzida de infinitivo
k) or. sub. substantiva completiva nominal, red. de inf.; or. subst. compl. nominal.

9. substantiva subjetiva – substantiva objetiva direta

10. a) oração subordinada reduzida de infinitivo adverbial causal
b) oração subordinada reduzida de infinitivo substantiva objetiva direta
c) oração subordinada reduzida de particípio adverbial causal
d) oração sub. reduzida de particípio subjetiva
e) oração subordinada reduzida de infinitivo adverbial condicional
f) oração subordinada reduzida de infinitivo adverbial consecutiva
g) oração subordinada reduzida de infinitivo substantiva completiva nominal
h) oração subordinada reduzida de infinitivo substantiva predicativa
i) oração subordinada reduzida de particípio adjetiva
j) oração subordinada reduzida de infinitivo objetiva direta
k) oração subordinada reduzida de infinitivo substantiva subjetiva
l) oração subordinada reduzida de infinitivo subst. completiva nominal

11. (3) "Aconselhou-me **a não o ler**."
(1) "Faz mal a Marcoré **ver mãe e avó desunidas**."
(3) "Exortou-me **a botar a mão na consciência**."
(4) "Sou avesso **a derramar sangue humano**."
(4) Eu estava com sede e curioso **de experimentar aquela bebida**.
(2) A Funai informou **ter demarcado a reserva indígena**.
(1) "É uma obrigação **pagar a dívida ao velho**."
(3) Muitos preferem morrer lutando **a viver sem liberdade**.
(4) "O treinador do clube observava o interesse do rapaz **em melhorar o nado livre**."

12. a) xingarem-se à distância;
b) de se moverem.

13. a) **Correndo tudo bem**, chegaremos antes do sol posto.
b) **Ao nos ver (ou Vendo-nos)**, correu a nosso encontro.
c) **Sendo a rua estreita**, os namorados falavam-se das janelas.
d) Acreditamos **haver outras soluções possíveis para o problema dos transportes**.
e) **Divulgada a notícia pela imprensa**, houve na cidade manifestações de desagrado.
f) Tenho consciência **de ter agido corretamente**.
g) Diz-se **haver nos diademas dos reis mais espinhos do que rosas**.

h) Noticia-se **terem sido encontrados por um garimpeiro de Goiás dois grandes diamantes**.
i) Descobri, atônito, **estar contribuindo para a minha própria ruína**.
j) Foste punido **por não teres seguido os conselhos de teus pais**.

14. a) **Mesmo tendo vivido nesta cidade desde criança**, ainda não lhe conheces os arredores?
b) **Posta em prática**, esta doutrina seria a solução de muitos problemas sociais.
c) **Vencendo-se com perigo**, triunfa-se com glória.
d) Os jovens, **por não terem ainda ideias claras e definidas**, flutuam à mercê de múltiplas correntes filosóficas.
e) É absurdo **deixarem-se criminosos em paz** até que eles resolvam emendar-se sozinhos.
f) Lembro-me de **ter achado estranha aquela casa**.
g) Sugeri **comermos o peixe no almoço**.
h) Na ilha vi milhares de asas **obscurecendo o sol**.
i) Pelo caminho ouvi **repetirem a música do filme**.
j) O rádio espalhou a notícia, **confirmada depois pelos jornais**.
k) Às vezes acontecia **encontrarem alguma jaca madura** e então era aquela festa.
l) A vida é um palco: **acabada a representação e cerradas as cortinas**, só restarão dois personagens, você e Deus.

15. "O divertimento dele era **decepar cabeça de saúva**."
Recusei-me **a assinar o papel em branco**.
"Repetindo o gesto do capelão..."

16. a) Causou estranheza **o fato de seus corpos flutuarem no espaço**.
b) Foi **por ter montado cavalo xucro** que Saul quebrou a perna.
c) O rádio informa **não haver previsão para o restabelecimento do tráfego aéreo**.
d) Pescadores afirmaram **terem visto um objeto voador não identificado**.
e) O menino deveria ter uns dez anos e via-se **ter recebido boa educação**.
f) Helena parece **não ter gostado da brincadeira de suas colegas**.
g) Chegaram dois homens dizendo **serem os legítimos donos daquelas terras**.
h) Das vinganças de Henrique Heine disse alguém **serem** como as de Apolo, que de um talho arrancou a pele ao sátiro Marsias.

i) Seria conveniente que não fosses à festa **sem te vestires de acordo com a moda**.

17. a) Li no jornal umas notícias que depois averiguei **não terem fundamento**.
b) Marquei consulta com o Dr. Clemente, um médico que diziam **ser muito bom**.
c) Todos esses edifícios, enormes e assustadores, que parecem **querer nos esmagar**, são a prova concreta de uma falsa civilização.
d) Guardei com amor esta carta, que dizes **teres escrito num banco de jardim**.
e) Dizem as crônicas que algumas pessoas afirmaram **terem visto cascavéis** dançando no peito do vereador.
f) Referiu-me que uma freira, recentemente chegada, lhe disse **haver por lá sérios receios** de que se deflagre nova guerra.
g) O chefe do grupo considerou **ser demasiado perigoso alguns dos homens arriscarem-se** a entrar naquela selva dominada por índios.
h) A mesma pessoa que me disse **ter o dito farmacêutico mudado de nome** afirmou, entretanto, **ser de ascendência italiana e já ter exercido a profissão de escultor**.
i) Aquelas rochas atraem a atenção dos arqueólogos **por terem marcas** que se acredita **serem vestígios de antiga civilização**.

18. Resposta pessoal.

19. a) Depois que a leitura da peça terminou...
b) ... que cultives boas amizades.
c) Quando percebeu minha tristeza...

20. a) ... participar do congresso.
b) Terminada a recepção...
c) Penso estar preparado para tudo.

21. a) ... participar do congresso.
b) Percebendo minha tristeza...
c) Terminada a recepção...

22. Se você consertar o carro... adverbial condicional
Quando você consertar o carro... adverbial temporal

23. a) ... que pulava o muro.
b) ... que foram comprados.
c) ... que discutiam a situação.
d) ... que procuravam emprego.

ESTUDOS COMPLEMENTARES DO PERÍODO COMPOSTO - ORAÇÕES INTERFERENTES

LISTA 49

1. Alternativas **a, b, c, e**.

2. a) A terra era fértil, <u>os rios [eram] piscosos</u> e [era] <u>grande o número de animais</u>.

b) "A chuva havia parado, <u>mas o vento não</u> [havia parado]."
c) "À tarde houve cavalhadas e <u>à noite [houve] quermesse</u>."

d) "Não se sabia <u>como</u> [ia atacar], <u>quando</u> [ia atacar] e com que armas ia atacar."
e) O candidato promete que, <u>se [for] eleito</u>, fará amplas reformas.
f) Ela o atraía irresistivelmente, <u>como o ímã [atrai] ao ferro</u>.
g) Donde terá provindo a vida? <u>Porventura [terá provindo] do acaso?</u>

3. a) Velhos prédios da Rua do Catete são uma ameaça para os pedestres (<u>pedaços de fachadas tombam no passeio</u>) e podem desabar a qualquer momento.
   b) "Tudo que se pode ter de felicidade aqui debaixo deste céu (<u>fez um gesto de declamadora de cidade pequena</u>) a vida me deu."

d) "Tenho passado por boas, <u>observei</u>, e não me consta que te houvesses interessado por mim."
e) Apesar da chuva e do campo enlameado – <u>até o meio-dia o jogo correu o risco de ser transferido</u> –, a atuação das duas equipes agradou bastante, sobretudo pelas boas jogadas de ataques.
f) "No bolso do capote, <u>por que não confessar</u>, ia uma garrafinha de um horrível conhaque de contrabando que eu arranjara em Pistoia."

4. Resposta pessoal.

5. Resposta pessoal.

ESTUDOS COMPLEMENTARES DO PERÍODO COMPOSTO - MODELOS DE ANÁLISE SINTÁTICA

LISTA 50

1. a) Sua colaboração: objeto direto.
   Quero **que colabore(m)**: oração subordinada substantiva objetiva direta.
   b) Nossa participação: sujeito.
   É necessário **que participemos**: oração subordinada substantiva subjetiva.
   c) De sua ajuda: objeto indireto.
   Tenho necessidade **de que me ajude(m)**: oração subordinada substantiva completiva nominal.
   d) A devolução do dinheiro: predicativo do sujeito.
   O mais importante é **que devolvam o dinheiro**: oração subordinada substantiva predicativa.
   e) O reconhecimento da verdade: aposto.
   Peço-te apenas uma coisa: **que reconheça a verdade**: oração subordinada substantiva apositiva.

2. a) Seu José, que mora em minha rua, é ótimo contador.
   b) Temos novos funcionários, que foram aprovados em concurso.
   c) Paulo é uma pessoa admirável, com quem sempre podemos contar.

3. a) Quando anoitece...
   b) ... para que o inquérito se realize.
   c) Embora seja agressivo...
   d) ... porque me faltaram dados.
   e) ... quando a festa estava terminando.

4. a) temporal
   b) final
   c) concessiva
   d) causal
   e) temporal

5. (Sugestões)
   a) que é considerado indispensável
   b) a quem vocês se referem
   c) que acabei de ler
   d) em que nasci
   e) em que estudo

6. a) O falante informa que seu irmão mora em Botucatu e virá amanhã.
   b) Tenho mais de um irmão, entre eles há o que mora em Botucatu. Só esse virá amanhã.

SINAIS DE PONTUAÇÃO

LISTA 51

1. A frase e). Não se usa vírgula entre o sujeito e o verbo, quando juntos.
2. "De longe, por entre coqueiros, surge correndo uma mulher vestida de calça e capa de borracha negra, dessas de marinheiro; na mão, um cajado longo. Não ouvem o que ela grita, devido ao vento, mas sentem no bastão erguido um gesto de ameaça. Seguem-na um padre e um tipo de barbas. Em seguida, os pescadores: velhos, moços e meninos."

SINTAXE

3. a) Vaqueiros saltam em cima de cavalos; cavalos se lançam atrás dos bois, que correm desabalados ca-atinga adentro.

b) Na cidade, vê-se o contrário do que acontece na roça: as pessoas estão sempre muito apressadas.

c) Umas excursões levam ao norte, às praias de Cabo Frio, onde a vida social é muito animada; outras conduzem ao sul, a Angra dos Reis, lugar ideal para a caça submarina.

d) "Durante o ciclo da borracha, fora aquela legião de rapazes para os seringais. Poucos voltaram. O Governo prometia mundos e fundos: terras, hospitais, ordenado, médicos, escolas. E, no fim, foi o que se viu: os desgraçados voltaram como antigamente. Roídos de beribéri, de maleita, magros, famintos. Dinheiro, nem um tostão. E os arrebanhadores de gente, ricos, com casa na cidade."

4. O acordo

Vestido como caçador, o homem caçava. Estava metido no mais negro da floresta, e caçava. Mas não procurava qualquer caça, não. Procurava uma caça determinada, capaz de lhe dar uma pele que aquecesse suas noites hibernais.

E procurava. Procura que procura, eis senão quando, numa volta da floresta, depara nada mais, nada menos, que com um urso. Os dois se defrontam. O caçador, apavorado pela selvageria do animal. O animal, apavorado pela civilização em forma de rifle do caçador. Mas foi o urso quem falou primeiro:

– Que é que você está procurando?

– Eu, disse o caçador, procuro uma boa pele com a qual possa abrigar-me no inverno. E você?

– Eu, disse o urso, procuro algo que jantar, porque há três dias que não como.

E os dois se puseram a pensar. E foi de novo o urso quem falou primeiro:

– Olha, caçador, vamos entrar na toca e conversar lá dentro, que é melhor.

Entraram e, dentro de meia hora, o urso tinha o seu almoço e, consequentemente, o caçador tinha o seu capote.

Moral: Falando, a gente se entende.

5. a) A doença, a perda da esposa, a viagem do filho, tudo o abatia.

b) Falemos, amigos, de nossos sonhos e esperanças.

c) Os artistas, alegres e realizados, recebiam seus merecidos prêmios.

d) Dirigiam-se às crianças, ou melhor, aos alunos da quinta série.

e) Os alunos do ensino médio partirão hoje; nós, amanhã.

6. a) Não se usa vírgula entre o sujeito e o verbo, quando juntos.

b) Não há vírgula entre verbo e seus complementos.

c) Não há vírgula antes da oração adverbial consecutiva.

7. a) Carlos, o professor está doente. *Carlos* é o vocativo e *professor*, o sujeito.
Carlos, o professor, está doente. *Carlos* é o sujeito e *professor*, o aposto.

b) As meninas andavam pelas ruas tranquilas. As ruas eram tranquilas.
As meninas andavam pelas ruas, tranquilas. As meninas eram tranquilas.

8. a) Após o ataque inimigo, os refugiados caminhavam sem destino.

b) Com muita sensibilidade, falava com as crianças da turma.

9. a) Muitos já tentaram descobrir a cura do câncer; as diferentes pesquisas, no entanto, ainda não tiveram sucesso.

b) Os paulistas armaram-se para o ataque, supondo contar com a adesão dos outros estados; após alguns combates, no entanto, foram desarmados.

SINTAXE DE CONCORDÂNCIA

LISTA 52

1. a) calados
b) mau
c) fraternos
d) esmagados
e) inclusa
f) perdido (ou perdidos)
g) mesmo/mesma
h) recém-fundados
i) bonita
j) dispostos
k) sedutor/sedutora
l) demasiado
m) meio
n) artista
o) livro, desconhecidos
p) passados
q) torrencial
r) interrompidos
s) carro
t) irritantes
u) devido
v) devidas

2. a) mesma
b) meia
c) quite, quites
d) acompanhados
e) possível
f) possível
g) possíveis
h) importantes
i) simpáticos
j) emprestada
k) amputada
l) preso
m) vistos ou vistas
n) levados, feroz
o) anexa
p) anexos
q) tais
r) obrigada
s) uns
t) proibida

3. a) As matas foram bastante danificadas pelo fogo.
b) A sala tinha bastantes carteiras, mas era meio escura.

SINTAXE   753

d) Salvo algumas plantas mais resistentes, as demais a geada matou.

e) Cinquenta casas, se tantas, formavam...

g) Convidamos o maior número de amigos possível.

i) Prestaram-lhe honras devidas aos heróis.

4.
a) vistos
b) coberta
c) rápidas
d) próximas, todas (ou todo)
e) alerta (ou alertas)
f) juntos (ou junto)
g) caro
h) enegrecidos
i) tantos
j) tantas
k) sós
l) tais quais
m) conformes
n) aberto

5.
a) permitida
b) escrita
c) Removidos
d) vindas
e) observadas
f) expostos
g) acompanhados
h) considerado
i) emprestados
j) levada

6.
a) queimado concorda com **um**.

b) Concorda com o substantivo mais próximo.

c) Sujeito composto por elementos de gêneros diversos.

d) **Agitado** concorda obrigatoriamente com **mar**, porque o vento é, por natureza, agitado. **Vazias**: concorda normalmente com **praias**.

e) **Próxima** concorda com escola. **Pousadas** concorda com o sujeito simples, **volinhas**.

f) Com pronome de tratamento, a concordância se efetua com o sexo da pessoa referida.

g) Objeto composto de elementos de gêneros diversos. Concordância preferida: masculino plural.

h) O adjetivo predicativo concorda em gênero e número com o sujeito **ironia.**

i) Adjetivo adverbial, usado como advérbio, fica invariável. O autor poderia ter usado "diretos".

j) **Alertas**. O autor preferiu o plural, considerando "alerta" adjetivo. Poderia ter escrito "alerta" (advérbio).

7.
a) é bom
b) úteis me foram
c) são devidas
d) foi permitido
e) estão sendo vendidas
f) Foram previstas
g) Foi dada
h) Foram gastos
i) foi esclarecido
j) esclarecida

8.
a) altos, majestosos
b) belos/belas
c) deserta
d) arejados
e) sentados
f) desempregados
g) soberanos
h) autora
i) limpas/limpos
j) tristes e abatidos
k) atenciosos
l) pouco
m) proibida
n) os mesmos
o) preciso ou precisa
p) claras
q) sós

9.
a) os
b) o
c) os
d) as
e) o
f) o
g) os
h) as, o
i) os

10.
a) seus
b) alguns, os quais
c) mesmas
d) poucas
e) tantas
f) própria
g) quaisquer
h) bastantes, menos
i) bastantes
j) bastante
k) sós

11.
b) O governo mobilizou a polícia civil e a militar.

c) O governo mobilizou as polícias civil e militar.

SINTAXE DE CONCORDÂNCIA - CONCORDÂNCIA VERBAL
LISTA 53

1. alternativas a, b, c, e, f.

2.
(3) A dona de casa e mãe de família **anda** preocupada com a alta dos preços.

(1) A segurança e firmeza com que lhes respondi **deixou**-os perplexos.

(4) **Passou**-me pela mente o rosto e a voz de minha primeira professora.

(2) A inveja, o ódio, a maldade humana **armará** ciladas em teu caminho.

3. alternativas a, b, c, d, e.

4.
a) sujeito simples: o verbo concorda com ele em número e pessoa

b) sujeito composto e verbo posposto

c) sujeito composto e verbo anteposto

d) sujeito composto e verbo anteposto

e) verbo apassivado: concorda com o sujeito

f) sujeito simples, concorda em número e pessoa

g) sujeito composto, prevalece a primeira pessoa

h) A concordância no plural é enfática, ideológica

i) A concordância no singular é estritamente gramatical

j) A conjunção **ou** aqui indica exclusão

k) Sujeito composto resumido por **tudo**

l) O verbo concorda no singular, se não exprime reciprocidade e se o numeral não for superior a um

5.
a) sujeito simples: verbo concorda em número e pessoa

b) concordância com o pronome subentendido **nós**

c) verbo concorda com o sujeito simples

d) sujeito composto posposto: o verbo pode concordar com o núcleo mais próximo.

e) verbo na 3ª pessoa do singular quando o sujeito é indeterminado.

SINTAXE

f) concordância normal com o sujeito composto

g) O verbo concorda normalmente com o sujeito simples

h) verbo apassivado: concorda com o sujeito

i) o verbo concorda geralmente no plural com sujeito formado por núcleos no singular ligados por **nem**

j) o verbo concorda no singular quando o sujeito é uma oração

k) coletivo: concordância ideológica, enfática

l) concordância normal com núcleo do sujeito no singular. (sucessão)

6. Registraram-se – se trata – existam – confirmem

7. a) visitam
b) tinham
c) deságua
d) Restaram
e) fazem-se
f) desembarcavam (ou desembarcava)
g) crescia, enrodilhavam-se
h) tem-se
i) elegestes
j) condenaremos
k) escreves
l) sofreram
m) nasceu ou nasceram, se firmou ou se firmaram, haviam
n) parece
o) descia
p) colaboravam

8. a) contribuíram
b) existiam, haviam, começavam
c) quer
d) Chegam
e) veem
f) parece
g) valem
h) interessam
i) interessa
j) detinha-se
k) é, falta
l) voltaram
m) impediram
n) resultaram
o) dependem

9. a) dê
b) fica
c) interessam
d) determina
e) vão, recebam
f) organizarem
g) aumenta
h) surgissem
i) sucederam
j) tratava

10. Nas margens desse rio havia antigamente algumas tribos selvagens.
Nas margens desse rio existiam antigamente algumas tribos selvagens.
Nas margens desse rio encontravam-se antigamente algumas tribos selvagens.

11. alternativas a, d, f, g, k.

12. Ouviram-se (A)
Precisa-se (B)
Trata-se (B)
Tratam-se (A)
responde (B)

recorre-se (B)
Depositaram-se (A)
assistia (B)
tratou-se (B)

13. alternativas b, e, g, j, k, o, p.

14. alternativas a, b, c, d, g, l, m, n, o, p, q.

15.
a) B	i) B	q) B
b) A	j) A	r) A
c) A	k) B	s) B
d) B	l) A	t) A
e) B	m) B	u) A
f) A	n) A	v) A
g) B	o) A	w) B
h) A	p) B	x) A

16. alternativas a, e.

17. ➤ Está certa, porque o verbo, estando anteposto a um sujeito composto, pode concordar com o núcleo mais próximo.

18. Nenhum dos presentes se atreveu a falar.
Nem eu, nem tu, nem qualquer outra pessoa poderíamos dissuadi-lo.
Jacinta era filha de um casal de velhos que a idolatrava.
Jacinta era filha de um casal de velhos que a idoatravam.
Rogo a Vossa Excelência se digne aceitar o meu convite.
Nem o Nilo nem o Amazonas têm as águas claras.
Nem uma nem outra coisa o interessa.
Antigamente deviam existir ali belas matas.
As joias e o dinheiro ficaram na gaveta.
Ficou na gaveta o dinheiro e as joias.
Ficaram na gaveta o dinheiro e as joias.
As joias e o dinheiro ficaram na gaveta.
De repente um e outro desapareceram.
Quantos dentre vós percorrestes aquele país?
Quantos dentre vós percorreram aquele país?
Uma grande qualidade ou talento desculpa os pequenos defeitos.
Estas canções, fui eu que as compus.
Estas canções, fui eu quem as compus.
Quando as doenças aparecem é por muito tempo.
Aquelas estátuas só falta falarem.
Nem a pobreza nem a doença hão de se extinguir.
O ex-ministro e professor foi alvo de homenagens.
Haja vista as últimas composições deste autor.
Hajam vista as últimas composições...
"Todos os brasileiros aprendemos desde meninos que...
Do velho teatro grego não sobraram senão ruínas.

19. "**Deram** dez horas." A
"**Iam dar** seis horas." A
"Na igreja, ao lado, **bateram** devagar dez horas." A
"**Faz** hoje precisamente sete anos." B
"Aqui **faz** verões terríveis." B
"**Vai fazer** cinco anos que ele se doutorou." B
"**Havia** muitos anos que não vinha ao Rio." B

SINTAXE 755

Não **pode haver** boas leis se não **houver** bons legisladores.B
"Males inevitáveis **iam chover** sobre mim." A
"**Acabaram de dar** sete horas." A
Nas fazendas **haveria** alimentos frescos e baratos. B
Talvez ainda **haja** vagas naquela escola. B
"Por cima do fogão **devia haver** fósforos." B

20. a) O verbo **ser** permanece invariável com a locução de realce **é que**.
b) Quando o sujeito é o pronome **o**, o verbo **ser** concorda com o predicativo.
c) O sujeito é nome de coisa, no singular, e o predicativo, um substantivo no plural.
d) O verbo **ser** fica no singular quando o sujeito exprime quantidade, medida, etc.
e) O sujeito é nome de pessoa e o predicativo plural é nome de coisa.
f) O sujeito é um nome de coisa no singular e o predicativo, um substantivo plural.
g) A concordância do verbo **ser** é com o predicativo quando o sujeito é o pronome **o**.
h) O verbo **ser** concorda com o predicativo quando este é um pronome pessoal.
i) O verbo **ser** fica no singular quando o sujeito exprime quantidade, medida, na loc. **é muito**.
j) Com títulos de obra no plural, é comum deixar o verbo no singular.
k) A concordância do verbo **ser** quando o sujeito é **tudo** é com o predicativo plural.
l) Em construções enfáticas como essa, o verbo **ser** é impessoal e invariável.
m) Na indicação de distâncias, o verbo **ser** é impessoal e concorda com a expressão que designa a distância.
n) Concordância enfática no plural com o sujeito **pessoas**.
o) O verbo concorda com o predicativo quando o sujeito é o pronome demonstrativo **o**.
p) O verbo concorda com o sujeito em número e pessoa.
q) Concordância do verbo **ser** com o predicaivo **o**, pronome demonstrativo. Essa frase de FN equivale a: "Pediam -me só mentiras" ou "Eram mentiras o que me pediam". Nessa e em outras construções deste exercício o verbo **ser** entra como palavra enfática, realçativa, de difícil explicação, porque foge aos esquemas gramaticais.

r) Quando o sujeito é uma palavra em sentido coletivo e o predicativo um substantivo plural, o verbo **ser** concorda com o predicativo.
s) A concordância do verbo **ser** quando o sujeito é **isso** é com o predicativo.
t) O verbo **ser** concorda com o sujeito (nome de pessoa) para enfatizá-lo, como na frase: Emílio **era** só problemas.

21. a) são | h) são | o) São
b) eram | i) era | p) foram
c) era | j) Seriam | q) é
d) são | k) eram | r) somos
e) – | l) são | s) eram
f) são | m) Era | t) é
g) é | n) és

22. a) Veem-se | d) deve-se/devem-se
b) possam, impuserem | e) Construir-se-iam, houvesse
c) podiam/podia | f) eram

23. a) distinguiam | i) valessem
b) há, formem, vicejem, haja | j) houvessem
c) construir-se-iam, houvesse | k) interessa
d) havia, fosse | l) chegue
e) Faz, escreveram, faltam | m) permanece
f) trata, deve | n) torna
g) avaliarem, bastam | o) são
h) Anexas, remeteram-se, relativas

24. b) Na cidade, havia poucas atrações turísticas.
c) Seguem anexos os documentos pedidos.

25. a) difíceis | d) necessárias
b) proibida | e) anexas
c) floridos, repletas

26. f) Tomei **emprestadas** algumas cadeiras...

27. b) havia
c) Vai fazer
d) Soaram duas horas

28. a) constatamos | e) trabalham
b) entrou | f) leva
c) falava (ou falavam) | g) são
d) conseguiu

REGÊNCIA NOMINAL

LISTA 54

1. a) por / de | g) com | l) à
b) com | h) à | m) a, à
c) com | i) por | n) entre
d) em / de | j) com / para com | o) do
e) aos | k) de | p) ao, às
f) à, com

2. b) No mundo inteiro houve manifestações de repulsa ao bárbaro crime.
c) Eram conhecidas as pretensões estrangeiras sobre a Amazônia.
d) Havia orquídeas em profusão, algumas em vasos pendentes do teto.

3.
a) a
b) à
c) de
d) com
e) na
f) à
g) ao
h) a
i) a
j) em
k) à
l) a

c) Ela estava **ansiosa** por notícias.
d) Vítor não foi julgado **apto** ao (ou para o) cargo.
e) Ele tinha **aversão** a comidas gordurosas.
f) O guarda era **suspeito** de suborno.

4. a) na Av. Atlântica; b) a Brasília; c) a discussões

5. (Sugestões)
a) Não temos **antipatia** aos (ou contra) estrangeiros.
b) Ninguém está **imune** a desilusões, a doenças.

6.
a) de que
b) por quem
c) a quem
d) de quem

REGÊNCIA VERBAL — LISTA 55

1. Assisti à luta. (2)
Assisti a vítima. (1)
Eu o convidei. (1)
Demos pão ao pobre. (3)
Demos-lhes comida. (3)
Nós a prevenimos. (1)
A neta lhe obedece. (2)
Perdoei-lhe a dívida. (3)
Ela os advertiu. (1)
Todos gostam dela. (2)

2. Morto Nero, **sucedeu**-lhe o senador Galba. (2)
O gerente do banco **visou** o cheque. (1)
A que **visariam** eles com aquelas manobras? (2)
O inquérito a que **se procedeu** nada apurou. (2)
Não **se esqueça** de que todos somos falíveis. (3)
Custa-lhe obedecer ao regulamento do colégio? (2)
Na entrada, **deparei** com um homem estranho. (1)
Ele nem **se dignou** de levantar os olhos para mim. (3)
O patrão não gostou do atraso deles, mas não os **repreendeu**. (2)

3. Prefiro uma crítica sincera a elogios exagerados.

4. A única frase em que a regência a contraria é: Aberta a sessão, o secretário procedeu **(à)** chamada dos condôminos.

5. Só este período apresenta erro de regência: Títulos e honrarias são coisas **(a que)** não aspiro.

6. A única frase em que a regência a contraria é: Não saí de casa só para assistir **(à)** transmissão do jogo pela TV.

7.
a) **aspiro** à
b) **assisti** à
c) **Prescindo** de
d) **obedece** às
e) **Vão** à
f) **Recorra** a ele.
g) **Chegou** à

8. O único período no qual ocorre erro de regência verbal é: A coisa **(de)** que ela mais gosta é cultivar samambaias.

9. b) Seu nome não constava na lista de passageiros **(a)** que tive acesso.

e) Se a ordem é justa, não lhe assiste o direito de desobedecer ao pai.

10. b) a – de que – à – a que

11.
a) a
b) a (ou em)
c) em (ou de)
d) a (ou à)
e) com
f) com
g) entre
h) por
i) a
j) em
k) de (ou com)
l) contra (ou com)
m) de
n) de
o) a (ou de), a
p) à, a
q) ante
r) em, por
s) Ante, entre
t) com, por
u) Do, a
v) do, a

12.
a) a que
b) de que
c) a que
d) por que (ou pelo qual)
e) durante os quais
f) por que (ou pelo qual)
g) sobre a qual
h) entre (ou por)
i) cujos, cuja
j) a quem
k) contra cuja
l) a que
m) a que
n) a que

13.
a) contra uma (ou a)
b) por falar
c) contra a matilha
d) em
e) à mesa
f) atingiu esse limite
g) chamávamos tia Leila
h) Deparei-me com
i) não precisam falar
j) presidia à
k) Dei-me o trabalho
l) se propõe a expandir

14.
a) de
b) em
c) de
d) por (ou para)
e) de
f) por
g) de, de
h) em
i) para
j) de
k) para
l) de
m) de
n) de
o) em
p) de

15.
a) o
b) o
c) lhe
d) lhe, o
e) lhe
f) o
g) o
h) o
i) lhe
j) o

SINTAXE 757

16. a) Obedeça-lhe
 b) Avisei-o
 c) Não a vi
 d) assistimos a ela
 e) informava-o
 f) Aludiram a ele
 g) sucedera-lhe (ou a)
 h) presidirá a ele
 i) com ele
 j) ajudava-o

17. a) Presentearam-na
 b) a conserve
 c) ter-lhe comunicado
 d) lhes será permitido
 e) intimou-o
 f) certificá-lo
 g) lhe assiste
 h) Ensina-os
 i) não lhe está agradando
 j) Felicito-o(a)
 k) convencê-lo

18. a) a
 b) o
 c) lhe
 d) os
 e) lhes
 f) as
 g) lhe
 h) o

19. a) a que
 b) em que
 c) com quem
 d) de que
 e) a que
 f) por quem
 g) de que
 h) a que
 i) com quem
 j) em cujo

20. com quem passeou – a quem se referiu – por quem se apaixonou – de quem se enamorou – de quem gosta – a quem recorreu – com quem simpatiza – em quem confia – por quem se interessou

21. a) Afundaram as tábuas **a que estávamos agarrados**.
 b) Acabou-se a vida de conforto **a que estávamos habituados**.
 c) As plantas sugam do solo a água **por que anseiam**.
 d) No pátio fez-se uma pequena fogueira **em torno da qual nos sentamos**.
 e) Dirigiu-se à mesa **sobre a qual havia duas raquetes**.
 f) Encontrou-se um velho colete **em cujo bolso havia moedas de ouro**.
 g) Gutenberg, **a quem se deve a invenção da imprensa**, nasceu em Mogúncia.
 h) A ponte, **por baixo da qual as embarcações passavam**, era muito alta.
 i) O índio recuperou as terras **das quais o branco se apoderara**.

22. Resposta pessoal.

23. b) Eles esquecem facilmente suas promessas.
 d) Não se esqueçam de que essa doença é contagiosa.
 e) Ele disse ainda muitas outras coisas de que não me lembro.
 h) Ela não se lembra de mais nada.
 l) Admiro-me de vê-lo tão entusiasmado com a política.

24. a) presenciar, transitivo indireto
 b) desejar, transitivo indireto
 c) inalar, transitivo direto
 d) dirigir a pontaria, transitivo direto
 e) ter em vista, transitivo indireto
 f) não aceitar, transitivo indireto
 g) baixar, intransitivo
 h) atacar, transitivo indireto
 i) dar posse, transitivo direto e indireto
 j) empregar dinheiro, transitivo direto
 k) percorrer, transitivo direto
 l) ir com rapidez, intransitivo
 m) informar com exatidão, transitivo direto
 n) necessitar, transitivo indireto

25. a) Entretiveram-se no clube até altas horas, eis o motivo por que faltaram à reunião a que deviam comparecer hoje.
 b) A fase da vida por que estão passando é a mais decisiva, pois deixa marcas das quais mais tarde sentireis os efeitos.
 c) O tema sobre o qual o conferencista discorreu despertou grande interesse.
 d) As plantas diante das quais nos detivemos eram caládios.
 e) Um casal francês sentou-se à mesa vizinha àquela em que nós estávamos.
 f) No tempo a que me refiro ainda não havia ônibus.
 g) Como o casarão estava deserto, ninguém a ouviu gritar.
 h) Levaram-no para um hospital de cujo nome não me lembro.
 i) É lamentável o estado de abandono em que se acham aquelas famílias.
 j) Isso leva a situações com que nos deparamos com frequência em nosso dia a dia.

26. alternativa c.

27. a) à tia
 b) às irmãs
 c) a mulheres
 d) à senhora

28. a) à, às, às
 b) à esposa
 c) às (cartas)
 d) à (partida)
 e) àquele, às
 f) às (que)
 g) às 16 h
 h) à (noiva), à (irmã)
 i) à (vista)
 j) à (hora), à minha procura

29. b) À agitação
 c) à zona rural. Crase opcional: chamar construído com objeto seguido do predicativo admite as duas regências. O verbo **presidir** pode ser construído com objeto direto ou objeto indireto.

SINTAXE

30. a) A que terras chegaram as caravelas portuguesas?
As terras a que chegaram as caravelas portuguesas são muito distantes.
São muito distantes as terras a que chegaram as caravelas portuguesas.
b) A que situação chegamos?
A situação a que chegamos é crítica.
É crítica a situação a que chegamos.

31. Natação e ciclismo são os esportes de que mais gosto.
Os esportes de que mais gosto são natação e ciclismo.
Do que mais gosto é de natação e ciclismo.
Do que mais gosto é natação e ciclismo.

32. alternativa c.

33. a) Sim, os recursos de que disponho são muitos.
b) Sim, as pessoas de que dependo são muitas.
c) Sim, as histórias de que me lembro são muitas.
d) Sim, as cidades a que já fui são muitas.
e) Sim, os acidentes a que assisti são muitos.
f) Sim, as pessoas a quem expus meus planos são muitas.

34. É natural que toda criatura humana aspire à felicidade.

35. a) a que   d) em que
b) a que   e) que
c) que

36. Eles preferem assistir a um jogo a visitar um museu.

37. a) Terminada a votação, procedeu-se à apuração dos votos.

38. Regência verbal.

39. a) À adolescência precede a infância.
b) No Brasil, à República antecedeu a Monarquia.

40. d) Assistiram à missa campal mais de cem mil pessoas.

41. a) Ele já pagou ao médico.
b) Marta namora esse moço.
c) Ele aspira ao sacerdócio.
d) Lembraram-se de mim.
e) Ela assiste a novelas.
f) Eu me esqueci de Joana.
g) Eu assisti os doentes.
h) Eu me deparei com a professora.
i) Eu a vi no cinema.
j) Obedeço a meus pais.
k) Moro na Rua Anchieta.
l) Desobedecem aos pais por falta de respeito.
m) O filme agradou ao público.
n) Eu resido na rua Soledade (ou na Rua Soledade).

42. a) Fui ao encontro de meu pai.
b) O carro foi de encontrado a um poste.

43. a) o (ou a)   d) o   f) o (ou a)
b) o (ou a)   e) o   g) no (ou na)
c) o (ou a)

44. a) Sabia-o, senhor, antes **do** caso suceder.
b) O modo **dele** falar soou-me agressivo.
c) Agora chegou a vez **dos** advogados tomarem a dianteira...
d) Apesar **do** voto ser secreto, voto pela dissolução.
e) Leonor irritou-se, além **do** abade puni-la, pedia--lhe favores.

• têm tradição na língua; portanto, são lícitas.
• têm a vantagem de tornar a expressão mais natural e agradável ao ouvido.
• são encontros de duas palavras que, por tradição e eufonia, se pronunciam juntamente.

45. a) Do que   d) Com que
b) Do que   e) no que
c) Do que   f) do

46. a) À época   e) ao espelho
b) À saída   f) à mãe
c) À falta   g) à fonte
d) ao tronco   h) a duas

47. a) "À refrigeração artificial prefere a brisa da praia."
c) Egas recusou-se a atender às reclamações...
d) ... em que pese à vaidade ou à ternura dos donos.
g) "Tinha ganho muito dinheiro à custa dos cofres públicos."
i) "Maria do Carmo já respondia às perguntas...

48. a) ... ao...
b) ... o estimei...
c) ... morrer a trair...
d) Não simpatizo com...
e) Nem se dignou de levantar os olhos...

49. a) de   **51.** a) a que
b) de   b) a que
c) aos   c) em que
d) ao   d) a que
e) com   e) de que

50. a) a   **52.** a) de que
b) a   b) por que
c) a   c) a
d) de   d) a quem
e) com   e) de que

SINTAXE DE COLOCAÇÃO - ORDEM DE TERMOS DA ORAÇÃO

LISTA 56

1. a) Após um mês de férias, reabre sua academia de dança a bailarina Casanova. (2)
   b) O vaga-lume voou mais alto e comparou-se às estrelas. (1)
   c) Sua fábrica de laticínios, instalada no ano passado, vai de vento em popa. (1)
   d) Na árvore próxima à casa estavam pousadas duas rolinhas. (2)

2. ➤ Em canoa furada eu não embarco. (5)
   ➤ "Aos nativos Colombo chamou de índios." (3)
   ➤ "O homem parece que teve pena." (1)
   ➤ "Esse segredo eu guardaria só para mim." (2)
   ➤ "Animal mais inútil nunca vossos olhos viram." (2)
   ➤ "Equilibrava-me não sei como." (6)
   ➤ "Bonita, atraente, isto era ela, de verdade." (4)
   ➤ "Com as árvores e os bichos ele se entende." (3)
   ➤ "Surpresa maior eu não podia ter." (2)
   ➤ "Que passavam aperturas, via-se claramente na pobreza da casa." (7)

3. ordem inversa (... que os caçadores da região lhe causavam...)

4. a) Rosália perdera as esperanças mais depressa que seu marido.
   b) Nem sei se o rio tem nome.
   c) Tu és louco, disse-me ele, se aspiras a tanto.
   d) O círculo das suas ideias era estreito.
   e) O velho tio fizera negócio ótimo incontestavelmente.
   f) A noite que os ventos enlutam não tem azul nem estrelas.
   g) Por que os persas, logo que se deram às delícias do luxo, foram vencidos pelos lacedemônios?

5. a) Em vão, ele tentou convencer-me disso.
   b) Cinco meses depois, deu-se um incidente na família.
   c) Faltava-lhe, porém, casa de confiança onde se ocultasse.
   d) Dias depois, numa manhã de domingo, um navio sulcava garbosamente as águas da baía.
   e) Passada a tempestade, aparece no céu o arco-íris, símbolo da bonança...
   f) Não tanto como o seu olhar e sorriso perturbavam-me suas palavras.
   g) Parado estava, e parado ficou, o velho caminhão.
   h) Nunca sentira inveja de ninguém, mas de mestre Vitorino, dono do barco, ele sentia.
   i) Único no mundo é também um desfile de escolas de samba no Rio de Janeiro.

6. Sugestões:

a) Subiam do fundo da mata vozes misteriosas.
b) Quando poderemos nós estar livres disso tudo?
c) Pouco tardou a espalhar-se pelo povoado a notícia fatal.
d) Mas aos ouvidos do chefe não podia chegar a voz do mensageiro.
e) Onde pretendem eles encontrar os recursos necessários?
f) Que importa ao escravo a vida?
g) Senti quanto aquela queixa era justa.
h) Como se portaram os alunos durante a excursão?
i) Por que teria a vizinha saído de casa tão cedo?
j) Para onde se dirige você a essas horas?
k) Possam tuas palavras despertar as consciências adormecidas!
l) Feliz serás tu se desta te livrares.
m) Pelo alto dos muros estendem-se as trepadeiras floridas.
n) Não vindo ele, saíram a buscá-lo.
o) Que teria o homem percebido nas minhas palavras?
p) Pareciam de prata, assim contra a luz, os pequenos barcos pintados de branco.

7. a) Grande auxílio presta a Química à Medicina.
   b) Como um teto de bronze infindo e quente, o céu se arqueia sobre o deserto adormecido.
   c) À feição de um tronco derribado, jaz o Bandeirante por terra, entre os troncos da brenha hirsuta.
   d) Nos muitos meandros da existência, mil coisas imprevistas nos esperam.
   e) Um mundo de gente reunira-se, de um minuto para outro, à entrada do prédio.
   f) As belas passeiam à tarde na avenida.
   g) Do moderníssimo carro esporte saltaram uma garota e um rapaz.
   h) Pela calçada passeava o fotógrafo João Lopes carregando a sua máquina a tiracolo.

8. a) Os terroristas obrigaram o pessoal da redação e da oficina do jornal a retirar-se do prédio antes do empastelamento.
   b) Do alto da montanha descia um perfume que embriagava os sentidos.
   c) Mando-te, pela minha empregada, uma cadelinha que tem as orelhas cortadas.
   d) A guerra, que nada mais é que uma inútil efusão de sangue, nada conserta.
   e) Nervosa, Marisa retira da bolsa a chave, que introduz, com medo, na fechadura.

9. ... trazendo de helicóptero, os animais abatidos, para uma picada próxima.

(Pode-se pensar que os animais foram abatidos pelo helicóptero.)

10. a) Pode um homem gordo ser muito fino?
b) Por onde entra a água do coco?
c) Um bom drible dói muito mais que um chute na canela.
d) Água, no meio da catarata, ninguém pode beber.
e) Tão alto foi seu grito que o morcego saiu feito uma bala, pela janela.
f) Que Simplício ficara com um nó na garganta era mais do que visível.
g) Infeliz foi o Virgulino, que, não tendo cavalo, deu com os burros n'água.
h) Aos animais só interessava o capim.
i) Ingratas criaturas! Não têm boca para agradecer!
j) Ao presidente não podiam agradar as declarações do ministro.

11. Sumamente injusto era o que estavam fazendo com aquela gente.

SINTAXE DE COLOCAÇÃO - COLOCAÇÃO DOS PRONOMES — LISTA 57

1. Autorizaram-me a entrar. — me (3)
Não te metas nisso. — te (1)
Amai-vos uns aos outros. — vos (3)
Organizar-se-á uma equipe. — se (2)
Todos o admiram. — o (1)
Sustive-a na palma da mão. — a (3)
Quem os ajudara? — os (1)
Trato-as com muito respeito. — as (3)
Comprar-lhe-ia roupa nova. — lhe (2)
Não lhes acho graça. — lhes (1)
Aprontamo-nos rapidamente. — nos (3)
É um prazer ouvi-lo falar. — lo (3)

2. Ninguém **lhe** resiste. (1)
Pedi que **se** afastassem. (2)
Quando **me** lembrei, já era tarde. (3)
Não **se** nega um copo d'água. (1)
Preciso de alguém que **me** oriente. (2)
São pessoas com quem **nos** identificamos. (2)

3. Próclise, oração optativa.
Próclise, começa com pronome interrogativo em frase interrogativa.
Próclise, palavra negativa **não** atrai o pronome.
Mesóclise, futuro do presente, no início da frase.
Ênclise, não se inicia frase com pronome átono.
Ênclise, infinitivo não flexionado precedido da preposição **a**.
Próclise, pronome relativo que atrai pronome.
Próclise ou ênclise, infinitivo impessoal regido da preposição **para**.
Próclise, conjunção subordinativa atrai o pronome átono.
Ênclise, oração reduzida de gerúndio (não há palavra atrativa).
Próclise, conjunção subordinativa que atrai pronome átono.
Ênclise, oração imperativa afirmativa.
Próclise, advérbio já atrai pronome átono.
Ênclise eufônica.
Próclise, pronome indefinido atrai pronome átono.

4. a) Estabelecer-te-ás
Estabelecer-se-á
Estabelecer-nos-emos
Estabelecer-vos-eis
Estabelecer-se-ão

b) Retirar-te-ias
Retirar-se-ia
Retirar-nos-íamos
Retirar-me-íeis
Retirar-me-iam

c) Jogá-lo-ás
Jogá-lo-á
Jogá-lo-emos
Jogá-lo-eis
Jogá-lo-ão

d) Conceder-lhe-ias
Conceder-lhe-ia
Conceder-lhe-íamos
Conceder-lhe-íeis
Conceder-lhe-iam

5. Ele não é um bom escritor, embora lhe reconheça algumas qualidades.
embora = conj. subordinativa exige a próclise.

6. Nada o contentará...

7. Caber-lhe-ia então mostrar patriotismo e competência.
Disseram-me que a cachoeira de Sete Quedas sumiu rio abaixo, levada pelo progresso.

8. a) Detive-me
b) nos fará
c) lhe disse
d) se enfurece, o detenha
e) se vê, te preocupas
f) nos custa
g) recebê-lo-íamos
h) Lembra-te, despedindo-se
i) Retirar-me-ei, vos recusais
j) se acautelasse
k) se apanha
l) a encantava, lhe dizia
m) Acenderam-se, se assaram
n) lhe direi, me esquecerei
o) trata-os, alegra-se, os vê
p) Tratar-se-ia

9. a) carregaram-no
   b) julgá-la-ia
   c) erguer-se-á
   e) levantou-se, me agredir, o deteve

10. a) Ter-lhe-iam falado
    b) me houvesse enganado
    c) se tinha evaporado
    d) Haviam-no procurado
    e) Tendo o menino se distraído (ou: tendo-se)
    f) Tê-lo-ia mordido
    g) o tinham ido ver / tinham ido vê-lo
    h) se escondido
    i) ia-se operando / ia se operando / se ia operando
    j) a está aconselhando
    k) foram se distanciando / foram-se distanciando
    l) deveria reunir-me / dever-me-ia reunir

11. Os presos tinham se revoltado contra os carcereiros.
    Você devia ter lhe cedido o lugar.
    O navio foi se afastando lentamente.

12. "**Poderia ter se encontrado** com a raposa..."

13. a) ajudá-los
    b) me aproximava
    c) podem se comprar, podem comprar-se
    d) devem se amar, devem amar-se
    e) se pode permitir
    f) me poderia ver, poderia ver-me
    g) ia se tornando, se ia tornando, ia tornando-se
    h) o amarrar, lhe dava
    i) quis me dizer, quis dizer-me
    j) se estava dirigindo, estava dirigindo-se
    k) ia se dissipando, ia-se dissipando, ia dissipando-se
    l) te quis experimentar, quis te experimentar
    m) hás de me conhecer, hás de conhecer-me
    n) se tinha passado
    o) viesse me buscar, me viesse buscar
    p) se ter apoderado, ter-se apoderado
    q) comprimia-se
    r) aperta-lhe
    s) se veria

14. a) As migalhas que lhe ficavam entre os dedos, as levava à boca (ou levava-as).
    b) Frutas e insetos, os passarinhos os conseguem pelo seu próprio esforço.
    c) A caridade, o perdão e o sacrifício, tu os ensinaste durante toda tua vida.
    d) Os doces e as empadas, ela os fez bem gostosos.
    e) O mar e seus encantos, quem não os admira?

15. a) ... que o encontre...
    b) ... lhe quero...
    c) ... que o estimam...
    d) Diga-me...
    e) Nunca o levei...

16. a) Os indígenas encontravam remédios...
    b) Dizem que os avarentos...
    c) Todos temos um pouco de médico...
    d) Rememorei toda minha vida durante...
    e) Considero a colaboração dos alunos...

17. Perdeu-se a ênfase resultante da anteposição do termo que se desejava destacar.

18. a) Não a levarei comigo!
    b) Espero que lhe tenha dito a verdade.
    c) Ninguém os assusta.
    d) Há muitos problemas que nos apavoram.
    e) Sempre me lembro daqueles dias maravilhosos.

19. a) Embora me estime, está sempre me repreendendo.
    b) Todos o maltrataram, segundo diz.
    c) Já nos fizeram muitas perguntas sobre esse assunto.
    d) Bem se vê que você não me conhece.
    e) Quando nos entregarão o trabalho?
    f) Diga-me só uma coisa: os amigos nunca o haviam avisado do perigo?

EMPREGO DE ALGUMAS CLASSES DE PALAVRAS

LISTA 58

1. meu pai   o Recife   a moderna Lisboa
   a minha casa   a casa paterna   a Bahia
   o Cairo   os Açores

2. a) Como pode o pássaro voar, se tem ambas **as** asas feridas?
   c) Percorri todo **o** país, de norte a sul.
   e) São artistas que provieram de classes sociais **as** mais contrastantes.

3. (2) A morte de Sílvia golpeou-a **fundo**.
   (3) Era tão **fragilzinha** a minha amiga!
   (1) Não deixe o **certo** pelo **duvidoso**.
   (2) **Breve** estarei contigo.
   (2) Ele compra **barato** e vende **caro**.
   (1) Deu-se então o **inevitável**.

4. acre: paladar e olfato
   ofuscante: visão
   tépido: tato
   sibilante: audição

SINTAXE

macio: tato
lívido: visão
insípido: paladar
grave: audição
cáustico: tato
adstringente: paladar
aromático: olfato
álgido: tato
picante: paladar
estridente: audição
fétido: olfato
delicioso: paladar
veludoso: tato

5. tom macio: audição → tato
amargas palavras: paladar → audição
olhar frio: visão → tato
sorriso quente: visão → tato
cores cruas: visão → paladar
claras e perfumadas vozes: visão e olfato → audição
som áspero: audição → tato

6. a) Na **monotonia** verde da planície só os umbus se destacavam.
b) Fiquei impressionado com a fria **polidez** daqueles homens.

7. o século décimo
o rei Luís dezesseis
o Papa Pio Nono
o século onze

8. a) Ter-**lhe**-ia sido nocivo o medicamento?
b) Havia-**os** de várias qualidades.
c) A presença do guarda **o** fez retroceder.
d) Tê-**lo**-ia esquecido no táxi? Talvez **o** deixara no escritório.
e) Dir-**lhe**-ei o que penso a respeito de sua determinação.
f) Libertemo-**las** do erro.
g) Cristo perdoou-**lhes**. Você **lhes** perdoaria?
h) Presentearam-**na** com um colar de águas-marinhas.
i) Defendeste-**la** com bravura.
j) Infligimos-**lhes** pesada derrota.
k) Livrá-**los**-ei dos sentimentos que os infelicitam.
l) Posso **lhe** garantir que seu filho é inocente.
m) Quem **lhes** valerá?

9. a) Via-se-**lhe** no rosto a palidez da morte.
b Vê-se-**lhe** no corpo as marcas das balas.
c) Notava-se-**lhe** no olhar uma expressão feliz.

10. a) A glória é nossa e ninguém **no-la** arrebatará.
b) Quem **vo-las** dará?
c) Pedi que **mos** devolvesse com urgência.
d) Quem **ma** explicava era meu pai.
e) Alguém **lho** entregou?
f) Quem **no-los** desvendará?

11. "Os sapatos enterram-se na areia; o reflexo do sol cega-**lhe** os olhos; agudo fio de navalha, o vento corta--**lhe** a pele."

12. a) Eu retive-**lhe** o braço fortemente.
b) Não pude ver-**lhe** o rosto.
c) O vento não mais **me** fareja a face como um cão amigo.
d) Esses monstros querem esmagar-**nos** os corpos?
e) Ataram-**lhes** as mãos às costas e levaram-no preso.
f) Dir-se-ia que uma sombra funesta envolve-**te** a alma.
g) Uma expressão nova desenhou-se-**lhe** no rosto.
h) Dançavam-**me** na cabeça imagens aterradoras.
i) Era como se um grande peso **me** oprimisse o corpo e a alma.
j) O lenhador derrubou a árvore e cortou-**lhe** os galhos.

13. a) Não **a estou** censurando, Marlene.
b) Ajude sua mãe, não **a deixe** sozinha.
c) De todas as partes chegam casais trazendo presentes para os noivos, depositam-**nos** em sua volta e, dando-se as mãos, fazem uma roda alegre.
d) As feras viram o índio, seguiram-**no** até a orla da mata e desapareceram.
e) A mãe precipita-se para o menino e arrebata-**lhe** a arma.

14. a) Roque **o** abraçou emocionado, agradeceu-**lhe** e felicitou-**o** pelo gesto.
b) Este lugar **o** deprime e **lhe** inspira pensamentos tristes.

15. a) O professor apresentou-me uma folha para **eu** traçar um polígono.
b) Para **mim**, traçar um polígono era quase um divertimento.
c) O dinheiro que meu pai mandou era exclusivamente para **mim**.
d) Esse dinheiro era para **eu** comprar roupas e calças.
e) Leila sentou-se entre **mim** e Alexandre.
f) "Sem **mim**, nada podeis fazer", disse Cristo.
g) A secretária enviou a carta sem **eu** assinar.
h) Os gritos da criança chegaram até **mim**.
i) Não havia motivo para **eu** ficar triste.
j) Afastei-me rápido, para que a pedra não caísse sobre **mim**.

16. a) Os herdeiros repartiram os bens entre **si**, sem desavenças.
b) Rômulo conseguiu o cargo por **si** mesmo, por seu mérito.
c) José foi preso injustamente e não há quem se interesse por **ele**.
d) Artur era bom pai, vivia para **si** e sua família.
e) Via-se que João estava bêbedo, pois falava contra **si** mesmo.

SINTAXE 763

f) A moça percebeu que minha pergunta se dirigia a **ela** e a seu companheiro.

g) A guerra só deixa sangue e cinzas após **si**.

h) Alípio se aborreceu: pensou que eu estava me referindo a **ele**.

17. a) Rui perdeu a partida porque confiou demais **em si**.

b) Respeite o adversário, mas tenha confiança **em si**.

c) Para impedir que Joel incomodasse a irmã, o pai mandou-o sentar longe **dela**.

d) O senhor Oliveira estava em paz com a vida e **consigo** mesmo.

e) Júlio não quis comer, afastou **de si** o prato vazio.

f) Cada um reclamava para **si** a glória de ter prendido o famigerado terrorista.

g) Os retirantes carregaram **consigo** o que puderam levar.

h) Ênio é ainda criança: não cabe a **ele** decidir sobre o caso, mas aos pais.

i) Tuas riquezas, bem sabes, não as levarás **contigo** para a sepultura.

j) O patinador para no centro da pista e roda sobre **si**, num giro velocíssimo.

18. a) Os dois moços ajudaram-**na** a sair do barco. Ela **lhes** agradeceu.

b) Se eu não **o** conhecesse, não **o** deixaria entrar, tão estranho me pareceu.

c) Fortes eles eram, mas nós **lhes** resistimos e **os** vencemos.

d) André e Lúcio não **o** temiam, mas **o** respeitavam, quando ele falava.

e) Se **lhe** convier, posso servir-**lhe** de cicerone. Aceita a sugestão?

f) Convido-**a** para um passeio, espero-**a** ansioso, mas ela não vem.

19. a) Reflexivo, objeto direto de verbos reflexivos recíprocos.

b) Parte integrante do verbo.

c) Reflexivo, objeto indireto de verbos reflexivos.

d) Reflexivo, objeto indireto de verbos reflexivos recíprocos.

e) Palavra expletiva ou de realce.

f) Índice de indeterminação do sujeito.

g) Reflexivo, objeto direto de verbos reflexivos.

h) Pronome apassivador.

i) Reflexivo, sujeito de um infinitivo.

20. a) Pronome reflexivo, objeto indireto de verbos reflexivos recíprocos.

b) Pronome reflexivo, sujeito de infinitivo.

c) Pronome apassivador.

d) Índice de indeterminação do sujeito.

e) Reflexivo, objeto direto de verbos reflexivos.

f) Reflexivo, objeto direto de verbos reflexivos recíprocos.

g) Índice de indeterminação do sujeito.

h) Reflexivo, objeto indireto de verbos reflexivos.

i) Índice de indeterminação do sujeito.

j) Palavra expletiva ou de realce.

k) Reflexivo, objeto direto de verbos reflexivos recíprocos.

l) Palavra expletiva ou de realce.

m) Índice de indeterminação do sujeito.

n) Palavra expl., de realce.
Expletivo

o) Pronome apassivador.

p) Índice de indeterminação do sujeito.

q) Objeto indireto de verbo reflexivo.

r) Reflexivo, objeto direto de verbo reflexivo recíproco.

21. Não me ponha mais os pés nesta casa, ouviu?

22. Estimativa.

23. a) Na traseira do caminhão lia-se **esta** frase: "Tristeza não paga dívidas".

b) Aviso-o de que chegarei a **essa** cidade no dia 2 de maio.

c) O chefe da rebelião, **esse** tratou de fugir.

d) Mas você vai ao colégio com **essas** unhas imundas!

e) O Brasil é rico e imenso: um país como **este** só pode progredir.

f) Era uma linda samambaia, **dessas** que chamam de "choronas".

g) Um dia **destes** eu estava em casa sozinho.

h) Grave **isto** na memória: o mal se combate com o bem.

i) Ver um amigo afogar-se e não poder salvá-lo, **isso** é que é horrível.

j) Cuidado, mergulhador, **estes** animais são venenosos: a arraia-mijona, o peixe-escorpião, a medusa, o mangangá.

24. a) Ia dizer-lhe palavras ásperas, mas não **o fiz**.

b) É certo que te ofendi, mas não **o fiz** por maldade.

c) Não conseguiu humilhar-me, embora procurasse **fazê-lo** (ou **o** procurasse fazer).

d) Telefonava-lhe quase diariamente e, quando não **o fazia**, mandava-lhe recado.

e) Que diria a mulher se ele confessasse que não lhe socorreu o marido, embora pudesse **tê-lo feito**?

f) Procurava chamá-lo o menos possível, e se **o fazia**, era só em casos extremos e pedindo-lhe desculpas.

g) Ele resolveu publicar suas memórias, porém não pretende **fazê-lo** já.

25. a) Bem diversa é a sorte do livro e do jornal: **este** é torrente que desliza e passa, **aquele** é lago que colige e guarda.

b) O perdão enobrece, a vingança rebaixa: **esta** é própria dos escravos, **aquele** é a virtude dos nobres.

c) O jardim de Paulo era belo, mas **o** de Mário não **o** era menos.

d) O jogo nos rouba tempo e dinheiro: **este**, talvez o possamos recuperar, **aquele**, nunca.

e) O que na França é desonra, talvez não **o** seja na Mongólia.

f) Sou independente, e devo admitir que os outros também **o** sejam.

SINTAXE

26. ➤ Esse jogador tem muito **que** fazer para atingir a forma ideal.

27. a) Na carta menciono o nome e o endereço do amigo **em cujo** poder se encontra a fita magnética **a que** me referi há pouco.

b) Estes são alguns dos acontecimentos **em que** Félix se envolvera e **dos quais** se vangloriava.

28. a) Sentamo-nos num lindo quiosque, perto **do qual** crianças brincavam e riam.

b) Esses nevoeiros no alto das serras, **os quais** são o pesadelo dos motoristas...

e) O que a tornou famosa foi a beleza de seu rosto, **a qual** ninguém lhe disputava.
Perto de, como toda locução prepositiva, exige o pronome **o qual**. Nos dois períodos finais o pronome **que** geraria sentido dúbio.

29. a) Balbuciou algumas palavras confusas, **cuja** significação ele mesmo ignorava.

b) Dirigiram-se ao bar e sentaram-se diante da mesinha, **em cujo** centro brilhava a chama de uma vela.

c) Deve ser assim o fim do mundo, o extremo de todas as coisas: um longo caminho, **em cujo** topo existe um simples portão.

30. Respostas pessoais.

31. a) Conheço a pessoa **a quem** te referes.

b) É pelo saber que conquistareis o posto **a que** aspirais.

c) A regata internacional, **a cujo** início assisti, revelou novos valores do remo.

d) A vida ensinou-me a respeitar as pessoas **com as quais** eu lido.

e) Cada experiência **por que** passamos é favor da vida.

f) O outeiro, **no qual** se ergue a igreja, fica defronte do mar.

g) Sois réus dos mesmos crimes **contra os quais** vos insurgis.

h) Nosso Rei, **a cujo** poderio vos rendeis, saberá ser magnânimo.

i) Baltasar sofreu o castigo **de que** Daniel o tinha ameaçado.

j) Não escolhas um ofício **para o qual** não tenhas aptidão.

k) No livro **a que** me refiro o autor fala sobre a Antártida.

l) Não foram poucos os obstáculos e perigos **com os quais** nos defrontamos.

m) Se a praça **em que** estávamos era grande, esta **a que** chegamos é bem maior.

n) A casa era cercada por um muro alto, **no qual** fora erguida uma tela de arame grosso.

o) Brito não simpatizava com o irmão, **com quem**, aliás, pouco se parecia.

32. a) É importante cultivar boas amizades, **sem as quais** a vida se tornaria triste e monótona.

b) O cronista já escolhera o tema **sobre o qual** devia escrever.

c) Foi muito proveitoso o encontro de jovens, **durante o qual** houve palestras e debates interessantes.

d) O país construíra uma nova capital no planalto, **diante da qual** o mundo começava a pasmar.

e) Ao homem foi concedido o dom da palavra, **graças ao qual** ele pode comunicar-se com seus semelhantes.

f) Fui galgando um pequeno morro, **atrás do qual** se escondia a casa do caboclo.

g) Queria saber qual é a lei **em virtude da qual** se pode matar uma pessoa inocente.

33. a) Esforço-me para que se conheçam e se remedeiem os erros.

b) **no**: contração da preposição **em** + pronome demonstrativo **o**.

c) O azul e o verde das piscinas contrastando com o negro da lava é de grande efeito."

d) 1) Fui a Copacabana para assistir à festa de fim de ano.
2) O navio chegou a Fortaleza às cinco horas da tarde.
3) Minha viagem à Bahia, devido a um temporal, teve de ser adiada.

e) (3) Já temos provas **bastantes** para inocentar o réu.
(2) Houve **bastantes** cartões premiados.
(1) Eles são rapazes **bastante** fortes.
(1) Eles foram **bastante** compreensivos.
(2) Precisamos de **bastantes** alimentos.
(3) Tens forças **bastantes** para tão dura missão?

34. a) Não é lícito invadir a casa ou a propriedade de **outrem**.

b) Para certos serviços especializados não servem **quaisquer** profissionais.

c) Vinte casas, se **tantas**, formavam a rua principal do povoado.

d) Cada qual contava suas histórias: **algumas** tristes, **outras** alegres e jocosas.

e) No choque entre manifestantes e policiais houve pancadaria e ferimentos, leves **uns**, graves **outros**; morte, porém, **nenhuma**.

f) No canavial, homens e mulheres trabalhavam sem parar: **uns** cortavam a cana com afiadas foices, **outros** a despontavam e limpavam com facões, **outros** ainda a carregavam para os caminhões estacionados à margem do canavial.

g) "Estas e **poucas** mais foram as palavras do presbítero."

h) Na escola havia **menos** meninas do que meninos.

35. ➤ Você já leu algum livro desse **tal** de Freud?

36. (b) Ela estava triste, dominada não sei **por que** recônditos pensamentos.

(f) João devia estar com muita pressa, **porque** nem se sentou.

(d) Estavam ansiosos **por que** o dia amanhecesse.

(c) **Por que** o arco-íris é colorido?

(b) A criança queria saber **por que** razão as estrelas cintilam.

(a) Grandes são as transformações **por que** vêm passando as cidades.
(e) Chegou atrasado ao colégio **porque** houve um engarrafamento.
(b) **Por que** meios os índios se comunicavam a distância?
(a) Não revelou o motivo **por que** não compareceu à reunião.
(d) "Instou **por que** a deixassem ir viver de seu trabalho."
(b) "**Por que** processo maléfico teria ocorrido a mudança?"
(g) O preso fugiu **porque** subornou o guarda?

37. b) Se aqui não existem árvores é porque não se plantam.
c) A vida se transfigura através do prisma da ilusão.

f) Gostamos que as coisas venham ao encontro de nossos desejos.
h) Fiquei feliz em rever a ponte cuja construção eu presenciara, em criança.
i) Alice definhava a olhos vistos.
l) O professor não me deixa falar, eu não vou deixá-lo em paz.
n) Doutor Plínio, há um cliente que quer falar com o senhor.
o) Que tais as matas? Nelas agora há mais ou menos aves?

38. c) Não tome remédio cujo prazo de validade está vencido.

39. Respostas pessoais.

40. No verso 7: O verbo **vir** exige a preposição **a** antes de adjunto adverbial.
No verso 12: A preposição **a** é exigida pelo verbo **preferir**: preferir uma coisa **a** outra.

EMPREGO DOS MODOS E TEMPOS

LISTA 59

1. a) acostumemos
b) fossem
c) gosta
d) tenha caído
e) falasse
f) falava

2. a) lesse
b) passasse
c) seriam
d) comprara
e) faltariam
f) tenha ido
g) aplauda

3. a) Futuro do presente do indicativo
b) Imperativo negativo
c) Pretérito perfeito do indicativo
d) Futuro do pretérito do indicativo
e) Imperativo afirmativo
f) Pretérito imperfeito do subjuntivo
g) Imperativo afirmativo
h) Pretérito imperfeito do subjuntivo
i) Futuro do pretérito do indicativo
j) Presente do indicativo
k) Futuro do pretérito do indicativo

4. (2) pretérito imperfeito do subjuntivo
(1) futuro do pretérito
(1) futuro do pretérito
(2) pretérito imperfeito do subjuntivo
(1) futuro do pretérito
(2) pretérito imperfeito do subjuntivo
(1) futuro do pretérito

5. a) que prometiam
b) que se lavava na lagoa
c) que expliquem
d) Se estourar nas mãos
e) Como se tornou tão fácil possuir um bicho de rodas

6. ➤ "Montemos nós quatro na vaca e voemos para casa." I
➤ "Que se rendam ao morto as mesmas homenagens." S
➤ "Bons ventos o levem! S
➤ "Levem seus livros para casa, disse-lhes o professor. I
➤ "Deus o acompanhe! S
➤ "Descanse, mãe, você contará depois – luta pedia." I

7. Deus o **ouça**! (8)
Tenho de ir hoje. (5)
Hei de ir hoje! (4)
Visitá-lo-ei amanhã. (1)
O senhor **poderia** dar-me uma informação? (7)
João **saía** sempre cedo. (11)
Já **dei** o recado. (13)
Tenho trabalhado muito. (12)

Não **matarás!** (3)
Prometi que **iria** cedo. (9)
Batem. **Será** gente? (2)
Iríamos, se não chovesse. (6)
Aparecesse o guarda, e tudo se acalmaria. (10)

8. a) descreias
b) entretenham
c) supusessem e afirmassem; era
d) interviera
e) abstivesse
f) tocava; visse
g) haja ou tenha havido
h) Prouvesse
i) Praza
j) pagara ou tinha pago
k) alcançaríamos
l) teríeis sido
m) reouvera ou tinha reavido
n) ousasse
o) tivesse escrito
p) cometera ou tinha cometido

9. a) teriam sido
b) Faltar-lhe-iam
c) se desaviesse
d) Tivessem-no procurado ou procurassem-no
e) tivéssemos chegado
f) Dir-se-ia
g) fossem
h) iríamos
i) vir
j) Tivésseis seguido
k) faltem
l) ampare

10. alternativa d.

11. gerúndio

12. a) pretérito mais-que-perfeito do indicativo
b) Tinha comprado
c) Para exprimir um fato passado, anterior a outro fato igualmente passado.

EMPREGO DO INFINITIVO

LISTA 60

1. (3) Não é maravilhoso **enxergar** as cores?
(1) Não é maravilhoso o fato de (tu) **enxergares** as cores?
(2) Não é maravilhoso o fato de você **enxergar** as cores?
(1) Não é maravilhoso o fato de nós **enxergarmos** as cores?
(1) Não é maravilhoso o fato de vós **enxergardes** as cores?
(1) Não é maravilhoso o fato de vocês **enxergarem** as cores?

2. a) não flexionado, regido pela preposição **a,** formando locução.
b) flexionado, deixar claro o agente ou sujeito.
c) não flexionado, impessoal, exprime um fato de modo geral.
d) não flexionado, equivale a imperativo.
e) não flexionado, tem como sujeito um pronome oblíquo com o qual constitui objeto direto do verbo **ver**.
f) flexionado, verbo reflexivo.
g) não flexionado, forma locução verbal.
h) flexionado, regido de preposição.
i) não flexionado, forma oração que complementa o adjetivo.
j) flexionado, infinitivo tem sujeito próprio.
k) flexionado, com verbo **parecer** pode-se flexionar no plural ora o verbo auxiliar ora o infinitivo.
l) flexionado, quando vem afastado do sujeito. **Enfiar**: não flexionado porque forma locução com o verbo **continuar**.
m) flexionado, tem sujeito próprio, enfatiza a ação.
n) não flexionado, forma locução verbal.

3. a) flexionado, tem sujeito próprio
b) flexionado, tem sujeito próprio
c) sujeito próprio, transmite vigor às ações
d) flexionado, mais expressivo
e) tem sujeito próprio
f) infinitivos com sujeito próprio
g) infinitivos flexionados enfáticas
h) infinitivo não flexionado complementa adjetivo
i) infin. flexionado, tem sujeito próprio, transmite vigor à ação verbal
j) infinitivo tem sujeito próprio
k) infinitivo flexionado, põe o sujeito em evidência

SINTAXE 767

4. Um dos professores sugeriu, **quando se discutiam os programas**, a ideia do ensino integral da Zoologia.

5. a) Era a revolução e a democracia a **infiltrarem-se** em toda a parte.

b) Fizeram-nas **trabalhar** desde a infância.

c) Amiúde vemos pessoas **falarem** bem e **agirem** mal.

d) É necessário não **se repetirem** tão graves erros.

e) Não quisestes, por causa de vossa modéstia, **ser** homenageados.

f) Ficava horas à janela, vendo os transeuntes **passarem**.

g) Não podemos **faltar** a nossos compromissos.

h) Os exemplos não se fizeram senão para **serem** citados.

i) Não percebes **estarem** teus planos descobertos?

j) O vento fazia **oscilarem** as hastes das antenas.

k) Viam-se já **brilhar** as primeiras estrelas.

l) Via-se, no infinito espaço, **brilharem** solitários astros.

6. b) Por que deixara as coisas **chegarem** àquele ponto?

c) Foram feitos para **serem** vistos apenas uma vez.

e) E para **comemorarem** o achado...

7. a) Sentindo-me enregelado, com os pés a **doerem**, ergui-me para um exercício violento.

b) Os fazendeiros haveriam, dali por diante, de **temer** as geadas.

c) Para não se **perderem** no meio da multidão, amarraram um lenço vermelho na cabeça.

d) Os jovens gostam muito de **conversar** com seus amigos.

e) Os alunos devem, durante o ano, **aplicar-se** ao estudo.

f) **Existirem**, no mundo, crimes e injustiças, eis um fato entristecedor.

g) Todos aprenderiam, com um pouco de esforço, a **exercer** algum ofício útil.

h) Ficarei aqui esperando-te, até **resolveres** dar-me uma resposta definitiva.

i) Chamei as duas pobrezinhas e dei-lhes um brinquedo, para não **chorarem** na frente de outras mais felizes.

j) Mandou-os **sair** imediatamente.

k) Convidei-os a **entrar** na sala.

l) Os perigos nos forçam a **permanecermos** unidos.

m) Difícil explicar como as duas crianças chegaram ali sem **serem** vistas.

n) O fato de **negardes** a verdade não me dá o direito de vos espancar.

o) Ela via que era perigoso **andarmos** sozinhos pelas ruas.

p) Sentia como que bicos de abutre a lhe **espicaçarem** as entranhas.

q) Os olhos de Marta! Dir-se-ia **copiarem** a cor do mar (ou terem copiado).

r) Depois de se **concluírem** as obras, o bairro ganhará fisionomia nova.

8. a) É muito comum **fugirem** detentos das penitenciárias.

b) Alguns conseguiram, a muito custo, **nadar** até a praia.

c) Íamos aos terreiros ver **acenderem-se** as fogueiras.

d) Habitavam a terra muito antes de **chegarem** os portugueses.

e) Sem se **importarem** com a chuva, os meninos continuavam jogando.

f) Aos domingos, vinham muitos amigos **falar** com ele.

g) O pior que pode acontecer é os pneus **estourarem** na viagem.

h) Assim, venho ao senhor para **chegarmos** a um acordo de cavalheiros.

i) Os dois homenzarrões pareciam **zombar** da nossa fraqueza.

j) Os dois homenzarrões parecia **zombarem** da nossa fraqueza.

k) Os bilhões de reais que o governo arrecada não são para se **desperdiçarem**.

9. Frase errada: Esse rio é perigoso por **haverem** piranhas em suas águas. O correto é "haver".

10. a) Não concordo com os que afirmam **serem** esses índios violentos e agressivos.

b) Antes de **partirem**, a mãe lhes acenou da varanda várias vezes.

c) Os pais mandaram seus filhos **alistarem-se** como voluntários.

e) Acho uma temeridade **viveres** num lugar desses.

11. a) Depende de nós **aumentar** nossa produção agrícola.

b) É muito comum **aparecerem** baleias nesta praia.

d) Os bons candidatos evitam **prometer** o que não podem cumprir.

h) Há pouca esperança de os dois países beligerantes **chegarem** a um acordo.

i) O perigo era uma daquelas feras **sentir** nossa presença e nos **atacar**.

12.
a) Parecia **terem a alma nos olhos**, tão vivos e lindos eram.
b) A natureza parece **ter concentrado** toda a sua pujança na catadupa tremenda.
c) Os inimigos parecia **esperarem firmes o combate**.
d) Ela ainda não te perdoou **não teres comparecido** à festa.
e) Noticia-se **terem sido vistos discos voadores** perto de Baturité.
f) Asseguram **terem encontrado uma solução** para o cessar-fogo.
g) As ilhas parece **atraírem magneticamente** esses aventureiros.
h) Espero-te aqui **até resolveres** dar-me uma resposta definitiva.
i) Continua a difícil cruzada para convencer os índios **a deixarem de ser índios e aderirem à sociedade de consumo**.

13.
a) Mas há um fato elementar que você parece **não ter percebido claramente**.
b) No Largo da Carioca acercou-se de mim um homem que, pelos modos e atitudes, se via **ser do interior e precisar de ajuda**.
c) Dizes-me que não há possibilidades **de se remediarem os males** que nos afligem?
d) Li nos jornais umas notícias que depois averiguei **não serem verdadeiras**.
e) Dizem as crônicas que algumas pessoas afirmavam **terem visto cascavéis** dançando no peito do vereador.

14. O infinitivo tem sujeito diverso da oração principal.

EMPREGO DO VERBO HAVER

LISTA 61

1.
a) Se **houvessem** estudado, teriam sido aprovados.
b) Os sertanistas voltaram satisfeitos: **haviam** encontrado as tão cobiçadas pedras.
c) **Há** coisas que se aprendem tarde.
d) Pessoas **há** que não sabem organizar sua vida.
e) No lugar onde é hoje Copacabana, **havia**, no século XIX, apenas ranchos de pescadores.
f) Desde que o mundo é mundo, sempre **houve** rivalidades entre os homens.
g) As casas eram novas e nas janelas **havia** vasos com flores.
h) Se não **houver** prêmios, ninguém se interessará pelo certame.
i) É justo que **haja** as mesmas oportunidades para todos.
j) **Havia** três anos que não nos víamos.
k) Seria preferível que **houvesse** menos exigências burocráticas.
l) Os pais, quando souberem isto, **haverão** de ficar muito contentes.
m) Se não **houvesse** ódios e violências, o mundo seria mais feliz.
n) Se os ricos não fugissem da caridade, não **haveria** tantos pobres e indigentes.
o) Nesta difícil missão os dois médicos **houveram-se** com rara habilidade.
p) "E ele andava sossegado, como se ali **houvesse** guardas-civis."
q) Em que língua pensas tu **haverem** sido escritos aqueles magníficos poemas?

2.
a) **Faz** dois meses que não **chove**.
   Fazia dois meses que não **chovia**.
b) **Vai** fazer dez dias que eu não **saio** de casa.
   Ia fazer dez dias que eu não **saía** de casa.
c) **Começa** a haver sinais de descontentamento.
   Começava a haver sinais de descontentamento.
d) Não **pode** haver rasuras neste documento.
   Não **podia** haver rasuras neste documento.
e) Não **deve** haver desavenças entre vós.
   Não **devia** haver desavenças entre vós.
f) **Há** de haver leis justas e sábias.
   Havia de haver leis justas e sábias.
g) Aqui **faz** calores intensos.
   Aqui **fazia** calores intensos.
h) Entre nós não **costuma** haver dissensões.
   Entre nós não **costumava** haver dissensões.
i) Em muitos países **precisa** haver mais estradas.
   Em muitos países **precisava** haver mais estradas.
j) **Há** crianças brincando na praça.
   Havia crianças brincando na praça.

3.
a) Falam como se **tivessem** presenciado o fato.
b) Aquele que ousar difamar-te vai **acertar contas** comigo.
c) Muitos **julgam** (ou acham) que a empresa é irrealizável e temerária.
d) Os soldados **portaram-se** com bravura.
e) Rogava a seu credor que **tivesse** mais um pouco de paciência.
f) Os sentenciados **obtiveram** da rainha a comutação da pena.
g) E lá se vão [os bois]: não **é** mais possível contê-los ou alcançá-los.
h) O prefeito **julgou** bom aceitar a minha proposta.
i) Nossos carros têm melhorado muito. **Vejam-se** os últimos modelos.
j) Abençoados **sejam** os que lutam pela redenção dos cativos!
k) Como **se saíram** vocês na última prova?
l) **Malditos** os vícios, **malditas** as paixões!
m) Mas não **era possível** negá-lo, era o próprio nome do Diogo Vilares.

SINTAXE 769

n) **Fazia** muitos anos que não vinha ao Rio.

o) É de fé que Deus **portou-se** entre os dois partidos com uma honrada imparcialidade.

p) Sua majestade **julgou** por bem admitir a Vossa Mercê à sua real presença.

q) Se acontecer achá-lo colérico, **porte-se** com discreta paciência.

r) Provavelmente ali ainda **existiriam** assentos.

s) Tanto um como o outro **portaram-se** admiravelmente.

t) Quem sabe lá o que não seria se tivéssemos de **lidar**, nos dias de hoje, com um *tiger-sapiens*!

u) Mas como **se saíam** os países que não possuíam riquezas minerais?

4. a) O barco saiu **há** pouco, em direção **à** ilha.

b) Daqui **a** pouco talvez os ônibus voltem **a** circular.

c) Este médico se devota **a** pesquisas científicas **há** dez anos.

d) De mais **a** mais, **há** possibilidade de o navio ir **a** pique.

e) Interessa **a** você saber quantos quilômetros **há** daqui **à** Lua?

f) **Há** meses que estou **à** espera de notícias suas.

g) Estamos **a** vinte dias das eleições.

5. No zoo da cidade **havia** animais raros.

No zoo da cidade **existiam** animais raros.

6. a) **Havia** dois anos que a obra tinha sido iniciada.

b) **Havia** dois anos que a obra fora iniciada.

c) **Há** dois anos que a obra foi iniciada.

d) O DER liberou a estrada que estava interditada **havia** um mês.

e) A estrada está interditada **há** um mês.

ESTILÍSTICA

FIGURAS DE LINGUAGEM - FIGURAS DE PALAVRAS

LISTA 62

1. b, c, d, e, g, h, i, l, m.

2. a) metonímia
b) perífrase
c) metáfora
d) perífrase
e) metáfora
f) metonímia
g) sinestesia
h) perífrase

3. a) <u>Pesa</u> sobre aquela nação uma <u>sombria</u> ameaça.
b) Ela sentou-se no banco, o olhar <u>distante</u>, o pensamento <u>submerso</u> no passado.
c) "Uma a uma as badaladas se <u>dissolvem</u> na noite."
d) "Deitado na areia, meu pensamento <u>vadio</u> era uma <u>borboleta serena</u> que não pousava em nada."

4. a) Os morcegos eram loucos chicotes negros zurzindo as trevas.
b) A aeronave era um grande pássaro metálico devorando a distância.
c) Faminto como ele estava, um pedaço de pão seria um maná.
d) Cuidado com esse tal de Abelardo! Ele é uma raposa.

5. a) ossos = corpo: a parte pelo todo
b) nosso tempo: as pessoas de hoje: o abstrato pelo concreto
c) morte = bombas mortíferas: o efeito pela causa
d) São Paulo = a população de São Paulo: o lugar pelos habitantes
e) aço = faca: a matéria pelo instrumento
f) brancura = dentes brancos: o abstrato pelo concreto

g) calções, maiôs e biquínis = banhistas: a parte pelo todo (ou a roupa pela pessoa que a veste)

6. talho sangrento: metáfora

7. a) ouro negro = petróleo; continente de Colombo = América
b) bípede implume = ser humano; precioso líquido = água
c) Poeta dos Escravos = Castro Alves

8. a) mortes: metonímia (efeito pela causa)
b) mecenas: metonímia (indivíduo pela espécie)
c) janeiros: metonímia (parte pelo todo); peso = os achaques, da velhice, o cansaço: metáfora.
d) mãos: metonímia (parte pelo todo)
e) tetos: metonímia (parte pelo todo)
f) frio desinteresse: metáfora
g) lembrança viva: metáfora; ceifadora implacável (= morte): perífrase
h) oco da escuridão: metáfora
i) turíbulo (sacerdócio), rifle (profissão militar): metonímia (o símbolo pela coisa simbolizada)
j) Altar (Igreja Católica, o clero), Trono (o Império): metonímia (o símbolo pela coisa significada)
k) monstro de mil cabeças: (a imprensa), cabeças coroadas (os reis e imperadores): perífrases

9. Respostas pessoais.

10. doce

11. Alternativas a, c, d.

12. a) metáfora.
b) Sugestão: Minha vida se passava como se eu, vestido de dourado, tal qual um palhaço, vivesse num palco, rindo e chorando minhas perdidas ilusões.

ESTILÍSTICA 771

FIGURAS DE LINGUAGEM - FIGURAS DE CONSTRUÇÃO
LISTA 63

1. a) Ela o atraía irresistivelmente, como o ímã **atrai o** ferro.
b) Mas o sal está no Norte, e o peixe **está** no Sul.
c) Eles se orgulham de suas misérias como Antístenes **se orgulhava** de seus andrajos.
d) A cidade parecia mais alegre **e o povo parecia** mais contente.
e) Quando **eu era** adolescente, **estudante** em Salvador, participei dos festejos da noite de São João.
f) Ia aos poucos conquistando o seu terreno, que, por **ser** muito extenso, ele tinha medo de olhar.
g) Fabricava, antes, cachaça e rapadura, e agora **fabrica** tamancos.
h) Vamos jogar, só nós dois? Você chuta para mim e eu **chuto** para você.
i) Vamos ver o busto de Jorge numa pracinha sossegada, **sossegada** como convinha que fosse.
j) Carteia está deserta, como as demais povoações vizinhas **estão desertas**.
k) Foi saqueada a vila, e **foram** assassinados os partidários dos Filipes.
l) Holanda afastou de si a ideia, por **ser** extravagante.
m) O senador propôs **que** fossem reformulados alguns artigos da lei.
n) O pensamento, não tenho certeza se estava no livro, **ou se estava** em outra parte.
o) Nunca fales mais do que convém **falar**.
p) Você talvez ache que a vida é uma ilusão, mas eu não acho **que ela seja uma ilusão.**

2. a) Pouco importa **que** me batas pelo dobro.
b) Observava como ele torneava ou **como** esculpia a madeira.
c) Marta tinha medo de que Paulo viesse destruir os seus planos **e de que** se metesse a modificar o que era seu.
d) Veio sem pintura, **com** um vestido leve **e (com** ou **de)** sandálias coloridas.

3. a) inversão
b) pleonasmo ou redundância
c) elipse; inversão
d) inversão; silepse de número
e) polissíndeto
f) repetição
g) anacoluto
h) onomatopeia

4. a) polissíndeto
b) silepse de gênero
c) pleonasmo
d) elipse
e) pleonasmo
f) onomatopeia (aliteração)
g) silepse de número
h) elipse
i) repetição
j) elipse
k) elipse
l) repetição; inversão
m) silepse de pessoa
n) silepse de gênero
o) anacoluto

5. a) polissíndeto
b) silepse de número
c) anacoluto
d) elipse

FIGURAS DE LINGUAGEM - FIGURAS DE PENSAMENTO
LISTA 64

1. a) ironia
b) eufemismo
c) antítese
d) reticência
e) paradoxo
f) retificação
g) hipérbole
h) personificação
i) gradação
j) apóstrofe

2. a) retificação
b) antítese
c) hipérbole
d) personificação
e) hipérbole
f) reticência
g) ironia
h) gradação
i) retificação
j) ironia
k) eufemismo
l) personificação
m) antítese
n) personificação
o) apóstrofe

3. a) personificação e eufemismo
b) personificação e metonímia
c) antítese e metáfora
d) repetição e personificação
e) antítese e anacoluto
f) metáfora e antítese

4. a) perífrase
b) personificação
c) ironia
d) anacoluto
e) elipse

5. a) anacoluto
b) silepse de gênero
c) pleonasmo
d) silepse de número
e) elipse
f) anacoluto
g) silepse de pessoa
h) eufemismo
i) metonímia
j) metáfora
k) onomatopeia
l) metonímia, perífrase
m) ironia, gradação
n) comparação, metáfora
o) antítese
p) onomatopeia
q) hipérbole
r) gradação e comparação

6. personificação – repetição – metáfora – gradação

7. "O fim justifica os meios, já ensinavam com proveito Hitler e outros pais da pátria, guias geniais dos povos."

8. antítese

9. a) metáfora, personificação
   b) silepse de número, metáfora, elipse
   c) elipse, sinestesia, antítese
   d) personificação, metonímia
   e) metonímia, hipérbole, personificação
   f) metonímia, metáfora, hipérbole
   g) metonímia, metáfora, hipérbole
   h) elipse, inversão
   i) metáfora, personificação
   j) repetição, personificação, polissíndeto
   k) comparação, metáfora, metonímia (pé)
   l) personificação ou animização, metáfora
   m) personificação, repetição, metáfora
   n) personificação, eufemismo, repetição, apóstrofe, elipse, antítese

10. • personificação: o sol rugindo, a sede acorda, o céu é uma pupila imensa, dilatada, rosas fugidias, redemoinhos erigem rosas.
    • apóstrofe: pois tudo em ti, deserto.
    • metáfora: lentos barcos; erigem rosas.
    • repetição: erigem rosas/rosas fugidias, fulva tua cor/fulvos teus camelos.
    • elipse (verso 7), zeugma (verso 13).

11. a) antítese
    b) comparação
    c) metáfora
    d) onomatopeia, metáfora
    e) personificação

12. A felicidade é a bruma que o vento vai levando pelo ar.

13. Alternativas a, b, d.

FIGURAS DE LINGUAGEM - VÍCIOS DE LINGUAGENS

LISTA 65

1. a) cacófato   e) colisão
   b) barbarismo   f) estrangeirismo
   c) eco   g) hiato
   d) ambiguidade

2. Desde então ele passou a nutrir uma inexplicável xenofobia aos estrangeirismos: pleonasmo

Evolou-se aos páramos etéreos a alma imácula da donzela: preciosismo
Foi impecável a performance do piloto durante a dura competição: estrangeirismo
Amanhã começa as aulas nas escolas e há muitas salas onde falta carteiras: solecismo

LÍNGUA E ARTE LITERÁRIA

LISTA 66

1. alternativas b, e, f.

2. a) O repórter perguntou-me se eu nunca viera ao Rio.
   b) Respondemos que fora mesmo um descuido imperdoável.
   c) Pediu-me que não desse importância àquelas notícias.
   d) Ele prometeu-lhes que os acompanharia até o fim.
   e) Lembrei-lhe que minha avó o conhecera ainda menino.
   f) Leandro quis saber por que a sua proposta não me interessava.
   g) Na carta, o pai pedia à filha que lhe contasse o que havia e não lhe escondesse nada.
   h) Eu disse-lhe que, se pudesse, iria visitá-lo no dia seguinte.
   i) O moço suplicou-lhe, humildemente, que lhe (ou o) perdoasse, caso tivesse dito alguma coisa que a houvesse magoado.
   j) Ela respondeu que aquilo não poderia continuar assim; e que era preciso que fizessem as pazes definitivamente.
   k) Meu avô costumava dizer que é interessante apreciar temporais, mas quando estamos abrigados.

3. a) — Se algum dia ainda nos virmos, apresente-me à sua família — pediu-me Rodrigo, ao despedir-se.
   b) —Venha cá, menino, você é a única pessoa que me entende nesta casa — disse dona Ema ao neto.

ESTILÍSTICA

c) — Lobo Neves, quando será ministro? — perguntou(-lhe) Virgília a sorrir.
— Pela minha vontade, neste instante mesmo; (mas,) pela dos outros, (somente) daqui a um ano.

d) — Não há nada de anormal, Carlota; entretanto, parece-me conveniente que você volte ao consultório do Dr. Sinésio, que é especialista. — disse João Carlos após examiná-la ligeiramente e receitar-lhe alguma coisa.

OU

Daí a pouco chegou João Carlos, que, após ligeiro exame, lhe receitou alguma coisa e disse: — Não há nada de anormal; entretanto, parece-me conveniente que Carlota volte ao consultório do Dr. Sinésio, que é especialista.

4. a) *Marcoré.* Não ficava mal, soava até como um diminutivo carinhoso.
b) Velhas idiotas, que se danassem.
c) Logo agora que tinham tanto a conversar!
d) Para que sair? Para aquelas caras que odeia tanto? O importante é que saibam de uma coisa: Ariosto Ribas se acha novamente na terra. O que não lhes será nada agradável.

LÍNGUA E ARTE LITERÁRIA - VERSIFICAÇÃO

LISTA 67

1.

1	2	3	4	5	6	7	8	
Vi	o	lu	ar	do	céu	de	ser	to
En	quan	tó em	ro	dá a	noi	te a	van	ça

2.

1	2	3	4	5	6	7
É	u	ma his	tó	ria es	pan	to sa

heptassílabo (redondilha maior)

1	2	3	4	5	6	7	8	9	10
Ao	lon	ge a	man	cha es	gui	a	de um	ci	pres te

decassílabo

1	2	3	4	5	6	7	8	9	10	11	12
Teu	pé	co	mo o	de um	deus	fe	cun	da	va o	de ser	to

dodecassílabo (alexandrino)

1	2	3	4	5	6	7	8	9	10	11	12
Sou	a	pe	nas	cons	tan	te e hu	mi	lha	do	lei	tor

dodecassílabo (alexandrino)

1	2	3	4	5	6	7	8	9	10	11
E os	mo	ços	in	quie	tos	que a	fes	ta e	na	mo ra

hendecassílabo

ESTILÍSTICA

	1	2	3	4	5	6	7	8
	O	Co	ro	ne	les	ta	va au	sen	te

octossílabo

1	2	3	4	5	6	7	8	9	10
Co	mo é	tris	te es	ta	sa	la as	sim	va	zi	a

decassílabo

1	2	3	4	5	6	7	8	9
A	bri	meus	bra	ços	pa	ra al	can	çar-	te

eneassílabo

3. • alexandrino
    • alexandrino
    • decassílabo
    • hexassílabo

4. "Sobre um passo de luz outro passo de sombra."

5. "Como um príncipe encantado."

6.

aférese	inda [por ainda]
sinérese	magoado [ma-gua-do]
diérese	piedade [pi-e-da-de]
crase	o ódio [ó-dio]
ditongação	sobre o mar [so-briu-mar]
ectlipse	coa [por com a]
elisão	ela encontra [e-len-con-tra]

7.

1	2	3	4	5	6	7	8	9	10	11	12
Co	mo a	ca	sa é	de	ser	ta! E	co	mo a	tar	de é	fri	a

1	2	3	4	5	6	7	8	9	10
Co	mo a	ca	sa é	de	ser	ta e a	tar	de,	fri	a

8. São versos livres, sem rimas e sem estrofes.